Mémoires

I

(1613-1649)

Précédés de

La Conjuration du comte de Fiesque

Cardinal de Retz

Mémoires

I
(1613-1649)

Précédés de

La Conjuration
du comte de Fiesque

Ouvrage publié avec le concours
du Centre National des Lettres

Editions Garnier
8, rue Garancière
PARIS

Texte établi
avec introduction,
chronologie, notes,
choix de variantes,
orientation bibliographique,
glossaire
et index

par

Simone Bertière

Maître de Conférences à l'Université de Bordeaux III

Le Coadjuteur Paul de Gondi, au temps de la Fronde
(B.N., Est., N2).

AVANT-PROPOS
LIRE LES *MÉMOIRES*

Ouvrons les *Mémoires* : un homme y parle à une femme inconnue, à qui il promet de tout dire sur lui-même. Cet homme signe de son nom ce qu'il avait intitulé l'histoire de sa *Vie*. Retz, c'est d'abord pour nous une voix avec son timbre, un ton inimitable ; un élan et un souffle, coupés de retombées ; une *présence* : celle d'un narrateur qui se prodigue et s'exhibe, homme orchestre d'un spectacle dont il est le protagoniste et le metteur en scène, prestidigitateur d'un passé qu'il ressuscite ou réinvente ; celle d'un vieil homme qui s'interroge sans trêve sur les causes de l'échec où s'est brisée sa carrière. Au cœur vivant des *Mémoires* on ne rencontre pas l'acteur de la Fronde, mais l'écrivain.

Curieux destin que celui de Paul de Gondi, coadjuteur puis archevêque de Paris, cardinal de Retz — prononcez *Rais*, selon la graphie qu'il adopta lui-même. Faute de pouvoir conquérir à la pointe de l'épée la gloire dont il rêvait, il a vu dans l'action politique le chemin assuré de cette grandeur qui garantit la survie. Il a cru en elle de toutes ses forces, même s'il s'est trompé sans doute sur ses fins et peut-être sur ses moyens. Qu'il ait écrit sur elle un des livres qui ont le plus contribué à la démystifier, à en éclairer l'envers et les dessous, à faire descendre de leur piédestal quelques-uns des hommes qui ont fait l'histoire, est un premier paradoxe. Que ce vaincu se soit assuré précisément par le récit de son échec la renommée posthume que l'action lui avait refusée, en est un autre.

Mais le plus surprenant de tous est l'étrange capacité de ce récit à éveiller, après trois siècles, l'enthousiasme ou le scandale. « Cet homme qu'on ne pouvait ni aimer ni haïr à demi »[1] a écrit un livre qui, comme seuls peuvent le faire les très grands livres, est encore aujourd'hui l'objet de controverses.

Qui fut Retz ? un homme d'Église comme il y en eut pas mal d'autres, en un temps où les grandes familles tenaient les plus hautes fonctions ecclésiastiques pour un patrimoine héréditaire dévolu à leurs cadets ; un sanguin au tempérament vigoureux, dont les amours défrayèrent la chronique ; un agitateur, pêcheur en eau trouble comme beaucoup d'autres pendant la Fronde, mais qui paya cher, beaucoup plus cher que les autres, les dangers qu'il fit courir un moment à l'autorité royale. Au total quelqu'un qui, à l'échelle de l'histoire de France, n'a fait sur la scène qu'une brève incursion, sans laisser de traces. Rien donc ne justifierait l'intérêt et les débats qu'il suscite encore, s'il n'était l'auteur des *Mémoires*.

> « *Il y a des matières sur lesquelles il est constant que le monde veut être trompé. Les occasions justifient assez souvent, à l'égard de la réputation publique, les hommes de ce qu'ils font contre leur profession : je n'en ai jamais vu qui les justifient de ce qu'ils disent qui y soit contraire.* »[2]

Cette remarque, inspirée par un épisode où il avait imprudemment reconnu être armé, est susceptible d'une application plus générale : on pardonnerait à la rigueur au Coadjuteur tout ce qu'il a fait de contraire à sa profession, mais on s'indigne que le Cardinal ait osé le dire, sans repentir ni mauvaise conscience — et le dire avec un style qui le place au tout premier rang.

Il a soulevé un coin du voile qui cache les ressorts de l'action politique — celle de son temps et celle de tous les

---

1. Bossuet, *Oraison funèbre de Michel Le Tellier*.
2. *Mémoires*, II, p. 228.

temps ; il a fait pis, il s'est permis d'en rire : c'est de la provocation ! Trente ans après sa mort, c'est ainsi qu'en avaient jugé les lecteurs des premières éditions, pour s'en offusquer ou s'en délecter. Même émoussé par les siècles, son livre a conservé une part de sa virulence.

Les *Mémoires* ont deux sortes de lecteurs. Certains, conquis par leur éclatante qualité littéraire, acceptent de lire comme un roman cette œuvre qui porte en elle une cohérence et un sens ; mais c'est faire bon marché des prétentions affichées de l'auteur à la vérité historique. Au nom de cette vérité, d'autres s'insurgent, voient dans la séduction du style un piège de plus, et discutent âprement les moindres détails ; ils s'épuisent à instruire le procès toujours ouvert du bouillant coadjuteur, identifié pour la circonstance au mémorialiste trop indulgent à ses incartades, en les confondant sous le double chef d'accusation de cynisme, lorsque ce dernier prête à son *alter ego* des comportements répréhensibles, ou d'hypocrisie lorsqu'il le crédite de bons sentiments. Entre une lecture naïve et celle qui, par excès d'esprit critique, fait voler en éclats le texte et son auteur, n'y aurait-il pas place pour une approche marquée de compréhension ?

Les *Mémoires* ne sont pas un témoignage sur la Fronde : après vingt ans, une réinterprétation tout au plus, nourrie de souvenirs filtrés et remodelés par le temps. Un plaidoyer rétrospectif ? mais quelle piètre justification qu'un récit où l'inutile aveu de tant de faiblesses vient compromettre le bénéfice escompté de quelques silences voulus ! Pour désarmer toute censure, il eût fallu passer par les fourches caudines du conformisme : ce à quoi Retz n'était pas prêt à consentir.

Gardons-nous de faire des *Mémoires* un ultime pamphlet, au demeurant très inférieur, dans ce genre, à ceux qu'il avait jadis jetés dans la bataille. Ils sont d'un autre ordre : un effort pour voir clair, pour tirer le bilan d'une vie, la juger — en se jugeant — et lui donner, si possible, un sens. Que ce jugement soit objectif, que ce bilan soit en tous points exact, nul ne le prétendra : et comment pourraient-ils l'être ? Le processus de réorganisation du passé est très apparent, autour de quelques valeurs directrices, parfois divergentes d'ailleurs. Mais il émane du récit une force de conviction peu compatible avec la pratique calculée du mensonge, et qui plaide en faveur de la spontanéité, sinon de la parfaite sincérité du narrateur.

Or on sait maintenant que cette impression si vivement ressentie à la première lecture n'est pas illusoire : elle est confirmée par des faits. Des recherches érudites récentes[1], menées selon les méthodes les plus rigoureuses, sur l'homme et sur les conditions de la naissance de l'œuvre, ont montré de façon convaincante que, contrairement à ce qu'on avait cru longtemps, la rédaction des *Mémoires* fut tardive et rapide : elle n'occupa guère plus de dix-huit mois, de l'automne de 1675 au printemps de 1677. Cette démonstration remet en cause bien des idées reçues. Lorsqu'on tire sur ce fil, tout un réseau se défait, qui s'était lentement tissé autour des *Mémoires* pour faire voir en eux l'œuvre longuement remâchée d'un aigri, d'un coupable qui, ayant trouvé en 1675 son chemin de Damas, se serait enfin résigné au silence. Si au contraire il commence d'écrire à cette date, c'est toute l'interprétation de l'œuvre qui bascule : on doit y reconnaître un texte passionné, écrit d'un seul élan, inspiré, qui a surgi de la méditation entraînée par la grande crise de l'été de 1675[2]. Un texte qui n'est ni apologie, ni règlement de comptes, mais quête de soi et revendication d'identité.

« On est plus souvent dupe par la défiance que par la confiance », affirme une des plus célèbres maximes de Retz[3]. Pourquoi ne pas lui accorder, jusqu'à preuve du contraire, une confiance de principe, le suivre dans son récit, épouser sa démarche afin de la mieux comprendre ; sans contester ses mensonges, s'interroger sur leur pourquoi et leur comment, déceler les processus de déformation et de reconstruction du passé ; chercher quel univers intellectuel et moral était le sien, pour éviter d'engager avec lui un dialogue de sourds et de lui intenter de fausses querelles ? Condamné à louvoyer entre les multiples écueils d'un discours sur soi qui a toujours l'air d'un jeu de dupes, l'auteur ne se livre-t-il pas autant par ses réticences, ses faux-fuyants, ses affabulations, que par ses aveux ? Loin de déplorer les gauchissements qu'il

---

1. André Bertière, *Le cardinal de Retz mémorialiste*, 1977.

2. C'est le moment où Retz demande à se démettre du cardinalat pour finir ses jours dans un couvent. Voir plus loin, *Introduction*, I, pp. 70-71.

3. *Mémoires*, I, p. 282.

impose à la vérité historique, on s'en réjouira : car la trajectoire de son récit s'en trouve éclairée — un récit exemplaire, aux confins de l'histoire et de l'autobiographie, et qui invite à s'interroger sur les deux genres. A l'insaisissable acteur de la Fronde perdu dans les brumes de l'histoire, on préférera, comme objet d'enquête, l'écrivain dont la puissante personnalité structure et anime le chaos indistinct d'un passé révolu.

SUR LA PRÉSENTE ÉDITION, EN GUISE DE MODE D'EMPLOI

Notre objectif est modeste et limité : aider à la lecture de Retz. Les *Mémoires* sont un texte difficile. Le lecteur d'aujourd'hui y pénètre en intrus dans un milieu supposé connu de la destinataire. La présentation en est compacte : un énorme bloc, d'une coulée continue, sans fissure, en constitue la seconde partie. Les analyses, très détaillées, se recoupent souvent les unes les autres. La langue, en apparence proche de la nôtre, récèle des pièges. La présente édition tente de répondre au double impératif de brièveté et de commodité.

Le texte que nous proposons n'est pas une simple reprise de l'édition de référence procurée il y a cent ans dans la collection des *Grands Écrivains de la France*. Il en est généralement très proche. Nous y avons apporté quelques menues rectifications, mais l'examen des passages controversés nous a conduit, la plupart du temps, à confirmer les leçons de cette édition. Sur tous les points délicats, nous avons tranché après consultation du manuscrit autographe, comme nous nous en expliquons cas par cas.

L'orthographe a été résolument modernisée. Une fidélité rigoureuse à celle du manuscrit, archaïque et peu homogène, aurait compliqué inutilement la lecture, et créé des disparates avec les passages tirés des éditions posthumes, qui avaient déjà opéré un travail de rajeunissement. Aucun éditeur n'a reproduit exactement le manuscrit. Plutôt que d'opter pour une solution mixte, préservant telles ou telles graphies anciennes arbitrairement choisies, nous avons préféré nous conformer à l'usage actuel, y compris pour les noms propres, chaque fois que l'orthographe seule était en cause. En revanche, lorsqu'on a affaire à des doublets, à des mots étrangers francisés, à des formes verbales archaïques, ou à des règles d'accord faisant prévaloir les exigences du sens sur celles de la grammaire, nous avons respecté le manuscrit.

L'appareil critique, conçu dans un esprit de soumission au texte, vise à en faciliter la compréhension et à fournir des élements de repérage permettant de s'y orienter. Les lecteurs avertis nous pardonneront d'avoir enfoncé quelques portes ouvertes : l'expérience a prouvé que toutes ne le sont pas pour tous. La place nous était strictement mesurée : cet ouvrage n'est pas une somme, mais une simple mise au point, inspirée par les recherches menées jusqu'à ce jour sur Retz. Par les interrogations restées sans réponse, par les perspectives proposées, il se voudrait aussi un point de départ.

On trouvera dans cette édition :
— Une *introduction* étoffée, comportant des informations historiques et une présentation littéraire.
— Une *bibliographie* succincte.
— Une *chronologie* accompagnée du portrait de Retz par La Rochefoucauld et d'un tableau généalogique de la famille de Gondi.
— Une *note sur les institutions* en France au temps de la Fronde et notamment sur le parlement de Paris.
— Des *plans* et des *illustrations*.
— *La Conjuration de comte Jean-Louis de Fiesque* (1665).
— Les *Mémoires*.
— Des *variantes* (ou des remarques sur les problèmes posés par l'établissement du texte) et des *notes*, présentées page par page et signalées respectivement dans le corps du texte par des appels en forme de lettres et de chiffres.
— Un *glossaire*, où se trouvent regroupés les éclaircissements de langue lorsqu'ils sont d'ordre purement lexical et n'appellent pas d'explications trop longues. Les termes qui y figurent sont signalés à l'attention par la présence d'un astérisque, qui précède le mot concerné.

— Un *index des noms de personnes*, qui servira en même temps de répertoire biographique sommaire. On y trouvera, pour chaque personnage nommé dans la *Conjuration* ou les *Mémoires*, ses noms et titres, ses dates de naissance et de mort quand elles sont connues, éventuellement ses relations de parenté et les fonctions importantes qu'il a exercées : bref les renseignements essentiels. Les personnages intervenant dans le récit ne feront donc l'objet d'aucune note si les indications portées sur eux à l'index sont suffisantes pour l'intelligence du passage qui les concerne. En revanche, si Retz fait allusion à eux pour des raisons particulières, une note précisera le sens de cette allusion.

— Un *index* des noms de lieux, regroupant toutes les informations géographiques, qui ont été éliminées des notes.

— Un *index thématique* sélectif, indiquant les principales occurrences de mots ou d'idées clefs, comme gloire, théâtre, histoire, machiavélisme, vertu, etc. [1]

Enfin, pour aider au repérage chronologique, on a fait figurer en haut des pages impaires, à côté des titres courants, des indications de date. Attention : ces indications sont fiables uniquement en ce qui concerne les événements publics, datés jour par jour, pour lesquels Retz s'appuie, on le verra, sur le *Journal du Parlement* ; mais on ne saurait en tirer des déductions solides pour situer rigoureusement dans le temps entretiens et démarches privés que Retz intercale. Au contraire, les efforts pour établir une chronologie serrée amènent à constater que le mémorialiste prend avec les dates d'importantes libertés.

---

1. N.B. — D'un tome à l'autre, glossaire et index sont cumulatifs. Le tome 1er ne comporte que les mots figurant dans la portion du texte qui y trouve place. Le tome II offre la totalité des mots cités, avec références aux deux tomes.

Il n'y a pas d'index des noms de personnages fictifs ou d'œuvres littéraires, car les occurrences en sont peu nombreuses. Mais pour aider à les retrouver, on a fait figurer à l'index des noms de personnes les auteurs des œuvres concernées, même s'ils ne sont pas nommés dans le texte, en italiques.

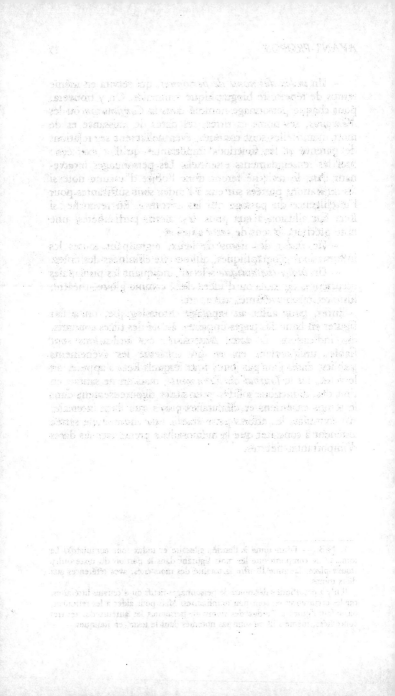

INTRODUCTION

I. — RETZ EN SON TEMPS :
FAITS ET MENTALITÉS

L'USAGE voudrait qu'on présentât ici l'auteur en le situant dans un panorama de son temps. Mais Retz s'est présenté lui-même, et son temps constitue la matière de son livre : mieux valait lui laisser la parole — d'autant plus qu'une étude biographique suivie eût comporté, entre autres inconvénients, celui de déplacer l'accent, de l'œuvre vers son contenu historique. Or l'histoire n'intéresse une lecture littéraire des *Mémoires* que comme substance du récit, matière première dont il se nourrit. Renonçant à la raconter, en une vaine concurrence avec le mémorialiste, on tentera seulement de montrer quelles déterminations pesèrent sur sa façon de comprendre son temps et de le vivre.

La vie de Retz coïncide avec les derniers soubresauts d'une longue période d'instabilité et de troubles. Un siècle de crises politiques et de conflits latents ou aigus (1559-1653) s'achève, non sans convulsions, dans toute l'Europe, au moment où s'établit un nouvel ordre international[1]. La révolution copernicienne pénètre peu à peu les esprits, substituant à la vision mystique du cosmos une description qui fait la part belle, en dépit de ses limites, aux perspectives de rationalisation. C'est l'époque où la politique se laïcise et où les intérêts nationaux battent en brèche les anciennes solidarités religieuses — chrétiens contre infidèles, catholiques contre protestants — ; où s'affirme une conception de l'État qui fait prévaloir partout les devoirs envers le souverain et la nation sur l'individualisme aristocratique dédaigneux des frontières.

En France le renforcement progressif du pouvoir royal sous le ministère de Richelieu, rendu possible par l'évolution sociologique et économique, fut ressenti comme une atteinte à des droits coutumiers, fondateurs du consensus ancien. La Fronde est une réponse des Français, toutes classes sociales confondues, à ce qu'ils perçoivent comme un dérèglement des institutions, une rupture, la destruction d'un ordre et d'un équilibre antérieurs. « Maladie infantile de l'absolutisme »[2], elle cristallisa en une réaction aussi violente qu'anarchique les dernières velléités de résistance, avant de laisser le champ libre au Roi Soleil.

Parmi les contestataires, Retz ne fut pas un isolé, du moins au départ. La plupart de ses comportements, de ses jugements, de ses rêves sont partagés par les hommes de son milieu et de sa génération. Les critiques les plus sourcilleux sur l'exactitude reconnaissent au mémorialiste le mérite d'avoir bien décrit le climat de son temps et d'offrir à l'historien des mentalités les informations les plus sûres. Une chance : entre son évasion et la rédaction de l'œuvre, il a peu changé ; ses années d'errance, puis son semi-confinement à Commercy l'ont tenu à l'écart de l'évolution qui s'opérait en France. Ses idées politiques sont restées, sauf exception, celles qu'il défendait dans ses pamphlets.

Quelles habitudes mentales, quels courants de pensée animaient Retz et ses contemporains ? De quel poids pesait

---

1. Voir sur ce point les diverses tentatives de périodisation, exposées par Denis Richet dans *La France moderne : l'esprit des Institutions*, notamment *Avant-Propos* et Livre II, chap. 1ᵉʳ.
2. D. Richet, op. cit., p. 133.

sur eux le passé à travers lequel ils lisaient leur présent ? Comment ont-ils perçu et vécu une des mutations les plus profondes de l'histoire de la France au cours des temps modernes ? Ce sont les questions qu'on peut légitimement poser aux *Mémoires*.

Les origines

Jean-François-Paul de Gondi est né au château de Montmirail, en Brie, le 19 ou le 20 septembre 1613[1], d'une maison qui était, si on l'en croit, « illustre en France et ancienne en Italie »[2]. Les Gondi, hommes d'affaires florentins, apparaissent en effet dès la fin du XIIe siècle dans les archives de la cité toscane, à laquelle ils fournirent plusieurs magistrats. Mais la famille n'atteignit vraiment à la notoriété qu'en France, par la branche issue d'Antoine de Gondi, établi et marié à Lyon, qui sut avec sa femme conquérir la faveur de la reine Catherine de Médicis, sa compatriote. Les enfants du couple furent comblés de biens et de dignités : l'aîné, Albert (1522-1602), devient maréchal de France en 1573, accède à la charge de général des galères royales en 1579 et voit la terre de Retz, que lui avait apportée en dot sa femme, érigée en duché-pairie ; un autre fils, Pierre (1533-1616) fut évêque de Paris et reçut la pourpre : sous le nom de cardinal de Gondi, il soutint Henri IV lors des troubles de la Ligue. Parmi les enfants d'Albert, l'aîné mourut jeune sans avoir porté le titre de duc de Retz, qui passa directement à son fils Henri ; deux autres entrèrent dans les ordres et se succédèrent sur le siège de Paris ; un autre enfin, Philippe-Emmanuel, marié à Marguerite de Silly, eut à son tour trois fils, Pierre, Henri et Jean-François-Paul[3].

« Illustre » ou pas ? ne chicanons pas sur un mot, susceptible au XVIIe siècle d'acceptions plus nuancées qu'aujourd'hui : en tout état de cause, et malgré une ascension aussi brillante

---

1. Son acte de baptême, qui a été retrouvé, porte la date du 20 septembre : or l'usage était de baptiser les enfants le jour même de leur naissance ou le lendemain.
2. *Mémoires*, I, p. 220.
3. Sur la famille de Gondi, voir le Tableau généalogique, hors texte, après la I, pp. 130-131.

que rapide, la famille de Gondi n'était pas du tout premier rang. Et dans cette famille, notre mémorialiste est doublement un cadet : le dernier-né de la branche cadette. Philippe-Emmanuel a recueilli le généralat des galères, mais il ne possède ni le titre de duc de Retz, ni les biens y afférant. Selon l'usage autant que par prédilection sans doute, il réserve à son aîné, Pierre, l'essentiel du patrimoine, qu'arrondira un mariage avantageux avec une cousine héritière du duché. La mort prématurée du second fils lui fait reporter sur le dernier, Jean-François-Paul, les espoirs de carrière ecclésiastique qu'encourageait la présence successive de trois Gondi à la tête du diocèse de Paris. Tel n'était pas l'avenir dont rêvait le jeune homme.

C'était alors « un petit homme noir », c'est-à-dire très brun de cheveux et de peau, « maladroit de ses mains à toutes choses » et d'une désastreuse myopie ; mais il « n'avait pas la mine d'un niais » et portait « quelque chose de fier dans son visage » : ainsi le décrit Tallemant des Réaux [1], qui l'accompagna lors de son premier voyage en Italie. « Dès le collège il fit voir son humeur altière : il ne pouvait guère souffrir d'égaux, et avait souvent querelle. » Les jésuites du collège de Clermont, où il fit de brillantes études, ne parvinrent pas à le dompter, et il ne leur pardonna pas de s'y être essayés. Très libéral, il prodigue l'argent, pour lequel il affiche un aristocratique mépris. Sa sobriété, son endurance à la fatigue et à l'inconfort n'ont d'égales que son penchant pour l'amour : « il a la galanterie en tête ». Mais, ajoute Tallemant, « sa passion dominante, c'est l'ambition ; son humeur est étrangement inquiète » — entendons qu'il est agité, instable, mal résigné à se satisfaire de ce qui est. « Il n'est pas moins vaillant que Monsieur le Prince », c'est-à-dire Condé, et il rêve d'exploits guerriers, avec un goût pour l'extraordinaire qui ne se démentira pas : un « téméraire », mais aussi un « songe-creux », aurait dit de lui Richelieu.

Les engagements premiers

Sur la nature de ses aspirations, le jeune abbé de Gondi livre de précieuses confidences dans *La Conjuration de*

1. *Historiettes*, Retz.

Fiesque, où il prête à son personnage sa propre passion pour les « grandes choses ». Cette ambition indifférenciée, dépourvue de visée précise, ne convoite pas l'exercice du pouvoir avec ses satisfactions et ses servitudes ; l'amoureux de la « belle gloire » cherche les occasions d'agir, de s'imposer comme figure héroïque, d'actualiser en sa personne un modèle puisé aux sources de la littérature historique et romanesque. Attitude profondément individualiste, au confluent de l'esthétique et de l'éthique, qui rejette au second plan les préoccupations proprement politiques. L'histoire est perçue non comme un donné, doté d'enjeux propres, sur lequel il faudrait prendre un parti raisonné, mais comme le matériau offert à l'action du « grand homme », le cadre proposé à la manifestation de ses mérites.

Cet état d'esprit est largement partagé par toute l'aristocratie. Il en explique l'insubordination foncière, l'égocentrisme ingénu, l'extrême instabilité et l'inaptitude aux projets à long terme, les contradictions et les palinodies aussi, lorsque nécessité fait loi et que l'emporte l'intérêt. Il explique également le caractère endémique de l'agitation nobiliaire : le moindre incident suffit à pousser à l'action violente des hommes qui craignent que l'abstention ne passe pour lâcheté. A défaut de guerre étrangère pour servir d'exutoire à leur agressivité, ils se jettent dans la guerre civile, et il leur arrive même, comme lors de la Fronde, de se partager entre l'une et l'autre.

Quelles voies s'ouvraient au jeune Gondi pour s'illustrer ? Il atteint l'âge d'homme au moment où le pouvoir de Richelieu, pleinement assuré, s'affirme sans partage. A-t-il perçu d'emblée qu'il s'agit d'un tournant décisif ? Il rend justice à l'homme d'État dans les *Mémoires* :

> « *Il faut confesser, à la louange de M. le cardinal de Richelieu, qu'il avait conçu deux desseins que je trouve presque aussi vastes que ceux des Césars et des Alexandres. Celui d'abattre le parti de la religion avait été projeté par M. le cardinal de Rais, mon oncle ; celui d'attaquer la formidable maison d'Autriche n'avait été imaginé de personne. Il a consommé le premier ; et à sa mort, il avait bien avancé le second.* »[1]

---

1. *Mémoires*, I, p. 267.

Peu après l'écrasement des protestants à La Rochelle, l'éviction de la reine-mère lors de la « journée des dupes », en 1630, consacre la victoire des partisans de la guerre sur les pacifistes. La France, qui s'était d'abord contentée de soutenir contre les Habsbourg le roi de Suède et les princes protestants d'Allemagne, est obligée d'entrer en lice : elle déclare la guerre à l'Espagne en 1635. Ce choix politique a des répercussions considérables sur le plan intérieur : le renforcement progressif du pouvoir royal est rendu indispensable par la guerre. Pression fiscale accrue, commissions permanentes confiées aux intendants pour faire régner l'ordre dans les provinces, répression impitoyable de toutes les formes de rébellion, qu'elles fussent populaires ou aristocratiques : l'absolutisme est le fruit de la politique étrangère et la condition de son succès. Retz a-t-il fait clairement le lien entre les deux « grands desseins » du ministre et l'instauration de la « tyrannie » qu'il dénonce avec tant de véhémence ? Ce n'est pas sûr.

Face à Richelieu, ses sentiments sont très ambigus. Il se targue d'avoir participé à des complots visant à l'assassiner et il aurait été, si on l'en croit, un agent très actif du comte de Soissons[1]. La logique de son ambition — échapper à l'état ecclésiastique par de « grandes choses » — jointe aux déterminations familiales — les Gondi étaient très hostiles au ministre, qui les détestait — et à des amitiés parmi la jeunesse turbulente, suffit à expliquer un engagement qui n'exclut pas l'admiration pour un adversaire hors du commun. Peut-être même l'image du prélat botté et casqué dirigeant les troupes sous les murs de La Rochelle ou imposant sa volonté au souverain même a-t-elle contribué, après l'échec de La Marfée, à le réconcilier avec une profession qui pouvait ouvrir de si brillantes perspectives... Et si l'évêque de Lisieux avait pu dissiper à temps les préventions du Cardinal[2], le jeune abbé eût sans doute accepté d'entrer dans sa clientèle. C'est dire que l'opposition au ministre était chez lui plus personnelle que politique et plus circonstancielle que fondamentale : la grandeur a plusieurs visages et Richelieu en est une incarnation tout à la fois haïssable et

---

1. *Mémoires*, I, pp. 237-248.
2. *Mémoires*, I, p. 257.

fascinante. A l'égard de Mazarin, l'opposition subsistera, avec l'admiration en moins.

C'est aussi une opposition de personnes en effet qui dresse Retz contre Mazarin : opposition autrement irréductible, dont il sortira brisé. Richelieu et Louis XIII sont morts, Anne d'Autriche est régente. Le coadjuteur récemment nommé voit s'ouvrir devant lui la voie des honneurs, avec la perspective de succéder bientôt à un oncle valétudinaire sur le siège de Paris. Le chapeau de cardinal s'inscrivait tout naturellement dans cette carrière ? certes, mais la condition en était la docilité. Or il laisse percer son impatience. Il se fait remarquer, choisissant pour ses débuts dans la prédication la paroisse la plus en vue, disputant dans Notre-Dame la préséance au duc d'Orléans, se mêlant de remettre de l'ordre dans le diocèse, entretenant une clientèle de beaux esprits et jetant l'argent par les fenêtres. Et il enrage, comme tout le monde, de voir l'obscur protégé de Richelieu soudain projeté au premier rang.

Mazarin a aussitôt identifié en lui, malgré la différence d'âge, un rival possible, capable de lui faire pièce par l'intelligence, l'énergie, la séduction. Retz a-t-il eu pour objectif de le remplacer à la tête des affaires, quoiqu'il s'en défende dans les *Mémoires*[1] ? Il se fût certes rué sur le ministère, si on le lui eût offert, comme il a pu l'espérer dans l'été de 1651. Tout ce qui brille l'attire : bâton de gouverneur de Paris, siège au Conseil du roi, pourpre du chapeau cardinalice. Mais il n'élabora jamais de stratégie méthodique pour conquérir le pouvoir et lorsqu'il affirme qu'il eût été incapable de s'astreindre à la discipline qu'exige son exercice[2], il n'a pas tort.

« *Bien loin de se déclarer ennemi du cardinal Mazarin pour occuper sa place, il n'a pensé qu'à lui paraître redoutable et à se flatter de la fausse vanité de lui être opposé* », a écrit La Rochefoucauld, qui ne l'aimait pas[3].

---

1. *Mémoires*, II, p. 24.
2. *Mémoires*, II, p. 342.
3. *Portrait du cardinal de Retz.*

Au seuil de la Fronde, il est resté l'admirateur exalté de
Fiesque, ambitieux certes, mais préférant la chasse à la prise,
amoureux de ce qu'il appelle, comme tant d'autres, la
« gloire » et qui n'était peut-être qu'une chimère, ombrageux
et impulsif, cultivant l'énergie pour ce qu'elle procure de
jouissances immédiates, enivrantes. Les troubles lui font
entrevoir un moyen de se pousser au premier plan ; il s'offre
à calmer la foule déchaînée par l'arrestation de Broussel. Et
l'on se rit de lui à la cour ! Tous les témoignages s'accordent
pour dire que le refus de son entremise ce jour-là décida du
choix de son camp [1] : moment crucial qu'il met en scène,
non sans emphase, dans les *Mémoires*.

Son engagement dans la Fronde est d'abord un acte
d'humeur, la réaction individualiste d'un amour-propre
bafoué. Les sources n'en furent pas idéologiques, mais
passionnelles, comme fut passionnel l'acharnement dont il
poursuivit Mazarin, et qui n'eut d'égal que l'acharnement
de ce dernier contre lui. Ce qui ne veut pas dire qu'il n'a
pas d'idées politiques — on verra plus loin qu'il partage les
vues de la plupart des juristes modérés sur la monarchie —,
ni qu'il manque de réalisme dans les comportements quoti-
diens — les *Mémoires* témoignent assez de son habileté
manœuvrière... Mais la passion l'aveugle sur les capacités
réelles de Mazarin et altère son appréciation des forces en
présence. Lorsque la défaite se révèle inéluctable, il s'obstine,
contre toute raison, à refuser une mission à Rome qui lui
eût permis de se faire oublier. Fugitif, persécuté, il se bat
pour conserver l'archevêché de Paris, se berçant, des années
durant, de l'espoir que le jeune roi désavouera son ministre.
Il faudra la mort de Mazarin et la reprise des poursuites
contre lui par Louis XIV pour lui ouvrir les yeux et détendre
d'un seul coup les ressorts de cette énergie qui l'avait si
longtemps maintenu sur la brèche. Il cède alors, brusquement. C'est un autre homme qui démissionne de sa fonction
et met humblement ses capacités au service du Roi. Mais les
quelques missions dont il fut chargé ne sont qu'une maigre

---

1. « Son zèle fut mal reçu, dit La Rochefoucauld, et l'on fit des railleries
de son empressement ». On le traita, dit Montglat, « d'homme qui se faisait
de fête sans ordre, et qui se mêlait de ce qu'il n'avait que faire. » (*Mémoires*)

compensation à l'échec majeur : sa brève carrière se confond, pour lui comme pour nous, avec son action durant la Fronde.

La Fronde (1648-1653)

La Fronde est une guerre civile qui se déroule parallèlement à la guerre étrangère contre l'Espagne. Elle s'est jouée pour l'essentiel à Paris, bien que l'agitation dans les provinces relaie souvent celle de la capitale et que la Guyenne, notamment, serve de base logistique aux entreprises militaires du parti de Condé. Le pouvoir était alors exercé, pour le compte d'un roi mineur, par la régente Anne d'Autriche et son ministre Mazarin. La majorité du Roi, fixée à treize ans, vient à partir de septembre 1651 modifier le rapport des forces.

La Fronde s'inscrit dans le prolongement du règne de Louis XIII, avec une différence capitale cependant : les facteurs religieux ne jouent plus dans les troubles civils le rôle déterminant qui avait été le leur. Pour le reste, Mazarin a continué la politique de Richelieu, dictée par la guerre étrangère. L'alourdissement de la fiscalité et le recours à divers expédients financiers suffisent à expliquer le mécontentement populaire, surtout après deux saisons de mauvaises récoltes. Mais l'opposition des grands d'une part, des magistrats propriétaires de leurs charges d'autre part a des racines plus profondes : les uns et les autres prétendaient exercer sur le gouvernement de la France un contrôle que ni Henri IV, ni Louis XIII n'avaient été disposés à leur laisser. Entre le roi et les magistrats, dépossédés d'une partie de leurs attributions par le Conseil et par les intendants dans les provinces, couvait depuis le début du siècle un conflit chronique [1]. Le Parlement de Paris répondait aux arrêts du Conseil par le blocage des édits financiers, qu'il refusait d'enregistrer. Le roi menaçait alors de supprimer la transmission héréditaire des charges, et il en faisait baisser la valeur vénale en les multipliant. La Fronde constitue une phase aiguë de ce conflit.

---

1. Pour plus de détails, voir la *Note sur les institutions*.

Il est d'usage de la subdiviser en quatre périodes :

La vive tension qui régnait entre le parlement de Paris et la cour aboutit à une opposition organisée, dite *Fronde parlementaire,* qui se concrétisa le 13 mai 1648 par l'*arrêt d'union* réunissant dans une même assemblée toutes les cours souveraines, pour travailler à la « réformation de l'État ». Les déclarations de la Chambre de Saint-Louis — c'est-à-dire toutes les cours réunies — des 30 juin et 8 juillet exigent la suppression des intendants et le vote des impôts par le Parlement, interdisent les incarcérations arbitraires et les créations d'offices. La Reine tente de briser la résistance en faisant arrêter quelques opposants notoires, dont le conseiller Broussel : un soulèvement populaire accompagné de barricades (26-27 août) la contraint de céder. Sentant l'autorité lui échapper, elle se réfugie avec le petit roi à Saint-Germain (5-6 janvier 1649), d'où elle entreprend de réduire la capitale par la force, grâce à l'appui de Condé, le vainqueur de Rocroi et de Lens. Divers grands seigneurs mécontents — Bouillon, Beaufort, Conti — se mettent au service des révoltés ; Retz est un des meneurs. Le siège de Paris se termine par la paix de Rueil le 11 mars 1649 : apparente victoire du Parlement, dont les déclarations sont confirmées par la Reine ; mais celle-ci n'attend que l'occasion de rétablir son autorité.

Le second épisode est dit *Fronde des Princes.* La cour a dû rompre avec Condé, dont les exigences, pour prix de ses services, sont devenues exorbitantes : elle le fait arrêter, ainsi que son frère Conti et son beau-frère Longueville, le 18 janvier 1650, non sans s'être assuré discrètement l'appui de Retz, coadjuteur de Paris. L'immense majorité de la noblesse prend fait et cause pour les princes emprisonnés et tente d'exploiter l'agitation endémique dans les provinces, tandis que les protagonistes de l'épisode précédent — le parti de la « vieille Fronde » —, reprochant à Condé son intervention dans le siège de la capitale, restent à l'écart. La prise de Bordeaux, qui avait accueilli les partisans de Condé (1ᵉʳ octobre 1650), et la victoire des armées royales à Rethel sur celle des Princes commandée par Turenne et appuyée par les Espagnols (14 décembre), marquent la fin de ce second épisode.

Le troisième débute par l'union des deux Frondes : alarmée

par le renforcement du pouvoir de Mazarin et déçue de constater qu'il ne tient pas ses promesses, la « vieille Fronde » finit par répondre aux avances des Condéens. Des traités sont signés, fin janvier, prévoyant l'éviction du ministre, la libération des Princes, la remise du pouvoir au duc d'Orléans, le cardinalat pour Retz et le mariage de Mlle de Chevreuse avec le prince de Conti. Mazarin s'enfuit à la hâte dans la nuit du 6 au 7 février 1651. Avant de chercher refuge en Allemagne, il passe par Le Havre pour délivrer les prisonniers (13 février). Condé est désormais tout puissant. La cour exploite alors habilement les dissentiments de ses adversaires, notamment sur la clause du mariage, et réussit à les dresser les uns contre les autres. Le coadjuteur, brouillé avec Condé, lui « dispute le pavé » sur promesse du chapeau de cardinal — il sera finalement promu le 19 février 1652 — ; son espoir secret est de se rendre indispensable à la Reine tout en empêchant, grâce à la pression de l'opinion publique, le retour de Mazarin. Mais la majorité du Roi, proclamée le 7 septembre 1651, coupe court aux affrontements parisiens : Condé, inquiet, est allé se réfugier en Guyenne.

Le quatrième épisode, connu sous le nom de *guerre condéenne*, voit se généraliser l'anarchie. La cour a choisi de laisser pourrir la situation à Paris et de se lancer à la poursuite du Prince : Mazarin, rappelé par le jeune Louis XIV, la rejoint à Poitiers à la fin de janvier 1652. Les armées du Roi, à qui s'est rallié Turenne, et celles de Condé, qui a traité avec les Espagnols, se disputent les provinces. Condé échappe de justesse au désastre sous les murs de la capitale, dans le faubourg Saint-Antoine, grâce à la Grande Mademoiselle, qui lui fait ouvrir les portes de la ville (2 juillet 1652) ; mais les pertes ont été lourdes de part et d'autre. De retour à Paris, il organise pour forcer la main au Parlement une émeute qui tourne mal : l'Hôtel de Ville est incendié, il y a des morts (4 juillet). L'opinion se retourne alors avec indignation contre le Prince, responsable de ces violences. Le désir de paix devient général. Une fausse sortie de Mazarin apaise les esprits ; Condé doit quitter Paris ; un peu plus tard, Retz est arrêté. Mazarin fait un retour triomphal le 3 février 1653 et les derniers soubresauts s'apaisent en Guyenne au cours de l'été.

La guerre étrangère

Le conflit avec l'Espagne n'a cessé de peser sur les événements intérieurs.

Richelieu avait laissé à Mazarin la lourde charge d'une guerre à mener avec des moyens financiers insuffisants. Au début de la Fronde, cette guerre, avec les sacrifices qu'elle exigeait, était devenue très impopulaire, parce qu'on l'avait crue gagnée : ce qu'on acceptait du temps de Richelieu, lorsque l'Espagne au faîte de sa puissance enserrait la France dans de redoutables tenailles, ne paraissait plus nécessaire après la victoire de Rocroi, qui avait marqué d'un heureux présage l'avènement de Louis XIV, ni surtout après celle de Lens, qui semblait sonner le glas de la suprématie espagnole. Depuis des mois les négociateurs travaillaient à Osnabrück et à Münster pour régler le sort de l'Allemagne, de l'Europe centrale et des Pays-Bas, et pour tenter d'établir entre la France et l'Espagne un équilibre durable. Or les traités de Westphalie (automne 1648) — très avantageux pour la France, comme le notent avec raison les historiens — furent d'abord pour les contemporains une lourde déception : la guerre franco-espagnole continuait. Il est aisé, quand on juge après coup, de souligner l'importance de l'enjeu et de montrer que la grandeur de la France de Louis XIV valait le prix dont elle fut payée. Tel n'était pas l'avis de ceux qu'on écrasait alors d'impôts. On discute aujourd'hui sur l'ampleur réelle de la ponction fiscale, pour savoir si elle était ou non insupportable en termes économiques. Ce qui est sûr, c'est qu'elle l'était psychologiquement, surtout parce qu'elle s'accompagnait d'abus et de méthodes de gestion dispendieuses : l'État vivait à crédit, grâce à des emprunts gagés sur les rentrées à venir, et les plus avisés de ses créanciers — les « partisans » — s'enrichissaient, tandis que les porteurs de rentes étaient spoliés. L'opinion publique, dont Retz se fait l'écho complaisant, rejeta donc sur le bellicisme prétendu de Mazarin la responsabilité de la poursuite de la guerre, nécessaire, disaient les pamphlets, à son maintien au pouvoir et à sa fortune.

Mazarin voulait exploiter à fond les succès militaires français pour abattre l'Espagne. Mais l'opinion ne l'a pas compris. On assiste alors à un jeu curieux d'effets pervers :

le peuple, excité par des orateurs comme Retz, réclame la
« paix générale » — c'est un thème récurrent dans les
Mémoires — et prétend obliger la Reine à la conclure ; mais
en se soulevant, il rend plus intraitable l'Espagne, qui
compte sur les troubles civils en France pour marquer des
points. D'autre part les victoires françaises, renforçant le
prestige de la Reine et de son ministre, incitent ceux-ci à
sévir contre les contestataires : c'est au lendemain de Lens
qu'ils font arrêter Broussel ; mais ce faisant ils amplifient
les troubles, perdant ainsi sur le terrain intérieur ce qu'ils
venaient de gagner sur le champ de bataille.

Tout au long de la Fronde, l'Espagne intervient par le
soutien qu'elle apporte aux rebelles en difficulté — un
soutien peu efficace, car elle est à bout de forces. Mais
surtout, elle encourage chez ceux mêmes — et ils sont
nombreux — qui reculeraient devant une alliance, la tentation de négocier, par-dessus la tête de la Reine et de son
ministre, une paix répondant aux désirs populaires. Loin
d'être une collusion, n'est-ce pas une entreprise honorable
que de traiter avec l'ennemi, pour obtenir de lui la paix, et
de contraindre les bellicistes à s'y rallier ? Telle est la
démarche que Retz prétend avoir suivie et conseillée au
Parlement. Prétention vraie ou mensongère ? chacun jugera
sur pièces. Mais ce fut en tout cas une des données de sa
politique.

Les interférences entre guerre civile et guerre étrangère
ont aussi joué dans un autre sens, favorable à la cour, celui-
ci. L'impopularité de la guerre contre l'Espagne tenait, on
l'a vu, à ses implications fiscales ; il s'y ajoutait le ravage
périodique des provinces frontières où se déroulaient les
opérations. Or très vite la guerre civile se révèle aussi
coûteuse, et plus destructrice encore. Les *Mémoires* montrent
les Frondeurs à la recherche de fonds pour payer leur armée.
Passé le premier moment d'enthousiasme, la dérobade devant
les contributions exigées par le Parlement se fait aussi vive
que devant la fiscalité royale. Quant aux destructions, aux
violences et aux pillages opérés par les redoutables troupes
de mercenaires, ils atteignent la France entière, touchant
même les citadins à travers leurs propriétés de campagne :
les robins et les bourgeois parisiens, directement atteints
dans leurs biens par la présence d'armées dans les faubourgs,

en 1652, se retournent contre le responsable, Condé. La paix avec l'Espagne cesse alors d'être une priorité et les Français acceptent, dans leur immense majorité, d'en dissocier la paix civile, désormais tenue pour le plus grand de tous les biens : c'est cette dernière, et elle seule, que Retz vient solliciter du Roi à Compiègne, à la tête du clergé de Paris, le 11 septembre 1652.

Le ministériat : Mazarin

Sur le plan intérieur cette période est caractérisée par une délégation de pouvoir — double délégation même, du roi mineur à la régente et de la régente à son ministre. Il en résulte un gouvernement faible, dont on attend seulement qu'il assure la transition : toute initiative de sa part invite à la contestation. Mais cette faiblesse est aussi une force : car la délégation de pouvoir concentre sur le ministre une impopularité dont se trouve préservée la personne royale, incarnation du principe monarchique. Le système du ministériat, efficace même sous un roi dans le plein exercice de son règne, comme Louis XIII, joue mieux encore avec un roi enfant son rôle de protection. La fortune du thème des « mauvais conseillers » dans le théâtre de la première moitié du XVII siècle reflète bien ce glissement des responsabilités, du roi vers des comparses que l'opinion incrimine de tous les maux.

L'œuvre de Mazarin est si considérable au regard de l'histoire que nous avons peine à comprendre le déchaînement d'hostilité qu'il suscita. Succédant, dans un violent contraste, à un Richelieu détesté, mais respecté, il cumulait le mépris et la haine : le pire des composés, selon Machiavel. Son patronyme se voyait affublé d'un article défini dépréciatif, à moins qu'il ne fût transformé en un nom commun utilisé comme injure. Des motifs bas, il y en avait sans aucun doute chez ses détracteurs, dont les *Mémoires* se font l'écho : un réflexe xénophobe devant le Sicilien à l'élocution incertaine, du mépris pour le parvenu avide d'honneurs et d'argent, de la jalousie chez les prétendants à la conduite des affaires, qu'il avait évincés. La source de sa faveur était suspecte : il passait pour l'amant de la Reine. Calomnie ?

peu importe, puisque l'attachement qu'elle lui vouait ne fait pas de doute : prête à tout pour le conserver ou assurer son retour, elle suivait en tous points ses conseils politiques, même lorsqu'il était en exil. D'où l'idée si répandue que le pouvoir était confisqué par un usurpateur usant de son influence sur sa mère pour retenir prisonnier le petit roi.

Mais tout cela n'eût pas suffi. Il y avait surtout, entre Mazarin et la majorité des Français, une incompatibilité d'humeur. Les *Mémoires* se réfèrent, pour décrire sa personnalité, au système de valeurs issu de l'éthique aristocratique, alors perçue dans l'ensemble de l'opinion comme un modèle. Or rien n'était plus étranger à cet Italien de famille médiocre, qui ne devait qu'à lui-même sa réussite. Homme d'argent, homme d'affaires remarquable, au sens où nous l'entendons aujourd'hui, il avait amassé en quelques années une fortune considérable. Les sommes qu'il ne plaçait pas en fructueuses spéculations, il les consacrait à l'achat de joyaux ou d'œuvres d'art : passion raffinée, qui choquait la rudesse virile de certains. Son réalisme cynique était dépourvu de cruauté : à quoi bon faire périr ses ennemis, puisqu'on pouvait se contenter de les acheter ? « Doux, bénin »[1], capable de boire jusqu'à la lie humiliations et injures, indifférent à la parole donnée, rusé, tenace, tortueux, et suprêmement habile, il était en toutes choses le négatif des héros qu'applaudissaient alors les spectateurs de Corneille.

Ainsi s'explique que le mot d'ordre mobilisateur ait pu être pendant la Fronde : « Point de Mazarin ! ». Mais la polarisation des mécontentements sur sa personne a dissimulé aux yeux de beaucoup le véritable enjeu de l'affrontement : la pratique même du gouvernement monarchique. Et chacun crut qu'il suffisait de chasser le bouc émissaire pour revenir au bon vieux temps de Henri IV. Son impopularité extrême a peu à peu usé jusqu'à la tarir la virulence de la contestation. Que soit proclamée la majorité du Roi — un roi de treize ans ! — et l'on voit jouer à plein la force d'une autorité intacte. Louis XIV pourra casser les arrêts confirmés par sa mère et rétablir dans ses fonctions le ministre tant vilipendé : tous s'inclinent devant la volonté du souverain.

Retz s'y est trompé, comme bien d'autres. Il espérait

---

1. *Mémoires*, I, p. 268.

beaucoup de l'éloignement de Mazarin, pensant que la Reine
s'en détacherait peut-être, et sûrement le jeune roi. Grisé
par le déferlement verbal des libelles, dans lequel il tenait
brillamment sa partie, il a gravement sous-estimé l'adversaire ; il en a méconnu les qualités. Dans les *Mémoires* il
continue, malgré le recul, d'attribuer à une heureuse fortune
un succès largement dû à sa capacité. Mais reconnaître les
mérites de Mazarin, ç'eût été avouer qu'il avait trouvé son
maître : au seuil de la mort, Retz n'y était pas encore
préparé.

Une situation en porte-à-faux

Dès son entrée dans la Fronde, Retz est en porte-à-faux.
Aristocrate il se sent et se veut. Or l'aristocratie française de
la première moitié du XVIIe siècle est organisée selon un
système de clientèles, fondé sur des liens de fidélité personnelle[1], qui vient élargir les réseaux familiaux, restés fonda-
mentaux. On « appartient » à quelqu'un, on fait partie de
sa « maison » en tant que « domestique », au sens ancien
du terme : engagement global de solidarité qui permet à
certains de réunir au besoin des dizaines d'« amis » prêts à
épouser leur cause. Les seigneurs de très haute volée — fils
de France et princes du sang[2] — n'appartiennent, eux, à
personne et le roi n'est encore à leurs yeux que le *primus
inter pares* tenu de récompenser, à la mesure de ses moyens,
les services rendus. Ils se voudraient des instances politiques
autonomes : on les voit discuter avec le souverain de puissance
à puissance, « se déclarer » contre lui lorsqu'il leur a paru
méconnaissant, pactiser avec ses ennemis et négocier les
armes à la main l'« accommodement » le plus favorable. La
guerre civile est pour eux chose naturelle. Ils signent entre
eux des « traités » privés, qu'ils révisent et dénoncent à leur
gré. C'est la politique étrangère qui nous fournit le meilleur
modèle pour comprendre le mécanisme de ces alliances et

---

1. Ces liens diffèrent du lien féodal, car ils résultent d'un choix individuel
et non de la possession d'une terre.
2. Les *fils de France* sont les fils et petits-fils d'un roi, les *princes du sang*
sont les autres descendants en ligne directe d'un roi par les mâles — dans
tous les cas en succession légitime.

R's desire for independence

de ces ruptures, dont l'éphémère union des deux Frondes au début de 1651 offre un exemple caractéristique.

De cette forme d'indépendance, l'humeur ombrageuse de Retz a toujours rêvé. Mais sa naissance l'en exclut bien évidemment : il est de ceux à qui sont promis les seconds rôles, au service du Roi ou de quelque très grand prince. Il répugne si fort à une telle sujétion qu'il se refuse longtemps à s'engager auprès de l'un d'eux. L'étonnante fascination qu'exerce sur lui le titre de « chef de parti » trouve son explication dans une des définitions de ce mot, fournie par le *Dictionnaire* de Furetière : *parti*, « puissance opposée à une autre ». Ne dépendre de personne, être un homme avec qui tous doivent compter et sur qui ses amis peuvent compter, tel fut son but : le pouvoir ne se mesure pas aux faveurs reçues, mais à celles qu'on fait obtenir[1].

Il s'aperçut assez vite que chez un archevêque de Paris la fonction pouvait compenser la naissance et lui assurer l'autonomie souhaitée. D'où l'attention sourcilleuse à faire respecter sa dignité. D'où la constitution autour de lui d'une clientèle convenant à son état[2]. D'où surtout l'exploitation de l'autorité considérable que lui conféraient ses succès de prédicateur. Même si l'on fait la part de l'hyperbole, les témoignages qui nous sont parvenus attestent qu'on se pressait aux sermons du « nouveau Chrysostome », dont les

---

1. Voir par exemple les *Mémoires*, I, p. 269.
2. La « clientèle » de Retz témoigne de la diversité, mais aussi de la complémentarité de ses ambitions. Lors de la conspiration du comte de Soissons, il se constitue par des aumônes libéralement distribuées dans le peuple et la petite bourgeoisie, un réseau de fidèles qu'il entretiendra soigneusement, à des fins politiques. Si l'on y ajoute, au temps de la Fronde, les gentilshommes de moyenne extraction attachés à lui par des liens de parenté, au sens large, et d'amitié, on constate qu'il a de quoi s'opposer par la force à toute attaque ouverte contre sa personne. D'autre part, dès qu'il se résout à être d'Église, il entreprend de gagner les curés et les chanoines, grâce auxquels il s'imposera, dès sa nomination à la coadjutorerie, comme le véritable chef du clergé de Paris, et dont la fidélité lui permettra de résister longtemps lors de sa disgrâce. Enfin il s'entoure très tôt d'écrivains, laissant percer son désir d'exercer sur les choses de l'esprit un magistère pour lequel le désignent ses dons littéraires éclatants (voir sur cette « académie » t. 1, p. 249, n. 1). Le modèle offert par Richelieu, homme d'Église, homme d'État et protecteur des lettres se piquant lui-même de littérature, explique sans doute ces initiatives précoces de Retz.

Avents et les Carêmes soulevaient les acclamations de tout
Paris[1].

Cette popularité fondée sur la parole, qui lui eût assuré,
dans une cité démocratique comme Athènes ou Rome, une
brillante fortune, le place sous un régime monarchique dans
une position très fausse. D'abord parce que le passage de
l'éloquence religieuse à l'éloquence politique est malaisé :
beaucoup se refuseront à suivre le coadjuteur lorsqu'il
transformera la chaire sacrée en tribune. Ensuite parce qu'il
n'aurait pu recueillir le plein bénéfice de son prestige
d'orateur qu'en jouant à fond la carte populaire, ce à quoi
il se refusa[2]. Si bien que ce prestige a pour principal effet
de le faire paraître, aux yeux de ses adversaires et peut-être
à ses propres yeux, plus redoutable qu'il n'est.

Fort du pouvoir qu'il en retire, il cherche à prendre la
direction de la Fronde parlementaire et prétend traiter d'égal
à égal avec les Princes — il est co-signataire avec eux de
traités privés —, voire avec la Reine. Le seul personnage
qu'il accepte finalement de servir est l'oncle du Roi, le plus
grand de tous et en même temps le plus faible, celui qu'il
peut espérer « gouverner ». Encore n'a-t-il jamais consenti,
précise-t-il, à devenir son « favori » ni à prendre la direction
de sa « maison »[3] : il eût par là signé sa servitude ! A
plusieurs reprises il acquit effectivement assez de poids dans
Paris pour que la cour fût contrainte de négocier : elle ne
pouvait courir le risque d'avoir pour adversaires en même
temps deux personnages aussi puissants que Condé et lui. Il
se laissa engager contre le Prince dans une compétition qui
plaisait à son orgueil parce qu'elle l'égalait au vainqueur de
Rocroi : mais il permit ainsi à la Reine de les détruire l'un
par l'autre.

Dans l'action politique comme dans la gestion domestique,
il a toujours vu grand — trop grand ! Il a surestimé ses
ressources et vécu au-dessus de ses moyens. Condamné à

---

1. Guez de Balzac, Lettre à Retz, du 1er décembre 1644 (n° XVI dans le
recueil de *Lettres choisies du sieur de Balzac*, 1647) et *Socrate chrétien*,
1652. Voir aussi la *Gazette*, notamment aux dates des 4 août et 10 novembre
1646. Retz dit lui-même, dans les *Mémoires* (I, p. 265), qu'il avait choisi en
toute connaissance de cause ce moyen de s'imposer d'emblée aux Parisiens.
2. Voir p. 46.
3. *Mémoires*, II, p. 51.

agir par personnes interposées, il dut confier au médiocre Conti la direction officielle du parti dont il tirait les ficelles et à l'inexpérience du chevalier de Sévigné le régiment qui portait son nom [1]. Il s'efforça vainement d'attiser chez les magistrats du Parlement un esprit de rébellion qui leur était, en profondeur, étranger, puis de fixer la versatilité du pusillanime duc d'Orléans. Animateur des deux Frondes, il fut entraîné sans recours dans leur double défaite. Et, contrairement aux autres participants, qui tirèrent leur épingle du jeu, il offrit à la vindicte royale une victime idéale, assez haut placée pour avoir valeur d'exemple, trop négligeable cependant pour mettre en branle des solidarités de premier plan [2].

Idées politiques

Au lendemain des barricades, Retz profite donc de ses fontions pour tenter de s'imposer à la tête du Parlement. Cet engagement surprend Condé : le coadjuteur partage en effet à l'égard de ces robins fraîchement anoblis tous les préjugés de la noblesse d'épée. Il n'a pas assez de sarcasmes, dans les *Mémoires*, pour leur étroitesse de vues, leur manque d'audace, leur formalisme. Pourtant, s'il choisit d'agir avec eux et par eux, ce n'est pas seulement par opportunisme. C'est aussi que le lient à eux certaines affinités. Lorsqu'il s'est résigné à être d'Église, il a choisi de l'être vraiment —

---

1. C'est, semble-t-il, Condé qui donna au régiment levé et armé aux frais de Retz le surnom de régiment « des Corinthiens », par allusion au titre porté par le coadjuteur d'archevêque de Corinthe *in partibus*. Ce régiment se fit battre à sa première sortie et les adversaires de la Fronde en firent des gorges chaudes (voir I, p. 382, note 1).

2. Le rentrée en grâce de Condé fit partie des conditons posées par l'Espagne pour la signature de la paix des Pyrénées en 1659 ; mais Retz ne parvint pas, en dépit de tous ses efforts, à se faire inclure dans la négociation. Il est vrai que son éviction était liée à la politique religieuse de Louis XIV. En exigeant sa démission de l'archevêché, le Roi prévenait à l'avenir chez les évêques toute tentative d'insubordination et faisait connaître à Rome qu'il entendait, comme le lui avait concédé le Concordat de Bologne, être leur maître. Le cardinal fugitif avait compté, en 1654, sur l'appui du pape Innocent X. En 1661, son successeur Alexandre VII doit savoir qu'il n'est pas en mesure d'intervenir par prélats interposés dans les affaires intérieures françaises.

« galanteries » mises à part — et il a voulu assumer
pleinement ses fonctions : or traditionnellement, l'Église
était un corps qui, aux côtés du Parlement, servait d'intermédiaire entre le peuple et le roi. Sa participation aux assemblées
du clergé lui a donné l'expérience des « compagnies » : à la
différence des grands seigneurs, il est à l'aise parmi les
magistrats, dont il comprend l'esprit et auprès de qui son
éloquence le sert. D'ailleurs il a l'esprit juridique, voire
chicaneur. Ce contestataire veut avoir raison et se réclame
quand il le peut de toutes les formes de légalité. Sa
connaissance du droit canon, qui lui vaudra plus tard des
missions délicates, le rend capable de discuter avec les juristes
sur leur terrain.

On ne s'étonnera donc pas que les idées politiques exposées
dans les *Mémoires* lui soient communes avec les milieux
parlementaires et qu'il y développe une théorie des pouvoirs
intermédiaires faisant une large place, à côté des princes et
des grands, aux cours souveraines. Ces idées tirent leur
origine de la littérature politique du siècle précédent,
notamment de la riche réflexion théorique engendrée par la
Réforme et la Ligue. On y perçoit l'écho des définitions
bodiniennes, qui remontent elles-mêmes à Aristote, sur les
différentes formes de gouvernement. Elles formaient au
temps de la Fronde une sorte de vulgate aux sources
malaisément identifiables, dont voici les principaux points.

Au cœur du débat, la nature du pouvoir royal, envisagé
selon les modalités antithétiques de monarchie et de tyrannie.
Une donnée est acquise : le roi de France, monarque
de droit divin, est *absolu*, c'est-à-dire, conformément à
l'étymologie, qu'il n'est pas lié par les lois [1]. Ce qui ne veut
pas dire qu'il est libre de gouverner à sa guise — c'est le
propre d'un « tyran » —, mais que nul ne peut imposer de
limites à son pouvoir que lui-même. Il se distingue du tyran,
précisément, en ce qu'il accepte de se soumettre de son
plein gré à des lois, imitant en cela l'exemple de Dieu « qui,
dans la conduite de l'univers [...] a commandé une fois
pour obéir toujours » [2]. Ces lois sont d'abord les lois

---

1. On prendra garde que le substantif *absolutisme* n'existait pas au XVIIe
siècle. Ce que nous appelons ainsi était nommé tyrannie.
2. *De la nature et qualité du Parlement*, Mazarinade de 1652, Recueil de
C. Moreau, n° 857. A rapprocher des *Mémoires*, I, p. 285.

chrétiennes, que le roi est tenu de respecter, en tant que représentant de Dieu sur la terre, père de son peuple et responsable de son salut. Ce sont aussi, puisque la monarchie héréditairement transmissible est perçue comme une continuité organique, certaines lois considérées comme fondatrices, inséparables de l'être même de cette monarchie : désignées par l'expression consacrée de *lois fondamentales du royaume*, elles sont susceptibles d'une définition étroite — inaliénabilité de la couronne, loi salique et règle de primogéniture pour la succession au trône, exclusion des hérétiques —, ou d'une définition large, englobant tout un ensemble de pratiques coutumières qui permettent aux administrés de faire entendre leur voix. C'est en ce dernier sens que l'entend Retz, quand il accuse Richelieu, puis Mazarin d'avoir perverti les institutions [1].

Le monarque ne saurait donc vouloir que le bien de son peuple et il est moralement tenu d'en prendre en compte les aspirations et les doléances. Diverses instances, on l'a dit, font la liaison entre lui et ses sujets, dont elles sont les porte-parole : l'Église d'une part, les parlements et éventuellement les États Généraux d'autre part. Ni les uns ni les autres n'ont le droit ni les moyens de contraindre le souverain ; mais la pression morale est telle que les rois avisés, comme le fut Henri IV, savaient prêter l'oreille à leurs « très humbles remontrances » — l'expression est significative, dans son ambiguïté même — et les convaincre de collaborer de bon gré à leur politique, quitte à leur en faire endosser l'impopularité. La plupart des théoriciens de la monarchie assignent ainsi aux parlements le double rôle de freins servant à prévenir les abus de pouvoir du roi, et de paratonnerre détournant de celui-ci le mécontentement de ses sujets, notamment en matière fiscale.

Le système repose sur un consensus, le roi et les corps connaissant les limites à ne pas dépasser. Mais en théorie le monarque a tous les pouvoirs et rien n'est prévu pour régler un éventuel conflit. Car discuter de ses compétences et de celles du Parlement serait remettre en cause le principe même de son autorité, absolue parce que sacrée. D'où l'embarras ou la consternation scandalisée de la Compagnie

---

1. *Mémoires*, I, pp. 284, 288, 289, etc.

lorsqu'elle s'entend demander par la Reine jusqu'à quel
point elle croit avoir le droit de s'opposer aux édits royaux[1] ;
d'où son indignation contre l'imprudence d'un ministre
étranger, ignorant la forme intérieure et les maximes de la
France ; d'où la théorie du *mystère* qui doit envelopper le
sanctuaire où est conservée l'autorité royale[2] : si on en lève
le voile, on aperçoit, déformant la face débonnaire du bon
roi père de ses peuples, le visage redoutable de la tyrannie.

Retz cultive comme les autres la nostalgie d'un état
antérieur, plus imaginaire que réel, où le système aurait
fonctionné. En fait le compromis tacite entre les pouvoirs
du roi et les aspirations du peuple recouvrait un rapport de
forces équilibré. Seule la rupture de cet équilibre en faveur
du roi a permis à celui-ci de le dénoncer. Retz accuse
Richelieu, puis Mazarin d'avoir perverti un système juste en
le faisant dévier vers la tyrannie : il croit en la possibilité
d'un régime monarchique tempéré, à fondement juridico-
moral. On le confrontera avec Pascal qui, signalant lui aussi
parmi les causes de la Fronde une interrogation intempestive
sur les lois, ne voit dans les Frondeurs que des apprentis
sorciers :

> « *L'art de fronder, bouleverser les États, est d'ébran-
> ler les coutumes établies, en sondant jusque dans leur
> source, pour marquer leur défaut d'autorité et de
> justice. Il faut, dit-on, recourir aux lois fondamentales
> et primitives de l'État, qu'une coutume injuste a
> abolies. C'est un jeu sûr pour tout perdre ; rien ne
> sera juste à cette balance. Cependant le peuple prête
> aisément l'oreille à ces discours. Ils secouent le joug
> dès qu'ils le reconnaissent ; et les grands en profitent
> à sa ruine, et à celle de ces curieux examinateurs des
> coutumes reçues.* »[3]

C'est que pour Pascal, tout système politique déguise en
droit ce qui n'est que force ; mais dénoncer cette imposture,
c'est déchaîner le pire des fléaux, l'anarchie, dont on ne
peut espérer sortir que par un régime également injuste,

---

1. *Mémoires*, I, pp. 294 et 343.
2. *Mémoires*, I, pp. 291 et 343.
3. *Pensées*, section V, n° 294.

parce que fondé lui aussi sur la force. Face au pessimisme radical du janséniste, l'optimisme mesuré de Retz s'inscrit dans la tradition qui va des traités sur le prince chrétien chers à la Renaissance à la théorie du despotisme éclairé dont le XVIIIᵉ siècle donnera une si éclatante formulation.

Rien de bien nouveau donc, dans une telle conception de la monarchie tempérée. Ce qui l'est davantage, c'est la manière dont Retz affine l'analyse à la lumière de l'expérience, pour aboutir à une critique originale de certains procédés de gouvernement. L'autoritarisme brutal n'est pas seul à menacer le bon fonctionnement de cette monarchie : la mauvaise foi est peut-être pire. Plus que l'implacable sévérité de Richelieu, le mémorialiste blâme chez Mazarin la duplicité élevée en système : « il promit tout, parce qu'il ne voulut rien tenir »[1]. Les entorses répétées à la bonne foi, de la part de la cour, ont largement contribué à déclencher et surtout à prolonger la guerre civile, explique-t-il. Et les critiques ont beau jeu de se gausser, sous prétexte que Retz était peu qualifié pour donner des leçons de sincérité en politique. C'est méconnaître le sens de son propos. Car le souverain n'est pas sur le même plan que ses sujets. Absolu et mandaté par Dieu, il est à la fois plus libre d'engager ou non sa parole et plus tenu de la respecter une fois engagée. La sincérité et la fidélité à ses promesses sont pour lui une obligation d'autant plus impérieuse qu'elles déterminent le type de relation que ses sujets auront avec lui : à souverain artificieux, sujets dissimulés ou rebelles. Le climat ainsi créé affecte le corps social tout entier. Analyses très neuves pour l'époque, que nous traduirions aujourd'hui dans un langage analogue : les gouvernants ont perdu la confiance des gouvernés.

La « tyrannie » à la manière de Richelieu engendre la révolte, on l'avait dit depuis longtemps. La mauvaise foi à la manière de Mazarin engendre, en plus, l'anarchie : les *Mémoires* mettent l'accent sur les comportements aberrants plus que subversifs. Le Parlement, la France tout entière sont « hors des grandes règles », les hommes ne se « sentent »

---

1. *Mémoires*, I, p. 288. L'indignation contre la mauvaise foi de Mazarin est un leitmotiv chez les magistrats au temps de la Fronde.

Jrde accepts principles of royal authy

plus[1]. La décomposition dans laquelle s'enfonce le pays vient de ce qu'on a cessé d'y respecter ceux qui le dirigent. Inversement le jeune roi bénéficie, lors de sa majorité, d'un capital de confiance intact, dont la vertu magique sera exploitée très habilement par sa mère et par Mazarin.

Les métaphores médicales, si insistantes sous la plume de Retz, sont à prendre au sens littéral : quand la monarchie trahit l'idée qu'on se fait d'elle, le pays est malade. Quel plus bel hommage pourrait-on lui rendre ? Les magistrats du Parlement sont les victimes les plus notoires de cette maladie. Est-il prudent, alors, de les qualifier de « révolutionnaires »[2] ? Rien n'est plus étranger à ce corps que l'esprit de révolution : il se veut le gardien des traditions et de la légitimité. S'il prend des mesures illégales, c'est à contrecœur, pour répondre à d'autres mesures, perçues comme illégales, de la Reine et de Mazarin. Ce sont les ministres, les mauvais conseillers, qui ont violé les lois les premiers. Excuses faciles certes, tout comme celles que Retz trouve à sa propre duplicité dans la duplicité de la cour. Mais l'initiative était bien du côté de celle-ci : pour qualifier telles de ses décisions, on parlerait aujourd'hui, dans le cadre d'un régime constitutionnel, de coups d'État[3]. Que diverses mesures arrachées en retour par le Parlement fussent susceptibles d'ébranler gravement l'autorité royale, c'est très évident. Mais il ne le voulait pas. L'énorme majorité des magistrats attendait seulement de la Reine qu'elle comprît le sens de ses remontrances et accueillît ses suggestions.

La Fronde — au moins dans ses milieux dirigeants — n'a jamais discuté vraiment le fait monarchique ; elle est restée, à la différence de la Ligue, profondément légitimiste. C'est sur les modalités d'exercice du pouvoir royal que porte le conflit et les positions adoptées par les magistrats sont réactionnaires, passéistes : ils rêvent de restaurer la monarchie dans ce qu'ils croient être sa forme primitive et pure. La

---

1. *Mémoires*, II, pp. 359 et 375.

2. Certes le terme de *révolution* revient plusieurs fois sous la plume de Retz, mais dans le sens de *changement, bouleversement*, voire de *soulèvement* populaire, sans connotations idéologiques. Il ne s'applique jamais à l'action du Parlement ni des chefs de la Fronde.

3. L'historien Roland Mousnier qualifie l'action de Richelieu et de Mazarin de « révolution monarchique ».

+ League

Reine a misé sur leur refus d'assumer les implications idéologiques de leurs actes ; elle a entretenu chez eux la mauvaise conscience, les accusant de lèse-majesté, refusant d'entrer dans le jeu des remontrances et des concessions librement octroyées ; elle les a enfermés dans les contradictions dont se moque le mémorialiste : comment faire la guerre civile « avec les conclusions des gens du Roi »[1] ? Mais lui-même a-t-il fait mieux ? n'est-il pas tombé dans le même piège en se flattant de servir la royauté contre la volonté même de la souveraine ? Tout suggère que le coadjuteur n'a jamais visé autre chose qu'une place éminente à l'intérieur du régime existant et qu'il a reculé, lui aussi, devant un engagement anti-monarchique décisif. Dans les *Mémoires* la réflexion politique, si aiguë qu'elle soit, ne franchit pas non plus le Rubicon.

Mentalités

Les temps ont beaucoup changé depuis le radicalisme de la Ligue. Des barricades, Paris assiégé par le Roi : le mouvement de 1588 offrait avec la Fronde assez de ressemblances pour nourrir la réflexion. Retz s'y réfère fréquemment pour tenter d'en tirer des leçons. Or la Ligue sert de contre-modèle, d'exemple à ne pas suivre : réticences peut-être expliquées en partie par le fait que son image passe généralement — mais pas toujours[2] — par le canal du célèbre pamphlet anti-ligueur qu'était la *Satire Ménippée*. Outre le climat général de violence, trois aspects précis suscitent chez Retz de vives réserves : la contestation du principe monarchique (projet de déchéance de Henri III, puis de Henri IV, élection d'un roi par les États Généraux réunis à cet effet) ; l'alliance avec l'Espagne ouvrant à des troupes étrangères les portes de Paris ; le recours au peuple,

---

1. *Mémoires*, I, p. 409 et II, p.277.
2. Les jugements de Retz sur la Ligue sont ambigus, sinon contradictoires. Il lui adresse de très sévères critiques ; mais il en admire les chefs. Cette admiration fait sans doute partie pour lui de la tradition familiale. Son père était membre du parti dévot, où l'on célébrait le souvenir des Guise. Inversement, les partisans de Richelieu louaient leur assassinat (voir Naudé, *Considérations sur les coups d'État*, 1639).

avec le risque d'en perdre le contrôle s'il est manipulé par des démagogues (Mayenne et le gouvernement des Seize). Tout cela paraîtrait inacceptable, en 1648, à la grande majorité des Français.

Pourquoi l'idéologie anti-monarchique de la Ligue éveille-t-elle tant de réprobation ? c'est que l'image royale s'est entre-temps améliorée, grâce à Henri IV — « Henri le Grand » —, qui commence à faire figure de souverain idéal, instaurateur d'une paix et d'une prospérité largement mythiques. Son assassinat, encore présent dans la mémoire collective, a discrédité définitivement les théories des « monarchomaques », qui autorisaient le régicide en cas d'indignité notoire. La personne du souverain est par elle-même sacrée. La doctrine de la monarchie de droit divin, solidement implantée en France, achève de soustraire le roi aux turbulences de l'histoire, dans un régime de ministériat favorable, on l'a dit, au déplacement des responsabilités. Le roi enfant est à l'abri de toute atteinte.

De plus, on suit avec une attention horrifiée les événements d'Outre-Manche. Depuis 1642 Charles Ier luttait, pour conserver son royaume, contre un soulèvement bien organisé, doté d'une doctrine et d'une armée. La présence à Paris de sa femme, Henriette-Marie, sœur de Louis XIII, réfugiée à la cour avec ses enfants, y rendait les Français plus sensibles encore au drame qui se jouait. Le 30 janvier 1649, le roi d'Angleterre est exécuté ; la République est proclamée ; Cromwell prend le pouvoir, qu'il gardera une douzaine d'années, jusqu'à sa mort. Certes il est attesté qu'au début de la Fronde le mot de *république* fut entendu dans la bouche des émeutiers parisiens. Et de violents pamphlets répandirent parmi les Ormistes de Bordeaux les audaces doctrinales des Niveleurs anglais[1]. Laissons aux historiens le soin d'en mesurer exactement l'audience : elle fut en tout état de cause réduite. Rien n'en transpire dans les *Mémoires*. L'accusation de républicanisme est dans la bouche de la Reine une tactique destinée à disqualifier toute opposition,

---

1. Voir *Mémoires*, II, p. 379 et n 2. Sur l'Ormée, on pourra consulter, dans *XVIIe Siècle*, n° 145, 1984, pp. 337-379, le résumé d'un récent ouvrage en allemand sur l'Ormée, fait par l'auteur, Helmut Koetting.

même modérée, en l'assimilant à de la subversion sacrilège : elle n'implique nullement que les idées républicaines fussent répandues — au contraire. Une odeur de soufre accompagne la seule mention des noms de « Fairfax » et de « Cromwell », ressentis comme des injures. Et Retz se défend avec véhémence d'avoir jamais prêté l'oreille aux avances du Protecteur[1]. L'exécution du roi d'Angleterre a contribué à freiner en France la réflexion politique et à renforcer l'attachement des Français à la monarchie[2].

Les problèmes soulevés par l'alliance espagnole sont plus complexes, parce que les réactions qu'elle suscite varient selon les milieux envisagés — aristocratie ancienne ou noblesse de robe — entre lesquels Retz se trouve partagé, et aussi parce qu'elles ont sans doute évolué chez le mémorialiste lui-même, sous la pression du climat général, entre la Fronde et la rédaction des *Mémoires*.

Disons-le d'emblée, le lecteur d'aujourd'hui s'étonne et s'indigne de voir les plus grands seigneurs, en pleine guerre contre l'Espagne, signer des traités privés avec l'ennemi, se mettre à son service et conduire ses armées : ce fut le cas, pendant la minorité de Louis XIV comme sous Louis XIII, de tous les plus grands : Turenne, Condé, sans compter Gaston d'Orléans. Retz, dans ses démarches d'approche, est assurément allé beaucoup moins loin qu'eux. Mais l'indignation légitime devant ce que nous appelons à juste titre une trahison ne dispense pas de chercher une explication qu'appelle la fréquence même du phénomène[3].

Au temps de la Fronde le sentiment national reste encore peu marqué chez une aristocratie farouchement individualiste, très attachée à ses privilèges et souvent liée à l'étranger par des alliances matrimoniales : la femme du duc

---

1. *Mémoires*, respectivement II, pp. 100 ; 52, 241 et 439.
2. Voir sur cette question Knachel (Philip), *England and the Fronde. The Impact of the English Civil War and Revolution of France*, Cornell University Press, Ithaca, New York, 1967.
3. Sur l'évolution du sentiment national à cette époque, on consultera l'article de D.A. Watts, « La notion de patrie chez les mémorialistes d'avant la Fronde. Le problème de la trahison », dans *Les valeurs chez les mémorialistes français du XVIIe siècle avant la Fronde*, Colloque de Strasbourg et Metz, 18-20 mai 1978, Klincksieck, 1979.

de Bouillon était une Espagnole des Pays-Bas, celle de Gaston
d'Orléans était la sœur du duc de Lorraine, également hostile
à la France. Contre des ministres qui tentent de les réduire
à l'obéissance, les grands se tournent vers le recours naturel
que leur offrent parents et alliés.

De plus l'Espagne n'est pas un ennemi quelconque. La
Réforme avait fait prévaloir les critères confessionnels dans
la redistribution des cartes politiques : la guerre de Trente
Ans est dominée en Allemagne par les clivages religieux. Or
l'affrontement franco-espagnol fait éclater ces clivages au
nom d'un pragmatisme qui a choqué. Du temps de Richelieu
déjà, tout un parti — qui avait à sa tête la reine-mère —
s'indignait d'une rivalité fratricide opposant la « fille aînée
de l'Église » à l'autre grande puissance catholique, au
bénéfice majeur des souverains luthériens d'Allemagne et de
Suède et de la république calviniste des Provinces-Unies. Les
Français n'étaient pas tous acquis, sous la régence d'Anne
d'Autriche, à un réalisme politique si peu conforme aux
idéaux et aux passions de leurs aînés. Lorsqu'en 1657-1658
Mazarin, pour porter le coup de grâce à l'Espagne, signe un
traité d'alliance avec Cromwell, Retz peut encore, dans un
pamphlet [1], jouer sur les réticences du public devant cette
collusion avec un hérétique. Le progrès du sentiment national
est étroitement lié à l'apaisement des conflits religieux : ce
sera chose acquise après la paix des Pyrénées, qui consacre
— symbolisée par la non-participation du Pape aux négociations — la laïcisation de la politique internationale.

Ce progrès du sentiment national est surtout perceptible,
pendant la Fronde, dans les milieux parlementaires, chez
des hommes récemment issus de la bourgeoisie et très
attachés à l'idée monarchique : le patriotisme va de pair
chez eux avec le culte du souverain. Leur hostilité à

---

1. Quelques années après la Fronde, en 1657-1658, lorsque Mazarin signa
avec Cromwell — hérétique et de plus régicide — un traité d'alliance qui
stipulait la cession de places fortes flamandes, Retz, alors en exil, joua sur
l'horreur qu'inspirait le maître de l'Angleterre pour dénoncer cette collusion
dans un pamphlet véhément, *La très humble et très importante Remontrance
au Roi sur la remise des places maritimes de Flandres entre les mains des
Anglais*. Ses propres sympathies pour Charles II, alors en quête d'appuis
pour reconquérir son trône, sont attestées par le fait que celui-ci le prit
comme intermédiaire en 1658-1660 dans ses négociations avec le Vatican.

l'aristocratie traditionnelle s'affirme sur ce terrain, où la culture humaniste vient renforcer un réflexe spontané : la trahison est chose honteuse. Dans son énorme majorité, le Parlement est hostile à des négociations directes avec l'Espagne, et il faut toute l'habileté tactique de Retz pour le faire consentir à entendre l'envoyé de l'archiduc[1]. Dans quelle mesure le coadjuteur a-t-il pactisé avec l'ennemi ? c'est difficile à dire, de même qu'il est impossible de savoir s'il avait ou non touché de l'argent espagnol. En tout cas, il était trop soucieux de sa popularité et de ce que nous appellerions aujourd'hui son « image de marque » pour accepter de paraître inféodé à l'Espagne. Il est probable aussi que son amour de l'indépendance, ajouté aux exemples tirés de la Ligue, l'orientait plutôt vers la constitution d'un « parti purement français et capable de soutenir les affaires de son propre poids »[2]. D'où ce paradoxe : on peut traiter avec l'Espagne quand on est fort — c'est-à-dire quand on n'a pas besoin d'elle — ; mais la plus grande prudence est de règle quand l'extrême nécessité risque de vous livrer à elle pieds et poings liés. Tout, même l'exil et l'errance, plutôt que de devenir à Bruxelles l'aumônier de M. le comte de Fuensaldagne...

Le sentiment national avait déjà partie gagnée à la fin de la Fronde — à plus forte raison lorsqu'écrit le mémorialiste. Les ambiguïtés du récit témoignent de cette évolution. Mais une chose est sûre : une profonde mutation des mentalités est en train de s'achever, dans cette période où s'affirme peu à peu la prééminence française en Europe. A la politique nationaliste menée — ô ironie ! — par une reine espagnole et un ministre italien tous se rallient les uns après les autres : Turenne, renonçant à soutenir les ambitions princières de sa famille à Sedan, prendra finalement la tête des opérations qui réduiront Condé, premier prince du sang français, passé au service de l'Espagne, à solliciter humblement lors de la paix des Pyrénées sa rentrée en grâce.

La troisième leçon à tirer de la Ligue concerne les dangers d'un pouvoir prenant appui sur le peuple. Sur ce point une

---

1. *Mémoires*, I, pp. 395 sqq.
2. *Mémoires*, I, pp. 418-419.

question reste sans réponse certaine : pendant la Fronde le coadjuteur a-t-il tenté de jouer à fond la carte populaire, avant de découvrir qu'il avait surestimé son crédit ? a-t-il au contraire reculé devant les conséquences imprévisibles que risquait d'entraîner un engagement décisif ? On a dit plus haut les raisons de principe qui confortent cette seconde hypothèse. Le mémorialiste en tout cas récuse énergiquement le qualificatif de « tribun ». Il affirme avoir joué continûment, après la nuit des barricades, un rôle modérateur. Il se défend d'avoir été l'auteur de troubles qu'il s'était borné à prophétiser[1]. Politiquement parlant, il méprise le peuple ; très conscient, par ses contacts avec tous les milieux parisiens, de la force que représentait celui-ci, il semble aussi qu'il en ait eu peur. Son application à distinguer les bourgeois, attachés à l'ordre, de la « canaille » toujours prête au pillage laisse à penser qu'il n'était pas désireux de disputer son titre au « roi des Halles » : sa clientèle de prédilection est formée de moyennes et de petites gens, pas des plus pauvres. Le souvenir des excès de la Ligue, l'exemple des grandes révoltes paysannes qui secouèrent à plusieurs reprises le règne de Louis XIII, mais surtout ses quelques expériences personnelles d'affrontement à la foule déchaînée le retiennent de tout engagement populaire véritable. Il n'était pas prêt à devenir le Mirabeau d'une Fronde triomphante. Il a choisi de louvoyer, prisonnier de son personnage, condamné à conserver l'« amour du public » sous peine de se perdre dans la foule des prélats courtisans, mais très vite objet de désaffection dès que la Fronde devient jeu de princes auquel le peuple n'a plus de part.

Obnubilé par l'exemple des grandes crises des cent dernières années, Retz n'a pas toujours mesuré à quel point les données avaient changé sur l'échiquier politique. Ni le Parlement, ni le peuple, ni les grands ne constituent pour la conquête du pouvoir un tremplin approprié. Le temps est venu de la soumission. Les grands que Retz admire et dont il voudrait être n'ont plus les moyens de l'indépendance qu'ils revendiquent pour la dernière fois, avec plus d'arrogance que jamais. Leurs patrimoines ne couvrent plus qu'une

---

1. *Mémoires*, II, p. 141.

faible part de leurs dépenses, le reste de leurs revenus provenant de fonctions que le roi peut octroyer, mais aussi retirer à son gré. Tous ont besoin, pour se maintenir, de la faveur d'un souverain distributeur de prébendes, de pensions, de places, de gouvernements, de bénéfices. Tous, en position de quémandeurs, débattent férocement de ce qu'ils appellent leurs « intérêts » et sont prêts à se soumettre moyennant des avantages substantiels. La guerre civile n'est pour certains qu'un moyen de pression pour revendiquer ces avantages avec plus de chances de succès, une sorte de chantage permanent aux libéralités royales. L'extrême atomisation des conflits pendant la Fronde, qu'ont soulignée tous les historiens, n'a pas d'autre cause que cette règle du chacun pour soi, qui est le signe de la dépendance économique de la noblesse. Mazarin aura beau jeu de les dresser les uns contre les autres et de les neutraliser à coup de faveurs savamment dosées. Bien que tous répugnent à en parler, l'argent est plus que jamais, pendant la Fronde, le nerf de la guerre. Retz, qui gaspille celui qu'il a et se pique de n'en pas recevoir, sera la victime de cette indifférence. C'est couvert de dettes énormes et désespérant de trouver encore du crédit, qu'il signe en 1662 sa démission de l'archevêché. Parmi les clauses de l'accommodement il était stipulé qu'on lui fournirait la somme nécessaire à son voyage de retour : il ne lui restait plus un sou...

L'après-Fronde

Retz était seul, avons-nous dit. Ce n'est pas tout à fait exact. Parmi les amis fidèles qui ne l'ont pas abandonné dans la disgrâce, il y avait les jansénistes. L'histoire de ses relations avec eux, pleine de zones d'ombre, reste à faire. Dans l'Église de Paris il n'avait pas de meilleur soutien que les curés jansénistes. Une même hostilité aux jésuites les rapprochait, et Retz apparaissait, dans son opposition à la cour, comme le protecteur naturel des disciples de saint Augustin persécutés. Il n'était certes pas janséniste lui-même : trop indifférent aux subtilités du dogme, trop engagé dans le « monde », trop charnel, il ne se souciait pas de prendre parti dans une querelle théologique épineuse.

R's work for 'paix de l'Église'

Dans les *Mémoires*, il se défend de toute sympathie pour la
doctrine suspecte[1]. Les a-t-il « trahis » ? En fait il leur était
bien plus utile hors de leur secte qu'à l'intérieur. Eux-
mêmes prennent soin, par la plume de leur historien,
Godefroi Hermant, de se démarquer de lui, affirmant n'avoir
jamais trempé dans ses intrigues politiques. Tout se passe
comme s'ils étaient d'accord, eux et lui, pour nier leurs
liens. Ainsi s'expliquerait un fait surprenant : l'affaire des
cinq propositions, qui fit tant de bruit, éclate en 1653, alors
qu'il est emprisonné à Vincennes certes, mais coadjuteur de
Paris. Or il n'en souffle mot dans son récit, pas plus qu'il
ne signale, dans les dernières pages, les appartenances
jansénistes de ses grands vicaires. Pourquoi cette surprenante
omission ? A l'époque où il écrit, les jansénistes jouissent
d'une sécurité précaire depuis la « paix de l'Église » de 1668,
obtenue notamment grâce à ses efforts. Il vit en milieu
janséniste : son ami Vialart de Herse, évêque de Châlons,
son confesseur Dom Hennezon, abbé de Saint-Mihiel, le sont.
S'il se tait, c'est peut-être pour éviter, rétrospectivement, de
les compromettre.

Sur les années qui suivent son évasion, il y a peu à dire.
Les *Mémoires* s'interrompent au seuil de ce qu'on a nommé
parfois la « Fronde ecclésiastique » : long conflit entre le Roi
et les curés de Paris fidèles à leur archevêque en fuite. Celui-
ci, privé du soutien pontifical, erre en Allemagne et aux
Pays-Bas, multipliant les manifestations écrites — pamphlets,
lettres épiscopales — pour la défense de sa cause. Mais il
n'aura jamais recours à l'arme redoutable de l'interdit, qui
eût pu priver des sacrements tous les paroissiens du diocèse
de Paris. Il tente d'aider à la restauration de Charles II
d'Angleterre, avec l'espoir d'une intervention en retour.
Après la mort de Mazarin il s'incline, résilie son archevêché,
accepte l'abbaye de Saint-Denis dont les revenus lui permet-
tront de payer ses dettes, non sans effort, et s'installe dans
le petit fief lorrain de Commercy, qu'il avait hérité de son
cousin de La Rochepot.

Il est à l'écart de la vie politique : mais qu'eût pu faire à
Paris un archevêque destitué ? Louis XIV lui confie des
missions ponctuelles à Rome, où ses talents de négociateur

---

1. Voir *Mémoires*, II, p. 305 et note 2.

font merveille [1]. Il se rend en 1667, 1670 et 1676 à des conclaves, où il recueille même des voix pour le pontificat. C'est un survivant d'un autre âge, mais nullement un homme déconsidéré. Au contraire : l'intransigeance de son opposition à Mazarin lui a donné une sorte d'auréole. Parmi de nombreux témoignages, on n'en citera ici que deux, l'un obscur, l'autre illustre. Le *Mercure galant,* rendant compte d'une remise de bonnet cardinalice à laquelle Retz avait été convié par le Roi, écrit le 9 avril 1672 :

> « *Vous n'ignorez pas le grand mérite de M. le cardinal de Retz, et que son esprit et ses malheurs l'ont rendu également illustre, aussi bien que sa fidélité pour ses amis ; et vous savez aussi que sa justice, et la générosité dont il donne tous les jours des marques à ceux qui lui ont fait plaisir, ne le font pas moins admirer.* »

Et voici l'hommage posthume que lui rend Bossuet, dans l'*Oraison funèbre* de Michel Le Tellier :

> « *Cet homme si fidèle aux particuliers, si redoutable à l'État, d'un caractère si haut qu'on ne pouvait ni l'estimer, ni le craindre, ni l'aimer, ni le haïr à demi ; ferme génie, que nous avons vu, en ébranlant l'univers, s'attirer une dignité qu'à la fin il voulut quitter comme trop chèrement achetée, ainsi qu'il eut le courage de le reconnaître dans le lieu le plus éminent de la chrétienté, et enfin comme peu capable de contenter ses désirs : tant il connut son erreur et le vide des grandeurs humaines ! Mais pendant qu'il voulait acquérir ce qu'il devait un jour mépriser, il remua tout par de secrets et puissants ressorts ; et, après que tous les partis furent abattus, il sembla encore se soutenir seul, et seul encore menacer le favori victorieux de ses tristes et intrépides regards.* »

Image un peu forcée sans doute, mais qui montre qu'à son personnage de vaincu Retz avait su conserver de la grandeur.

Spectaculaire fut sa démission du cardinalat, qu'évoque

---

1. Voir R. Chantelauze, *Le cardinal de Retz et ses missions diplomatiques à Rome,* 1879.

ci-dessus Bossuet. Au printemps de 1675, il annonce sa
décision de renoncer à la pourpre pour finir ses jours dans
le couvent de Saint-Mihiel. Hélas ! c'est une fausse sortie,
car le Pape refuse d'y consentir, par crainte de créer un
précédent fâcheux : la nomination à vie, irrévocable, est la
condition de l'indépendance des cardinaux à l'égard des
couronnes. Il conserve donc son chapeau, quitte le couvent
en octobre et se réinstalle à Commercy. C'est là — on y
reviendra — qu'il écrit les *Mémoires* en 1675-1676, suspen-
dant la rédaction pour se rendre au conclave dans l'été de
1676, puis s'interrompant tout à fait au début de 1677.
Fatigue, maladie ? il a de graves inflammations oculaires qui
le rendent presque aveugle, des accès de goutte, et son
épaule mal remise d'une fracture ancienne le fait souffrir.
On organise pour le distraire des discussions sur Descartes.
Il fait quelques séjours dans son abbaye de Saint-Denis ou à
Paris, chez sa nièce Mme de Lesdiguières : c'est chez elle
qu'il meurt le 24 août 1679.

Retz, indissociable de la Fronde, comme acteur et comme
écrivain, a souffert de la réprobation qu'elle soulève chez
les historiens. La Fronde a très mauvaise réputation : guerre
en dentelles sur fond d'amours princières, guerre en libelles
et en chansons, aveugle aux vrais enjeux et se trompant de
cible, mais dure au peuple et dangereuse pour la monarchie ;
guerre civile anarchique sans idéologie cohérente ni mots
d'ordre, champ ouvert au déploiement des revendications
catégorielles et des égoïsmes, elle n'arrive pas à la cheville
de son aînée la Ligue pour l'audace de la pensée et le
radicalisme des engagements. Aux yeux des thuriféraires du
siècle de Louis XIV, elle est coupable d'avoir failli en
compromettre l'épanouissement. Pour d'autres son crime est
d'avoir trompé les aspirations populaires et retardé d'un
siècle et demi la Révolution. Ce sont là vues rétrospectives,
légitimes chez l'historien. Pour nous les *Mémoires* sont
heureusement bien autre chose qu'un témoignage sur la
Fronde : un des plus grands textes de la littérature française.

II. — RETZ ÉCRIVAIN :
LE TRAVAIL DE L'ŒUVRE

Retz s'est-il voulu un « écrivain » ? De peu antérieure à la décision de faire carrière dans l'Église, et sans doute partie prenante dans cette décision, intervint chez lui une révélation : celle des pouvoirs de la parole. Il en avait eu un avant-goût lors de la soutenance de ses thèses en Sorbonne, puis dans les débats des Écoles de Sapience à Rome. Les débuts dans la prédication, les débats politiques et la conversation mondaine firent le reste. La parole, orale ou écrite, est pour lui un moyen de séduire ou de dominer d'autant plus fascinant qu'il y rencontre peu de rivaux. Une production régulière de textes jalonne son existence tout entière. Faut-il dire de textes *littéraires* ? Non, si l'on entend par là des écrits qu'animerait une pure préoccupation d'art : il est trop grand seigneur pour s'abaisser à des tâches réputées roturières, trop épris de l'action pour se complaire à une activité gratuite. Oui, si le terme de littérature implique seulement une claire conscience des ressources du langage et la recherche de sa plus grande efficacité.

Retz n'a jamais cessé de parler ni d'écrire. Les *Œuvres complètes* permettent de découvrir la souplesse d'un talent également à l'aise dans tous les genres : « Retz épistolier, prédicateur, théologien, pasteur de son diocèse, philosophe, diplomate en cour de Rome — tout cela reste à découvrir dans les *minora* de l'édition Hachette »[1]. Aux textes recueillis à la suite des *Mémoires* dans la célèbre collection des Grands Écrivains de la France, et qui y occupent près de six volumes, il faudrait pouvoir ajouter ce qui a été perdu : une *Vie de César* qu'il aurait composée dans sa jeunesse, ses sermons les plus subversifs, ses interventions au Parlement, les exercices faits pour tromper l'ennui de sa captivité, toute sa correspondance des années errantes, ses lettres à Mme de Sévigné, dont l'écho nous est renvoyé par celles de la marquise à sa fille... Une production considérable, qui témoigne d'une extrême facilité.

Au fil des années, son talent s'affirme et se libère des

---

1. Marc Fumaroli, « Retz le grand seigneur du style », dans *Le Monde,* 8 juin 1984.

modèles. On eût aimé jalonner l'itinéraire par des échantillons représentatifs, faire dialoguer le pamphlétaire avec le mémorialiste ou mettre en regard des inoubliables pages sur le pape Alexandre VII telle lettre à Louis XIV relatant avec brio une démarche réussie auprès de son successeur [1]. Mais il fallait choisir. Trop de ces textes, étroitement tributaires de l'actualité, exigent pour être compris une annotation très lourde et ils ont perdu une bonne part de leur intérêt. Aux côtés des *Mémoires,* sur lesquels repose à bon droit la renommée du Cardinal, n'a été conservée ici que *La Conjuration de Fiesque,* dans sa première version imprimée — celle de 1665 —, comme référence stylistique de départ et parce qu'elle est, par sa thématique, une excellente introduction à l'œuvre de la maturité.

Les analyses qui vont suivre s'attachent à repérer, dans les deux ouvrages retenus, la démarche créatrice, à mettre au jour les forces qui les organisent. Cet effort portera surtout — cela va de soi — sur les *Mémoires.* Le travail de l'œuvre ? on peut donner à cet intitulé quatre acceptions principales, qui ne sont pas ici l'annonce d'un plan, mais une mise en perspective préalable. Travail de l'écrivain sur un vécu qu'il se donne pour tâche d'élucider, l'œuvre opère en retour un travail sur cet écrivain lui-même : l'acte d'écrire le transforme et le fait autre qu'il n'était ; l'œuvre elle-même est travaillée en son sein par des tensions, traversée par des contradictions qui font qu'elle n'est pas — qu'elle ne sera heureusement jamais — fixée, enfermée, emprisonnée dans une interprétation univoque ; aussi exige-t-elle de chaque lecteur un travail, que nul ne peut faire à sa place, de découverte d'un sens. Bref, les *Mémoires* sont, du fait de ces multiples distorsions, tout le contraire d'une œuvre morte.

LA CONJURATION DE JEAN-LOUIS DE FIESQUE

Si l'attribution à Retz de *La Conjuration de Fiesque* ne fait aucun doute, puisqu'il la revendique dans les *Mémoires,*

---

1. Lettre du 23 octobre 1665, dans *Œuvres* de Retz, éd. des G.E.F., t. VII, pp. 81 à 102. Cette lettre est également reproduite dans le livre de R. Chantelauze, *Le cardinal de Retz et ses missions diplomatiques à Rome.*

la date de rédaction indiquée est très suspecte, et sur le texte lui-même pèsent d'autre part de lourdes incertitudes.

Les récentes recherches de D.A. Watts ont fourni sur le premier point des conclusions convaincantes[1]. Bien que Retz affirme avoir écrit la *Conjuration* à dix-huit ans, c'est-à-dire vers 1632, de fortes raisons conduisent à retarder cette date. Aux témoignages de Tallemant des Réaux, qui en place la rédaction après les premiers sermons, donc au plus tôt en 1635-1636, et de Mme de Nemours, qui en fait une conséquence du voyage en Italie (mars-décembre 1638)[2], viennent s'ajouter d'autres indices. Retz avait rencontré à Rome en 1638 Jean-Jacques Bouchard, qui se préparait à publier l'année suivante, sous son autre nom de Fontenay-Sainte-Geneviève, une traduction de l'ouvrage de Mascardi qui allait servir de base au travail de notre auteur[3] : il est donc probable que l'attention de celui-ci fut attirée sur Fiesque par Bouchard. De plus c'est seulement à partir de 1639 qu'on voit apparaître dans la correspondance des familiers de Retz — notamment Chapelain — des allusions à la *Conjuration* comme à une œuvre récente du jeune et brillant abbé. Il est donc raisonnable d'en situer la rédaction dans les premiers mois de 1639, quitte à ôter à ce coup d'essai littéraire le mérite d'une extrême précocité.

Les problèmes posés par le texte, eux, ne sont pas solubles dans l'état actuel de nos connaissances. Nous disposons de trois versions successives.

L'une est représentée par quatre copies manuscrites, offrant diverses variantes d'extension limitée, presque toujours d'ordre stylistique ; il est difficile d'établir entre elles une filiation sûre ; en tout cas de nombreuses maladresses les désignent toutes comme proches d'un premier jet Hélas ! aucune n'est autographe.

---

1. C'est à son excellente édition critique de *La Conjuration de Fiesque* (texte de 1665), Oxford, Clarendon Press, 1967, que nous empruntons certains des détails qui suivent.

2. Voir respectivement Tallemant des Réaux, *Historiettes,* Retz et Mme de Nemours, *Mémoires.*

3. Agostino Mascardi, *La Congiura del conte Giovanni-Luigi de' Fieschi,* Rome, 1629.

. Voici la liste de ces manuscrits, tous quatre du XVIIe siècle :

A. Bibliothèque Nationale, Ms. fr. 24717, fol. 1-44.

B. Bibliothèque Mazarine, Ms 1924, 67 feuillets non chiffrés.

La seconde version est celle des deux éditions de 1665 :
l'une publiée à Paris chez Claude Barbin, avec un privilège
du 14 mars, l'autre à Cologne (sans doute une contrefaçon
sortie des presses hollandaises), assortie de quelques variantes
mineures. Cette seconde version a plus d'aisance, plus de
clarté que la première ; le style en a été rajeuni, le contenu
précisé et surtout nuancé. Elle reste fidèle à l'esprit des
copies manuscrites, mais la mise en œuvre y est très
supérieure. Hélas ! aucune des deux éditions de 1665 ne
porte de nom d'auteur. Pis encore : Barbin lui-même leur
déniera plus tard toute authenticité.

C'est également chez lui que paraît en effet, en 1682,
sous un titre nouveau — *Histoire de la Conjuration de Jean-
Louis de Fiesque* — une troisième version de l'ouvrage,
offrant un texte profondément remanié : l'information historique est enrichie, l'appareil rhétorique allégé ; les comparaisons ornementales disparaissent ; la réflexion théorique cède
souvent le pas au pur récit et le ton y est plus impersonnel.
Mais surtout l'accent est mis sur le patriotisme, la volonté
de délivrer Gênes d'un tyran, plus que sur le désir individualiste de gloire : c'est de cette version que s'inspirera Schiller
pour écrire *La Conjuration de Fiesque à Gênes,* « tragédie
républicaine », en 1783-1784 [1].

Un *Avis au lecteur* très catégorique discrédite, dans
l'édition de 1682, celle de 1665 :

> « *Cet ouvrage a été imprimé la première fois sur
> une copie fort imparfaite, sans la participation de
> son auteur, qui était alors dans les pays étrangers.
> Néanmoins, il eut un succès si favorable que, peu de
> temps après, on le contrefit en Hollande. Aujourd'hui
> que les bruits publics ont réveillé la curiosité sur cette
> matière, plusieurs personnes m'en ayant demandé des*

C. Bibliothèque Nationale, nouvelles acquisitions françaises, 1517, 93
feuillets.

D. Bibliothèque Nationale, Ms. fr. 6050. 94 feuillets + feuillet A
préliminaire. Relié aux armes de Denis Feydeau de Brou, conseiller au
Parlement de Paris.

1. Voir sur ce point : Simone Bertière, « Le personnage de Jean-Louis de
Fiesque de Mascardi à Schiller : histoire d'une héroïsation manquée », dans
Trois figures de l'imaginaire littéraire, Actes du XVIIe congrès de la
S.F.L.G.C. (Nice 1981), Les Belles-Lettres 1982.

exemplaires, j'ai prié l'auteur de le revoir pour en faire une troisième édition plus correcte que les précédentes. Il m'a fait cette grâce sans vouloir y mettre son nom ; mais il m'a assuré qu'il n'y a rien laissé qui ne soit fondé sur le rapport des historiens qui ont écrit cette Conjuration, *ou de dessein formé ou, par occasion, dans l'histoire de ce temps-là. Ainsi j'espère que son travail ne vous sera pas désagréable et que vous me saurez gré de l'y avoir engagé.* »

Alors ? voici enfin le bon texte, authentique ? Difficile, tout de même, de négliger deux points importants : cette édition est anonyme et posthume.

Quelle part a donc pu prendre Retz à ces différentes versions ? Quel crédit leur accorder ?

Les copies sont sans doute plus proches de l'original, qu'il avait imprudemment laissé circuler, dit-il dans les *Mémoires*. Mais elles offrent entre elles des variantes. Souvent obscures, maladroites, elles présentent toutes les imperfections d'un premier jet confus et promis à révision.

Que penser des deux textes imprimés ? L'argument principal de Barbin contre l'édition de 1665 ne tient guère, car Retz, à cette date, était rentré d'exil et facilement accessible à Commercy ou à Rome : si on a publié le livre « sans sa participation », ce n'est pas faute de pouvoir le joindre. Il est en revanche très peu vraisemblable que le Cardinal, récemment « accommodé » et soucieux de reconquérir les bonnes grâces du Roi, ait accepté de réviser et de laisser paraître un texte resté subversif, dont on savait qu'il était l'auteur. Quant à la critique interne, elle ne fournit aucun indice précis permettant de lui attribuer le remaniement : au contraire certains détails suggèrent une intervention étrangère[1]. A moins que l'on n'invoque en sa faveur la qualité même de ce remaniement : mais est-il prudent de suivre D.A. Watts sur un terrain qu'il qualifie lui-même de

---

1. D. A. Watts a noté la féminisation du mot *rencontre,* au sens d'occasion, dont les manuscrits usent au masculin, selon l'usage constant de Retz dans les *Mémoires*. On peut y ajouter l'élimination, deux fois sur trois, du mot *roque,* italianisme archaïque pour *forteresse* (voir I, pp. 179, 211 et 213, note 1) et peut-être la substitution, dans tous les cas sauf un, de *Darsène* à *Darse* pour désigner le port de Gênes (voir I, p. 205, note 1).

glissant ? En tout état de cause, on ignore tout de la date à laquelle Retz aurait procédé à cette hypothétique révision : avant ? ou après la Fronde ? En l'absence d'information supplémentaire, le doute subsiste.

Pour l'édition de 1682, faut-il en croire Barbin, et voir dans ses affirmations autre chose qu'une opération publicitaire ? Outre de complexes difficultés de chronologie [1], la nature même des modifications opérées semble exclure une intervention personnelle du Cardinal : car elles supposent un effort de documentation historique auquel nous savons qu'il répugnait. S'il a participé à cette ultime révision, ce ne pourrait être que par l'intermédiaire de secrétaires dont il aurait de loin dirigé le travail.

La conclusion s'impose : aucun texte n'est sûr. Lequel préférer ? C'est aux *Mémoires* que Retz doit sa renommée, non à la *Conjuration,* qui n'est qu'un brillant exercice d'école. La lecture du *Fiesque* ne nous intéresse que dans la mesure où nous y découvrons, s'étalant avec une ingénuité provocante, l'ambition, la témérité, les tentations, les doutes aussi du futur vaincu de la Fronde. Nous avons donc choisi, à défaut des versions manuscrites, trop imparfaites, le texte de 1665 : il fait entendre, comme en écho lointain à la voix du mémorialiste assagi, celle du jeune ambitieux avide de gloire, et permet de mesurer le chemin parcouru.

Nous donnerons un choix de variantes tirées des manuscrits et, à l'occasion, de l'édition de Cologne. Les modifications apportées au texte en 1682 sont trop importantes pour être traitées comme des variantes, sauf exception : nous avons pris le parti d'en indiquer au fil des pages la nature et l'esprit. La comparaison des différentes versions peut suggérer d'intéressantes remarques sur les fluctuations des idées et du goût entre 1639 et 1665, puis 1682. Mais il faudrait, pour en tirer des enseignements sur une évolution de Retz, notamment entre les deux éditions imprimées, savoir s'il a eu part ou non à ces deux remaniements. Pour l'étude de sa personnalité et de ses idées, on ne peut se fonder que sur les textes manuscrits — avec prudence — et sur les traits,

---

1. Voir D. A. Watts, op. cit., *Introduction,* et A. Bertière, op. cit., chap. 1 et 2.

heureusement nombreux, qui sont communs à l'ensemble des versions.

En découvrant la *Conjuration*, le lecteur familier des *Mémoires* est saisi — un peu glacé ? — par le climat et le ton. Qu'il est sérieux, ce jeune aristocrate génois de vingt-deux ans, surbordonnant à ses desseins secrets libéralités et caresses ! qu'il est sérieux ce jeune abbé de Retz, qui n'a pas encore appris à sourire des faiblesses humaines ou des caprices de la fortune, et regrette de ne pouvoir offrir à la statue de son héros le piédestal d'un échafaud [1] ! et qu'il se prend au sérieux, quand il pèse à la double balance de l'efficacité et de l'honneur, de la politique et de la morale, les comportements ambigus du conspirateur malchanceux ! Ils sont mortellement sérieux tous les deux, et l'on se prend à déplorer chez l'infortuné Fiesque, si maître de lui, l'absence de ces emportements de la chair ou de l'esprit qui nuisirent tant à la réputation du coadjuteur et lui firent tant d'ennemis ! Sérieux et un peu ennuyeux, d'un style uniformément relevé, très rhétorique, le *Fiesque* n'est pas un chef-d'œuvre, il faut bien le dire, et seule la notoriété de son auteur lui vaut aujourd'hui quelque intérêt.

Envisagée comme un *exemplum*, l'histoire du conspirateur génois prend sous la plume de Retz des allures d'épure, avec ses personnages déshumanisés et ses situations servant de prétexte à débats argumentés sur la légitimité des conjurations ou la technique des combats de rues nocturnes. Le seul élément concret, réel, qui sonne vrai dans toute cette histoire, c'est la planche qui bascule, engloutissant le prétendu héros dans la vase puante de la Darse : mais là-dessus, le narrateur glisse très vite...

Le traitement de ce cas exemplaire tient chez Retz du paradoxe et de la provocation. A l'évidente partialité de son modèle italien, Mascardi, porte-parole inconditionnel des vainqueurs, Retz substitue une partialité inverse, en prenant fait et cause pour leur adversaire malheureux. C'est que dans son esprit la France du règne de Louis XIII se superpose à la cité ligure dominée par les Doria. Contre ceux pour qui le triomphe même de Richelieu est la preuve du soutien de

---

1. Voir I, p. 214, var. c.

la Providence, Retz affirme que l'histoire s'écrit sous la
dictée des puissants : « toutes les affaires ont deux visages »[1],
et tous les points de vue sont réversibles. La sanction du
succès ne vaut rien, en face des mérites propres de la
personne, inscrits dans l'être et discernables à certains choix,
à certains refus : quelques-uns sont promis, de naissance,
aux « choses extraordinaires »[2]. Un individualisme aussi
forcené qu'ingénu s'affiche dans l'exposé des motivations de
Fiesque, qui place la volonté de changement politique loin
derrière le désir d'accomplissement personnel[3].

Le fait divers italien qu'il choisit de raconter n'intéresse
visiblement Retz que comme un moyen de crier son
impatience devant une situation qui, en France, ferme selon
lui aux ambitieux tout espoir de fortune. Richelieu ne s'y
est pas trompé, qui a dénoncé chez l'auteur un « dangereux
esprit »[4]. C'est lui qui était visé, de façon transparente, par
les allusions à la tyrannie d'André Doria et à son impitoyable
cruauté. Un pamphlet contre le ministre responsable de la
mort de Chalais, des deux Montmorency et de bien d'autres,
voilà ce que fut d'abord *La Conjuration de Fiesque* : une
œuvre où s'affirme, chez un conspirateur en herbe qu'exalte
l'ampleur des risques encourus, l'éminente dignité des
conspirations.

La fonction didactique et polémique de l'ouvrage explique
la mise en œuvre, où le récit proprement dit s'inscrit dans
un discours théorique auquel il vient fournir une illustration.
D'où des analyses et des discussions, tantôt intégrées à
l'histoire par le biais de harangues antithétiques qui tentent
de balayer méthodiquement le champ des arguments possibles, tantôt prises en compte par le narrateur lui-même,
polémiquant avec l'opinion commune ou les autres historiens.
Un narrateur passionné qui, dans les versions initiales,
n'hésite pas à se jeter personnellement dans la mêlée en
recourant à un *je*, qui se muera prudemment, au fil des
éditions, en *nous*, puis en *on*.

Le didactisme culmine dans l'épilogue, où Retz passe en

---

1. *Conjuration*, I, p. 191.
2. *Ibid.*, p. 187.
3. *Ibid.*, p. 177 et *passim*.
4. Voir *Mémoires*, I, p. 228.

revue, non sans lourdeur, les *fautes* respectives de chacun des deux partis, avant de décerner au seul Fiesque l'ultime hommage qu'on peut rendre au courage malheureux : blâmes et louanges également marqués d'ambiguïté, car les critères de jugement sont doubles — moraux et pragmatiques — et donc difficilement compatibles. *La Conjuration de Fiesque* est le lieu d'un débat mal dominé, le même que l'on retrouvera dans les *Mémoires*, où il ne sera pas davantage résolu.

Au centre de ce débat, on trouve le machiavélisme. Ce n'est pas là un hasard. Tandis que la « finesse » italienne continue de se voir contestée, comme au temps de Catherine de Médicis, par l'éthique aristocratique au nom de l'honneur, et par la morale chrétienne au nom des vertus cardinales, un mouvement se dessine, à l'initiative de Richelieu semble-t-il, pour réhabiliter le réalisme en politique. Or l'éducation et les déterminations familiales de Retz concourent à le dresser contre une doctrine patronnée par le ministre haï. Aussi *La Conjuration* tente-t-elle d'opposer au machiavélique André Doria la noble figure de Jean-Louis de Fiesque. Mais il apparaît bien vite que ce texte est tout entier pris au piège des idées qu'il prétend combattre.

D'abord Retz se place sur le terrain de Machiavel. La mise en forme elle-même se ressent de l'influence du *Prince*, dans le va-et-vient entre les faits particuliers et les lois générales auxquelles ils sont confrontés, dans le recours aussi aux sentences et aux comparaisons ornementales filées, à la manière des Latins. Mais surtout il adopte la problématique de Machiavel — avec d'autant plus de facilité que *Le Prince* comporte également une phraséologie de la grandeur, des « grandes choses », des « actions extraordinaires ». Dans le destin de ceux qui ont fondé des royaumes, l'Italien discerne trois constituants, qu'on retrouvera chez Retz : « Sans l'occasion, leur talent et leur courage eussent été inutiles ; et sans leurs qualités personnelles, l'occasion se serait en vain présentée ». Et de blâmer ceux que le hasard seul a portés au pouvoir sans qu'ils l'eussent mérité, et qui ne sauraient par conséquent accéder à la gloire [1].

Or toute l'histoire de Fiesque se veut celle d'un homme

---

1. Machiavel, *Le Prince*, chap. VI et VIII.

doté au plus haut point d'intelligence et de courage, et à qui manquent les *occasions*. En arrière-plan du récit se profile, à coups de *si*, l'esquisse d'une Gênes — ou d'une France idéale qui offrirait aux jeunes nobles des carrières à leur mesure. Mais si les chemins vers la gloire sont fermés, s'il n'y a pas de moyens *légitimes* pour en acquérir[1], quelles autres voies reste-t-il ? que faire face à un adversaire qui ignore les valeurs héroïques et joint la dissimulation à la violence, que faire, sinon créer l'occasion, et retourner contre lui ses propres armes ? D'où toute une thématique des obstacles, pernicieux à l'État parce qu'ils stimulent l'ambition de ceux qu'ils prétendent contenir[2]. D'où une laïcisation marquée du débat, en rupture avec la conception providentialiste de l'histoire, qui suppose qu'on attende en silence (comme le suggère le prudent Calcagno) les interventions de la sagesse divine. D'où un souci réaliste d'efficacité, qui entraîne la prolifération des arguments machiavélistes et leur dispersion dans la bouche des divers interlocuteurs : tous les plans proposés, par exemple, soulignent qu'il faut compter avec la méchanceté des hommes, qui sont intéressés, lâches, versatiles...

Paradoxalement, le coup de force de Fiesque se trouve reproduire peu ou prou le modèle de celui de Doria : pratique systématique de la dissimulation, prise nocturne de la ville, changement de constitution prévu pour assurer le pouvoir du nouveau maître, équivoque entre les deux visages de libérateur de la patrie et d'instaurateur d'une autorité tyrannique. Alors, Fiesque : un autre Doria ? Peut-être l'eût-il été. Mais il est mort et nul ne l'a vu à l'œuvre.

Aussi Retz peut-il raisonner à son aise sur ses intentions et ses motivations. Tandis que Doria est décrit tout uniment comme un politique intéressé, cruel, sans remords ni scrupules, les actions de Fiesque sont longuement discutées dans une perspective morale. Ses comportements les plus répréhensibles — sa violence, mais surtout sa duplicité méthodique — font toujours figure de pis-aller, justifié ou excusé par les nécessités de la légitime défense. Et il y a des limites qu'il se refuse à franchir, lorsqu'il repousse par exemple l'idée

---

1. Voir I, pp. 179, 184 et 215.
2. Voir I, pp. 177, 179, 184, 188 et 198.

d'un assassinat dans une église ou chez lui en violation des droits de l'hospitalité. Toute une phraséologie républicaine, issue des historiens latins et de Plutarque, donne à ses propos une couleur héroïque qui a séduit, au XVIIIᵉ siècle, des esprits libéraux comme Rousseau ou Schiller. A force de parler de fers à briser, de peuples à affranchir, de tyrans à abattre, Fiesque finit par bénéficier, non sans abus, du prestige qui s'attache aux figures légendaires de défenseurs de la liberté. Assurément Retz flatte son personnage, que Mascardi accablait. Mais il ne met nul cynisme — au contraire — à cette apologie d'un « machiavel » malgré lui. Vains efforts ! beaucoup de rhétorique, un peu de mauvaise foi, un grand déploiement de casuistique ne suffisent pas à rendre convaincante cette tentative pour concilier la morale avec les tours et les détours de l'ambition.

D'ailleurs, pourquoi avoir choisi un personnage frustré de sa victoire par une mort prématurée ? Ce choix laisse transparaître l'obscure prescience d'une incompatibilité essentielle : les perfections rassemblées en son héros eussent-elles pu résister longtemps à l'épreuve du succès, ou tout simplement de la vie ? Des réflexions réalistes renvoient dos à dos, on l'a dit, dans l'épilogue, les vainqueurs et les vaincus, André Doria et les partisans de Fiesque, également coupables de fautes contre la politique *et* contre la morale : elles isolent le protagoniste disparu dans la pure solitude d'une gloire aussi imaginaire que peuvent l'être ses vertus.

Dans tous les vieux mythes, les héros meurent jeunes — intacts. Et dans l'histoire même, les César et les Alexandre n'ont pas fait de vieux os. La fascination devant un être frappé en pleine ascension correspond à un modèle archétypique. Elle atteste la force, chez le jeune Retz, d'une imagination intempérante nourrie de figures exemplaires. On retrouve à l'œuvre dans les *Mémoires* cette image du héros, autour de laquelle le narrateur tente d'organiser le récit d'une aventure dont il est sorti, lui, vaincu, mais vivant. Plus encore que dans *La Conjuration de Fiesque*, elle s'y montre inopérante. Mais elle y est heureusement relayée par une lucidité et un humour qui mettent l'œuvre de la maturité à cent coudées au-dessus du provocant essai de jeunesse.

MÉMOIRES

Questions préalables

Pas plus que pour le *Fiesque*, on ne peut faire pour les *Mémoires* l'économie d'un développement technique, ni même isoler ce développement dans une notice. Car les réponses à diverses questions d'érudition longtemps restées en suspens retentissent sur l'établissement du texte aussi bien que sur son interprétation. Pour le détail des discussions, on consultera les travaux d'André Bertière, qui a proposé, au terme d'une enquête approfondie, des conclusions qui ont convaincu [1]. Voici les données des principaux problèmes qui se posent, accompagnées de ces conclusions.

1. *L'état du texte*

Les *Mémoires* de Retz sont restés inachevés. Leur publication posthume en 1717, conjointement à Nancy et à Amsterdam, s'est faite hors du contrôle de ses proches : c'est le libraire nancéen, Jean-Baptiste Cusson, qui présente le livre au lecteur, sans indication de provenance. En trois ans, de 1717 à 1719, paraissent coup sur coup huit éditions, souvent fautives et présentant entre elles diverses variantes. Les rééditions ultérieures, jusqu'en 1837, en reproduisent le texte avec plus ou moins de fidélité.

En 1797 un manuscrit autographe [2] est retrouvé, mais diverses péripéties liées aux événements en retardent l'exploitation. Aimé Champollion-Figeac est le premier à le prendre pour base d'une édition en 1837. Actuellement relié en trois volumes (mais il en avait d'abord compté quatre), il est déposé à la Bibliothèque Nationale sous les cotes 10325, 10326 et 10327 du fonds des manuscrits français. C'est sur lui que sont fondées, avec quelques écarts dus aux difficultés

---

1. Rappel : A. Bertière, *Le cardinal de Retz mémorialiste*, 1977.
2. Il est presque entièrement de la main de Retz et paginé de façon continue, après une vaste lacune initiale. Les quelques pages où interviennent des secrétaires — 90 au total — ont été dictées : elles sont authentifiées par leur insertion dans la continuité du texte et par des corrections manuscrites de l'auteur. Nous les signalerons en leur lieu dans l'apparat critique.

de déchiffrement, toutes les éditions à partir de celle de 1837, dites « modernes ».

D'autre part on savait, d'après divers témoignages, que des copies manuscrites avaient circulé dès la fin du XVIIᵉ siècle. Un certain nombre d'entre elles, complètes ou partielles, ont été retrouvées. En voici la liste :

1) Une copie déposée à la Bibliothèque Nationale, qui accompagne l'autographe sous la cote 10328 ; elle correspond au second volume de la division primitive ; elle est usuellement désignée sous le nom de *copie R*.

2) Une copie dite *Caffarelli*, du nom de la famille dont elle est encore aujourd'hui la propriété et qui la détient dans la bibliothèque du château de Leschelles (Aisne) ; elle comporte un seul volume et correspond aux second et troisième volumes initiaux.

3) Une copie, autrefois propriété de MM. Hachette, qui a servi, comme les deux précédentes, à l'établissement de l'apparat critique dans l'édition des G.E.F., est aujourd'hui perdue. Elle comportait la totalité de l'autographe, plus quelques fragments du quatrième volume.

4) Une copie ayant appartenu à Régis Chantelauze, déposée à la Bibliothèque de l'Institut, fonds Chantelauze, tome XXVI, manuscrit 1335, correspondant au premier volume de Retz.

5) Une copie déposée à la Bibliothèque Municipale d'Ajaccio (n° 98), comportant trois tomes en un volume, et correspondant aux volumes II, III et IV de l'autographe : c'est la suite de la précédente [1].

6) Une copie déposée à la Bibliothèque Municipale de Nancy (ms. 630, quatre tomes reliés ensemble), dont l'existence a été signalée pour la première fois par A. Bertière ; elle présente un texte de même étendue que l'autographe, également divisé en quatre volumes, mais dont la fin n'est pas mutilée.

7) Une copie partielle déposée à la Bibliothèque Municipale de Nantes (ms. fr. n° 960-961), qui s'interrompt au milieu du second volume de l'autographe.

---

1. Cette copie, que nous avons consultée personnellement il y a vingt-cinq ans, est indisponible actuellement.

A cette liste il faut ajouter des fragments divers, conservés dans les bibliothèques de Paris et de province.

L'existence de ces copies pose différents problèmes étroitement imbriqués :

a) Le texte ne revêt pas partout la même étendue. Le manuscrit autographe, gravement détérioré, est amputé de tout le début : il commence à la page 259 (I, 231 dans la présente édition). Un peu plus loin, pp. 327-330 (I, 251), il comporte un feuillet arraché et le suivant est coupé en deux obliquement. De la troisième partie il ne subsiste que quatre brefs fragments. Les copies sont d'étendue variable ; mais même dans les plus complètes, tout le début manque, comme dans l'autographe ; en revanche elles comportent le texte intégral de la troisième partie — jusqu'à l'endroit où le récit s'interrompt. Les éditions anciennes sont seules à fournir de surcroît dix fragments du début, séparés entre eux par des lacunes, et dont on n'a pu jusqu'ici déterminer l'origine.

Une première question se pose donc : celle de l'authenticité des passages absents de l'autographe. En ce qui concerne la fin, copies et éditions comportent un texte si proche de celui de l'autographe dans les quatre fragments conservés, qu'on peut leur faire confiance pour le reste. Pour le début, on en est réduit à invoquer des critères internes, comme le ton et la qualité du style ; mais malgré la fragilité de ces critères, nul ne conteste aujourd'hui à Retz la paternité de ces débris sauvés du désastre.

b) L'autre question cruciale concerne la filiation entre autographe, copies et éditions, avec pour corollaire une interrogation sur le statut de l'autographe : est-il la source unique d'où dérivent tous les autres textes ? ou représente-t-il seulement un état des *Mémoires*, dont les copies offriraient un autre état, issu d'un autre manuscrit, antérieur ou postérieur ?

Les éditeurs des G.E.F., tenants de la seconde hypothèse, avaient très logiquement accordé dans leur apparat critique une place importante aux variantes fournies par les copies. Les analyses d'A. Bertière, fondées sur l'examen des différentes leçons, confirmées par l'étude des lacunes — on en parlera plus loin — et par la fixation de la date de rédaction — dont on reparlera également — concluent à l'unicité du manuscrit. Toutes les copies en dérivent. Mais elles se répartissent en deux groupes :

— Deux d'entre elles, la copie R et la copie Caffarelli, ont été faites du vivant de Retz et sous son contrôle ; copies partielles, limitées au récit de la Fronde, elles étaient sans doute destinées à être communiquées pour consultation à des amis : tel fut le destin de la copie Caffarelli, que Caumartin avait commencé à annoter [1] et qui a été conservée par ses héritiers. La copie R, elle, est restée solidaire du manuscrit, auprès duquel elle se trouve encore. Ces deux copies présentent, dans quelques rares cas, un texte préférable à celui de l'autographe — trace d'une intervention orale de Retz ? —, qu'on peut être tenté de prendre en considération. Dans le doute cependant, et comme elles comportent aussi de bévues, il est plus sage de s'en tenir, sauf exceptions rarissimes, dûment signalées dans l'apparat critique, à l'autographe.

— Les autres copies sont postérieures ; elles dérivent toutes, par des cheminements difficiles à établir, de notre autographe, sauf pour le second volume, où lui a été substituée la copie R, sorte de doublet plus aisément lisible. Les variantes qu'elles présentent entre elles sont imputables soit à des erreurs de lecture, soit à un effort, inégal selon les cas, d'allégement et de rajeunissement du texte, qu'elles défigurent parfois faute de le comprendre. Parmi ces copies seule celle de Nancy présente quelque intérêt : assez fidèle à la langue de l'original, reproduisant les quatre volumes de la division primitive, elle pourrait fournir un recours pour l'établissement du texte dans les passages de la fin où l'autographe fait défaut. Mais comme elle ne coïncide pas tout à fait avec celui-ci dans les morceaux conservés et qu'elle comporte d'évidentes négligences, il n'y a pas lieu de la préférer systématiquement aux éditions anciennes, également proches du manuscrit.

En fait, lorsque le manuscrit est amputé ou illisible,

---

1. Ces annotations sont de la main d'un secrétaire, mais leur contenu prouve qu'elles sont bien de l'ami de Retz, puisque Caumartin s'y adresse directement à lui.

l'éditeur se trouve dans la même situation que les éditeurs
de textes grecs ou latins : entre des copies — et ici des
éditions — dont aucune ne s'impose par son origine ou sa
qualité, il est contraint de choisir : choix sans conséquence
s'il s'agit d'un détail infime (c'est heureusement le cas le
plus fréquent) ; choix capital quand un mot indéchiffrable
dans l'autographe a suscité des lectures divergentes également
douteuses. Que faire alors, sinon tenter de restituer la leçon
la plus probable, en la justifiant dans l'apparat critique ?
C'est le parti que nous avons dû prendre dans quelques
rares occasions, avec toute la prudence nécessaire.

c) Les ratures de l'autographe imposent aussi à l'éditeur
certains choix. Le manuscrit présente, en gros, deux sortes
de ratures, de configuration différente.

Certaines sont évidemment imputables à Retz et contempo-
raines de la rédaction. Peu nombreuses au début, ces traces
visibles des hésitations de l'écrivain se multiplient au fil
des pages, témoignages éloquents d'un essoufflement de
l'inspiration. Certaines pages très retouchées laissent apparaître une pensée qui se cherche. Une addition, un repentir
peuvent être révélateurs. Cependant, quel que soit l'intérêt
d'une description méthodique du manuscrit, nous avons dû
y renoncer faute de place et parce que, en tout état de
cause, ce travail est rendu aléatoire, dans bien des cas, par
les difficultés de déchiffrement ; seuls seront donc signalés
quelques cas très caractéristiques.

Le manuscrit a subi également, dans la première partie,
d'autres ratures, presque certainement posthumes, inspirées
par un souci de bienséance ou par le désir de préserver
la réputation d'une dame que les confidences de Retz
compromettaient[1]. Le passage raturé, avec plus ou moins de
soin selon les cas, a été remplacé en interligne par une version
expurgée, que certaines éditions anciennes ont adoptée. Mais
quelqu'un a tenté ensuite d'annuler cette censure en rayant
les rectifications, en faisant disparaître les ratures — non
sans dégâts ! — à l'aide d'un réactif, et en rétablissant en
interligne le texte original péniblement déchiffré. Ce sont

---

1. Voir par exemple les variantes des pages I, 232 et 233, tendant à faire
croire que Mme de La Meilleraye ne répondait pas aux avances de Retz.

deux mains différentes, aisées à distinguer par leur graphie, qui ont ainsi joué tour à tour avec le texte [1]. Les contradictions ou les absurdités auxquelles aboutit parfois la version expurgée excluent l'idée d'une intervention de l'auteur. La règle nous a donc paru être, en la matière, de reproduire toujours le texte primitif, qu'il soit lisible directement ou avec l'aide du restaurateur anonyme. C'est elle qui a d'ailleurs prévalu dans la plupart des éditions modernes, notamment celle des G.E.F.

d) Ces ratures de décence conduisent à dire un mot des lacunes. Une tradition vivace, remontant au début du XVIIIe siècle, les attribue à l'intervention scandalisée de religieuses ou de moines, qui auraient « fait main basse sur tout ce qui ne convenait point à la pourpre romaine » [2]. Cette tradition repose sur un malentendu. Une ou deux lacunes de l'autographe visent à éliminer un épisode compromettant pour une dame : la mutilation des pages 327-330 (I, 251 dans la présente édition) et la rature de la page 665 (I, 350). En revanche, la copie R a été soumise à une censure méthodique : or elle fut substituée au tome II de l'autographe comme base des copies du second groupe (et il est probable que cette censure a contribué à motiver la substitution). Très scrupuleusement les copies et les éditions issues de cet archétype mixte — trois volumes autographes et la copie R — signalent par des points de suspension toutes les interruptions du récit [3]. On a donc nommé indifféremment *lacunes* les passages manquants du début, ceux qui étaient rayés dans la copie R, mais pas dans l'autographe, voire même des phrases biffées par Retz lors des tâtonnements de la rédaction. Et l'on a étendu à l'ensemble de ces lacunes l'explication qui valait pour les seules ratures de la copie R et les deux passages ci-dessus mentionnés.

Après la découverte du manuscrit qui avait échappé, lui, à la censure tout comme la copie Caffarelli, une fois rétablis les quelques passages un peu osés, il subsiste un bon nombre

---

1. On en trouvera des exemples I, pp. 232-233, 249 et 255-256.
2. Lenglet-Dufresnoy, *Méthode pour étudier l'Histoire*, 1713, tome II, p. 290.
3. C'est là une preuve indiscutable de filiation, à laquelle il a été fait allusion par anticipation, p. 65.

de hiatus dont l'étendue et la place suggèrent une autre explication : la négligence, des manipulations maladroites ont entraîné la détérioration du début par feuillets entiers ou par groupes de feuillets, sans qu'aucune intention ait dirigé ces mutilations. Inutile donc d'imaginer des audaces scandaleuses dont nous aurions été privés : le hasard a pratiqué, hélas ! dans le texte des *Mémoires* des coupes aveugles.

2. *La date de rédaction*

Le récit des *Mémoires* s'interrompt brusquement au milieu de l'année 1655. Retz parcourait alors l'Europe en fugitif. En 1662, après son accommodement, il s'installe à Commercy. C'est là que les seules informations recueillies placent la rédaction des *Mémoires*[1]. Comme il y a séjourné presque continûment jusqu'en 1678, un an avant sa mort, on a supposé qu'il avait consacré à la mise au net de ses souvenirs le plus clair de ces seize années. Sinon, comment réduire la fourchette chronologique ?

On avait depuis longtemps remarqué que le texte lui-même comporte des éléments de datation, mais ils n'avaient jamais été exploités de façon méthodique. Là encore les travaux d'André Bertière ont abouti à une certitude[2]. Retz pense et parle au présent, et c'est par rapport à ce présent connu de la destinataire des *Mémoires* qu'il situe les personnages de l'histoire : on peut affirmer de certains qu'ils sont morts au moment de la rédaction, soit parce que le fait est spécifié, soit à cause de l'emploi exclusif du passé pour tout ce qui les concerne. De même, il mentionne les changements intervenus dans la dénomination, l'état civil ou la fonction d'un personnage. La date de ces changements ou de ces décès, quand elle est connue, permet de fixer une chronologie de la rédaction.

Les indications sont assez nombreuses pour que les résultats, convergents, vaillent preuve. Les *Mémoires* ont été rédigés après la mort de Turenne, intervenue le 27 juillet

---

1. Lenglet-Dufresnoy, loc. cit., et Dom Calmet, *Bibliothèque Lorraine*, col. 429.
2. Pour le détail de la démonstration, voir l'ouvrage cité, Première partie, chap. 2.

1675, car il est évoqué au passé dès les premières pages. En revanche, le frère aîné de Retz, mort le 29 avril 1676, était encore en vie lorsque celui-ci écrivait la page 492 (t. I) de la présente édition. Divers autres indices suggèrent que la rédaction ne se prolongea pas au-delà du printemps de 1677. L'examen attentif de la troisième partie conduit même à penser que le récit du conclave de 1655 fut interrompu par le voyage du Cardinal à Rome pour l'élection pontificale de 1676 : ainsi s'expliquerait l'espèce de repentir qu'il manifeste devant un compte rendu qui lui paraît soudain trop désinvolte ; il l'équilibre alors par un vigoureux éloge des conclaves [1]. Cette rupture (août-septembre 1676), qui brise l'élan créateur, prélude à l'abandon définitif.

Ces conclusions — indiscutables pour l'essentiel — sont lourdes de conséquences.

D'abord elles obligent à voir dans les *Mémoires* une œuvre d'inspiration, rédigée à bride abattue en un laps de temps étonnamment court : à peine un an pour les deux premières parties ! Une œuvre soulevée d'un grand élan, ni concertée, ni pesée dans les moindres détails. Un tour de force, qui exclut qu'on se représente Retz trichant habilement sur les dates et construisant de façon calculée l'image qu'il veut donner de lui à la postérité. Cette image est améliorée, certes, et gauchie ; mais le gauchissement ne peut en être que global : il ressortit à une vision d'ensemble. Il faut en tenir compte lorsqu'on débat de la véracité des *Mémoires*.

Autre conséquence plus importante encore : la date qui s'impose sans conteste pour le début de la rédaction n'est pas une date quelconque dans la vie de Retz. 1675 : c'est l'année où il sollicite du Pape l'autorisation de se démettre du cardinalat et de finir ses jours dans un cloître. C'est l'année de ce que ses biographes ont appelé sa « conversion ». Certes le Pape a refusé et Retz « recardinalisé », selon le mot de Mme de Sévigné, a quitté en octobre le couvent de Saint-Mihiel pour retourner chez lui à Commercy. Sur la sincérité de son geste les contemporains, déjà, se sont partagés. Les

---

1. Le texte témoignerait ainsi d'un phénomène naturel, mais généralement peu perceptible chez les mémorialistes : l'image du passé est constamment modifiée par le présent vécu ; les différentes représentations se contaminent entre elles ou parfois, comme c'est le cas ici, se contrarient.

historiens du XIXe siècle, plus radicaux, n'ont laissé le choix qu'entre une conversion authentique, au sens janséniste du terme, et une « épouvantable hypocrisie » [1]. Mais la rédaction des très profanes *Mémoires* est-elle compatible avec un repentir sincère ? Plutôt que de conclure à une comédie sacrilège, d'éminents érudits comme Chantelauze et Gazier ont préféré nier l'évidence interne fournie par le texte et supposer que Retz se contentait alors de les recopier. Mais cela valait-il beaucoup mieux ? selon la stricte logique de R. Chantelauze, le nouveau converti aurait dû les brûler [2] ! Alors : l'hypocrisie ? Retz jouant les ermites à grand renfort d'effets de théâtre et se délectant en secret au souvenir de ses intrigues et de ses galanteries ? Voilà qui serait bien peu conforme au goût du personnage pour la provocation, à son mépris du qu'en dira-t-on. « Je l'ai fait, point de honte à le dire », objectait-il aux réticences de son moine secrétaire devant une anecdote un peu osée. Non, Retz n'était pas de l'étoffe dont on fait les Tartuffe.

Plutôt que de conversion, mieux vaut parler de *retraite* : c'est le mot qui revient sans cesse sous la plume de Mme de Sévigné en ce printemps de 1675. Elle place cette retraite dans une perspective qui n'est pas religieuse, mais héroïque : l'homme vieillissant, malade, choisit de prendre les devants avant l'ultime déchéance et de « mettre quelque temps entre la vie et la mort » [3]. La malveillance de La Rochefoucauld a relevé l'ambiguïté morale d'un tel geste : la dévotion n'est qu'un pis-aller auquel on se résigne quand le reste se dérobe, un « prétexte » soufflé par l'orgueil ; Retz ne s'éloigne du monde que parce que le monde s'éloigne de lui [4]. Admiratifs ou sévères, les témoignages contemporains s'accordent sur un point : des sentiments composites, mais très humains, ont porté le Cardinal à se réfugier dans l'endroit le plus propre à abriter ce qu'il croyait devoir être les derniers mois de sa vie, le couvent que dirigeait son confesseur et ami Dom Hennezon.

---

1. A. Gazier, *Les dernières années du cardinal de Retz (1655-1679)*, 1875, p. 159.
2. R. Chantelauze, *Le cardinal de Retz et ses missions diplomatiques à Rome*, p. 2.
3. Mot de Turenne rapporté par Mme de Sévigné (lettre du 2 août 1675).
4. La Rochefoucauld, *Portrait du cardinal de Retz*.

Avant même le refus de la démission par le Pape, des amis lui conseillent de meubler ses loisirs en racontant sa vie. A plus forte raison, lorsque s'ouvre devant lui la perspective de longues semaines solitaires à Commercy. Loin d'être incompatibles avec la retraite de 1675, ces confessions sans pénitence, mais aussi sans cynisme, que sont les *Mémoires* en sont directement le fruit. Retz appartient « à une génération qui a prisé par-dessus tout la lucidité et la fidélité à soi-même et qui n'a pas cru que pour entrer au royaume de Dieu, il fallût s'abaisser, ni tuer en soi le vieil homme. En elle survit la morale aristocratique de jadis, celle des chevaliers du Moyen Age, celle du théâtre de Corneille surtout, à mille lieues du pessimisme augustinien »[1]. Dom Hennezon, quoique janséniste, ne paraît pas s'en être indigné ; il a accepté d'être le dépositaire du manuscrit, qu'il s'est gardé d'expurger. Aucun des contemporains n'a vu en Retz un grand coupable, qui aurait eu plus à expier qu'un autre ; du récit de sa vie, ses familiers n'ont jamais pensé qu'il dût rougir.

La découverte de la date de rédaction des *Mémoires* entraîne donc un renouvellement capital de l'image que l'on se faisait de leur auteur. Elle a aussi d'autres implications.

3. *L'identité de la destinataire*

Les *Mémoires* sont adressés à une femme sur l'identité de qui on s'est interrogé. Le texte de certains passages interdit de songer sérieusement à Mme de Lafayette. On a pensé longtemps à Mme de Caumartin, qui en détenait une copie : mais le ton du récit suppose avec la destinataire une familiarité que Retz était loin d'avoir avec la seconde épouse de son ami, beaucoup plus jeune que lui. Mme de Sévigné, en revanche, réunit toutes les conditions requises : d'âge mûr, spirituelle, sans pruderie, elle connaît en effet — on peut s'en assurer par sa *Correspondance* — la plupart des gens désignés dans les *Mémoires* comme des relations communes. Une amitié ancienne et profonde la liait au Cardinal et le printemps de 1675 les avait rapprochés dans la tristesse d'un double départ, celui de Mme de Grignan

---

1. A. Bertière, op. cit., p. 120.

pour la Provence et celui de Retz, imminent, pour Saint-Mihiel. Bien plus : on sait qu'elle le poussait à écrire l'histoire de sa vie et qu'elle invitait sa fille à en faire autant [1]. Si l'on ajoute qu'un passage biffé du manuscrit laisse apparaître, sous une rature, le nom de Livry, lieu de séjour familier de la marquise [2], on dispose d'un solide faisceau de présomptions. Deux objections subsistent.

D'abord une réflexion placée tout à la fin des *Mémoires* [3] prête à la destinataire des enfants mâles, jeunes, appelés à être de grands seigneurs, et à qui l'expérience du Cardinal pourrait profiter : ce qui semble exclure Mme de Sévigné. On peut aisément lever l'objection, soit en supposant que Retz associe dans son esprit la mère et la fille et pense ici aux héritiers de Grignan (il y avait bien deux garçons vivants à la date concernée), soit en prenant au sens large l'expression de « Messieurs vos enfants », comme équivalent de « petits enfants ». Cette dernière explication paraît la plus convaincante.

L'autre objection, c'est que la marquise semble avoir été tenue dans l'ignorance complète de l'œuvre entreprise. Mais sa correspondance avec Retz n'a pas été conservée, et il est possible qu'elle se soit abstenue d'en parler à sa fille, qui nourrissait pour le vieil homme une vive antipathie.

Il est possible aussi que Retz ait voulu garder le secret sur son travail, se réservant de faire à son amie l'hommage d'un récit achevé.

Aucune de ces deux objections n'interdit donc de voir en Mme de Sévigné la destinataire probable des *Mémoires*, étant entendu que l'auteur n'excluait pas l'idée d'une plus large diffusion.

---

1. « Conseillez-lui fort de s'occuper et s'amuser à faire écrire son histoire ; tous ses amis l'en pressent beaucoup. » (5 juillet 1675) et « Quand je vous ai [conseillé de lui écrire que vous lui conseilliez] de s'amuser à écrire son histoire, c'est qu'on m'avait dit de le faire aussi, et que tous ses amis ont voulu être soutenus, [et] qu'il parût que tous ceux qui l'aimaient étaient dans le même sentiment. » (24 juillet 1675).

2. *Mémoires*, I, p. 323, var. a.

3. *Mémoires*, II, pp. 537 et 540.

« Écrire son histoire »

En 1675, tout avenir lui étant fermé par sa retraite manquée, Retz se retourne vers son passé. Raconter sa vie ? Voilà vingt ans qu'il la raconte, et qu'il se la raconte. Car s'il est exclu qu'il ait longuement travaillé à en parfaire la mise en forme, en revanche il a bien consacré mentalement ces vingt années à s'interroger sur le *pourquoi,* le *quand* et le *comment* de son désastre. Quelle fut sa part de responsabilité dans ce qui advint ? pouvait-il en être autrement ? Telles sont les questions clefs qui commandent les *Mémoires.*

Une autobiographie donc, en forme de bilan. Le titre primitif — *Vie du cardinal de Rais* — avait sur celui qu'a retenu la tradition l'avantage de lever dès le départ l'équivoque : c'est de lui-même qu'il s'agit prioritairement, et de l'histoire seulement dans la mesure où il l'a faite. De nombreuses déclarations rappellent au fil des pages cette subordination voulue du récit à l'étroitesse d'une focalisation sur sa personne.

Toute sa vie, rien que sa vie : ce qu'il a fait, à quoi s'ajoutera ce qu'il a vu et connu par lui-même ; une histoire « particulière », qui n'ouvre en direction de l'histoire générale que les échappées indispensables. Certes il se laissera prendre aux pièges de l'histoire et trahira bien souvent ce programme ; mais il en rappelle les impératifs chaque fois qu'il veut à nouveau restreindre le champ. Et les articulations du récit sont déterminées par les tournants décisifs de son existence : l'acceptation de la carrière imposée et le retour à la liberté viennent en clore respectivement la première et la seconde parties ; on peut penser que la troisième eût fini par la démission de l'archevêché ou par celle du cardinalat. Les *Mémoires* s'organisent bien autour de sa vie, et cette vie, c'est lui qui la raconte : l'unicité du point de vue narratif lui permet d'annexer à une construction résolument personnelle tous les développements sur l'histoire générale, en les incorporant à une réflexion dont il est le sujet pensant et parlant.

Il se distingue par là de la pratique courante. Les mémoires sont à la mode vers 1675. Le déclin du romanesque s'était accompagné d'un engouement pour l'histoire, qui tendait à effacer les frontières entre les deux genres. Tandis que romans et nouvelles se veulent historiques, les récits authentiques du temps de la Ligue, édités ou réédités en grand nombre entre 1655 et 1670, font les délices du public. Sur la Fronde pèsent encore des interdits. Mais le bruit court que beaucoup de ses anciens acteurs consacrent à la rédaction de leurs souvenirs les loisirs forcés que leur impose le règne personnel de Louis XIV. Des extraits circulaient sous le manteau ou même, échappant au contrôle de leur auteur, faisaient l'objet d'une publication pirate : ce fut le cas pour les *Mémoires* de La Rochefoucauld, face à qui Retz put se sentir piqué d'émulation.

Or la rédaction de mémoires suppose au départ un choix capital entre l'usage de la première personne et celui de la forme impersonnelle [1]. La question ne se pose pas pour les auteurs d'écrits domestiques, consignant à l'intention de leurs descendants les faits marquants de leur existence. Ceux-là disent *je,* comme disent *je* les humbles comparses racontant ce dont le hasard les a faits spectateurs, car leur présence affirmée peut seule authentifier leur témoignage. Mais lorsqu'au XVIe ou au XVIIe siècles un important personnage entreprend de raconter sa vie, le modèle littéraire qui s'impose à lui est celui de la biographie historique — vie des hommes illustres, des grands capitaines, des rois. La forme impersonnelle permet de montrer de l'extérieur, à travers ses faits et gestes, un protagoniste ainsi doté d'une stature exemplaire. Cette mise à distance est d'autant plus naturelle que beaucoup de grands seigneurs peu doués pour la plume se déchargeaient sur des secrétaires de la tâche matérielle de rédaction. L'effacement du locuteur entraîne l'installation complète du récit dans le passé, dans le temps de l'événement : on cherche à concurrencer l'histoire. Tel est le type de narration choisi par le grand ancêtre de tous les mémorialistes, César, et aussi par Jacques-Auguste de Thou, dont Retz invoque au début de son livre le double patronage [2].

---

1. Voir André Bertière, op. cit., pp. 396-404, et Simone Bertière, « Le recul de quelques mémorialistes devant l'usage de la forme personnelle : réalité de la rédaction et artifice de l'expression », dans *Les Valeurs chez les mémorialistes français du* XVIIe *siècle avant la Fronde,* Colloque de Strasbourg et Metz, 18-20 mai 1978, Klincksieck, 1979.

2. *Mémoires,* I, p. 219.

Or paradoxalement, mais aussi très logiquement, Retz opte pour la solution inverse :

> « *Je mets mon nom à la tête de cet ouvrage, pour m'obliger davantage moi-même à ne diminuer et à ne grossir en rien la vérité.* »

La solennité de cette déclaration va de pair avec son caractère insolite : il n'était pas d'usage chez les grands seigneurs d'assumer la responsabilité du récit de leur vie, et encore moins de s'engager personnellement envers leur lecteur. La page liminaire de Retz offre un des premiers — le premier ? — exemples de ce que la critique récente a nommé un « pacte autobiographique » : et ce n'est pas le moins accompli.

> « *S'interroger sur le sens, les moyens, la portée de son geste,* dit Philippe Lejeune, *tel est le premier acte de l'autobiographe : souvent le texte commence, non point par l'acte de naissance de l'auteur (je suis né le ...) mais par une sorte d'acte de naissance du discours, le* « *pacte autobiographique* ». *En cela, l'autobiographie n'invente pas ; les mémoires commencent rituellement par un pacte de ce genre : exposé d'intentions, circonstances où l'on écrit, réfutation d'objections ou de critiques. Mais le rite de présentation a une fonction beaucoup plus importante pour l'autobiographe, puisque la vérité qu'il entreprend de dévoiler lui est personnelle, qu'elle est* lui. *Écrire un pacte autobiographique (quel qu'en soit le contenu), c'est d'abord poser sa voix, choisir le ton, le registre dans lequel on va parler, définir son lecteur, les relations qu'on va avoir avec lui : c'est comme la clef, les dièses ou les bémols en tête de la portée : tout le reste du discours en dépend. C'est choisir son rôle.* »[1]

Le « rôle » choisi par Retz, c'est celui de l'ami ouvrant son cœur à une femme élue pour sa compréhensive sympathie. Beaucoup plus qu'une dédicataire, vite oubliée après l'hommage initial, Mme de Sévigné est ici la destinataire omniprésente d'un discours qui sollicite son approbation, son

---

1. Philippe Lejeune, *L'Autobiographie en France*, 1971, p. 72.

indulgence, son indignation ; une destinataire qu'on surprend parfois à interroger et à contredire, en un dialogue
fictif où le narrateur fait les questions et les réponses, à
moins qu'il ne l'invite à suppléer ce qu'il ne prend pas la
peine de dire. Le cas est, à notre connaissance, unique :
aucun des mémorialistes antérieurs à Retz n'a jamais établi,
ni cherché à établir avec un destinataire/lecteur pareil lien
de complicité.

Les *Mémoires* se présentent comme un prolongement des
conversations, directes ou épistolaires, échangées entre le
Cardinal et la marquise au début de 1675, comme une
longue lettre, qui oscille de la confidence exclusive au
morceau de bravoure pour lectures de salon. Ce n'est pas à
la postérité que Retz s'adresse, même s'il ne repousse pas,
tant s'en faut, l'idée d'une diffusion ultérieure. À l'évidence
il pense à quelqu'un en écrivant. Les multiples adresses à
cette femme jamais nommée — parfois des incises machinales
dépourvues de signification propre — sont des appels, des
signes d'une volonté de convaincre, de séduire, presque des
invites ou des avances. Et le lecteur, se substituant à la
destinataire sans visage, s'y laisse prendre. La force de
conviction des *Mémoires* tient largement à l'abandon du
récit historique impersonnel, d'apparence objective, pour la
forme plus naturelle et plus souple d'une causerie amicale.

L'omniprésence de la destinataire a pour corollaire la
projection au premier plan de la personne du narrateur.
Dire *je*, c'est pour l'auteur de mémoires assumer une double
fonction dans son récit : objet, mais aussi sujet du discours,
c'est de lui qu'il est question, mais c'est lui qui parle, et le
jeu qui s'instaure entre les deux fonctions est déterminant.
Chez Retz, contrairement à la pratique de ses contemporains,
le narrateur envahit la scène. D'abord de multiples « interventions de régie »[1] lui permettent de se tirer, non sans
désinvolture, des difficultés entraînées dans la conduite du
récit par le caractère improvisé de la rédaction : oublis,
ruptures, retours en arrière, avoués avec bonhomie, viennent
confirmer qu'il s'agit d'un récit « sans art » — entendez
sans artifice —, tandis qu'un système de renvois aide à

---

1. Nous empruntons cette expression à l'ouvrage de G. Blin sur *Stendhal et les problèmes du roman*.

K reflects on difficulty of proj

s'orienter dans le dédale des faits. Parfois il se transforme en critique littéraire, pour spécifier une intention, excuser une maladresse ou déplorer son impuissance devant l'abondance et la complexité de la matière. Une sorte de commentaire court ainsi parallèlement au récit, soulignant les nuances, prévenant les objections ou sollicitant un sourire complice, associant en somme le lecteur, admis dans l'intimité de l'écrivain au travail, à l'élaboration du texte [1].

Il arrive aussi que, dans des passages d'une certaine étendue, Retz s'interroge sur la nature ou la finalité de son entreprise : faut-il tout dire ? est-il possible de faire son propre portrait ? Les protestations de sincérité, très nombreuses au début du récit, font place peu à peu à l'aveu d'un malaise : le lecteur ne risque-t-il pas de prendre pour un éloge, ou pour une *apologie* — au sens étymologique de plaidoyer justificatif — ce qui n'est que l'expression spontanée de ce qu'il pense et ressent ? La difficulté qu'il éprouve à parler de lui tient-elle au rôle qu'il jouait en 1652, ou au mode de narration adopté par le mémorialiste [2] ? Ces doutes, un temps suspendus par les péripéties de la fuite et du conclave, reprennent de plus belle dans les dernières pages : certaines d'entre elles sonnent comme un testament, distribuant blâmes ou remerciements, en même temps que Retz découvre *in extremis* la vocation pédagogique d'un récit soudain chargé d'enseigner aux enfants de la destinataire les fautes à ne pas commettre...

Le commentaire technique du narrateur rejoint par là le bilan que dessinent, au fil des pages, diverses interventions d'un autre ordre. Pour Retz, le passé ne vaut pas en tant que tel, comme événement pur : il appelle une explication.

---

1. Le burlesque, qui joue du décalage entre le discours et son objet, avait suscité une réflexion sur les procédés stylistiques appropriés. Dans le *Roman comique,* Scarron, par exemple, utilise avec bonheur les interventions d'auteur, au service d'une narration distanciée (voir à ce sujet l'article de B. Tocanne, « Scarron et les interventions d'auteur dans le *Roman comique* », *Mélanges offerts à M. René Pintard,* 1975). Il est possible que Retz s'en soit souvenu au moment de choisir le mode de narration des *Mémoires.* Mais les conditions mêmes de la rédaction — entreprise pour répondre aux sollicitations de la destinataire, dans le prolongement de conversations récentes — suffiraient à expliquer le recours à la forme personnelle et la projection au premier plan du narrateur.

2. *Mémoires,* II, pp. 356-357.

La matière des *Mémoires* n'est pas le passé, mais la réflexion
actuelle du mémorialiste sur ce passé. Tout récit oscille, on
le sait, entre deux plans d'énonciation distincts, celui de
l'« histoire » et celui du « discours », avec prédominance des
temps grammaticaux du passé ou du présent selon les cas[1].
A la différence des mémoires antérieurs, ceux de Retz sont
caractérisés par la prédominance éclatante du plan du discours
sur celui de l'histoire. Les interventions du narrateur y
fournissent un cadre dans lequel vient s'inscrire le récit.
Par une série de décrochements temporels, les passages
proprement narratifs sont annoncés, expliqués, commentés,
parfois placés dans un éclairage humoristique. Le passé offert
à la réflexion présente se prête aux généralisations ; les
anecdotes les plus singulières suggèrent une leçon qui prend,
grâce à la formulation gnomique, valeur intemporelle.
L'événement se transmue en expérience, au terme d'une
enquête dont la continuité, tout au long des années, assure
la cohésion entre passé et présent. Un même événement
peut appeler plusieurs interprétations successives, l'une
immédiate, les autres liées à des informations plus tardives,
la dernière contemporaine de la rédaction.
    Il y a plus. Les scènes même les plus « passées », celles où
le narrateur, emporté par le surgissement du souvenir, semble
s'identifier le plus avec le personnage qu'il fut jadis,
basculent soudain dans le présent, tant est aiguë l'intensité
de la remémoration : « Je me le peins encore à moi-
même... »[2] Les grandes étapes de son existence, il les revit,
il se les rejoue sur l'« autre scène », celle du « rêve éveillé »,
comme disent les psychologues. Ce n'est pas par hasard que
le dialogue, échange de propos au présent, tend à se
substituer au récit dans les moments cruciaux où s'affrontent
Retz et Condé, Retz et Bouillon, Retz et Monsieur, Retz et
la Reine. Et la multiplicité des discours est sans doute
imputable, par-delà l'imitation des modèles historiques, à
la possibilité qu'ils offrent d'une analyse menée au présent.
    Comment peut-on être cardinal à Commercy ? Retz

---

1. Pour ces distinctions, voir l'article d'E. Benveniste, « Les relations de
temps dans le verbe français », dans *Problèmes de Linguistique générale*,
1966, pp. 237-250.
2. *Mémoires*, II, p. 186.

confiné, sevré d'action politique, frustré de tout avenir, a fait du passé son présent : pas de tout son passé. Le processus s'est concentré sur les quatre années de la Fronde, où il avait vécu intensément et pendant lesquelles s'était joué son sort : l'hypertrophie dont elles font l'objet dans le récit, le tarissement de la veine créatrice après l'évasion et le conclave de 1655 confirment qu'elles constituent son seul bien, matière à réflexion inépuisable et source vive de délices rétrospectives.

Méthodes de travail

Le souvenir n'est pas tout. La vie de Retz a été publique. C'est dans l'histoire qu'elle s'est jouée, c'est dans l'histoire que doit se trouver la réponse aux questions capitales qu'il se pose : l'autobiographe est contraint de se faire historien. Impossible de se fier à sa mémoire pour reconstituer, à vingt-cinq ans de distance, le détail des faits. Retz peut à la rigueur se passer de documents pour la première partie, plus personnelle, où il ne joue dans les événements politiques qu'un rôle de comparse : la rançon en est un flottement considérable dans les dates, notamment pour les complots contre Richelieu. Mensonges délibérés ? il est plus probable qu'il se souvient mal et que son imagination brode sur des données éparses.

Pour la Fronde, il disposait visiblement d'une documentation qu'on a longtemps supposée étendue et variée. Qu'on se rappelle cependant, quand il affirme posséder encore les discours rédigés sur un coin de table chez le duc de Bouillon, qu'il avait brûlé ses archives avant d'être arrêté. Après son incarcération et son évasion — mains et poches vides —, les années d'errance furent peu propices à l'accumulation de livres et de papiers. L'idée de certains éditeurs, notamment ceux des G.E.F., c'est donc qu'il aurait réuni une abondante documentation à son retour, en vue de l'élaboration des *Mémoires*. Mais cette hypothèse est liée à celle d'une rédaction étalée sur quinze ans. Si au contraire la décision d'écrire coïncide avec le refus de la démission du cardinalat par le Pape et si l'œuvre est menée très vite, en l'espace de dix-huit mois à peine, à Commercy, où il ne disposait pour l'aider dans son travail que des quelques moines du prieuré voisin, quand et comment aurait-il pu réunir une masse de documents, qu'il n'aurait d'ailleurs pas eu le temps d'exploiter ?

L'indispensable cadre chronologique et événementiel lui a été fourni par la consultation à peu près exclusive d'une seule source : le recueil des *Journaux du Parlement*. Cette source avait été décelée dès la parution des *Mémoires*, fort aisément puisque lui-même s'en réclame pour authentifier le récit de séances auxquelles il n'assistait pas. Lorsqu'il affirme :

« *Il n'y a aucun [fait] que je n'aie vérifié moi-même sur les registres du Parlement ou sur ceux de l'Hôtel de Ville* »[1], nous sommes tentés de croire qu'il s'agit des documents originaux. Or ces documents n'étaient pas accessibles. Retz a eu recours, en réalité, au *Journal du Parlement*, ouvrage publié par livraisons pendant la Fronde et largement diffusé[2]. De nombreuses pièces officielles y sont retranscrites et intégrées à une narration élaborée, rédigée jour par jour, qui cherche à donner, par la place qu'elle consacre aussi aux événements extérieurs — mouvements de rue ou combats — une vue d'ensemble de l'actualité. Vue partiale, au demeurant, car l'auteur anonyme, issu d'un milieu parlementaire, ne cache pas ses sympathies pour la vieille Fronde.

La confrontation minutieuse des *Journaux* avec le texte des *Mémoires* révèle que Retz les prend comme base unique pendant toute la période qu'ils embrassent (du début de la Fronde à la fin de 1652), sauf pour quelques épisodes militaires isolés, où il dit se référer à des mémoires particuliers[3]. Ces constatations permettent d'imaginer comment il travaillait. Aux *Journaux*, il demande un canevas, dans les mailles duquel viennent s'inscrire ses souvenirs ; des données

---

1. *Mémoires*, II, p. 330.
2. Il faut y joindre l'*Histoire du Temps*, un ouvrage de même type que les *Journaux du Parlement*, avec lesquels il finit par se fondre. L'auteur présumé en est Nicolas Johannès Du Portail.
3. *Mémoires*, II, p. 331. Ajoutons qu'il a dû disposer d'un compte rendu du conclave de 1655 ; aucun de ceux que nous avons consultés à la Bibliothèque Vaticane n'offre de rapprochement décisif, mais il a pu puiser dans l'un d'entre eux des listes de cardinaux et des procès-verbaux de scrutins.

brutes, qu'il se réserve d'interpréter ; des faits nus, qu'il anime de détails vécus. Il lui arrive de rectifier de menues erreurs, sur des noms de personnes par exemple ; mais généralement il suit de très près son guide.

L'extrême précision du cadre chronologique fourni par les *Journaux* est à double tranchant. Certes elle contribue à accréditer la relation des faits, et donc l'interprétation qu'en propose Retz. Mais elle le rend solidaire d'une seule source, dont il accepte sans contrôle les affirmations : beaucoup d'inexactitudes ou d'omissions, qui lui ont été reprochées comme des mensonges délibérés, sont sans doute imputables à cette source [1]. D'autre part, elle confère à son récit, par le découpage chronologique qu'il lui emprunte, l'aspect d'un témoignage, qu'on est en droit de traiter comme tel : en jouant imprudemment à l'historien, Retz a donné à tous les authentiques historiens du XIXᵉ et du XXᵉ siècles des verges pour se faire battre.

De plus il a manqué de temps ou de courage pour réorganiser la matière offerte. Il écrit au fil de la plume et du calendrier suivi par les *Journaux*. Souvent, quand leur plat compte rendu rencontre et réactive un souvenir personnel, il s'échappe en un envol éblouissant — et l'on voit disparaître de son texte les indications de date. Quand l'inspiration se tarit et que sa mémoire est rétive, il s'englue, s'enlise, démarquant servilement, jour par jour, retranscrivant de façon machinale les formules désuètes de la langue du Palais. Le contraste s'accuse à la fin de la seconde partie, lorsque l'extrême confusion des situations, jointe au fait qu'il en avait perdu le contrôle, jette comme un brouillard sur ses souvenirs. En somme il n'a pas su prendre, par rapport à sa source, la distance requise, ni dissimuler le lien, tantôt étroit, tantôt très distendu, qui l'unit à elle. C'est à cette méthode de travail, périlleuse entre toutes, qu'il faut attribuer l'inégalité de *tempo* et de souffle, si frappante dans les *Mémoires,* et ce qu'on ne doit pas craindre de nommer leurs faiblesses.

---

1. L'exemple le plus caractéristique d'omission incriminée concerne la défaite du régiment des Corinthiens et le sermon séditieux du 25 janvier 1649, dont le *Journal* ne parle pas : voir *Mémoires,* I, p. 382, note 1.

mechanical v. organic metaphors

Histoire et action politique

L'autobiographie est pour Retz inséparable de l'histoire, parce que les seules vies qui vaillent la peine d'être racontées sont celles qui ont marqué leur époque. Mais réciproquement, il n'est d'histoire qu'autobiographique. Qui a vocation à raconter l'histoire, hormis ceux qui l'ont faite ? C'est là une idée reçue de longue date parmi les grands seigneurs. Dès le XVIᵉ siècle, les mémorialistes déniaient aux clercs de l'historiographie humaniste le droit de rendre compte d'événements dont ils n'avaient qu'une connaissance indirecte. Retz ne fait que les imiter, quand il s'en prend à son tour à ceux qu'il appelle indifféremment *gazetiers* ou *historiens,* qui travaillent d'après des « ouï-dire », montant et relâchant sur des « cadrans de collège » les ressorts d'une politique observée du dehors, roturiers commettant sur la psychologie des princes d'impardonnables contresens [1]. Cependant son hostilité aux professionnels de l'histoire dépasse la simple réaction d'auto-défense d'une aristocratie soucieuse de contrôler l'image qu'elle laissera d'elle-même.

L'histoire recèle pour Retz la clef de l'action politique, elle est le lieu où les grands hommes peuvent s'en instruire. Là non plus, rien de bien original au départ. Mais l'histoire conçue comme outil pédagogique, à l'usage des enfants royaux ou des fidèles sujets de la monarchie, était épurée et sous-tendue par des valeurs morales et religieuses, qu'elle avait pour fonction première d'illustrer. On allait y chercher des exemples au service de convictions préalablement acquises. C'est ainsi que Retz en avait usé lui-même dans la *Conjuration.* Mais quand il écrit les *Mémoires,* il sait qu'il ne trouvera pas dans les idées reçues de réponse à la dramatique question qu'il se pose sur sa propre carrière : existe-t-il des règles de « bonne conduite » qui eussent pu lui éviter le désastre ? Pour le savoir, un seul moyen : prendre à bras le corps l'histoire vécue, la sienne, dans sa totalité, se colleter en elle, tenter d'y apercevoir des enchaînements et si possible d'en tirer des lois. La récurrence des métaphores mécanistes — assimilant la société à une machine d'horlogerie — et le fait qu'elles viennent concur-

---

1. *Mémoires*, II, pp. 155 et 159-160.

rencer les métaphores organiques traditionnelles, traduisent ce désir de ramener la complexité du monde politique à une rationalité, d'en faire l'objet possible d'une réflexion de type scientifique.

L'examen de l'histoire par Retz se présente donc comme une mise à l'épreuve, pour les dénoncer ou les affiner, des idées reçues. L'usage qu'il fait des *sentences* ou *maximes* — ornement obligé de la narration historique — est révélateur de cet effort pour dépasser les vues conventionnelles et tirer du vécu des leçons neuves. Jamais elles ne sont un simple recours à l'opinion commune pour étayer une observation particulière. Elles résument et condensent, en une formule inédite, les résultats comparés d'une série d'observations concrètes. Beaucoup d'entre elles revêtent la forme normative de préceptes en vue de l'action. Occupant très souvent à la fin d'un développement, dont elles sont grammaticalement inséparables, la place d'une conclusion, elles sont la formulation généralisée d'une découverte née de l'expérience personnelle du mémorialiste. Et lorsqu'elles se multiplient, elles finissent par absorber la substance de la narration — offrant aux enfants de la destinataire et aux lecteurs à venir un très insolite manuel de pratique politique.

L'effort de connaissance porte avant tout sur les acteurs de l'histoire. Au point de départ, en effet, une conviction partagée par tous : l'histoire est faite par les grands hommes. La présence d'une galerie de portraits au seuil du récit de la Fronde confirme que Retz croit au rôle prépondérant des individus, comme y croyaient les historiens latins ou Plutarque, à qui il a emprunté, pour les portraits jumelés de Richelieu et de Mazarin, sa technique des *Vies parallèles*[1]. Inutile de s'attarder sur le rôle de la causalité psychologique dans l'explication des événements : il saute aux yeux. Si Condé avait eu plus d'esprit de suite et Gaston d'Orléans plus d'énergie, toute la face de la Fronde en eût été changée...

Priorité donc à la psychologie, mais à une psychologie à géométrie variable, où la curiosité pour la nature humaine est concurrencée par une interrogation pragmatique sur

---

1. *Mémoires*, I, pp. 286-288.

les hommes en situation. Sans renoncer à la conception essentialiste, à dominante morale, qui propose pour la description des êtres un répertoire familier de qualités et de défauts, de vices et de vertus, Retz s'attache surtout à leurs comportements dans la vie concrète. L'observation des caractères se double d'une observation, souvent humoristique, des mœurs. Et l'introduction d'un critère nouveau, l'adéquation entre le caractère — fixe — et les situations — changeantes —, vient modifier les jugements portés : qualités et défauts ne pèsent pas en toutes circonstances le même poids. Une psychologie affinée donc, et orientée vers l'action. Car toutes ses données sont à prendre en compte dans le combat et la négociation. Une appréciation correcte de l'adversaire — et du partenaire... — est la condition du succès. Ni le comte de Soissons, ni le duc d'Orléans ne possédaient la résolution indispensable aux grandes affaires : aussi était-il déraisonnable de les y engager. On peut utiliser les talents d'un homme, on ne doit jamais espérer de lui ce dont il n'est pas capable. C'est en fonction de la capacité — au sens d'aptitude à l'action — que le réalisme de Retz construit en dernier ressort l'échelle de valeurs où se distribuent les individus.

Ce réalisme de principe, joint à la fréquentation des petites gens dans l'exercice de ses fonctions, lui permet de se dégager de certains préjugés aristocratiques. Certes le peuple, pris globalement, conserve à ses yeux les défauts traditionnels. Les « grands hommes » se recrutent exclusivement parmi la noblesse. Mais ils y sont rares. Chez tous les autres vertus et faiblesses ignorent les frontières sociologiques. Le peuple regorge d'« hommes de bien », qu'il a vus à l'œuvre, comme le boucher Le Houx et le médecin Vacherot, d'humbles héros comme tels de ses serviteurs lors de son évasion, tandis que le comportement de certains nobles — Beaufort, Elbeuf — laisse à penser qu'ils seraient mieux à leur place aux Halles ou parmi les tire-laine du Pont-Neuf.

Il y a chez Retz l'étoffe d'un moraliste. Sa connaissance des êtres est subtile, aiguë, fondée sur l'observation du détail révélateur, que nul ne pense à dissimuler, sur un sens du comique attentif aux contradictions et aux dérobades. Moins systématiquement pessimiste que celle de La Rochefoucauld, plus vivante, plus diversifiée et peut-être plus exacte, sa psychologie offre l'importante singularité de prendre pour objet non pas l'Homme, entité philosophique, mais les hommes en tant qu'acteurs potentiels de l'histoire ; elle propose une méthode pour déchiffrer leurs comportements, une caractérologie politique.

Si désireux qu'il soit cependant de faire la part belle aux individus, il se refuse à leur accorder l'entière responsabilité de l'événement. Là où les historiens vulgaires ont voulu, à l'école du tacitisme, voir le résultat de manœuvres cachées, de « manège d'État »[1], il propose parfois d'autres explications. Par une anticipation très remarquable sur son époque, il place au nombre des moteurs de l'histoire les grandes forces collectives. Et d'abord le peuple, capable de mouvements spontanés, aux débordements redoutables. Et en second lieu, les « compagnies souveraines », qui sont « peuple » lorsqu'elles sont rassemblées, c'est-à-dire fluctuantes et versatiles, capables de toutes les folies. On trouve dans les *Mémoires* l'ébauche assez nouvelle d'une psychologie des assemblées et des foules. Une prescience aussi, du rôle des données sociales et économiques dans le jeu politique. A plusieurs reprises, l'agitation populaire prend naissance parmi les détenteurs de rentes de l'Hôtel de Ville, clientèle humble, mais nombreuse, que le ministre a eu l'imprudence de s'aliéner. Retz évalue en termes réalistes l'importance relative des différentes catégories sociales dans les « révolutions » :

> *« Les riches n'y viennent que par force ; les mendiants y nuisent plus qu'ils n'y servent, parce que la crainte du pillage les fait appréhender. Ceux qui y peuvent le plus sont les gens qui sont assez pressés dans leurs affaires pour désirer du changement dans les publiques, et dont la pauvreté ne passe toutefois pas jusques à la mendicité publique. »[2]*

La psychologie des foules conduit tout naturellement à une

---

1. On trouvera cette expression sous sa plume t. 1, p. 322. Quant à l'idée, elle revient souvent dans les *Mémoires*. Retz prend ici le contre-pied d'une conviction très répandue dans la première moitié du XVIIe siècle et fondée sur la lecture de Tacite, selon laquelle l'histoire se joue exclusivement dans le secret des cabinets : voir sur ce point E. Thuau, *Raison d'État et pensée politique à l'époque de Richelieu*, 1966, p. 40.

2. *Mémoires*, I, p. 245.

réflexion sur les moyens de se concilier la sympathie du
public par ce que nous appellerions de l'action sociale [1], ou de
saisir son imagination par des démonstrations spectaculaires.
Retz, passé maître en l'art de démagogie, eût raffolé de nos
« médias » et ravi nos journalistes de télévision...

Cependant, la psychologie, individuelle ou collective,
n'explique pas tout. L'extrême complexité du réel entrave
la connaissance historique et lui assigne des limites qui, loin
de décourager chez Retz l'analyse, l'incitent à la creuser
davantage. Car les limites de la connaissance historique
marquent aussi celles de la prise qu'on peut avoir sur
l'événement : d'où l'intérêt d'en évaluer la mesure exacte
et de les reculer au maximum.

Dans les obscurités qu'offre l'histoire, une distinction
s'impose entre le non connu et l'inconnaissable. Les aveux
d'ignorance sont fréquents dans les *Mémoires* et il n'est pas
rare que Retz laisse au lecteur le choix entre plusieurs
explications. Il a enquêté, et n'a pas trouvé, nous dit-il.
Mais il eût été possible de savoir. Des limites de cet ordre
ne mettent pas en cause l'intelligibilité du réel, elles attirent
seulement l'attention sur sa complexité. L'homme d'action
doit en tirer une leçon majeure : il lui faut prendre en
compte, avant de décider, le plus grand nombre possible de
données. L'une d'entre elles est le facteur temporel : d'où
l'insistance de Retz sur le *moment*, très vite dépassé, sur
l'*occasion* à repérer et à saisir parce qu'elle ne se représentera
jamais :

> « *Il n'y a rien dans le monde qui n'ait son moment
> décisif, et le chef-d'œuvre de la bonne conduite est
> de connaître et de prendre ce moment. Si l'on le
> manque dans la révolution des États, l'on court fortune
> ou de ne le pas retrouver, ou de ne le pas apercevoir.* » [2]

Le réel est d'une substance si riche et si touffue qu'il exige

---

1. Voir la politique de soutien aux nécessiteux pratiquée à la fois par
Jean-Louis de Fiesque et par le coadjuteur.
2. *Mémoires*, I, pp. 388-389. Des réflexions comme celles-ci font irrésisti-
blement penser à Thucydide. Mais l'historien grec était relativement peu lu
au XVIIᵉ siècle et il est très difficile, en l'absence d'information précise, de
savoir si Retz le connaissait.

une appréhension globale, directe, dans laquelle l'intuition fournit à la raison les matériaux sur lesquels opérer. Il faut avoir *vu* les séances du Parlement, en avoir *senti* le climat pour en juger. Les verbes *voir* et *sentir* renvoient à cette perception immédiate, par opposition au raisonnement, tout comme s'opposent en un couple antithétique récurrent *spéculation* et *pratique* : la connaissance, en matière politique, est d'abord empirique. On notera au passage qu'une telle conception vient fonder en droit les prétentions des mémorialistes au monopole de la narration historique.

Toute action politique étant un pari sur l'avenir, suppose la prévision. Les « fautes » dont Retz s'accuse sont presque toujours dues à une défaillance dans ce domaine. Et là encore, il n'est de connaissance qu'empirique :

> « *Il n'y a que l'expérience qui puisse apprendre aux hommes à ne pas préférer ce qui les pique dans le présent à ce qui les doit toucher bien plus essentiellement dans l'avenir.* » [1]

La faute impardonnable est de n'avoir pas saisi toutes les données d'une situation, ou d'avoir mal raisonné sur elles. Inversement la clef du succès est d'en intégrer le plus grand nombre dans un projet concerté. A partir de son expérience de la Fronde, Retz tente d'élaborer une méthode et des modèles d'analyse capables d'être opératoires dans la plupart des éventualités.

Dans son effort pour pousser au plus loin les limites de la connaissance, il rencontre cependant un obstacle : il est des faits qui échappent à la raison, à la logique et, par conséquent, à la prévision — comportements contradictoires, absurdes, proches de la folie chez les hommes, ou purs événements, comme la planche glissant sous le pied de Fiesque victorieux ou le reflet du soleil éblouissant le cheval du Cardinal fugitif. Dans ce dernier cas, ils prennent le nom de *hasard*. Or, ayant reconnu le rôle du hasard en histoire, Retz n'en tire aucune conclusion fataliste, invitant à l'abandon : car à défaut de le prévoir, on peut l'intégrer à ses calculs, apprécier — nous dirions statistiquement — la part

---

1. *Mémoires*, II, p. 368.

ark. e factor in chance
no Sret influence...

de risque inhérente à chaque entreprise, réserver une rubrique où faire figurer l'imprévisible — c'est ce qu'il appelle le « chapitre des accidents » — et se tenir prêt à modifier ses plans en conséquence. Idée très moderne, que ne renieraient pas aujourd'hui les stratèges de l'économie, sinon de la politique.

Une telle conception se heurte à des croyances ancrées dans les mentalités du XVIIᵉ siècle. Elle vise en effet à introduire le plus d'intelligibilité possible dans le monde social et politique, qu'on se représentait depuis toujours baignant dans le surnaturel, soumis à mille « influences » — au sens astrologique du terme —, dirigé par le doigt de Dieu, agent caché des causes secondes. Or à part quelques cas où, dans un contexte d'ailleurs très littéraire, on peut croire à une mauvaise « étoile » pesant sur la destinée de Retz [1], à un caprice d'une fortune agissante, la plupart des occurrences de ce dernier mot — et elles sont très nombreuses — en font un quasi synonyme de *hasard* [2]. La fortune, ainsi dépouillée de tout mystère, c'est simplement ce qui peut arriver : selon les cas, chance ou malchance. Allant plus loin, un commentateur récent a vu en elle la pesanteur, l'inertie du réel, que le vulgaire subit, mais que le grand homme peut, au jour le jour, contrecarrer ou maîtriser [3]. Elle marque, tout comme chez Machiavel, les limites d'un science de l'action politique assimilée à la prévision, tout en donnant de ces limites une définition rationnelle, hors de toute postulation métaphysique.

Reste le domaine réservé de la Providence, « qui, par des ressorts inconnus à ceux même qu'elle fait agir, dispose les

---

1. *Mémoires*, I, p. 359. Nous ne voyons pas non plus dans les quelques allusions au diable ou aux démons la preuve que Retz ait cru vraiment à leur intervention dans les affaires humaines : car elles figurent soit dans des formules stéréotypées, soit dans des mots d'esprit (le plus souvent dans un contexte de galanterie). De l'anecdote des capucins noirs (I, pp. 252-254) il ressort qu'il croyait aux *esprits* : mais quand il dit qu'il avait toujours souhaité en *voir*, il nous semble faire preuve d'une curiosité rationaliste.

2. Voir à l'*Index thématique* le relevé des plus importantes de ces occurrences. Les mots de *destin* ou de *destinée* n'apparaissent, eux, qu'une dizaine de fois, avec une acception presque toujours affaiblie.

3. « La fortune est le nom donné par Retz à la puissance de neutralisation du sujet par l'événement » (L. Marin, « Bagatelles pour un massacre », dans *Le récit est un piège*, éd. de Minuit, 1968).

moyens pour leur fin »[1]. Le mémorialiste en parle toujours avec respect, voire solennité. Jamais hostile ni capricieuse, comme la fortune, elle étend sur les affaires humaines une bienveillance globale : c'est à elle qu'on s'abandonne dans les situations désespérées ; quand elle nuit, c'est par abstention, en se refusant à coopérer[2]. Sa protection lointaine ne vient pas remettre en question le jeu naturel de la causalité. Dans deux ou trois cas cependant, Retz, faute de trouver à des comportements absurdes une explication satisfaisante, a recours au lieu commun d'un aveuglement d'origine surnaturelle :

> « Et ce pas de clerc, que nous fîmes tous sans exception, à l'envi l'un de l'autre, est un de ceux qui m'a obligé de vous dire quelquefois que toutes les fautes ne sont pas humaines, parce qu'il y en a de si grossières que des gens qui ont le sens commun ne les pourraient pas faire. »

> « Et c'est ce qui me fait conclure que l'aveuglement dont l'Écriture nous parle si souvent est, même humainement parlant, sensible et palpable quelquefois dans les actions des hommes. »[3]

Il s'agit là d'interventions très exceptionnelles et les « fautes » qui leur sont imputables sont peu de chose au regard de toutes celles qu'un peu de réflexion aurait permis d'éviter.

La disproportion entre le rôle du hasard et celui de la Providence est donc considérable. Mais ce partage inégal d'influences, où le hasard se taille la part du lion, n'autorise pas à parler d'impiété. Il atteste la présence dans les *Mémoires* d'un trait déjà perceptible dans la *Conjuration* : l'effort pour penser la politique en termes humains, terrestres, à l'écart, si faire se peut, de toute perspective religieuse. Une telle séparation des domaines n'est pas propre à Retz : c'est elle qui a permis à la science de faire des progrès décisifs, en mettant comme entre parenthèses l'explication

---

1. *Mémoires*, II, pp. 379-380.
2. « Il ne plut pas à la providence de Dieu de le bénir... » (I, p. 332). « Il ne plut pas à la Providence de la faire réussir » (II, p. 445).
3. *Mémoires*, II, pp. 266 et 332. On trouvera un exemple analogue dans la *Conjuration*, I, p. 197.

distancing of god, → denial

biblique du monde. Elle n'implique pas nécessairement l'irréligion, au contraire : l'esprit scientifique coexistait souvent chez les hommes du XVIᵉ siècle avec une foi très vive. Il appartint au XVIIᵉ siècle d'assumer, jusque dans leurs plus extrêmes contradictions, les conséquences de cette révolution de la pensée : dans tous les domaines, la mise à distance de Dieu ouvrait un champ immense aux investigations humaines.

Mach. 59

Retz eut-il conscience qu'il transposait en politique la démarche qui avait donné de si brillants résultats dans les sciences : observer le réel pour en tirer des lois ? Rien n'est moins sûr. Car lorsque dans cette voie il rencontre à nouveau, comme au temps de l'essai sur Fiesque, le fondateur de la science politique moderne, Machiavel, il s'insurge. Ses affinités avec le Florentin sont pourtant manifestes : la priorité accordée aux faits, une sorte de positivisme dans la manière de poser les questions, une volonté de comprendre, pour mieux les maîtriser, les mécanismes des sociétés humaines. Mais, à certaines des conclusions du *Prince*, les *Mémoires* s'efforcent désespérément d'opposer un démenti.

Refus et tensions

La réflexion pragmatique est en effet contrecarrée chez le mémorialiste par des forces puissantes, parce que l'histoire sur laquelle elle s'exerce n'est pas celle des autres, mais la sienne propre : la même raison qui qualifie les grands acteurs de l'histoire pour la raconter les rend incapables d'en donner une image fidèle et d'en tirer toutes les leçons.

La théorie de l'action politique que Retz tente d'élaborer dans les *Mémoires* est déchirée entre les exigences de la lucidité et des sollicitations relevant à la fois de l'esthétique et de l'éthique, qui opposent au critère d'efficacité des valeurs d'un autre ordre. Une image idéale du « grand homme » vient contrarier les enseignements de l'observation réaliste. La fascination de la « belle gloire » bloque ou fait dévier l'analyse. On pourrait penser, par exemple, que le calcul méthodique des chances d'une entreprise incite à adopter la conduite la moins aventureuse, la plus sûre. Au contraire : il sert à élargir à l'extrême le champ du possible.

Car il n'y a de grandes actions qu'extraordinaires, aux
frontières de l'irréalisable [1]. Le caractère hasardeux ou insolite
d'une entreprise est un gage de qualité, l'assurance pour
son auteur de s'élever au-dessus de la plate médiocrité. Le
domaine d'élection du héros, ce sont les exploits incroyables
et pourtant vrais, ce que Corneille nommait l'*invraisemblable
possible* et dont il faisait la matière privilégiée de son
théâtre [2]. Et nous voici à cent lieues du réalisme machiavélien...

Qu'on ne s'y trompe pas : cette prédilection pour les
« grandes choses » n'est pas un voile tardivement jeté par le
mémorialiste sur les ambitions du Frondeur. C'est une
composante de son caractère : les contemporains ont vu en
lui, en des jugements opposés mais convergents, une âme
supérieure, un émule des anciens Romains, se donnant pour
règle « de faire toujours ce qu'il y a de plus grand et de
plus héroïque », ou un exalté à qui les livres avaient perverti
l'esprit et qui, même, « avait un petit grain dans la tête » [3].
C'est aussi une donnée culturelle : toute une génération a
puisé dans l'enseignement humaniste des collèges l'amour
des actions d'éclat, sujet privilégié des recueils d'anecdotes
exemplaires et thème proposé aux élèves des jésuites pour
les exercices de discours latin ou les représentations dramati-
ques de fin d'année. Nourri des *Vies* de Plutarque, admirateur passionné du *Cid* et d'*Horace*, le jeune Gondi, imagina-
tif impénitent, a rêvé d'être un grand homme, dont
l'incarnation fut d'abord la figure fraternelle de Jean-Louis
de Fiesque. Et à ce rêve, le Cardinal écarté de la scène n'a
jamais renoncé. Une « mythologie héroïque » [4] gouverne

---

1. Retz évoquant par exemple les qualités indispensables à un bon chef
de parti, souligne que chez lui « la résolution marche du pair avec le
jugement : je dis avec le jugement héroïque, dont le principal usage est de
distinguer l'extraordinaire de l'impossible » (I, p. 239). Voir aussi, II,
p. 243 : « Toutes les grandes choses qui ne sont pas exécutées paraissent
toujours impraticables à ceux qui ne sont pas capables des grandes choses » ;
et II, p. 463 : « Tout ce qui est fort extraordinaire ne paraît possible, à ceux
qui ne sont capables que de l'ordinaire, qu'après qu'il est arrivé ».

2. Voir notamment le *Discours de la Tragédie* et la *Préface* d'*Héraclius*.

3. Les jugements élogieux proviennent des lettres de Mme de Sévigné
(5 juin 1675 et 7 juillet 1677) ; les autres sont tirés respectivement des
Mémoires de Mme de Nemours et de ceux de l'abbé de Choisy.

4. C'est le titre d'un des chapitres de l'ouvrage d'André Bertière, où est
longuement développé cet aspect des *Mémoires*.

l'image que les *Mémoires* tentent de donner de leur auteur, ou plutôt de celui qu'il voudrait avoir été. Ce personnage joint aux vertus traditionnelles des héros romanesques et guerriers les compétences, valorisées de plus fraîche date, du chef de parti ou d'État. Ce dernier avatar doit beaucoup à Corneille, créateur d'une tragédie politique où des sujets empruntés à l'antiquité permettent de représenter indirectement « les oppositions de forces, les heurts de pensée et d'arguments qui agitent la vie des États à cette époque »[1]. L'histoire contemporaine se trouve par là égalée en dignité à l'histoire romaine, et Retz peut se sentir autorisé à traiter des épisodes de sa propre vie sur le modèle proposé par le dramaturge. Le théâtre de Corneille fournit au mémorialiste non seulement une phraséologie, des répliques, un ton, mais aussi les structures formelles commandant l'organisation du récit dans les moments cruciaux[2] : lors des choix décisifs, l'action soudain suspendue cède la place à des délibérations solitaires où le héros, face à lui-même dans le silence de sa chambre, évalue les perspectives de gloire attachées à chacune des voies qui s'offrent à lui[3].

Mais cet essai d'héroïsation, déjà malaisé pour Fiesque, se révèle peu à peu, dans son propre cas, inopérant. Très appuyé au début, il s'estompe au fil des pages. A mesure que le récit avance et que s'affine l'analyse, Retz a de plus en plus de peine à faire coïncider en tous points son personnage avec la figure idéale du grand homme, en qui l'extrême capacité s'accorderait avec la plus haute vertu. Fiesque craignait plus que le feu les compromissions et le ridicule. Or le narrateur des *Mémoires* n'est pas certain d'y avoir échappé, dans les funestes années 1651-1652, où son consentement implicite au retour du favori n'a pas suffi à empêcher sa disgrâce : il s'est laissé prendre aux airs affables

---

1. Paul Bénichou, *Morales du Grand Siècle*, 1948, p. 59. On lira avec profit, sur les différents visages du héros au XVIIe siècle, les deux premiers chapitres.

2. Sur les affinités de Retz avec Corneille, voir Marc Fumaroli, « Apprends, ma confidente, apprends à me connaître. Les *Mémoires* de Retz et le traité *Du Sublime* », dans *Versants*, n° 1, automne 1981, Lausanne, L'Age d'Homme.

3. Les plus caractéristiques de ces délibérations sont celle de la retraite à Saint-Lazare, qui précède son ordination (I, p. 263) et celle de la nuit des barricades, qui précède son engagement dans la Fronde (I, p. 315).

de la Reine, il a été trompé par Mazarin, au point de se jeter dans le piège tendu au Louvre et de vouloir douter cependant, vingt ans après, de la responsabilité du ministre dans son arrestation. Il préfère se duper lui-même, plutôt que de reconnaître qu'il a été dupe. Le refus de regarder en face certaines évidences entraîne la mise en place de processus compensatoires, dont on aperçoit sans trop de peine les mécanismes.

Au premier rang de ces processus figure le recours à la morale. Le fait qu'il ait souvent transgressé tel ou tel de ses commandements n'implique pas qu'il ait eu pour elle, comme on l'a trop souvent écrit, une indifférence cynique : il en est comme fasciné. La distinction entre la gloire et l'ambition[1], le rapport qu'elles entretiennent avec l'intérêt ou les intérêts (dans les diverses acceptions de ce terme), l'effort pour installer dans l'ordre éthique, aux côtés des vertus traditionnelles, la très réaliste capacité à l'action, rebaptisée pour la circonstance *mérite*[2], attestent assez, de la *Conjuration* aux pamphlets et aux *Mémoires*, la permanence de cette obsession. Et les grandes délibérations décisives sont traitées comme des cas de conscience.

Le recours à la morale offre, face au dysfonctionnement du modèle héroïque, deux formes de compensation. Il arrive au héros d'échouer : cet échec est alors expliqué et glorifié par le sacrifice volontaire de l'efficacité à une exigence supérieure. Lorsque morale et politique se révèlent inconciliables, la première doit prévaloir :

---

1. Voici un passage caractéristique, tiré d'un de ses pamphlets, *Les intérêts du Temps* (1652) : « Il est difficile de distinguer la gloire de l'ambition : elles ont souvent les mêmes effets, elles viennent presque toujours de même cause, elles ne se rencontrent presque jamais que dans les esprits de même trempe. Je vois qu'il y a partage dans le monde, laquelle de ces deux passions est le principe des actions de M. le cardinal de Retz. Tous ceux qui ne le connaissent pas dans le particulier en font le jugement que l'on fait d'ordinaire de tous ceux qui ont été dans les grandes affaires, qui est qu'ils n'ont ni de règles ni de bornes que celles qu'ils cherchent dans l'ambition et qu'ils n'y rencontrent jamais. Je vois beaucoup de gens qui l'approchent et qui croient avoir pénétré son naturel, qui sont persuadés qu'il est plus touché par la gloire des grandes actions que par l'amour des dignités ».
2. Voir la galerie des portraits, et notamment ceux de Condé et du duc de Bouillon.

> « *Je sais bien que je manque à la politique, mais je satisfais à la morale ; et j'estime plus l'une que l'autre.* » [1]

Le respect des engagements personnels, même privés, a le pas sur les considérations d'intérêt, même général. Retz trouve normal que M. de Bouillon prenne en compte, dans une décision politique, les larmes de sa femme [2]. Lui-même affirme s'être obstiné dans une opposition qui lui coûta sa liberté, pour n'avoir pas voulu abandonner ses amis [3]. La satisfaction de n'avoir pas trahi son devoir, jointe aux dangers encourus, apparaît dans bien des passages comme un ultime refuge. Dans cette conception intériorisée de la gloire, où l'approbation intime de la conscience vient remplacer la consécration de la renommée, on perçoit, une fois de plus, des échos cornéliens. Est-ce une coïncidence ? la vie d'adulte de Retz, qui avait vingt-trois ans lors de la première représentation du *Cid* et s'apprêtait à écrire les *Mémoires* lorsque parut *Suréna*, se confond, chronologiquement, avec la carrière dramatique de Corneille, et elle en reflète l'évolution.

La morale permet d'autre part d'excuser ce qui pourrait paraître compromission ou péché. Fait très remarquable, Retz ne prend jamais position contre les impératifs moraux et religieux, ni même en dehors d'eux ; c'est de l'intérieur et en les opposant les uns aux autres, qu'il prétend justifier tel ou tel comportement d'apparence répréhensible. S'il viole un commandement, ce n'est que pour mieux en respecter un autre : ainsi tente-t-il de transmuer les « vices d'un archevêque » en « vertus d'un chef de parti » et de déguiser en dévouement à sa fonction la satisfaction concertée de son penchant pour la galanterie [4] ; s'il a manipulé le Parlement ou Gaston d'Orléans, excité le peuple, appelé à la guerre civile, c'était en vue d'un plus grand bien — le « véritable service du Roi » ou la « paix générale ». Cet effort pour moraliser à tout prix sa conduite passée agace ou scandalise

---

1. *Mémoires*, I, p. 372.
2. Ibid., I, p. 486.
3. Ibid., II, pp. 367 et 434-435.
4. *Mémoires*, respectivement I, pp. 315 et 263-264. Voir à la note 1 de cette dernière page l'analyse détaillée de ce passage controversé.

conflicting claims of morality   *faults really good dies*

nombre de lecteurs, qui partagent à l'égard des complaisances et des détours de la casuistique la réprobation de l'auteur des *Provinciales*. Mais n'est-ce pas un bel hommage indirect rendu à la morale qu'une telle incapacité à penser en dehors d'elle l'action politique ?

Selon un processus assez commun, l'échec a conduit Retz à surcompenser, sur le plan moral, ses déceptions. Il s'est construit un personnage en qui les défauts les plus notoires pouvaient passer pour l'envers de grandes qualités. Les *Mémoires* respirent l'autosatisfaction. Les aveux n'y témoignent d'aucun sentiment de culpabilité. Une bonne conscience ingénue s'épanouit chez le vieil homme, encouragée par la conviction que la franchise est partie intégrante de la grandeur[1]. En faisant de son personnage le reflet imparfait, mais cependant reconnaissable du grand homme, il tente de sauver quelque chose de ses ambitions et de ses rêves. Effort pathétique, qu'il ne soutiendra pas jusqu'au bout... A l'opportuniste qui s'était enlisé dans les faux-fuyants et les feintes de l'année 1652, l'arrestation vient *in extremis* donner un nouveau lustre. L'idéal de magnanimité active est alors remplacé par le stoïcisme, dont le président de Bellièvre vient à Vincennes lui rappeler, non sans emphase, les maximes : le grand homme, c'est celui qui « ne compte le fer et le poison pour rien », que « rien ne touche sinon ce qui est dans [lui] », qui pense que « l'on meurt également partout »[2]. Amère potion, qui ne parvient pas à apaiser les angoisses et les regrets du cardinal incarcéré : la vertu de patience n'est assurément pas son fort.

Il n'a pas été le grand homme qu'il rêvait d'être et il le sait. De son bref passage dans les tempêtes de la Fronde, il lui est resté cette fonction cardinalice, qui lui vaut les rares occasions où Louis XIV daigne l'employer : il la respecte — jusque dans l'offre qu'il fait de s'en démettre — parce qu'elle est tout ce qu'il possède de dignité. On n'a pas assez remarqué, dans les *Mémoires*, les marques de ce respect. S'il plaisante sur les aspects extérieurs de sa fonction — bénédictions à distribuer, pieuses conférences à prési-

---

1. « Il est, à mon sens, d'un plus grand homme de savoir avouer sa faute que de savoir ne la pas faire. » (I, p. 454).
2. *Mémoires*, II, p. 454.

der —, il réagit mal aux bons mots l'accusant de lui être infidèle[1]. Il s'applique à montrer qu'en dépit de ses entorses à la « règle des mœurs », il fut un bon archevêque : et à ce jugement, beaucoup de ses contemporains souscrivaient. Ce n'est pas par hasard que l'exemple le plus net de casuistique est lié à la « ferme résolution de remplir exactement tous les devoirs de [la] profession » dans laquelle il accepte enfin de s'engager[2]. Sa verve s'en prend volontiers aux hommes — sottise et lâcheté des bigots, fourberie du Pape —, jamais à l'Église, dont il fait en terminant le récit du conclave un vibrant éloge.

Or l'Église se trouve impliquée dans le principal des mensonges qu'on lui reproche — mensonge flagrant et délibéré — : il nie avoir, comme tant d'autres, et sans doute en moindre quantité que d'autres parce qu'il était moins riche, distribué de l'argent ou des cadeaux à Rome pour hâter sa promotion au cardinalat : ç'eût été dire qu'il y avait là-bas des gens — dont un futur pape — disposés à les recevoir[3]. Lui reprocher ses dénégations, c'est bien ; mais ne s'indignerait-on pas encore davantage s'il avait publié la liste des bénéficiaires de ses largesses ?

A travers tensions et contradictions, les *Mémoires* sont le lieu d'un bilan où s'élabore, par touches successives, le portrait ambigu et fragile de celui que Retz voudrait avoir été. La morale est un des instruments, imparfaitement efficace, de cette reconstruction de soi.

Il est un autre domaine où se manifeste également le refus de regarder la vérité en face et où le réalisme apparaît miné par un sursaut jailli des profondeurs de l'être : c'est, de façon très inattendue, le récit des faits eux-mêmes.

Il saute aux yeux de quiconque réfléchit après coup que Retz ne pouvait pas gagner la partie, telle qu'il nous la décrit[4]. Toutes les données de l'échec sont inscrites, en

1. *Ibid.*, I, p. 547.
2. *Ibid.*, I, p. 264.
3. *Mémoires*, II, p. 304 : on trouvera une discussion détaillée dans la note 3.
4. Cette remarque ne concerne pas les événements eux-mêmes, dont les historiens ont le droit de penser qu'ils pouvaient en 1651 tourner contre Mazarin, mais le *récit* qu'en fait Retz.

filigrane, dans son récit rétrospectif. « Seriez-vous assez fou pour vous embarquer avec ces gens ici ? », lui demande Condé au lendemain de son intervention pour la défense du Parlement le jour des barricades [1]. « Quand vous vous engagerez dans une mauvaise affaire, je vous plaindrai... », avait ajouté le Prince. Et si l'on applique à la propre conduite du coadjuteur les règles de politique énoncées sous forme gnomique par le mémorialiste, on relève encore plus de « fautes » que celui-ci n'en reconnaît lui-même, et l'on en conclut que leur accumulation devait le perdre. Or s'il lui arrive de signaler lucidement des erreurs majeures [2], il a tendance à les disjoindre de celles qui les ont précédées et suivies. Sans cesse il néglige les continuités, occulte les lignes directrices, leur préférant l'analyse en profondeur d'une situation donnée, isolée de l'ensemble. Lui, si sensible au temps, en immobilise le cours afin de faire le point : à telle date, en tenant compte de toutes les données, que pouvait-on faire ? Les grands débats, avec discours au présent, sont comme autant d'instantanés qui fractionnent la Fronde en une suite de moments, tous décisifs, mais tous dotés d'une autonomie propre.

Il faut voir là des traits de nature : une impétuosité impatiente qui, dans la vie, le portait à la réaction immédiate sous l'aiguillon de l'amour-propre blessé ou de la gloire entrevue. Une sorte de myopie intellectuelle aussi, qui dans les *Mémoires* le rend plus apte aux subtilités de l'analyse qu'aux panoramas [3]. La tactique est son fait, plus que la stratégie. Ajoutons-y une énergie, un ressort hors du commun, un refus de se déclarer battu. Pour Retz toute faute est réparable. Toute situation, même la plus désespérée, comporte des recours. Ce qu'il admire chez Condé, à la bataille de Lens, c'est que, « le combat étant presque perdu, [il] le rétablit et le gagna par un seul coup de cet œil d'aigle... » [4]. Homme de ressources, à peine a-t-il subi un

---

1. *Mémoires*, I, p. 348.
2. On en trouvera un exemple caractéristique t. II, p. 255, à propos du départ de la Reine : faute majeure ; mais les Frondeurs avaient-ils les moyens de l'empêcher ?
3. Il y a un célèbre panorama d'histoire au seuil du récit de la Fronde, mais il ne porte pas sur du vécu.
4. *Mémoires*, I, p. 300.

revers qu'il y cherche des *remèdes* — un mot récurrent dans les *Mémoires*. Sa vie n'est qu'une suite de sursauts et de rebondissements, dont l'évasion n'est pas le moins spectaculaire, ni peut-être le plus sage.

Pour un homme de cette sorte, l'action est une fuite en avant, où tout semble, à chaque instant, possible. Le récit d'un échec et d'une carrière gâchée est ainsi rythmé par une série de victoires ponctuelles, provisoires, qui dissimulent l'orientation générale désastreuse : récit tout baigné d'espérance, d'optimisme, de confiance dans un avenir toujours ouvert ; récit foncièrement anti-tragique [1], malgré la forme rétrospective, et qui préférera le silence à l'acceptation du dénouement.

Par un paradoxe propre aux *Mémoires*, l'analyse réaliste elle-même collabore à cette négation du réel, où l'imagination pervertit la lucidité. Car pour tirer de son expérience des maximes politiques, Retz est conduit à examiner chaque situation non seulement dans ses données véritables, mais dans ses possibles. Le fameux discours à Gaston d'Orléans sur le tiers-parti [2] propose une confrontation entre plusieurs modèles tactiques, selon les options initiales envisageables, quoique Retz sache très bien, quand il écrit, que Monsieur était incapable d'en faire son profit. La matière des *Mémoires* n'est pas seulement ce qui fut, mais ce qui pouvait être, et par ce biais l'imagination les investit tout entiers. Adieu les calculs et l'appréciation correcte des chances ! Tout le possible lui est rendu, jusque dans ses plus improbables virtualités : si son cheval n'eût pas bronché à la sortie de Nantes, il eût été le lendemain « maître de Paris » [3] ! Dans certaines pages où la conviction la plus ardente soutient et anime l'affabulation, on surprend Retz, livré à ses démons familiers, en train de récrire l'histoire à l'irréel du passé.

---

1. Les affinités de Retz avec Corneille sont à cet égard frappantes. Le climat « héroïque » de son récit est celui des tragédies cornéliennes, dont on a pu nier qu'elles fussent tragiques, parce que la fatalité y est mise en échec, soit dans les faits, soit moralement, par des héros qui la défient.
2. *Mémoires*, II, pp. 295-302.
3. Ibid., II, p. 463. Que peut signifier « être maître de Paris », à une date où la Fronde est terminée et où Mazarin, rentré en triomphe dans la capitale depuis plus d'un an, tient fermement les commandes de l'État ?

> « *Nul n'a plus rêvé que ce réaliste autour de la petite conjonction* si » [1] :

c'est exact. Mais cette rêverie n'est pas évasion hors du réel, elle se nourrit de lui, elle le remodèle et, enrôlant à son service la raison elle-même, elle en arrive à le récuser. Par opposition au probable logique, à ce qui *devait* se produire, l'événement advenu fait figure de pur « accident », que rien ne permettait de prévoir ; autant dire qu'il n'existe pas :

> « *Je ne désavoue pas [mes sentiments] en ce rencontre ; je fais plus, car je ne m'en repens pas. Je ne considère point les événements : la fortune en décide ; mais elle n'a aucun pouvoir sur le bon sens. Le mien est moins infaillible que celui des autres, parce que je ne suis pas si habile ; mais, pour cette fois, je le tiens aussi droit que si il avait bien réussi, et il ne me sera pas difficile de le justifier.* » [2]

On ne saurait plus vigoureusement nier l'histoire. Ces propos que Retz tenait à Gaston d'Orléans lui reprochant une erreur de pronostic donnent une des clefs des *Mémoires* : contre l'« événement », contre l'histoire, il affirme hautement qu'il avait raison. Ce n'est pas avec les hommes qu'il y règle ses comptes, mais avec les faits.

Une vive tension entre l'intelligence et l'imagination, la capacité d'analyse et les élans du tempérament, a marqué sa vie et contribué à briser sa carrière ; elle travaille les *Mémoires* de part en part, à mesure que se creuse l'écart entre les aspirations affichées du protagoniste et sa conduite effective, et que se profile, derrière d'illusoires succès, l'irrémédiable défaite. Le ton se modifie vers la fin et se fait désabusé dans les pages testamentaires préludant à l'abandon : lorsque Retz parvient à regarder la vérité en face, la seule réponse appropriée est le silence.

---

1. Gaëtan Picon, *Préface* aux *Mémoires* dans l'édition du Club Français du Livre, 1949.
2. *Mémoires*, II, p. 399.

Le plaisir d'écrire [1]

Contre l'ennui, l'écriture offrait à Retz le meilleur anti-
dote ; elle fut la source d'une joie qui baigne le texte,
même dans ses moments les plus ingrats. Une longue
pratique de la parole orale et écrite lui avait donné, au soir
de sa vie, une merveilleuse faculté d'improvisation. On ne
soulignera jamais assez sa maîtrise de la rhétorique : fondée
à la fois sur une réflexion théorique nourrie de lectures —
des grands anciens aux contemporains —, sur une curiosité
attentive à l'évolution du goût et sur une expérience directe
des genres les plus divers, elle fait de lui, sur le tard, un
virtuose [2]. Il retire de l'écriture un plaisir comparable à celui
de l'artisan ou de l'artiste qui sent son instrument docile
entre ses mains. Les *Mémoires* sont jalonnés de morceaux de
bravoure, de sentences, de mots d'esprit : trouvailles dont il
s'enchante et que leur place dans le contexte, souvent en
fin de paragraphe, nous désigne comme telles. L'allégresse
soulève presque de bout en bout ce récit d'une carrière
manquée.

Pour la première fois depuis longtemps — depuis la
Conjuration ? — devant la page blanche Retz est libre, alors
que ses autres écrits — sermons, pamphlets, lettres épiscopales
— étaient tributaires, pour le contenu et l'expression, d'une
situation et d'un effet à produire. La liberté dont il jouit
dans les *Mémoires* ne signifie pas qu'il n'obéit à aucune
règle ou qu'il n'imite aucune forme, mais qu'il les choisit.

---

1. Il n'existe à ce jour aucune étude approfondie sur Retz écrivain. On
trouvera dans l'ouvrage déjà cité d'André Bertière (notamment 1re partie,
chap. 4 et 3e partie) de nombreux rapprochements aidant à situer les
Mémoires par rapport à la pratique littéraire contemporaine. Mais ces
indications ne sauraient remplacer l'enquête méthodique d'histoire littéraire,
qui reste à faire, sur ses lectures et sur les influences qui ont pu infléchir ses
orientations propres. On ne dispose d'autre part d'aucune étude stylistique,
en dehors du travail, très vieilli, d'Adophe Régnier au tome X de l'édition des
G.E.F., et du répertoire de figures fourni par la dissertation dactylographiée de
R.E. Hill, *Retz and Rhetoric*, Yale 1964. La thèse en préparation de Jacques
Delon sur *Retz orateur* viendra, on l'espère, combler en partie cette lacune.
— Le présent développement ne prétend donc pas donner une vue d'ensemble
sur la question : nous nous sommes borné à relever quelques traits marquants,
qui nous ont paru confirmer les analyses qui précèdent.
2. Voir l'article cité de M. Fumaroli, dans *Versants*.

Ce récit « sans art »[1] se réclame, avec discrétion, du goût mondain. Le modèle en est la conversation élégante, qui n'exclut ni la recherche du mot spirituel ou osé, ni le recours à des procédés visibles, exploités avec brio. On parlait beaucoup littérature dans le cercle de Mme de Sévigné[2] ; on commentait l'actualité ; mieux : on la savourait en avant-première, comme lorsque Corneille, Molière et Boileau avaient offert au Cardinal la primeur d'œuvres encore inédites ; on débattait des règles propres aux différents genres ; on s'attachait à fixer les canons d'un style « naturel », où l'enjouement vient égayer le sérieux et dont la savante négligence revêt les apparences de la spontanéité. Le choix de la marquise comme destinataire des *Mémoires* en a déterminé le ton. Retz y déploie les talents de causeur qu'on s'accordait à lui reconnaître. Le climat mondain dans lequel il continue de baigner en esprit explique qu'il associe deux techniques du portrait : celle qui relève du genre historiographique à la manière de Plutarque — voir le parallèle entre Richelieu et Mazarin — et celle qu'avait mise à la mode le jeu de société d'inspiration précieuse pratiqué dans les salons : la fameuse galerie, répondant à une attente de la destinataire[3], est inséparable d'un défi récemment lancé par La Rochefoucauld à son vieil ennemi[4]. Les maximes dont le mémorialiste parsème son récit témoignent qu'il a assimilé la rhétorique du genre élaborée par l'auteur du célèbre recueil, mais aussi qu'il tient à se démarquer de lui en évitant le reproche de gratuité[5]. A la composante mondaine du style de Retz peuvent être rattachés également la richesse et la précision du vocabulaire psychologique, le goût pour la nuance exacte, poursuivie à coups de spécifica-

---

1. « Je vous supplie très humblement de ne pas être surprise de trouver si peu d'art et au contraire tant de désordre en toute ma narration » (*Mémoires*, I, p. 219).
2. Mme de Sévigné, Lettre du 9 mars 1672.
3. « Je sais que vous aimez les portraits... » (*Mémoires*, I, p. 371).
4. Voir le portrait de Retz par La Rochefoucauld, reproduit ci-dessous, I, p. 133. Une version adoucie en avait été communiquée au cardinal par Mme de Sévigné au printemps de 1675. Sur cette affaire, voir la note 4 du t. I, p. 374, et l'article d'A. Bertière dans la *R.H.L.F.*, n° LIX, 1959.
5. Voir plus haut, p. 83, comment l'insertion des maximes de Retz dans le contexte en fait le point d'aboutissement d'une expérience.

tions et de distinctions successives [1]. L'effort pour créer une langue adaptée à la description du cœur humain, amorcé dès le début du siècle dans le roman — *L'Astrée* fut le livre de chevet de la génération de Retz —, heureusement poursuivi, en dépit des excès, par la préciosité, avait trouvé son aboutissement dans les années 1660-1670 : Retz dispose, comme tous les moralistes de la fin du siècle, d'un instrument parfaitement au point.

C'est aux antipodes de l'élégance de bonne compagnie qu'on est tenté de situer l'affleurement d'une veine burlesque, perceptible dans la transposition comique de certains épisodes et dans le recours à des termes familiers ou bas. Il convient de nuancer. L'apogée du burlesque avait coïncidé avec la Fronde : la littérature polémique en était imprégnée ; la *Muse Historique* de Loret offrait chaque samedi aux Parisiens, sur le rythme alerte de ses octosyllabes, une version « travestie » de l'actualité de la semaine ; Scarron avait en 1651 dédié au coadjuteur *Le Roman comique* ; Corneille même n'avait pas échappé à la contagion, comme l'atteste le contrepoint ironique qui oppose à la magnanimité de Nicomède le grotesque Prusias. Quoi de plus normal que la présence, dans un récit de la Fronde, de traits de langue évocateurs de ce climat ? Qu'on y prenne garde : pas plus que le pamphlétaire ne s'abaissait jadis à l'invective grossière, le mémorialiste ne verse dans la déformation caricaturale. Les références burlesques sont pour lui un moyen de donner à certains épisodes une tonalité spécifique, de restituer l'air du temps. Veut-on un exemple ? Le burlesque recourait volontiers à un vocabulaire déjà perçu en 1650 comme archaïque ; ce parler à l'ancienne se voulait familier, populaire, par opposition au langage des milieux cultivés. Mais quand Retz use en 1675 de termes comme *rhabilleur, replâtreux, confabulation, rembarrer, ravauder, clabauder,* etc. [2], c'est la manière de parler des Frondeurs qu'il reproduit, et non la langue populaire : la preuve en est que la plupart de ces termes sont attribués à des tiers. La Fronde est une

---

1. Voir par exemple les différents aspects revêtus par l'*irrésolution* chez le comte de Soissons ou le duc d'Orléans (on trouvera à l'*Index thématique* les principales occurrences du mot).

2. On trouvera ces mots au *Glossaire,* accompagnés des éclaircissements nécessaires.

époque lointaine, révolue : esprit facétieux, irrévérence, audaces de langage sont des traits propres à la génération d'autrefois, prompte à passer des larmes au rire [1] et à jeter sur elle-même, entre deux emportements de passion, un regard amusé. Le recours au burlesque dans les *Mémoires* relève pour une bonne part de ce que nous appellerions la couleur historique. Loin de déformer la réalité, il en reflète plus fidèlement l'image.

Il y a aussi autre chose. La coïncidence entre l'épanouissement du burlesque et la Fronde n'est pas un hasard : les deux phénomènes témoignent d'un refus de l'ordre et de l'autorité. Le travail d'épuration de la langue confié par Richelieu à l'Académie française avait aussitôt suscité chez les adversaires du ministre un regain de faveur pour les mots condamnés — archaïques ou familiers — : attitude d'opposition, qui se prolonge et s'exaspère un peu plus tard dans le burlesque. Quand Retz rédige, longtemps après, un récit peu conformiste de la Fronde, il recourt tout naturellement à une liberté dans le maniement des registres de langue qu'appellent à la fois son sujet et l'état d'esprit qui est le sien.

Pratiquée alors avec mesure et conscience des effets produits, cette liberté est pour lui l'instrument d'une recherche de l'expression juste : elle lui permet de dire plus et mieux. Il se soustrait à la sujétion des règles, à seule charge pour lui de signaler et d'assumer les entorses qu'il commet à leur égard. De nombreuses incidentes disent sa lutte pour coller à la réalité — plus exactement à la représentation mentale qu'il en a : une représentation qui ne préexiste pas totalement à sa formulation, mais se précise et s'affine dans l'acte d'écrire, à travers les tâtonnements qui conduisent au terme juste. Une expression, une tournure sont-elles trop hardies, à la limite de l'impropriété ou de l'incorrection, selon les normes de la grammaire et du bon goût ? il s'en justifie en invoquant les insuffisances du langage, toujours dépassé par la richesse du réel, à moins qu'il ne leur confère le statut de citations. Et comme ce libre usage de la langue coïncide avec un refus de peindre

---

1. Voir t. II, p. 415, la scène où Madame, « moitié en riant, moitié en pleurant », compare Retz et son mari à Trivelin et à Scaramouche.

concrete détails

les hommes, à commencer par lui-même, en costume d'apparat, le concret fait irruption dans le récit et en rehausse la saveur : l'on y entend l'oncle du Roi siffler en jetant son chapeau sur la table ; l'on y voit l'archevêque de Paris dévaler au bout d'une corde le rempart du château de Nantes ou haleter de soif dans la moiteur d'une meule de foin au mois d'août. Les *Mémoires* fourmillent de ces notations insolites, transcription d'une expérience à fleur de peau où frémit encore, immédiate, l'impression sensible. Le comique cesse de s'opposer au sérieux sur le mode de la dissonance : l'un et l'autre contribuent à la saisie globale d'une réalité multiforme, dans un langage qui emprunte aux traditions littéraires les plus diverses le meilleur de leurs ressources. Le style des *Mémoires* est aboutissement, synthèse de tous les courants de l'époque, en même temps qu'il les déborde tous. La verdeur d'une langue familière et drue, d'avant Vaugelas, y fait bon ménage avec un raffinement dans la description psychologique que ne renieraient ni les Précieuses, ni les moralistes de la fin du siècle. Le lexique, traversant de part en part l'épaisseur des années, fait le pont entre la *Satire Ménippée* et les *Caractères* de La Bruyère, au service d'un récit brassant la pleine pâte d'un vécu que Retz se refuse à épurer. Ils témoignent, face aux doctrinaires d'un classicisme étroit, de la vitalité d'une veine moins soucieuse de perfection, moins compassée aussi, plus réaliste et plus libre.

Une même soumission à l'objet commande la syntaxe, l'orientant dans deux directions opposées et complémentaires : complexité proliférante ou tranchante brièveté.

La phrase complexe n'est pas périodique, malgré la présence de nombreuses figures de rhétorique, typiques du style oratoire. Car l'architecture en est brouillée par l'intrusion d'incidentes qui se multiplient en tous sens, jusqu'au moment où la pensée soudain se rassemble et se tend pour un nouvel élan[1]. Surprise : ces phrases « gigogne » à la syntaxe inextricable sont d'une lumineuse clarté pour qui se laisse porter par elles ; leur apparente dispersion se résout

---

1. On trouvera des exemples de phrases bâties sur ce modèle t. I, p. 333, t. II, pp. 89, 130, 234, etc.

en une convergence qui fait saillir l'idée force. C'est que chez Retz la phrase complexe épouse le mouvement de l'esprit qui raconte et pour qui les faits racontés appellent en cascade explications ou réserves. Elle n'est pas redistribution harmonieuse d'éléments préexistants, mais transposition immédiate de l'effort même de recherche et de découverte. Plutôt qu'une phrase calquée sur la pensée, elle est pensée vivante et agissante, saisie en plein vol. Là est le secret de son efficacité : car nulle place n'est plus indiquée pour un détail explicatif, que celle où la nécessité en est apparue au locuteur. Une extrême économie de moyens préside à ces analyses subtiles et sinueuses : pas un mot qui ne concoure à l'intelligence de leur objet.

Un tel trait les apparente, de façon imprévue, à la phrase rapide, à structure paratactique, utilisée dans la narration et dans certains passages des discours. Voici le coadjuteur face aux émeutiers :

> « *Je les flattai, je les caressai, je les injuriai, je les menaçai : enfin je les persuadai.* » [1]

Et le voici parlant à M. de Bouillon :

> « *Le seul nom de l'armée de Weimar était capable d'éblouir le premier jour le Parlement. Je vous le dis ; vous eûtes vos raisons pour différer ; je les crois bonnes et je m'y suis soumis. Le nom et l'armée de M. de Turenne l'eût encore apparemment emporté, il n'y a que trois ou quatre jours. Je vous le représentai ; vous eûtes vos considérations pour attendre ; je les crois justes et je m'y suis rendu.* » [2]

De tels exemples montrent que la juxtaposition syntaxique remplit une double fonction, l'une à visée narrative, d'accélération du *tempo*, l'autre à visée explicative, de mise en lumière des contradictions.

Un style nu, sans coquetteries ni fioritures — si l'on excepte la galerie des portraits, seule concession à la mode — ; un style fort, parce que rigoureux, refusant l'à-peu-près et le

---

1. *Mémoires*, I, p. 310.
2. Ibid., I, p. 473.

bavardage, « tranchant comme de l'acier »[1] ; un style où
Retz porte à leurs limites les possibilités de la langue de
son temps et qui séduit d'abord par le rayonnement de
l'intelligence ; en dépit — ou à cause ? — de son mépris
des règles du bien écrire, ce style plein d'imperfections
échappe à l'usure du temps : après trois siècles, il n'a pas
une ride.

De quelques métaphores, notamment théâtrales

Retz aime les métaphores et les file volontiers. Une
expression imagée en commande presque toujours d'autres,
qui s'éclairent mutuellement. Ces métaphores ne cherchent
pas à faire *voir* ; ce sont, selon la formule de Lanson[2],
des hiéroglyphes, venant souligner et rehausser l'idée. La
correspondance qui associe terme à terme des données
sensibles à une réalité intelligible ainsi voilée et désignée à
la fois, offre au lecteur une sorte d'énigme dont on lui
fournit la clef, mais qu'on lui laisse le soin d'élucider en
détails. Moyen piquant d'épargner à un auditoire mondain le
pédantisme d'un développement didactique, les métaphores
l'invitent à communier avec le narrateur dans un plaisir
intellectuel partagé. Elles tiennent toujours plus ou moins
du mot d'esprit.

La plupart d'entre elles sont puisées à un fonds commun
et le traitement en est conventionnel : c'est le cas de celles
qui assimilent la vie à un voyage maritime ou l'État à un
organisme vivant. L'une d'elles cependant a été remarquée
depuis longtemps pour la fréquence de ses occurrences : celle
du théâtre, dont l'usage dans les *Mémoires* est très diversifié[3].

Il faut, pour en apprécier les différentes modalités, se
souvenir qu'on trouve à sa source un *topos*, celui du *theatrum
mundi*, d'origine antique, mais revivifié aux XVIe et XVIIe
siècles par la pensée chrétienne, et qui a fourni à la langue

---

1. Gaëtan Picon, loc. cit.
2. Lanson, *L'Art de la prose*, rééd. 1968, p. 97.
3. Voir D.A. Watts, « Le sens des métaphores théâtrales chez le cardinal
de Retz et quelques écrivains contemporains », dans *Mélanges offerts à René
Pintard*, 1975.

une phraséologie stéréotypée[1]. La version chrétienne de ce *topos* dénonce le caractère illusoire de la vie terrestre :

> « *Dieu est le poète et les hommes ne sont que les acteurs* », écrivait Guez de Balzac, « *ces grandes pièces qui se jouent sur la terre ont été composées dans le ciel, et c'est souvent un faquin qui en doit être l'Atrée ou l'Agamemnon.* »[2]

Au départ, donc, une dévalorisation de l'action humaine, face aux desseins de la Providence. Mais la métaphore se laïcise, en même temps que le théâtre se voit interdire les sujets religieux, et elle fait alors l'objet d'une revalorisation imprévue. La *scaena vitae*[3] et son reflet, la scène tragique, peuplée de rois et de princes, deviennent le lieu par excellence de la consécration des grands hommes. Pour les candidats à la gloire, le passage de la salle à la scène, le changement de place dans la distribution figurent les progrès accomplis : du « parterre » où il était spectateur, de l'« orchestre » où il restait « à badiner avec les violons », Retz nommé coadjuteur de Paris va enfin « monter sur le théâtre »[4].

Cette assimilation de la vie à une représentation dramatique n'interdit pas de la prendre au sérieux. La politique n'était pas pour l'ambitieux coadjuteur un divertissement sans conséquence auquel il eût pu se livrer à la légère, une pièce fictive au sortir de laquelle l'acteur eût recouvré son identité vraie : car cet acteur n'a pas d'autre identité que celle que lui confère son rôle public[5], il se confond avec l'image qu'il offre de lui-même dans le monde. Le « grand homme », on s'en souvient, c'est celui qui *fait* de « grandes choses ». Le rôle colle à l'être et sur le théâtre du monde, on risque sa carrière, sa vie — d'aucuns ajoutent : son salut

---

1. C'est dans la littérature espagnole du « siècle d'or » que ce thème a connu sa plus grande fortune.
2. Guez de Balzac, *Aristippe ou De la Cour*, 1658.
3. Cette expression a été utilisée par Curtius pour désigner la version profane de la métaphore théâtrale.
4. *Mémoires*, I, p. 262.
5. Très révélateur est à cet égard l'emploi du substantif *public* pour désigner tous ceux qui ne sont pas les acteurs, mais les spectateurs de l'action politique.

éternel. Tout donne à penser, et notamment *La Conjuration de Fiesque*, que Retz s'était engagé dans la pièce avec d'autant plus d'âpreté qu'il misait tout sur des enjeux terrestres : c'est *hic et nunc* qu'il rêvait de s'accomplir.

Beaucoup de métaphores théâtrales relèvent donc dans les *Mémoires* de l'usage le plus courant et ne méritent pas qu'on s'y arrête. Plus intéressants en revanche sont les liens qu'entretiennent ces métaphores avec d'autres, pour former une constellation spécifique, dont la configuration est éclairante. Au *théâtre* sont associées les *cartes* — avec pour élément commun le *jeu* — et les *mécanismes d'horlogerie* — avec pour point de contact les *machines* commandant le mouvement des décors ; tous ont en outre une parenté avec les *pièces* qu'on met sur le métier, les *étoffes* qu'on tisse ou qu'on brode. Or tout cet ensemble oppose le caché au visible, suggérant pour tout phénomène observé l'existence d'une causalité sous-jacente : on notera sans surprise que le principe de cette causalité n'est pas au ciel, mais ici-bas, entre les mains des acteurs de l'histoire.

Les métaphores du théâtre ou du jeu de cartes sont un moyen de décrire l'action politique en termes d'antagonismes. Cette action est une pièce où s'affrontent des adversaires, une partie que l'on joue, avec le désir de la gagner. Elle comporte, comme toute pièce, comme toute partie, deux types d'éléments, les uns visibles, les autres cachés, liés entre eux par une relation d'ordre causal : le caché commande et explique le visible. L'insistance de Retz à dévoiler les « ressorts » du théâtre et le « dessous des cartes » s'inscrit dans sa tentative pour rendre l'histoire intelligible.

On doit se garder d'assimiler par principe l'opposition caché/visible à une opposition entre le paraître et l'être, l'apparence et la réalité — dans l'acception actuelle de ces termes —, qui se résout en une antinomie entre le vrai et le faux. L'*apparence*, chez Retz comme chez la plupart de ses contemporains, c'est ce qui *paraît*, ce qui se voit, qu'on le montre délibérément ou qu'on le laisse transparaître malgré soi ; *affecter* un sentiment, une opinion, c'est les manifester intentionnellement au dehors. Ces mots ne nous renseignent pas, par eux-mêmes, sur l'authenticité de ce qui est ainsi montré : ce peut être vrai, ce peut être faux — seul le contexte le dira. Mais s'il arrive parfois que nulle distorsion n'altère la relation entre un projet secret et sa mise en œuvre publique, on doit reconnaître aussi que l'action politique, tout comme une partie de cartes, appelle presque nécessairement la dissimulation et le recours à une tactique dont la première vertu est d'être imprévisible pour autrui : et il faudrait ici associer à notre constellation deux autres familles de métaphores, celle de la guerre et celle de la chasse. Les mêmes mots de *jeu, jouer, personnage, affecter,* connotent alors la duplicité, indiquent qu'on cherche à passer pour ce qu'on n'est pas. Retz use d'une expression également métaphorique pour désigner des feintes au second degré, qui interviennent dans le cours de l'action politique, elle-même préalablement identifiée à une représentation dramatique : c'est *comoedia in comoedia,* la pièce dans la pièce chère au théâtre baroque [1].

Tout le lexique du jeu et du théâtre s'en trouve marqué d'une ambivalence fondamentale. Chez celui qui « joue un personnage », comment faire le départ entre la volonté de tromper et l'adoption concertée d'une attitude appropriée à une fin [2] ? Entre les deux limites que sont l'hypocrisie radicale et l'impossible spontanéité s'échelonnent sur une ligne continue tous les comportements politiques, qui conjuguent à des degrés divers feinte et sincérité. Les efforts de Retz pour réintroduire cette dernière par le biais des intentions paraissent bien dérisoires face à une vision globale de l'action comme conflit de forces affrontées : la réflexion achoppe sur l'insoluble débat de la fin et des moyens. Le retour, insistant jusqu'à l'obsession, des métaphores du jeu et du théâtre, et les incertitudes lexicales qui en caractérisent l'emploi laissent donc apercevoir, dans la forme même de l'écriture, la tension décelée plus haut dans la thématique : Retz doit reconnaître, quoi qu'il en ait, l'impureté foncière de l'action politique, vouée à l'ambiguïté des comportements et du discours.

---

1. Voir II, pp. 86 et 250, et les notes.
2. Lorsque par exemple Retz écrit que, pour calmer l'émeute, il dut « jouer en un quart d'heure trente personnages tout différents », il n'y a là aucune volonté de tromper, mais la recherche de l'attitude ou plutôt des attitudes variées qui conviennent à la situation (I, p. 465).

Mais les métaphores théâtrales ont aussi dans les *Mémoires*
une autre fonction, qui tient au mode de narration adopté.
Beaucoup d'entre elles en effet ne concernent pas l'action
passée du coadjuteur, mais le récit qu'en fait le mémorialiste.
Ce dernier y apparaît alors comme le metteur en scène de
sa propre histoire, pour le plus grand plaisir d'une destinataire
spectatrice. Les indications de régie invitent à distribuer les
principaux épisodes en *actes* et en *scènes* et à en assimiler
les participants à des personnages du répertoire. Scènes
échafaudées par les Frondeurs pour le Parlement, scènes
agencées par le narrateur pour la destinataire se combinent
en une sorte de structure à éléments enchâssés, qui n'est
pas sans rappeler certaines pratiques dramaturgiques. Tel le
magicien de l'*Illusion comique*, le mémorialiste fait défiler
dans sa lanterne magique de vastes pans du passé, notamment
des feintes dont il dévoile les mécanismes, tout en commen-
tant la mise en œuvre de la représentation qu'il en donne.

La réunion sur une seule tête des fonctions de narrateur-
magicien, de protagoniste de l'histoire et de comédien jouant
parfois, à l'intérieur de cette histoire, un rôle concerté,
entraîne un effet de brouillage, une contamination entre la
pensée du mémorialiste et celle qu'il prête à son personnage :
elle incite à créditer ce dernier d'une lucidité, d'une habileté
tactique, d'une intelligence de tous les ressorts, mais aussi
d'une hypocrisie, qu'il n'avait sans doute pas eues. C'est
elle qui lui donne cet air de jongleur de la politique et ce
côté « Figaro », qui agaçait Sainte-Beuve. Elle a beaucoup
contribué à sa réputation de légèreté — au sens le plus
fâcheux du terme. Retz : un homme capable d'oublier les
graves enjeux de la Fronde pour céder à la pure fascination
du jeu.

Cette légèreté est surtout le fait du mémorialiste, chez
qui elle revêt une autre signification. Le jeu n'était pas
gratuit et, lorsqu'il écrit, Retz en a payé le prix : il a perdu
sa mise. La pièce est finie, elle s'est terminée à son détriment.
Mais qu'y ont gagné les vainqueurs ? Mazarin est mort,
abandonnant les trésors patiemment amassés, et Anne
d'Autriche l'a suivi dans l'agonie d'une hideuse gangrène.
En 1675 on ne parle plus guère d'eux. Louis XIV a fait
tomber sur la Fronde une chape de silence. De cet accident
sans conséquences majeures dans l'histoire, il ne reste rien.

Pourquoi ne pas en rire, alors, ou du moins en sourire ? Retz s'y emploie, avec un succès inégal. La transposition sur le mode plaisant est d'autant plus aisée à opérer que la Fronde, on l'a dit[1], avait fait en son temps l'objet d'un traitement burlesque : le sens du ridicule, que Retz avait très vif, peut prendre appui sur une tradition existante. On ne s'étonnera donc pas que le rôle de démystification soit confié souvent aux références littéraires. La Fronde, une tragédie ? bien plutôt une *commedia dell'arte*, une farce « digne de Molière »[2], où le protagoniste a voulu imprudemment jouer les Rodrigue, ayant pour partenaires Trivelin, le Capitan, Pantalon et Scaramouche : version comique du thème du *theatrum mundi*, qui permet au narrateur de jeter sur les élans et les bévues de son *alter ego* un regard d'humour indulgent. La leçon de tout cela, c'est comme l'avait dit beaucoup plus tôt Montaigne, que « toutes nos vacations sont farcesques », et Pascal venait tout juste de le répéter. Retz ne l'a appris que très tard et n'a pas trouvé comme eux, dans le mysticisme ou l'attention complaisante à soi, un recours. Il n'a pas réussi à se libérer vraiment de son passé : son tempérament de joueur le pousse à refaire inlassablement la partie perdue. Dans le récit qu'il en donne, l'âpreté de jadis affleure encore, mais elle est relayée le plus souvent par le rire, fruit du désengagement.

De l'aveu général le coadjuteur était « homme d'esprit » : intelligent et spirituel. Le mémorialiste l'est plus encore. Mais faute de cibles vivantes, les traits perdent sous sa plume une part de leur mordant. L'ironie s'adoucit et se diffracte en un humour qui baigne d'une subtile gaîté un récit d'où toute violence est absente. Là est l'ultime et décisive victoire de ce vaincu : victoire sur lui-même, désormais capable de parler sans amertume de ses espoirs et de ses rêves, de ses fautes et de ses échecs ; victoire sur ses adversaires vainqueurs, devenus matériaux d'une œuvre où s'affirme le talent du narrateur. Lui que grisait le petit bruit montant de la nef vers la chaire aux moments les plus forts d'un sermon[3] se retrouve, face à la feuille blanche, en mesure d'éclipser tous

---

1. Voir plus haut, I, p. 103.
2. *Mémoires*, II, p. 91.
3. *Mémoires*, I, p. 540.

les autres, virtuose de la parole apte à faire communier, dans l'intelligence ou le rire, une destinataire et un auditoire imaginaire fascinés. Parole écrite, cette fois, renaissant de ses cendres à chaque lecture, et dont les ondes concentriques se propagent au loin, à travers les siècles. Il n'en espérait pas tant, lorsqu'au printemps de 1677, la plume lui tomba des mains.

La fin d'un parcours

Un point de départ, *La Conjuration de Fiesque*, un point d'arrivée, les *Mémoires* : entre les deux, trente-cinq ans, l'essentiel d'une vie. L'itinéraire qui dans l'histoire conduisit le flamboyant coadjuteur des turbulences de Paris en armes à la rustique monotonie de sa petite seigneurie lorraine, se reflète dans un récit qui en épouse le mouvement. L'intensité du souvenir est telle que le mémorialiste y vit une seconde fois sa vie ; mais en la revivant, il la repense. Vibrant au départ de toutes les passions de son personnage, il se pose sur les images héroïques ou romanesques et sur les ambitions plus concrètes qui ont dirigé ses choix des questions de plus en plus insistantes. Non sans contradictions ni tensions — indices d'un combat jamais gagné pour la lucidité —, une nouvelle représentation du monde se dessine, où la grandeur est battue en brèche. Les vêtements de brocart ou de pourpre tombent pour laisser les êtres à nu, à commencer par lui-même. Les héros ont leurs défauts, écrivait-il au début à propos de Condé. Il est désormais moins assuré que ces défauts soient l'envers de grandes qualités. Au terme des *Mémoires*, y a-t-il encore des héros ? Il ne reste plus guère d'amis, en tout cas, car c'est aussi l'« événement » qui décide trop souvent de leur fidélité :

> « *Il n'y a que la continuation du bonheur qui fixe la plupart des amitiés.* » [1]

Le réel reprend tous ses droits dans cette sentence désenchantée.

On lit rarement les *Mémoires* jusqu'au bout : ils sont si

---

1. *Mémoires*, II, p. 537.

longs ! On parcourt distraitement la fin d'un récit qui s'effiloche et n'amorce un faux départ que pour se casser net, sur le vide. On a tort. Dans ces quelques pages testamentaires, parmi les récriminations contre ses domestiques et les remerciements à ses créanciers, affleure un ton nouveau, avec la volonté de transmettre aux enfants de la destinataire les fruits d'une expérience inédite : celle d'un homme qui a connu la disgrâce, l'ingratitude, l'exil et, toutes proportions gardées, la pauvreté ; l'isolement au fond d'un village de province et le long face à face avec soi-même, au terme d'une vie manquée. Tout ce qu'il ne racontera pas — l'inutile traversée du désert qui s'achève à Commercy par une mise à l'écart définitive — est contenu en substance dans cette ultime leçon. Certes, il n'épuise pas le sujet ! mais de la trahison de ses amis, il tire un enseignement très simple, qu'il exprime en des maximes très simples, à tonalité morale, voire religieuse :

> « *Il n'y a rien de plus beau que de faire des grâces à ceux qui vous manquent ; il n'y a rien, à mon sens, de plus faible que d'en recevoir. Le christianisme, qui nous commande le premier, n'aurait pas manqué de nous enjoindre le second, si il était bon.* »

Et plus loin :

> « *L'unique remède contre ces sortes de déplaisirs, qui sont plus sensibles dans les disgrâces que les disgrâces mêmes, est de ne jamais faire le bien que pour le bien même.* » [1]

L'amour-propre est encore là, dans le refus d'accepter les aumônes d'un ingrat. Mais l'ambition n'est plus au rendez-vous, le goût de vivre non plus ; et la veine créatrice est tarie. Entre celui qui choisissait de « faire le mal par dessein », pour mieux remplir ses fonctions sur le théâtre du monde, et celui qui s'incline devant la nudité d'une exigence morale pure, s'inscrit tout le parcours du mémorialiste. Ce que n'avait pas réussi la vie elle-même — comme le prouve la tonalité ardemment profane du récit entrepris au lendemain de la prétendue « conversion » —, la rédaction de ce récit

---

1. *Mémoires*, respectivement II, p. 555 et II, p. 556.

l'accomplit : de cette vie revécue avec passion sur le mode imaginaire, repensée jusque dans ses virtualités inaccomplies, défendue pied à pied, en dépit de l'évidence, contre les faits eux-mêmes, il s'est enfin, *in extremis*, détaché. Mais ce détachement, qui fut peut-être — qui sait ? — une conversion véritable, est une préfiguration de la mort.

Situation de l'écrivain

Un ancrage chronologique très apparent et des prétentions d'historien ingénument affichées ont trop longtemps dissimulé la véritable nature de la *Vie du Cardinal de Rais* : une autobiographie à part entière. Certes il y manque l'attention vigilante à la vie intérieure et le goût de l'introspection qui nous paraissent caractériser ce genre. Mais l'essentiel y est : il s'agit bien, chez cet extraverti dont le destin s'est joué dans l'action, d'une enquête sur lui-même et sur ce destin. L'insolite parti pris de tout dire, l'impudeur des confidences intimes et l'imprudence de certains aveux, le choix de la forme personnelle et le primat de la réflexion rétrospective sur le témoignage brut, le rigoureux travail d'analyse opéré sur les situations et sur les êtres, mais aussi la rêverie intempérante sur les possibles non advenus : tout cela ne s'explique que par la recherche d'un sens [1].

Ce sens, Retz ne l'a pas trouvé, du moins sous la forme simple qu'il espérait. Et c'est tant mieux ! Sa vie, telle qu'il tente de la reconstruire, est écartelée entre l'aspiration héroïque, souvent trahie dans la pratique, mais dont la prééminence est proclamée jusqu'au bout, et la poursuite lucide de la plus grande efficacité. L'expression enflammée d'un désir de grandeur et de gloire voisine dans les *Mémoires* avec un très pragmatique catéchisme d'action politique à l'usage des ambitieux. Deux aspects consubstantiels, que nous avons dû parfois dissocier pour la clarté de l'exposé,

---

1. Comme l'a dit Georges Gusdorf, « l'autobiographie est une seconde lecture de l'expérience, et plus vraie que la première puisqu'elle en est la prise de conscience » (« Conditions et limites de l'autobiographie », dans *Formen der Selbstdarstellung, Festgabe für Fritz Neubert*, Berlin, 1956).

mais qui sont comme l'endroit et l'envers de l'étoffe qu'est une vie.

Or cette tension, si elle est particulièrement forte chez Retz, ne lui est pas propre. Elle anime par exemple l'œuvre de son admirateur et émule, Stendhal. Le rêve héroïque est une constante de notre psychisme, la volonté de comprendre et de gouverner le monde aussi. C'est parce qu'ils font vibrer cette double corde que les *Mémoires* sont encore capables de toucher le lecteur le plus indifférent à la Fronde, le plus étranger aux façons de penser et de sentir du XVIIᵉ siècle. Les mérites éclatants de la forme ne suffiraient pas à les faire vivre si la thématique n'en était fondamentale, s'ils ne posaient des questions qui demeurent essentielles. C'est par là que Retz rejoint la cohorte des très grands auteurs.

Il occupe parmi eux une place spécifique. Il y a du Corneille en lui, mais aussi du Machiavel et du Molière : trois références de premier plan ; trois sollicitations divergentes, entre lesquelles s'établit chez lui un équilibre. Ce manœuvrier expert, qui enseigne l'art de se jouer de la faiblesse des hommes, ne cesse de déplorer cette faiblesse et s'émeut au moindre signe entrevu de grandeur d'âme. Le réalisme tempère ce que l'aspiration au sublime pourrait avoir d'outré, tandis que celle-ci, en retour, anime de sa chaleur la sécheresse du constat lucide. La tonalité générale reste optimiste : les *Mémoires* dessinent une image idéale de l'homme qui place leur auteur aux antipodes d'un La Rochefoucauld par exemple, ou d'un Pascal. Quant au comique, à la gaîté diffuse dans tout le récit, ils y entretiennent un climat d'urbanité souriante, propre à la conversation mondaine. Le sens du ridicule, qui n'abandonne jamais Retz même dans le danger, l'humour qui colore d'un subtil contrepoint les scènes où le protagoniste se drape dans le manteau d'un héros, préservent les *Mémoires* de verser jamais dans la grandiloquence. Le sublime y fait l'objet d'une mise à distance, qui participe à la fois d'une morale — celle de l'« honnête homme » à qui il ne sied point de se prendre trop au sérieux — et d'une rhétorique — celle du conteur soucieux de plaire en « égayant » sa matière. Tragique et comique ne sont pas, on le sait, des attributs du réel : ils sont fonction du regard, ému ou critique, qu'on jette sur lui. Leur intime fusion dans les *Mémoires* — il n'y

avait pas trace de comique dans la *Conjuration* — atteste
l'acquisition, sur le tard, d'une maîtrise du langage qui
suppose et implique une maîtrise de soi. Cette synthèse
réussie entre les élans héroïques, la rigueur de la démarche
analytique et le rire est un atout auprès du lecteur d'aujourd'hui, moins attaché que les doctrinaires du classicisme
à l'unité de ton, et qui voit au contraire dans ces contrastes
la marque d'un effort pour ne rien laisser échapper de la
richesse du vécu.

L'attrait exercé par les *Mémoires* tient enfin à la qualité
de la parole, plus encore qu'à l'éclatante virtuosité du style.
Car le génie de Retz est d'avoir senti, plus de deux siècles
avant que les linguistes ne l'aient montré et sans doute grâce
à son expérience d'orateur, que le langage atteint sa pleine
efficacité lorsqu'il se révèle ouvertement *parole*, c'est-à-dire
échange, allant d'un locuteur unique à un interlocuteur
toujours différent, mais à chaque lecture unique. Telle est
la vertu de cette longue confidence à une destinataire restée
dans l'ombre : chacun peut la recevoir pour soi seul. Parole
directe, attentive aux réactions de l'autre jusqu'à se faire
pédagogique, soulevée parfois d'un enthousiasme contagieux,
provocante, tonique par sa causticité décapante — et qui,
lorsqu'on se soumet à elle, fait qu'on se sent soudain devenir
plus intelligent, plus spirituel, plus irrévérencieux, plus
libre... Parole séductrice, au suprême degré.

A ce déploiement de séduction, il est permis d'être
insensible ou rétif. On a le droit de ne pas aimer Retz,
comme on peut ne pas aimer Rousseau, Chateaubriand ou
Gide — ou n'importe quel grand écrivain. C'est affaire de
tempérament et de goût : qu'on le reconnaisse franchement !
Mais on ne saurait tirer argument de quelques infidélités,
même considérables, envers l'histoire, pour discréditer dans
son ensemble le récit tout pétri de passion auquel le Cardinal
en son âge mûr a confié la vérité ultime de son être, tel
qu'en lui-même enfin la rédaction des *Mémoires* l'a changé.
Une grande œuvre littéraire, parce qu'elle est interprétation
et reconstruction du réel, échappe largement aux catégories
du vrai et du faux. Ou plutôt, c'est quand elle trahit ses
propres valeurs qu'elle cesse de sonner juste. On la sent
authentique, en revanche, lorsqu'elle porte en elle une
cohérence, une nécessité interne qui marie les contrastes et

donne leur sens aux tensions, un climat qui la caractérise et la rend reconnaissable entre toutes. Tel est le cas, nous a-t-il semblé, de celle de Retz.

ORIENTATION
BIBLIOGRAPHIQUE

Pour tous les textes manuscrits, qu'ils soient de la main de Retz ou non, se reporter à l'Introduction, pp. 54 et 63-64.

ÉDITIONS

1° Éditions anciennes :

   a. Éditions de la *CONJURATION* seule :

      La Conjuration du comte Jean-Louis de Fiesque. Paris, Barbin, 1665, sans nom d'auteur, in-12, 208 pp.

      Même intitulé, Cologne, 1665, sans nom d'auteur, ni d'imprimeur, ni de libraire, petit in-12, 136 pp.

Histoire de la Conjuration du comte Jean-Louis de Fiesque, Paris, Barbin, 1682, sans nom d'auteur, in-12, 139 pp.

b. *MÉMOIRES* (*Nous suivons ici la nomenclature des G.E.F.*) :

1717. — *Mémoires de Monsieur le Cardinal de Retz.* A Amsterdam, et se trouve à Nancy, chez J.B. Cusson, MDCCXVII, 3 vol. in-8°.

1717 A. — *Mémoires de Monsieur le Cardinal de Retz.* A Amsterdam, chez Jean-Frédéric Bernard, MDCCXVII, 4 vol. in-12.

1718 B. — *Mémoires du Cardinal de Retz...* augmentés considérablement en cette présente édition. A Amsterdam, MDCCXVIII, 3 vol. in-12.

1718 C. — *Même intitulé.* A Amsterdam, MDCCXVIII, sans nom de libraire, 3 vol. in-12, format un peu plus petit que celui de la précédente.

1718 D. — *Même intitulé.* A Amsterdam, MDCCXVIII, sans nom de libraire, 5 vol. in-18.

1718 E. — *Même intitulé.* A Amsterdam, sans nom de libraire, 3 vol. in-12.

1718 F. — *Mémoires de Monsieur le Cardinal de Retz.* Nouvelle édition, revue et augmentée. A Cologne, chez David Roger, MDCCXVIII 3 vol. in-12.

1719. — *Mémoires du Cardinal de Retz...* nouvelle édition augmentée de plusieurs éclaircissements historiques et de quelques pièces du Cardinal de Retz et autres, servant à l'histoire de ce temps-là. A Amsterdam, chez J.F. Bernard et H. du Sauzet, MDCCXIX, 4 vol. in-18.

1723. — *Même intitulé.* A Amsterdam, chez J.F. Bernard et H. du Sauzet, MDCCXXIII, 4 vol. in-12.

Nous arrêtons ici la liste des éditions anciennes : toutes, jusqu'en 1837, reproduisent plus ou moins fidèlement le texte de 1719. Dans l'édition de 1719 et dans toutes les suivantes figure, à la suite des Mémoires, La Conjuration de Jean-Louis de Fiesque, *texte de l'édition de Cologne, 1665.*

2° **Éditions modernes** *(on n'a indiqué ici que les principales)* :

1837. — *Mémoires du Cardinal de Retz*, publiés pour la première fois sur le manuscrit autographe, par MM. Champollion-Figeac et Aimé Champollion fils, Paris, Bobée, 1837, un grand vol. in-8° (Collection Michaud et Poujoulat, tome XXV, ou tome 1ᵉʳ de la troisième série). *Édition suivie de deux rééditions séparées, augmentées, l'une en 2 vol. in-8° en 1843, l'autre en 4 vol. in-12 en 1859 ; en 1866, cette dernière a fait l'objet d'un retirage avec quelques changements mineurs.*

1870-1880. — *Œuvres du Cardinal de Retz*, Paris, Hachette, 10 vol. Collection des Grands Écrivains de la France, nouvelle édition revue sur les plus anciennes impressions et les autographes, et augmentée de morceaux inédits, de variantes, de notices, de notes, d'un lexique des mots et locutions remarquables, d'un portrait, de fac-similé, etc., par MM. A. Feillet, J. Gourdault et R. Chantelauze. Les *Mémoires* et *La Conjuration de Fiesque* figurent dans les tomes I à V.

1935. — *Mémoires...*, Préface, notes et tables de G. Mongrédien, Paris, 1935, 4 vol. in-16 (Classiques Garnier).

1949. — *Mémoires.* Introduction et notes de Gaëtan Picon, Paris, 1949, 3 vol. in-8° (Club français du Livre).

1956. — *Mémoires, La Conjuration de Fiesque, Pamphlets.* Textes présentés et annotés par Maurice Allem et Édith Thomas, Paris, 1956, in-8° (Gallimard, Bibliothèque de la Pléiade). *Refonte et enrichissement d'une édition antérieure, procurée en 1939 par M. Allem. L'édition de 1956 a été réimprimée en 1961 avec un décalage de deux pages dans la pagination.*

1967. — *La Conjuration de Fiesque.* Édition critique publiée d'après le texte de 1665 avec des variantes provenant de manuscrits inédits, par D.A. Watts, Oxford, Clarendon Press, 1967.

1984. — *Œuvres*, édition établie par Marie-Thérèse Hipp et Michel Pernot, Paris 1984 (Gallimard, Bibliothèque de la Pléiade).
Nouvelle édition, comportant La Conjuration, *les* Pamphlets *et les* Mémoires.

PRINCIPAUX OUVRAGES A CONSULTER

Travaux historiques :

FEILLET (Alphonse). — *La misère au temps de la Fronde et saint Vincent de Paul,* 1868.

CHÉRUEL (Adolphe). — *Histoire de France pendant la minorité de Louis XIV,* 1879-1880, 4 vol.

CHÉRUEL (Adolphe). — *Histoire de France sous le ministère de Mazarin (1651-1661),* 1882, 3 vol.

COURTEAULT (Henri). — *La Fronde à Paris, premières et dernières journées,* 1930.

FEDERN (C.). — *Mazarin,* 1922, 1re éd. française 1934, rééd. Payot, 1983.

PORCHNEV (Boris). — *Les soulèvements populaires en France de 1623 à 1648,* 1948, 1re trad. française 1963.

MOUSNIER (Roland). — « Quelques raisons de la Fronde. Les causes des journées révolutionnaires parisiennes de 1648 », dans *XVIIe Siècle,* nos 2-3, 1949.

Kossmann (Ernst). — *La Fronde*, Leyde 1954.

Mousnier (Roland). — « Les idées politiques à Paris pendant la Fronde », dans *Bulletin de la Société de l'histoire de Paris et de l'Ile-de-France*, 1957-1959.

Tapié (V.-L.). — *La France de Louis XIII et de Richelieu*, 1967.

Grand-Mesnil (Marie-Noële). — *Mazarin, la Fronde et la Presse*, 1967.

Richet (Denis). — *La France moderne, l'esprit des institutions*, 1973.

Mousnier (Roland). — *Les institutions de la France sous la monarchie absolue*, 2 vol. 1974 et 1980.

Mousnier (Roland). — *Paris capitale au temps de Richelieu et de Mazarin*, 1978.

Métivier (H.). — *La Fronde*, 1984.

Bluche (François). — *Louis XIV*, 1986.

Ouvrages biographiques :

Chantelauze (Régis). — *Le cardinal de Retz et les jansénistes*, 1867 ; étude reprise en appendice dans le *Port-Royal* de Sainte-Beuve, Bibl. de la Pléiade, 1955, tome III, pp. 679-755.

Gazier (Augustin). — *Les dernières années du cardinal de Retz (1655-1679)*, 1875.

Chantelauze (Régis). — *Le cardinal de Retz et l'affaire du chapeau...*, 1878, 2 vol.

Chantelauze (Régis). — *Le cardinal de Retz et ses missions diplomatiques à Rome*, 1879.

Batiffol (Louis). — *Biographie du Cardinal de Retz*, 1929.

Lorris (Pierre-Georges). — *Un agitateur au XVIIᵉ siècle : le cardinal de Retz*, 1956.

Pour une étude littéraire d'ensemble :

On relira avec profit les pages que Sainte-Beuve a consacrées à Retz (articles des Lundis 20 octobre et 22 décembre 1851).

L'ouvrage le plus important sur le mémorialiste est :

BERTIÈRE (André). — *Le cardinal de Retz mémorialiste*, 1977 [1].

On aura intérêt à voir également :

ALBERT-BUISSON (F.). — *Le cardinal de Retz, portrait*, 1954.

LETTS (J.T.). — *Le cardinal de Retz historien et moraliste du possible*, 1966.

WATTS (D.A.). — *Cardinal de Retz. The Ambiguities of a Seventeeth-Century Mind*, Oxford University Press, 1980.

*Ouvrages (ou parties d'ouvrages)
et articles consacrés à Retz :*

BERTIÈRE (André). — « A propos du portrait du cardinal de Retz par la Rochefoucauld. L'intérêt d'une version peu connue », dans *Revue d'Histoire littéraire de la France*, LIX, 1959.

MORTIER (Roland). — « Le style du cardinal de Retz », dans *Stil und Formprobleme in der Literatur*, Vorträge des VII Kongresses der Internationalen Vereinigung für Moderne Sprachen und Literaturen in Heidelberg, Heidelberg, 1959.

ZUBER (Roger). — « Le cardinal de Retz et ses relations champenoises », *Revue d'Histoire littéraire de la France*, LXII, 1962.

MORIN (Louis). — « Bagatelles pour un massacre », dans *Le récit est un piège*, 1968.

---

1. Cet ouvrage comporte une bibliographie pratiquement complète jusqu'à la date de sa parution.

CARRIER (Hubert). — « Sincérité et création littéraire dans les *Mémoires* du cardinal de Retz », dans *XVIIe Siècle*, n° 94-95, 1971.

PINTARD (René). — « *La Conjuration de Fiesque* ou l'héroïsation d'un factieux », dans *Héroïsme et création littéraire sous les règnes d'Henri IV et de Louis XIII*, Actes et colloques n° 16, Klincksieck, 1974.

COIRAULT (Yves). — « Le silence et la gloire : Saint-Simon et l'exemple de Retz », dans *Mélanges offerts au professeur René Pintard*, 1975.

WATTS (Derek A.). — « Le sens des métaphores théâtrales chez le cardinal de Retz et quelques écrivains contemporains », *Mélanges offerts au professeur Pintard*, 1975.

MORLET (Chantal). — « Jean-Louis de Fiesque héros de roman », dans *XVIIe Siècle*, n° 109, 1975.

HIPP (Marie-Thérèse). — « Néologismes et procédés burlesques dans les *Mémoires* du cardinal de Retz », dans *Mélanges offerts au professeur A. Lanly*, Nancy, 1979.

CARRIER (Hubert). — « Un désaveu suspect de Retz : l'*Avis désintéressé sur la conduite de Monseigneur le Coadjuteur* », dans *XVIIe Siècle*, n° 124, 1979.

DELON (Jacques). — « Les conférences de Retz sur le cartésianisme », dans *XVIIe Siècle*, n° 124, 1979.

PERNOT (Michel). — « L'apport des *Mémoires* du cardinal de Retz à la connaissance historique du XVIIe Siècle », dans *Bulletin de la Société d'Histoire Moderne*, XVIe série, n° 8 (Supplément à la *Revue d'Histoire moderne et contemporaine*, n° 4, 1980).

FUMAROLI (Marc). — « Rhétorique, dramaturgie et spiritualité : Pierre Corneille et Claude Delidel, S.J. », dans *Mélanges offerts à Georges Couton*, Presses Universitaires de Lyon, 1981.

FUMAROLI (Marc). — « Apprends, ma confidente, apprends à me connaître. Les *Mémoires* de Retz et le traité *Du Sublime* », dans *Versants*, Revue suisse des littératures romanes, n° 1, automne 1981, Lausanne, L'Age d'Homme.

BERTIÈRE (Simone). — « Le personnage de Jean-Louis de Fiesque de Mascardi à Schiller : histoire d'une héroïsation manquée », dans *Trois figures de l'imaginaire littéraire*, Actes du XVIIe congrès de la Société française de Littérature générale et comparée (Nice 1981), Les Belles-Lettres, 1982.

JOUHAUD (Christian). — *Mazarinades : la Fronde des mots*, 1985 (comporte un chapitre sur les pamphlets de Retz).

CARRIER (Hubert). — *Les Mazarinades (1648-1653). Contribution à l'étude des idées, des mentalités et de la sensibilité littéraire à l'époque de la Fronde*. Thèse soutenue le 29 novembre 1986 à la Sorbonne, sur exemplaires dactylographiés. La publication de ce très important travail est prévue dans les prochaines années.

Ouvrages ou articles généraux
susceptibles d'éclairer l'étude de Retz :

• Numéros spéciaux de Revues ou Actes de colloques :

XVIIe Siècle :

N° 80-81, 1968 : *Points de vue sur la rhétorique* (articles de J. Truchet, F. de Dainville, J. Hennequin, J. Morel, M. Fumaroli...).

N° 94-95, 1971 : *Mémoires et création littéraire* (articles de M. Fumaroli, H. Carrier, cités sous d'autres rubriques, de R. Duchêne, M.-T. Hipp...).

N° 124, 1979 (articles d'H. Carrier et de J. Delon, déjà cités, de M.-T. Hipp et M. Gérard...).

N° 145, 1984 : *La Fronde* (articles divers, dont une « Esquisse d'un bilan de la Fronde dans le domaine littéraire », par H. Carrier).

Revue d'Histoire littéraire de la France, nov.-déc. 1975 :
L'autobiographie.

*Actes des colloques organisés sous le patronage de la Société
d'étude du* XVIIᵉ *siècle :*

Strasbourg, mai 1972 : *Héroïsme et création littéraire sous
les règnes d'Henri IV et de Louis XIII*, Klincksieck, 1974
(nombreux articles importants).

Strasbourg, mai 1978 : *Les valeurs chez les mémorialistes
français du* XVIIᵉ *siècle avant la Fronde* (recueil également
très riche).

• Sur le genre des mémoires :

FUMAROLI (Marc). — « Les mémoires du XVIIᵉ siècle au
carrefour des genres en prose », dans XVIIᵉ *Siècle*, n° 94-
95, 1971.

DÉMORIS (René). — *Le Roman à la première personne*, 1975.

HIPP (Marie-Thérèse). — *Mythes et réalités. Enquête sur le
roman et les mémoires (1660-1700)*, 1976.

HEPP (Noémi). — « Idéalisme chevaleresque et réalisme
politique dans les *Mémoires* de La Rochefoucauld », dans
Images de La Rochefoucauld, Actes du Tricentenaire,
1680-1980, PUF, 1984.

• Sur l'autobiographie :

GUSDORF (Georges). — « Conditions et limites de l'autobiographie », dans *Formen der Selbstdarstellung, Festgabe
für Fritz Neubert*, Berlin, 1956.

LEJEUNE (Philippe). — *L'autobiographie en France*, 1971.

LEJEUNE (Philippe). — « Autobiographie et histoire littéraire », *RHLF*, 1975.

COIRAULT (Yves). — « Autobiographie et Mémoires (XVIIᵉ-

XVIIIᵉ siècles), ou existence et naissance de l'autobiographie », *RHLF*, 1975.

• Sur la narration à la première personne :

BAR (Francis). — *Le genre burlesque en France au* XVIIᵉ *siècle, Étude de style*, 1960.

ROUSSET (Jean). — *Narcisse romancier. Essai sur la première personne dans le roman*, 1973.

ALTER (Jean). — « Être et paraître dans le *Roman comique* », dans *Esprit créateur*, XII, 3, 1973.

TOCANNE (Bernard). — « Scarron et les interventions d'auteur dans le *Roman comique* », dans *Mélanges offerts au professeur Pintard*, 1975.

• Sur le portrait précieux :

LAFOND (J.-D.). — « Les techniques du portrait dans le *Recueil* de Portraits et Éloges de 1659 », dans *Cahiers de l'Association internationale des Études françaises*, nº 18, mars 1966.

• Sur la maxime :

TRUCHET (Jacques). — *Introduction* à l'édition des *Maximes* de La Rochefoucauld, Classiques Garnier, 1967.

ROSSO (Corrado). — *La « Maxime », Saggi per una tipologia critica*, Naples, 1968.

LAFOND (J.-D.). — *La Rochefoucauld. Augustinisme et littérature*, 1977.

TABLEAU GÉNÉALOGIQUE

TABLEAU GÉNÉALOGIQUE

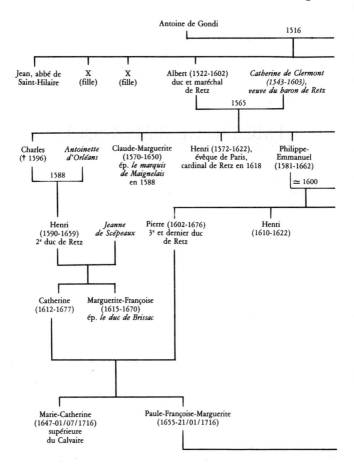

Antoine de Gondi
1516

Jean, abbé de Saint-Hilaire — X (fille) — X (fille) — Albert (1522-1602) duc et maréchal de Retz — *Catherine de Clermont (1543-1603), veuve du baron de Retz*
1565

Charles († 1596) — *Antoinette d'Orléans* 1588 — Claude-Marguerite (1570-1650) ép. *le marquis de Maignelais* en 1588 — Henri (1572-1622), évêque de Paris, cardinal de Retz en 1618 — Philippe-Emmanuel (1581-1662) ≃ 1600

Henri (1590-1659) 2e duc de Retz — *Jeanne de Scépeaux* — Pierre (1602-1676) 3e et dernier duc de Retz — Henri (1610-1622)

Catherine (1612-1677) — Marguerite-Françoise (1615-1670) ép. *le duc de Brissac*

Marie-Catherine (1647-01/07/1716) supérieure du Calvaire — Paule-Françoise-Marguerite (1655-21/01/1716)

N.B. Les conjoints sont portés sur ce tableau en caractères italiques.
On a fait figurer celles des filles d'Albert de Gondi dont la date de naissance n'est pas connue par ordre chronologique de leurs mariages.

DE LA FAMILLE DE GONDI

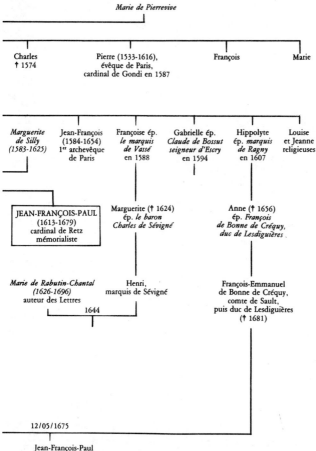

Marie de Pierrevive

| Charles
† 1574 | Pierre (1533-1616),
évêque de Paris,
cardinal de Gondi en 1587 | François | Marie |

| *Marguerite*
de Silly
(1583-1625) | Jean-François
(1584-1654)
1er archevêque
de Paris | Françoise ép.
le marquis
de Vassé
en 1588 | Gabrielle ép.
Claude de Bossut
seigneur d'Escry
en 1594 | Hippolyte
ép. *marquis*
de Ragny
en 1607 | Louise
et Jeanne
religieuses |

JEAN-FRANÇOIS-PAUL
(1613-1679)
cardinal de Retz
mémorialiste

Marguerite († 1624)
ép. *le baron*
Charles de Sévigné

Anne († 1656)
ép. *François*
de Bonne de Créquy,
duc de Lesdiguières

Marie de Rabutin-Chantal
(1626-1696)
auteur des Lettres

Henri,
marquis de Sévigné

François-Emmanuel
de Bonne de Créquy,
comte de Sault,
puis duc de Lesdiguières
(† 1681)

1644

12/05/1675

Jean-François-Paul
(1678-1703) mort sans postérité

PORTRAIT
DU CARDINAL DE RETZ

Paul de Gondi, cardinal de Retz, a beaucoup d'élévation, d'étendue d'esprit, et plus d'ostentation que de vraie grandeur de courage. Il a une mémoire extraordinaire ; plus de force que de politesse dans ses paroles ; l'humeur facile, de la docilité et de la faiblesse à souffrir les plaintes et les reproches de ses amis ; peu de piété, quelques apparences de religion. Il paraît ambitieux sans l'être ; la vanité, et ceux qui l'ont conduit lui ont fait entreprendre de grandes choses, presque toutes opposées à sa profession ; il a suscité les plus grands désordres de l'État, sans avoir un dessein formé de s'en prévaloir, et bien loin de se déclarer ennemi du cardinal Mazarin pour occuper sa place, il n'a pensé qu'à lui paraître redoutable, et à se flatter de la fausse vanité de lui être opposé. Il a su néanmoins profiter avec habileté des malheurs publics pour se faire cardinal ; il a souffert sa prison avec fermeté, et n'a dû sa liberté qu'à sa hardiesse. La paresse l'a soutenu avec gloire, durant plusieurs années, dans l'obscurité d'une vie errante et cachée. Il a conservé l'archevêché de Paris, contre la puissance du cardinal Mazarin ; mais après la mort de ce ministre, il s'en est démis sans connaître ce qu'il faisait, et sans prendre cette conjoncture pour ménager les intérêts de ses amis et les siens propres. Il est entré dans divers conclaves, et sa conduite a toujours augmenté sa réputation. Sa pente naturelle est l'oisiveté ; il travaille néanmoins avec activité dans les affaires qui le pressent, et il se repose avec nonchalance quand elles sont finies. Il a une grande présence d'esprit, et il sait tellement tourner à son avantage les occasions que la fortune lui offre, qu'il semble qu'il les ait prévues et désirées. Il aime à raconter ; il veut éblouir indifféremment tous ceux qui l'écoutent par des aventures extraordinaires, et souvent son imagination lui fournit plus que sa mémoire. Il est faux dans la plupart de ses qualités, et ce qui a le plus contribué à sa réputation est de savoir donner un beau jour à ses défauts. Il est insensible à la haine et à l'amitié, quelques soins qu'il ait pris de paraître occupé de l'une ou de l'autre ; il est incapable d'envie et d'avarice, soit par vertu, soit par inapplication. Il a plus emprunté de ses amis qu'un particulier ne pouvait espérer de leur pouvoir rendre ; il a senti de la vanité à trouver tant de crédit, et à entreprendre de s'acquitter. Il n'a point de goût ni de délicatesse ; il s'amuse à tout et ne se plaît à rien ; il évite avec adresse de laisser pénétrer qu'il n'a qu'une légère connaissance de toutes choses. La retraite qu'il vient de faire est la plus éclatante et la plus fausse action de sa vie ; c'est un sacrifice qu'il fait à son orgueil, sous prétexte de dévotion : il quitte la cour, où il ne peut s'attacher, et il s'éloigne du monde, qui s'éloigne de lui[1].

LA ROCHEFOUCAULD

---

1. Nous donnons ici la version la plus sévère de ce célèbre portrait, dû, on s'en souviendra, à la plume d'un adversaire farouche de Retz. Sur les circonstances de sa rédaction et sur les différentes versions qui circulèrent, voir la note 4 de la page 374 (tome I) et l'article qui y est cité.

CHRONOLOGIE

La présente chronologie, très sommaire, s'est voulue sélective. Elle ne prétend remplacer ni une biographie détaillée du cardinal, ni une histoire de la Fronde. Elle est faite seulement pour aider le lecteur des *Mémoires* à se faire une idée de ce que Retz a vécu. Elle fournit des points de repère, permettant de situer les principaux événements de sa vie dans leur cadre historique. On y a donc fait figurer *ensemble* les deux séries d'événements — privés et publics. Les événements purement privés ont été imprimés en italiques, pour aider à les distinguer des autres. On a largement débordé, pour les événements historiques, le cadre de la Fronde, car c'est toute l'histoire de la fin du XVIᵉ siècle et de la première moitié du XVIIᵉ qui a contribué à former la personnalité de Retz.

1516 *Le Florentin Antoine de Gondi, arrière-grand-père du mémorialiste, épouse à Lyon Marie de Pierrevive.*

1545-1563 Concile de Trente : point de départ de la Contre-Réforme.

1559 Mort de Henri II. Début d'une longue période de troubles en France.

1560 Conjuration d'Amboise.

1565 *Albert de Gondi, fils d'Antoine, épouse Catherine de Clermont, veuve du baron de Retz.*

1566   Début de la révolte des provinces protestantes de
        Hollande contre la domination espagnole.

1572   24 août. Massacre de la Saint-Barthélémy.

1573   *Albert de Gondi est promu maréchal de France.*

1576   Proclamation de la République des Provinces-Unies.

1579   *Albert de Gondi est nommé général des galères.*

1581   *La terre de Retz est érigée en duché-pairie au profit
        d'Albert de Gondi, qui prend le nom de maréchal
        de Retz.*

1587   *Pierre de Gondi, frère d'Albert, grand-oncle du
        mémorialiste, évêque de Paris, est nommé cardinal
        et prend le nom de cardinal de Gondi.*

1588   12 mai. La Ligue maîtresse de Paris : journée des
        Barricades.
        23 et 24 décembre. Assassinat du duc Henri de Guise
        et de son frère Louis, cardinal de Guise.

1589   1ᵉʳ août. Assassinat de Henri III par Jacques Clément.
        Avènement de Henri IV, qui entreprend la conquête
        de son royaume.

1593   Henri IV abjure le protestantisme.

1594   Entrée de Henri IV dans Paris.
        Publication de la *Satire Ménippée*, pamphlet anti-
        ligueur.

1598   *Henri de Gondi, second fils d'Albert, neveu de
        Pierre, succède à ce dernier sur le siège de Paris.*

1598   13 avril. Édit de Nantes.

1602   *Naissance de Pierre de Gondi, fils aîné de Philippe-
        Emmanuel et petit-fils d'Albert, frère aîné du mémo-
        rialiste.*

1610   *Naissance de Henri de Gondi, second frère du
        mémorialiste.*
        14 mai. Assassinat de Henri IV. Avènement de Louis
        XIII, âgé de neuf ans. Marie de Médicis régente.

1613   *19 ou 20 septembre. Naissance, au château de
        Montmirail, en Brie, de Jean-François-Paul de Gondi,*

troisième fils de Philippe-Emmanuel, futur cardinal de Retz et mémorialiste.

1613-1617 *Vincent de Paul précepteur de Pierre et de Henri de Gondi.*

1614 Dernière réunion des États Généraux (avant 1789).

1617 24 avril. Assassinat de Concini, maréchal d'Ancre, sur l'ordre du Roi.

1618 *Henri de Gondi, évêque de Paris, est nommé cardinal : il prend le nom de cardinal de Retz.*

1618-1624 Première période de la guerre de Trente Ans, dite période palatine, menée par Frédéric, électeur palatin.

1622 *Mort du premier cardinal de Retz. Son frère, Jean-François, autre oncle du mémorialiste, lui succède sur le siège de Paris, transformé en archevêché.*
Mort accidentelle du second frère du mémorialiste, Henri. Jean-François-Paul est donc destiné à l'Église à sa place ; il est fait abbé de Buzay et de Quimperlé.

1624 Entrée de Richelieu au Conseil.

1624-1629 Seconde période de la guerre de Trente Ans, dite danoise, menée par le roi Christian IV de Danemark.

1625 *Mort de Marguerite de Silly, épouse de Philippe-Emmanuel de Gondi, mère du futur mémorialiste. L'enfant est mis en pension au collège de Clermont, chez les jésuites. Il y aura sans doute pour régent dans la classe de rhétorique le P. Claude Delidel.*

1626 Exécution de Chalais, pour complot contre la vie de Richelieu. Mme de Chevreuse, compromise, doit s'exiler.

1627 *Avril. Philippe-Emmanuel de Gondi, rendu libre par son veuvage, entre chez les Pères de l'Oratoire.*
22 juin. Exécution du duc de Montmorency-Bouteville, pour avoir bravé la législation contre les duels.

1627-1628 Siège et prise de La Rochelle par les troupes royales.

1629-1635   Troisième période de la guerre de Trente Ans, dite suédoise, menée par le roi de Suède, Gustave-Adolphe.

1630   26 octobre. Premier succès diplomatique de Mazarin, qui s'interpose à Casale entre les armées françaises et espagnoles et parvient à faire conclure la paix.
10-11 novembre. « Journée des dupes », qui consacre l'éviction de la reine-mère Marie de Médicis au profit de Richelieu et le triomphe de la politique de lutte contre l'Espagne.

1631   *6 juillet. Paul de Gondi passe son baccalauréat et quitte le collège de Clermont pour la Sorbonne.*

1632   Procès et exécution du maréchal de Marillac, frère du ministre disgracié Michel de Marillac.
30 octobre. Exécution à Toulouse de Henri II de Montmorency, qui avait pris la tête d'un soulèvement contre Richelieu et avait été battu à Castelnaudary.

1633   *Mariage de Pierre de Gondi avec sa cousine Catherine.*

1635   *Pierre de Gondi, à qui son père avait cédé la charge de général des galères, est contraint de s'en démettre par Richelieu, au profit d'un neveu du ministre.*
19 mai. Déclaration de guerre de la France à l'Espagne. De 1635 à 1648, quatrième période de la guerre de Trente Ans, qui met en cause toute l'Europe.

1636   *8 janvier. Paul de Gondi passe en Sorbonne la « tentative ».*
Avril. Premier soulèvement des « Croquants » dans le Sud-Ouest.
Août. Offensive espagnole sur la Flandre. Prise de Corbie, de La Capelle et du Catelet par les Espagnols. Paris menacé. Reprise de Corbie par les troupes royales le 14 novembre.
Mi-octobre. Complot avorté contre Richelieu à Amiens.

1636-1637   Saison théâtrale d'hiver : Corneille, *Le Cid.*

1637   Descartes, *Discours de la Méthode.*
Paul de Gondi passe en Sorbonne la « majeure

ordinaire » (13 février), la « Sorbonnique » (13 novembre) et la « mineure ordinaire » (29 décembre).

1638   29 janvier. Paul de Gondi est reçu premier à la licence, en Sorbonne, devant un protégé de Richelieu. Mars-décembre. Voyage de l'abbé de Gondi en Italie, en compagnie de quelques gentilshommes, dont Tallemant des Réaux. Au retour, rédaction probable de La Conjuration du Comte Jean-Louis de Fiesque.
5 septembre. Naissance du futur Louis XIV.

1639   Juillet. Révolte des « Va-nu-pieds » de Normandie, qui sera écrasée au bout de six mois.
Mort de Bernard de Saxe-Weimar. La France recueille ses troupes et prend le contrôle de ses conquêtes (Alsace, places de Fribourg et de Brisach).

1640-1641   Saison théâtrale : Corneille, Cinna.

1641   Juillet. Conspiration du comte de Soissons, à laquelle était mêlé l'abbé de Gondi ; victoire et mort du comte au combat de La Marfée, le 6 juillet.
30 décembre. Mazarin est nommé cardinal.

1642   12 septembre. Exécution à Lyon de Cinq-Mars et de son ami de Thou pour complot contre Richelieu.
4 décembre. Mort de Richelieu. Le lendemain 5 décembre, Mazarin entre au Conseil.

1643   14 mai. Mort de Louis XIII. Avènement de Louis XIV, âgé de cinq ans à peine.
18 mai. Anne d'Autriche obtient du Parlement l'annulation du testament de Louis XIII, qui lui imposait un Conseil de Régence inamovible ; elle aura « l'administration libre, absolue et entière » du royaume pendant la minorité de son fils.
19 mai. Victoire du duc d'Enghien (futur prince de Condé) sur les Espagnols à Rocroi.
12 juin. Jean-François-Paul de Gondi est nommé coadjuteur de son oncle, l'archevêque de Paris, avec future succession.
Septembre. Arrestation du duc de Beaufort et dispersion de la cabale des Importants.
Novembre. Jean-François-Paul de Gondi reçoit les ordres. Il prononce ses premiers sermons.

Décembre. Ouverture, à Osnabrück et à Münster, de négociations pour la paix. Elles dureront jusqu'aux traités de Westphalie, à l'automne de 1648.

1644 Janvier. Édit du toisé, imposant les maisons des faubourgs de Paris édifiées en zone non constructible (l'interdiction, datant de 1548, était tombée en désuétude).
31 janvier. Sacre du coadjuteur à Notre-Dame. Premiers succès dans la prédication. (La lettre que lui adresse Guez de Balzac le 1er décembre témoigne de l'admiration que suscitèrent ses sermons.)
Septembre. Taxe des aisés, prélevée sur les Parisiens fortunés.
15 septembre. Élection au pontificat, malgré l'opposition de la France, du cardinal Pamphili, qui prend le nom d'Innocent X.

Mai 1645-juillet 1646. Assemblée du clergé : *Retz, y parlant au nom du clergé de la province de Paris, y tient des propos qui déplaisent à la cour.*

1646 Édit du tarif, modifiant les droits d'entrée des denrées dans Paris. La Cour des Aides l'enregistra, mais le Parlement s'y refusa.

1647 7 juillet. Insurrection antifiscale à Naples, dirigée par un pêcheur, Thomas Aniello, dit Masaniello (qui fut assassiné le 16 juillet suivant). Le duc de Guise profita de la circonstance pour faire valoir d'anciens droits de sa famille sur Naples.
Chapelain dédie à Retz son dialogue De la lecture des vieux romans, resté inédit.

1648 15 janvier. Lit de justice où Anne d'Autriche impose au Parlement l'enregistrement de sept nouveaux édits fiscaux. La Parlement entreprend cependant de les amender.
29 avril. La Reine impose aux membres des cours souveraines — à l'exception du Parlement — l'abandon de quatre années de gages en échange du renouvellement du droit annuel qui leur assurait l'hérédité de leurs charges. Le Parlement se déclare solidaire des autres cours dans leur protestation.

13 mai. *Arrêt d'Union* par lequel le Parlement invite les autres cours à s'unir à lui, pour délibérer sur les réformes nécessaires.

31 mai. Évasion du duc de Beaufort.

31 juillet. Déclaration royale entérinant la plupart des réformes proposées par la Chambre de Saint-Louis (= toutes les cours souveraines réunies).

20 août. Victoire de Condé sur les Espagnols à Lens.

26 août. Arrestation de Broussel. Soulèvement populaire et édification de barricades dans la nuit du 26 au 27 août. La cour cède et libère Broussel le 28.

13 septembre - 30 octobre. Séjour de la cour à Rueil.

22 octobre. Déclaration royale confirmant celle du 31 juillet et consacrant provisoirement la victoire du Parlement.

24 octobre. Signature à Osnabrück et à Münster, des traités de Westphalie. Fin de la guerre de Trente Ans. Échec des prétentions de l'Empereur à l'hégémonie sur les pays germaniques. La France se voit confirmer la possession de l'Alsace et des trois évêchés. Mais la guerre franco-espagnole continue.

1649 Nuit des Rois (5-6 janvier). La Reine quitte Paris avec le petit roi et la cour, et s'installe à Saint-Germain. *Le coadjuteur, volontairement, reste à Paris.*

6 janvier. Début du siège de Paris par les troupes royales, commandées par Condé.

18 janvier. Le coadjuteur est admis à siéger au Parlement en lieu et place de son oncle absent.

30 janvier/9 février. Exécution de Charles Ier à Londres. La République est proclamée en Angleterre le 7/17 février.

Janvier-mars. Révolte et pacification provisoire de la Provence.

Début mars. Turenne, qui s'apprêtait à venir secourir Paris, est abandonné par son armée.

Mars. Offensive des Espagnols, qui parviennent jusqu'à l'Aisne.

11 mars. Signature de la paix de Rueil, qui met fin au siège de Paris. Elle sera ratifiée par le Parlement le 1er avril.

18 août. Retour du Roi et de la cour à Paris.

17 septembre et 2 octobre. Traités secrets entre Condé et la cour : le Prince est pratiquement maître des affaires.

11 décembre. Mystérieux attentat contre le carrosse vide de Condé. Le coadjuteur et Broussel sont accusés devant le Parlement d'avoir voulu faire tuer le Prince.

1650   Mi-janvier. Entente secrète entre la cour et la « vieille Fronde » (dont fait partie Retz), contre Condé.

18 janvier. Arrestation des Princes, qui sont incarcérés à Vincennes.

22 janvier. Retz obtient un non-lieu dans le procès pour tentative d'assassinat sur la personne de Condé.

Février. Révolte de la Normandie, suivie d'une répression rapide.

11 juillet-1ᵉʳ octobre. La cour assiège Bordeaux, insurgée pour la défense des Princes. Le traité de Bourg (1ᵉʳ octobre) met fin aux hostilités.

15-25 novembre. Les Princes, qui avaient été transférés de Vincennes à Marcoussis le 29 août, sont transférés à nouveau et incarcérés au Havre.

14-15 décembre. Victoire des troupes royales à Rethel sur les Espagnols et sur Turenne, qui combat pour les Princes.

1651   Fin janvier. Renversement d'alliances : une série de traités consacre l'union entre la « vieille Fronde » et le parti condéen.

4 février. Le Parlement demande le renvoi de Mazarin.

Nuit du 6 au 7 février. Mazarin quitte Paris en hâte. Il reste quelques jours dans les environs avec l'espoir que la Reine pourra le rejoindre. Puis il passe au Havre délivrer les Princes (13 février) et se réfugie en Allemagne, à Brühl, où il séjournera du 11 avril à la fin d'octobre 1651.

9-10 février. La milice bourgeoise de Paris, à l'instigation de Gaston d'Orléans et du coadjuteur, empêche la Reine de quitter Paris avec le Roi pour rejoindre Mazarin. Le Roi « prisonnier » des Frondeurs.

16 février. Retour triomphal des Princes à Paris.

Février ? Corneille, *Nicomède.*

Lundi saint 3 avril. Remaniement ministériel favorable au parti de Condé, opéré sans que Gaston d'Orléans

en fût averti : premier indice d'un nouveau renversement d'alliances.

15 avril. Annonce officielle de la rupture du projet
de mariage entre le prince de Conti et Mlle de
Chevreuse qui marque la fin de l'éphémère union
des deux Frondes.

Été. Tractations du coadjuteur avec la Reine : il
s'opposera à Condé, moyennant le cardinalat.

21 août. Affrontement entre Retz et Condé au
Parlement. La Rochefoucauld tente de faire étrangler
Retz entre les deux battants de la porte. Le pire est
évité de justesse.

7 septembre. Proclamation de la majorité de Louis
XIV. Condé a quitté Paris la veille pour Bordeaux.

Septembre-octobre. Condé, réfugié à Bordeaux, fait
alliance avec l'Espagne et prépare la guerre civile.

22 septembre. La cour envoie à Rome la demande de
chapeau pour Retz.

27 septembre. La cour quitte Paris pour poursuivre
Condé. Elle échappe ainsi aux Frondeurs.

Novembre. Mazarin lève des troupes pour rentrer en
France.

12 décembre. Le Roi rappelle officiellement Mazarin.

1652   28 ou 30 janvier. Mazarin rejoint la cour à Poitiers.
C'est le début d'une reconquête progressive du pays.
Turenne est au service du Roi, contre Condé allié à
l'Espagne.

*19 février. Retz est promu cardinal à Rome. Il
l'apprendra le 1ᵉʳ mars.*

Publication du Socrate chrétien, *de Guez de Balzac.
Retz y est comparé, pour la prédication, à saint Jean
Chrysostome.*

27 mars. Entrée de Mlle de Montpensier à Orléans.

7 avril. Victoire de Condé à Bléneau sur le maréchal
d'Hocquincourt.

Mai. Condé, assiégé dans Etampes par Turenne, en
est tiré par l'intervention de Charles IV de Lorraine
et peut se replier en direction de Paris.

2 juillet. Combat du faubourg Saint-Antoine, entre
les troupes de Turenne et celles de Condé.

4 juillet. Émeute à Paris et incendie de l'Hôtel de
Ville (« journée des pailles »).

19 août. Mazarin s'éloigne volontairement pour calmer les esprits.

10-13 septembre. Retz se rend à Compiègne à la tête d'une délégation du clergé de Paris pour solliciter le retour du roi dans la capitale, et tenter de rentrer en grâce. Le 11, le Roi lui a remis publiquement la barrette de cardinal.

22 octobre. Le Roi, rentré à Paris, décrète une amnistie générale. Condé et son frère, qui refusent de s'y soumettre, sont déclarés coupables de lèse-majesté le 13 novembre. Retz est inclus de fait dans l'amnistie, puisque rien n'est spécifié à son sujet. Il devient impossible de le poursuivre pour des faits antérieurs à cette date.

19 décembre. Retz est arrêté au Louvre et incarcéré à Vincennes.

1653   3 février. Retour triomphal de Mazarin à Paris.
31 mai. Le Pape condamne les « cinq propositions » tirées du livre de Jansénius.
31 juillet. Fin du soulèvement de Guyenne. Fin de la Fronde.

1654   21 mars, 4 heures 30 du matin. Mort de l'archevêque de Paris, oncle de Retz. — 5 heures : prise de possession de l'archevêché par procuration, au nom de Retz emprisonné.

28 mars. Retz, dans sa prison de Vincennes, signe un acte de démission de l'archevêché de Paris, qui sera envoyé à Rome pour y être ratifié par le Pape.

30 mars. Retz est transféré de Vincennes à Nantes, pour y attendre la réponse du Pape, qui sera, comme prévu, un refus.

8 août. Évasion de Retz.

9 septembre-28 novembre. Retz se rend de France à Rome en passant par l'Espagne.

2 décembre. Innocent X remet à Retz le chapeau de cardinal.

14 décembre. Lettre circulaire de Retz aux cardinaux, archevêques et évêques de France, pour protester contre les persécutions dont il fait l'objet (les Mémoires *n'en parlent pas).*

1655 7 janvier. Mort d'Innocent X. Le conclave, qui s'ouvre le 15 janvier, prendra fin le 7 avril avec l'élection du cardinal Chigi, qui prend le nom d'Alexandre VII.

1656 *Retz, abandonné par le nouveau pape, quitte définitivement l'Italie. Il mènera une vie errante en Europe, sans vouloir cependant faire allégeance à l'Espagne, ni s'installer en territoire espagnol, jusqu'à son accommodement, en décembre 1661. Il continue d'envoyer des lettres au clergé et tente d'intervenir dans l'administration de son diocèse.*

1656-1657 Publication des *Provinciales*.

1657 *Fin de l'année. Pamphlet de Retz :* Très humble et très importante Remontrance au Roi sur la remise des places maritimes de Flandres entre les mains des Anglais.

1658 *Retz rend visite à Condé réfugié à Bruxelles.*
3/13 septembre. Mort de Cromwell.
Octobre. Début de la faveur de Molière auprès du Roi.

1658-1660 *Retz, qui a la confiance du roi d'Angleterre exilé, Charles II, négocie pour son compte auprès du Saint-Siège. Il se rend à Londres à plusieurs reprises.*

1659 7 novembre. Paix des Pyrénées. Retour en grâce de Condé. *Retz demeure exclu.*

1660 Mai. Restauration de Charles II sur le trône d'Angleterre.

1661 9 mars. Mort de Mazarin. Louis XIV déclare qu'il gouvernera désormais sans premier ministre. Il maintient l'ordre d'arrestation lancé contre Retz fugitif.
8 juin. Les grands vicaires de Retz (de Contes et Hodencq) autorisent la signature du Formulaire condamnant Jansénius, en réservant la distinction du droit et du fait, ce qui fournit aux jansénistes une échappatoire. Retz doit se défendre à Rome d'en avoir été l'instigateur.
5 septembre. Arrestation du surintendant Fouquet.

Fin de l'année. Retz se soumet : il accepte de se démettre de l'archevêché ; il touchera les arriérés de ses revenus et recevra l'abbaye de Saint-Denis.

1662   *14 février. A son arrivée dans sa petite seigneurie de Commercy, en Lorraine, Retz signe l'acte de démission de l'archevêché. Il résidera la plus grande partie du temps à Commercy jusqu'en 1678.*
29 juin. Mort de Philippe-Emmanuel de Gondi, père de Retz.
Octobre. Un différend oppose la France à la Papauté, à la suite d'un attentat de la garde pontificale contre le palais Farnèse. *Retz, à la demande de Louis XIV, rédige un mémoire qui conduit à un règlement favorable de la querelle.*

1664   Continuation des pressions exercées sur les jansénistes pour la signature du formulaire.

1665   *Retz, pour pouvoir payer ses dettes, vend sa seigneurie de Commercy en viager à la princesse de Lillebonne.*
Février. Le Pape exige à son tour la signature du formulaire.
Juin. Le Roi envoie Retz à Rome, afin de régler un différend théologique opposant la Sorbonne au Saint-Siège, au sujet d'un traité du jésuite espagnol Mathieu de Moya, qui affirmait l'infaillibilité pontificale. Grâce à l'intervention du Cardinal, l'affaire se termine au milieu de 1666 à la satisfaction de la France.

1666   20 janvier. Mort d'Anne d'Autriche.
Juin. Molière, *Le Misanthrope.*

1667   22 mai. Mort du pape Alexandre VII. Le conclave, ouvert le 26 mai, se termine le 12 juin par l'élection du cardinal Rospigliosi, qui prend le nom de Clément IX. *Retz lui-même a recueilli sept voix.*
Novembre. Racine, *Andromaque.*

1668   *Le P. Claude Delidel dédie à Retz* La Théologie des saints où sont représentés les mystères et les merveilles de la grâce. *Les négociations sur la paix de l'Église sont sans doute pour quelque chose dans cette démarche.*

1668-1669   « Paix de l'Église », qui assure pour un temps

la liberté de conscience aux jansénistes. *Retz a participé discrètement, mais efficacement, à la négociation.*

1669   *Retz comprend qu'il ne pourra venir à bout de ses dettes qu'en réduisant considérablement son train de vie : il s'y résout. Les remboursements se poursuivront jusqu'à sa mort : il aura alors pratiquement fini de s'acquitter, mais il ne lui reste rien.*
5 février. *Tartuffe* autorisé par le Roi.
7 décembre. Mort du pape Clément IX. Le conclave, ouvert le 20 décembre, se termine le 29 avril 1670 par l'élection du cardinal Altieri, qui prend le nom de Clément X.

1670   Première édition des *Pensées* de Pascal.

1672   *9 mars. Lettre de Mme de Sévigné : pour distraire le Cardinal souffrant, Corneille lui a offert la primeur d'une lecture de* Pulchérie, *Molière de* Tricotin (Les Femmes savantes ?), *Boileau du* Lutrin *et de* l'Art poétique.
12 juin. Passage du Rhin : l'armée française se couvre de gloire, mais l'aristocratie paie un lourd tribut de morts. L'épisode fait aussitôt l'objet d'une transfiguration héroïque dans la littérature du temps.

1674   Boileau, *L'Art poétique.* Traduction du traité *Du Sublime,* attribué à tort à Longin.
Fin novembre ou décembre. Corneille, *Suréna.*

1675   *30 mai. Retz écrit au Pape et au Sacré Collège pour leur demander d'être déchargé du cardinalat.*
22 juin. Refus de la démission par le Pape. Ce refus sera confirmé par le Sacré Collège le 9 septembre.
Mi-juin/mi-octobre. Séjour de Retz au couvent de Saint-Mihiel.
5 et 24 juillet. Lettres de Mme de Sévigné à sa fille, recommandant que tous les amis du Cardinal l'incitent à écrire ou à faire écrire son histoire.
27 juillet. Mort de Turenne, tué au combat de Sasbach.
Mi-octobre. Retz quitte le couvent de Saint-Mihiel et retourne chez lui à Commercy, où sa retraite manquée

le condamne à se confiner pour longtemps. C'est là qu'il rédige les Mémoires, *qu'il interrompra au printemps de 1677.*

1676   *29 avril. Mort du frère aîné du cardinal, Pierre, duc de Retz.*
         22 juillet. Mort du pape Clément X. Retz se rend une fois de plus au conclave, qui prend fin le 20 septembre avec l'élection du cardinal Odescalchi, devenu Innocent XI. La sagesse de sa conduite y fit l'admiration générale, selon Mme de Sévigné.

1677   *Dom Robert Desgabets, qui dirige le prieuré de Breuil, proche de Commercy, organise pour distraire le Cardinal devenu presque aveugle des discussions sur Descartes.*

1678   *Retz s'installe à Saint-Denis pour suivre le cours d'un procès. Il se partagera jusqu'à sa mort entre Paris et Saint-Denis.*

1679   *Retz, tombé malade le 14 août, est transporté chez sa nièce, à l'Hôtel de Lesdiguières, où il meurt le 24 août, à deux heures de l'après-midi, après avoir reçu les derniers sacrements. Il est inhumé à Saint-Denis. Aucune inscription n'y signale sa tombe.*

1717   *Première édition — posthume — des* Mémoires.

NOTE SUR LES INSTITUTIONS

On a regroupé ici, pour éviter de les disperser dans l'annotation, les quelques éléments indispensables à l'intelligence des Mémoires : *indications sommaires et fragmentaires, que le lecteur complétera, s'il le souhaite, grâce à des ouvrages spécialisés. Voir notamment A. Chéruel,* Dictionnaire historique des institutions, mœurs et coutumes de la France, 2 vol., *1880 ; D. Richet,* La France moderne : l'esprit des institutions, *1973 ; R. Mousnier,* Les institutions de la France sous la monarchie absolue, 2 vol., *1974 et 1980, et* Paris capitale au temps de Richelieu et de Mazarin, *1978.*

La France monarchique ne possédait pas de constitution écrite : les institutions y étaient régies par la coutume. Le roi, *absolu,* s'appuie pour gouverner sur des individus ou des corps. De l'ancienne *Cour-le-Roi* médiévale se sont détachés des organes diversifiés, parfois étroitement dépendants du souverain, parfois dotés d'une relative autonomie.

A l'origine, le mot *office* désignait une fonction confiée par le roi à un particulier, toujours révocable. Au fil des années, avec la vénalité des offices et la création du *droit annuel* (voir p. 295 note 1), les *officiers* (terme qui ne concerne pas seulement l'armée, mais la magistrature) devinrent propriétaires de leurs charges et habilités à les transmettre à leurs descendants. Le mot *office* est réservé alors aux charges permanentes dont le titulaire est inamovible, et on lui oppose celui de *commission,* pour les fonctions extraordinaires et limitées dans le temps. La Fronde est marquée par une protestation des officiers de justice contre la multiplication des *commissaires,* qui les dépossédaient d'une partie de leurs prérogatives.

1. *Les instruments traditionnels de gouvernement : la Cour, le ministère.*

• Le roi est censé s'appuyer d'abord sur son *lignage* : d'où la prétention des grands, et en particulier des princes du sang, à s'immiscer dans la conduite de l'État. Mais il cherche depuis longtemps à les écarter au profit de « créatures » plus dociles. Dans son entourage direct subsistent au XVIIᵉ siècle certains *grands officiers de la couronne* ou de la maison du roi, comme le grand prévôt, mais la plupart d'entre eux sont privés de tout rôle politique, le chancelier mis à part.

• Nommé à vie, le *chancelier* est le chef suprême de tous les magistrats. Il préside le Conseil en l'absence du roi, et surtout il conserve les sceaux et les appose sur les documents officiels. Bien qu'il fût inamovible, le roi pouvait le disgracier en le privant des sceaux, qui étaient alors confiés à un *garde des sceaux* distinct (Séguier étant chancelier, les sceaux furent donnés à Châteauneuf de mars 1650 à avril 1651 et à Molé de septembre 1651 jusqu'en 1656).

• Le principal organe de gouvernement est le *Conseil,* appelé parfois dans les *Mémoires* le *ministère.* La terminologie le concernant est flottante, car il s'agit d'un système souple que le roi se refusait à figer en institution.
Le Conseil varie dans ses attributions et prend des noms différents selon les tâches dont il s'occupe : Conseil des Affaires, ou secret, nommé après 1643 Conseil d'en haut (affaires générales), Conseil des Finances, Conseil privé, ou des Parties, ou Grand Conseil. Il varie dans sa composition, comportant des éléments fixes — le chancelier, les ministres — et des participants occasionnels, appelés en raison de leur compétence. Sous le titre de *principal ministre,* Richelieu, puis Mazarin en assurèrent la direction.
Les quatre *Secrétaires d'État,* de simples commis aux

écritures qu'ils étaient, remplissent depuis la fin du xvi⁻ siècle le rôle de véritables ministres, chargés chacun d'abord d'une circonscription territoriale, puis d'un département spécialisé.

Le Conseil comportait une section judiciaire, dont la dénomination a varié. Sous le nom de *Grand Conseil*, c'était un tribunal, présidé par le chancelier, devant lequel le roi se réservait d'évoquer les litiges qu'il souhaitait soustraire aux juridictions régulières. Il occupait un personnel spécialisé et stable : les conseillers d'État et les maîtres de requêtes de l'Hôtel du Roi. Ceux-ci, administrativement rattachés au Parlement de Paris, formaient un corps d'officiers titulaires dans lequel le souverain puisait pour leur confier des *commissions* spécifiques, brèves ou durables (voir plus loin les *intendants*).

• La responsabilité de la gestion financière incombait au(x) *surintendant(s) des finances* (un ou deux selon les moments), dont la tâche principale était d'assurer le crédit public. Pour faire face à des besoins d'argent croissants, ils affermaient les impôts à des financiers appelés *partisans,* obtenant ainsi des avances sur les rentrées à venir. Ils furent pendant la Fronde des personnages particulièrement impopulaires (surtout Particelli d'Emery)[1].

• Les décisions royales se traduisent par des actes dont les noms varient selon la forme et selon le contenu. Selon la forme : *lettres patentes,* ouvertes, scellées du sceau royal et soumises à l'enregistrement par le Parlement ; *lettres closes* ou *de cachet,* expédiées fermées à un destinataire précis, à des fins très diverses (les mesures d'arrestation n'en formaient qu'une petite part) ; *arrêts du Conseil,* immédiatement exécutoires. Selon le contenu : *ordonnances* et *édits* se différencient par l'ampleur plus ou moins grande du domaine concerné ; les *déclarations* viennent interpréter ou modifier des textes antérieurs.

---

1. On n'entrera pas plus avant ici dans le détail, très complexe, des institutions financières ; les éclaircissements indispensables seront donnés dans les notes.

• *Régence.* En cas d'incapacité du roi, notamment lorsqu'il s'agit d'un enfant mineur, l'État est gouverné en son nom par un *régent.* Aucune règle ne fixait, dans l'ancienne France, la dévolution de la régence. Lors des minorités l'usage était de la confier à la mère du jeune roi. Tel avait été le cas pour Catherine de Médicis après la mort de Henri II et pour Marie de Médicis après celle de Henri IV. En principe le régent ou la régente exerçaient pleinement l'autorité souveraine jusqu'à la majorité du roi, fixée, depuis une ordonnance de Charles V, à treize ans. Louis XIII, qui n'avait aucune confiance dans Anne d'Autriche, avait tenté, par une déclaration testamentaire, de limiter ses pouvoirs ; il plaçait aux côtés de la reine Gaston d'Orléans, avec le titre de lieutenant général du royaume, et surtout un Conseil dont la composition ne devait être modifiée sous aucun prétexte, et qui déciderait à la pluralité des voix de toutes les affaires de l'État. C'était mettre la Reine en tutelle. Après la mort de son époux, celle-ci s'empressa de faire casser le testament : elle sollicita et obtint du Parlement, le 18 mai 1643, la plénitude de l'autorité pendant la minorité de son fils. Le duc d'Orléans était confirmé dans ses fonctions de lieutenant général du royaume. Cette procédure, à la limite de l'illégalité, contribua à entretenir, jusqu'en septembre 1651, le débat sur la légitimité des décisions de la régente et de son ministre.

2. *Les Cours souveraines*

• Institution stables, fortement organisées parce que composées d'officiers de justice titulaires de leurs charges, elles jugent en dernier recours (d'où leur nom). Ce sont essentiellement :

— les *Parlements,* qui forment, au-dessus des bailliages et sénéchaussées et des présidiaux, le sommet de la hiérarchie des tribunaux. Ils étaient pendant la Fronde au nombre de dix (Paris, Toulouse, Grenoble, Bordeaux, Dijon, Rouen, Aix, Rennes, Pau et Metz) ;

— les *Chambres des Comptes,* chargées de vérifier les comptes des officiers ;

— les *Cours des Aides,* chargées des affaires fiscales.

Parmi ces cours, celles de Paris jouissent d'une prééminence fondée sur des prérogatives spéciales.

• Le *Parlement de Paris* est l'équivalent d'une cour d'appel. Il ne faut pas le confondre avec les assemblées de représentants élus que nous désignons aujourd'hui de ce nom. Cependant ses attributions étaient plus étendues que celles d'un tribunal contemporain. Outre ses fonctions judiciaires, il était chargé de *vérifier* les édits et ordonnances royaux — c'est-à-dire d'en apprécier la conformité au droit — et de les *enregistrer* : faute de quoi ils ne sauraient être exécutoires. Il pouvait *expliquer* les édits — c'est-à-dire en spécifier le domaine d'application. Il n'avait pas le droit d'en changer la teneur, mais il sollicitait du roi les modifications souhaitées par le biais des *très humbles remontrances,* renouvelables dans le cas d'un premier refus. En revanche, si le roi venait en personne assister à une séance, alors nommée *lit de justice,* l'enregistrement était de règle. Cette procédure donnait au Parlement un droit de regard en matière législative ; elle faisait de lui le porte-parole des revendications du « public » ; elle lui permettait de retarder considérablement l'application d'ordonnances impopulaires.

• Le Parlement de Paris était subdivisé en plusieurs chambres, au partage d'attributions complexe, composées chacune de *présidents* et de *conseillers* (dont le nombre a varié) :

— la *Grande Chambre,* la plus prestigieuse, comportant les magistrats les plus âgés ;

— les *Chambres des Enquêtes,* au nombre de cinq ;

— les *Chambres des Requêtes* (deux lors de la Fronde).

La *Tournelle,* chambre spéciale chargée des affaires criminelles, était une émanation du Parlement, ainsi que la *chambre des Vacations,* qui expédiait les affaires courantes pendant une partie des vacances du Parlement (vacances : 7 septembre/12 novembre ; Chambre des Vacations : 9 septembre/27 octobre).

Le Parlement de Paris étant issu de l'ancienne cour des pairs médiévale, les princes du sang et les plus grands seigneurs y avaient droit de séance, ainsi que quelques dignitaires ecclésiastiques, dont l'archevêque de Paris.

La Grande Chambre était présidée par le *premier prési-*

dent : il s'agit là d'une commission confiée par le roi à une personne de son choix, prise parmi les titulaires d'une charge de président (pendant la Fronde, ce fut Mathieu Molé). Les autres chambres avaient aussi chacune un premier président.

Les *gens du roi,* chargés auprès du Parlement des intérêts du souverain et parfois désignés du nom de *parquet,* d'après le local où ils se réunissaient, étaient le *procureur général* (Omer Talon), son substitut et les deux *avocats généraux.*

Le vote ou *opinion* revêtait un caractère solennel. Chacun *opinait* tour à tour, en motivant son vote, selon un ordre rigoureux ; on commençait par le doyen. « Opiner du bonnet » signifie voter par un simple geste, sans exposé de motifs, lorsque l'affaire va de soi. Les décisions du Parlement s'appellent des *arrêts.*

• *Topographie des lieux.* (Voir les Plans, p. 162 à 165). Le Palais (actuellement palais de justice de Paris), ancienne résidence des rois de France, occupait la partie ouest de l'île de la Cité. Il était délimité par une enceinte, dans la cour de laquelle s'élevait le bâtiment principal. Les séances du Parlement se déroulaient au premier étage, dans la *Grande Chambre* ou *Chambre Dorée.* Pour y accéder, il fallait monter un des deux escaliers et parvenir dans la Grande Salle soit directement, soit par la galerie des Merciers. De la très vaste *Grande Salle* (ou *salle* tout court) ouverte au public, on passait dans une tour ovale où se trouvait le *parquet des huissiers,* qui commandait la porte à double battant ouvrant dans l'angle sud-est de la Grande Chambre. Diamétralement opposé, dans l'angle nord-ouest de celle-ci, le « lit de justice », siège surmonté d'un dais, où prenait place le roi quand il venait au Parlement. Le long des murs, les « *hauts bancs* », réservés aux grands dignitaires ecclésiastiques et laïques. Au milieu, dans un espace délimité par des barrières, les bancs des magistrats. Au fond, le mur ouest comportait une énorme cheminée à hotte, près de laquelle on se regroupait l'hiver pendant les pauses. Les *lanternes,* espèces de loges d'angle surélevées, étaient accessibles au seul public de qualité. Outre l'entrée principale, la Grande Chambre possédait aussi des issues latérales permettant éventuellement de sortir sans traverser la Grande Salle.

Nota. A côté des cours souveraines, il existait à Paris

l'équivalent d'un bailliage ou d'un présidial : le *Châtelet*, avec à sa tête le *lieutenant civil*. Ce dernier et le *lieutenant criminel* cumulaient dans la juridiction de Paris des fonctions de police et de justice.

3. Les institutions municipales

Dans les grandes villes, certaines fonctions de police et d'administration étaient confiées à des organismes *municipaux* : à Paris, le *Bureau de Ville,* qui siégeait à l'Hôtel de Ville. A sa tête, le *prévôt des marchands,* élu sur une liste de « bourgeois » établie par le roi, et les quatre *échevins,* également élus, assistés d'un *procureur du roi (et) de la ville,* représentant les intérêts du roi. Ils avaient pour agents d'exécution des notables répartis géographiquement ; dans chacun des seize quartiers commandait un *quartinier* ; chaque quartier se subdivisait en cinquantaines, puis chaque cinquantaine en dizaines. Les compagnies de la milice bourgeoise chargées du maintien de l'ordre étaient regroupées en régiments — les *colonelles* — à raison d'un par quartier. Pendant la Fronde, tous ces organismes jouent un rôle non négligeable, soit aux côtés du Parlement, soit de façon indépendante [1].

4. Les États Généraux

Formés de représentants élus des trois ordres de la nation (clergé, noblesse, tiers-état), ils étaient convoqués par le roi pour lui rendre le « service de conseil ». Bien qu'ils n'aient aucun pouvoir en théorie, la royauté les redoute ; elle ne les réunit que dans les cas graves ; elle s'est toujours refusée à leur accorder une périodicité qui aurait fait d'eux une institution régulière. Ils avaient été réunis pour la dernière fois en 1614 ; Anne d'Autriche réussit à en faire annuler la convocation grâce à la proclamation de la majorité de

---

1. Dans le texte des *Mémoires,* nous avons mis une majuscule au mot de *Ville* lorsqu'il désigne, de façon abrégée, le Bureau de Ville, et nous avons écrit *ville* avec une minuscule lorsqu'il s'agit du lieu géographique ou de l'ensemble des habitants de Paris.

Louis XIV ; l'assemblée suivante n'aura lieu qu'en 1789. Le Parlement, organe permanent, se considérait comme plus qualifié que les États Généraux pour transmettre au roi les doléances de ses sujets.

5. *Les provinces*

Outre des institutions administratives, judiciaires et — éventuellement — municipales analogues à celles de Paris, on trouve dans les provinces différentes instances qui y représentent le pouvoir royal :

— Les *gouverneurs* de provinces : des seigneurs du premier rang, souvent nommés primitivement dans les provinces où étaient situés leurs fiefs. Le roi leur délègue ses pouvoirs. Ils ne font pas double emploi avec l'administration, mais doivent en surveiller le bon fonctionnement, tout en assurant le maintien de l'ordre, comme le ferait le souverain lui-même s'il était sur place.

Les gouvernements de provinces ne sont pas des offices, mais des commissions, non vénales, toujours révocables. Dans la pratique, les grandes familles tendaient à les considérer comme faisant partie de leur patrimoine et essayaient d'en assurer la transmission héréditaire. D'où l'usage de faire offrir à un titulaire qui était forcé d'y renoncer des compensations financières dites *récompenses,* à verser par le successeur.

— À côté des gouverneurs, des *lieutenants* avaient la charge d'un secteur géographique plus étroit, subdivision d'une province ou ville fortifiée ; ils étaient investis dans ce dernier cas de responsabilités militaires importantes.

La logique eût voulu que les lieutenants fussent hiérarchiquement subordonnés aux gouverneurs, et ils l'avaient été à l'origine. Mais le danger d'un excessif transfert de pouvoir entre les mains des grands était apparu très vite. Les gouvernements de provinces pouvaient aisément servir de point d'appui à une révolte (voir Condé en Guyenne pendant la Fronde). De longues années de guerres civiles avaient rendu les rois successifs méfiants.

Pour parer au danger, un premier remède : opérer, chaque fois que c'était possible, des redistributions, pour éloigner des endroits sensibles, en temps de guerre, les hommes peu sûrs.

Autre remède : soustraire les lieutenants à l'autorité de leur supérieur naturel, le gouverneur, pour les rattacher directement au roi — d'où leur nom, très proche du sens étymologique, de *lieutenants de roi.* Pour peu qu'ils fussent choisis hors de la clientèle du gouverneur, voire dans une faction rivale, ils offraient à l'autorité de celui-ci un contrepoids et exerçaient sur lui un contrôle de fait. En période de troubles, ils constituaient pour le pouvoir central un appui précieux.

— La création des *intendants* obéit au même souci de tenir plus fermement les provinces. Leur rôle était dirigé surtout contre les officiers provinciaux chargés de la justice et des finances, souvent tentés, en raison de leurs attaches locales, de faire cause commune avec leurs administrés contre le gouvernement. Généralement issus du corps des maîtres des requêtes de l'Hôtel du roi, ils furent d'abord investis de missions temporaires d'inspection dans un domaine bien délimité ; avec Richelieu et Mazarin, ils deviennent, sous le nom d'*intendants de justice, police et finances,* des commissaires permanents dépendant directement du roi et servant efficacement sa politique d'autorité. Pendant la Fronde, le Parlement exigea et obtint — provisoirement — leur suppression ; rétablis après l'échec de celle-ci, ils furent un des instruments majeurs de la centralisation.

PLANS ET ILLUSTRATIONS

PLAN DE PARIS (très simplifié)
établi d'après le plan
de JEAN-BOISSEAU
dit PLAN DES COLONELLES
(Paris 1649-1652)

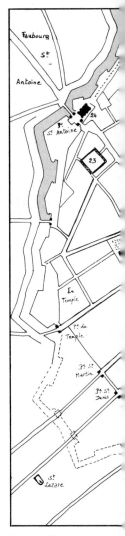

Moins détaillé que celui de Gomboust (1652), moins chargé en bâtiments que celui qui figure dans la *Topographia Galliae* de Martin Zeiller (1654), ce plan était plus facile à démarquer sommairement, tout en offrant une exactitude suffisante. Établi pendant la Fronde et à cause d'elle, il délimitait les seize quartiers ou *colonelles* entre lesquels était répartie la milice bourgeoise pour la garde des portes. Il est encadré par des listes (que nous n'avons pas reproduites) fournissant les noms des officiers de chacune des colonelles.

Attention : comme tous les plans de cette époque, il est orienté Nord-Ouest / Sud-Est et présenté légèrement en perspective, pour rendre indentifiables les silhouettes des bâtiments (que nous n'avons pas non plus reproduites).

1. Notre-Dame. — 2. Archevêché. — 3. Marché-Neuf. — 4. Palais de justice. — 5. Place Dauphine. — 6. Pont-Neuf. — 7. Châtelet. — 8. Saint-Germain-l'Auxerrois. — 9. Louvre. — 10. Tuileries (palais). — 11. Tuileries (jardin). — 12. Hôtel de Vendôme. — 13. Palais-Royal. — 14. Palais Mazarin. — 15. Saint-Eustache. — 16. Les Halles. — 17. La Croix-du-Trahoir. — 18. Cimetière des Innocents. — 19. Saint-Merri. — 20. Place de Grève. — 21. Hôtel de Ville.

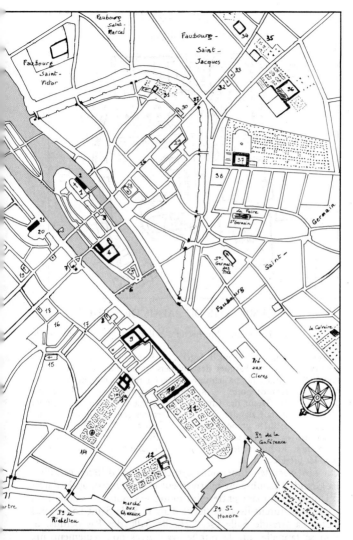

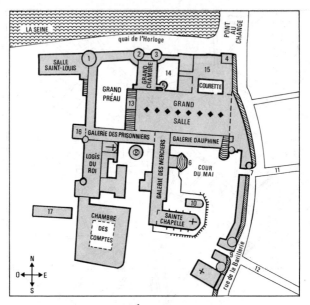

PLAN SIMPLIFIÉ DU PALAIS DE JUSTICE

En grisé : les bâtiments. En hachuré : l'ancien rempart, bordé de maisons.
1. Tour Bonbec. — 2. Tour d'Argent. — 3. Tour de César. — 4. Tour de l'Horloge. — 5. Parquet des huissiers, permettant d'accéder de la Grand Salle à la Grand Chambre. — 6. Grands degrés, ou Perron du May. — 7. Grande porte. — 8. Tour Montgomery. — 9. Porte Saint-Michel. — 10. Trésor des Chartes. — 11. Rue de la Vieille-Draperie. — 12. Rue de la Calandre. — 13. Parquet des gens du roi (deux salles en surplomb sur le grand préau de la Conciergerie). — 14. Cour des Magasins. — 15. Locaux occupés par diverses chambres (Enquêtes, Domaines, Requêtes de l'Hôtel). — 16. Logement de fonction du premier président.
On observera les dimensions respectives des différentes salles. La Grande Chambre est relativement exiguë. Aussi, après l'arrêt d'Union regroupant entre elles toutes les cours souveraines, les magistrats durent-ils aller siéger dans la Salle Saint-Louis, plus vaste. La Grande Salle est l'actuelle Salle des Pas perdus. Si l'on se rappelle que le public avait accès non seulement aux galeries Dauphine et des Merciers, mais à la Grande Salle, et si l'on note la disproportion frappante entre cette dernière et la Grande Chambre où siégeaient les magistrats, on comprend mieux la force de la pression populaire sur le Parlement dans les jours d'émeute et les risques encourus à l'entrée et à la sortie.

VUE GÉNÉRALE DU PALAIS, gravée par Boisseau vers 1650
tirée de Martin Zeiller, *Topographie Galliae,* 1655
B.N. Cabinet des Cartes et Plans

Au premier plan, l'ancien rempart, sur lequel a pris appui une
rangée de maisons. La porte de gauche est la porte Saint-Michel,
jouxtant la chapelle du même nom. L'autre est la Grande Porte.
Au centre de la cour, la Sainte-Chapelle ; au fond à gauche, la
Chambre des Comptes ; de l'autre côté, la galerie des Merciers,
à laquelle donne accès un escalier, le perron du May, bordé de
boutiques. Dans le bâtiment massif de droite, on distingue les
deux corps parallèles de la Grande Salle ; à son flanc, sur la
cour, un élément plus bas, la galerie Dauphine. Le dessin paraît
peu exact dans ce secteur, tant pour l'articulation entre la
Grande Salle et la galerie des Merciers que pour le nombre et
la localisation des tours. La première tour à droite est en tout
cas celle de l'Horloge. En arrière-plan, derrière la flèche de la
Sainte-Chapelle, la place Dauphine et le Pont-Neuf. Sur la rive
droite, Saint-Germain-l'Auxerrois, le Louvre et la galerie du
Bord de l'Eau, la porte de la Conférence avec sa tour ; en face,
sur la rive gauche, la tour de Nesle.

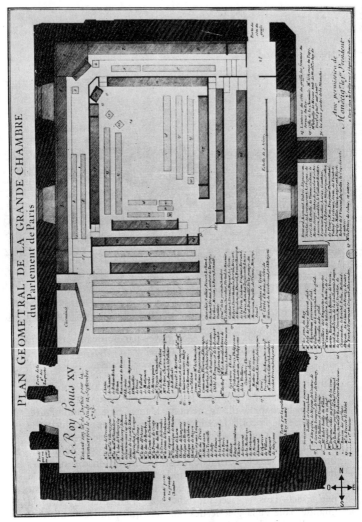

PLAN DE LA GRANDE CHAMBRE
B.N. Cabinet des Estampes

Ce plan date du début du XVIIIᵉ siècle. Au temps de la Fronde,
il y avait seulement une fenêtre et non une porte dans le mur
sud.

LIT DE JUSTICE TENU PAR LE ROY LE 7 SEPTEMBRE 1651
(proclamation de sa majorité)
B.N. Cabinet des Estampes

Cette gravure donne une idée assez exacte de la Grande
Chambre, avec son plafond à caissons dorés et pendentifs
énormes. Sur le mur nord, parallèle à la Seine, on aperçoit la
grande Crucifixion (aujourd'hui au Musée du Louvre). Le « lit
de justice » (trône où se tient le roi), surmonté d'un dais, se
trouve dans l'angle gauche : place symbolique, car le souverain
est ainsi à la droite du Christ, dont il est le représentant sur
terrre. Le long des murs, les « hauts bancs », surélevés, pour les
grands dignitaires : les ecclésiatiques sous la Crucifixion, les laïcs
de l'autre côté du roi. Les bancs des magistrats sont disposés en
carré, se faisant face, autour d'un espace laissé vide. Dans le
parterre, à l'arrière, se tiennent debout les avocats et personnages
de moindre rang. Dans le coin avant gauche et au fond à droite,
les « lanternes », sortes de tribunes réservées au public de
qualité. La porte principale, qu'on ne voit pas, est diamétralement opposée au lit de justice. On discerne que les murs sont
décorés d'un semis de fleurs de lis (la tapisserie des sièges
également).

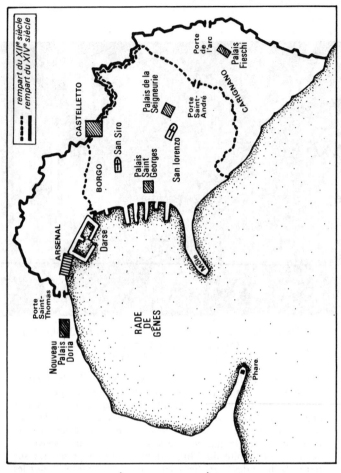

GÊNES AU XVIᵉ SIÈCLE

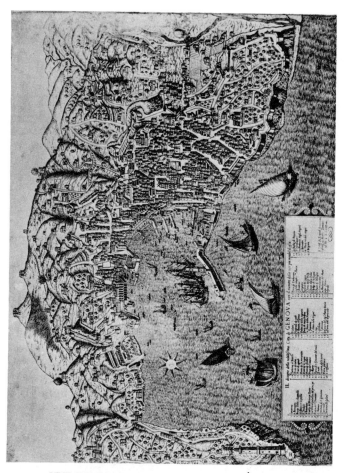

VUE DU PORT ET DE LA VILLE DE GÊNES
par Antonio Lafreri (1573)
B.N. Cabinet des Cartes et Plans

Cette gravure est un peu postérieure à l'entreprise de Fiesque,
mais la ville n'avait pas beaucoup changé entre 1547 et 1573.
Au fond de la rade, on distingue très bien l'Arsenal et, à
côté, la Darse, divisée en deux bassins, le plus proche pour
les galères, l'autre pour les barques. A gauche de l'Arsenal,
en dehors du rempart, on aperçoit le Nouveau Palais Doria,
dont les jardins descendent jusqu'à la mer. Le Palais Fieschi
a, bien entendu, été rasé après l'échec de la conjuration et le
bannissement de la famille.

LA CONJURATION
DU COMTE
JEAN-LOUIS DE FIESQUE

Texte de 1665

AU commencement de l'année 1547, la république de Gênes se trouvait dans un état ᵃ que l'on pouvait appeler heureux, s'il eût été plus affermi [1]. Elle jouissait en apparence d'une glorieuse tranquillité, acquise par ses propres armes, et conservée par celles du grand Charles Quint, qu'elle avait choisi pour protecteur de sa liberté ᵇ. L'impuissance de tous ses ennemis la mettait à couvert de leur ambition, et les douceurs de la paix y faisaient revenir l'abondance que les désordres de la guerre en avaient si longtemps bannie ; le trafic se remettait dans la ville avec un avantage visible du public et des particuliers, et si l'esprit des citoyens eût été aussi exempt de jalousie que leurs fortunes l'étaient de la *nécessité, on eût eu juste sujet de croire que cette république se fût relevée, en peu de jours, de ses misères passées, par un repos plein d'opulence et de bonheur ; mais le peu d'union qui était parmi eux, et les semences de haine que les divisions précédentes avaient laissées dans les cœurs étaient des restes dangereux qui marquaient bien que ce grand corps n'était pas encore remis de ses maladies, et que sa guérison était semblable à la santé apparente de ces visages bouffis, sur lesquels beaucoup d'embonpoint cache beaucoup de mauvaises humeurs. La noblesse, qui avait le gouvernement entre ses mains, ne pouvait oublier les injures qu'elle avait reçues du peuple dans le temps qu'elle était éloignée des affaires. Le peuple, de son côté, ne pouvait souffrir la domination de la noblesse que comme une tyrannie nouvelle, établie contre les ordres anciens ; une partie même des gentilshommes qui prétendaient à une plus haute fortune enviait *couvertement la grandeur des autres : ainsi les uns commandaient avec orgueil ; les autres obéis-saient avec rage, et beaucoup croyaient obéir parce qu'ils ne commandaient pas assez absolument, quand la Providence permit qu'il arriva un accident qui fit éclater tout d'un coup ces différents sentiments, et qui confirma pour la dernière fois, les uns dans le commandement et les autres dans la servitude.

C'est la conjuration de Jean-Louis de Fiesque, comte de Lavagne, qu'il faut reprendre de plus loin pour en connaître mieux les suites et les circonstances.

Au temps de ces fameuses guerres dans lesquelles Charles Quint, empereur, et François Ier, roi de France, désolèrent toute l'Italie, André Doria, sorti d'une des meilleures maisons de Gênes, et le plus grand homme de mer qui fût à cette heure-là dans l'Europe, suivait avec ardeur le parti de la France, et soutenait la grandeur et la réputation de cette couronne sur les mers[a], avec un courage, une *conduite et un bonheur qui donnaient autant d'avantage à son parti que d'éclat à sa gloire particulière. Mais[b] c'est un malheur ordinaire aux plus grands princes de ne considérer pas assez les hommes de service quand une fois ils croient être assurés de leur fidélité ; cette raison fit perdre à la France un serviteur si considérable, et cette perte produisit des effets si fâcheux, que la mémoire en sera toujours funeste et déplorable à cet État. En même temps que ce grand personnage fut engagé dans le service du Roi, en qualité de général de ses galères, avec des conditions qui étaient avantageuses pour ses intérêts et éclatantes pour sa réputation, ceux qui tenaient les premières places de la faveur et de la puissance dans les conseils commencèrent à envier et sa gloire et sa charge, et formèrent le dessein de perdre celui qu'ils voyaient trop grand seigneur pour se résoudre jamais à dépendre d'autres personnes que de son maître. Comme ils jugèrent qu'il ne serait d'abord ni sûr ni utile à leur dessein de lui rendre des mauvais offices auprès du Roi, qui venait de témoigner une trop bonne opinion de lui pour en concevoir sitôt une mauvaise, ils prirent une voie plus *délicate, et, joignant les louanges aux applaudissements publics que l'on donnait aux premières armes que Doria avait prises pour la France[1], ils se résolurent de lui donner peu à peu des mécontentements que l'on pouvait attribuer à la *nécessité des affaires générales[2], plutôt qu'à leur *malice particulière, et qui néanmoins ne laisseraient pas de faire l'effet qu'ils prétendaient : ils s'appliquèrent à donner à cet esprit altier et glorieux matière de s'*échapper, pour avoir un moyen plus aisé de le ruiner dans l'esprit du Roi. Les affaires que sa charge lui donnait dans le Conseil ne fournirent à ceux qui y avaient toute l'autorité que trop d'occasions de le désobliger : tantôt l'on trouvait les finances trop épuisées pour fournir à de si hauts appointements ; tantôt on le payait en mauvaises assignations[1] ; quelquefois ses demandes étaient trouvées injustes et déraisonnables ; à la fin, ses remontrances sur les torts qu'on lui faisait furent rendues par les artifices de ses ennemis si criminelles auprès du Roi, qu'il commença d'être importun et fâcheux, et peu à peu il passa auprès de lui pour un esprit intéressé, insolent et *incompatible. Enfin on le désobligea ouvertement en lui refusant la rançon du prince d'Orange son prisonnier, que son neveu Philippin Doria avait pris devant Naples, et que le Roi avait retiré de ses mains[2]. On lui demanda même avec des menaces le marquis de Gast et Ascagne Colonne pris à la même bataille ; on ne parla plus de lui tenir la parole qu'on lui avait donnée de rendre Savone à la république de Gênes[3] ; et comme on vit que cet esprit prenait feu au lieu de cacher ses *dégoûts sous une modération apparente, ses ennemis n'oublièrent rien pour les accroître. M. de Barbezieux fut commandé pour se saisir de ses galères, et même pour l'arrêter s'il était possible : cette faute était aussi pleine d'imprudence que de mauvaise foi, et l'on ne saurait assez blâmer les ministres de France d'avoir, pour leur intérêt, trahi celui de leur maître et ôté à leur parti le seul homme qui pouvait le maintenir en Italie ; et puisqu'ils voulaient le perdre, on peut dire qu'ils furent fort malhabiles de ne l'avoir pas perdu tout à fait[4], et de l'avoir laissé dans un état où il pouvait extrêmement nuire à la France en général et à eux-mêmes en particulier par le *chagrin que le Roi pouvait prendre de leurs conseils et par les mauvaises suites qu'ils avaient attirées contre son royaume[5].

Doria, se voyant traité si criminellement[a], fait un manifeste de ses plaintes, proteste qu'elles ne procèdent pas tant de ses intérêts particuliers que de l'injustice avec laquelle on refusait à sa chère patrie de lui rendre Savone, qui lui avait été tant de fois promise par le Roi. Il traite avec le marquis de Gast, son prisonnier, se déclare pour l'Empereur, et accepte la généralité de ses mers ; la conduite de ce vieux politique fut en cela pour le moins aussi *malicieuse que celle des ministres de France, mais beaucoup plus adroite et plus judicieuse. On ne le peut excuser d'une ingratitude extraordinaire [1] de s'être laissé emporter au mouvement d'une si dangereuse vengeance contre un prince à qui l'on peut dire qu'il avait obligation de tout son honneur, puisqu'il en avait acquis les plus belles marques en commandant ses armées, et il est difficile de le justifier d'une trahison lâche et indigne de ses premières actions, d'avoir commandé à Philippin Doria, son lieutenant, de laisser entrer des vivres dans Naples, alors extrêmement pressé par messire de Lautrec, au moment même qu'il protestait encore de vouloir demeurer dans le service du Roi ; mais il faut avouer aussi que ce même procédé le doit faire passer pour un homme fort habile dans la politique intéressée, en ce qu'il mit avec tant d'adresse les apparences de son côté, que ses amis pouvaient dire que le manquement de parole dont il se plaignait pour sa patrie, était la véritable cause de son changement, et que ses ennemis ne pouvaient nier qu'il n'y eût été poussé par des traitements trop rudes et trop difficiles à souffrir : outre qu'il n'ignorait pas que le moyen d'être en beaucoup de considération dans un parti, était celui d'y apporter d'*abord un grand avantage. En effet, il prit si bien son temps et ménagea sa révolte avec tant de *conduite, qu'elle sauva Naples à l'Empereur, que les Français lui allaient ravir en peu de jours si Philippin Doria eût continué de les servir fidèlement, et fit perdre un des plus grands capitaines qui fût jamais sorti de la France, et mit enfin [la] république de Gênes sous la protection de la couronne d'Espagne, à laquelle elle est si nécessaire à cause du voisinage de ses États d'Italie : aussi fut-ce la première action d'André Doria pour le service de l'Empereur, après qu'il se fut ouvertement déclaré contre le Roi.

Cet homme habile et ambitieux, connaissant, au point qu'il faisait, les intrigues de Gênes et les inclinations des Génois, ne manqua pas de ménager des esprits qu'on a de tout temps accusés d'aimer naturellement la nouveauté [a]. Comme il avait beaucoup d'amis et de partisans secrets dans la ville, qui lui rendaient compte de ce qui s'y passait, il avait soin aussi d'y confirmer les uns dans le mécontentement qu'ils témoignaient du gouvernement présent, et d'essayer d'en faire naître dans l'esprit des autres ; de persuader au peuple que les Français ne lui laissaient que le nom de la souveraineté, pendant qu'ils en retenaient tout le pouvoir ; il faisait représenter à la noblesse l'image du gouvernement ancien qui avait toujours été entre ses mains ; et enfin il insinuait à tout le monde l'espérance du rétablissement général des affaires dans un changement.

Sa cabale étant faite[a], il s'approcha de Gênes avec ses galères ; il mit pied à terre et rangea ses gens en bataille sans trouver aucune résistance ; il marcha dans la ville suivi de ceux de son parti, qui avaient pris les armes au signal arrêté ; il occupa les principaux lieux, et s'en rendit maître presque sans mettre l'épée à la main. Théodore Trivulce, qui y commandait pour le Roi, perdit avec Gênes toute la réputation qu'il s'était acquise dans les guerres d'Italie, parce qu'il négligea de rompre les *pratiques qui s'y étaient tramées, quoiqu'il en fût averti, et qu'il aima mieux, pour sauver sa vie et son argent, faire une honteuse composition dans le Chatelet[1], que de s'ensevelir honorablement dans les ruines de cette place si importante au service de son maître.

Les Français ne furent pas plus tôt chassés de Gênes, que l'on entendit crier dans les rues[b] le nom de Doria, les uns suivant dans ces acclamations leurs véritables sentiments, les autres essayant de cacher, par des cris de joie dissimulés, l'opinion qu'ils avaient donnée en diverses occasions, que leurs pensées n'étaient pas conformes à la joie publique. Et la plupart se réjouissaient de ces choses, comme c'est l'ordinaire des peuples, par la seule raison qu'elles étaient nouvelles.

Doria ne laissa pas refroidir cette ardeur : il assembla la noblesse, lui mit le gouvernement entre les mains[c], et protestant qu'il n'y prétendait aucune part que celle qui lui serait commune avec tous les autres gentilshommes, il donna lui-même la forme à la République, et, après avoir reçu tous les témoignages imaginables des obligations que lui avaient ses concitoyens, qui lui érigèrent une statue en public avec le titre de *Restaurateur de la liberté* et de *Père de la patrie,* il se retira dans son palais, pour y goûter en repos le fruit de ses peines passées.

Il y a beaucoup de personnes qui croient qu'en effet Doria avait terminé toute son ambition au présent qu'il faisait à son pays de la liberté, et que l'applaudissement général qu'il recevait des siens lui donnait plutôt la pensée de jouir de cette gloire avec tranquillité, que de s'en servir avec trouble pour des desseins plus élevés. D'autres ne se peuvent imaginer que le grand emploi qu'il avait pris tout de nouveau dans le service de l'Empereur [a], et le soin continuel qu'il eut toujours de tenir la noblesse de Gênes attachée à sa maison partissent d'un esprit enclin au repos et absolument désintéressé : ils croient qu'étant trop habile homme pour ne pas voir qu'un souverain dans Gênes ne pouvait plaire au Conseil d'Espagne, il voulait seulement l'entretenir par une modération apparente, et remettre de plus hautes entreprises à des temps plus favorables [1].

Sa vieillesse néanmoins eût pu diminuer justement l'appréhension que l'on avait de son autorité, si l'on n'eût pas vu un autre lui-même dans une puissance presque égale à la sienne. Jannetin Doria, son cousin et son fils adoptif, âgé d'environ vingt-huit ans, était extrêmement vain, altier et insolent [b] ; il avait en *survivance toutes les charges de son père, et tenait par ce moyen la noblesse de Gênes dans ses intérêts ; il menait une façon de vie plus éclatante que celle d'un citoyen qui ne veut pas s'attirer de l'*envie et donner de l'ombrage à la République. Il témoignait même assez ouvertement qu'il en dédaignait la qualité [2]. L'élévation extraordinaire de cette maison produisit le grand mouvement dont nous allons parler, et donna ensuite un exemple mémorable à tous les États de ne souffrir jamais dans leurs corps une personne si éminente, que son autorité puisse faire naître le dessein de l'abaisser, et le prétexte de l'entreprendre [3].

Jean-Louis de Fiesque [4], comte de Lavagne, sorti de la plus illustre et la plus ancienne maison de Gênes [5], riche de plus de deux cent mille écus de rente, âgé de vingt-deux ans, doué d'un des plus beaux et plus élevés esprits du monde, ambitieux, hardi et entreprenant, menait, en ce temps-là, dans Gênes, une vie bien contraire à ses inclinations naturelles. Comme il était passionnément amoureux de la gloire, et qu'il manquait d'occasions d'en acquérir, il ne songeait qu'aux moyens d'en faire naître ; mais, quelque peu de matière qu'il en eût alors, il eût pu se promettre néanmoins que son mérite lui aurait ouvert le chemin de la gloire où il aspirait, en servant son pays, si l'extrême pouvoir de Jannetin Doria, dont nous avons déjà parlé, lui eût laissé quelque lieu d'y espérer de l'emploi ; mais, comme il était trop grand par sa naissance et trop estimé par ses bonnes qualités pour ne donner pas de l'appréhension à celui qui voulait attirer à lui seul toute la réputation et les forces de la République, il voyait bien qu'il ne pouvait avoir de prétentions raisonnables en un lieu où son rival était presque le maître, parce qu'il est certain que tous ceux qui prennent de l'ombrage ne songent jamais aux intérêts de celui qui le donne que pour le ruiner. Voyant donc qu'il devait tout appréhender de l'élévation de Doria, et qu'il n'avait rien à espérer pour la sienne, il crut être obligé de prévenir, par son esprit et par son courage, les mauvaises suites d'une grandeur si contraire à celle de sa maison ; n'ignorant pas qu'il ne faut jamais rien attendre des personnes qui se font craindre, qu'une extrême défiance, et un abaissement continuel de ceux qui ont quelque mérite et qui sont capables de s'élever.

Toutes ces considérations mettant dans le cœur de Jean-Louis de Fiesque le désespoir de s'agrandir dans le service de sa patrie, lui firent prendre le dessein d'abattre la puissance de la famille de Doria, avant qu'elle eût acquis de plus grandes forces ; et, comme le gouvernement de Gênes y était attaché, il forma la résolution de joindre le changement de l'un à la perte de l'autre[1].

Les grands fleuves ne font jamais de mal tant qu'ils demeurent dans leur lit naturel et que rien n'empêche leur cours ; mais, au moindre obstacle qu'ils rencontrent, ils s'emportent avec violence, et la résistance d'une petite digue est cause bien souvent qu'ils inondent les campagnes qu'ils arroseraient avec utilité[2]. Ainsi l'on peut juger que si le naturel du comte de Fiesque n'eût point trouvé le chemin de la gloire traversé par l'autorité des Doria, il fût assurément demeuré dans les bornes d'une conduite plus modérée, et aurait employé utilement pour le service de la République les mêmes qualités qui pensèrent la ruiner[3].

Ces sentiments d'ambition furent entretenus dans l'esprit du comte par les persuasions de beaucoup de personnes qui espéraient de trouver leurs avantages particuliers dans les désordres publics ; mais surtout par les sollicitations pressantes des Français, qui lui firent porter quantité de paroles, et faire des offres considérables : premièrement par César Frégose et Cagnino Gonzague, et ensuite par M. Du Bellay, qui eut des entretiens secrets avec lui par l'entremise de Pierre-Luc de Fiesque.

L'opinion commune de ce temps-là était que le pape Paul III, espérant d'abattre d'un même coup André Doria, qu'il haïssait pour quelques intérêts secrets, et ôter à l'Empereur, déjà trop puissant, un partisan redoutable dans l'Italie, avait travaillé soigneusement à nourrir l'ambition de Jean-Louis de Fiesque, et lui avait inspiré les plus forts mouvements du dessein d'entreprendre sur Gênes.

Il n'y a rien qui flatte si puissamment un homme de cœur, et qui le porte à des résolutions si hasardeuses, que de se voir recherché par des personnes qui sont beaucoup au-dessus des autres ou par leur dignité ou par leur réputation. Cette marque de leur estime lui remplit d'*abord l'âme d'une grande confiance de lui-même, et lui fait croire qu'il n'y a rien dont il ne soit capable ; et, comme un naturel de cette qualité ne trouve point d'action qui soit au-dessus de son courage, il se porte aux plus grandes avec impétuosité, lorsque l'approbation de ceux qui doivent servir de règle à la conduite du reste des hommes lui persuade qu'elles ne sont ni extravagantes, ni impossibles, bien qu'elles semblent difficiles et violentes. Celle que Jean-Louis avait dans l'esprit devait par cette raison lui paraître glorieuse et facile, puisqu'il s'y voyait poussé par le plus grand prince de l'Europe et par le plus habile homme de son temps : l'un fut François Ier, qui donna ordre à Pierre Strozzi, en passant les montagnes voisines de Gênes avec des troupes, de l'en solliciter de sa part ; et l'autre fut le cardinal Augustin Trivulce, *protecteur de France à la cour de Rome, duquel il reçut tous les honneurs imaginables au voyage que le comte y fit pour se divertir en apparence, mais en effet pour communiquer plus aisément son dessein au Pape, et s'instruire mieux de ses sentiments.

Ce cardinal[1], qui était en grande réputation et qui passait pour un homme fort éclairé dans les affaires d'État, sut animer Jean-Louis par une émulation à laquelle il n'était que trop sensible, en lui mettant devant les yeux, avec tout l'art qui pouvait exciter sa jalousie, la grandeur présente de Jannetin Doria, et celle dont il commençait à s'assurer par les profondes racines qu'il donnait à son autorité ; et augmentant ainsi l'*envie qu'il avait contre l'une et la crainte qu'il avait conçue de l'autre, il lui représenta combien il est insupportable à un homme de cœur de vivre dans une république où il ne peut trouver aucun moyen légitime de s'élever, et où la grande naissance et le mérite ne mettent presque pas de différence entre des personnes illustres et les hommes les plus ordinaires.

Après qu'il l'eut bien confirmé dans son dessein[a], il lui offrit toutes les assistances possibles de la part de la France ; et il pressa si fortement cet esprit déjà ébranlé, qu'enfin il témoigna d'accepter avec beaucoup de joie la proposition que l'on lui fit de lui donner la paie et le commandement de six galères pour le service du Roi, de deux cents hommes de garnison dans Montobio[b 1], d'une compagnie de gens d'armes, et de douze mille écus de pension, demandant néanmoins le délai pour en rendre une réponse assurée jusques à son retour à Gênes : tant il est vrai qu'il n'y a rien de plus difficile en des affaires d'importance que de prendre sur-le-champ une dernière résolution, parce que la quantité de considérations qui se détruisent l'une l'autre, et qui viennent en foule dans l'esprit, font croire que l'on n'a jamais assez délibéré.

Les grandes actions ressemblent aux coups de foudre : le tonnerre ne fait jamais de violents éclats ni des effets dangereux que quand les exhalaisons dont il se forme se sont longtemps combattues ; autrement ce n'est qu'un amas de vapeurs qui ne produit qu'un bruit sourd et qui, bien loin de se faire craindre, a de la peine à se faire entendre. Il en est ainsi des résolutions dans les grandes affaires : lorsqu'elles entrent d'*abord dans un esprit et qu'elles y sont reçues sans y trouver que de faibles résistances, c'est une marque infaillible qu'elles n'y font qu'une impression légère et de peu de durée, qui peut bien exciter quelque trouble, mais qui ne sera jamais assez forte pour produire aucun effet considérable[2].

On ne peut pas *désavouer avec raison que Jean-Louis de Fiesque n'ait considéré très mûrement et avec beaucoup de réflexion ce qu'il avait envie d'entreprendre ; car, lorsqu'il fut de retour à Gênes, quoiqu'il eût un désir violent d'exécuter son dessein, il balança longtemps néanmoins sur les diverses routes qui le pouvaient conduire à la fin qu'il s'était proposée ; et tantôt l'assistance d'un grand roi le faisait pencher vers le parti de se jeter entre les bras des Français, tantôt la défiance naturelle que l'on a des étrangers, jointe à un certain chatouillement de gloire, qui fait toujours souhaiter avec passion de ne devoir qu'à soi-même les belles actions que l'on veut faire, le portaient à chercher dans ses propres forces des moyens qui eussent quelque proportion à de si grandes pensées, et peut-être que ces divers mouvements eussent plus longtemps agité son esprit, et tiré quelque temps les choses en longueur, s'il n'eût eu, à tous moments, de nouveaux et de justes sujets d'indignation contre l'orgueil extraordinaire de Jannetin Doria, qui portant son insolence jusques à mépriser généralement tout le monde, traita le comte de Fiesque, depuis son retour, avec des façons si hautaines, qu'il ne put s'empêcher de prendre feu ouvertement, et de témoigner qu'il ne consentait pas à la servitude honteuse de tous ses concitoyens.

Les politiques ont repris cette conduite de peu de jugement [1], suivant en ceci la règle générale, qui veut que l'on ne fasse jamais la moindre démonstration de colère contre ceux que l'on hait, que dans le moment que l'on porte le coup pour les abattre ; mais s'il a manqué de prudence dans cette occasion, il faut avouer que c'est une faute ordinaire aux grands courages, que le mépris irrite trop violemment pour leur donner le temps de consulter leur raison et de se rendre maîtres d'eux-mêmes. Cette faute a servi du moins à le mettre à couvert du blâme que quelques historiens lui ont voulu donner, en disant qu'il avait l'esprit naturellement *couvert et dissimulé, qu'il était plus intéressé qu'ambitieux, et plus amoureux de la fortune que de la gloire : cette chaleur, dis-je, que l'on a remarquée dans son procédé, fait voir qu'il ne s'est porté à cette entreprise que par une émulation d'honneur et une ambition *généreuse, puisque tous ceux qui se sont engagés dans de semblables desseins par un esprit de tyrannie et des intérêts qui ne vont point à la grande réputation, ont commencé par une patience toujours soumise et des abaissements honteux [2].

Quoi qu'il en soit, il est certain que Jannetin Doria, dont l'insolence allait jusqu'à un excès insupportable, et qui s'était persuadé qu'il était inutile de ménager par amour ceux qu'il tenait déjà par la crainte et par l'intérêt [1], avança de beaucoup la résolution de Jean-Louis de Fiesque, en ce qu'il augmenta, par toute sorte de mauvais traitements, l'aversion qu'il avait contre lui, et parce qu'il lui donna lieu par cette conduite de se servir utilement pour son entreprise du mépris avec lequel il prétendait abattre tout le monde, et de les employer [2] quelque jour contre lui-même.

Le cardinal Augustin Trivulce, qui savait bien qu'il ne faut pas en ces occasions laisser refroidir les esprits des jeunes gens, lui envoya, incontinent après son retour à Gênes, Nicolas Foderato, gentilhomme de Savone et allié de la maison de Fiesque, pour tirer la réponse de ce qu'il avait résolu. Celui-ci l'ayant trouvé plus aigri que jamais, et dans l'état que nous venons de dire, lui fit signer tout ce qu'il voulut, et s'en retourna aussitôt pour faire ratifier le traité par les ministres du Roi qui étaient à Rome ; mais il n'eut pas fait trente ou quarante lieues qu'il fut rappelé en grande diligence, le comte ayant fait réflexion qu'il s'était trop précipité, et qu'il ne devait pas conclure une affaire de cette importance sans en conférer avec quelques-uns de ses amis dont il connaissait la capacité. Il en appela trois sur la fidélité desquels il pouvait s'assurer, et qu'il estimait extrêmement pour leurs bonnes qualités, et, après leur avoir déclaré en général la résolution qu'il avait prise de ne plus souffrir le gouvernement présent de la République, il les pria de lui dire leur avis sur ce sujet.

Vincent Calcagno [a] de Varèse, serviteur passionné de la maison de Fiesque et homme de jugement, mais d'un esprit assez *timide, commença son discours avec la liberté que lui donnaient ses longs services, et, s'adressant au comte, il parla de la sorte :

« Il me semble que l'on a beaucoup de raison de plaindre le malheur de ceux qui sont embarqués dans les grandes affaires, parce qu'ils sont comme sur une mer agitée où l'on ne découvre aucun endroit qui ne soit marqué par quelque naufrage ; mais il est juste de redoubler ses frayeurs quand on voit des particuliers et de jeunes personnes [3] que l'on aime exposées à ce danger, puisque les uns n'ont pas assez de force pour résister à une navigation si pénible, ni les autres assez d'expérience pour éviter les écueils et se conduire

heureusement au port. Tous vos serviteurs doivent être
sensiblement touchés des mouvements où vous porte votre
courage. Permettez-moi de vous dire qu'ils sont au-dessus
de votre jeunesse et de l'*état où vous êtes ; vous pensez à
des choses où l'on a besoin d'une considération dans le
monde à laquelle la réputation d'un homme de votre âge,
quelque grande qu'elle puisse être, ne saurait s'élever, et
vous formez un dessein qui demande des forces qu'un des
plus grands rois de la terre n'a pu encore jusques à présent
mettre sur pied[1]. Ces pensées naissent dans votre esprit de
deux faux raisonnements, lesquels sont comme attachés à la
nature de l'homme, qui, pour l'ordinaire, se considère trop
lui-même, c'est-à-dire que de ce qu'il croit pouvoir il fait la
règle de ce qu'il peut, et qu'il juge toujours peu sûrement
des autres, parce qu'il en juge par rapport à lui plutôt qu'à
eux, et qu'il regarde comme ils le peuvent servir, et non
pas comme ils le doivent, ou comme ils le veulent pour leur
intérêt. Le premier est très dangereux, parce que, comme
on ne fait pas une grande affaire tout seul et que l'on a
besoin de la communiquer à beaucoup de gens, il est très
important qu'ils la croient raisonnable et possible, ou
autrement celui qui l'entreprendra trouvera peu d'amis qui
veuillent suivre sa fortune ; le second est encore plus général,
et n'est pas moins dangereux, parce que, dans les mêmes
personnes de qui on prétend tirer du secours, on trouve
assez souvent les plus fortes résistances. Prenez donc garde
que les grandes lumières que la nature vous a données, et
que vous croyez, peut-être avec justice, pouvoir suppléer au
défaut d'expérience, ne vous fassent tomber dans le premier
inconvénient, et songez que, quelques brillantes qu'elles
soient, il est bien malaisé qu'elles vous acquièrent, dans les
esprits mêmes les mieux disposés à vous servir, une estime
proportionnée à l'exécution d'une affaire si difficile et si
dangereuse. Mais il n'est pas croyable qu'elles éblouissent
vos ennemis jusqu'au point de les empêcher de se servir
avec utilité contre vous du prétexte que leur donnera votre
jeunesse. Prenez garde que la grandeur de votre naissance et
la réputation que vos bonnes qualités vous ont acquise,
l'abondance de votre bien, et les secrètes intelligences que
peut-être vous avez ménagées, ne vous jettent dans le second
inconvénient, et ne vous fassent croire que le secours de

ceux qui vous ont promis ne peut vous manquer au besoin. Changez donc cette pensée, ou, si vous l'avez, ne considérez plus les autres par un rapport à vous, mais par rapport à eux-mêmes. Regardez leurs intérêts : songez que c'est ce qui fait agir presque tous les hommes, que la plupart de ceux qui vous estiment et qui vous aiment s'aiment encore mille fois mieux et craignent beaucoup plus leur perte qu'ils ne souhaitent votre grandeur [1] ; et enfin représentez-vous que ceux qui vous font espérer leur assistance sont ou étrangers, ou de votre pays même ; [que] les plus considérables entre les premiers sont les Français, qui ne sauraient l'entreprendre, parce qu'ils sont assez *empêchés maintenant à se défendre, dans leur propre pays, des armées de l'Empire et de l'Espagne [2] ; et que ceux qui le peuvent, qui sont les Génois, ne le voudront pas, parce que la peur fera appréhender aux uns les dangers qui sont attachés aux affaires de cette nature, et que l'intérêt fera craindre aux autres la perte de leur repos et de leur fortune ; la plupart de ceux qui n'ont point ces considérations sont des gens d'une si petite naissance et de si peu de pouvoir, que l'on n'en peut rien espérer d'avantageux à votre parti : de sorte que la trop grande puissance de Doria et la mauvaise condition du temps, qui vous donnent des pensées de révolte, vous en devraient donner de patience, puisqu'elles ont tellement abattu les esprits des Génois qu'ils se font présentement un honneur de soumettre, par reconnaissance, à l'autorité d'André la liberté qu'il leur a rendue, et qu'il n'avait arrachée des mains des étrangers que pour en usurper la domination. Ne voyez-vous pas que cette république n'a eu, depuis long-temps, que l'*image d'un gouvernement libre, et qu'elle ne saurait plus se passer de maître ? Ne voyez-vous point que la maison de Doria attache à ses intérêts la meilleure partie de la noblesse par les emplois qu'elle lui donne sur la mer, et qu'à la faveur de l'Empire et de l'Espagne, elle tient tout le reste dans la crainte ? Ne voyez-vous pas, dis-je, que tous les Génois sont comme ensevelis dans une profonde léthargie, et que les moins lâches ne croient point qu'il soit déshonnête de céder à cette haute puissance, pourvu qu'ils ne l'adorent pas. Je ne prétends point justifier ici l'imprudence de la République, qui a permis l'élévation de cette maison qu'elle ne saurait plus souffrir sans honte,

ni abattre sans danger ; mais j'ose soutenir qu'un particulier
ne peut songer avec raison de changer lui seul une *nécessité
qui a pris de si fortes racines, et que tout ce qu'un homme
*généreux peut faire en cette rencontre, est d'imiter les sages
mariniers, lesquels, quand le temps est mauvais et les vents
contraires, au lieu de s'opiniâtrer contre leur violence pour
prendre port, se rejettent à la mer et se laissent emporter au
gré de la vague et de l'orage. Cédez donc au temps lorsque
la fortune le veut ; ne cherchez point de remèdes où l'on
n'en peut trouver que de ceux qui sont pires que le mal ;
attendez-les de la Providence, qui dispose, comme il lui
plaît, du changement des États et qui ne manquera jamais
à cette république ; jouissez paisiblement du repos et des
avantages que votre naissance vous donne, ou prenez des
emplois légitimes pour exercer votre valeur, dont les guerres
étrangères vous fourniront assez d'occasions [1]. N'exposez
point aux suites d'une révolte criminelle cette grande fortune
que vous possédez, et qui contenterait toute autre ambition
que la vôtre, et songez que, si Jannetin a de la haine ou de
l'*envie contre votre mérite, vous ne sauriez l'obliger
davantage qu'en suivant les pensées que vous avez maintenant, puisque vous lui donnerez lieu de *couvrir son
ressentiment particulier sous le prétexte du bien général, et
de vous perdre avec l'autorité de la République, et qu'enfin
vous travaillez vous-même [à] élever les trophées de sa gloire
et de sa grandeur sur vos propres ruines. Ces fortunes qui
s'élèvent sans peine à des degrés éminents tombent presque
toujours d'elles-mêmes, parce que ceux qui ont l'ambition
et les qualités propres pour y monter, n'ont pas d'ordinaire
celles qu'il faut avoir pour s'y soutenir ; et lorsque quelqu'un
de ceux que le bonheur a portés à ces élévations précipitées,
atteint le comble sans broncher, il faut qu'il ait trouvé, dès
le commencement, beaucoup de difficultés qui l'aient formé
peu à peu à se soutenir sur un endroit si glissant [2]. César
avait au souverain degré toutes les qualités nécessaires à un
grand prince, et néanmoins il est certain que sa courtoisie,
sa prudence, son courage, son éloquence, ni sa libéralité ne
l'eussent pas élevé à l'empire du monde, s'il n'eût trouvé
de grandes résistances dans la République. Le prétexte que
lui fournit la persécution de Pompée, la réputation que leurs
démêlés lui donnèrent occasion d'acquérir, le profit qu'il

tira des divisions de ses citoyens[1], ont été les véritables fondements de sa puissance, et cependant il semble que vous ayez dessein d'ajouter à l'établissement de la maison de Doria le seul avantage qui lui manquait, et qu'à cause que son bonheur lui a trop peu coûté jusques ici pour être bien assuré, vous ayez impatience de l'affermir par des efforts qui, étant trop faibles pour le renverser, ne serviront qu'à justifier ses entreprises et mieux établir son autorité. Mais je donne[2], si vous voulez, à vos sentiments que vous ayez heureusement exécuté toutes vos pensées : imaginez-vous la maison de Doria massacrée, toute la noblesse qui suit ses intérêts dans les fers ; représentez-vous tous vos ennemis abattus, l'Espagne et l'Empire dans l'impuissance ; flattez-vous de triompher déjà dans cette désolation générale : si vous pouvez trouver quelque douceur dans ces images funestes de la ruine de la République, que ferez-vous au milieu d'une ville désolée qui vous regardera comme un nouveau tyran plutôt que comme son libérateur ? Où trouverez [-vous] des fondements solides qui puissent appuyer votre nouvelle grandeur ? Pourrez-vous prendre de la confiance dans les bizarreries d'un peuple lequel, dès l'heure même qu'il vous aura mis la couronne sur la tête, si vous en avez la pensée, concevra peut-être de l'horreur pour vous, et ne songera plus qu'aux moyens de vous l'ôter ? Car, comme je vous l'ai déjà dit, il ne saurait jouir de sa liberté, ni souffrir longtemps un même maître ; ou, si vous remettez Gênes sous la domination des étrangers, si elle les reçoit encore par votre moyen, au premier mauvais traitement qu'elle recevra d'eux, elle vous considérera comme le destructeur de son pays et comme celui qui aura vendu sa patrie, et enfin comme le parricide du peuple ; ne craignez-vous point que ceux qui sont maintenant les plus échauffés à votre service soient peut-être les premiers à travailler à votre perte par le dépit de vous être soumis ? Et quand même cette considération ne les y porterait pas, vous ne pouvez ignorer que ceux qui servent un rebelle croient l'obliger si fortement, que, ne pouvant jamais être récompensés selon leur gré, ils deviennent presque toujours ses ennemis[3] ; et comme ceux qui roulent d'une montagne sont fracassés par les mêmes pointes des rochers auxquelles ils s'étaient pris pour y monter, de même ceux qui tombent d'une fortune extrêmement élevée sont presque toujours ruinés par les moyens qu'ils avaient employés pour y arriver. Je sais bien que l'ambition chatouille incessamment les personnes de votre condition, de votre âge et de votre mérite, et qu'elle ne vous met devant les yeux, en cette occasion, que des images pompeuses et éclatantes de gloire et de grandeur ; mais, en même temps que votre imagination vous représente tous les objets de cette passion qui fait les hommes illustres, il faut que votre jugement vous la fasse connaître aussi pour celle [a] qui les rend d'ordinaire les plus malheureux, et qui renverse les biens assurés pour courir après des espérances incertaines. Songez que, si son juste usage fait les hautes vertus, son excès fait aussi les grands crimes ; imaginez-vous que c'est elle qui a autrefois mêlé tant de poisons et affilé tant de poignards contre les usurpateurs et les tyrans, et que c'est elle-même qui vous pousse maintenant à être le Catilina de Gênes [1].

« Ne vous flattez pas que le motif que vous avez de sauver la liberté de la République puisse être autrement reçu dans le monde que comme un prétexte commun à tous les factieux, et, quand il n'y aurait, en effet, que le zèle du bien public qui vous porterait à ce dessein, n'espérez pas que l'on vous fasse la justice de le croire, puisque, dans toutes les actions qui peuvent être attribuées indifféremment au vice ou à la vertu, quand il n'y a que la seule intention de celui qui les fait qui peut les justifier, les hommes, qui ne sauraient juger que par les apparences, expliquent rarement les plus innocentes en bonne part ; mais, en celle-ci, de quelque côté que l'on se tourne, il est impossible d'y voir autre chose que des massacres, des pillages et des [b] objets funestes que la meilleure intention du monde ne saurait justifier. Apprenez donc à régler votre ambition [c], souvenez-vous que la seule qui doit être suivie est celle qui se dépouille de son propre intérêt, et qui n'a pour but que son devoir. Il s'est trouvé bien des conquérants, qui ont ravagé des États et renversé des couronnes, qui n'avaient pas cette grandeur de courage qui fait regarder d'un œil indifférent les élévations et les abaissements, le bonheur et le malheur, les plaisirs et les peines, la vie et la mort [2] ; et cependant c'est cette amour de la belle gloire, et cette hauteur d'âme qui fait les hommes véritablement grands et qui les élève au-dessus du reste du monde ; c'est la seule qui peut vous rendre parfaitement heureux, quand même les dangers que vous vous figurez vous environneraient de toutes parts, puisque vous ne[a] sauriez avoir l'autre sans vous noircir du plus grand de tous les crimes. Embrassez donc celle-ci par prudence et par *générosité, puisqu'elle est plus utile, moins dangereuse et plus honorable. »

Le comte ouït ce discours avec émotion, parce que les raisons lui en paraissaient fortes, et que la confiance qu'il avait eue, dès sa plus grande jeunesse, en celui qui le faisait, y ajoutait encore beaucoup d'autorité. Verrina, qui était un de ceux qui furent appelés à ce conseil, homme d'un esprit vaste, impétueux, porté aux grandes choses, ennemi passionné du gouvernement présent, presque ruiné par ses grandes dépenses, attaché fortement, et par intérêt, et par inclination, à Jean-Louis, prit la parole pour répondre, et parla ainsi[b] :

« Je m'étonnerais qu'il y eût un seul homme dans Gênes capable des sentiments que vous venez d'entendre, si mes étonnements n'étaient épuisés par la considération de ce que souffre la République. Tout le monde endurant l'oppression avec une soumission si lâche, il est bien naturel que l'on cache ses déplaisirs, et que l'on cherche des excuses à sa faiblesse. Cette insensibilité néanmoins est une marque de la déplorable condition de cet État, et Vincent Calcagno l'a bien judicieusement touchée, comme le symptôme qui donne le plus de témoignage de la violence de notre maladie. Mais il me semble qu'il n'est pas raisonnable de ne tirer aucun fruit de la connaissance que l'on a de son mal, puisque la nature même nous enseigne que nous sommes obligés de nous en servir pour y apporter les remèdes nécessaires[c]. Néanmoins la santé de cette république n'est pas encore désespérée jusques au point que tous ses membres soient corrompus, et le comte Jean-Louis, que la fortune a élevé en grandeur, en biens et en naissance, au-dessus de tous ceux de cet État, se porte par les lumières de son esprit jusques où les vues trop affaiblies des Génois ne sauraient aller, et s'élève par son courage au-dessus de la corruption générale. Pour connaître si un homme est né pour les choses extraordinaires, il ne le faut pas seulement considérer selon les avantages de la nature et de la fortune, parce qu'il s'est trouvé quantité de personnes qui ont possédé parfaitement les uns et les autres, et qui sont néanmoins demeurés toute leur vie dans le train d'une conduite fort commune ; mais il faut remarquer si un homme de condition se trouvant dans des conjonctures extrêmement mauvaises, et dans un pays où une tyrannie se forme, conserve alors les semences des vertus et les belles qualités que sa naissance lui a données ; car, s'il ne les perd pas dans ces rencontres et s'il résiste à la contagion de ces maximes lâches qui infectent tout le reste du monde, et particulièrement les esprits des grands, parce que[a] les tyrans prennent plus de peine à les corrompre, comme ceux qu'ils craignent davantage, alors on doit juger que sa réputation sera un jour égale à son mérite, et que la fortune le destine à quelque chose de merveilleux. Cela étant, Monsieur, je ne crois pas qu'il y ait jamais eu personne de qui la République ait pu attendre avec justice de si grandes choses qu'elle en doit espérer de votre courage : vous êtes né dans des temps qui ne vous *produisent presque aucun exemple de force et de *générosité qui n'ait été puni, et qui vous en représentent tous les jours de bassesse et de lâcheté qui sont récompensés[1]. Ajoutez à cela que vous êtes dans un pays où la puissance de la maison de Doria tient le cœur de toute la noblesse abattu par une honteuse crainte, ou engagé par un intérêt servile[2] ; et cependant vous ne tombez point dans cette bassesse générale, vous soutenez ces nobles sentiments que votre illustre naissance vous inspire, et votre esprit forme des entreprises dignes de votre valeur. Ne négligez donc point ces qualités admirables, n'abusez pas des grâces que la nature vous a faites, servez votre patrie, jugez par la beauté de vos inclinations de la grandeur des actions qu'elles peuvent produire, songez qu'il ne faut qu'un homme seul de votre condition et de votre mérite pour redonner cœur aux Génois, et les enflammer du premier amour de leur liberté. Représentez-vous que la tyrannie est le plus grand mal qui puisse arriver dans une république. L'état où est la nôtre tient de la nature de ces grandes maladies qui, malgré l'abattement qu'elles causent, excitent, dans l'esprit des malades, de violents désirs pour la guérison[3]. Répondez aux souhaits de tout le peuple, qui gémit sous l'injuste autorité de Doria ; secondez les vœux de la plus saine partie de la noblesse, qui déplore en secret le malheur commun de tous les Génois, et songez enfin que, si la faiblesse et la lâcheté s'augmentent tous les jours parmi eux, on ne blâmera pas tant Jannetin Doria d'en être cause par son orgueil, que le comte Jean-Louis de Fiesque de l'avoir souffert par son irrésolution. La grande estime que vos bonnes qualités vous ont donnée a déjà fait le coup le plus important de cette affaire. Qu'on ne me parle point de votre jeunesse, comme d'un obstacle au succès d'un dessein si glorieux : c'est un âge où la chaleur du sang, qui fait les plus nobles mouvements du courage, n'inspire que de grandes choses, et, dans les actions extraordinaires, on a toujours plus besoin de vigueur et de hardiesse que des froides réflexions d'une prudence *timide qui en découvre les inconvénients [1] ; mais, outre cela, votre réputation est si bien établie que l'on peut dire, sans vous flatter, qu'avec tout ce que la jeunesse a de charmes pour attirer des amis, vous avez acquis cette créance dans le monde que l'on n'obtient d'ordinaire que dans un âge plus avancé. C'est pourquoi vous êtes dans une heureuse obligation de soutenir cette haute idée que l'on a conçue de votre vertu. Vous connaissant désintéressé au point que vous l'êtes, je ne sais si je dois ajouter aux considérations du malheur de votre république des motifs qui vous regardent en particulier ; mais, puisqu'il y a des rencontres où l'intérêt se trouve si attaché avec l'honneur, qu'il est presque aussi honteux de ne le considérer pas, qu'il est quelquefois glorieux de le mépriser, je vous supplie de jeter les yeux sur l'état où vous serez si le gouvernement présent dure encore quelque temps. Ceux qui joignent un grand mérite à une grande naissance ont toujours dans le monde deux puissantes ennemies : l'*envie des courtisans, et la haine de ceux qui occupent les premières places. Il est extrêmement difficile de ne s'attirer pas la première quand on a de grands *établissements, mais il est impossible d'éviter la seconde quand on a beaucoup de cœur et de considération dans le monde : la prudence et l'*honnêteté peuvent bien diminuer la jalousie que l'intérêt fait naître entre les égaux, mais elles ne peuvent jamais ôter tout l'ombrage que met dans l'esprit des supérieurs le soin de leur sûreté. Il y a des vertus si belles qu'elles forcent l'*envie même de leur rendre hommage [2], mais, à même temps qu'elles remportent une victoire sur celle-ci, elles augmentent les forces de l'autre, la haine s'accroît à mesure que le mérite s'élève, et la vertu ressemble, dans ces rencontres, aux vaisseaux agités de la tempête qui n'ont pas sitôt surmonté une vague qu'ils sont incontinent attaqués par une autre, plus violente que la première. Pouvez-vous ignorer que Jannetin Doria n'ait une *envie secrète contre votre naissance, beaucoup plus élevée que la sienne, contre vos biens, plus légitimement acquis que ceux qu'il possède, et contre votre réputation, qui passe de bien loin toute celle qu'il peut espérer en sa vie ? Quel sujet avez-vous de croire qu'une envie que ces considérations ont fait naître, et qui est animée par une ambition violente, ne produira dans l'esprit de cet insolent que des pensées faibles et languissantes, et qu'elle n'ira pas directement à votre ruine ? Avez-vous raison d'espérer que, quand, par votre prudence et par l'effort de votre vertu, vous auriez surmonté cette envie, vous pussiez éviter cette haine que la différence de vos humeurs lui donne pour vous, et que cet esprit altier, que jusques ici la sagesse d'André a un peu retenu, souffrît plus longtemps celui qui est le seul obstacle de ses desseins ? Pour moi, je suis persuadé que les suites en sont inévitables, parce que vous ne sauriez vous défaire des qualités qui vous les attireront, ni vous dépouiller de votre naturel et cesser d'être *généreux. Mais quand il serait en votre pouvoir de cacher sous un extérieur modeste cette noble fierté qui vous élève si fort au-dessus du commun, croyez-vous que Jannetin Doria, soupçonneux comme il est et comme le sont tous les tyrans, ne fût pas dans une défiance continuelle de votre conduite ? Toutes les marques de votre modération et de votre patience lui paraîtraient des artifices et des pièges pour le perdre ; il ne pourrait s'imaginer qu'un homme du nom de Fiesque fût capable d'une pareille bassesse, et, jugeant avec raison de ce que vous seriez par ce que vous devez être, il se servirait pour votre ruine de cette soumission apparente que vous *affecteriez auprès de lui pour votre sûreté. Toute la différence qu'il y aurait donc entre ce que vous êtes à cette heure et ce que vous seriez alors, serait seulement que vous auriez une assurance certaine de périr avec une honte éternelle, au lieu qu'en suivant les sentiments *généreux où votre inclination vous porte, vous êtes assuré que le seul malheur qui vous puisse arriver sera de mourir dans une entreprise glorieuse, et d'acquérir en mourant tout l'honneur qu'un particulier ait jamais acquis. Si vous voyez ces choses, comme sans doute vous les pouvez voir, plus clairement que moi, je n'ai que faire de les *exagérer davantage : je vous supplie seulement d'en tirer deux conséquences importantes.

« La première est de reconnaître la fausseté de ces maximes qui défendent de prévenir le coup d'un ennemi qui ne songe qu'à nous perdre, et qui nous conseillent d'attendre qu'il se perde lui-même. C'est se tromper que de croire que la fortune ne fasse monter ceux que nous haïssons au comble du bonheur que pour nous donner le plaisir de les voir tomber. Toutes les grandeurs ne sont pas voisines des précipices, tous les usurpateurs n'ont pas été malheureux, et le Ciel enfin ne punit pas toujours les méchants, à point nommé, pour réjouir les bons et les garantir de la violence de ceux qui les veulent opprimer [1]. La nature, plus infaillible que la politique, nous enseigne d'aller au-devant du mal qui nous menace ; il devient incurable pendant que la prudence délibère sur les remèdes [2]. Que nous servira d'examiner, avec tant de *délicatesse, les exemples qu'on nous a proposés ? Ne savons-nous pas que la trop grande subtilité du raisonnement amollit le courage, et s'oppose souvent aux plus belles actions ? Toutes les affaires ont deux visages différents, et les mêmes politiques qui blâment Pompée d'avoir affermi la puissance de César en l'irritant, ont loué la conduite de Cicéron dans la ruine de Catilina [3].

« L'autre fruit que vous devez tirer de ces considérations est que les belles connaissances que la nature vous a données ne doivent pas ressembler à ces lumières faibles et stériles qui n'ont qu'un peu d'éclat et qui n'ont aucune chaleur : il faut qu'elles soient comme la lumière du soleil, qui *produit ce qu'elle éclaire ; il faut que les grandes pensées soient suivies de grands effets, et que, dans l'exécution aussi bien que dans le projet de cette entreprise, votre courage ne trouve rien qui l'empêche de vous rendre le dompteur des monstres, le vengeur des crimes, l'asile des affligés, l'allié des grands rois et l'arbitre de l'Italie. Mais si, dans le moment que je vous parle, cette apparence de liberté que l'on voit encore dans notre république se présente à votre esprit, je crains, avec quelque sujet, qu'elle n'arrête le cours de votre ambition ; car je sais qu'une âme aussi *délicate

que la vôtre et aussi jalouse de sa gloire, aura peine à souffrir
de se voir ternie par ces noms terribles de rebelle, de factieux
et de traître. Cependant ces fantômes d'infamie que l'opinion
publique a formés pour épouvanter les âmes du vulgaire, ne
causent jamais de honte à ceux qui les portent pour des
actions éclatantes, quand le *succès en est heureux. Les
scrupules et la grandeur ont été de tout temps incompatibles,
et ces maximes faibles d'une prudence ordinaire sont plus
propres à débiter à l'école du peuple qu'à celle des grands
seigneurs. Le crime d'usurper une couronne est si illustre
qu'il peut passer pour une vertu ; chaque condition des
hommes a sa réputation particulière : l'on doit estimer les
petits par la modération, et les grands par l'ambition et par
le courage[1]. Un misérable pirate qui s'amusait à prendre de
petites barques du temps d'Alexandre passa pour un infâme
voleur, et ce grand conquérant qui ravissait les royaumes
entiers est encore honoré comme un héros, et, si l'on
condamne Catilina comme un traître, l'on parle de César
comme du plus grand homme qui ait jamais vécu[2]. Enfin je
n'aurais qu'à vous mettre devant les yeux tous les princes
qui règnent aujourd'hui dans le monde, et à vous demander
si ceux dont ils tiennent leurs couronnes ne furent pas des
usurpateurs[3]. Mais si ces maximes ont quelque chose qui ne
s'accommode pas avec votre *délicatesse, si l'amour de votre
pays est plus fort dans votre cœur que celui de votre gloire,
s'il vous reste encore quelque égard pour l'autorité mourante
de la République, voyons quel honneur vous reviendra de la
respecter lorsque vos ennemis la méprisent, et si c'est un
parti fort avantageux pour vous que de vous exposer à
devenir leur sujet. Plût à Dieu qu'elle fût dans son premier
éclat ! Personne alors ne vous dissuaderait plus fortement
que moi du dessein où je vous anime présentement. Si cette
république qui n'a presque plus rien de libre que le nom
pouvait conserver son autorité, toute languissante qu'elle
est, dans l'état où nous la voyons, j'avoue qu'il y aurait
quelque raison de souffrir notre malheur avec patience, et
que, s'il n'était ni sûr ni utile, il serait au moins *généreux
de sacrifier nos propres intérêts à cette vaine *image qui
nous reste de sa liberté ; mais à présent que les artifices
d'André Doria ont renfermé tous les conseils de la République
dans sa seule tête, et que l'insolence de Jannetin en a mis

usurpô of crown an illustrions crime

toutes les forces entre ses mains ; à cette heure que Gênes se trouve dans le *période où elle doit changer, par cette fatalité secrète, mais inévitable, qui marque de certaine bornes à la *révolution des États ; à cette heure que les esprits de ses citoyens sont trop désunis pour pouvoir vivre davantage sous le gouvernement de plusieurs ; à présent, dis-je, qu'on ne peut résister à la tyrannie qu'en établissant une monarchie légitime, que ferons-nous dans cette extrémité ? Tendrons-nous la gorge à ces bourreaux qui veulent joindre notre perte à celle de la liberté publique ? Le comte Jean-Louis de Fiesque verra-t-il avec patience Jannetin Doria monter insolemment sur le trône de sa patrie, où sa fortune et son ambition le portent sans avoir aucune qualité pour le mériter ? Non, non, Monsieur : il faut que votre vertu [1] lui dispute un avantage qui n'est dû qu'à vous seul. C'est une chose rare et souhaitable tout ensemble de se trouver dans une occasion où l'on soit obligé, comme vous l'êtes aujourd'hui, par le motif du bien public et de votre gloire particulière, de vous mettre une couronne sur la tête [2]. Ne craignez point que cette action vous donne le nom d'intéressé : au contraire, il n'y a que la crainte du danger, qui est le plus bas de tous les intérêts, qui vous puisse empêcher de l'entreprendre, et il n'y a que la gloire, qui est directement opposée à l'intérêt, qui soit capable de vous porter à un si grand dessein. Si vous êtes *délicat jusques au point de ne pouvoir souffrir l'apparence du blâme, qui vous empêchera de rendre à votre république la liberté que vous lui aurez acquise, et de lui remettre entre les mains la couronne que vous aurez si bien méritée ? Alors il ne tiendra qu'à vous de donner un témoignage éclatant du mépris que vous faites de tous les intérêts du monde quand vous les pouvez séparer de l'honneur.

« La seule chose qui me reste à vous représenter, c'est qu'il me semble que vous ne devez pas vous servir des Français. Les intelligences avec les étrangers sont toujours extrêmement odieuses ; mais celle-ci, dans les conjonctures présentes, ne vous saurait être utile, parce que, comme Calcagno l'a remarqué, la France est maintenant assez *empêchée à se défendre contre les forces de l'Empire et de l'Espagne, qui l'attaquent puissamment de tous côtés [3] ; mais, quand vous en pourriez tirer de l'assistance, songez que la condition où vous passeriez ne serait qu'un changement de servitude, et que vous seriez l'esclave des Français, au lieu que vous pouvez être leur allié. Jugez enfin si c'est le parti d'un homme habile, de mérite et de qualité comme vous êtes, de se résoudre à tout souffrir et d'être la victime de l'insolence de Doria, ou bien, en hasardant toutes choses pour secouer le joug de sa tyrannie, de vous exposer sans besoin à devenir l'esclave d'une puissance étrangère et de vous renfermer comme auparavant dans les bornes de la fortune d'un particulier. »[1]

Raplaël Sacco[a], qui servait de juge dans les terres de la maison de Fiesque et qui était le troisième qui fut appelé à ce conseil, voyant bien que le comte penchait absolument du côté des sentiments de Verrina, crut qu'il serait inutile de les contredire, et jugeant d'ailleurs que cette action était extrêmement périlleuse, il ne voulut pas lui conseiller de l'entreprendre, et ne déclara point ses pensées sur ce sujet, se remettant entièrement, pour le gros de l'affaire, aux volontés de son maître. C'est pourquoi il ne s'attacha qu'à soutenir seulement que, si elle était entièrement résolue, il était absolument nécessaire de se servir des Français, disant que ce serait une imprudence extraordinaire de ne pas employer tout son crédit et toutes ses forces où le comte hasardait toute sa fortune ; qu'il ne pouvait comprendre comment on conseillait Jean-Louis[2] de résister lui seul aux armes de l'Empire, de l'Espagne et de l'Italie, qui s'uniraient assurément contre lui ; que l'on pouvait bien prendre une ville par une entreprise, mais non pas assurer un État ; que le dernier ne se pouvait faire que par une longue suite d'années, et que la pensée de se rendre souverain de Gênes, dans la disposition où se trouvaient les affaires de l'Europe, était une résolution téméraire que l'on voulait faire passer sous le nom d'une entreprise glorieuse.

Verrina résista de tout son pouvoir à ce raisonnement de Raphaël Sacco, et remit dans l'esprit du comte les raisons qu'il avait apportées sur ce sujet dans son discours, en lui représentant, plus fortement qu'il n'avait fait, que les amitiés des princes ne duraient jamais davantage que leurs intérêts, et qu'encore que la faveur de la maison d'Autriche semblât inséparablement attachée aux Doria, parce qu'ils lui étaient utiles, elle finirait dès qu'ils ne le seraient plus : au lieu que, si l'Empereur voyait Jean-Louis en état de le servir ou de lui nuire, il oublierait bientôt les services des autres pour rechercher son amitié ; mais que, s'il appelait les Français, il se fermerait toutes les voies d'accommodement avec l'Empereur, dont la puissance était plus considérable en Italie que la leur ; qu'il suffirait de rechercher le secours de la France lorsqu'il se verrait entièrement exclu de l'alliance de l'Empire ; qu'elle aurait, en ce cas, tant d'intérêt à ne le point abandonner, qu'elle ne manquerait pas de le secourir, parce que, le comte Jean-Louis demeurant le maître de Gênes, les Français seraient toujours dans la crainte qu'il ne s'accordât avec leurs ennemis, s'ils lui refusaient les assistances nécessaires pour sa défense ; qu'au reste il n'était pas besoin de plus grandes forces pour réussir dans ce dessein que celles qu'il pouvait avoir de lui-même, puisqu'il savait bien qu'il n'y avait que deux cent cinquante hommes de guerre dans Gênes, et que les galères de Jannetin Doria étaient entièrement désarmées [1].

Ces raisons donnèrent le dernier coup dans l'esprit du comte, parce qu'elles étaient conformes à l'inclination naturelle qu'il avait toujours eue pour la gloire, et à cette grandeur d'âme qui faisait qu'aucune chose ne lui paraissait difficile pourvu qu'elle fût honorable : il se résolut enfin d'entreprendre celle-ci avec ses propres forces, et de n'y employer que les amis et les serviteurs que sa haute naissance, sa courtoisie extraordinaire, sa libéralité inépuisable et toutes ses autres bonnes qualités lui avaient acquis.

Il se trouve [a] assez de personnes qui ont du mérite, du courage et de l'ambition et qui roulent dans leur esprit des pensées générales de s'élever et de rendre leur condition meilleure ; mais il s'en rencontre rarement qui, après les avoir formées, sachent faire le choix des moyens qui sont propres à l'exécution, et qui ne se relâchent pas du soin continuel qu'il faut avoir pour les faire réussir, ou, quand ils s'en donnent la peine, c'est presque toujours à contre-temps, et avec trop d'impatience d'en voir le *succès. Dans les affaires de la nature de celle-ci, la plupart des hommes prennent d'ordinaire plus de loisir qu'il ne faut pour s'y résoudre, mais ils n'en prennent jamais autant qu'il est nécessaire pour exécuter ce qu'ils ont résolu [2] ; ils ne songent pas d'assez loin à disposer toutes leurs actions pour la fin qu'ils se sont proposée, à conduire tous leurs pas sur le plan qu'ils ont formé une fois, à s'établir un fonds de réputation, à s'acquérir des amis, et faire enfin toutes choses en vue de leur premier dessein : au contraire, on les voit souvent changer de vie tout à coup, leur esprit paraît *inquiet et surchargé du secret et du poids de leur entreprise, et dans les changements et l'irrégularité de leur conduite ils laissent toujours échapper quelque chose qui peut donner prise à leurs surveillants et de l'ombrage à leurs ennemis.

Le comte Jean-Louis de Fiesque remédia très sagement à ces inconvénients ; car, se connaissant d'un esprit porté aux grandes choses, et voyant bien qu'il serait un jour capable de ramener ces inclinations générales à quelque dessein particulier et important pour son élévation, il se donna tout entier à cette pensée, et, comme il avait de lui-même une ardeur incroyable pour la gloire et beaucoup d'adresse pour accroître sa réputation, il vivait de manière que toutes les grandes qualités que l'on remarquait en lui paraissaient venir du fonds de son naturel et non pas d'une conduite étudiée. Il avait un air toujours égal, ouvert, agréable, et même enjoué ; il était civil avec tout le monde, mais avec des distinctions obligeantes selon le mérite et la qualité ; sa libéralité était si grande qu'il allait au-devant du besoin de ses amis ; il gagnait de la sorte les pauvres par ses largesses et les riches par son *honnêteté. Il observait religieusement ses paroles ; il avait une chaleur à obliger qui ne se relâchait jamais ; sa maison et sa table étaient ouvertes à tous venants, et il était *magnifique en toutes choses jusqu'à la profusion ; mais ce qui donnait un lustre merveilleux à ces rares qualités, c'est qu'il était bien fait de sa personne[1] et que tout ce qu'il faisait était accompagné d'un air noble et grand, qui sentait sa naissance illustre et qui attirait l'inclination et le respect de tout le monde.

Cette conduite lui assura tellement les cœurs de ses amis, que pas un de ceux qui lui avaient promis de le servir ne manqua de foi ni de discrétion dans une affaire si délicate : chose extraordinaire, à la vérité, dans les conjurations, où il faut tant d'acteurs et tant de secret, que, quand il n'y aurait point d'infidèle, il est malaisé qu'il ne s'y trouve toujours quelque imprudent[2]. Mais ce qu'il y eut de plus admirable en celle-ci, ce fut que ses ennemis voyant son procédé toujours égal, ils n'en prirent aucun ombrage, parce qu'ils attribuaient plutôt ce qu'il y avait de trop éclatant dans ses actions à son humeur naturelle qu'à un dessein formé.

Ce fut sans doute une des causes du mépris que fit André Doria des avis qu'il reçut de Ferrand Gonzague et de deux ou trois autres, touchant cette entreprise : je dis une des causes, parce qu'encore que la conduite de Jean-Louis contribuât à ôter la méfiance de l'esprit de ce vieux politique, habile et jaloux de son autorité, il fallait néanmoins qu'il y eût quelque autre raison d'un si grand aveuglement ; mais il est difficile de la pénétrer, si nous ne la rapportons à la Providence, qui prend plaisir de faire connaître la vanité de la prudence humaine, et de confondre l'orgueil de ceux qui se flattent de pouvoir démêler les replis du cœur des hommes et d'avoir un discernement infaillible pour toutes les choses du monde[a][1]. Cette présomption n'est jamais plus ridicule que dans ces grands *génies qu'un étude continuel, une profonde méditation et une longue expérience ont tellement élevés au-dessus du commun, et enivrés de la bonne opinion d'eux-mêmes, qu'ils se reposent sur la foi de leurs propres lumières dans les affaires les plus difficiles, et n'écoutent les conseils d'autrui que pour les mépriser. Il est vrai que la plupart de ces hommes extraordinaires que les autres vont consulter comme des oracles, et qui pénètrent si vivement dans l'avenir sur les intérêts qui leur sont indifférents, deviennent presque toujours aveugles sur ceux qui leur importent davantage. Ils sont en cela plus malheureux que les autres, qu'ils ne sauraient se conduire ni par leur raison ni par celle de leurs amis[b][2].

L'action de libéralité qui donna le plus de partisans au comte Jean-Louis de Fiesque parmi le peuple, fut celle qu'il fit aux fileurs de soie, qui forment un corps d'habitants considérables dans Gênes : ils étaient alors extrêmement incommodés de la misère des guerres passées[3]. Le comte ayant appris de leur consul[4] l'état où ils se trouvaient, il témoigna beaucoup de compassion de leur pauvreté et lui commanda en même temps d'envoyer en son palais ceux qui avaient le plus besoin de son secours. Il leur fournit abondamment de l'argent et des vivres, et les pria de ne point faire éclater ses présents, parce qu'il n'en prétendait aucune récompense que la satisfaction qu'il sentait en lui-

même de secourir les affligés ; et, accompagnant ces choses
d'une courtoisie et d'une douceur civile et caressante qui lui
était naturelle, il gagna tellement les cœurs de ces pauvres
gens, qu'ils furent depuis ce jour-là entièrement dévoués à
son service [1].

Mais [a], s'il s'attirait par ses bienfaits l'amour et l'estime
du menu peuple, il n'oubliait pas de se rendre agréable à
ceux qui étaient les plus considérés dans cet ordre [2], par des
paroles de liberté qu'il laissait couler adroitement dans ses
discours, qui leur faisaient comprendre qu'encore qu'il fût
du corps de la noblesse, il était trop raisonnable pour ne
pas compatir avec beaucoup de douleur à l'oppression du
peuple.

Quelques personnes accusent la République d'avoir manqué de *conduite en cette occasion, et soutiennent que ce
fut une imprudence extrême au Sénat de souffrir que Jean-
Louis obligeât ainsi tout le monde et s'acquît avec tant de
soin les cœurs de ses citoyens. Je ne puis *désavouer que la
maxime qui sert de fondement à cette opinion ne soit un
trait de *fine politique ; et il semble qu'ayant pour but la
*médiocrité des particuliers, elle doive avoir pour effet la
sûreté générale ; mais je suis persuadé qu'elle est fort injuste,
en ce qu'elle corrompt la nature des bonnes qualités, qui
deviennent, par cette raison, nuisibles ou dangereuses à celui
qui les possède, et je la crois même pernicieuse, parce qu'en
rendant le mérite suspect, elle étouffe toutes les semences
de la vertu et dégoûte tellement de l'amour de la gloire,
qu'on ne se porte jamais qu'avec crainte aux belles actions,
et que l'on se détourne de celles qui pourraient être utiles à
l'État, pour éviter de donner de l'ombrage au gouvernement :
il arrive aussi qu'au lieu de retenir les hommes de grand
cœur dans les bornes de cette égalité qu'elle prescrit, elle
les porte quelquefois à donner un cours plus libre à leur
ambition, et à prendre des résolutions extrêmes pour secouer
le joug d'une loi si tyrannique [3].

Le comte ne se fiait pas tellement aux bonnes volontés de
cette populace [b], que cette confiance l'empêchât de s'assurer
des gens de guerre, qui sont principalement nécessaires pour
de semblables entreprises. Il partit au commencement de
l'été, en apparence pour visiter ses terres ; mais, dans la
vérité, ce fut pour remarquer les gens de service qui se

trouvaient alors parmi ses sujets et pour les accoutumer aux exercices de la guerre, sous prétexte de la crainte qu'il disait avoir alors du duc de Plaisance. Il voulait aussi donner les ordres nécessaires au dessein qu'il avait de faire couler du monde dans Gênes quand il serait temps, et s'assurer des sentiments de ce duc, qui lui promit secrètement deux mille hommes de ses meilleures troupes.

Le comte, revenant sur la fin de l'automne[a], ajouta à sa vie ordinaire une profonde dissimulation pour ce qui regardait la maison de Doria, témoignant en toutes les rencontres une grande vénération envers la personne d'André et une amitié très étroite à Jannetin, afin de faire connaître à tout le monde que ses divisions passées étaient entièrement assoupies, et de leur donner toutes les marques imaginables d'une liaison extrêmement assurée.

S'il est vrai[b], ce que dit le comte Jean-Louis de Fiesque le jour même qu'il exécuta son entreprise, qu'il était averti depuis longtemps que sa perte était résolue dans l'esprit de Jannetin, et que cet homme injuste et violent, qui n'était retenu que par la prudence d'André, voyant que son oncle était sujet à de grandes maladies, avait commandé au capitaine Lercaro de se défaire de tous les Fiesques dans le moment qu'André Doria mourrait[1] ; qu'il avait des lettres convaincantes par lesquelles il lui était aisé de prouver que le même Jannetin avait essayé de l'empoisonner par trois diverses fois[2], et qu'il était avec cela très assuré que l'Empereur était prêt de lui mettre entre les mains la souveraineté de Gênes : je ne pense pas que l'on puisse blâmer avec justice la dissimulation du comte[c], parce que, dans les affaires où il s'agit de notre vie et de l'intérêt général de l'État, la franchise n'est pas une vertu de saison, la nature nous faisant voir, dans l'instinct des moindres animaux, qu'en ces extrémités l'usage des *finesses est permis pour se défendre de la violence qui nous veut opprimer[3].

Mais si les plaintes de Jean-Louis n'étaient que des calomnies inventées contre la maison de Doria pour donner des couleurs plus *honnêtes à son dessein et pour aigrir les esprits, on ne peut *désavouer que ces fausses marques d'amitié, données avec tant d'*affectation, ne fussent des artifices indignes d'un grand courage comme le sien ; et sans doute il serait difficile de justifier une pareille conduite, si ce n'est par la raison de cette nécessité que l'insolence et le pouvoir de Jannetin lui avaient imposée de vivre de la sorte.

Le comte avait acheté quatre galères du duc de Plaisance et les entretenait de la paie du Pape, sous le nom de son frère Hiérôme. Jugeant bien que la chose la plus nécessaire à son entreprise était de se rendre maître du port, il en fit venir une à Gênes, sous prétexte qu'il la voulait envoyer en course au Levant [1], et prit en même temps l'occasion de faire entrer dans la ville, sans soupçon, une partie des soldats qui lui venaient de ses terres et de l'État de Plaisance, dont les uns passaient comme étant de la garnison, les autres comme aventuriers qui demandaient à prendre *parti, quelques-uns comme mariniers, et beaucoup même comme forçats [2].

Verrina fit couler adroitement dans les compagnies de la ville quinze ou vingt soldats qui étaient sujets du comte, et en gagna d'autres de la garnison. Il se fit promettre, par les plus considérés et les plus entreprenants d'entre le peuple, toutes sortes d'assistances pour exécuter, ce leur disait-il, un dessein particulier qu'il avait contre quelques-uns de leurs ennemis. Calcagno et Sacco travaillaient de leur côté avec beaucoup de diligence et de soin ; et il me semble que l'on ne peut mieux exprimer l'adresse avec laquelle ces quatre personnes conduisirent cette entreprise, qu'en disant qu'ils y engagèrent plus de dix mille hommes sans en découvrir le secret à aucun.

Les choses étant ainsi dis[po]sées, il ne manquait qu'à choisir le jour pour les exécuter, à quoi il se trouva quelques difficultés. Verrina était d'avis que l'on priât à une nouvelle messe [3] André et Jannetin Doria, et Adam Centurione, avec ceux de la noblesse qui étaient les plus affectionnés à ce parti : il s'offrait de les tuer lui-même. Cette ouverture fut aussitôt rejetée par le comte, qui conçut une telle horreur de cette proposition, qu'il s'écria que jamais il ne consentirait à manquer de respect au mystère le plus saint de notre religion pour faciliter le succès de son dessein [4]. L'on proposa ensuite de prendre l'occasion des noces d'une sœur de Jannetin Doria avec Jules Cibo, marquis de Masse, beau-frère du comte, et l'on trouvait que l'exécution en serait facile dans cette rencontre, parce que Jean-Louis aurait le prétexte de faire un festin à tous les parents de cette maison et la commodité entière de les perdre tous à la fois ; mais la *générosité du comte s'opposa encore à cette noire trahison, ainsi que beaucoup de personnes l'assurent, et qu'il est aisé à croire d'un homme de son naturel, quoique les partisans de Doria aient publié qu'il avait résolu de se servir de ce moyen, si une affaire qui engagea, ce même jour, Jannetin à un petit voyage hors de Gênes ne lui en eût fait changer la pensée. Enfin, après plusieurs délibérations, la nuit du second jour de janvier[1] fut choisie pour cette entreprise, et, en même temps, les ordres nécessaires furent donnés pour cet effet avec beaucoup de *conduite, Verrina, Calcagno et Sacco disposant de leur côté ceux qu'ils avaient *pratiqués. Le comte fit apporter chez lui secrètement grande quantité d'armes, et envoya remarquer les lieux dont il fallait se rendre maître. Il fit couler peu à peu et sans bruit dans un corps de logis séparé du reste de son palais, les gens de guerre qui étaient destinés pour commencer l'exécution ; et, le jour étant arrivé, le comte, pour mieux couvrir son dessein, fit quantité de visites, et alla même, sur le soir, au palais de Doria, où, rencontrant les enfants de Jannetin, il les prit l'un après l'autre entre ses bras et les caressa longtemps en présence de leur père, qu'il pria ensuite de commander aux officiers de ses galères de ne donner aucun empêchement à la partance de la sienne, qui devait la même nuit faire voile en Levant : après quoi, il prit congé de lui avec ses civilités ordinaires, et, en retournant à son palais, il passa chez Thomas Assereto, où il rencontra plus de trente de ces gentilshommes que l'on appelait *populaires*[2], que Verrina avait fait trouver par adresse en son logis, d'où le comte les emmena souper avec lui. Quand il fut arrivé, il envoya Verrina, par toute la ville, au palais de la République à celui de Doria, pour observer si l'on n'avait aucune lumière de son dessein, et, après avoir appris que toutes choses étaient dans le calme accoutumé, il commanda que l'on fermât les portes de son logis, avec ordre néanmoins d'y laisser entrer tous ceux qui le demanderaient, et défense d'en laisser sortir qui que ce soit.

Comme il s'aperçut que ceux qu'il avait conviés étaient extrêmement *étonnés de ne trouver, au lieu d'un festin préparé, que des armes, des gens inconnus et des soldats, il les assembla dans une salle, et, faisant paraître sur son visage une fierté noble et assurée, il leur tint ce discours[a] :

« Mes amis, c'est trop souffrir de l'insolence de Jannetin et de la tyrannie d'André Doria : il n'y a pas un moment à perdre si nous voulons garantir nos vies et notre liberté de l'oppression dont elles sont menacées. Y a-t-il quelqu'un ici qui puisse ignorer le danger pressant où se trouve la République ? A quoi pensez-vous que soient destinées les vingt galères qui assiègent votre port, tant de forces et d'intelligences que ces deux tyrans ont préparées ? Les voilà sur le point de triompher de notre patience et d'élever leur injuste autorité sur les ruines de cet État : il n'est plus temps de déplorer nos misères en secret ; il faut hasarder toutes choses pour nous en délivrer. Puisque le mal est violent, les remèdes le doivent être, et si la crainte de tomber dans un esclavage honteux a quelque pouvoir sur vos esprits, il faut vous résoudre à faire un effort pour briser vos chaînes et prévenir ceux qui vous en veulent charger ; car je ne puis m'imaginer que vous soyez capables d'endurer davantage de l'injustice de l'oncle, ni de l'orgueil du neveu : je ne pense pas, dis-je, qu'il y ait aucun d'entre vous qui soit d'humeur d'obéir à des maîtres qui se devraient contenter d'être vos égaux. Quand nous serions insensibles pour le salut de la République, nous ne pouvons pas l'être pour le nôtre : chacun de nous n'a que trop de sujet de se venger ; et notre vengeance est légitime et glorieuse tout ensemble, puisque notre ressentiment particulier est joint au zèle du bien public et que nous ne pouvons abandonner nos intérêts sans trahir ceux de notre patrie[1]. Il ne tient plus qu'à vous d'assurer son repos et le vôtre ; vous n'avez qu'à vouloir être heureux pour le devenir. J'ai pourvu à tout ce qui pouvait *traverser votre bonheur, je vous ai facilité le chemin de la gloire, et je suis prêt de vous le montrer, si vous êtes disposés à me suivre. Ces préparatifs que vous voyez doivent vous animer, à cette heure, plus qu'ils ne vous ont surpris, et l'*étonnement que j'ai remarqué d'abord sur vos visages doit se changer en une glorieuse résolution d'employer ces armes avec vigueur pour travailler à la perte de nos ennemis communs et à la conservation de notre liberté. J'offenserais votre courage si je m'imaginais qu'il fût capable de balancer entre la vue de ces objets et l'usage qu'il en doit faire ; il est sûr par le bon ordre que j'ai mis à toutes choses, il est utile par l'avantage que vous en tirerez, il est juste à cause de l'oppression que vous souffrez, et il glorieux enfin par la grandeur de l'entreprise. Je pourrais justifier, par les lettres que voici, que l'Empereur a promis à André Doria la souveraineté de Gênes et qu'il est prêt d'exécuter sa parole ; je pourrais vous faire voir, par d'autres que j'ai entre mes mains, que Jannetin a voulu suborner, par trois fois, des gens pour m'empoisonner ; il me serait facile de vous prouver qu'il a donné ordre à Lercaro de me massacrer avec tous ceux de ma maison au moment que son oncle viendrait à mourir ; mais la connaissance de ces trahisons, quoique noires et infâmes, n'ajouteraient rien à l'horreur que vous avez déjà pour ces monstres. Il me semble que j'aperçois dans vos yeux cette noble ardeur qu'inspire une vengeance légitime : je vois que vous avez plus d'impatience que moi-même de faire éclater votre ressentiment, d'assurer vos biens, votre repos et l'honneur de vos familles. Allons donc, mes chers concitoyens, sauvons la réputation de Gênes ; conservons la liberté de notre patrie et faisons connaître aujourd'hui à toute la terre qu'il se trouve encore des gens de bien dans cette république, qui savent perdre les tyrans. »

Les assistants se trouvèrent extrêmement *étonnés de ces paroles, mais, comme ils étaient presque tous passionnés pour le comte de Fiesque, et que les uns joignaient à cette amitié les hautes espérances dont ils se flattaient au cas que l'entreprise réussît, et que les autres craignaient son ressentiment s'ils refusaient de suivre sa fortune, ils lui promirent toute sorte de services. Il n'y en eut que deux, de ce nombre assez considérable, qui le prièrent de ne les point engager dans cette affaire, soit que leur profession éloignée des périls, et leur humeur ennemie des violences les rendît incapables, comme ils disaient, de servir dans une action où il y avait beaucoup de dangers à essuyer et de meurtres à commettre, soit qu'ils *couvrissent de l'apparence d'une peur simulée l'affection véritable qu'ils avaient pour la maison de Doria ou pour quelques-uns de son parti. Il est certain que le comte ne les pressa pas davantage et qu'ils se contenta de les enfermer dans une chambre, afin de leur ôter le moyen de découvrir son dessein. La douceur dont il usa envers ces deux personnes fait que je ne puis croire ce que quelques historiens passionnés contre sa mémoire ont publié, qui est que le discours qu'il fit dans cette assemblée ne fut rempli que de menaces contre ceux qui refuseraient de l'assister ; et je crois que l'on peut avec raison faire le même jugement des paroles impies et cruelles qu'ils l'accusent d'avoir dites, le soir de son entreprise ; car quelle apparence y a-t-il qu'un homme de sa condition, né avec une passion extraordinaire d'acquérir de la gloire, se soit laissé emporter à des discours dont il est impossible de se ressouvenir sans horreur et qui ne servaient en façon du monde à ses desseins [1] ?

Quoi qu'il en soit, dès qu'il eut achevé de parler à ces gentilshommes et qu'il les eut informés de l'ordre de son entreprise, il s'en alla dans l'appartement de sa femme [a], qu'il trouva dans les pleurs, prévoyant bien que ces grands préparatifs qui se faisaient dans sa maison ne pouvaient être destinés par son mari qu'à quelque action dangereuse. Il crut donc qu'il ne devait pas lui en cacher plus longtemps la vérité ; mais il essaya de diminuer ses craintes par toutes les raisons dont il put s'aviser, en lui représentant à quel point les choses étaient engagées et l'impossibilité où il était de s'en retirer. Elle fit tous les efforts imaginables pour le détourner de cette action et se servit de tout le pouvoir que lui donnait sur son esprit la tendresse qu'il avait pour elle ; mais ni ses larmes ni ses prières ne purent ébranler sa résolution. Paul Pansa, qui avait été son gouverneur et pour lequel il avait une grande vénération, se joignit à la comtesse et n'oublia rien pour le ramener dans les bornes d'un citoyen et lui représenter tout ce qu'il hasardait dans cette occasion. Le comte fut aussi peu touché des conseils de son gouverneur que des caresses et des pleurs de sa femme. Il avait, comme on dit de César, passé le Rubicon [2], et, rentrant dans la salle où il avait laissé ceux qui avaient soupé avec lui, il donna les derniers ordres pour l'exécution de son entreprise.

Il commanda cent cinquante hommes choisis entre ce qu'il avait de gens de guerre, pour aller dans cette partie de la ville que l'on appelle le Bourg, où il les devait suivre accompagné de la noblesse. Corneille, son frère bâtard, eut ordre, dès qu'on serait arrivé au Bourg, de se séparer, avec trente hommes détachés, pour marcher à la porte de l'Arc [3] et s'en rendre maître ; Hiérôme et Ottobon, ses frères, avec

Vincent Calcagno, eurent charge de prendre celle de Saint-Thomas, en même temps qu'ils entendraient le coup de canon que l'on tirerait de sa galère, commandée par Verrina, qui était toute prête pour serrer la bouche de la Darse [1] et investir celle du prince Doria. Le comte devait se rendre par terre à cette porte, après avoir laissé des corps de garde, en passant, à l'arc de Saint-André, de Saint-Donat, et à la place des Sauvages, avec le moins de bruit qu'il se pourrait. Thomas Assereto fut commandé pour se saisir de cette porte, en donnant le mot, qu'il pouvait aisément savoir, parce qu'il avait charge sous Jannetin Doria. Comme cette action était le point le plus important de l'entreprise, parce que, si elle ne réussissait pas, ceux qui étaient sur la galère de Fiesque ne pouvaient avoir nulle communication avec les autres conjurés, on jugea à propos, pour la rendre encore plus aisée, que Scipion Borgognino, sujet du comte et déterminé soldat, se jetât dans la Darsène avec des felouques armées, et mît pied à terre de ce côté-là, en même temps que Thomas Assereto attaquerait cette porte par-dehors. Il fut aussi résolu qu'au moment que Hiérôme et Ottobon de Fiesque se seraient rendus maîtres de la porte de Saint-Thomas, qui est proche du palais de Doria, l'un d'eux l'irait forcer et tuer André et Jannetin ; et parce qu'il y avait quelque sujet de croire que celui-ci, s'éveillant au bruit qui se ferait aux portes, pourrait se mettre sur la felouque de Louis Giulia pour y venir donner ordre, on laissa deux felouques pour y prendre garde. A ces ordres il en fut ajouté un général, que tous les conjurés appelassent le peuple avec le nom de Fiesque et criassent : « Liberté ! » afin que ceux de la ville, de l'affection desquels on était assuré, ne se trouvassent point surpris, et que, voyant que le comte était auteur de cette affaire, ils se joignissent à ses gens.

Il n'est pas aisé [2] de décider s'il n'eût point été plus avantageux et plus sûr de ne faire qu'un gros de toutes ces troupes qui étaient séparées en tant de quartiers différents et éloignés les uns des autres, que de les désunir, parce que le nombre en était assez considérable pour croire que, si elles fussent entrées par un même endroit dans la ville, elles auraient poussé tout ce qui se serait présenté devant elles et auraient attiré le peuple en faveur du parti victorieux partout où elles auraient passé, au lieu qu'étant divisées, elles ne pouvaient agir que faiblement, au hasard de faire des *contretemps et d'être défaites l'une après l'autre ; car il est certain qu'il faut une grande *justesse pour accorder l'heure des attaques et bien du bonheur pour qu'elles réussissent également : tant de bras et de têtes doivent, en ces rencontres, concourir à une même action, que la moindre faute *déconcerte bien souvent tout le reste, de même que le désordre d'une seule roue peut arrêter le mouvement des plus grandes machines. Cependant il est fort difficile que, durant la nuit et parmi le tumulte qui accompagne d'ordinaire ces entreprises, le cœur ou le jugement ne manquent à quelqu'un des conjurés, et que, trouvant le péril de près plus terrible que de loin, il ne se repente de s'y être engagé. Mais, lorsqu'ils marchent tous ensemble, l'exemple anime et rassure les plus *timides, et quand ils voudraient lâcher le pied, ils ne le peuvent pas, étant contraints de se laisser entraîner par le nombre et de faire par nécessité ce que les braves font par valeur.

Ceux qui sont d'une opinion contraire soutiennent que dans ces entreprises qui se font la nuit dans une ville où l'on a de grandes intelligences et la plupart du peuple favorable, et où les conjurés peuvent se rendre maîtres des postes principaux avant que leurs ennemis soient en état de les disputer, il vaut mieux former divers corps, et faire des attaques différentes en beaucoup d'endroits, parce qu'en donnant plusieurs alarmes à la fois en des lieux éloignés, on oblige ceux qui se défendent à séparer leurs forces, sans savoir combien ils en doivent détacher ; et l'épouvante que ces surprises causent ordinairement est bien plus forte lorsque le bruit vient de tous côtés, que quand il ne faut pourvoir qu'à un seul, outre que, dans des rues étroites comme sont celles de Gênes, un nombre *médiocre fait autant d'effet que le plus grand, et que dix hommes, à la faveur de la moindre barricade, dans un lieu serré, n'étant attaqués que de front, peuvent en arrêter cent fois autant des plus braves gens du monde, et donner le loisir à ceux qui sont derrière eux de se rallier. Enfin ceux qui sont de la dernière opinion croient que, dans une entreprise comme celle-ci, il est moins avantageux au parti des conjurés d'unir leurs forces en un seul corps que de les répandre en divers endroits de la ville, ayant la faveur de la plupart des habitants, parce que l'on soulève tout à la fois, et qu'ils prennent plus aisément les armes quand ils se voient appuyés, et sont plus capables de servir lorsqu'ils ont des troupes *réglées et des personnes de créance à leur tête.

Toutes ces raisons étant justement balancées de part et d'autre, je crois[a] que le comte de Fiesque en usa très judicieusement ; car il me semble qu'en cette occasion les inconvénients que nous venons de dire étaient moins à craindre qu'ils ne sont d'ordinaire, parce que son parti n'était pas seulement composé de gens de guerre et de noblesse, mais encore d'un grand nombre de peuple dont il était assuré : de sorte qu'ayant dans tous les quartiers de Gênes des forces considérables, il avait sujet de croire que la garnison, qui était extrêmement faible[b], et ceux qui ne lui étaient pas favorables, ne pourraient apporter aucun obstacle à ses desseins, ni faire de résistance qui fût capable d'ébranler ceux qui combattaient pour lui.

C'est pourquoi, étant sorti de son palais, il divisa ses gens selon l'ordre qu'il avait résolu ; et en même temps que le coup de canon qui avait été donné pour signal fut tiré de sa galère, Corneille surprit la garde qui était à la porte de l'Arc, et s'en rendit maître sans aucune peine. Ottobon et Hiérôme, frères du comte, accompagnés de Calcagno et de soixante soldats, ne trouvèrent pas tant de facilité à celle de Saint-Thomas, par la résistance de Sébastien Lercaro, capitaine, et de son frère, qui firent *ferme assez longtemps ; mais celui-ci ayant été tué et l'autre pris, quelques-uns même de leurs soldats qui étaient de l'intelligence ayant tourné leurs armes en faveur des Fiesques, ceux de la garde lâchèrent le pied et abandonnèrent leur poste aux ennemis. Jannetin Doria, éveillé ou par le bruit qui se fit à cette porte ou par les cris qui se faisaient en même temps dans le port, se leva en grande hâte, et, sans être suivi d'autre personne que d'un page qui portait un flambeau devant lui, il accourut à la porte de Saint-Thomas, où, ayant été reconnu par les conjurés, il fut tué en arrivant[1].

Cette précipitation de Jannetin sauva la vie à André Doria, et lui donna le temps de monter à cheval et de se retirer à quinze milles de Gênes, parce que Hiérôme de Fiesque, qui avait eu ordre de son frère de forcer le palais de Doria incontinent après qu'il se serait saisi de la porte de Saint-

Thomas, voyant que Jannetin s'était fait tuer par son imprudence, préféra la conservation des richesses immenses qui étaient dans le palais et qu'il eût été bien malaisé de sauver des mains des soldats, à la prise d'André Doria, qu'il ne considérait plus que comme un vieillard cassé dont la perte devait être indifférente.

Pendant que ces choses se passaient au quartier de la porte de Saint-Thomas, Assereto et Scipion Borgognino exécutèrent ce qui leur avait été commandé avec tout sorte de bonheur : ils tuèrent ceux qui firent quelque résistance à la porte de la Darsène, et poussèrent les autres si vivement, qu'ils ne leur donnèrent pas le loisir de se reconnaître, et s'assurèrent enfin d'un lieu si considérable.

Le comte, après avoir laissé en passant de grands corps de garde dans les places qu'il jugeait les plus importantes, se rendit dans la Darsène[a], dont il trouva l'entrée tout à fait libre, et se joignit à Verrina, qui avait déjà investi avec sa galère celles du prince Doria : il les trouva presque toutes désarmées et s'en rendit maître avec beaucoup de facilité ; mais craignant que, dans cette confusion, la chiourme ne *relevât la capitane[b], sur laquelle il entendait beaucoup de bruit, il courut en diligence pour y donner ordre, et, comme il était sur le point d'y entrer, la planche sur laquelle il passait venant à se renverser, il tomba dans la mer ; la pesanteur de ses armes et la vase, qui était profonde en cet endroit, l'empêchèrent de se relever[1], et l'obscurité de la nuit jointe au bruit confus qui se faisait de toutes parts ôtèrent aux siens la connaissance de cet accident, en sorte que, sans s'apercevoir de la perte qu'ils avaient faite, ils achevèrent de s'assurer du port et des galères.

Ottobon, qui était venu en ce lieu après avoir exécuté son premier dessein, y demeura pour commander, et Hiérôme, qui l'avait suivi, après avoir laissé Vincent Calcagno à la porte de Saint-Thomas, sortit du port et se jeta dans les rues, avec deux cents hommes, pour *émouvoir la populace, et rallier auprès de lui le plus de gens qu'il pourrait. Verrina fit, d'un autre côté, la même chose, et ainsi un grand nombre de peuple se rangeant auprès d'eux, personne n'osait plus paraître dans la ville sans se déclarer pour le parti de Fiesque. La plus grande partie de la noblesse demeura renfermée pendant le bruit, chacun craignant le pillage de sa maison ; les plus courageux se rendirent au palais, avec l'ambassadeur de l'Empereur, qui avait été sur le point de s'enfuir de la ville, sans les remontrances de Paul Lasagna, homme de grande autorité parmi le peuple. Le cardinal Doria et Adam Centurione s'y trouvèrent aussi, et résolurent avec Nicolas Franco, en ce temps-là chef de la république, parce qu'il n'y avait point de duc[1], d'envoyer Boniface Lomellino, Christofle Palavicini et Antoine Calva, avec cinquante soldats de la garnison, pour défendre la porte de Saint-Thomas ; mais ceux-ci ayant rencontré une troupe de conjurés et se trouvant abandonnés d'une partie de leurs gens, ils furent obligés de se retirer dans la maison d'Adam Centurione, où ayant trouvé François Grimaldi et Dominique Doria, et quelques autres gentilshommes, ils reprirent cœur et retournèrent encore à la même porte par un chemin différent ; mais ils la trouvèrent si bien gardée, et ils furent chargés avec tant de vigueur, qu'ils laissèrent Boniface Lomellino prisonnier, qui se fit remarquer en cette action par son courage, et se sauva heureusement des mains des conjurés.

Le Sénat ayant éprouvé que la force ne réussissait pas, eut recours aux remontrances, et députa Hiérôme de Fiesque[2], parent du comte, et Hiérôme Canevale, pour lui demander le sujet qui le portait à ce mouvement ; et, incontinent après, le cardinal Doria, son allié, assisté de deux sénateurs, dont l'un était Jean-Baptiste Lercaro et l'autre Bernard Castagna, se résolut, à la prière du Sénat, d'aller parler au comte, pour essayer de l'adoucir ; mais voyant que les choses étaient dans une si grande confusion que, s'il sortait par la ville, il exposerait inutilement sa dignité à l'insolence d'un peuple furieux, il ne voulut point passer outre et demeura dans le palais : si bien que le Sénat donna cette commission à Augustin Lomellino, Hector de Fiesque, Ansaldo Justiniani, Ambroise Spinola et Jean Balliano, lesquels, voyant une troupe de gens armés venir à leur rencontre, crurent que c'était le comte, et s'arrêtèrent à Saint-Siro, pour l'attendre. En même temps que les conjurés les aperçurent, ils les chargèrent sans reconnaître, et firent fuir Lomellino et Hector de Fiesque. Ansaldo Justiniani se tint ferme, et s'adressant à Hiérôme, qui conduisait cette brigade, il lui demanda, de la part de la République, où était le comte. Les conjurés venaient d'apprendre sa mort. Verrina, après l'avoir cherché longtemps en vain, s'était remis sur sa galère comme désespéré, parce que les nouvelles qui venaient de tous les quartiers de la ville portaient qu'il ne paraissait en aucune part. Cela fit que Hiérôme répondit audacieusement et avec une extrême imprudence à Justiniani qu'il n'était plus temps de chercher d'autre comte que lui-même, et qu'il voulait que tout présentement on lui remît le palais.

Le Sénat ayant appris par ce discours la mort du comte, reprit courage, et envoya douze gentilshommes pour rallier ceux de la garde et du peuple qu'ils pourraient mettre en état de se défendre. Quelques-uns des plus échauffés même pour le parti de Fiesque commencèrent à s'*étonner ; plusieurs qui n'avaient pas tant d'affection ni de confiance pour Hiérôme qu'ils en avaient eu pour son frère, se dissipèrent au seul bruit de sa mort ; et le désordre[a] se mettant parmi les conjurés, ceux du palais s'en aperçurent, et délibérèrent s'ils les iraient charger ou s'ils traiteraient avec eux. Le premier avis fut proposé, comme le plus honorable ; mais le second fut suivi, comme le plus sûr. Paul Pansa, homme extrêmement considéré dans la République, et attaché de tout temps à la maison de Fiesque, fut choisi comme un instrument très propre pour cet effet. Le Sénat le chargea de porter à Hiérôme un pardon général pour lui et pour tous ses complices ; il consentit à cet accord ; l'*abolition fut signée en même temps, et scellée, avec toutes les formes nécessaires, par Ambroise Senaregua, secrétaire de la République. Et ainsi Hiérôme de Fiesque sortit de Gênes avec tous ceux de son parti, et se retira à Montobio[1] ; Ottobon, Verrina, Calcagno et Sacco, qui s'étaient sauvés sur la galère de Fiesque, tinrent la route de France, et se rendirent à Marseille, après avoir renvoyé à la bouche du Var, sans leur faire aucun mal, Sébastien Lercaro, Manfredo Centurion et Vincent Vaccaro, qu'ils avaient pris à la porte de Saint-Thomas. Le corps du comte fut trouvé au bout de quatre jours, et ayant été laissé quelque temps sur le port sans sépulture, il fut enfin jeté dans la mer par le commandement d'André Doria.

Benoît Centurion et Dominique Doria furent députés, le lendemain, vers André, pour lui faire *compliment, au nom de la République, sur la mort de Jannetin, et le reconduire

dans la ville, où il fut reçu avec tous les honneurs imaginables.
Il se rendit au Sénat, le jour suivant, où il représenta, par
un discours véhément et qu'il prit soin d'appuyer du crédit
de ses amis, que la République n'était point obligée de tenir
l'accord qu'elle avait fait avec les Fiesques, puisqu'il avait
été conclu contre toutes les formes, et signé, pour ainsi dire,
l'épée à la main [1]. Il *exagéra fort combien il était dangereux
de souffrir que les sujets traitassent de la sorte avec leur
souverain ; et que l'impunité d'un crime de cette importance
serait un exemple fatal à la République. Enfin André Doria
sut *couvrir avec tant d'adresse ses intérêts particuliers sous
le voile du bien général, et soutenir si fortement sa *passion
par son autorité, qu'encore qu'il y eût beaucoup de personnes
qui ne pouvaient approuver que l'on manquât à la foi
publique, le Sénat déclara néanmoins tous les conjurés
criminels de lèse-majesté, fit raser le superbe palais de
Fiesque, condamna ses frères et les principaux de sa faction
à la mort [2], punit de cinquante ans de bannissement ceux
qui avaient eu la moindre part à cette entreprise, et ordonna
que l'on ferait commandement à Hiérôme de Fiesque de
remettre entre les mains de la République la forteresse de
Montobio [a].

Le dernier point n'était pas si aisé à exécuter que les
autres, et comme la place était bonne par sa situation et par
ses fortifications, auxquelles on travaillait encore continuellement, on jugea plus à propos d'essayer toutes les voies de la
douceur pour la tirer des mains des Fiesques, avant que d'en
venir à la force, dont l'événement est toujours douteux. Paul
Pansa eut commandement du Sénat de s'y rendre au plus
tôt, et d'offrir des conditions raisonnables à Hiérôme de la
part de la République ; mais elle ne reçut de lui, pour
toutes réponses, que des reproches de la foi violée envers les
siens, et un refus assez fier d'entrer en aucun traité avec les
Génois. L'Empereur, qui craignait que les Français ne se
rendissent maîtres de ce château, très important à la sûreté
de Gênes, pressa fortement le Sénat de l'assiéger, et lui
donna pour cet effet toutes les assistances nécessaires.
Augustin Spinola, capitaine de réputation, homme de cœur
et d'expérience, eut cet emploi, investit la place, la *battit
quarante jours durant, et obligea ceux qui étaient dedans
de se rendre à discrétion.

Quelques historiens accusent Verrina, Calcagno et Sacco d'avoir conseillé à Hiérôme une capitulation si peu honorable, à cause des *dégoûts qu'ils avaient reçus en France, d'où ils étaient revenus pour se jeter dans la place. Cette prise fit naître dans la République de nouveaux désordres par la diversité qui se trouva dans les avis des sénateurs touchant la punition des prisonniers. Beaucoup de personnes penchaient du côté de la douceur, et voulaient que l'on pardonnât à la jeunesse de Hiérôme, soutenant que le crime de cette famille avait été suffisamment puni par la perte du comte et par celle de tous ses biens ; mais André Doria, passionnément animé contre elle, l'emporta encore une fois sur la clémence du Sénat, et fut cause qu'il fit exécuter Hiérôme de Fiesque, Verrina, Calcagno et Assereto, et que l'on donna le sanglant arrêt contre Ottobon, qui porte défenses à sa postérité, jusques à la cinquième race, de s'approcher de Gênes[a][1].

Arrêtons-nous ici, et considérons exactement ce qui s'est passé dans l'exécution de ce grand dessein ; tirons, s'il nous est possible, de ce nombre infini de fautes que nous y pouvons remarquer[b], des exemples de la faiblesse humaine, et avouons que cette entreprise, considérée dans ses commencements comme un chef-d'œuvre du courage et de la *conduite des hommes, paraît, dans ses suites, toute pleine des effets ordinaires de la bassesse et de l'imperfection de notre nature ; car, après tout, quelle honte a-ce été pour André Doria d'abandonner la ville au premier bruit, et de ne faire pas le moindre effort pour apaiser, par son autorité, une émeute populaire, qu'il avait sujet de croire beaucoup moindre qu'elle n'était, puisqu'il n'en pouvait savoir alors exactement les circonstances ! quelle imprudence fut celle de Jannetin de venir, seul et dans les ténèbres de la nuit, à la porte de Saint-Thomas, pour remédier à un désordre qu'il n'avait pas raison de mépriser puisqu'il en ignorait la cause ! quelle *timidité au cardinal Doria de n'oser sortir du palais pour essayer de retenir le peuple par le respect de sa dignité ! quelle imprudence au Sénat de n'assembler pas toutes ses forces, à la première alarme, pour arrêter d'*abord le progrès des conjurés dans les postes principaux de la ville, au lieu d'y envoyer de faibles secours qui ne pouvaient faire aucun effet considérable ! et quelle *conduite enfin était celle-là

de vouloir ramener par des remontrances un rebelle déclaré
qui avait les armes à la main et qui se voyait le plus fort !
Mais, après avoir traité dans les formes, quelle maxime à ce
même Sénat de violer la foi publique et de contrevenir à
une parole si solennellement donnée à Hiérôme et Ottobon
de Fiesque ! car, si la crainte d'un pareil traitement peut
être utile à un État, en ce qu'elle retient dans le devoir ceux
qui auraient quelque pensée de révolte, elle peut aussi lui
être pernicieuse, en ce qu'elle ôte toute espérance de pardon
à ceux qui se sont révoltés. En effet, il est malaisé de
comprendre comment ces politiques qui passaient pour avoir
de l'habileté, n'appréhendèrent pas de désespérer, par cet
exemple, Hiérôme de Fiesque, qui tenait encore la roque [1]
de Montobio, qu'il pouvait mettre entre les mains des
étrangers et dont la perte était d'une extrême importance à
la ville de Gênes.

Mais [a], si ceux dont nous venons de parler firent des fautes
remarquables en cette occasion, nous pouvons dire que les
conjurés en firent encore de plus grandes, après qu'ils eurent
perdu leur chef. Sa valeur et sa bonne conduite, qui étaient
comme les suprêmes intelligences de tous les mouvements
de son parti, venant à manquer par sa mort, il tomba tout
à coup dans un désordre qui acheva de le ruiner. Hiérôme
de Fiesque, qui, par beaucoup de raisons, était obligé de
cacher la mort de son frère, fut le premier à la publier, et,
par cette nouvelle, il redonna cœur aux ennemis, et jeta
l'épouvante dans l'esprit des siens. Ottobon, Verrina, Calcagno et Sacco, qui s'étaient sauvés sur la galère, remirent en
liberté, presque au sortir de Gênes, les prisonniers qu'ils
avaient entre leurs mains, sans prévoir qu'ils leur pourraient
être nécessaires pour leur accommodement. Verrina, ayant
appris la mort du comte, se retira dans sa galère et abandonna
lâchement une affaire de cette importance à la conduite de
Hiérôme, qui n'avait ni assez d'expérience ni assez d'autorité
parmi les conjurés pour l'achever. Ce même Hiérôme fit un
traité avec le Sénat, et consentit à rentrer dans la condition
d'un particulier, après s'être vu sur le point de se rendre
souverain ; il fit ensuite une capitulation honteuse dans
Montobio, sur la parole de ceux qui lui en avaient déjà
manqué. Verrina, Calcagno et Sacco, les principaux ministres
de cette conjuration, et les plus criminels [2] de tous les

complices du comte, le portèrent à cette bassesse, sur l'espérance qu'on leur donna de l'impunité, aimant mieux s'exposer à mourir par la main infâme d'un bourreau, que de périr honorablement sur une brèche.

Ainsi finit cette grande[a] entreprise ; ainsi mourut Jean-Louis de Fiesque, comte de Lavagne, que les uns honorent de grands éloges, et les autres chargent de blâme, et que plusieurs excusent. Si l'on considère cette maxime[b] qui conseille de respecter toujours le gouvernement présent du pays où l'on est[c], sans doute que son ambition est criminelle ; si l'on regarde son courage et toutes les grandes qualités qui éclatèrent dans la conduite de cette action, elle paraît noble et *généreuse ; si l'on a égard à la puissance de la maison de Doria, qui lui donnait un juste sujet d'appréhender la ruine de la république et la sienne propre, elle est excusable ; mais de quelque façon que l'on en parle, les langues et les plumes passionnées ne sauraient *désavouer que le mal qu'elles en peuvent dire ne lui soit commun avec les hommes les plus illustres. Il était né dans un petit État où toutes les conditions particulières étaient au-dessous de son cœur et de son mérite ; l'*inquiétude naturelle de sa nation, portée de tout temps à la nouveauté, l'élévation de son propre *génie, sa jeunesse, ses grands biens, le nombre et la flatterie de ses amis, la faveur du peuple, les recherches des princes étrangers, et enfin l'estime générale de tout le monde, étaient de puissants séducteurs pour inspirer de l'ambition à un esprit encore plus modéré que le sien. La suite de son entreprise est un de ces coups que la sagesse des hommes ne saurait prévoir[d]. Si le *succès en eût été aussi heureux, que sa conduite fut pleine de vigueur et d'habileté, il est à croire que la souveraineté de Gênes n'eût pas borné son courage ni sa fortune, et que ceux qui condamnèrent sa mémoire après sa mort auraient été les premiers à lui donner de l'encens durant sa vie ; les auteurs qui l'ont noirci de tant de calomnies pour satisfaire la *passion des Doria, et justifier la mauvaise foi du Sénat de Gênes, auraient fait son panégyrique par un intérêt contraire à celui-là ; et la postérité l'aurait mis au nombre des héros de son siècle : tant il est vrai que le bon ou le mauvais événement est la règle ordinaire des louanges ou du blâme que l'on donne aux actions extraordinaires. Néanmoins je crois que nous pouvons

dire, avec toute l'équité que doit garder un historien qui
porte son jugement sur la réputation des hommes, qu'il n'y
avait rien à désirer, dans celle du comte Jean-Louis, qu'une
vie plus longue, et des occasions plus légitimes pour acquérir
de la gloire [1].

MÉMOIRES [a]

Une page de l'autographe : le récit de la retraite à Saint-Lazare. A-t-on affaire à un soulignage opéré par l'auteur pour insister sur un membre de phrase ?

PREMIÈRE PARTIE

Madame[1], quelque répugnance que je puisse avoir à vous donner l'histoire de ma vie[a], qui a été agitée de tant d'aventures différentes, néanmoins, comme vous me l'avez commandé, je vous obéis, même aux dépens de ma réputation. Le caprice de la fortune m'a fait honneur de beaucoup de fautes ; et je doute qu'il soit judicieux de lever le voile qui en cache une partie. Je vas cependant vous instruire nuement et sans détour des plus petites particularités, depuis le moment que j'ai commencé à connaître mon *état ; et je ne vous cèlerai aucunes des démarches que j'ai faites en tous les temps de ma vie.

Je vous supplie très humblement de ne pas être surprise de trouver si peu d'art et au contraire tant de désordre en toute ma narration, et de considérer que si, en *récitant les diverses parties qui la composent, j'interromps quelquefois le fil de l'histoire, néanmoins je ne vous dirai rien qu'avec toute la sincérité que demande l'estime que je sens pour vous. Je mets mon nom à la tête de cet ouvrage, pour m'obliger davantage moi-même à ne diminuer et à ne grossir en rien la vérité[2]. La fausse gloire et la fausse modestie[3] sont les deux écueils que la plupart de ceux qui ont écrit leur propre vie n'ont pu éviter. Le président de Thou[4] l'a fait avec succès dans le dernier siècle, et dans l'antiquité César n'y a pas échoué. Vous me faites, sans doute, la justice d'être persuadée que je n'alléguerais pas ces grands noms sincerity

sur un sujet qui me regarde, si la sincérité n'était une vertu dans laquelle il est permis et même commandé de s'égaler aux héros.

Je sors d'une maison illustre en France et ancienne en Italie[1]. Le jour de ma naissance, on prit un esturgeon monstrueux dans une petite rivière qui passe sur la terre de Montmirail, en Brie, où ma mère accoucha de moi[2]. Comme je ne m'estime pas assez pour me croire un homme à augure, je ne rapporterais pas cette circonstance, si les libelles qui ont depuis été faits contre moi, et qui en ont parlé comme d'un prétendu présage de l'agitation dont ils ont voulu me faire l'auteur, ne me donnaient lieu de craindre qu'il n'y eût de l'affectation à l'omettre[a].

....

Je communiquai à Attichy, frère de la comtesse de Maure, et je le priai de se servir de moi la première fois qu'il tirerait l'épée. Il la tirait souvent et je n'attendis pas longtemps. Il me pria d'appeler[3] pour lui Melbeville, enseigne-colonel des gardes, qui se servit de Bassompierre, celui qui est mort, avec beaucoup de réputation, major général de bataille dans l'armée de l'Empire. Nous nous battîmes à l'épée et au pistolet, derrière les Minimes du bois de Vincennes. Je blessai Bassompierre d'un coup d'épée dans la cuisse et d'un coup de pistolet dans le bras. Il ne laissa pas de me désarmer, parce qu'il *passa sur moi et qu'il était plus âgé et plus fort. Nous allâmes séparer nos amis, qui étaient tous deux fort blessés. Ce combat fit assez de bruit ; mais il ne produisit pas l'effet que j'attendais. Le procureur général commença des poursuites ; mais il les discontinua à la prière de nos proches ; et ainsi je demeurai là avec ma soutane et un duel[4].

....

La mère s'en aperçut ; elle avertit mon père, et l'on me ramena à Paris assez brusquement. Il ne tint pas à moi de me consoler de son absence avec Mme du Châtelet ; mais comme elle était engagée avec le comte d'Harcourt, elle me traita d'écolier, et elle me joua même assez publiquement sous ce titre, en présence de M. le comte d'Harcourt. Je m'en pris à lui ; je lui fis un appel à la *comédie [1]. Nous nous battîmes, le lendemain au matin, au-delà du faubourg Saint-Marcel. Il *passa sur moi, après m'avoir donné un coup d'épée qui ne faisait qu'effleurer l'*estomac ; il me porta par terre, et il eût eu infailliblement tout l'avantage, si son épée ne lui fût tombée de la main en nous colletant. Je voulus *raccourcir la mienne pour lui en donner dans les reins ; mais comme il était beaucoup plus fort et plus âgé que moi, il me tenait le bras si serré sous lui que je ne pus exécuter mon dessein. Nous demeurions ainsi sans nous pouvoir faire du mal, quand il me dit : « Levons-nous, il n'est pas *honnête de se *gourmer. Vous êtes un *joli garçon ; je vous estime, et je ne fais aucune difficulté, dans l'état où nous sommes, de dire que je ne vous ai donné aucun sujet de me quereller. » Nous convînmes de dire au marquis de Boisy, qui était son neveu et mon ami, comment le combat s'était passé, mais de le tenir secret à l'égard du monde, à la considération de Mme du Châtelet. Ce n'était pas mon compte ; mais quel moyen *honnête de le refuser ? On ne parla que peu de cette affaire, et encore fut-ce par l'indiscrétion de Noirmoutier, qui, l'ayant apprise du marquis de Boisy, la mit un peu dans le monde ; mais enfin il n'y eut point de procédures, et je demeurai encore là avec ma soutane et deux duels.

Permettez-moi, je vous supplie, de faire un peu de réflexion sur la nature de l'esprit de l'homme. Je ne crois pas qu'il y eût au monde un meilleur cœur que celui de mon père, et je puis dire que sa trempe était celle de la vertu. Cependant et ces duels et ces galanteries ne l'empêchèrent pas de faire tous ses efforts pour attacher à l'Eglise l'âme peut-être la moins ecclésiastique qui fût dans l'univers : la prédilection pour son aîné et la vue de l'archevêché de Paris, qui était dans sa maison, produisirent cet effet [2]. Il ne le crut pas, et ne le sentit pas lui-même ; je jurerais même qu'il eût lui-même juré, dans le plus intérieur de son cœur, qu'il n'avait en cela d'autre mouvement que celui qui lui était inspiré par l'appréhension des périls auxquels la profession contraire exposerait mon âme : tant il est vrai qu'il n'y a rien qui soit si sujet à l'illusion que la piété. Toutes sortes d'erreurs se glissent et se cachent sous son voile ; elle consacre toutes sortes d'*imaginations ; et la meilleure intention ne

R acts part of future cleric
but plans hierarchie mgr

suffit pas pour y faire éviter les travers. Enfin, après tout ce que je viens de vous raconter, je demeurai homme d'Eglise ; mais ce n'eût pas été assurément pour longtemps, sans un incident dont je vas vous rendre compte.

M. le duc de Rais[a], aîné de notre maison, rompit, dans ce temps-là, par le commandement du Roi, le traité de mariage qui avait été accordé, quelques années auparavant, entre M. le duc de Mercœur et sa fille. Il vint trouver mon père, dès le lendemain, et le surprit très agréablement en lui disant qu'il était résolu de la donner à son cousin, pour réunir la maison. Comme je savais qu'elle avait une sœur, qui possédait plus de quatre-vingt mille livres de rente, je songeai au même moment à la double alliance. Je n'espérais pas que l'on y pensât pour moi, connaissant le terrain comme je le connaissais, et je pris le parti de me pourvoir de moi-même. Comme j'eus quelque lumière que mon père n'était pas dans le dessein de me mener aux noces, peut-être en vue de ce qui en arriva, je fis semblant de me radoucir à l'égard de ma profession. Je feignis d'être touché de ce que l'on m'avait représenté tant de fois sur ce sujet, et je jouai si bien mon personnage, que l'on crut que j'étais absolument changé. Mon père se résolut de me mener en Bretagne d'autant plus facilement que je n'en avais témoigné aucun désir. Nous trouvâmes Mlle de Rais à Beaupréau en Anjou. Je ne regardai l'aînée que comme ma sœur ; je considérai d'*abord Mlle de Scépeaux (c'est ainsi que l'on appelait la cadette[1]) comme ma *maîtresse. Je la trouvai très belle, le teint du plus grand éclat du monde, des lis et des roses en abondance, les yeux admirables, la bouche très belle, du défaut à la taille, mais peu remarquable et qui était beaucoup *couvert par la vue de quatre-vingt mille livres de rente, par l'espérance du duché de Beaupréau, et par mille chimères que je formais sur ces fondements, qui étaient réels[2].

Je couvris très bien mon jeu dans le commencement : j'avais fait l'ecclésiastique et le *dévôt dans tout le voyage ; je continuai dans le séjour. Je soupirais toutefois devant la belle ; elle s'en aperçut : je parlai ensuite, elle m'écouta, mais d'un air un peu sévère. Comme j'avais observé qu'elle aimait extrêmement une vieille fille de chambre, qui était sœur d'un de mes moines de Buzay, je n'oubliai rien pour la gagner, et j'y réussis par le moyen de cent pistoles et par des promesses immenses que je lui fis. Elle mit dans l'esprit de sa maîtresse que l'on ne songeait qu'à la faire religieuse, et je lui disais, de mon côté, que l'on ne pensait qu'à me faire moine. Elle haïssait cruellement sa sœur, parce qu'elle était beaucoup plus aimée de son père, et je n'aimais pas trop mon frère pour la même raison. Cette conformité dans nos fortunes contribua beaucoup à notre liaison. Je me persuadai qu'elle était réciproque, et je me résolus de la mener en Hollande. Dans la vérité, il n'y avait rien de si facile, Machecoul, où nous étions venus de Beaupréau, n'étant qu'à une demi-lieue de la mer ; mais il fallait de l'argent pour cette expédition ; et mon trésor étant épuisé par le don des cent pistoles, je ne me trouvais pas un sol. J'en trouvai suffisamment en témoignant à mon père que l'économat de mes abbayes étant censé tenu de la plus grande rigueur des lois, je croyais être obligé, en conscience, d'en prendre l'administration. La proposition ne plut pas ; mais on ne put la refuser, et parce qu'elle était dans l'ordre, et parce qu'elle faisait, en quelque façon, juger que je voulais au moins retenir mes *bénéfices, puisque j'en voulais prendre soin.

Je partis dès le lendemain, pour aller affermer Buzay [1], qui n'est qu'à cinq lieues de Machecoul. Je traitai avec un marchand de Nantes, appelé Jucatières, qui prit avantage de ma précipitation, et qui, moyennant quatre mille écus comptants qu'il me donna, conclut un marché qui a fait sa fortune. Je crus avoir quatre millions. J'étais sur le point de m'assurer d'une de ces flûtes hollandaises qui sont toujours à la rade de Rais, lorsqu'il arriva un accident qui rompit toutes mes mesures.

Mlle de Rais (car elle avait pris ce nom depuis le mariage de sa sœur) avait les plus beaux yeux du monde ; mais ils n'étaient jamais si beaux que quand ils mouraient, et je n'en ai jamais vu à qui la langueur donnât tant de grâces. Un jour que nous dînions chez une dame du pays, à une lieue de Machecoul, en se regardant dans un miroir qui était dans la *ruelle, elle montra tout ce que la *morbidezza* [2] des Italiens a de plus tendre, de plus animé et de plus touchant. Mais par malheur elle ne prit pas garde que Palluau, qui a depuis été le maréchal de Clérembault, était au point de

vue du miroir. Il le remarqua, et comme il était fort attaché
à Mme de Rais, avec laquelle, étant fille, il avait eu beaucoup
de commerce, il ne manqua pas de lui en rendre un compte
fidèle, et il m'assura même, à ce qu'il m'a dit lui-même
depuis, que ce qu'il avait vu ne pouvait pas être un original[1].

Mme de Rais, qui haïssait mortellement sa sœur, en
avertit, dès le soir même, monsieur son père, qui ne manqua
pas d'en donner part au mien. Le lendemain, l'ordinaire de
Paris arriva ; l'on feignit d'avoir reçu des lettres bien
pressantes ; l'on dit un adieu aux dames fort léger et fort
public. Mon père me mena coucher à Nantes. Je fus, comme
vous le pouvez juger, et fort surpris et fort touché. Je ne
savais pas à quoi attribuer la promptitude de ce départ ; je
ne pouvais me reprocher aucune imprudence ; je n'avais pas
le moindre doute que Palluau eût pu avoir rien vu. Je fus
un peu éclairci à Orléans, où mon [père[a]], appréhendant
que je ne m'échappasse, ce que j'avais vainement tenté
plusieurs fois dès Tours, se saisit de ma cassette, où était
mon argent. Je connus, par ce procédé, que j'avais été
pénétré, et j'arrivai à Paris avec la douleur que vous pouvez
vous imaginer.

Je trouvai Ecquilly, oncle de Vassé et mon cousin germain,
que j'ose assurer avoir été le plus *honnête homme de son
siècle. Il avait vingt ans plus que moi, mais il ne laissait pas
de m'aimer chèrement. Je lui avais communiqué, avant mon
départ, la pensée que j'avais d'enlever Mlle de Rais, et il
l'avait fort approuvée, non seulement parce qu'il la trouvait
fort avantageuse pour moi, mais encore parce qu'il était
persuadé que la double alliance était nécessaire pour assurer
l'*établissement de la maison. L'événement qui porte aujour-
d'hui notre nom dans une famille étrangère marque qu'il
était assez bien fondé[2]. Il me promit de nouveau de me
servir de toute chose en cette occasion. Il me prêta douze
cents écus, qui était tout ce qu'il avait d'argent comptant.
J'en pris trois mille du président Barillon. Ecquilly manda
de Provence le pilote de sa galère, qui était homme de main
et de sens. Je m'ouvris de mon dessein à Mme la comtesse
de Sault, qui a été depuis Mme de Lesdiguières.

....

Ce nom m'oblige à interrompre le fil de mon discours, et vous en verrez les raisons dans la suite.

Je querellai Praslin à propos de rien : nous nous battîmes *duel* dans le bois de Boulogne, après avoir eu des peines incroyables à nous échapper de ceux qui nous voulaient arrêter. Il me donna un fort grand coup d'épée dans la gorge : je lui en donnai un, qui n'était pas moindre, dans le bras. Meillancour, écuyer de mon frère, qui me servait de second, et qui avait été blessé dans le petit *ventre et désarmé, et le chevalier Du Plessis, second de Praslin, nous vinrent séparer. Je n'oubliai rien pour faire éclater ce combat, jusques au point d'avoir aposté des témoins ; mais l'on ne peut forcer le destin, et l'on ne songea pas seulement à en informer.

....

« En ce cas-là, croyez-vous, me dit-il, qu'un attachement à une fille de cette sorte puisse vous empêcher de tomber dans un inconvénient où Monsieur de Paris, votre oncle, est tombé, beaucoup plus par la bassesse de ses inclinations que par le dérèglement de ses mœurs[1] ? Il en est des ecclésiastiques comme des femmes, qui ne peuvent jamais conserver de dignité dans la *galanterie que par le mérite de leurs amants. Où est celui de Mlle de Roche, hors sa beauté ? Est-ce une excuse suffisante pour un abbé dont la première prétention est l'archevêché de Paris ? Si vous prenez l'épée, comme je le crois, à quoi vous exposez-vous ? Pouvez-vous répondre de vous-même à l'égard d'une fille aussi brillante et aussi belle qu'elle est[2] ? Dans six semaines, elle ne sera plus enfant ; elle sera *sifflée par Epineuil[a], qui est un vieux renard, et par sa mère, qui paraît avoir de l'entendement. Que savez-vous ce qu'une beauté comme celle-là, qui sera bien instruite, vous pourra mettre dans l'esprit ? »

....

M. le cardinal de Richelieu haïssait au dernier point Mme la princesse de Guémené, parce qu'il était persuadé qu'elle avait traversé l'inclination qu'il avait pour la Reine[3], et qu'elle avait même été de part à la pièce que Mme Du Fargis, dame d'atour, lui fit quand elle porta à la reine mère, Marie de Médicis, une lettre d'amour qu'il avait écrite à la Reine sa belle-fille. Cette haine de M. le cardinal de Richelieu avait passé jusqu'au point d'avoir voulu obliger pour se venger M. le maréchal de Brézé, son beau-frère et capitaine des gardes du corps, à rendre publiques les lettres de Mme de Guémené, qui avaient été trouvées dans la cassette de M. de Montmorency, lorsqu'il fut pris à Castelnaudary[1] ; mais le maréchal de Brézé eut ou l'*honnêteté ou la franchise de les rendre à Mme de Guémené. Il était pourtant fort extravagant ; mais comme M. le cardinal de Richelieu s'était trouvé autrefois honoré, en quelque façon, de son alliance, et qu'il craignait même ses emportements et ses *prôneries auprès du Roi, qui avait quelque sorte d'inclination pour lui, il le souffrait dans la vue de se donner à lui-même quelque repos dans sa famille, qu'il souhaitait avec passion d'établir et d'unir. Il pouvait tout en France, à la réserve de ce dernier point ; car M. le maréchal de Brézé avait pris une si forte aversion pour M. de La Meilleraye, qui était grand maître de l'artillerie en ce temps-là, et qui a été depuis le maréchal de La Meilleraye, qu'il ne le pouvait souffrir. Il ne pouvait se mettre dans l'esprit que M. le cardinal de Richelieu dût seulement songer à un homme qui était vraiment son cousin germain, mais qui n'avait apporté dans son alliance qu'une roture fort connue, la plus petite mine du monde, et un mérite, à ce qu'il publiait, fort commun.

M. le cardinal de Richelieu n'était pas de ce sentiment. Il croyait, et avec raison, beaucoup de cœur à M. de La Meilleraye ; il estimait même sa capacité dans la guerre infiniment au-dessus de ce qu'elle méritait, quoique en effet elle ne fût pas méprisable. Enfin il le destinait à la place que nous avons vu avoir été tenue depuis si glorieusement par M. de Turenne[2].

Vous jugez assez, par ce que je viens de vous dire, de la brouillerie du dedans de la maison de M. le cardinal de Richelieu, et de l'intérêt qu'il avait à la démêler. Il y travailla avec application et il ne crut pas y pouvoir mieux réussir qu'en réunissant ces deux chefs de cabale dans une *confiance qu'il n'eut pour personne et qu'il eut uniquement pour eux deux. Il les mit, pour cet effet, en commun et par indivis, dans la confidence de ses *galanteries, qui en vérité ne répondaient en rien à la grandeur de ses actions, ni à l'éclat de sa vie ; car Marion de Lorme, qui était un peu moins qu'une prostituée, fut un des objets de son amour, et elle le sacrifia à Des Barreaux. Mme de Fruges, que vous voyez traînante dans les cabinets, sous le nom de vieille femme, en fut un autre. La première venait chez lui la nuit ; il allait aussi la nuit chez la seconde, qui était déjà un reste de Buchinchan et de L'Epienne ? Ces deux confidents, qui avaient fait entre eux une paix fourrée, l'y menaient en habit de couleur ; Mme de Guémené faillit d'être la victime de cette paix fourrée.

M. de La Meilleraye, que l'on appelait le Grand Maître, était devenu amoureux d'elle ; mais elle ne l'était nullement de lui. Comme il était, et par son naturel et par sa faveur, l'homme du monde le plus impérieux, il trouva fort mauvais que l'on ne l'aimât pas. Il s'en plaignit, l'on n'en fut point touchée ; il menaça, l'on s'en moqua. Il crut le pouvoir, parce que Monsieur le Cardinal, auquel il avait dit rage contre Mme de Guémené, avait enfin obligé M. de Brézé à lui mettre entre les mains les lettres écrites à M. de Montmorency [1], desquelles je vous ai tantôt parlé, et il les avait données au Grand Maître, qui, dans les secondes menaces, en laissa échapper quelque chose à Mme de Guémené. Elle ne s'en moqua plus, mais elle faillit à en enrager. Elle tomba dans une *mélancolie qui n'est pas imaginable, tellement que l'on ne la reconnaissait point. Elle s'en alla à Couperay, où elle ne voulut voir personne.

....

Dès que j'eus pris la résolution de me mettre à l'étude, j'y pris aussi celle de reprendre les *errements de M. le cardinal de Richelieu [2] ; et quoique mes proches mêmes s'y opposassent, dans l'opinion que cette matière n'était bonne que pour des *pédants, je suivis mon dessein : j'entrepris la carrière, et je l'ouvris avec succès. Elle a été remplie depuis par toutes les personnes de qualité de la même profession. Mais comme je fus le premier depuis M. le cardinal de Richelieu, ma pensée lui plut ; et cela, joint aux bons offices que Monsieur le Grand Maître me rendait tous les jours auprès de lui, fit qu'il parla avantageusement de moi en deux ou trois occasions, qu'il témoigna un étonnement obligeant de ce que je ne lui avais jamais fait la cour, et qu'il ordonna même à M. de Lingendes, qui a été depuis évêque de Mâcon, de me mener chez lui.

Voilà la source de ma première disgrâce ; car au lieu de répondre à ses avances et aux instances que Monsieur le Grand Maître me fit pour m'obliger à lui aller faire ma cour, je ne les payai toutes que de très *méchantes excuses. Je fis le malade, j'allai à la campagne ; enfin j'en fis assez pour laisser voir que je ne voulais point m'attacher à M. le cardinal de Richelieu, qui était un très grand homme, mais qui avait au souverain degré le faible de ne point mépriser les petites choses. Il le témoigna en ma personne ; car l'histoire de *La Conjuration de Jean-Louis de Fiesque,* que j'avais faite à dix-huit ans [1], ayant échappé, en ce temps-là, des mains de Lauzières, à qui je l'avais confiée seulement pour la lire, et ayant été portée à M. le cardinal de Richelieu par Boisrobert, il dit tout haut, en présence du maréchal d'Estrées et de Senneterre : « Voilà un dangereux esprit. » Le second le dit, dès le soir même, à mon père, et je me le tins comme dit à moi-même. Je continuai cependant, par ma propre *considération, la conduite que je n'avais prise jusque-là que par celle de la haine personnelle que Mme de Guémené avait contre Monsieur le Cardinal.

preaching Le succès que j'eus dans les actes de Sorbonne me donna du goût pour ce genre de réputation. Je la voulus pousser plus loin, et je m'imaginai que je pourrais réussir dans les sermons. On me conseillait de commencer par de petits couvents, où je m'accoutumerais peu à peu. Je fis tout le contraire. Je prêchai l'Ascension, la Pentecôte, la Fête-Dieu dans les Petites-Carmélites, en présence de la Reine et de toute la cour ; et cette audace m'attira un second éloge de la part de M. le cardinal de Richelieu ; car, comme on lui eut dit que j'avais bien fait, il répondit : « Il ne faut pas juger des choses par l'événement ; c'est un téméraire. » J'étais, comme vous voyez, assez occupé pour un homme de vingt-deux ans.

....

Monsieur le Comte, qui avait pris une très grande amitié pour moi, et pour le service et la personne duquel j'avais pris un très grand attachement, partit de Paris, la nuit, pour s'aller jeter dans Sedan [2], dans la crainte qu'il eut d'être arrêté. Il m'envoya quérir sur les dix heures du soir. Il me

dit son dessein. Je le suppliai avec instance qu'il me permît
d'avoir l'honneur de l'accompagner. Il me le défendit
expressément ; mais il me confia Vanbroc, un joueur de
luth flamand, et qui était l'homme du monde à qui il se
confiait le plus. Il me dit qu'il me le donnait en garde, que
je le cachasse chez moi, et que je ne le laissasse sortir que la
nuit. J'exécutai fort bien de ma part tout ce qui m'avait été
ordonné ; car je mis Vanbroc dans une soupente, où il eût
fallu être chat ou diable pour le trouver. Il ne fit pas si bien
de son côté ; car il fut découvert par le concierge de l'hôtel
de Soissons, au moins à ce que j'ai toujours soupçonné ; et
je fus bien étonné qu'un matin, à six heures, je vis toute
ma chambre pleine de gens armés, qui m'éveillèrent en
jetant la porte en dedans. Le prévôt de l'Ile[1] s'avança, et il
me dit en jurant : « Où est Vanbroc ? — A Sedan, je crois »,
lui répondis-je. Il redoubla ses jurements et il chercha dans
la paillasse de tous les lits. Il menaça tous mes gens de la
question : aucun d'eux, à la réserve d'un seul, ne lui en
put dire de nouvelles. Ils ne s'avisèrent pas de la soupente,
qui dans la vérité n'était pas reconnaissable, et ils sortirent
très peu satisfaits. Vous pouvez croire qu'une note de cette
nature se pouvait appeler pour moi, à l'égard de la cour,
une nouvelle *contusion[a]. En voici une autre.

La licence de Sorbonne expira[2] ; il fut question de donner
les lieux, c'est-à-dire déclarer publiquement, au nom de
tout le corps, lesquels ont le mieux fait dans leurs actes ; et
cette déclaration se fait avec de grandes cérémonies. J'eus la
vanité de prétendre le premier lieu, et je ne crus pas le
devoir céder à l'abbé de La Mothe-Houdancourt, qui est
présentement l'archevêque d'Auch, et sur lequel il est vrai
que j'avais eu quelques avantages dans les *disputes.

M. le cardinal de Richelieu, qui faisait l'honneur à cet
abbé de le reconnaître pour son parent, envoya en Sorbonne
le grand prieur de La Porte, son oncle, pour le recommander.
Je me conduisis, dans cette occasion, mieux qu'il n'appartenait à mon âge ; car aussitôt que je le sus, j'allai trouver M.
de Raconis, évêque de Lavaur, pour le prier de dire à
Monsieur le Cardinal que, comme je savais le respect que je
lui devais, je m'étais désisté de ma prétention aussitôt que
j'avais appris qu'il y prenait part. Monsieur de Lavaur me
vint retrouver, dès le lendemain matin, pour me dire que

Monsieur le Cardinal ne prétendait point que M. l'abbé de
La Mothe eût l'obligation du lieu à ma cession, mais à son
mérite, auquel on ne pouvait le refuser. La réponse m'outra ;
je ne répondis que par un *souris et par une profonde
révérence. Je suivis ma *pointe, et j'emportai le premier lieu
de quatre-vingt-quatre voix. M. le cardinal de Richelieu, qui
voulait être maître partout et en toutes choses, s'emporta
jusqu'à la puérilité ; il menaça les députés de la Sorbonne
de raser ce qu'il avait commencé d'y bâtir¹, et il fit mon
éloge, tout de nouveau, avec une aigreur incroyable.

Toute ma famille s'épouvanta. Mon père et ma tante
de Maignelais, qui se joignaient ensemble, la Sorbonne,
Vanbroc ª, Monsieur le Comte, mon frère, qui était parti la
même nuit, Mme de Guémené, à laquelle ils voyaient
bien que j'étais fort attaché, souhaitaient avec passion de
m'éloigner et de m'envoyer en Italie. J'y allai, et je demeurai
à Venise jusques à la mi-août, et il ne tint pas à moi de
m'y faire assassiner². Je m'amusai à vouloir faire *galanterie
à la signora Vendranina, noble Vénitienne, et qui était une
des personnes du monde les plus jolies. Le président de
Maillier, ambassadeur pour le Roi, qui savait le péril qu'il y
a, en ce pays-là, pour ces sortes d'aventures, me commanda
d'en sortir. Je fis le tour de la Lombardie, et je me rendis à
Rome sur la fin de septembre. M. le maréchal d'Estrées y
était ambassadeur. Il me fit des leçons sur la manière dont
je devais vivre, qui me persuadèrent ; et quoique je n'eusse
aucun dessein d'être d'Église, je me résolus, à tout hasard,
d'acquérir de la réputation dans une cour ecclésiastique où
l'on me verrait avec la soutane.

J'exécutai fort bien ma résolution. Je ne laissai pas la
moindre ombre de débauche ou de *galanterie : je fus
modeste au dernier point dans mes habits ; et cette modestie,
qui paraissait dans ma personne, était relevée par une très
grande dépense, par de belles *livrées, par un équipage fort
*leste, et par une suite de sept ou huit gentilshommes, dont
il y en avait quatre chevaliers de Malte. Je *disputai dans
les Ecoles de Sapience³, qui ne sont pas à beaucoup près si
savantes que celles de Sorbonne ; et la fortune contribua
encore à me relever.

Le prince de Schemberg, ambassadeur d'obédience de
l'Empire, m'envoya dire, un jour que je jouais au ballon

dans les thermes de l'empereur Antonin [1], de lui quitter la place. Je lui fis répondre qu'il n'y avait rien que je n'eusse rendu à Son Excellence, si elle me l'eût demandé par civilité ; mais puisque c'était un ordre, j'étais obligé de lui dire que je n'en pouvais recevoir d'aucun ambassadeur que de celui du Roi mon maître. Comme il insista et qu'il m'eut fait dire, pour la seconde fois, par un de ses estafiers, de sortir du jeu, je me mis sur la défensive ; et les Allemands, plus par mépris, à mon sens, du peu de gens que j'avais avec moi, que par autre considération, ne poussèrent pas l'affaire. Ce coup, porté par un abbé tout modeste à un ambassadeur qui marchait toujours avec cent mousquetaires à cheval, fit un très grand éclat à Rome, et si grand que Roze, que vous voyez secrétaire du cabinet, et qui était ce jour-là dans le jeu du ballon, dit que feu M. le cardinal Mazarin en eut, dès ce jour, l'imagination saisie, et qu'il lui en a parlé, depuis, plusieurs fois.

....

La santé de M. le cardinal de Richelieu commençait à s'affaiblir et à laisser, par conséquent, quelques vues de possibilité à prétendre à l'archevêché de Paris. Monsieur le Comte, qui avait pris quelque teinture de *dévotion dans la retraite de Sedan, et qui sentait du scrupule de posséder, sous le nom de *custodi nos* [2], plus de cent mille livres de rente en *bénéfices, avait écrit à mon père qu'aussitôt qu'il serait en état d'en faire agréer à la cour sa démission en ma faveur, il me les remettrait entre les mains. Toutes ces considérations jointes ensemble ne me firent pas tout à fait perdre la résolution de quitter la soutane ; mais elles la suspendirent. Elles firent plus : elles me firent prendre celle de ne la quitter qu'à bonnes enseignes et par quelques grandes actions ; et comme je ne les voyais ni proches, ni certaines, je résolus de me signaler dans ma profession et de toutes les manières. Je commençai par une très grande retraite, j'étudiais presque tout le jour, je ne voyais que fort peu de monde, je n'avais presque plus d'habitudes avec toutes les femmes, hors Mme de Guéméné.

....

[a] ...était à la *ruelle du lit ; mais ce qui y fut le plus

merveilleux, est que l'on le plaignit dans le plus tendre du raccommodement. Il faudrait un volume pour *déduire toutes les façons dont cette histoire fut ornée. Une des plus simples fut qu'il fallut s'obliger, par serment, de laisser à la belle un mouchoir sur les yeux quand la chambre serait trop éclairée. Comme il ne pouvait couvrir que le visage, il n'empêcha pas de juger des autres beautés, qui, sans aucune exagération, passaient celles de la Vénus de Médicis, que je venais de voir tout fraîchement à Rome. J'en avais apporté la *stampe, et cette merveille du siècle d'Alexandre cédait à la vivante.

Le diable avait apparu justement quinze jours devant cette aventure, à Mme la princesse de Guémené, et il lui apparaissait souvent, évoqué par les conjurations de M. d'Andilly [1], qui le forçait, je crois, de faire peur à sa *dévote, de laquelle il était encore plus amoureux que moi, mais en Dieu et purement spirituellement [a]. J'évoquai, de mon côté, un démon, qui lui parut sous une forme plus bénigne et plus agréable ; il la retira au bout de six semaines du Port-Royal [2], où elle faisait de temps en temps des escapades plutôt que des retraites [3].

Je conduisis [b] ainsi l'Arsenal et la place Royale [4], et je charmais, par ce doux accord, le *chagrin que ma profession ne laissait pas de nourrir toujours dans le fond de mon âme. Il s'en fallut bien peu qu'il ne sortît de cet *enchantement une tempête qui eût fait changer de face à l'Europe, pour peu qu'il eût plu à la destinée d'être de mon avis. M. le cardinal de Richelieu aimait la raillerie, mais il ne la pouvait souffrir ; et toutes les personnes de cette humeur ne l'ont jamais que fort aigre. Il en fit une de cette nature, en plein *cercle, à Mme de Guémené ; et tout le monde remarqua qu'il voulait me désigner. Elle en fut outrée, et moi plus qu'elle ; car enfin il s'était contracté une certaine espèce de *ménage entre elle et moi, qui avait souvent du mauvais ménage, mais dont toutefois les intérêts n'étaient pas séparés.

Au même temps, Mme de La Meilleraye [c] plut à Monsieur le Cardinal, et au point que le maréchal s'en était aperçu devant même qu'il partît pour l'armée. Il en avait fait la guerre à sa femme, et d'un air qui lui fit croire d'abord qu'il était encore plus jaloux qu'ambitieux. Elle le craignait terriblement ; elle n'aimait point Monsieur le Cardinal, qui, en la mariant avec son cousin, avait, à la vérité, dépouillé sa maison, de laquelle elle était idolâtre [1]. Il était d'ailleurs encore plus vieux par ses incommodités que par son âge ; il est vrai de plus que, n'étant *pédant en rien, il l'était tout à fait en *galanterie [2]. Elle [a] m'avait dit le détail des avances qu'il lui avait faites, qui étaient effectivement ridicules ; mais comme il les continua jusques au point de lui faire faire des séjours, de temps même considérable, à Rueil, où il faisait le sien ordinaire, je m'aperçus que la petite cervelle de la demoiselle [b] ne résisterait pas longtemps au brillant de la faveur, et que la jalousie du maréchal céderait bientôt un peu à son intérêt, qui ne lui était pas indifférent, et pleinement à sa faiblesse pour la cour, qui n'a jamais eu d'égale.

J'étais dans les premiers feux [c] du plaisir, qui, dans la jeunesse, se prennent aisément pour les premiers feux de l'amour, et j'avais trouvé tant de satisfaction à triompher du cardinal de Richelieu, dans un champ de bataille aussi beau que celui de l'Arsenal [3], que je me sentis de la rage dans le plus intérieur de mon âme, aussitôt que je reconnus qu'il y avait du changement dans toute la famille. Le mari consentait [d] et désirait que l'on allât très souvent à Rueil ; la femme ne me faisait plus que des confidences qui paraissaient assez souvent fausses ; enfin la colère de Mme de Guémené, dont je vous ai dit le sujet ci-dessus, la jalousie que j'eus pour Mme de La Meilleraye, mon aversion pour ma profession, s'unirent ensemble dans un moment fatal, et faillirent à produire un des plus grands et des plus fameux événements de notre siècle [4].

La Rochepot, mon cousin germain et mon ami intime, était *domestique de feu M. le duc d'Orléans, et extrêmement dans sa confidence. Il haïssait cordialement M. le cardinal de Richelieu, et parce qu'il était fils de Mme Du Fargis, persécutée et mise en effigie par ce ministre [5], et parce que, tout de nouveau, Monsieur le Cardinal, qui tenait son père encore prisonnier à la Bastille, avait refusé l'agrément du régiment de Champagne pour lui à M. le maréchal de La Meilleraye, qui avait une estime particulière pour sa valeur. Vous pouvez croire que nous faisions souvent ensemble le

panégyrique du Cardinal, et des invectives contre la faiblesse
de Monsieur, qui, après avoir engagé Monsieur le Comte à
sortir du royaume et à se retirer à Sedan, sous la parole
qu'il lui donna de l'y venir joindre, était revenu de Blois[1]
honteusement à la cour.

Comme j'étais aussi plein des sentiments que je vous viens
de marquer, que La Rochepot l'était de ceux que l'état de
sa maison et de sa personne lui devait donner, nous entrâmes
aisément dans les mêmes pensées, qui furent de nous servir
de la faiblesse de Monsieur pour exécuter ce que la hardiesse
de ses *domestiques fut sur le point de lui faire faire à
Corbie, dont il faut, pour plus d'éclaircissements, vous
entretenir un moment.

Les ennemis étant entrés en Picardie[2], sous le commandement de M. le prince Thomas de Savoie et de Piccolomini,
le Roi y alla en personne, et il y mena Monsieur son frère
pour général de son armée et Monsieur le Comte pour
lieutenant général. Ils étaient l'un et l'autre très mal avec
M. le cardinal de Richelieu, qui ne leur donna cet emploi
que par la pure nécessité des affaires, et parce que les
Espagnols, qui menaçaient le cœur du royaume, avaient déjà
pris Corbie, La Capelle et Le Catelet. Aussitôt qu'ils furent
retirés dans les Pays-Bas et que le Roi eut repris Corbie, l'on
ne douta point que l'on ne cherchât les moyens de perdre
Monsieur le Comte, qui avait donné beaucoup de jalousie
au ministre par son courage, par sa civilité, par sa dépense ;
qui était intimement bien avec Monsieur, et qui avait surtout
commis le crime capital de refuser le mariage de [Mme][a]
d'Aiguillon[3]. L'Epinay, Montrésor, La Rochepot n'oublièrent
rien pour donner à Monsieur, par l'appréhension, le courage
de se défaire du Cardinal ; Saint-Ibar, Varicarville, Bardouville et Beauregard, père de celui qui est à moi, le
persuadèrent à Monsieur le Comte.

La chose fut résolue, mais elle ne fut pas exécutée. Ils
eurent le Cardinal dans leurs mains à Amiens, et ils ne lui
firent rien. Je n'ai jamais pu savoir pourquoi : je leur en ai
ouï parler à tous, et chacun rejetait la faute sur son
compagnon. Je ne sais, dans la vérité, ce qui en est[4]. Ce
qui est vrai est qu'aussitôt qu'ils furent à Paris, la frayeur
les saisit. Monsieur le Comte, que tout le monde convint

avoir été le plus ferme de tous les conjurés d'Amiens, se
retira à Sedan, qui était, en ce temps-là, en souveraineté à
M. de Bouillon[1]. Monsieur alla à Blois ; et M. de Rais, qui
n'était pas de l'entreprise d'Amiens, mais qui était fort
attaché à Monsieur le Comte, partit la nuit en poste de
Paris, et il se jeta dans Belle-Ile. Le Roi envoya à Blois M.
le comte de Guiche, qui est présentement M. le maréchal
de Gramont, et M. de Chavigny, secrétaire d'Etat et
confidentissime du Cardinal. Ils firent peur à Monsieur, et
ils le ramenèrent à Paris, où il avait encore plus de peur ;
car ceux qui étaient à lui dans sa maison, c'est-à-dire ceux
de ses *domestiques qui n'étaient pas gagnés par la cour,
ne manquaient pas de le prendre par cet endroit, qui était
son faible, pour l'obliger de penser à sa sûreté ou plutôt à
la leur. Ce fut de ce penchant où nous crûmes, La Rochepot
et moi, que nous le pourrions précipiter dans nos pensées.
L'expression est bien irrégulière, mais je n'en trouve point
qui marque plus naturellement le *caractère d'un esprit
comme le sien. Il pensait tout et il ne voulait rien ; et
quand par hasard il voulait quelque chose, il fallait le pousser
en même temps, ou plutôt le jeter, pour le lui faire exécuter.

La Rochepot fit tous les efforts possibles, et comme il vit
que l'on ne répondait que par des remises, et par des
impossibilités que l'on trouvait à tous les expédients qu'il
proposait, il s'avisa d'un moyen qui était assurément hasardeux, mais qui, par un sort assez commun aux actions
extraordinaires, l'était beaucoup moins qu'il ne le paraissait.

M. le cardinal de Richelieu devait tenir sur les fonts
Mademoiselle, qui, comme vous pouvez juger, était baptisée
il y avait longtemps ; mais les cérémonies du baptême
n'avaient pas été faites. Il devait venir, pour cet effet, au
Dôme[2], où Mademoiselle logeait, et le baptême se devait
faire dans sa chapelle. La proposition de La Rochepot fut de
continuer de faire voir à Monsieur, à tous les moments du
jour, la nécessité de se défaire du Cardinal ; de lui parler
moins qu'à l'ordinaire du détail de l'action, afin d'en moins
hasarder le secret ; de se contenter de l'en entretenir en
général, et pour l'y accoutumer et pour lui pouvoir dire en
temps et lieu que l'on ne la lui avait pas celée ; que l'on
avait plusieurs expériences qu'il ne pouvait lui-même être
servi qu'en cette manière ; qu'il l'avait lui-même avoué

mainte fois à lui La Rochepot ; qu'il n'y avait donc qu'à
s'associer de braves gens qui fussent capables d'une action
déterminée ; qu'à poster des relais, sous le prétexte d'un
enlèvement, sur le chemin de Sedan ; qu'à exécuter la chose
au nom de Monsieur et en sa présence, dans la chapelle, le
jour de la cérémonie ; que Monsieur l'*avouerait de tout
son cœur dès qu'elle serait exécutée, et que nous le mènerions
de ce pas sur nos relais à Sedan, dans un intervalle où
l'abattement des sous-ministres [1], joint à la joie que le Roi
aurait d'être délivré de son tyran [2], aurait laissé la cour en
état de songer plutôt à le *rechercher qu'à le poursuivre. Voilà
la vue de La Rochepot, qui n'était nullement impraticable, et
je le sentis par l'effet que la possibilité prochaine fit dans
mon esprit, tout différent de celui que la simple *spéculation
y avait produit.

J'avais blâmé, peut-être cent fois, avec La Rochepot,
l'inaction de Monsieur et celle de Monsieur le Comte à
Amiens. Aussitôt que je me vis sur le point de la pratique,
c'est-à-dire sur le point de l'exécution de la même action
dont j'avais réveillé moi-même l'idée dans l'esprit de La
Rochepot, je sentis je ne sais quoi qui pouvait être une
peur. Je le pris pour un scrupule. Je ne sais si je me trompai ;
mais enfin l'*imagination d'un assassinat d'un prêtre, d'un
cardinal me vint à l'esprit. La Rochepot se moqua de moi,
et il me dit ces propres paroles : « Quand vous serez à la
guerre, vous n'enlèverez point de quartier, de peur d'y
assassiner des gens endormis. » J'eus honte de ma réflexion ;
j'embrassai le crime qui me parut consacré par de grands
exemples, justifié et honoré par le grand péril. Nous prîmes
et nous concertâmes notre résolution. J'engageai, dès le soir,
Lannoy, que vous voyez à la cour sous le nom de marquis
de Piennes. La Rochepot s'assura de La Frette, du marquis
de Boisy, de L'Estourville, qu'il savait être attachés à
Monsieur et enragés contre le Cardinal. Nous fîmes nos
préparatifs. L'exécution était sûre, le péril était grand pour
nous ; mais nous pouvions raisonnablement espérer d'en
sortir, parce que la garde de Monsieur, qui était dans le
logis, nous eût infailliblement soutenus contre celle du
Cardinal, qui ne pouvait être qu'à la porte. La fortune, plus
forte que sa garde, le tira de ce pas. Il tomba malade, ou lui
ou Mademoiselle, je ne m'en ressouviens pas précisément [3]. La

cérémonie fut différée : il n'y eut point d'occasion. Monsieur s'en retourna à Blois, et le marquis de Boisy nous déclara qu'il ne nous découvrirait jamais ; mais qu'il ne pouvait plus être de cette partie, parce qu'il venait de recevoir une je ne sais quelle grâce de Monsieur le Cardinal.

Je vous confesse que cette entreprise, qui nous eût comblés de gloire si elle nous eût réussi, ne m'a jamais plu. Je n'en ai pas le même scrupule que des deux fautes que je vous ai marqué ci-dessus avoir commises contre la morale[1] ; mais je voudrais toutefois de tout mon cœur n'en avoir jamais été. L'ancienne Rome l'aurait estimée ; mais ce n'est pas par cet endroit que j'estime l'ancienne Rome[2].

Je[a] ressens, avec tant de reconnaissance et avec tant de tendresse, la bonté que vous avez de vouloir bien être informée de mes actions, que je ne me puis empêcher de vous rendre compte de toutes mes pensées ; et je trouve un plaisir incroyable à les aller chercher dans le fond de mon âme, à vous les apporter et à vous les soumettre.

Il y a assez souvent de la folie à conjurer ; mais il n'y a rien de pareil pour faire les gens sages dans la suite, au moins pour quelque temps : comme le péril, en ces sortes d'affaires, dure même après l'occasion, l'on est prudent et circonspect dans les moments qui la suivent.

Le comte de La Rochepot, voyant que notre coup était manqué, se retira à Commercy, qui était à lui, pour sept ou huit mois. Le marquis de Boisy alla trouver le duc de Rouanné, son père, en Poitou ; Piennes, La Frette et L'Estourville prirent le chemin de leurs maisons. Mes attachements me retinrent à Paris, mais si *serré et si modéré, que j'étudiais tout le jour, et que le peu que je paraissais laissait toutes les apparences d'un bon ecclésiastique. Nous les gardâmes si bien les uns et les autres, que l'on n'eut jamais le moindre vent de cette entreprise dans le temps de M. le cardinal de Richelieu, qui a été le ministre du monde le mieux averti. L'imprudence de La Frette et de L'Estourville fit qu'elle ne fut pas secrète après sa mort. Je dis leur imprudence ; car il n'y a rien de plus malhabile que de se faire croire capable des choses dont les exemples sont à craindre.

La déclaration de Monsieur le Comte nous tira, quelque temps après, de nos tanières, et nous nous réveillâmes au

rare ambition needed for leader of faction
resol^n + j

bruit de ses trompettes. Il faut reprendre son histoire un peu de plus loin.

Je vous ai marqué ci-dessus qu'il s'était retiré à Sedan, par la seule raison de sa sûreté, qu'il ne pouvait trouver à la cour. Il écrivit au Roi en y arrivant : il l'assura de sa fidélité, et il lui promit de ne rien entreprendre, dans le temps de son séjour en ce lieu, contre son service. Il est certain qu'il lui tint très fidèlement sa parole, que toutes les offres de l'Espagne et de l'Empire ne le touchèrent point, et qu'il rebuta même avec colère les conseils de Saint-Ibar et de Bardouville, qui le voulaient porter au mouvement. Campion, qui était son *domestique, et qu'il avait laissé à Paris pour y faire les affaires qu'il pouvait avoir à la cour, me disait tout ce détail par son ordre ; et je me souviens, entre autres, d'une lettre qu'il lui écrivait un jour, dans laquelle je lus ces propres paroles : « Les gens que vous connaissez n'oublient rien pour m'obliger à traiter avec les ennemis ; et ils m'accusent de faiblesse, parce que je redoute les exemples de Charles de Bourbon et de Robert d'Artois. »[1] Campion avait ordre de me faire voir cette lettre et de m'en demander mon sentiment. Je pris la plume au même instant, et j'écrivis, en un petit endroit de la réponse qu'il avait commencée : « Et moi je les accuse de folie. » Ce fut le propre jour que je partis pour aller en Italie. Voici la raison de mon sentiment.

Monsieur le Comte avait toute la hardiesse du cœur que l'on appelle communément vaillance, au plus haut point qu'un homme la puisse avoir ; et il n'avait pas, même dans le degré le plus commun, la hardiesse de l'esprit, qui est ce que l'on nomme résolution. La première est ordinaire et même vulgaire ; la seconde est même plus rare que l'on ne se le peut imaginer : elle est toutefois encore plus nécessaire que l'autre pour les grandes actions ; et y a-t-il une action plus grande au monde que la conduite d'un parti ? Celle d'une armée a, sans comparaison, moins de ressorts, celle d'un Etat en a davantage ; mais les ressorts n'en sont, à beaucoup près, ni si fragiles ni si délicats. Enfin je suis persuadé qu'il faut plus de grandes qualités pour former un bon chef de parti que pour faire un bon empereur de l'univers ; et que dans le rang des qualités qui le composent, la résolution marche du pair avec le jugement : je dis avec le jugement héroïque, dont le principal usage est de distinguer l'extraordinaire de l'impossible. Monsieur le Comte n'avait pas un *grain de cette sorte de jugement, qui ne se rencontre même que très rarement dans un grand esprit, mais qui ne se trouve jamais que dans un grand esprit. Le sien était *médiocre, et susceptible, par conséquent, des injustes défiances, qui est de tous les *caractères celui qui est le plus opposé à un bon chef de parti, dont la qualité la plus souvent et la plus indispensablement praticable est de supprimer en beaucoup d'occasions et de cacher en toutes les soupçons même les plus légitimes.

Voilà ce qui m'obligea à n'être pas de l'avis de ceux qui voulaient que Monsieur le Comte fît la guerre civile. Varicarville, qui était le plus sensé et le moins emporté de toutes les personnes de qualité qui étaient auprès de Monsieur le Comte, m'a dit depuis que, quand il vit ce que j'avais écrit dans la lettre de Campion, le jour que je partis pour aller en Italie, il ne douta pas des motifs qui m'avaient porté, contre mon inclination, à ce sentiment.

Monsieur le Comte se défendit, toute cette année et toute la suivante, des instances des Espagnols et des importunités des siens, beaucoup plus par les sages conseils de Varicarville que par sa propre force. Mais rien ne le put défendre des inquiétudes de M. le cardinal de Richelieu, qui lui faisait tous les jours faire, sous le nom du Roi, des éclaircissements fâcheux. Ce détail serait trop long à vous *déduire, et je me contenterai de vous marquer que le ministre, contre ses propres intérêts, précipita Monsieur le Comte dans la guerre civile, par des chicaneries que ceux qui sont favorisés à un certain point par la fortune ne manquent jamais de faire aux malheureux.

Comme les esprits commencèrent à s'aigrir plus qu'à l'ordinaire, Monsieur le Comte me commanda de faire un voyage secret à Sedan. Je le vis, la nuit, dans le château où il logeait ; je lui parlai en présence de M. de Bouillon, de Saint-Ibar, de Bardouville et de Varicarville ; et je trouvai que la véritable raison pour laquelle il m'avait mandé était le désir qu'il avait d'être éclairci, de bouche et plus en détail que l'on ne le peut être par une lettre, de l'état de Paris. Le compte que je lui en rendis ne put que lui être très agréable. Je lui dis, et il était vrai, qu'il y était aimé,

honoré, adoré, et que son ennemi y était redouté et abhorré.
M. de Bouillon, qui voulait en toutes façons la rupture, prit
cette occasion pour en *exagérer les avantages ; Saint-Ibar
l'appuya avec force ; Varicarville les combattit avec vigueur.

Je me sentais trop jeune pour dire mon avis. Monsieur le
Comte m'y força, et je pris la liberté de lui représenter
qu'un prince du sang doit plutôt faire la guerre civile que
de remettre rien ou de sa réputation ou de sa dignité ; mais
qu'aussi il n'y avait que ces deux considérations qui l'y
pussent judicieusement obliger, parce qu'il hasarde l'une et
l'autre par le mouvement, toutes les fois que l'une ou l'autre
ne le rend pas nécessaire ; qu'il me paraissait bien éloigné
de cette nécessité ; que sa retraite à Sedan le défendait des
bassesses auxquelles la cour avait prétendu de l'obliger : par
exemple, à celle de recevoir la main gauche dans la maison
même du Cardinal [1] ; que la haine que l'on avait pour le
ministre attachait même à cette retraite la faveur publique,
qui est toujours beaucoup plus assurée par l'inaction que
par l'action, parce que la gloire de l'action dépend du
*succès, dont personne ne se peut répondre ; et que celle
que l'on rencontre en ces matières dans l'inaction est toujours
sûre, étant fondée sur la haine dont le public ne se dément
jamais à l'égard du ministère ; qu'il serait, à mon opinion,
plus glorieux à Monsieur le Comte de se soutenir par son
propre poids, c'est-à-dire par celui de sa vertu, à la vue de
toute l'Europe, contre les artifices d'un ministre aussi puissant
que le cardinal de Richelieu ; qu'il lui serait, dis-je, plus
glorieux de se soutenir par une conduite sage et réglée, que
d'allumer un feu dont les suites étaient fort incertaines ;
qu'il était vrai que le ministère était en exécration, mais
que je ne voyais pourtant pas encore que l'exécration fût au
*période qu'il est nécessaire de prendre bien justement pour
les grandes *révolutions ; que la santé de Monsieur le
Cardinal commençait à recevoir beaucoup d'atteintes ; que
si il périssait par une maladie, Monsieur le Comte aurait
l'avantage d'avoir fait voir au Roi et au public qu'étant
aussi considérable qu'il était, et par sa personne et par
l'important poste de Sedan, il n'aurait sacrifié qu'au bien
et au repos de l'Etat ses propres ressentiments ; et que si la
santé de Monsieur le Cardinal se rétablissait, sa puissance
deviendrait aussi odieuse de plus en plus, et fournirait

infailliblement, par l'abus qu'il ne manquerait pas d'en faire, des occasions plus favorables au mouvement que celles qui s'y voyaient présentement.

Voilà à peu près ce que je dis à Monsieur le Comte. Il en parut touché. M. de Bouillon s'en mit en colère, il me dit même d'un ton de raillerie : « Vous avez le sang bien froid pour un homme de votre âge ». A quoi je lui répondis ces propres mots : « Tous les serviteurs de Monsieur le Comte vous sont si obligés, Monsieur, qu'ils doivent tout souffrir de vous ; mais il n'y a que cette considération qui m'empêche de penser, à l'heure qu'il est, que vous pouvez n'être pas toujours entre vos *bastions ». M. de Bouillon revint à lui ; il me fit toutes les *honnêtetés imaginables, et telles qu'elles furent le commencement de notre amitié. Je demeurai encore deux jours à Sedan, dans lesquels Monsieur le Comte changea cinq fois de résolution ; et Saint-Ibar me confessa, à deux reprises différentes, qu'il était difficile de rien espérer d'un homme de cette humeur. M. de Bouillon le détermina à la fin. L'on manda don Miguel de Salamanque, ministre d'Espagne ; l'on me chargea de travailler à gagner des gens dans Paris ; l'on me donna un ordre pour toucher de l'argent et pour l'employer à cet effet, et je revins de Sedan, chargé de plus de lettres qu'il n'en fallait pour faire faire le procès à deux cents hommes.

Comme je ne me pouvais pas reprocher de n'avoir pas parlé à Monsieur le Comte dans ses véritables intérêts, qui n'étaient pas assurément d'entreprendre une affaire dont il n'était pas capable, je crus que j'avais toute la liberté de songer à ce qui était des miens, que je trouvais même sensiblement dans cette guerre. Je haïssais ma profession et plus que jamais : j'y avais été jeté d'abord par l'entêtement de mes proches ; le destin m'y avait retenu par toutes les chaînes et du plaisir et du devoir ; je m'y trouvais et je m'y sentais lié d'une manière à laquelle je ne voyais presque plus d'issue. J'avais vingt-cinq ans passés, et je concevais aisément que cet âge était bien avancé pour commencer à porter le mousquet ; et ce qui me faisait le plus de peine était la réflexion que je faisais, qu'il y avait eu des moments dans lesquels j'avais, par un trop grand attachement à mes plaisirs, serré moi-même les chaînes par lesquelles il semblait que la fortune eût pris plaisir de m'attacher, malgré moi, à l'Eglise. Jugez, par l'état où ces pensées me devaient mettre, de la satisfaction que je trouvais dans une occasion qui me donnait lieu d'espérer que je pourrais trouver à cet embarras une issue, non pas seulement *honnête, mais illustre. Je pensai aux moyens de me distinguer : je les imaginai, je les suivis. Vous conviendrez qu'il n'y eut que la destinée qui rompit mes mesures.

MM. les maréchaux de Vitry et de Bassompierre, M. le comte de Cramail et MM. Du Fargis et Du Coudray-Montpensier étaient, en ce temps-là, prisonniers à la Bastille pour différents sujets. Mais comme la longueur adoucit toujours les prisons, ils y étaient traités avec beaucoup d'*honnêteté et même avec beaucoup de liberté. Leurs amis les allaient voir ; l'on dînait même quelquefois avec eux. L'occasion de M. Du Fargis, qui avait épousé une sœur de ma mère, m'avait donné *habitude avec les autres, et j'avais reconnu, dans la conversation de quelques-uns d'entre eux, des mouvements qui m'obligèrent à y faire réflexion. M. le maréchal de Vitry avait peu de sens, mais il était hardi jusques à la témérité ; et l'emploi qu'il avait eu de tuer le maréchal d'Ancre [1] lui avait donné dans le monde, quoique fort injustement à mon avis, un certain air d'affaire et d'exécution. Il m'avait paru fort animé contre le Cardinal, et je crus qu'il pourrait n'être pas inutile dans la conjoncture présente. Je ne m'adressai pas toutefois directement à lui ; et je crus qu'il serait plus à propos de sonder M. le comte de Cramail, qui avait de l'entendement, et qui avait tout pouvoir sur son esprit. Il m'entendit à demi-mot, et il me demanda d'*abord si je m'étais ouvert dans la Bastille à quelqu'un. Je lui répondis sans balancer : « Non, Monsieur, et je vous en dirai la raison en peu de mots. M. le maréchal de Bassompierre est trop causeur ; je ne compte rien sur M. le maréchal de Vitry que par vous ; la fidélité du Coudray m'est un peu suspecte ; et mon bon oncle Du Fargis est un bon et brave homme, mais il a le crâne étroit. — A qui vous fiez-vous dans Paris ? me dit d'un même fil M. le comte de Cramail. — A personne, Monsieur, lui repartis-je, qu'à vous seul. — Bon, reprit-il brusquement, vous êtes mon homme. J'ai quatre-vingts ans, vous n'en avez que vingt-cinq : je vous tempérerai et vous m'échaufferez ». Nous entrâmes en matière, nous fîmes notre plan ; et lorsque je le quittai, il me dit ces propres paroles : « Laissez-moi huit jours, je vous parlerai après plus décisivement, et j'espère que je ferai voir au Cardinal que je suis bon à autre chose qu'à faire *Les Jeux de l'inconnu* ». Vous remarquerez, s'il vous plaît, que ces *Jeux de l'inconnu* étaient un livre, à la vérité très mal fait, que le comte de Cramail avait mis au jour, et duquel M. le cardinal de Richelieu s'était fort moqué.

Vous vous étonnez sans doute de ce que, pour une affaire de cette nature, je jetai les yeux sur des prisonniers ; mais je me justifierai par la nature même de l'affaire, qui ne pouvait être en de meilleures mains, comme vous allez voir.

J'allai dîner, justement le huitième jour, avec M. le maréchal de Bassompierre qui, s'étant mis au jeu sur les trois heures avec Mme de Gravelle, aussi prisonnière, et avec le *bon homme Du Tremblay, gouverneur de la Bastille, nous laissa très naturellement M. le comte de Cramail et moi ensemble. Nous allâmes sur la terrasse ; et là M. le comte de Cramail, après m'avoir fait mille remerciements de la confiance que j'avais prise en lui et mille protestations de service pour Monsieur le Comte, me tint ce propre discours : « Il n'y a qu'un coup d'épée ou Paris qui puisse nous défaire du Cardinal. Si j'avais été de l'entreprise d'Amiens, je n'aurais pas fait, au moins à ce que je crois, comme ceux qui ont manqué leur coup. Je suis de celle de Paris, elle est immanquable. J'y ai bien pensé : voilà ce que j'ai ajouté à notre plan. » En finissant ce mot, il me coula dans la main un papier écrit de deux côtés, dont voici la substance : qu'il avait parlé à M. le maréchal de Vitry, qui était dans toutes les dispositions du monde de servir Monsieur le Comte ; qu'ils répondaient l'un et l'autre de se rendre maîtres de la Bastille, où toute la garnison était à eux ; qu'ils répondaient aussi de l'Arsenal ; qu'ils se déclareraient aussitôt que Monsieur le Comte aurait gagné une bataille, et à condition que je leur fisse voir, au préalable, comme je l'avais avancé à lui, comte de Cramail, qu'ils seraient soutenus par un nombre considérable d'officiers des *colonelles de Paris. Cet écrit contenait ensuite beaucoup d'observations sur le détail de la conduite de l'entreprise, et même beaucoup de conseils qui regardaient celle de Monsieur le Comte. Ce que j'y admirai le plus fut la facilité que ces messieurs eussent trouvée à l'exécution. Il fallait bien que la connaissance que j'avais du dedans de la Bastille, par l'*habitude que j'avais avec eux, me l'eût fait croire possible, puisqu'il m'était venu dans l'esprit de la leur proposer. Mais je vous confesse que quand j'eus examiné le plan de M. le comte de Cramail, qui était un homme de très grande expérience et de très bon sens, je faillis à tomber de mon haut, en voyant que des prisonniers disposaient de la Bastille avec la même liberté qu'eût pu prendre le gouverneur le plus autorisé dans sa place.

Comme toutes les circonstances extraordinaires sont d'un merveilleux poids dans les *révolutions populaires, je fis réflexion que celle-ci, qui l'était au dernier point, ferait un effet *admirable dans la ville, aussitôt qu'elle y éclaterait ; et comme rien n'anime et n'appuie plus un mouvement que le ridicule de ceux contre lesquels on le fait, je conçus qu'il nous serait aisé d'y tourner de tout point la conduite d'un ministre capable de souffrir que des prisonniers fussent en état de l'accabler, pour ainsi dire, sous leurs propres chaînes. Je ne perdis pas de temps dans les suites : je m'ouvris à feu M. d'Etampes, président du Grand Conseil, et à M. L'Ecuyer, présentement doyen de la Chambre des comptes, tous deux colonels et fort autorisés parmi le bourgeois ; et je les trouvai tels que Monsieur le Comte me l'avait dit : c'est-à-dire passionnés pour ses intérêts, et persuadés que le mouvement n'était pas seulement possible, mais qu'il était même facile. Vous remarquerez, s'il vous plaît, que ces deux *génies, très *médiocres, même dans leur profession, étaient d'ailleurs peut-être les plus pacifiques qui fussent dans le royaume. Mais il y a des feux qui embrasent tout : l'importance est d'en connaître et d'en prendre le moment.

Monsieur le Comte m'avait ordonné de ne me découvrir qu'à ces deux hommes dans Paris. J'y en ajoutai de moi-même deux autres dont l'un fut Parmentier, substitut du procureur général, et l'autre L'Epinay, auditeur de la Chambre des comptes. Parmentier était capitaine du quartier de Saint-Eustache, qui regarde la rue des Prouvelles, considérable par le voisinage des Halles. L'Epinay commandait comme lieutenant la compagnie qui les joignait du côté de Montmartre, et y avait beaucoup plus de crédit que le capitaine, qui d'ailleurs était son beau-frère. Parmentier, qui, par l'esprit et par le cœur, était aussi capable d'une grande action qu'homme que j'aie jamais connu, m'assura qu'il disposerait, à *coup^a près, de Brigalier, conseiller de la Cour des aides, capitaine de son quartier et très puissant dans le peuple. Mais il m'ajouta, en même temps, qu'il ne lui fallait parler de rien, parce qu'il était léger et sans secret.

Monsieur le Comte m'avait fait toucher douze mille écus par les mains de Duneau, l'un de ses secrétaires, sous je ne sais quel prétexte. Je les portai à ma tante de Maignelais, en lui disant que c'était une restitution qui m'avait été confiée par un de mes amis, à sa mort, avec ordre de l'employer moi-même au soulagement des pauvres qui ne mendiaient pas ; que comme j'avais fait serment sur l'Evangile de distribuer moi-même cette somme, je m'en trouvais extrêmement embarrassé, parce que je ne connaissais pas les gens, et que je la suppliais d'en vouloir bien prendre le soin. Elle fut ravie ; elle me dit qu'elle le ferait très volontiers ; mais que, comme j'avais promis de faire moi-même cette distribution, elle voulait absolument que j'y fusse présent, et pour demeurer fidèlement dans ma parole, et pour m'accoutumer moi-même aux œuvres de charité. C'était justement ce que je demandais, pour avoir lieu de me faire connaître à tous les nécessiteux de Paris. Je me laissais tous les jours comme traîner par ma tante dans des faubourgs et dans des greniers. Je voyais très souvent chez elle des gens bien vêtus, et connus même quelquefois, qui venaient à l'aumône secrète. La bonne femme ne manquait presque jamais de leur dire : « Priez bien Dieu pour mon neveu ; c'est lui de qui il lui a plu de se servir pour cette bonne œuvre. » Jugez de l'état où cela me mettait parmi les gens qui sont, sans comparaison, plus considérables que tous les autres dans les *émotions populaires. Les riches n'y viennent que par force ; les mendiants y nuisent plus qu'ils n'y servent, parce que la crainte du pillage les fait appréhender. Ceux qui y peuvent le plus sont les gens qui sont assez pressés dans leurs affaires pour désirer du changement dans les publiques, et dont la pauvreté ne passe toutefois pas jusques à la mendicité publique. Je me fis donc connaître à cette sorte de gens, trois ou quatre mois durant, avec une application toute particulière, et il n'y avait point d'enfant au coin de leur feu à qui je ne donnasse toujours, en mon particulier, quelque bagatelle : je connaissais Nanon et Babet [1]. Le voile de Mme de Maignelais, qui n'avait jamais fait d'autre vie, couvrait toute chose. Je faisais même un peu le *dévot, et j'allais aux conférences de Saint-Lazare [2].

Mes deux correspondants de Sedan, qui étaient Varicarville et Beauregard, me mandaient de temps en temps que Monsieur le Comte était le mieux intentionné du monde, qu'il n'avait plus balancé depuis qu'il avait pris son parti. Et je me souviens, entre autres, qu'un jour Varicarville m'écrivait que lui et moi lui avions fait autrefois une horrible injustice, et que cela était si vrai, qu'il fallait présentement le retenir, et qu'il faisait même paraître trop de presse aux conseils de l'Empire et d'Espagne. Vous observerez, s'il vous plaît, que ces deux cours, qui lui avaient fait des instances incroyables quand il balançait, commencèrent à tenir bride en main dès qu'il fut résolu, par une fatalité que le flegme naturel au climat d'Espagne attache, sous le titre de prudence, à la politique de la maison d'Autriche. Et vous pouvez remarquer, en même temps, que Monsieur le Comte, qui avait témoigné une fermeté inébranlable trois mois durant, changea tout d'un coup de sentiment dès que les ennemis lui eurent accordé ce qu'il leur avait demandé. Tel est le sort de l'irrésolution : elle n'a jamais plus d'incertitude que dans la conclusion.

Je fus averti de cette convulsion par un courrier que Varicarville me dépêcha exprès. Je partis la nuit même, et j'arrivai à Sedan une heure après Anctoville, négociateur en titre d'*office, que M. de Longueville, beau-frère de Monsieur le Comte, y avait envoyé. Il y portait des ouvertures d'accommodement plausibles, mais captieuses. Nous nous joignîmes tous pour les combattre. Ceux qui avaient toujours été avec Monsieur le Comte lui représentèrent avec force tout ce qu'il avait cru et dit depuis qu'il s'était résolu à la guerre. Saint-Ibar, qui avait négocié pour lui à Bruxelles, le pressait sur ses engagements, sur ses avances, sur ses instances ; j'insistais sur les pas que j'avais faits par son ordre dans Paris, sur les paroles données à MM. de Vitry et de Cramail, sur le secret confié à deux personnes par son commandement et à quatre autres pour son service et par son aveu. La

S's swithering

matière était belle et, depuis les engagements, n'était plus problématique. Nous persuadâmes à la fin, ou plutôt nous *emportâmes après quatre jours de conflit. Anctoville fut renvoyé avec une réponse très fière ; M. de Guise, qui s'était jeté avec Monsieur le Comte, et qui avait fort souhaité la rupture, alla à Liège donner ordre à des levées. Saint-Ibar retourna à Bruxelles pour conclure le traité ; Varicarville prit la poste pour Vienne, et je revins à Paris, où j'*oubliai de dire à nos conjurés les irrésolutions de notre chef. Il y en eut encore depuis quelques nuages, mais légers ; et comme je sus que du côté des Espagnols tout était en état, je fis à Sedan mon dernier voyage, pour y prendre mes dernières mesures.

J'y trouvai Metternich, colonel de l'un des plus vieux régiments de l'Empire, envoyé par le général Lamboy, qui s'avançait avec une armée fort *leste et presque toute composée de vieilles troupes. Le colonel assura Monsieur le Comte que Lamboy avait ordre de faire absolument tout ce que Monsieur le Comte lui commanderait, et même de donner bataille à M. le maréchal de Châtillon, qui commandait les armes de France qui étaient sur la Meuse. Comme toute l'entreprise de Paris dépendait de ce *succès, je fus bien aise de m'éclaircir de ce détail, le plus que je pourrais, par moi-même. Monsieur le Comte trouva bon que j'allasse à Givet avec Metternich. J'y trouvai l'armée belle et en bon état ; je vis don Miguel de Salamanque, qui me confirma ce que Metternich avait dit, et je revins à Paris avec trente-deux blancs signés de Monsieur le Comte. Je rendis compte de tout à M. le maréchal de Vitry, qui fit l'ordre de l'entreprise, qui l'écrivit de sa main, et qui la[a] porta cinq ou six jours dans sa poche, ce qui est assez rare dans les prisons. Voici la substance de cet ordre :

Aussitôt que nous aurions reçu la nouvelle du gain de la bataille, nous le devions publier dans Paris avec toutes les *figures[1]. MM. de Vitry et de Cramail devaient s'ouvrir, en même temps, aux autres prisonniers, se rendre maîtres de la Bastille, arrêter le gouverneur, sortir dans la rue Saint-Antoine avec une troupe de noblesse, dont M. le maréchal de Vitry était assuré ; crier : « Vive le Roi et Monsieur le Comte ! » M. d'Étampes devait, à l'heure donnée, faire battre le tambour par toute sa *colonelle, joindre le maréchal

de Vitry au cimetière Saint-Jean, et marcher au Palais, pour
rendre des lettres de Monsieur le Comte au Parlement, et
l'obliger à donner arrêt en sa faveur. Je devais, de mon
côté, me mettre à la tête des compagnies de Parmentier et
Guérin, de laquelle [a] L'Epinay me répondait, avec vingt-cinq
gentilshommes que j'avais engagés par différents prétextes,
sans qu'ils sussent eux-mêmes précisément ce que c'était.
Mon *bon homme de gouverneur, qui croyait lui-même que
je voulais enlever Mlle de Rohan, m'en avait amené douze
de son pays. Je faisais *état de me saisir du Pont-Neuf, de
donner la main par les quais à ceux qui marchaient au
Palais, et de pousser ensuite les barricades dans les lieux qui
nous paraîtraient les plus soulevés. La disposition de Paris
nous faisait croire le succès infaillible ; le secret y fut gardé
jusques au prodige. Monsieur le Comte donna la bataille et
il la gagna. Vous croyez sans doute l'affaire bien avancée.
Rien moins. Monsieur le Comte est tué dans le moment de
sa victoire, et il est tué au milieu des siens, sans qu'il y en
ait jamais eu un seul qui ait pu dire comme sa mort est
arrivée [1]. Cela est incroyable, et cela est pourtant vrai. Jugez
de l'état où je fus quand j'appris cette nouvelle. M. le comte
de Cramail, le plus sage assurément de toute notre troupe,
ne songea plus qu'à *couvrir le passé, qui, du côté de Paris,
n'était qu'entre six personnes. C'était toujours beaucoup ;
mais le manquement de secret était encore plus à craindre
de celui de Sedan, où il y avait des gens beaucoup moins
intéressés à le garder, parce que, ne revenant pas en France,
ils avaient moins de lieu d'en appréhender le châtiment.
Tout le monde fut également *religieux ; MM. de Vitry et
Cramail, qui avaient au commencement balancé à se sauver,
se rassurèrent. Personne du monde ne parla, et cette occasion,
jointe à un aveu dont je vous parlerai dans la seconde partie
de ce discours, m'a obligé de penser et de dire souvent que
le secret n'est pas si rare que l'on le croit, entre les gens qui
ont accoutumé de se mêler de grandes affaires.

La mort de Monsieur le Comte me fixa dans ma profession,
parce que je crus qu'il n'y avait plus rien de considérable à
faire, et que je me croyais trop âgé pour en sortir par
quelque chose qui ne fût pas considérable. De plus, la santé
de Monsieur le Cardinal s'affaiblissait, et l'archevêché de
Paris commençait à flatter mon ambition. Je me résolus

donc, non pas seulement à suivre, mais encore à faire ma profession. Tout m'y portait. Mme de Guémené s'était retirée depuis six semaines dans sa maison du Port-Royal. M. d'Andilly me l'avait enlevée : elle ne mettait plus de poudre, elle ne se frisait plus, et elle m'avait donné mon congé dans toute la forme la plus authentique que l'ordre de la pénitence pouvait demander. Si Dieu m'avait ôté la place Royale, le diable ne m'avait pas laissé l'Arsenal, où j'avais découvert, par le moyen du valet de chambre, mon confident, que j'avais absolument gagné, que Palière, capitaine des gardes du maréchal, était pour le moins aussi bien que moi avec la maréchale[a]. Voilà de quoi devenir un saint.

La vérité est que j'en devins beaucoup plus *réglé, au moins pour l'apparence. Je vécus fort retiré. Je ne laissai plus rien de problématique pour le choix de ma profession ; j'étudiai beaucoup ; je pris *habitude avec soin avec tout ce qu'il y avait de gens de science et de piété ; je fis presque de mon logis une académie[1] ; j'observai avec application de ne pas ériger l'académie en tribunal ; je commençai à ménager, sans affectation, les chanoines et les curés, que je trouvais très naturellement chez mon oncle. Je ne faisais pas le *dévôt, parce que je ne me pouvais assurer que je pusse durer à le contrefaire ; mais j'estimais beaucoup les dévots[2] ; et à leur égard, c'est un des plus grands points de la piété. J'accommodais même mes plaisirs au reste de ma pratique. Je ne me pouvais passer de *galanterie ; mais je la fis avec Mme de Pommereux, jeune et coquette, mais de la manière qui me convenait ; parce qu'ayant toute la jeunesse, non pas seulement chez elle, mais à ses oreilles, les apparentes affaires des autres *couvraient la mienne, qui était, ou du moins qui fut quelque temps après plus effective[b]. Enfin ma conduite me réussit, et au point qu'en vérité je fus fort à la mode parmi les gens de ma profession, et que les dévots mêmes disaient, après M. Vincent, qui m'avait appliqué ce mot de l'Evangile : que je n'avais pas assez de piété, mais que je n'étais pas trop éloigné du royaume de Dieu[3].

La fortune me favorisa, en cette occasion, plus qu'elle n'avait accoutumé. Je trouvai par hasard Métrezat, fameux *ministre de Charenton[4], chez Mme d'Harambure[5], hugue-note *précieuse et savante. Elle me mit aux mains avec lui

debates w/ thrst

par curiosité. La *dispute s'engagea, et au point qu'elle eut neuf conférences de suite en neuf jours différents. M. le maréchal de La Force et M. de Turenne se trouvèrent à trois ou quatre. Un gentilhomme de Poitou, qui fut présent à toutes, se convertit. Comme je n'avais pas encore vingt-six ans, cet événement fit grand bruit, et entre autres effets, il en produisit un qui n'avait guère de rapport à sa cause. Je vous le raconterai, après que j'aurai rendu la justice que je dois à une *honnêteté que je reçus de Métrezat, dans une de ses conférences.

J'avais eu quelque avantage sur lui dans la cinquième, où la question de la vocation fut traitée. Il m'embarrassa dans la sixième, où l'on parlait de l'autorité du Pape, parce que, ne voulant pas me brouiller avec Rome, je lui répondais sur des principes qui ne sont pas si aisés à défendre que ceux de Sorbonne[1]. Le ministre s'aperçut de ma peine : il m'épargna les endroits qui eussent pu m'obliger à m'expliquer d'une manière qui eût choqué le nonce. Je remarquai son procédé ; je l'en remerciai, au sortir de la conférence, en présence de M. de Turenne, et il me répondit ces propres mots : « Il n'est pas juste d'empêcher M. l'abbé de Rais d'être cardinal ». Cette délicatesse n'est pas, comme vous voyez, d'un *pédant de Genève.

Je vous ai dit ci-dessus que cette conférence produisit un effet bien différent de sa cause. Le voici :

Mme de Vendôme, dont vous avez ouï parler, prit une affection pour moi, depuis cette conférence, qui allait jusques à la tendresse d'une mère. Elle y avait assisté, quoique assurément elle n'y entendît rien ; mais ce qui la confirma encore dans son sentiment, fut celui de Monsieur de Lisieux, qui était son directeur[2], et qui logeait toujours chez elle quant il était à Paris. Il revint en ce temps-là de son diocèse, et comme il avait beaucoup d'amitié pour moi et qu'il me trouva dans les dispositions de m'attacher à ma profession, ce qu'il avait souhaité passionnément, il prit tous les soins imaginables de faire valoir dans le monde le peu de qualités qu'il pouvait excuser en moi. Il est *constant que ce fut à lui à qui je dus le peu d'éclat que j'eus en ce temps-là ; et il n'y avait personne en France dont l'approbation en pût tant donner. Ses sermons l'avaient élevé, d'une naissance fort basse et étrangère (il était flamand), à l'épiscopat ; il l'avait soutenu avec une piété sans faste et sans fard. Son désintéressement était au delà de celui des anachorètes ; il avait la vigueur de saint Ambroise, et il conservait dans la cour et auprès du Roi une liberté que M. le cardinal de Richelieu, qui avait été son écolier en théologie, craignait et révérait. Ce *bon homme, qui avait tant d'amitié pour moi qu'il me faisait trois fois la semaine des leçons sur les *Epîtres* de saint Paul, se mit en tête de convertir M. de Turenne et de m'en donner l'honneur [1].

M. de Turenne avait beaucoup de respect pour lui ; mais il lui en donna encore plus de marques, par une raison qu'il m'a dite lui-même, mais qu'il ne m'a dite que plus de dix ans après. M. le comte de Brion, que vous avez vu sous le nom de duc Damville, était fort amoureux de Mlle de Vendôme, qui a été depuis Mme de Nemours, et il était aussi fort ami de M. de Turenne, qui pour lui faire plaisir et pour lui donner lieu de voir plus souvent Mlle de Vendôme, *affectait d'écouter les exhortations de Monsieur de Lisieux, et de lui rendre même beaucoup de devoirs. Le comte de Brion, qui avait été deux fois capucin, et qui faisait un salmigondis perpétuel de *dévotion et de péché, prenait une sensible part à sa prétendue conversion ; et il ne bougeait des conférences, qui se faisaient très souvent, et qui se faisaient toujours dans la chambre de Mme de Vendôme. Brion avait fort peu d'esprit ; mais il avait beaucoup de routine, qui en beaucoup de choses supplée à l'esprit ; et cette routine, jointe à la manière que vous connaissiez de M. de Turenne, et à la mine indolente de Mlle de Vendôme, fit que je pris le tout pour bon, et que je ne m'aperçus jamais de quoi que ce soit. Vous me permettrez, s'il vous plaît, de faire ici une petite digression, devant que j'entre plus avant dans la suite de cette histoire. Les *confiances que je vous ai faites, jusques ici, de toutes les dames que je vous ai nommées, ne me donnent aucun scrupule, parce qu'il n'y en a pas une que je croie ne vous avoir pu faire avec honneur ; la discrétion a ses bornes, et je ne les crois pas... [a]

....

[Je crois] que j'en aurais même davantage de me plaindre du peu de lieu que j'ai trouvé à vous en faire des *confiances

qui vous pussent être de tout point particulières. En voici
une qui l'est certainement, qui n'a jamais été pénétrée, que
je n'ai jamais faite à personne, que je n'ai jamais laissé
soupçonner ; je ne l'ai pas *dû, et parce que je suis persuadé
que la personne qu'elle regarde ne m'a jamais trompé...

....

Les conférences dont je vous ai parlé ci-dessus se termi-
naient assez souvent par des promenades dans le jardin. Feu
Mme de Choisy en proposa une à Saint-Cloud ; et elle dit
en badinant à Mme de Vendôme qu'il y fallait donner la
*comédie à Monsieur de Lisieux. Le *bon homme, qui
admirait les pièces de Corneille, répondit qu'il n'en ferait
aucune difficulté, pourvu que ce fût à la campagne et qu'il
y eût peu de monde[1]. La partie se fit ; l'on convint qu'il
n'y aurait que Mme et Mlle de Vendôme, Mme de Choisy,
M. de Turenne, M. de Brion, Voiture, et moi. Brion se
chargea de la comédie et des violons ; je me chargeai de
la collation. Nous allâmes à Saint-Cloud, chez Monsieur
l'Archevêque. Les comédiens, qui jouaient ce soir-là à Rueil,
chez Monsieur le Cardinal, n'arrivèrent qu'extrêmement
tard. Monsieur de Lisieux prit plaisir aux violons ; Mme de
Vendôme ne se lassait point de voir danser mademoiselle sa
fille, qui dansait pourtant toute seule. Enfin l'on s'amusa
tant que la petite pointe du jour (c'était dans les plus grands
jours de l'été) commençait à paraître quand l'on fut au bas
de la descente des Bons-Hommes.

Justement au pied, le carrosse arrêta tout court. Comme
j'étais à l'une des portières avec Mlle de Vendôme, je
demandai au cocher pourquoi il arrêtait, et il me répondit
avec une voix fort *étonnée : « Voulez-vous que je passe
par-dessus tous les diables qui sont là devant moi ? » Je mis
la tête hors de la portière, et comme j'ai toujours eu la vue
fort basse, je ne vis rien. Mme de Choisy, qui était à l'autre
portière avec M. de Turenne, fut la première qui aperçut
du carrosse la cause de la frayeur du cocher ; je dis du
carrosse, car cinq ou six laquais qui étaient derrière criaient :
« Jésus Maria ! » et tremblaient déjà de peur. M. de Turenne
se jeta hors du carrosse, au cri de Mme de Choisy. Je crus
que c'étaient des voleurs ; je sautai aussi hors du carrosse ;
je pris l'épée d'un laquais, je la tirai, et j'allai joindre de

l'autre côté M. de Turenne, que je trouvai regardant fixement quelque chose que je ne voyais point. Je lui demandai ce qu'il regardait, et il me répondit, en me poussant du bras et assez bas : « Je vous le dirai ; mais il ne faut pas épouvanter ces femmes », qui, dans la vérité, hurlaient plutôt qu'elles ne criaient. Voiture commença un *Oremus* ; vous connaissez peut-être les cris aigus de Mme de Choisy ; Mlle de Vendôme disait son chapelet ; Mme de Vendôme se voulait confesser à Monsieur de Lisieux, qui lui disait : « Ma fille, n'ayez point de peur, vous êtes en la main de Dieu » ; et le comte de Brion avait entonné, bien *dévotement, à genoux, avec tous nos laquais, les litanies de la Vierge. Tout cela se passa, comme vous vous pouvez imaginer, en même temps et en moins de rien. M. de Turenne, qui avait une petite épée à son côté, l'avait aussi tirée, et après avoir un peu regardé, comme je vous l'ai déjà dit, il se tourna vers moi de l'air dont il eût demandé son dîner et de l'air dont il eût donné une bataille, avec ces paroles : « Allons voir ces gens-là. — Quelles gens ? » lui repartis-je ; et dans le vrai je croyais que tout le monde eût perdu le sens. Il me répondit : « Effectivement, je crois que ce pourrait bien être des diables. » Comme nous avions déjà fait cinq ou six pas du côté de la Savonnerie, et que nous étions, par conséquent, plus proches du spectacle, je commençai à entrevoir quelque chose, et ce qui m'en parut fut une longue procession de fantômes noirs, qui me donna d'abord plus d'émotion qu'elle n'en avait donné à M. de Turenne, mais qui, par la réflexion que je fis, que j'avais longtemps cherché des esprits et qu'apparemment j'en trouvais en ce lieu, me fit faire un mouvement plus vif que ses manières ne lui permettaient de faire. Je fis deux ou trois sauts vers la procession. Les gens du carrosse, qui croyaient que nous étions aux mains avec tous les diables, firent un grand cri, et ce ne furent pourtant pas eux qui eurent le plus de frayeur. Les pauvres augustins réformés et déchaussés, que l'on appelle les capucins noirs, qui étaient nos diables d'imagination, voyant venir à eux deux hommes qui avaient l'épée à la main, l'eurent très grande ; et l'un d'eux, se détachant de la troupe, nous cria : « Messieurs, nous sommes de pauvres religieux qui ne faisons mal à personne, et qui venons de nous rafraîchir un peu dans la rivière pour notre santé. »

Nous retournâmes au carrosse, M. de Turenne et moi, avec les éclats de rire que vous vous pouvez imaginer, et nous fîmes, lui et moi, dès le moment même, deux observations, que nous nous communiquâmes dès le lendemain matin. Il me jura que la première apparition de ces fantômes imaginaires lui avait donné de la joie, quoiqu'il eût toujours cru auparavant qu'il aurait peur s'il voyait jamais quelque chose d'extraordinaire ; et je lui avouai que la première vue m'avait ému, quoique j'eusse souhaité toute ma vie de voir des esprits [1]. La seconde observation que nous fîmes fut que tout ce que nous lisons dans la vie de la plupart des hommes est faux. M. de Turenne me jura qu'il n'avait pas senti la moindre émotion, et il convint que j'avais eu sujet de croire, par son regard si fixe et par son mouvement si lent, qu'il en avait eu beaucoup. Je lui confessai que j'en avais eu d'abord, et il me protesta qu'il aurait juré sur son salut que je n'avais eu que du courage et de la gaieté. Qui peut donc écrire la vérité, que ceux qui l'ont sentie ? Et le président de Thou a eu raison de dire qu'il n'y a de véritables histoires que celles qui ont été écrites par les hommes qui ont été assez sincères pour parler véritablement d'eux-mêmes [2]. Ma morale ne tire aucun mérite de cette sincérité ; car je trouve une satisfaction si sensible à vous rendre compte de tous les replis de mon âme et de ceux de mon cœur, que la raison, à mon égard, a beaucoup moins de part que le plaisir dans la *religion et l'exactitude que j'ai pour la vérité [3].

Mlle de Vendôme conçut un mépris inconcevable pour le pauvre Brion, qui en effet avait fait voir aussi de son côté, dans cette ridicule aventure, une faiblesse inimaginable. Elle s'en moqua avec moi dès que l'on fut rentré en carrosse, et elle me dit : « Je sens, à l'estime que je fais de la valeur, que je suis petite-fille de Henri le Grand. Il faut que vous ne craigniez rien, puisque vous n'avez pas eu peur en cette occasion. — J'ai eu peur, lui répondis-je, Mademoiselle ; mais comme je ne suis pas si *dévot que Brion, ma peur n'a pas tourné du côté des litanies. — Vous n'en avez point eu, me dit-elle, et je crois que vous ne croyez pas au diable ; car M. de Turenne, qui est bien brave, a été bien ému lui-même, et il n'allait pas si vite que vous. » Je vous confesse que cette distinction qu'elle mit entre M. de Turenne et moi me plut, et me fit naître la pensée d'hasarder quelque douceur. Je lui dis donc : « L'on peut croire le diable et ne le craindre pas ; il y a des choses au monde plus terribles. — Et quoi ? reprit-elle. — Elles le sont si fort que l'on n'oserait même les nommer », lui répondis-je. Elle m'entendit bien, à ce qu'elle m'a confessé depuis, mais elle n'en fit pas *semblant : elle se remit dans la conversation publique. L'on descendit à l'hôtel de Vendôme, et chacun s'en alla chez soi.

Mlle de Vendôme n'était pas ce que l'on appelle une grande beauté ; mais elle en avait pourtant beaucoup, et l'on avait approuvé ce que j'avais dit d'elle et de Mlle de Guise : qu'elles étaient des beautés de qualité ; on n'était point étonné, en les voyant, de les trouver princesses. Mlle de Vendôme avait très peu d'esprit ; mais il est certain qu'au temps dont je vous parle, sa sottise n'était pas encore bien développée. Elle avait un sérieux qui n'était pas de sens, mais de langueur, avec un petit *grain de hauteur ; et cette sorte de sérieux cache bien des défauts. Enfin elle était aimable à tout prendre et en tout sens.

Je suivis ma *pointe et je trouvais des commodités merveilleuses. Je m'attirais des éloges de tout le monde en ne bougeant de chez Monsieur de Lisieux, qui logeait à l'hôtel de Vendôme ; les conférences pour M. de Turenne furent suivies de l'explication des *Epîtres* de saint Paul, que le *bon homme était ravi de me faire répéter en français, sous le prétexte de les faire entendre à Mme de Vendôme et à ma tante de Maignelais, qui s'y trouvait presque toujours. L'on fit deux voyages à Anet : l'un fut de quinze jours, et l'autre de six semaines ; et dans le dernier voyage, j'allai plus loin qu'à Anet[a]. Je n'allai pourtant pas à tout et je n'y ai jamais été : l'on s'était fait des bornes desquelles l'on ne voulut jamais sortir. J'allai toutefois très loin et longtemps, car je ne fus arrêté dans ma course que par son mariage, qui ne se fit qu'un peu après la mort du feu Roi. Elle se mit dans la *dévotion ; elle me prêcha ; je lui rendis des portraits, des lettres et des cheveux ; je demeurai son serviteur, et je fus assez heureux pour lui en donner de bonnes marques dans les suites de la guerre civile.

Permettez, je vous supplie, à mon scrupule de vous supplier encore très humblement de vous ressouvenir, en ce lieu, du commandement que vous me fîtes l'avant-veille de votre départ de Paris, chez une de vos amies, de ne vous celer dans ce récit quoi que ce soit de tout ce qui m'est jamais arrivé[a].

Vous voyez, par ce que je viens de vous dire, que mes occupations ecclésiastiques étaient diversifiées et *égayées par d'autres, qui étaient un peu plus agréables ; mais elles n'en étaient pas assurément déparées. La bienséance y était observée en tout, et le peu qui y manquait était suppléé par mon bonheur, qui fut tel que tous les ecclésiastiques du diocèse me souhaitaient pour successeur de mon oncle, avec une passion qu'ils ne pouvaient cacher. M. le cardinal de Richelieu était bien éloigné de cette pensée : ma maison lui était fort odieuse et ma personne ne lui plaisait pas, par les raisons que je vous ai touchées ci-dessus. Voici deux occasions qui l'aigrirent encore bien davantage.

Je dis à feu M. le président de Mesmes, dans la conversation, une chose assez semblable, quoique contraire, à ce que je vous ai dit quelquefois, qui est que je connais une personne qui n'a que de petits défauts ; mais qu'il n'y a aucun de ces défauts qui ne soit la cause ou l'effet de quelque bonne qualité. Je disais à M. le président de Mesmes que M. le cardinal de Richelieu n'avait aucune grande qualité qui ne fût la cause ou l'effet de quelque grand défaut. Ce mot, qui avait été dit tête à tête, dans un *cabinet, fut redit, je ne sais par qui, à Monsieur le Cardinal, et il fut redit sous mon nom : jugez de l'effet. L'autre chose qui le fâcha fut que j'allai voir feu M. le président Barillon, qui était prisonnier à Amboise pour des remontrances qui s'étaient faites au Parlement ; et que je l'allai voir dans une circonstance qui fit remarquer mon voyage. Deux misérables ermites et faux-monnayeurs, qui avaient eu quelque communication secrète avec M. de Vendôme, peut-être touchant leur second métier[1], et qui n'étaient pas satisfaits de lui, l'accusèrent très faussement de leur avoir proposé de tuer Monsieur le Cardinal ; et pour donner plus de créance à leur déposition, ils nommèrent tous ceux qu'ils croyaient être *notés en ce pays-là. Montrésor et M. Barillon furent du nombre : je le sus des premiers par Bergeron, commis

de M. de Noyers ; et comme j'aimais extrêmement le
président Barillon, je pris la poste, le soir même, pour l'aller
avertir et le tirer d'Amboise, ce qui était très faisable.
Comme il était tout à fait innocent, il ne voulut pas
seulement écouter la proposition que je lui en fis, et il
demeura dans Amboise, en méprisant et les accusateurs et
l'accusation. Monsieur le Cardinal dit à Monsieur de Lisieux,
à propos de ce voyage, que j'étais ami de tous ses ennemis,
et Monsieur de Lisieux lui répondit : « Il est vrai, et vous
l'en devez estimer ; vous n'avez nul sujet de vous en
plaindre. J'ai observé que ceux dont vous entendez parler
étaient tous ses amis devant que d'être vos ennemis. — Si
cela est vrai, lui dit Monsieur le Cardinal, l'on a tort de me
faire les contes que l'on m'en fait. » Monsieur de Lisieux
me rendit sur cela tous les bons offices imaginables, et tels
qu'il me dit le lendemain, et qu'il me l'a dit encore plusieurs
fois depuis, que si M. le cardinal de Richelieu eût vécu, il
m'eût infailliblement rétabli dans son esprit. Ce qui y
mettait le plus de disposition était que Monsieur de Lisieux
l'avait assuré que, quoique j'eusse lieu de me croire perdu à
la cour, je n'avais jamais voulu être des amis de Monsieur le
Grand[1] ; et il est vrai que M. de Thou, avec lequel j'avais
*habitude et amitié particulière, m'en avait pressé, et que
je n'y donnai point, parce que je n'y crus d'*abord rien de
solide, et l'événement a fait voir que je ne m'y étais pas
trompé.

M. le cardinal de Richelieu mourut devant que Monsieur
de Lisieux eût pu achever ce qu'il avait commencé pour
mon racommodement, et je demeurai ainsi dans la foule de
ceux qui avaient été *notés par le ministère. Ce *caractère
ne fut pas favorable les premières semaines qui suivirent la
mort de Monsieur le Cardinal. Quoique le Roi en eût une
joie incroyable[2], il voulut conserver toutes les apparences :
il ratifia les legs que ce ministre avait faits des charges et
des gouvernements ; il caressa tous ses proches, il maintint
dans le ministère toutes ses créatures, et il *affecta de
recevoir assez mal tous ceux qui avaient été mal avec lui. Je
fus le seul privilégié. Lorsque M. l'archevêque de Paris me
présenta au Roi, il me traita, je ne dis pas seulement
*honnêtement, mais avec une distinction qui surprit et qui
étonna tout le monde ; il me parla de mes études, de mes

sermons ; il me fit même des railleries douces et obligeantes. Il me commanda de lui faire ma cour toutes les semaines.

Voici les raisons de ce bon traitement, que nous ne sûmes nous-mêmes que la veille de sa mort. Il les dit à la Reine.

Ces deux raisons sont deux aventures qui m'arrivèrent au sortir du collège, et desquelles je ne vous ai pas parlé, parce que je n'ai pas cru que n'ayant aucun rapport à rien par elles-mêmes, elles méritassent seulement votre réflexion. Je suis obligé de les y exposer en ce lieu, parce que je trouve que la fortune leur a donné plus de suites sans comparaison qu'elles n'en devaient avoir naturellement. Je vous dois dire de plus, pour la vérité, que je ne m'en suis pas souvenu dans le commencement de ce discours, et qu'il n'y a que leur suite qui les ait remises dans ma mémoire.

Un peu après que je fus sorti du collège, ce valet de chambre de mon gouverneur qui était mon *tercero* [1] me trouva chez une misérable épinglière une nièce de quatorze ans, qui était d'une beauté surprenante. Il l'acheta pour moi cent cinquante pistoles, après me l'avoir fait voir ; il lui loua une petite maison à Issy ; il mit sa sœur auprès d'elle ; et j'y allai le lendemain qu'elle y fut logée. Je la trouvai dans un abattement extrême, et je n'en fus point surpris, parce que je l'attribuai à la pudeur. J'y trouvai quelque chose de plus le lendemain, qui fut une raison encore plus surprenante et plus extraordinaire que sa beauté, et c'était beaucoup dire. Elle me parla sagement, saintement, et sans emportement : toutefois elle ne pleura qu'autant qu'elle ne put pas s'en empêcher ; elle craignait sa tante à un point qui me fit pitié. J'admirai son esprit, et après j'admirai sa vertu. Je la pressai autant qu'il le fallut pour l'éprouver. J'eus honte pour moi-même. J'attendis la nuit pour la mettre dans mon carrosse ; je la menai à ma tante de Maignelais, qui la mit dans une *religion, où elle mourut huit ou dix ans après en réputation de sainteté [2]. Ma tante, à qui cette fille avoua que les menaces de l'épinglière l'avaient si fort intimidée qu'elle aurait fait tout ce que j'aurais voulu, fut si touchée de mon procédé, qu'elle alla, dès le lendemain, le conter à Monsieur de Lisieux, qui le dit le jour même au Roi, à son dîner.

Voilà la première de ces deux aventures. La seconde ne

fut pas de même nature ; mais elle ne fit pas un moindre effet dans l'esprit du Roi.

Un an devant cette première aventure, j'étais allé courre le cerf à Fontainebleau, avec la meute de M. de Souvré, et comme mes chevaux étaient fort las, je pris la poste pour revenir à Paris. Comme j'étais mieux monté que mon gouverneur et qu'un valet de chambre, qui couraient avec moi, j'arrivai le premier à Juvisy, et je fis mettre ma selle sur le meilleur cheval que j'y trouvai. Coutenant, capitaine de la petite compagnie de chevau-légers du Roi, brave, mais extravagant et scélérat, qui venait de Paris aussi en poste, commanda à un palefrenier d'ôter ma selle et d'y mettre la sienne. Je m'avançai en lui disant que j'avais retenu le cheval ; et comme il me voyait avec un petit collet uni et un habit noir tout simple, il me prit pour ce que j'étais en effet, c'est-à-dire pour un écolier, et il ne me répondit que par un soufflet, qu'il me donna à tour de bras, et qui me mit tout en sang. Je mis l'épée à la main et lui aussi ; et dès le premier coup que nous nous portâmes, il tomba, le pied lui ayant glissé ; et comme il donna de la main, en se voulant soutenir, contre un morceau de bois un peu pointu, son épée s'en alla aussi de l'autre côté. Je me reculai deux pas, et je lui dis de reprendre son épée ; il le fit, mais ce fut par la pointe, car il m'en présenta la garde en me demandant un million de pardons. Il les redoubla bien quand mon gouverneur fut arrivé, qui lui dit qui j'étais. Il retourna sur ses pas ; il alla conter au Roi, avec lequel il avait une très grande liberté, toute cette petite histoire. Elle lui plut, et il s'en souvint en temps et lieu, comme vous le verrez encore plus particulièrement à sa mort. Je reprends le fil de mon discours.

Le bon traitement que je recevais du Roi fit croire à mes proches que l'on pourrait peut-être trouver quelque ouverture pour moi à la coadjutorerie de Paris. Ils y trouvèrent d'abord beaucoup de difficulté dans l'esprit de mon oncle, très petit, et par conséquent jaloux et difficile. Ils le gagnèrent par le moyen [de] Defita, son avocat, et de Couret, son aumônier ; mais ils firent en même temps une faute, qui rompit au moins pour ce coup leurs mesures. Ils firent *éclater, contre mon sentiment, le consentement de Monsieur de Paris, et ils souffrirent même que la Sorbonne, les curés, le chapitre lui en fissent des remerciements. Cette conduite eut beaucoup d'éclat ; mais elle en eut trop ; et MM. [le] cardinal Mazarin, de Noyers et de Chavigny en prirent sujet de me *traverser, en disant au Roi qu'il ne fallait pas accoutumer les corps à se désigner eux-mêmes des archevêques : de sorte que M. le maréchal de Schomberg, qui avait épousé en premières noces ma cousine germaine, ayant voulu sonder le *gué, n'y trouva aucun *jour. Le Roi lui répondit avec beaucoup de bonté pour moi ; mais j'étais encore trop jeune, l'affaire avait fait trop de bruit devant que d'aller au Roi, et autres telles choses.

Nous découvrîmes, quelque temps après, un obstacle plus sourd, mais aussi plus dangereux. M. de Noyers, secrétaire d'Etat, et celui des trois ministres qui paraissait le mieux à la cour, était *dévot de profession, et même jésuite secret à ce l'on a cru. Il se mit en tête d'être archevêque de Paris ; et comme l'on croyait compter sûrement tous les mois sur la mort de mon oncle, qui était dans la vérité fort infirme, il crut qu'il fallait à tout hasard m'éloigner de Paris, où il voyait que j'étais extrêmement aimé, et me donner une place qui parût belle et raisonnable pour un homme de mon âge. Il me fit proposer au Roi, par le P. Sirmond, jésuite et son confesseur, pour l'évêché d'Agde, qui n'a que vingt-deux paroisses, et qui vaut plus de trente mille livres de rente. Le Roi agréa la proposition avec joie, et il m'en envoya le *brevet le jour même. Je vous confesse que je fus embarrassé au-delà de tout ce que je vous puis exprimer. Ma *dévotion ne me portait nullement en Languedoc. Vous voyez les inconvénients du refus, si grands que je n'eusse pas trouvé un homme qui me l'eût osé conseiller. Je pris mon parti de moi-même. J'allai trouver le Roi. Je lui dis, après l'avoir remercié, que j'appréhendais extrêmement le poids d'un evêché éloigné ; que mon âge avait besoin d'avis et de conseils qui ne se rencontrent jamais que fort imparfaitement dans les provinces. J'ajoutai à cela tout ce que vous vous pouvez imaginer. Je fus plus heureux que sage. Le Roi ne se fâcha point de mon refus, et il continua à me très bien traiter. Cette circonstance, jointe à la retraite de M. de Noyers, qui donna dans le panneau que M. de Chavigny lui avait tendu [1], réveilla mes espérances de la coadjutorerie de Paris. Comme le Roi avait pris des engage-

ments assez publics de n'en point admettre [1], depuis celle
qu'il avait accordée à Monsieur d'Arles, l'on balançait, et
l'on se donnait du temps avec d'autant moins de peine,
que sa santé s'affaiblissait tous les jours et que j'avais lieu
de tout espérer de la régence.

Le Roi mourut. M. de Beaufort, qui était de tout temps à
la Reine, et qui en faisait même le *galant, se mit en tête
de gouverner, dont il était moins capable que son valet de
chambre. M. l'évêque de Beauvais, plus idiot que tous les
idiots de votre connaissance, prit la figure de premier
ministre, et il demanda, dès le premier jour, aux Hollandais
qu'ils se convertissent à la religion catholique, si ils voulaient
demeurer dans l'alliance de France. La Reine eut honte de
cette *momerie de ministère. Elle me commanda d'aller
offrir, de sa part, la première place à mon père ; et voyant
qu'il refusait obstinément de sortir de sa cellule des pères
de l'Oratoire, elle se mit entre les mains de M. le cardinal
Mazarin.

Vous pouvez juger qu'il ne me fut pas difficile de trouver
ma place dans ces moments, dans lesquels d'ailleurs l'on ne
refusait rien ; et La Feuillade, frère de celui que vous voyez
à la cour, disait qu'il n'y avait plus que quatre petits mots
dans la langue française : « La Reine est si bonne ! » [2].

Mme de Maignelais et Monsieur de Lisieux demandèrent
la coadjutorerie pour moi, et la Reine la leur refusa, en
disant qu'elle ne l'accorderait qu'à mon père, qui ne voulait
point du tout paraître au Louvre. Il y vint enfin une unique
fois. La Reine lui dit publiquement qu'elle avait reçu ordre
du feu Roi, la veille de sa mort, de me la faire expédier, et
qu'il lui avait dit, en présence de Monsieur de Lisieux, qu'il
m'avait toujours eu dans l'esprit, depuis les deux aventures
de l'épinglière et de Coutenant. Quel rapport de ces deux
bagatelles à l'archevêché de Paris ? et voilà toutefois comme
la plupart des choses se font.

Tous les corps vinrent remercier la Reine. Lauzières, maître
des requêtes et mon ami particulier, m'apporta seize mille
écus pour mes bulles [3]. Je les envoyai à Rome par un courrier,
avec ordre de ne point demander de grâce, pour ne point
différer l'*expédition et pour ne laisser aucun temps au
ministre de la *traverser. Je la reçus la veille de la Toussaint.
Je montai, le lendemain, en chaire dans Saint-Jean, pour y

commencer l'Avent, que j'y prêchai. Mais il est temps de prendre un peu d'haleine.

Il me semble que je n'ai été jusques ici que dans le parterre, ou tout au plus dans l'orchestre, à jouer et à badiner avec les violons ; je vas monter sur le théâtre, où vous verrez des scènes, non pas dignes de vous, mais un peu moins indignes de votre attention.

Fin de la première partie de la
Vie du cardinal de Rais.

LA SECONDE PARTIE DE LA VIE
DU CARDINAL DE RAIS

JE commençai mes sermons de l'Avent dans Saint-Jean-en-Grève, le jour de la Toussaint, avec le concours naturel à une ville aussi peu accoutumée que l'était Paris à voir ses archevêques en chaire [1]. Le grand secret de ceux qui entrent dans les emplois est de saisir d'*abord l'imagination des hommes par une action que quelque circonstance leur rende particulière.

Comme j'étais obligé de prendre les ordres, je fis une retraite dans Saint-Lazare, où je donnai à l'extérieur toutes les apparences ordinaires. L'occupation de mon *intérieur fut une grande et profonde réflexion sur la manière que je devais prendre pour ma conduite. Elle était très difficile. Je trouvais l'archevêché de Paris dégradé, à l'égard du monde, par les bassesses de mon oncle, et désolé, à l'égard de Dieu, par sa négligence et par son incapacité. Je prévoyais des oppositions infinies à son rétablissement ; et je n'étais pas si aveuglé, que je ne connusse que la plus grande et la plus insurmontable était dans moi-même. Je n'ignorais pas de quelle nécessité est la règle des mœurs à un évêque. Je sentais que le désordre scandaleux de ceux [2] de mon oncle me l'imposait encore plus étroite et plus indispensable qu'aux autres ; et je sentais, en même temps, que je n'en étais pas capable, et que tous les obstacles et de conscience et de gloire que j'opposerais au dérèglement ne seraient que des digues fort mal assurées. Je pris, après six jours de réflexion, le parti de faire le mal par dessein, ce qui est sans comparaison le plus criminel[a] devant Dieu, mais ce qui est sans doute le plus sage devant le monde : et parce qu'en le faisant ainsi l'on y met toujours des préalables, qui en *couvrent une partie ; et parce que l'on évite, par ce moyen, le plus dangereux ridicule qui se puisse rencontrer dans notre profession, qui est celui de mêler à contretemps le péché dans la *dévotion.

Voilà la sainte disposition avec laquelle je sortis de Saint-Lazare. Elle ne fut pourtant pas de tout point mauvaise ; car je pris une ferme résolution de remplir exactement tous les devoirs de ma profession, et d'être aussi homme de bien pour le salut des autres, que je pourrais être *méchant pour moi-même [1].

Monsieur l'archevêque de Paris, qui était le plus faible de tous les hommes, était, par une suite assez commune, le plus *glorieux. Il s'était laissé précéder partout par les moindres *officiers de la couronne, et il ne donnait pas la *main, dans sa propre maison, aux gens de qualité qui avaient affaire à lui[2]. Je pris le chemin tout contraire. Je donnai la main chez moi à tout le monde ; j'accompagnai tout le monde jusques au carrosse, et j'acquis par ce moyen la réputation de civilité à l'égard de beaucoup, et même d'humilité à l'égard des autres. J'évitai, sans affectation, de me trouver en lieu de cérémonie avec les personnes d'une condition fort relevée, jusques à ce que je me fusse tout à fait confirmé dans cette réputation ; et quand je crus l'avoir établie, je pris l'occasion d'un contrat de mariage pour disputer le rang de la signature à M. de Guise. J'avais bien étudié et fait étudier mon droit, qui était incontestable dans les limites du diocèse. La préséance me fut adjugée par arrêt du Conseil, et j'éprouvai, en ce rencontre, par le grand nombre de gens qui se déclarèrent pour moi, que descendre jusques aux petits est le plus sûr moyen pour s'égaler aux grands. Je faisais ma cour, une fois la semaine, à la messe de la Reine, après laquelle j'allais presque toujours dîner chez M. le cardinal Mazarin, qui me traitait fort bien, et qui était dans la vérité très content de moi, parce que je n'avais voulu prendre aucune part dans la cabale que l'on appelait des *Importants,* quoique il y en eût d'entre eux qui fussent extrêmement de mes amis. Peut-être ne serez-vous pas fâchée que je vous explique ce que c'était que cette cabale.

M. de Beaufort, qui avait le sens beaucoup au-dessous du *médiocre, voyant que la Reine avait donné sa confiance à M. le cardinal Mazarin, s'emporta de la manière du monde la plus imprudente. Il refusa tous les avantages qu'elle lui offrait avec profusion ; il fit vanité de donner au monde toutes les démonstrations d'un amant irrité ; il ne ménagea en rien Monsieur ; il brava, dans les premiers jours de la Régence, feu Monsieur le Prince ; il l'outra ensuite par la déclaration publique qu'il fit contre Mme de Longueville, en faveur de Mme de Montbazon, qui véritablement n'avait offensé la première qu'en contrefaisant ou montrant cinq des lettres que l'on prétendait qu'elle avait écrites à Coligny [1]. M. de Beaufort, pour soutenir ce qu'il faisait contre la Régente, contre le ministre et contre tous les princes du sang, forma une cabale de gens qui sont tous morts fous, mais qui, dès ce temps-là, ne me paraissaient guère sages : Beaupuis, Fontrailles, Fiesque. Montrésor, qui avait la mine de Caton, mais qui n'en avait pas le jeu, s'y joignit avec Béthune. Le premier était mon parent proche, et le second était assez de mes amis. Ils obligèrent M. de Beaufort à me faire beaucoup d'avances. Je les reçus avec respect, mais je n'entrai à rien ; je m'en expliquai même à Montrésor, en lui disant que je devais la coadjutorerie de Paris à la Reine, et que la grâce était assez considérable pour m'empêcher de prendre aucune liaison qui pût ne lui être pas agréable. Montrésor m'ayant répondu que je n'en avais nulle obligation à la Reine, puisqu'elle n'avait rien fait en cela que ce qui lui avait été ordonné publiquement par le feu Roi, et que d'ailleurs la grâce m'avait été faite dans un temps où la Reine ne donnait rien à force de ne rien refuser, je lui dis ces propres mots : « Vous me permettrez d'oublier tout ce qui pourrait diminuer ma reconnaissance et de ne me ressouvenir que de ce qui la doit augmenter. » Ces paroles, qui furent rapportées à M. le cardinal Mazarin par Goulas, à ce que lui-même m'a dit depuis, lui plurent. Il les dit à la Reine le jour que M. de Beaufort fut arrêté. Cette prison fit beaucoup d'éclat, mais elle n'eut pas celui qu'elle devait produire ; et comme elle fut le commencement de

l'*établissement du ministre, que vous verrez dans toute la
suite de cette histoire jouer le plus considérable rôle de la
comédie, il est nécessaire, à mon opinion, de vous en parler
un peu plus en détail.

Vous avez vu ci-dessus que ce parti, formé dans la cour
par M. de Beaufort, n'était composé que de quatre ou cinq
*mélancoliques, qui avaient la mine de penser creux ; et
cette mine, ou fit peur à M. le cardinal Mazarin, ou lui
donna lieu de feindre qu'il avait peur. Il y a eu des raisons
de douter de part et d'autre ; ce qui est certain est que La
Rivière, qui avait déjà beaucoup de part dans l'esprit de
Monsieur, essaya de la donner au ministre par toute sorte
d'avis, pour l'obliger de le ᵃ défaire de Montrésor, qui était
sa *bête ; et que Monsieur le Prince n'oublia rien aussi pour
la lui faire prendre, par l'appréhension qu'il avait que
Monsieur le Duc, qui est Monsieur le Prince d'aujourd'hui,
ne se *commît par quelque combat avec M. de Beaufort,
comme il avait été sur le point de faire dans le démêlé de
Mmes de Longueville et de Montbazon. Le palais d'Orléans
et l'hôtel de Condé, étant unis ensemble par ces intérêts,
tournèrent en moins de rien en ridicule la morgue qui avait
donné aux amis de M. de Beaufort le nom d'*Importants*[1] ;
et ils se servirent, en même temps, très habilement des
grandes apparences que M. de Beaufort, selon le style de
tous ceux qui ont plus de vanité que de sens, ne manqua
pas de donner en toute sorte d'occasions aux moindres
bagatelles. L'on tenait *cabinet mal à propos, l'on donnait
des rendez-vous sans sujet ; les chasses mêmes paraissaient
mystérieuses. Enfin l'on fit si bien que l'on se fit arrêter au
Louvre par Guitaut, capitaine des gardes de la Reine. Les
Importants furent chassés et dispersés, et l'on publia par
tout le royaume qu'ils avaient fait une entreprise sur la vie
de Monsieur le Cardinal. Ce qui a fait que je ne l'ai jamais
cru, est que l'on n'en a jamais vu ni déposition ni indice,
quoique la plupart des *domestiques de la maison de
Vendôme aient été très longtemps en prison. Vaumorin et
Ganseville, auxquels j'en ai parlé cent fois dans la Fronde,
m'ont juré qu'il n'y avait rien au monde de plus faux[2].
L'un était capitaine des gardes, et l'autre écuyer de M. de
Beaufort. Le marquis de Nangis, mestre de camp du régiment
de Navarre ou de Picardie, je ne m'en ressouviens pas

précisément, et enragé contre la Reine et contre le Cardinal pour un sujet que je vous dirai incontinent, fut fort tenté d'entrer dans la cabale des Importants, cinq ou six jours devant que M. de Beaufort fût arrêté ; et je le détournai de cette pensée, en lui disant que la mode, qui a du pouvoir en toutes choses, ne l'a si sensible en aucune qu'à être ou bien ou mal à la cour. Il y a des temps où la disgrâce est une manière de feu qui purifie toutes les mauvaises qualités et qui illumine toutes les bonnes ; il y a des temps où il ne sied pas bien à un *honnête homme d'être disgracié. Je soutins à Nangis que celui des Importants était de cette nature ; et je vous marque cette circonstance pour avoir lieu de vous faire le plan de l'état où les choses se trouvèrent à la mort du feu Roi. C'est par où je devais commencer ; mais le fil du discours m'a emporté.

Il faut confesser, à la louange de M. le cardinal de Richelieu, qu'il avait conçu deux desseins que je trouve presque aussi vastes que ceux des Césars et des Alexandres. Celui d'abattre le parti de la *religion[1] avait été projeté par M. le cardinal de Rais, mon oncle ; celui d'attaquer la formidable maison d'Autriche n'avait été imaginé de personne[2]. Il a consommé le premier ; et à sa mort, il avait bien avancé le second. La valeur de Monsieur le Prince, qui était Monsieur le Duc en ce temps-là, fit que celle du Roi n'altéra point l'état des choses. La fameuse victoire de Rocroi donna autant de sûreté au royaume qu'elle lui apporta de gloire ; et ses lauriers couvrirent le Roi qui règne aujourd'hui, dans son berceau. Le Roi, son père, qui n'aimait ni n'estimait la Reine, sa femme, lui donna, en mourant, un conseil nécessaire pour limiter l'autorité de sa régence ; et il y nomma M. le cardinal Mazarin, Monsieur le Chancelier, M. Bouthillier et M. de Chavigny[3]. Comme tous ces sujets étaient extrêmement odieux au public, parce qu'ils étaient tous créatures de M. le cardinal de Richelieu, ils furent sifflés par tous les laquais, dans les cours de Saint-Germain, aussitôt que le Roi fut expiré ; et si M. de Beaufort eût eu le sens commun, ou si Monsieur de Beauvais n'eût pas été une bête mitrée, ou s'il eût plu à mon père d'entrer dans les affaires, ces collatéraux de la Régence auraient été infailliblement chassés avec honte, et la mémoire du cardinal de Richelieu aurait été sûrement condamnée par le Parlement avec une joie publique.

La Reine était adorée beaucoup plus par ses disgrâces que par son mérite [1]. L'on ne l'avait vue que persécutée, et la souffrance, aux personnes de ce rang, tient lieu d'une grande vertu. L'on se voulait imaginer qu'elle avait eu de la patience, qui est très souvent figurée par l'indolence. Enfin il est *constant que l'on en espérait des merveilles ; et Bautru disait qu'elle faisait déjà des miracles, parce que les plus *dévots avaient même oublié ses coquetteries.

M. le duc d'Orléans fit quelque mine de disputer la Régence, et La Frette, qui était à lui, donna de l'ombrage, parce qu'il arriva, une heure après la mort du Roi, à Saint-Germain, avec deux cents gentilshommes qu'il avait amenés de son pays. J'obligeai Nangis, dans ce moment, à offrir à la Reine le régiment qu'il commandait, qui était en garnison à Mantes. Il le fit marcher à Saint-Germain ; tout le régiment des gardes s'y rendit ; l'on amena le Roi à Paris. Monsieur se contenta d'être lieutenant général de l'Etat ; Monsieur le Prince fut déclaré chef du Conseil. Le Parlement confirma la régence de la Reine, mais sans limitation [2] ; tous les exilés furent rappelés, tous les prisonniers furent mis en liberté, tous les criminels furent justifiés, tous ceux qui avaient perdu des charges y rentrèrent : on donnait tout, on ne refusait rien ; et Mme de Beauvais, entre autres, eut permission de bâtir dans la place Royale. Je ne me ressouviens plus du nom de celui à qui l'on expédia un *brevet pour un impôt sur les messes. La félicité des particuliers paraissait pleinement assurée par le bonheur public. L'union très parfaite de la maison royale fixait le repos du dedans. La bataille de Rocroi avait anéanti pour des siècles la vigueur de l'infanterie d'Espagne ; la cavalerie de l'Empire ne tenait pas devant les Weimariens [3]. L'on voyait sur les degrés du trône, d'où l'âpre et redoutable Richelieu avait foudroyé plutôt que gouverné les humains, un successeur doux, bénin, qui ne voulait rien, qui était au désespoir que sa dignité de cardinal ne lui permettait pas de s'humilier autant qu'il l'eût souhaité devant tout le monde, qui marchait dans les rues avec deux petits laquais derrière son carrosse. N'ai-je pas eu raison de vous dire qu'il ne seyait pas bien à un *honnête homme d'être mal à la cour en ce temps-là ? Et n'eus-je pas encore

raison de conseiller à Nangis de ne s'y pas brouiller, quoique,
nonobstant le service qu'il avait rendu à Saint-Germain, il
fût le premier homme à qui l'on eût refusé une gratification
de rien qu'il demanda ? Je la lui fis obtenir.

Vous ne serez pas surprise de ce que l'on le fut de la
prison de M. de Beaufort, dans une cour où l'on venait de
les ouvrir à tout le monde sans exception ; mais vous le
serez sans doute de ce que personne ne s'aperçut des suites.
Ce coup de rigueur, fait dans un temps où l'autorité était si
douce qu'elle était comme imperceptible, fit un très grand
effet. Il n'y avait rien de si facile que ce coup par toutes les
circonstances que vous avez vues, mais il paraissait grand ;
et tout ce qui est de cette nature est heureux, parce qu'il a
de la dignité et n'a rien d'odieux. Ce qui attire assez souvent
je ne sais quoi d'odieux sur les actions des ministres, même
les plus nécessaires, est que pour les faire ils sont presque
toujours obligés de surmonter des obstacles dont la victoire
ne manque jamais de porter avec elle de l'*envie et de la
haine. Quand il se présente une occasion considérable dans
laquelle il n'y a rien à vaincre, parce qu'il n'y a rien à
combattre, ce qui est très rare, elle donne à leur autorité un
éclat pur, innocent, non mélangé, qui ne l'établit pas
seulement, mais qui leur fait même tirer, dans les suites,
du mérite de tout ce qu'ils ne font pas, presque également
que de tout ce qu'ils font.

Quand l'on vit que le Cardinal avait arrêté celui qui, cinq
ou six semaines devant, avait ramené le Roi à Paris avec un
faste inconcevable, l'imagination de tous les hommes fut
saisie d'un *étonnement respectueux ; et je me souviens que
Chapelain, qui enfin avait de l'esprit, ne pouvait se lasser
d'*admirer ce grand événement. L'on se croyait bien obligé
au ministre de ce que, toutes les semaines, il ne faisait pas
mettre quelqu'un en prison, et l'on attribuait à la douceur
de son naturel les occasions qu'il n'avait pas de mal faire. Il
faut avouer qu'il seconda fort habilement son bonheur. Il
donna toutes les apparences nécessaires pour faire croire que
l'on l'avait forcé à cette résolution ; que les conseils de
Monsieur et de Monsieur le Prince l'avaient emporté dans
l'esprit de la Reine sur son avis. Il parut encore plus modéré,
plus civil et plus ouvert le lendemain de l'action. L'accès
était tout à fait libre, les audiences étaient aisées, l'on dînait

princes, magnates unsuff+ly aware of ints —
Blindsided by Maz.

270   *MÉMOIRES*

avec lui comme avec un particulier ; il relâcha même
beaucoup de la morgue des cardinaux les plus ordinaires.
Enfin il fit si bien, qu'il se trouva sur la tête de tout le
monde, dans le temps que tout le monde croyait l'avoir
encore à ses côtés. Ce qui me surprend, est que les princes
et les grands du royaume, qui pour leurs propres intérêts
*devaient être plus clairvoyants que le vulgaire, furent les
plus aveuglés. Monsieur se crut au-dessus de l'exemple ;
Monsieur le Prince, attaché à la cour par son avarice, voulut
s'y croire ; Monsieur le Duc était d'un âge à s'endormir
aisément à l'ombre des lauriers ; M. de Longueville ouvrit
les yeux, mais ce ne fut que pour les refermer ; M. de
Vendôme était trop heureux de n'avoir été que chassé ;
M. de Nemours n'était qu'un enfant ; M. de Guise, revenu
tout nouvellement de Bruxelles, était gouverné par Mlle de
Pons, et croyait gouverner la cour ; M. de Bouillon croyait
de jour en jour que l'on lui rendrait Sedan [1] ; M. de
Turenne était plus que satisfait de commander les armées
d'Allemagne ; M. d'Epernon était ravi d'être rentré dans
son gouvernement et dans sa charge ; M. de Schomberg
avait toute sa vie été inséparable de tout ce qui était bien à
la cour ; M. de Gramont en était esclave ; et MM. de Rais,
de Vitry et de Bassompierre se croyaient, au pied de la
lettre, en faveur, parce qu'ils n'étaient plus ni prisonniers
ni exilés. Le Parlement, délivré du cardinal de Richelieu,
qui l'avait tenu fort bas, s'imaginait que le siècle d'or serait
celui d'un ministre qui leur disait tous les jours que la Reine
ne se voulait conduire que par leurs conseils. Le clergé, qui
donne toujours l'exemple de la servitude, la prêchait aux
autres sous le titre d'obéissance. Voilà comme tout le monde
se trouva en un instant mazarin.

page
of
to
283
Ce plan vous paraîtra peut-être avoir été bien long : mais
je vous supplie de considérer qu'il contient les quatre
premières années de la Régence, dans lesquelles la rapidité
du mouvement donné à l'autorité royale par M. le cardinal
de Richelieu, soutenue par les circonstances que je vous viens
de marquer, et par les avantages continuels remportés sur
les ennemis, maintint toutes les choses en l'état où vous les
voyez. Il y eut, la troisième et la quatrième année, quelque
petit nuage entre Monsieur et Monsieur le Duc pour des
bagatelles ; il y en eut entre Monsieur le Duc et M. le

cardinal Mazarin, pour la charge d'amiral, que le premier prétendit par la mort de M. le duc de Brézé, son beau-frère[1]. Je ne parle point ici de ce détail, et parce qu'il n'altéra en rien la face des affaires, et parce qu'il n'y a point de mémoire de ce temps-là où vous ne le trouviez imprimé.

Monsieur de Paris partit de Paris, deux mois après mon sacre[2], pour aller passer l'été à Angers, dans une abbaye qu'il y avait, appelée Saint-Aubin, et il m'ordonna, quoique avec beaucoup de peine, de prendre soin de son diocèse. Ma première fonction fut la visite des religieuses de la Conception, que la Reine me força de faire, parce que n'ignorant pas qu'il y avait dans ce monastère plus de quatre-vingts filles, dont il y en avait plusieurs de belles et quelques-unes de coquettes, j'avais peine à me résoudre à y exposer ma vertu. Il le fallut toutefois, et je la conservai avec l'édification du prochain, parce que je n'en vis jamais une seule au visage, et je ne leur parlai jamais qu'elles n'eussent le voile baissé ; et cette conduite, qui dura six semaines, donna un merveilleux lustre à ma chasteté[a]. Je crois que les leçons que je recevais tous les soirs chez Mme de Pommereux la fortifiaient beaucoup pour le lendemain. Ce qui est d'admirable, est que ces leçons, qui n'étaient plus secrètes, ne me nuisirent point dans le monde. La dame eût été bien fâchée que l'on ne les eût pas sues ; mais elle les mêlait, et à ma prière et parce qu'elle-même y était assez portée, de tant de diverses apparences, où il n'y avait pourtant rien de réel, que notre affaire, en beaucoup de choses, avait l'air de n'être pas publique, quoiqu'elle ne fût pas cachée. Cela paraît galimatias ; mais il est de ceux que la pratique fait connaître quelquefois et que la *spéculation ne fait jamais entendre. J'en ai remarqué de cette sorte en tout genre d'affaires.

Je continuai à faire dans le diocèse tout ce que la jalousie de mon oncle me permit d'y entreprendre sans le fâcher. Mais comme, de l'humeur dont il était, il y avait peu de choses qui ne le pussent fâcher, je m'appliquai bien davantage à tirer du mérite de ce que je n'y faisais pas que de ce que je faisais ; et ainsi je trouvai le moyen de prendre même des avantages de la jalousie de Monsieur de Paris, en ce que je pouvais, à jeu sûr, faire paraître ma bonne intention en tout : au lieu que si j'eusse été le maître, la bonne conduite m'eût obligé à me réduire purement à ce qui eût été praticable.

M. le cardinal Mazarin m'avoua, longtemps après, dans l'intervalle de l'une de ces paix fourrées que nous faisions quelquefois ensemble, que la première cause de l'ombrage qu'il prit de mon pouvoir à Paris fut l'observation qu'il fit de ce manœuvre, qui était pourtant, à son égard, très innocent. Un autre rencontre lui en donna avec aussi peu de sujet.

J'entrepris d'examiner la capacité de tous les prêtres du diocèse, ce qui était, dans la vérité, d'une utilité inconcevable. Je fis pour cet effet trois tribunaux composés de chanoines, de curés et de religieux, qui devaient réduire tous les prêtres en trois classes, dont la première était des capables, que l'on laissait dans l'exercice de leurs fonctions ; la seconde, de ceux qui ne l'étaient pas, mais qui le pouvaient devenir ; la troisième, de ceux qui ne l'étaient pas et qui ne le pouvaient jamais être. On séparait ceux de ces deux dernières classes : l'on les interdisait de leurs fonctions ; l'on les mettait dans des maisons distinctes, et l'on instruisait les uns et l'on se contentait d'apprendre purement aux autres les règles de la piété[1]. Vous jugez bien que ces établissements devaient être d'une dépense immense ; mais l'on m'apportait des sommes considérables de tous côtés. Toutes les bourses des gens de bien s'ouvrirent avec profusion.

Cet éclat fâcha le ministre, et il fit que la Reine manda, sous un prétexte frivole, Monsieur de Paris, qui, deux jours après qu'il fut arrivé, me commanda, sous un autre encore plus frivole, de ne pas continuer l'exécution de mon dessein. Quoique je fusse très bien averti, par mon ami l'aumônier, que le coup me venait de la cour, je le souffris avec bien plus de flegme qu'il n'appartenait à ma vivacité. Je n'en témoignai quoi que ce soit, et je demeurai dans ma conduite ordinaire à l'égard de Monsieur le Cardinal. Je ne parlai pas si judicieusement sur un autre sujet, quelques jours après, que j'avais agi sur celui-là. Le *bon homme M. de Morangis me disant, dans la cellule du prieur des chartreux, que je faisais trop de dépense, comme il n'était que trop vrai que je la faisais excessive, je lui répondis fort étourdiment : « J'ai bien supputé ; César, à mon âge, devait six fois plus que moi. »[1] Cette parole, très imprudente en tout sens, fut rapportée par un malheureux *docte qui se trouva là à M. Servien qui la dit *malicieusement à Monsieur le Cardinal. Il s'en moqua, et il avait raison ; mais il la remarqua, et il n'avait pas tort.

L'assemblée du clergé se tint en 1645[2]. J'y fus invité comme diocésain, et elle se peut dire le véritable écueil de ma *médiocre faveur.

M. le cardinal de Richelieu avait donné une atteinte cruelle à la dignité et à la liberté du clergé dans l'assemblée de Mantes, et il avait exilé, avec des circonstances atroces, six de ses prélats les plus considérables. On résolut, en celle de 1645, de leur faire quelque sorte de réparation, ou plutôt de donner quelque *récompense d'honneur à leur fermeté, en les priant de venir prendre place dans la compagnie, quoiqu'ils n'y fussent pas députés. Cette résolution, qui fut prise d'un consentement général dans les conversations particulières, fut portée innocemment et sans aucun mystère dans l'assemblée, où l'on ne songea pas seulement que la cour y pût faire réflexion ; et il arriva par hasard que lorsque l'on y délibéra, le tour, qui tomba ce jour-là sur la *province de Paris, m'obligea à parler le premier.

J'ouvris donc l'avis, selon que nous l'avions tout concerté, et il fut suivi de toutes les voix. A mon retour chez moi, je trouvai l'argentier de la Reine qui me portait ordre de l'aller trouver à l'heure même. Elle était sur son lit, dans sa petite chambre grise, et elle me dit avec un ton de voix fort aigre, qui lui était assez naturel, qu'elle n'eût jamais cru que j'eusse été capable de lui manquer au point que je venais de le faire, dans une occasion qui blessait la mémoire du feu Roi, son seigneur. Il ne me fut pas difficile de la mettre en état de ne pouvoir que me dire sur mes raisons, et elle en sortit par le commandement qu'elle me fit de les aller faire connaître à Monsieur le Cardinal. Je trouvai qu'il les entendait aussi peu qu'elle. Il me parla de l'air du monde le plus haut ; il ne voulut point écouter mes justifications, et il me déclara qu'il me commandait, de la part du Roi, que je me rétractasse le lendemain en pleine assemblée. Vous croyez bien qu'il eût été difficile de m'y résoudre. Je ne m'emportai toutefois nullement ; je ne sortis point du

respect, et comme je vis que ma soumission ne gagnait rien
sur son esprit, je pris le parti d'aller trouver Monsieur
d'Arles, sage et modéré, et de le prier de vouloir bien se
joindre à moi pour faire entendre ensemble nos raisons à
Monsieur le Cardinal. Nous y allâmes, nous lui parlâmes, et
nous conclûmes, en revenant de chez lui, qu'il était l'homme
du monde le moins entendu dans les affaires du clergé. Je
ne me souviens pas précisément de la manière dont cette
affaire s'accommoda ; je crois de plus que vous n'en avez
pas grande curiosité, et je ne vous en ai parlé un peu au
long que pour vous faire connaître et que je n'ai eu aucun
tort dans le premier demêlé que j'ai eu avec la cour, et que
le respect que j'eus pour M. le cardinal Mazarin, à la
*considération de la Reine, alla jusques à la patience.

J'en eus encore plus de besoin, trois ou quatre mois après,
dans une occasion que son ignorance lui fournit d'abord,
mais que sa *malice envenima. L'évêque de Varmie, l'un
des ambassadeurs qui venaient quérir la reine de Pologne [1],
prit en gré de vouloir faire la cérémonie du mariage dans
Notre-Dame. Vous remarquerez, s'il vous plaît, que les
évêques et archevêques de Paris n'ont jamais cédé ces sortes
de fonctions dans leur église qu'aux cardinaux de la maison
royale ; et que mon oncle avait été blâmé au dernier point
par tout son clergé, parce qu'il avait souffert que M. le
cardinal de La Rochefoucauld mariât la reine d'Angleterre [2].

Il était parti justement pour son second voyage d'Anjou
la veille de la Saint-Denis ; et le jour de la fête, Sainctot,
lieutenant des cérémonies, m'apporta, dans Notre-Dame
même, une lettre de cachet, qui m'ordonnait de faire
préparer l'église pour M. l'évêque de Varmie, et qui me
l'ordonnait dans les mêmes termes dans lesquels on commande au prévôt des marchands de préparer l'Hôtel de Ville
pour un ballet. Je fis voir la lettre de cachet au doyen et
aux chanoines, qui étaient avec moi ; et je leur dis en même
temps que je ne doutais point que ce ne fût une méprise de
quelque commis de secrétaire d'Etat ; que je partirais, dès
le lendemain, pour Fontainebleau, où était la cour, et pour
éclaircir moi-même ce malentendu. Ils étaient fort émus, et
ils voulaient venir avec moi à Fontainebleau. Je les en
empêchai, en leur promettant de les mander s'il en était
besoin.

J'allai descendre chez Monsieur le Cardinal. Je lui représentai les raisons et les exemples. Je lui dis qu'étant son serviteur
aussi particulier que je l'étais, j'espérais qu'il me ferait la
grâce de les faire entendre à la Reine ; et j'ajoutai assurément
tout ce qui l'y pouvait obliger.

C'est en cette occasion où je connus qu'il *affectait de
me brouiller avec elle ; car, quoique je visse clairement que
les raisons que je lui alléguais le touchaient, au point d'être
certainement fâché d'avoir donné cet ordre devant que d'en
savoir la conséquence, il se remit après un peu de réflexion,
et il l'*opiniâtra de la manière du monde la plus engageante [1]
et la plus désobligeante. Comme je parlais au nom et de
Monsieur l'Archevêque et de toute l'Eglise de Paris, il éclata
comme il eût pu faire si un particulier, de son autorité
privée, l'eût voulu haranguer à la tête de cinquante séditieux.
Je lui en voulus faire voir, avec respect, la différence ; mais
il était si ignorant de nos mœurs et de nos manières, qu'il
prenait tout de travers le peu que l'on lui en voulait
faire entendre. Il finit brusquement et incivilement la
conversation, et il me renvoya à la Reine. Je la trouvai
*sifflée et aigrie ; et tout ce que j'en pus tirer fut qu'elle
donnerait audience au chapitre, sans lequel je lui déclarai
que je ne pouvais ni ne devais rien conclure.

Je le mandai à l'heure même. Le doyen arriva le lendemain
avec seize députés. Je les présentai : ils parlèrent, et ils
parlèrent très sagement et très fortement. La Reine nous
renvoya à Monsieur le Cardinal, qui, pour vous dire le vrai,
ne nous dit que des *impertinences ; et comme il ne savait
encore que très médiocrement la force des mots français, il
finit sa réponse en me disant que je lui avais parlé la veille
fort insolemment. Vous pouvez juger que cette parole me
choqua. Comme toutefois j'avais pris une résolution ferme
de faire paraître de la modération, je ne lui répondis qu'en
souriant, et je me tournai aux députés, en leur disant :
« Messieurs, le mot est gai. » Il se fâcha de mon *souris, et
il me dit d'un ton très haut : « A qui croyez-vous parler ?
Je vous apprendrai à vivre. » Je vous confesse que ma bile
s'échauffa. Je lui répondis que je savais fort bien que j'étais
le coadjuteur de Paris qui parlais à M. le cardinal Mazarin ;
mais que je croyais que lui pensait être le cardinal de
Lorraine qui parlait au suffragant de Metz [2]. Cette expression,

que la chaleur me mit à la bouche, réjouit les assistants, qui étaient en grand nombre.

Je ramenai les députés du chapitre dîner chez moi ; et nous nous préparions pour retourner aussitôt après à Paris, quand nous vîmes entrer M. le maréchal d'Estrées, qui venait pour m'exhorter de ne point rompre, et pour me dire que les choses se pourraient accommoder. Comme il vit que je ne me rendais pas à son conseil, il s'expliqua nettement, et il m'avoua qu'il avait ordre de la Reine de m'obliger à aller chez elle. Je ne balançai point ; j'y menai les députés. Nous la trouvâmes radoucie, bonne, changée à un point que je ne vous puis exprimer. Elle me dit, en présence des députés, qu'elle avait voulu me voir, non pas pour la substance de l'affaire, pour laquelle il serait aisé de trouver des expédients, mais pour me faire une réprimande de la manière dont j'avais parlé à ce pauvre Monsieur le Cardinal, qui était doux comme un agneau, et qui m'aimait comme son fils. Elle ajouta à cela toutes les bontés possibles, et elle finit par un commandement qu'elle fit au doyen et aux députés de me mener chez Monsieur le Cardinal, et d'aviser ensemble ce qu'il y aurait à faire. J'eus un peu de peine à faire ce pas, et je marquai à la Reine qu'il n'y aurait eu qu'elle au monde qui m'y aurait pu obliger.

Nous trouvâmes le ministre encore plus doux que la maîtresse. Il me fit un million d'excuses du terme *insolemment*. Il me dit, et il pouvait être vrai, qu'il avait cru qu'il signifiât *insolito* [1]. Il me fit toutes les *honnêtetés imaginables, mais il ne conclut rien, et il nous remit à un petit voyage qu'il croyait faire au premier jour à Paris. Nous y revînmes pour attendre ses ordres ; et quatre ou cinq jours après, Sainctot, lieutenant des cérémonies, entra chez moi à minuit, et il me présenta une lettre de Monsieur l'Archevêque, qui m'ordonnait de ne m'opposer en rien aux prétentions de M. l'évêque de Varmie, et de lui laisser faire la cérémonie du mariage. Si j'eusse été bien sage, je me serais contenté de ce que j'avais fait jusque là, parce qu'il est toujours judicieux de prendre toutes les issues que l'honneur permet pour sortir des affaires que l'on a avec la cour ; mais j'étais jeune, et j'étais de plus en colère, parce que je voyais que l'on m'avait joué à Fontainebleau, comme il était vrai, et que l'on ne m'avait bien traité en apparence que pour se donner le temps de dépêcher à Angers un courrier à mon oncle. Je ne fis toutefois rien connaître de ma disposition à Sainctot : au contraire, je lui témoignai joie de ce que Monsieur de Paris m'avait tiré d'embarras. J'envoyai quérir, un quart d'heure après, les principaux du chapitre, qui étaient tous dans ma disposition. Je leur expliquai mes intentions, et Sainctot, qui, le lendemain au matin, les fit assembler, pour leur donner aussi, selon la coutume, leur lettre de cachet, s'en retourna à la cour avec cette réponse : « Que Monsieur l'Archevêque pouvait disposer comme il lui plairait de la nef ; mais que comme le chœur était au chapitre, il ne le céderait jamais qu'à son archevêque ou à son coadjuteur. » Le Cardinal entendit bien ce jargon, et il prit le parti de faire faire la cérémonie dans la chapelle du Palais-Royal, dont il disait que le grand aumônier était évêque. Comme cette question était encore plus importante que l'autre, je lui écrivis pour lui en représenter les inconvénients. Il était piqué, et il tourna ma lettre en raillerie. Je fis voir à la reine de Pologne que si elle se mariait ainsi, je serais forcé, malgré moi, de déclarer son mariage nul ; mais qu'il y avait un expédient, qui était qu'elle se mariât véritablement dans le Palais-Royal, mais que l'évêque de Varmie vînt chez moi en recevoir la permission par écrit. La chose pressait : il n'y avait pas de temps pour attendre une nouvelle permission d'Angers. La reine de Pologne ne voulait rien laisser de problématique dans son mariage, et la cour fut obligée de plier et de consentir à ma proposition, qui fut exécutée.

Voilà un récit bien long, bien sec et bien ennuyeux ; mais comme ces trois ou quatre petites brouilleries que j'eus en ce temps-là ont eu beaucoup de rapport aux plus grandes qui sont arrivées dans les suites, je crois qu'il est comme nécessaire de vous en parler, et je vous supplie, par cette raison, d'avoir la bonté d'essuyer encore deux ou trois historiettes de même nature, après lesquelles je fais *état d'entrer dans des matières et plus importantes et plus agréables.

Quelque temps après le mariage de la reine de Pologne, M. le duc d'Orléans vint, le jour de Pâques, à Notre-Dame, à vêpres, et un officier de ses gardes, ayant trouvé, devant qu'il y fût arrivé, mon drap de pied à ma place ordinaire, qui était immédiatement au-dessous de la chaire de Monsieur l'Archevêque, l'ôta, et y mit celui de Monsieur. L'on m'en avertit aussitôt, et comme la moindre ombre de *compétence avec un fils de France a un grand air de ridicule, je répondis même assez aigrement à ceux du chapitre qui m'y voulurent faire faire réflexion. Le théologal[1], qui était homme de doctrine et de sens, me tira à part ; il m'apprit là-dessus un détail que je ne savais pas. Il me fit voir la conséquence qu'il y avait à séparer, pour quelque cause que ce pût être, le coadjuteur de l'archevêque. Il me fit honte, et j'attendis Monsieur à la porte de l'église, où je lui représentai ce que, pour vous dire le vrai, je ne venais que d'apprendre. Il le reçut fort bien, il commanda que l'on ôtât son drap de pied, il fit remettre le mien. On me donna l'encens devant lui, et comme vêpres furent finies, je me moquai de moi-même avec lui, et je lui dis ces propres paroles : « Je serais bien honteux, Monsieur, de ce qui se vient de faire, si l'on ne m'avait assuré que le dernier frère convers des Carmes qui adora avant-hier la croix *devant Votre Altesse Royale le fit sans aucune peine. » Je savais que Monsieur avait été aux Carmes à l'office du vendredi saint, et je n'ignorais pas que tous ceux du clergé vont à l'adoration tout les premiers. Le mot plut à Monsieur, et il le redit le soir au *cercle, comme une politesse.

Il alla le lendemain à Petit-Bourg, chez La Rivière, qui lui tourna la tête, et qui lui fit croire que je lui avais fait un outrage public, de sorte que le jour même qu'il en revint, il demanda tout haut à M. le maréchal d'Estrées, qui avait passé les fêtes à Cœuvres, si son curé lui avait disputé la préséance. Vous voyez l'air qui fut donné à la conversation. Les courtisans commencèrent par le ridicule, et Monsieur finit par un serment qu'il m'obligerait d'aller à Notre-Dame prendre ma place et recevoir l'encens après lui. M. de Rohan-Chabot, qui se trouva à ce discours, vint me le raconter tout effaré, et une demi-heure après, un aumônier de la Reine vint me commander de sa part de l'aller trouver. Elle me dit d'abord que Monsieur était dans une colère terrible, qu'elle en était très fâchée, mais qu'enfin c'était Monsieur, et qu'elle ne pouvait n'être pas dans ses sentiments ; qu'elle voulait absolument que je le satisfisse, et que j'allasse, le dimanche suivant, faire dans Notre-Dame la réparation dont je vous viens de parler. Je lui répondis ce que vous pouvez vous figurer, et elle me renvoya, à son ordinaire, à Monsieur le Cardinal, qui me témoigna d'abord qu'il prenait une part très sensible à la peine dans laquelle il me voyait, qui blâma l'abbé de La Rivière d'avoir engagé Monsieur, et qui, par cette voie douce et obligeante en apparence, n'oublia rien pour me conduire à la dégradation que l'on prétendait. Comme il vit que je ne donnais pas dans le panneau, il voulut m'y pousser : il prit un ton haut et d'autorité ; il me dit qu'il m'avait parlé comme mon ami, mais que je le forçais de me parler en ministre. Il mêla dans ses réflexions des menaces indirectes, et la conversation s'échauffant, il passa jusques à la *picoterie tout ouverte, en me disant que quand l'on *affectait de faire des actions de saint Ambroise, il en fallait faire la vie[1]. Comme il *affecta d'élever sa voix en cet endroit pour se faire entendre de deux ou trois prélats qui étaient au bout de la chambre, j'affectai aussi de ne pas baisser la mienne pour lui repartir : « J'essaierai, Monsieur, de profiter de l'avis que Votre Eminence me donne ; mais je vous dirai qu'en attendant, je fais *état d'imiter saint Ambroise dans l'occasion dont il s'agit, afin qu'il obtienne pour moi la grâce de le pouvoir imiter en toutes les autres. » Le discours finit assez aigrement, et je sortis ainsi du Palais-Royal.

M. le maréchal d'Estrées et M. de Senneterre vinrent chez moi, au sortir de table, munis de toutes les figures de rhétorique, pour me persuader que la dégradation était honorable. Comme ils n'y réussirent pas, ils m'insinuèrent que Monsieur pourrait bien venir aux voies de fait, et me faire enlever par ses gardes, pour me faire mettre à Notre-Dame au-dessous de lui. La pensée m'en parut si ridicule que je n'y fis pas d'abord beaucoup de réflexion. L'avis m'en étant donné le soir par M. de Choisy, chancelier de Monsieur, je me mis de mon côté très ridiculement sur la défensive ; car vous pouvez juger qu'elle ne pouvait être en aucun sens judicieuse contre un fils de France, dans un temps calme et où il n'y avait pas seulement apparence de mouvement. Cette sottise est, à mon opinion, la plus grande de toutes celles que j'ai faites en ma vie. Elle me réussit toutefois. Mon audace plut à Monsieur le Duc, de qui j'avais l'honneur d'être parent[2], et qui haïssait l'abbé de La Rivière, parce qu'il avait eu l'insolence de trouver mauvais, quelques jours auparavant, que l'on lui eût préféré M. le prince de Conti pour la nomination au cardinal[at] [a]. De plus, Monsieur le Duc était très persuadé de mon bon droit, qui était, dans la vérité, fort clair et justifié pleinement par un petit écrit que j'avais jeté dans le monde. Il le dit à Monsieur le Cardinal, et il ajouta qu'il ne souffrirait, en façon quelconque, que l'on usât d'aucune violence ; que j'étais son parent et son serviteur, et qu'il ne partirait point pour l'armée qu'il ne vît cette affaire finie.

La cour ne craignait rien tant au monde que la rupture entre Monsieur et Monsieur le Duc ; Monsieur le Prince l'appréhendait encore davantage. Il faillit à transir de frayeur quand la Reine lui dit le discours de monsieur son fils. Il vint tout courant chez moi : il y trouva soixante ou quatre-vingts gentilshommes ; il crut qu'il y avait quelque partie liée avec Monsieur le Duc, ce qui n'était nullement vrai. Il jura, il menaça, il pria, il caressa, et dans ses emportements il lâcha des mots qui me firent connaître que Monsieur le Duc prenait plus de part à mes intérêts qu'il ne me l'avait témoigné à moi-même. Je ne balançai pas à me rendre à cet instant, et je dis à Monsieur le Prince que je ferais toutes choses sans exception, plutôt que de souffrir que la maison royale se brouillât à ma *considération. Monsieur le Prince, qui m'avait trouvé jusque-là inébranlable, fut si touché de voir que je me radoucissais à celle de monsieur son fils, précisément dans l'instant qu'il me venait d'apprendre lui-même que j'en pouvais espérer une puissante protection, qu'il changea aussi de son côté, et qu'au lieu qu'à l'abord il ne trouvait point de satisfaction assez grande pour Monsieur, il décida nettement en faveur de celle que j'avais toujours offerte, qui était d'aller lui dire, en présence de toute la cour, que je n'avais jamais prétendu manquer au respect que je lui devais, et que ce qui m'avait obligé de faire ce que j'avais fait à Notre-Dame était l'ordre de l'Eglise, duquel je lui venais rendre compte. La chose fut ainsi exécutée, quoique Monsieur le Cardinal et M. de La Rivière en enrageassent du meilleur de leur cœur. Mais Monsieur le Prince leur fit une telle frayeur de Monsieur le Duc, qu'il fallut plier. Il me mena chez Monsieur, où toute la cour se trouva par curiosité. Je ne lui dis précisément que ce que je vous viens de marquer. Il trouva mes raisons admirables ; il me mena voir ses médailles[1], et ainsi finit l'histoire, dont le fond était très bon, mais qu'il ne tint pas à moi de gâter par mes manières.

Comme cette affaire et le mariage de la reine de Pologne m'avaient fort brouillé à la cour, vous pouvez bien vous imaginer le tour que les courtisans y voulurent donner. Mais j'éprouvai, en cette occasion, que toutes les puissances ne peuvent rien contre la réputation d'un homme qui la conserve dans son corps. Tout ce qu'il y eut de savant dans le clergé se déclara pour moi ; et au bout de six semaines, je m'aperçus que la plupart même de ceux qui m'avaient blâmé croyaient ne m'avoir que plaint. J'ai fait cette observation en mille autres rencontres.

Je forçai même la cour, quelque temps après, à se louer de moi. Comme la fin de l'assemblée du clergé approchait, et que l'on était sur le point de délibérer sur le don que l'on a accoutumé de faire au Roi[2], je fus bien aise de témoigner à la Reine, par la complaisance que je me résolus d'avoir pour elle en ce rencontre, que la résistance à laquelle ma dignité m'avait obligé dans les deux précédents ne venait d'aucun principe de *méconnaissance. Je me séparai de la bande des zélés, à la tête desquels était Monsieur de Sens ; je me joignis à Messieurs d'Arles et de Châlons, qui ne l'étaient pas moins en effet, mais qui étaient aussi plus sages. Je vis même, avec le premier, Monsieur le Cardinal, qui demeura très satisfait de moi, et qui dit publiquement, le lendemain, qu'il ne me trouvait pas moins ferme pour le service du Roi que pour l'honneur de mon *caractère. L'on me chargea de la harangue qui se fait toujours à la fin de l'assemblée, et de laquelle je ne vous dis point le détail, parce qu'elle est imprimée. Le clergé en fut content, la cour s'en loua, et M. le cardinal Mazarin me mena, au sortir, souper tête à tête avec lui. Il me parut pleinement désabusé des impressions que l'on lui avait voulu donner contre moi, et je crois, dans la vérité, qu'il croyait l'être. Mais j'étais trop bien à Paris pour être longtemps bien à la cour. C'était là mon crime dans l'esprit d'un Italien politique par livre[3] ; et ce crime était d'autant plus dangereux que je n'oubliais rien pour l'aggraver par une dépense naturelle, non affectée, et à laquelle la négligence même donnait du lustre ; par de grandes aumônes, par des libéralités très souvent sourdes, dont l'écho n'en était quelquefois que plus résonnant. Ce qui est de vrai est que je ne pris d'abord cette conduite que par la pente de mon inclination, et par la pure vue de mon devoir. La nécessité de me soutenir contre la cour m'obligea de la suivre, et même de la renforcer ; mais nous n'en sommes pas encore à ce détail ; et ce que j'en marque en ce lieu n'est que pour vous faire voir que la cour prit de l'ombrage de moi dans le temps même où je n'avais pas fait seulement réflexion que je lui en pusse donner.

Cette considération est une de celles qui m'ont obligé de vous dire quelquefois que l'on est plus souvent dupe par la défiance que par la confiance. Enfin celle que le ministre prit de l'état où il me voyait à Paris, et qui l'avait déjà porté à me faire les pièces que vous avez vues ci-dessus, l'obligea encore, malgré les radoucissements de Fontainebleau, à m'en faire une nouvelle trois mois après.

M. le cardinal de Richelieu avait dépossédé M. l'évêque de Léon, de la maison de Rieux, avec des formes tout à fait injurieuses à la dignité et à la liberté de l'Eglise de France. L'assemblée de 1645 entreprit de le rétablir. La contestation fut grande : M. le cardinal Mazarin, selon sa coutume, céda après avoir beaucoup *disputé. Il vint lui-même dans l'assemblée porter parole de la restitution, et l'on se sépara sur celle qu'il donna publiquement de l'exécuter dans trois mois. Je fus nommé, en sa présence, pour *solliciteur de l'*expédition, comme celui de qui le séjour était le plus assuré à Paris. Il donna dans la suite toute sorte de démonstrations qu'il tiendrait fidèlement sa parole ; il me fit écrire deux ou trois fois aux *provinces qu'il n'y avait rien de plus assuré. Sur le point de la décision, il changea tout à coup, et il me fit presser par la Reine de tourner l'affaire d'un biais qui m'aurait infailliblement déshonoré. Je n'oubliai rien pour le faire rentrer dans lui-même. Je me conduisis avec une patience qui n'était pas de mon âge ; je la perdis au bout du mois, et je me résolus de rendre compte aux *provinces de tout le procédé, avec toute la vérité que je devais à ma conscience et à mon honneur. Comme j'étais sur le point de fermer la lettre circulaire que j'écrivais pour cet effet, Monsieur le Duc entra chez moi. Il la lut, il me l'arracha, et il me dit qu'il voulait finir cette affaire. Il alla trouver à l'heure même Monsieur le Cardinal ; il lui en fit voir les conséquences : j'eus mon expédition[a].

Il me semble que je vous ai déjà dit, en quelque endroit de ce discours, que les quatre premières années de la Régence furent comme emportées par ce mouvement de rapidité que M. le cardinal de Richelieu avait donné à l'autorité royale. M. le cardinal Mazarin, son disciple, et de plus né et nourri dans un pays où celle du Pape n'a point de bornes, crut que ce mouvement de rapidité était le naturel, et cette méprise fut l'occasion de la guerre civile. Je dis l'occasion ; car il en faut, à mon avis, rechercher et reprendre la cause de bien plus loin[1].

Il y a plus de douze cents ans que la France a des rois ; mais ces rois n'ont pas toujours été absolus au point qu'ils le sont. Leur autorité n'a jamais été réglée, comme celle des rois d'Angleterre et d'Aragon, par des lois écrites[2]. Elle a été seulement *tempérée par des coutumes reçues et comme mises en dépôt, au commencement dans les mains des États généraux, et depuis dans celle des parlements. Les enregistrements des traités faits entre les couronnes et les vérifications des édits pour les levées d'argent[3] sont des images presque effacées de ce sage milieu que nos pères avaient trouvé entre la licence des rois et le libertinage[4] des peuples. Ce milieu a été considéré par les bons et sages princes comme un assaisonnement de leur pouvoir, très utile même pour le faire goûter aux sujets ; il a été regardé par les mal habiles et par les mal intentionnés comme un obstacle à leurs dérèglements et à leurs caprices. L'histoire du sire de Joinville nous fait voir clairement que saint Louis l'a connu et estimé ; et les ouvrages d'Oresmieux, l'évêque de Lisieux, et du fameux Jean Juvénal des Ursins, nous convainquent que Charles V, qui a mérité le titre de Sage, n'a jamais cru que sa puissance fût au-dessus des lois et de son devoir[5]. Louis onzième, plus artificieux que prudent, donna, sur ce chef, aussi bien que sur tous les autres, atteinte à la bonne foi. Louis XII l'eût rétablie, si l'ambition du cardinal d'Amboise, maître absolu de son esprit, ne s'y fût opposée[6]. L'avarice insatiable du connétable de Montmorency[7] lui donna bien plus de mouvement à étendre l'autorité de

François premier qu'à la *régler. Les vastes et lointains desseins de MM. de Guise[1] ne leur permirent pas, sous François second, de penser à y donner des bornes.

Sous Charles IX et sous Henri III, la cour fut si fatiguée des troubles, que l'on y prit pour révolte tout ce qui n'était pas soumission. Henri IV, qui ne se défiait pas des lois parce qu'il se fiait en lui-même, marqua combien il les estimait par la considération qu'il eut pour les remontrances très hardies de Miron, prévôt des marchands[2], touchant les rentes de l'Hôtel de Ville. M. de Rohan disait que Louis treizième n'était jaloux de son autorité qu'à force de ne la pas connaître. Le maréchal d'Ancre et M. de Luynes n'étaient que des ignorants, qui n'étaient pas capables de l'en informer.

Le cardinal de Richelieu leur succéda, qui fit, pour ainsi parler, un fonds de toutes ces mauvaises intentions et de toutes ces ignorances des deux derniers siècles, pour s'en servir selon son intérêt. Il les déguisa en maximes utiles et nécessaires pour établir l'autorité royale ; et la fortune secondant ses desseins par le désarmement du parti protestant en France, par les victoires des Suédois, par la faiblesse de l'Empire, par l'incapacité de l'Espagne[3], il forma, dans la plus légitime des monarchies, la plus scandaleuse et la plus dangereuse tyrannie qui ait peut-être jamais asservi un Etat. L'habitude, qui a eu la force, en quelques pays, d'accoutumer les hommes au feu, nous a endurcis à des choses que nos pères ont appréhendées plus que le feu même. Nous ne sentons plus la servitude, qu'ils ont détestée, moins pour leur propre intérêt que pour celui de leurs maîtres ; et le cardinal de Richelieu a fait des crimes de ce qui faisait, dans le siècle passé, les vertus des Mirons, des Harlays, des Marillacs, des Pibracs et des Fayes[4]. Ces martyrs de l'Etat, qui ont dissipé plus de factions par leurs bonnes et saintes maximes que l'or d'Espagne et d'Angleterre n'en a fait naître, ont été les défenseurs de la doctrine pour la conservation de laquelle le cardinal de Richelieu confina M. le président Barillon à Amboise[5] ; et c'est lui qui a commencé à punir les magistrats pour avoir avancé des vérités pour lesquelles leur serment les oblige d'exposer leurs propres vies.

Les rois qui ont été sages et qui ont connu leurs véritables intérêts ont rendu les parlements dépositaires de leurs ordonnances, particulièrement pour se décharger d'une partie de l'*envie et de la haine que l'exécution des plus saintes et même des plus nécessaires produit quelquefois[1]. Ils n'ont pas cru s'abaisser en s'y liant eux-mêmes, semblables à Dieu, qui obéit toujours à ce qu'il a commandé une fois. Les ministres, qui sont presque toujours assez aveuglés par leur fortune, pour ne se pas contenter de ce que ces ordonnances permettent, ne s'appliquent qu'à les renverser ; et le cardinal de Richelieu, plus qu'aucun autre, y a travaillé avec autant d'imprudence que d'application. Il n'y a que Dieu qui puisse subsister par lui seul. Les monarchies les plus établies et les monarques les plus autorisés ne se soutiennent que par l'assemblage des armes et des lois ; et cet assemblage est si nécessaire que les unes ne se peuvent maintenir sans les autres. Les lois désarmées tombent dans le mépris ; les armes qui ne sont pas modérées par les lois tombent bientôt dans l'anarchie[2]. La république romaine ayant été anéantie par Jules César, la puissance dévolue par la force de ses armes à ses successeurs subsista autant de temps qu'ils purent eux-mêmes conserver l'autorité des lois. Aussitôt qu'elles perdirent leur force, celle des empereurs s'évanouit ; et elle s'évanouit par le moyen de ceux mêmes qui, s'étant rendus maîtres et de leur sceau et de leurs armes, par la faveur qu'ils avaient auprès d'eux, convertirent en leur propre substance celle de leurs maîtres, qu'ils sucèrent, pour ainsi parler, de ces lois anéanties. L'empire romain mis à l'encan[3], et celui des Ottomans exposés tous les jours au *cordeau, nous marquent, par des *caractères bien sanglants, l'aveuglement de ceux qui ne font consister l'autorité que dans la force.

Mais pourquoi chercher des exemples étrangers où nous en avons tant de domestiques ? Pépin n'employa pour détrôner les Mérovingiens, et Capet ne se servit pour déposséder les Carlovingiens, que de la même puissance que les prédécesseurs de l'un et de l'autre s'étaient acquise sous le nom de leurs maîtres ; et il est à observer et que les maires du palais et que les comtes de Paris se placèrent dans le trône des rois justement et également par la même voie par laquelle ils s'étaient insinués dans leur esprit, c'est-à-dire par l'affaiblissement et par le changement des lois de

portrait J. Rhieu

l'Etat, qui plaît toujours d'abord aux princes peu éclairés, parce qu'ils s'y imaginent l'agrandissement de leur autorité, et qui, dans les suites, sert de prétexte aux grands et de motif au peuple pour se soulever[1].

Le cardinal de Richelieu était trop habile pour ne pas avoir toutes ces vues ; mais il les sacrifia à son intérêt. Il voulut régner selon son inclination, qui ne se donnait point de règles, même dans les choses où il ne lui eût rien coûté de s'en donner ; et il fit si bien, que si le destin lui eût donné un successeur de son mérite, je ne sais si la qualité de premier ministre, qu'il a pris[a] le premier, n'aurait pas pu être, avec un peu de temps, aussi odieuse en France que l'ont été, par l'événement, celles de maire du palais et de comte de Paris. La providence de Dieu y pourvut au moins d'un sens, le cardinal Mazarin, qui prit sa place, n'ayant donné ni pu donner aucun ombrage à l'Etat du côté de l'usurpation. Comme ces deux ministres ont beaucoup contribué, quoique fort différemment, à la guerre civile, je crois qu'il est nécessaire que je vous en fasse le portrait et le parallèle[2].

Le cardinal de Richelieu avait de la naissance. Sa jeunesse jeta des étincelles de son mérite : il se distingua en Sorbonne ; on remarqua de fort bonne heure qu'il avait de la force et de la vivacité dans l'esprit. Il prenait d'ordinaire très bien son parti. Il était homme de parole, où un grand intérêt ne l'obligeait pas au contraire ; et en ce cas, il n'oubliait rien pour sauver les apparences de la bonne foi. Il n'était pas libéral ; mais il donnait plus qu'il ne promettait, et il assaisonnait admirablement les bienfaits. Il aimait la gloire beaucoup plus que la morale ne le permet ; mais il faut avouer qu'il n'abusait qu'à proportion de son mérite de la dispense qu'il avait prise sur ce point de l'excès de son ambition. Il n'avait ni l'esprit ni le cœur au-dessus des périls ; il n'avait ni l'un ni l'autre au-dessous ; et l'on peut dire qu'il en prévint davantage par sa sagacité qu'il n'en surmonta par sa fermeté. Il était bon ami ; il eût même souhaité d'être aimé du public ; mais quoiqu'il eût la civilité, l'extérieur et beaucoup d'autres parties propres à cet effet, il n'en eut jamais le je ne sais quoi[3], qui est encore, en cette matière, plus requis qu'en toute autre. Il anéantissait par son pouvoir et par son faste royal la majesté personnelle

du Roi ; mais il remplissait avec tant de dignité les fonctions
de la royauté, qu'il fallait n'être pas du vulgaire pour ne
pas confondre le bien et le mal en ce fait. Il distinguait
plus judicieusement qu'homme du monde entre le mal et
le pis, entre le bien et le mieux, ce qui est une grande
qualité pour un ministre. Il s'impatientait trop facilement
dans les petites choses qui étaient préalables des grandes ;
mais ce défaut, qui vient de la sublimité de l'esprit, est
toujours joint à des lumières qui le suppléent. Il avait assez
de *religion pour ce monde. Il allait au bien, ou par
inclination ou par bon sens, *toutefois que son intérêt ne le
portait point au mal, qu'il connaissait parfaitement quand
il le faisait. Il ne considérait l'Etat que pour sa vie ; mais
jamais ministre n'a eu plus d'application à faire croire qu'il
en ménageait l'avenir. Enfin il faut confesser que tous ses
vices ont été de ceux que la grande fortune rend aisément
illustres, parce qu'ils ont été de ceux qui ne peuvent avoir
pour instruments que de grandes vertus.

Vous jugez facilement qu'un homme qui a autant de
grandes qualités et autant d'apparences de celles même qu'il
n'avait pas, se conserve assez aisément dans le monde cette
sorte de respect qui démêle le mépris d'avec la haine, et
qui, dans un Etat où il n'y a plus de lois, supplée au moins
pour quelque temps à leur défaut.

Le cardinal Mazarin était d'un *caractère tout contraire.
Sa naissance était basse et son enfance honteuse[1]. Au sortir
du Colisée[2], il apprit à piper, ce qui lui attira des coups de
bâtons d'un orfèvre de Rome appelé Moreto. Il fut capitaine
d'infanterie en Valteline ; et Bagni, qui était son général,
m'a dit qu'il ne passa dans sa guerre, qui ne fut que de
trois mois, que pour un escroc. Il eut la nonciature extraordinaire en France, par la faveur du cardinal Antoine, qui ne
s'acquérait pas, en ce temps-là, par de bons moyens[3]. Il
plut à Chavigny par ses contes libertins d'Italie, et par
Chavigny à Richelieu, qui le fit cardinal, par le même esprit,
à ce que l'on a cru, qui obligea Auguste à laisser à Tibère
la succession de l'Empire[4]. La pourpre ne l'empêcha pas de
demeurer valet sous Richelieu. La Reine l'ayant choisi faute
d'autre, ce qui est vrai quoi qu'on en dise, il parut d'abord
l'original de *Trivelino Principe*[5]. La fortune l'ayant ébloui
et tous les autres, il s'érigea et l'on l'érigea en Richelieu ;

Rhien
hated
but
respected

mais il n'en eut que l'impudence de l'imitation. Il se fit de la honte de tout ce que l'autre s'était fait de l'honneur. Il se moqua de la *religion. Il promit tout, parce qu'il ne voulut rien tenir. Il ne fut ni doux ni cruel, parce qu'il ne se ressouvenait ni des bienfaits ni des injures. Il s'aimait trop, ce qui est le naturel des âmes lâches ; il se craignait trop peu, ce qui est le *caractère de ceux qui n'ont pas de soin de leur réputation. Il prévoyait assez bien le mal, parce qu'il avait souvent peur ; mais il n'y remédiait pas à proportion, parce qu'il n'avait pas tant de prudence que de peur. Il avait de l'esprit, de l'*insinuation, de l'enjouement, des manières ; mais le *vilain cœur paraissait toujours au travers, et au point que ces qualités eurent, dans l'adversité, tout l'air du ridicule, et ne perdirent pas, dans la plus grande prospérité, celui de fourberie. Il porta le *filoutage dans le ministère, ce qui n'est jamais arrivé qu'à lui ; et ce filoutage faisait que le ministère, même heureux et absolu, ne lui seyait pas bien, et que le mépris s'y glissa, qui est la maladie la plus dangereuse d'un Etat, et dont la contagion se répand le plus aisément et le plus promptement du chef dans les membres.

Il n'est pas malaisé de concevoir, par ce que je viens de vous dire, qu'il peut et qu'il doit y avoir eu beaucoup de *contretemps fâcheux dans une administration qui suivait d'aussi près celle du cardinal de Richelieu, et qui en était aussi différente.

Vous avez vu ci-devant tout l'extérieur des quatre premières années de la Régence, et je vous ai déjà même expliqué l'effet que la prison de M. de Beaufort fit d'*abord dans les esprits. Il est certain qu'elle y imprima du respect pour un homme pour qui l'éclat de la pourpre n'en avait pu donner aux particuliers. Ondedei m'a dit que le Cardinal s'était moqué avec lui, à ce propos, de la légèreté des Français ; mais il m'ajouta en même temps qu'au bout de quatre mois il s'admira lui-même ; qu'il s'érigea, dans son opinion, en Richelieu, et qu'il se crut même plus habile que lui. Il faudrait des volumes pour vous raconter toutes ses fautes, dont les moindres étaient d'une importance extrême, par une considération qui mérite une observation particulière.

Comme il marchait sur les pas du cardinal de Richelieu, qui avait achevé de détruire toutes les anciennes maximes de l'Etat, il suivait un chemin qui était de tous côtés bordé de précipices ; et comme il ne voyait pas ces précipices, que le cardinal de Richelieu n'avait pas ignorés, il ne se servait pas des appuis par lesquels le cardinal de Richelieu avait assuré sa marche. J'explique ce peu de paroles, qui comprend beaucoup de choses, par un exemple.

Le cardinal de Richelieu avait *affecté d'abaisser les corps, mais il n'avait pas oublié de ménager les particuliers. Cette idée suffit pour vous faire concevoir tout le reste. Ce qu'il y eut de merveilleux fut que tout contribua à le[1] tromper et à se tromper soi-même. Il y eut toutefois des raisons naturelles de cette illusion ; et vous en avez vu quelques-unes dans la disposition où je vous ai marqué ci-devant qu'il avait trouvé les affaires, les corps et les particuliers du royaume ; mais il faut avouer que cette illusion fut très extraordinaire, et qu'elle passa jusques à un grand excès.

Le dernier point de l'illusion, en matière d'Etat, est une espèce de léthargie, qui n'arrive jamais qu'après de grands symptômes. Le renversement des anciennes lois, l'anéantissement de ce milieu qu'elles ont posé entre les peuples et les rois, l'établissement de l'autorité purement et absolument despotique, sont ceux qui ont jeté originairement la France dans les convulsions dans lesquelles nos pères l'ont vue. Le cardinal de Richelieu la vint traiter comme un empirique, avec des remèdes violents, qui lui firent paraître de la force, mais une force d'agitation qui en épuisa le corps et les parties. Le cardinal Mazarin, comme un médecin très inexpérimenté, ne connut point son abattement. Il ne le soutint point par les secrets chimiques de son prédécesseur ; il continua de l'affaiblir par des saignées : elle tomba en léthargie, et il fut assez malhabile pour prendre ce faux repos pour une véritable santé. Les provinces, abandonnées à la rapine des surintendants, demeuraient abattues et assoupies sous la pesanteur de leurs maux, que les secousses qu'elles s'étaient données de temps en temps, sous le cardinal de Richelieu, n'avaient fait qu'augmenter et qu'aigrir[2]. Les parlements, qui avaient tout fraîchement gémi sous sa tyrannie, étaient comme insensibles aux misères présentes, par la mémoire encore trop vive et trop récente des passées. Les grands, qui pour la plupart avaient été chassés du royaume, s'endormaient paresseusement dans leurs lits, qu'ils

avaient été ravis de retrouver. Si cette indolence générale
eût été ménagée, l'assoupissement eût peut-être duré plus
longtemps ; mais comme le médecin ne le prenait que pour
un doux sommeil, il n'y fit aucun remède. Le mal s'aigrit ;
la tête s'éveilla : Paris se *sentit, il poussa des soupirs ; l'on
n'en fit point de cas : il tomba en frénésie. Venons au
détail.

Emery, surintendant des finances, et à mon sens l'esprit
le plus corrompu de son siècle, ne cherchait que des noms
pour trouver des édits. Je ne vous puis mieux exprimer le
fond de l'âme du personnage, qui disait en plein conseil (je
l'ai ouï), que la foi n'était que pour les marchands, et que
les maîtres des requêtes qui l'alléguaient pour raison dans
les affaires qui regardaient le Roi méritaient d'être punis ;
je ne vous puis mieux expliquer le défaut de son jugement.
Cet homme, qui avait été condamné à Lyon à être pendu,
dans sa jeunesse, gouvernait même avec empire, le cardinal
Mazarin, en tout ce qui regardait le dedans du royaume. Je
choisis cette remarque entre douze ou quinze que je vous
pourrais faire de même nature, pour vous donner à entendre
l'extrémité du mal, qui n'est jamais à son *période que
quand ceux qui commandent ont perdu la honte, parce que
c'est justement le moment dans lequel ceux qui obéissent
perdent le respect ; et c'est dans ce même moment où l'on
revient de la léthargie, mais par des convulsions.

Les Suisses paraissaient, pour ainsi parler, si étouffés sous
la pesanteur de leurs chaînes, qu'ils ne respiraient plus,
quand la révolte de trois de leurs paysans forma les Ligues[1].
Les Hollandais se croyaient subjugués par le duc d'Albe
quand le prince d'Orange, par le sort réservé aux grands
*génies, qui voient devant tous les autres le point de la
possibilité, conçut et enfanta leur liberté[2]. Voilà des exemples ; la raison y est. Ce qui cause l'assoupissement dans les
États qui souffrent est la durée du mal, qui saisit l'imagination des hommes, et qui leur fait croire qu'il ne finira
jamais. Aussitôt qu'ils trouvent *jour à en sortir, ce qui ne
manque jamais lorsqu'il est venu jusques à un certain point,
ils sont si surpris, si aises et si emportés, qu'ils passent tout
d'un coup à l'autre extrémité, et que bien loin de considérer
les *révolutions comme impossibles, ils les croient faciles ;
et cette disposition toute seule est quelquefois capable de

les faire. Nous avons éprouvé et senti toutes ces vérités dans notre dernière révolution. Qui eût dit, trois mois devant la petite pointe des troubles, qu'il en eût pu naître dans un Etat où la maison royale était parfaitement unie, où la cour était esclave du ministre, où les provinces et la capitale lui étaient soumises, où les armées étaient victorieuses, où les compagnies paraissaient de tout point impuissantes : qui l'eût dit eût passé pour insensé, je ne dis pas dans l'esprit du vulgaire, mais je dis entre les Estrées et les Senneterres [1]. Il paraît un peu de sentiment, une lueur, ou plutôt une étincelle de vie, et ce signe de vie, dans les commencements presque imperceptible, ne se donne point par Monsieur, il ne se donne point par Monsieur le Prince, il ne se donne point par les grands du royaume, il ne se donne point par les provinces : il se donne par le Parlement, qui jusques à notre siècle n'avait jamais commencé de révolution, et qui certainement aurait condamné par des arrêts sanglants celle qu'il faisait lui-même, si tout autre que lui l'eût commencée.

Il gronda sur l'édit du tarif [2] ; et aussitôt qu'il eut seulement murmuré, tout le monde s'éveilla. L'on chercha en s'éveillant, comme à tâtons, les lois : l'on ne les trouva plus ; l'on s'effara, l'on cria, l'on se les demanda ; et dans cette agitation les questions que leurs explications firent naître, d'obscures qu'elles étaient et vénérables par leur obscurité, devinrent problématiques ; et dès là, à l'égard de la moitié du monde, odieuses. Le peuple entra dans le sanctuaire : il leva le voile qui doit toujours *couvrir tout ce que l'on peut dire, tout ce que l'on peut croire du droit des peuples et de celui des rois qui ne s'accordent jamais si bien ensemble que dans le silence. La salle du Palais [3] profana ces mystères [4]. Venons aux faits particuliers, qui vous feront voir à l'œil ce détail.

Je n'en choisirai d'une infinité que deux, et pour ne vous pas ennuyer, et parce que l'un est le premier qui a ouvert la plaie, et que l'autre l'a beaucoup envenimée. Je ne toucherai les autres qu'en courant.

Le Parlement, qui avait souffert et même vérifié une très grande quantité d'édits ruineux et pour les particuliers et pour le public, éclata enfin au mois d'août de l'année 1647, contre celui du tarif, qui portait une imposition générale sur toutes les denrées qui entraient dans la ville de Paris.

Comme il avait été vérifié en la Cour des aides, il y avait plus d'un an, et exécuté en vertu de cette vérification, messieurs du Conseil s'opiniâtrèrent beaucoup à le soutenir. Connaissant que le Parlement était sur le point de faire défenses de l'exécuter, ou plutôt d'en continuer l'exécution, ils souffrirent qu'il fût porté au Parlement pour l'examiner, dans l'espérance d'éluder, comme ils avaient fait en d'autres rencontres, les résolutions de la Compagnie. Ils se trompèrent : la mesure était comble, les esprits étaient échauffés, et tous allaient à rejeter l'édit. La Reine manda le Parlement ; il fut par députés au Palais-Royal. Le chancelier prétendit que la vérification appartenait à la Cour des aides ; le premier président la contesta pour le Parlement. Le cardinal Mazarin, ignorantissime en toutes ces matières, dit qu'il s'étonnait qu'un corps aussi considérable s'*amusât à des bagatelles ; et vous pouvez juger si cette parole fut relevée.

Emery ayant proposé une conférence particulière pour aviser aux expédients d'accommoder l'affaire, elle fut proposée, le lendemain, dans les chambres assemblées. Après une grande diversité d'avis, dont plusieurs allaient à la refuser comme inutile et même comme captieuse, elle fut accordée ; mais vainement : l'on ne put convenir. Ce que voyant le Conseil, et craignant que le Parlement ne donnât arrêt de défenses, qui auraient été infailliblement exécutées par le peuple, il envoya une déclaration [1] pour supprimer le tarif, afin de sauver au moins l'apparence à l'autorité du Roi. L'on envoya, quelques jours après, cinq édits encore plus onéreux que celui du tarif, non pas en espérance de les faire recevoir, mais en vue d'obliger le Parlement à revenir à celui du tarif. Il y revint effectivement, en refusant les autres, mais avec tant de modifications, que la cour ne crut pas s'en pouvoir accommoder, et qu'elle donna, étant à Fontainebleau au mois de septembre, un arrêt du Conseil d'en haut, qui cassa l'arrêt du Parlement et qui leva toutes ces modifications. La Chambre des *vacations [2] ý répondit par un autre, qui ordonna que celui du Parlement serait exécuté.

Le Conseil, voyant qu'il ne pouvait tirer aucun argent de ce côté-là, témoigna au Parlement que puisqu'il ne voulait point de nouveaux édits, il ne devait pas au moins s'opposer à l'exécution de ceux qui avaient été vérifiés autrefois dans

lit. de justice - but Paul won't back down

la Compagnie ; et sur ce fondement, il remit sur le tapis une déclaration qui avait été enregistrée il y avait deux ans, pour l'établissement de la Chambre du domaine, qui était d'une charge terrible pour le peuple et d'une conséquence encore plus grande [1]. Le Parlement l'avait accordée ou par surprise ou par faiblesse. Le peuple se mutina, alla en troupe au Palais, maltraita de paroles le président de Thoré, fils d'Emery ; le Parlement fut obligé de décréter contre les séditieux. La cour, ravie de le *commettre avec le peuple, appuya le décret des régiments des gardes, français et suisses. Le bourgeois s'alarma, monta dans les clochers des trois églises de la rue Saint-Denis, où les gardes avaient paru. Le prévôt des marchands avertit le Palais-Royal que tout est sur le point de prendre les armes. L'on fait retirer les gardes en disant que l'on ne les avait posées que pour accompagner le Roi, qui devait aller en cérémonie à Notre-Dame. Il y alla effectivement en grande pompe, dès le lendemain, pour couvrir le jeu ; et le jour suivant, il monta au Parlement, sans l'avoir averti que la veille extrêmement tard. Il y porta cinq ou six édits tous plus ruineux les uns que les autres, qui ne furent communiqués aux gens de Roi [2] que dans l'audience. Le premier président parla fort hardiment contre cette manière de mener le Roi au Palais, pour surprendre et pour forcer la liberté des suffrages [3].

Dès le lendemain, les maîtres des requêtes, auxquels un de ces édits vérifiés par la présence du Roi avait donné douze collègues [4], s'assemblent dans le lieu où ils tiennent la justice, que l'on appelle des requêtes du Palais, et prennent une résolution très ferme de ne point souffrir cette nouvelle création. La Reine les mande, les appelle de belles gens pour s'opposer aux volontés du Roi ; elle les interdit des conseils. Ils s'animent au lieu de s'*étonner ; ils entrent dans la Grande Chambre, et ils demandent qu'ils soient reçus opposants à l'édit de création de leurs confrères ; et l'on leur donna acte de leur opposition.

Les chambres s'assemblent le même jour pour examiner les édits que le Roi avait fait vérifier en sa présence. La Reine commanda à la Compagnie de l'aller trouver par députés, au Palais-Royal, et elle leur témoigna être surprise de ce qu'ils se prétendaient toucher à ce que la présence du Roi avait consacré : ce furent les propres paroles du chancelier.

Le premier président repartit que telle était la pratique du Parlement, et il en allégua les raisons, tirées de la nécessité de la liberté des suffrages. La Reine témoigna être satisfaite des exemples que l'on lui apporta ; mais comme elle vit, quelques jours après, que les délibérations allaient à mettre des modifications aux édits qui les rendaient presque infructueux, elle défendit, par la bouche des gens du Roi, au Parlement de continuer à prendre connaissance des édits jusques à ce qu'il lui eût déclaré en forme si il prétendait donner des bornes à l'autorité du Roi. Ceux qui étaient à la cour dans la Compagnie se servirent adroitement de l'embarras où elle se trouva pour répondre à cette question ; ils s'en servirent, dis-je, adroitement pour porter les choses à la douceur, et pour faire ajouter aux arrêts qui portaient les modifications que le tout serait exécuté sous le bon plaisir du Roi. La clause plut pour un moment à la Reine ; mais quand elle connut qu'elle n'empêchait pas que presque tous les édits ne fussent rejetés par le commun suffrage du Parlement, elle s'emporta, et elle leur déclara qu'elle voulait que tous les édits, sans exception, fussent exécutés pleinement, et sans modification aucune.

Dès le lendemain, M. le duc d'Orléans alla à la Chambre des comptes, où il porta ceux qui la regardaient ; et M. le prince de Conti, en l'absence de Monsieur le Prince, qui était déjà parti pour l'armée, alla à la Cour des aides pour y porter ceux qui la concernaient.

J'ai couru jusques ici à perte d'haleine sur ces matières, quoique nécessaires à ce récit, pour me trouver plus tôt sur une autre sans comparaison plus importante, et qui, comme je vous ai déjà dit ci-dessus, envenima toutes les autres. Ces deux compagnies que je vous viens de nommer ne se contentèrent pas seulement de répondre à Monsieur et à M. le prince de Conti avec beaucoup de vigueur, par la bouche de leurs premiers présidents ; mais aussitôt après, la Cour des aides députa vers la Chambre des comptes, pour lui demander union avec elle pour la réformation de l'Etat. La Chambre des comptes l'accepta. L'une et l'autre s'assurèrent du Grand Conseil, et les trois ensemble demandèrent la jonction au Parlement, qui leur fut accordée avec joie, et exécutée à l'heure même au Palais, dans la salle que l'on appelle de Saint-Louis.

La vérité est que cette union, qui prenait pour son motif la réformation de l'Etat, pouvait avoir fort naturellement celui de l'intérêt particulier des *officiers, parce que l'un des édits dont il s'agissait portait un retranchement considérable de leurs gages[1] ; et la cour, qui se trouva *étonnée et embarrassée au dernier point de l'arrêt d'union, *affecta de lui donner, autant qu'elle put, cette couleur, pour le décréditer dans l'esprit des peuples.

La Reine ayant fait dire, par les gens du Roi, au Parlement, que comme cette union n'était faite que pour l'intérêt particulier des compagnies, et non pas pour la réformation de l'Etat, comme on le lui avait voulu faire croire d'abord, qu'elle n'y trouvait rien à redire, parce qu'il est toujours permis à tout le monde de représenter au Roi ses intérêts, et qu'il n'est jamais permis à personne de s'ingérer du gouvernement de l'Etat : le Parlement ne donna point dans ce panneau ; et comme il était aigri par l'enlèvement de Turquant et d'Argouges, conseillers au Grand Conseil, que la cour fit prendre la nuit, l'avant-veille de la Pentecôte, et par celui de Lotin, Dreux et Guérin, que l'on arrêta aussi incontinent après, il ne songea qu'à justifier et soutenir son arrêt d'union par des exemples. Le président de Novion en trouva dans les registres, et l'on était sur le point de délibérer sur l'exécution, quand Le Plessis-Guénégaud, secrétaire d'Etat, entra dans le parquet, et mit entre les mains des gens du Roi un arrêt du Conseil d'en haut qui portait, en termes même injurieux, cassation de celui d'union des quatre compagnies. Le Parlement, ayant délibéré, ne répondit à cet arrêt du Conseil que par un avis, donné solennellement aux députés des trois autres compagnies, de se trouver le lendemain, à deux heures de *relevée, dans la salle de Saint-Louis ; la cour, outrée de ce procédé, s'avisa de l'expédient du monde le plus bas et le plus ridicule, qui fut d'avoir la feuille de l'arrêt. Du Tillet, greffier en chef, auquel elle l'avait demandée, ayant répondu qu'elle était entre les mains du greffier commis, Le Plessis-Guénégaud et Carnavalet, lieutenant des gardes du corps, le mirent dans un carrosse, et l'amenèrent au greffe pour la chercher. Les marchands s'en aperçurent ; le peuple se souleva, et le secrétaire et le lieutenant furent très heureux de se sauver.

Le lendemain, à sept heures du matin, le Parlement eut

ordre d'aller au Palais-Royal, et d'y porter l'arrêté du jour précédent, qui était celui par lequel le Parlement avait ordonné que les autres compagnies seraient priées de se trouver, à deux heures, dans la Chambre de Saint-Louis. Comme ils furent arrivés au Palais-Royal, M. Le Tellier demanda à Monsieur le Premier Président si il avait apporté la feuille ; et le premier président lui ayant répondu que non, et qu'il en dirait les raisons à la Reine, il y eut dans le Conseil des avis différents. L'on prétend que la Reine était assez portée à arrêter le Parlement ; personne ne fut de son avis, qui, à la vérité, n'était pas soutenable, vu la disposition des peuples. L'on prit un parti plus modéré. Le chancelier fit à la Compagnie une forte réprimande en présence du Roi et de toute la cour, et il fit lire en même temps un second arrêt du Conseil, portant cassation du dernier arrêté, défenses de s'assembler sur peine de rébellion, et ordre d'insérer dans les registres cet arrêt, en la place de celui de l'union.

Cela se passa le matin. Dès l'après-dînée, les députés des quatre compagnies se trouvèrent dans la salle de Saint-Louis, au très grand mépris de l'arrêt du Conseil d'en haut. Le Parlement s'assembla de son côté, à l'heure ordinaire, pour délibérer de ce qui était à faire à l'égard de l'arrêt du Conseil d'en haut, qui avait cassé celui de l'union, et qui avait défendu la continuation des assemblées. Et vous remarquerez, s'il vous plaît, qu'ils y désobéissaient même en y délibérant, parce qu'il leur avait été expressément enjoint de n'y pas délibérer. Comme tout le monde voulait opiner avec pompe et avec éclat sur une matière de cette importance, quelques jours se passèrent devant que la délibération pût être achevée, ce qui donna lieu à Monsieur, qui connut que le Parlement infailliblement n'obéirait pas, de proposer un accommodement.

Les présidents au mortier et le doyen de la Grande Chambre se trouvèrent au palais d'Orléans, avec le cardinal Mazarin et le chancelier. L'on y fit quelques propositions, qui furent rapportées au Parlement, et rejetées avec d'autant plus d'emportement que la première, qui concernait le droit annuel, accordait aux compagnies tout ce qu'elles pouvaient souhaiter pour leur intérêt particulier [1]. Le Parlement *affecta de marquer qu'il ne songeait qu'au public, et il donna enfin arrêt par lequel il fut dit que la Compagnie demeurerait assemblée, et que très humbles remontrances seraient faites au Roi pour lui demander la cassation des arrêts du Conseil. Les gens du Roi demandèrent audience à la Reine, pour le Parlement, le soir même. Elle les manda, dès le lendemain, par une lettre de cachet. Le premier président parla avec une grande force : il *exagéra la nécessité de ne point ébranler ce milieu qui est entre les peuples et les rois ; il justifia par des exemples illustres et fameux la possession où les compagnies avaient été, depuis si longtemps, et de s'unir et de s'assembler. Il se plaignit hautement de la cassation de l'arrêt d'union, et il conclut, par une instance très ferme et très vigoureuse, à ce que les contraires, donnés par le Conseil d'en haut, fussent supprimés. La cour, beaucoup plus émue par la disposition des peuples que par les remontrances du Parlement, plia tout d'un coup, et fit dire par les gens du Roi à la Compagnie que le Roi lui permettait d'exécuter l'arrêt d'union, de s'assembler et de travailler avec les autres compagnies à ce qu'elle jugerait à propos pour le bien de l'Etat.

Jugez de l'abattement du *cabinet ; mais vous n'en jugerez pas assurément comme le vulgaire, qui crut que la faiblesse du cardinal Mazarin, en cette occasion, donna le dernier coup à l'affaiblissement de l'autorité royale. Il ne pouvait faire en ce rencontre que ce qu'il fit ; mais il est juste de rejeter sur son imprudence ce que nous n'attribuons pas à sa faiblesse ; et il est inexcusable de n'avoir pas prévu et de n'avoir pas prévenu les conjonctures dans lesquelles l'on ne peut plus faire que des fautes. J'ai observé que la fortune ne met jamais les hommes en cet état, qui est de tous le plus malheureux, et que personne n'y tombe que ceux qui s'y précipitent par leurs fautes. J'en ai recherché la raison et je ne l'ai point trouvée ; mais j'en suis convaincu par les exemples. Si le cardinal Mazarin eût tenu ferme dans l'occasion dont je vous viens de parler, il se serait sûrement attiré des barricades et la réputation d'un téméraire et d'un forcené. Il a cédé au torrent : j'ai vu peu de gens qui ne l'aient accusé de faiblesse. Ce qui est *constant est que l'on en conçut beaucoup de mépris pour le ministre, et que bien qu'il eût essayé d'adoucir les esprits par l'exil d'Emery, à qui il ôta la surintendance, le Parlement, aussi persuadé de sa propre force que de l'impuissance de la cour, le *poussa par toutes les voies qui peuvent anéantir le gouvernement d'un favori.

La Chambre de Saint-Louis fit sept propositions, dont la moins forte était de cette nature. La première sur laquelle le Parlement délibéra fut la révocation des intendants[1]. La cour, qui se sentit touchée à la prunelle de l'œil, obligea M. le duc d'Orléans d'aller au Palais, pour en représenter à la Compagnie les conséquences, et la prier de surseoir seulement pour trois mois l'exécution de son arrêt, pendant lesquels il avait des propositions à faire, qui seraient certainement très avantageuses au public. L'on lui accorda trois jours de délai, à condition qu'il n'en fût rien écrit dans le registre et que la conférence se fît incessamment. Les députés des quatre compagnies se trouvèrent au palais d'Orléans. Le chancelier insista fort sur la nécessité de conserver les intendants dans les provinces, et sur l'inconvénient qu'il y aurait à faire le procès, comme l'arrêt du Parlement le portait, à ceux d'entre eux qui auraient malversé, parce qu'il serait impossible que les partisans[2] ne se trouvassent engagés dans ces procédures, ce qui serait ruiner les affaires du Roi, en obligeant à des banqueroutes ceux qui les soutenaient par leurs avances et par leur crédit. Le Parlement ne se rendant point à cette raison, le chancelier se réduisit à demander que les intendants ne fussent point révoqués par arrêt du Parlement, mais par une déclaration du Roi, afin que les peuples eussent au moins l'obligation de leur soulagement à Sa Majesté. L'on consentit avec peine à cette proposition ; elle passa toutefois au plus de voix. Mais lorsque la déclaration fut portée au Parlement, elle fut trouvée défectueuse, en ce qu'en révoquant les intendants, elle n'ajoutait pas que l'on recherchât leur gestion.

M. le duc d'Orléans, qui l'était venu porter au Parlement, n'ayant pu la faire passer, la cour s'avisa d'un expédient, qui fut d'en envoyer une autre, qui portait l'établissement d'une chambre de justice, pour faire le procès aux délinquants. La Compagnie s'aperçut bien facilement que la proposition de cette chambre de justice, dont les officiers et l'exécution seraient toujours à la disposition des ministres, ne tendait qu'à tirer les voleurs de la main du Parlement ; elle passa toutefois encore au plus de voix, en présence de

M. d'Orléans, qui en fit vérifier une autre le même jour,
par laquelle le peuple était déchargé du huitième des tailles,
quoique l'on eût promis au Parlement de le décharger du
quart.

M. d'Orléans y vint encore, quelques jours après, porter
une troisième déclaration, par laquelle le Roi voulait qu'il
ne se fît plus aucune levée d'argent qu'en vertu de
déclarations vérifiées en Parlement. Rien ne paraissait plus
*spécieux ; mais comme la Compagnie savait que l'on ne
pensait qu'à l'*amuser et qu'à autoriser pour le passé toutes
celles qui n'y avaient pas été vérifiées, elle ajouta la clause
de défense que l'on ne lèverait rien en vertu de celles qui se
trouveraient de cette nature. Le ministre, désespéré du peu
de succès de cet artifice, de l'inutilité des efforts qu'il avait
faits pour semer de la jalousie entre les quatre compagnies,
et d'une proposition sur laquelle on était prêt de délibérer,
qui allait à la radiation de tous les prêts faits au Roi sous
des usures immenses, le ministre, dis-je, outré de rage et de
douleur, et poussé par tous les courtisans, qui avaient mis
presque tout leur bien dans ces prêts, se résolut à un
expédient qu'il crut décisif, et qui lui réussit aussi peu que
les autres. Il fit monter le Roi au Parlement, à cheval et en
grande pompe, et il y porta une déclaration remplie des
plus belles paroles du monde, de quelques articles utiles au
public et de beaucoup d'autres très obscurs et très ambigus.

La défiance que le peuple avait de toutes les démarches
de la cour fit que cette entrée ne fut pas accompagnée de
l'applaudissement ni même des cris accoutumés. Les suites
n'en furent pas plus heureuses. La Compagnie commença,
dès le lendemain, à examiner la déclaration et à la contrôler
presque en tous ses points, mais particulièrement en celui
qui défendait aux compagnies de continuer les assemblées
de la Chambre de Saint-Louis. Elle n'eut pas plus de succès
dans la Chambre des comptes et dans la Cour des aides,
dont les premiers présidents firent des harangues très fortes
à Monsieur et à M. le prince de Conti. Le premier vint
quelques jours de suite au Parlement, pour l'exhorter à ne
point toucher à la déclaration. Il menaça, il pria ; enfin,
après des efforts incroyables, il obtint que l'on surseoirait à
délibérer jusques au 17 du mois, après quoi l'on continuerait

*incessamment à le faire, tant sur la déclaration que sur les propositions de la Chambre de Saint-Louis.

L'on n'y manqua pas. L'on examina article par article, et l'arrêt donné par le Parlement sur le troisième, désespéra la cour. Il portait, en modifiant la déclaration, que toutes les levées d'argent ordonnées par déclarations non vérifiées n'auraient point de lieu. M. le duc d'Orléans ayant encore été au Parlement pour l'obliger à adoucir cette clause, et n'y ayant rien gagné, la cour se résolut à en venir aux extrémités, et à se servir de l'éclat que la bataille de Lens fit justement dans ce temps-là, pour éblouir les peuples et pour les obliger de consentir à l'oppression du Parlement.

Voilà un crayon très léger d'un portrait bien sombre et bien désagréable, qui vous a représenté, comme dans un nuage et comme en raccourci, les figures si différentes et les postures si bizarres des principaux corps de l'Etat. Ce que vous allez voir est d'une peinture plus égayée, et les factions et les intrigues y donneront du coloris.

La nouvelle de la victoire de Monsieur le Prince à Lens arriva à la cour le 24 d'août, en l'année 1648. Châtillon l'apporta, et il me dit, un quart d'heure après qu'il fut sorti du Palais-Royal, que Monsieur le Cardinal lui avait témoigné beaucoup moins de joie de la victoire, qu'il ne lui avait fait paraître de *chagrin de ce qu'une partie de la cavalerie espagnole s'était sauvée. Vous remarquerez, s'il vous plaît, qu'il parlait à un homme qui était entièrement à Monsieur le Prince, et qu'il lui parlait de l'une des plus belles actions qui se soient jamais faites dans la guerre. Elle est imprimée en tant de lieux, qu'il serait fort inutile de vous en rapporter ici le détail. Je ne me puis empêcher de vous dire que le combat étant presque perdu, Monsieur le Prince le rétablit et le gagna par un seul coup de cet œil d'aigle que vous lui connaissez, qui voit tout dans la guerre et qui ne s'y éblouit jamais.

Le jour que la nouvelle en arriva à Paris, je trouvai M. de Chavigny à l'hôtel de Lesdiguières, qui me l'apprit et qui me demanda si je ne gagerais pas que le Cardinal serait assez *innocent pour ne se pas servir de cette occasion pour remonter sur sa bête. Ce furent ses propres paroles. Elles me touchèrent, parce que connaissant comme je connaissais et l'humeur et les maximes violentes de Chavigny, et sachant d'ailleurs qu'il était très mal satisfait du Cardinal, ingrat au dernier point envers son bienfaiteur, je ne doutai pas qu'il ne fût très capable d'aigrir les choses par de mauvais conseils. Je le dis à Mme de Lesdiguières, et je lui ajoutai que je m'en allais de ce pas au Palais-Royal, dans la résolution de continuer ce que j'y avais commencé. Il est nécessaire, pour l'intelligence de ces deux dernières paroles, que je vous rende compte d'un petit détail qui me regarde en mon particulier.

Dans le cours de cette année d'agitation que je viens de toucher, je me trouvai moi-même dans un mouvement intérieur qui n'était connu que de fort peu de personnes. Toutes les humeurs de l'Etat étaient si *émues par la chaleur de Paris, qui en est le chef, que je jugeais bien que l'ignorance du médecin ne préviendrait pas la fièvre, qui en était comme la suite nécessaire. Je ne pouvais ignorer que je ne fusse très mal dans l'esprit du Cardinal. Je voyais la carrière ouverte, même pour la pratique, aux grandes choses, dont la *spéculation m'avait beaucoup touché dès mon enfance ; mon imagination me fournissait toutes les idées du possible ; mon esprit ne les désavouait pas, et je me reprochais à moi-même la contrariété que je trouvais dans mon cœur à les entreprendre. Je m'en remerciai, après en avoir examiné à fond l'intérieur, et je connus que cette opposition ne venait que d'un bon principe.

Je tenais la coadjutorerie de la Reine ; je ne savais point diminuer mes obligations par les circonstances : je crus que je devais sacrifier à la reconnaissance et mes ressentiments et même les apparences de ma gloire ; et quelque instance que me firent Montrésor et Laigue, je me résolus de m'attacher purement à mon devoir, et de n'entrer en rien de tout ce qui se disait et de tout ce qui se faisait en ce temps-là contre la cour. Le premier de ces deux hommes que je vous viens de nommer avait été toute sa vie nourri dans les factions de Monsieur, et il était d'autant plus dangereux pour conseiller les grandes choses, qu'il les avait beaucoup plus dans l'esprit que dans le cœur. Le gens de ce *caractère n'exécutent rien, et par cette raison ils conseillent tout. Laigue n'avait qu'un fort petit sens ; mais il était très brave et très présomptueux : les esprits de cette nature osent tout ce que ceux à qui ils ont confiance leur persuadent. Ce dernier, qui était absolument entre les mains de Montrésor, l'échauffait, comme il arrive toujours, après en avoir été persuadé, et ces deux hommes joints ensemble ne me laissaient pas un jour de repos, pour me faire voir, s'imaginaient-ils, ce que, sans vanité, j'avais vu plus de six mois devant eux.

Je demeurai ferme dans ma résolution ; mais comme je n'ignorais pas que son innocence et sa droiture me brouilleraient dans les suites presque autant avec la cour qu'aurait pu faire la contraire, je pris en même temps celle de me précautionner contre les mauvaises intentions du ministre : et du côté de la cour même, en y agissant avec autant de sincérité et de zèle que de liberté ; et du côté de la ville, en y ménageant avec soin tous mes amis, et en n'oubliant rien de tout ce qui y pouvait être nécessaire pour m'attirer, ou plutôt pour me conserver l'amitié des peuples. Je ne vous puis mieux exprimer le second, qu'en vous disant que depuis le 28 de mars jusques au 25 août je dépensai trente-six mille écus en aumônes ou en libéralités. Je ne crus pas pouvoir mieux exécuter le premier, qu'en disant à la Reine et au Cardinal la vérité des dispositions que je voyais dans Paris, dans lesquelles la flatterie et la *préoccupation ne leur permirent jamais de pénétrer. Comme un troisième voyage en Anjou de Monsieur l'Archevêque m'avait remis en fonction, je pris cette occasion pour leur témoigner que je me croyais obligé à leur en rendre compte, ce qu'ils reçurent l'un et l'autre avec assez de mépris ; et je leur en rendis compte effectivement, ce qu'ils reçurent l'un et l'autre avec beaucoup de colère. Celle du Cardinal s'adoucit au bout de quelques jours ; mais ce ne fut qu'en apparence : elle ne fit que se déguiser. J'en connus l'*art, et j'y remédiai ; car comme je vis qu'il ne se servait des avis que je lui donnais que pour faire croire dans le monde que j'étais assez intimement avec lui pour lui rapporter ce que je découvrais, même au préjudice des particuliers, je ne lui parlai plus de rien que je ne disse publiquement à table en revenant chez moi. Je me plaignis même à la Reine de l'artifice du Cardinal que je lui démontrai par deux circonstances particulières ; et ainsi, sans discontinuer ce que le poste où j'étais m'obligeait de faire pour le service du Roi, je me servis des mêmes avis que je donnais à la cour pour faire voir au Parlement que je n'oubliais rien pour éclairer le ministère et pour dissiper les nuages, dont les intérêts des subalternes et la flatterie des courtisans ne manquent jamais de l'offusquer.

Comme le Cardinal eut aperçu que j'avais tourné son *art contre lui-même, il ne garda presque plus de mesures avec moi ; et un jour, entre autres, que je disais à la Reine, devant lui, que la chaleur des esprits était telle qu'il n'y avait plus que la douceur qui les pût ramener, il ne me répondit que par un apologue italien, qui porte qu'au temps que les bêtes parlaient, le loup assura avec serment un troupeau de brebis qu'il le protégerait contre tous ses camarades, pourvu que l'une d'entre elles allât, tous les matins, lécher une blessure qu'il avait reçue d'un chien. Voilà le moins désobligeant des apophtegmes dont il m'honora trois ou quatre mois durant : ce qui m'obligea de dire, un jour, en sortant du Palais-Royal, à M. le maréchal de Villeroy que j'y avais fait deux réflexions : l'une, qu'il sied encore plus mal à un ministre de dire des sottises que d'en faire ; et l'autre, que les avis que l'on leur donne passent pour des crimes toutes les fois que l'on ne leur est pas agréable.

Voilà l'état où j'étais à la cour quand je sortis de l'hôtel de Lesdiguières, pour remédier, autant que je pourrais, au mauvais effet que la nouvelle de la victoire de Lens et la réflexion de M. de Chavigny m'avaient fait appréhender. Je trouvai la Reine dans un emportement de joie inconcevable. Le Cardinal me parut plus modéré. L'un et l'autre *affecta une douceur extraordinaire ; et le Cardinal particulièrement me dit qu'il se voulait servir de l'occasion présente pour faire connaître aux compagnies qu'il était bien éloigné des sentiments de vengeance que l'on lui attribuait, et qu'il prétendait que tout le monde confesserait, dans peu de jours, que les avantages remportés par les armes du Roi auraient bien plus adouci qu'élevé l'esprit de la cour. J'avoue que je fus dupe. Je le crus : j'en eus joie.

Je prêchai le lendemain à Saint-Louis-des-Jésuites, devant le Roi et devant la Reine [1]. Le Cardinal, qui y était aussi, me remercia, au sortir du sermon, de ce qu'en expliquant au Roi le testament de saint Louis (c'était le jour de sa fête), je lui avais recommandé, comme il est porté par le même testament, le soin de ses grandes villes. Vous allez voir la sincérité de toutes ces confidences.

Le lendemain de la fête, c'est-à-dire le 26 d'août de 1648,

le Roi alla au *Te Deum*[1]. L'on borda, selon la coutume, depuis le Palais-Royal jusques à Notre-Dame, toutes les rues de soldats du régiment des gardes. Aussitôt que le Roi fut revenu au Palais-Royal, l'on forma de tous ces soldats trois bataillons, qui demeurèrent sur le Pont-Neuf et dans la place Dauphine. Comminges, lieutenant des gardes de la Reine, enleva dans un carrosse fermé le *bonhomme Broussel, conseiller de la Grande Chambre, et il le mena à Saint-Germain. Blancmesnil, président aux Enquêtes, fut pris en même temps aussi chez lui, et il fut conduit au bois de Vincennes. Vous vous étonnerez du choix de ce dernier ; et si vous aviez connu le bonhomme Broussel, vous ne seriez pas moins surprise du sien. Je vous expliquerai ce détail en temps et lieu ; mais je ne vous puis exprimer la consternation qui parut dans Paris le premier quart d'heure de l'enlèvement de Broussel, et le mouvement qui s'y fit dès le second. La tristesse, ou plutôt l'abattement, saisit jusques aux enfants ; l'on se regardait et l'on ne se disait rien.

L'on éclata tout d'un coup : l'on s'*émut, l'on courut, l'on cria, l'on ferma les boutiques. J'en fus averti, et quoique je ne fusse pas insensible à la manière dont j'avais été joué la veille au Palais-Royal, où l'on m'avait même prié de faire savoir à ceux qui étaient de mes amis dans le Parlement que la bataille de Lens n'y avait causé que des mouvements de modération et de douceur, quoique, dis-je, je fusse très piqué, je ne laissai pas de prendre le parti, sans balancer, d'aller trouver la Reine et de m'attacher à mon devoir préférablement à toutes choses. Je le dis en ces propres termes à Chapelain, à Gomberville et à Plot, chanoine de Notre-Dame et présentement chartreux, qui avaient dîné chez moi. Je sortis en rochet et camail[2], et je ne fus pas au Marché-Neuf que je fus accablé d'une foule de peuple, qui hurlait plutôt qu'il ne criait. Je m'en démêlai en leur disant que la Reine leur ferait justice. Je trouvai sur le Pont-Neuf le maréchal de La Meilleraye à la tête des gardes, qui, bien qu'il n'eût encore en tête que quelques enfants qui disaient des injures et qui jetaient des pierres aux soldats, ne laissait pas d'être fort embarrassé, parce qu'il voyait que les nuages commençaient à se grossir de tous côtés. Il fut très aise de me voir, il m'exhorta à dire à la Reine la vérité. Il s'offrit d'en venir lui-même rendre témoignage. J'en fus très aise à

mon tour, et nous allâmes ensemble au Palais-Royal, suivis
d'un nombre infini de peuple, qui criait : « Broussel !
Broussel ! »

Nous trouvâmes la Reine dans le grand cabinet, accompagnée de M. le duc d'Orléans, du cardinal Mazarin, de M.
de Longueville, du maréchal de Villeroy, de l'abbé de La
Rivière, de Bautru, de Guitaut, capitaine de ses gardes, et
de Nogent. Elle ne me reçut ni bien ni mal. Elle était trop
fière et trop aigre pour avoir de la honte de ce qu'elle
m'avait dit la veille ; et le Cardinal n'était pas assez *honnête
homme pour en avoir de la bonne ᵃ. Il me parut toutefois
un peu embarrassé, et il me fit une espèce de galimatias par
lequel, sans me l'oser toutefois dire, il eût été bien aise que
j'eusse conçu qu'il y avait eu des raisons toutes nouvelles
qui avaient obligé la Reine à se porter à la résolution que
l'on avait prise. Je feignis que je prenais pour bon tout ce
qu'il lui plut de me dire, et je lui répondis simplement que
j'étais venu là pour me rendre à mon devoir, pour recevoir
les commandements de la Reine, et pour contribuer de tout
ce qui serait en mon pouvoir au repos et à la tranquillité.
La Reine me fit un petit signe de la tête, comme pour me
remercier ; mais je sus depuis qu'elle avait remarqué, et
remarqué en mal, cette dernière parole, qui était pourtant
très innocente et même fort dans l'ordre, en la bouche d'un
coadjuteur de Paris. Mais il est vrai de dire qu'auprès des
princes il est aussi dangereux et presque aussi criminel de
pouvoir le bien que de vouloir le mal.

Le maréchal de La Meilleraye, qui vit que La Rivière,
Bautru et Nogent traitaient l'*émotion de bagatelle, et qu'ils
la tournaient même en ridicule, s'emporta : il parla avec
force, il s'en rapporta à mon témoignage. Je le rendis avec
liberté, et je confirmai ce qu'il avait dit et prédit du
mouvement. Le Cardinal sourit malignement, et la Reine se
mit en colère, en proférant, de son fausset aigri et élevé, ces
propres mots : « Il y a de la révolte à s'imaginer que l'on se
puisse révolter ; voilà les contes ridicules de ceux qui la
veulent. L'autorité du Roi y donnera bon ordre. » Le
Cardinal, qui s'aperçut à mon visage que j'étais un peu ému
de ce discours, prit la parole, et, avec un ton doux, il
répondit à la Reine : « Plût à Dieu, Madame, que tout le
monde parlât avec la même sincérité que parle Monsieur le

Coadjuteur ! Il craint pour son troupeau ; il craint pour la ville ; il craint pour l'autorité de Votre Majesté. Je suis persuadé que le péril n'est pas au point qu'il se l'imagine ; mais le scrupule sur cette matière est en lui une *religion louable. » La Reine, qui entendait le jargon du Cardinal, se remit tout d'un coup : elle me fit des *honnêtetés, et j'y répondis par un profond respect, et par une mine si niaise, que La Rivière dit à l'oreille à Bautru, de qui je le sus quatre jours après : « Voyez ce que c'est que de n'être pas jour et nuit en ce pays-ci. Le coadjuteur est homme du monde ; il a de l'esprit : il prend pour bon ce que la Reine lui vient de dire. » La vérité est que tout ce qui était dans ce cabinet jouait la comédie : je faisais l'*innocent, et je ne l'étais pas, au moins en ce fait ; le Cardinal faisait l'assuré, et il ne l'était pas si fort qu'il le paraissait ; il y eut quelques moments où la Reine contrefit la douce, et elle ne fut jamais plus aigre ; M. de Longueville témoignait de la tristesse, et il était dans une joie sensible, parce que c'était l'homme du monde qui aimait le mieux les commencements de toutes affaires ; M. le duc d'Orléans faisait l'empressé et le passionné en parlant à la Reine, et je ne l'ai jamais vu siffler avec plus d'indolence qu'il siffla une demi-heure en entretenant Guerchi dans la petite chambre grise ; le maréchal de Villeroy faisait le gai pour faire sa cour au ministre, et il m'avouait en particulier, les larmes aux yeux, que l'Etat était sur le bord du précipice ; Bautru et Nogent bouffonnaient, et représentaient, pour plaire à la Reine, la nourrice du vieux Broussel (remarquez, je vous supplie, qu'il avait quatre-vingts ans), qui animait le peuple à la sédition, quoiqu'ils connussent très bien l'un et l'autre que la tragédie ne serait peut-être pas fort éloignée de la farce. Le seul et unique abbé de La Rivière était convaincu que l'*émotion du peuple n'était qu'une fumée : il le soutenait à la Reine, qui l'eût voulu croire, quand même elle eût été persuadée du contraire ; et je remarquai dans un même instant, et par la disposition de la Reine, qui était la personne du monde la plus hardie, et par celle de La Rivière, qui était le poltron le plus signalé de son siècle, que l'aveugle témérité et la peur outrée produisent les mêmes effets lorsque le péril n'est pas connu.

Afin qu'il ne manquât aucun personnage au théâtre, le

maréchal de La Meilleraye, qui jusque-là était demeuré très
ferme avec moi à représenter la conséquence du tumulte,
prit celui du capitan [1]. Il changea tout d'un coup et de ton
et de sentiment sur ce que le *bonhomme Vennes, lieutenant-
colonel des gardes, vint dire à la Reine que les bourgeois
menaçaient de forcer les gardes. Comme il était tout pétri
de bile et de *contretemps, il se mit en colère jusques à
l'emportement et même jusques à la fureur. Il s'écria qu'il
fallait périr plutôt que de souffrir cette insolence, et il pressa
que l'on lui permît de prendre les gardes, les *officiers de
la maison et tous les courtisans qui étaient dans les
antichambres, en assurant qu'il terrasserait toute la canaille.
La Reine donna même avec ardeur dans son sens ; mais ce
sens ne fut appuyé de personne ; et vous verrez par
l'événement qu'il n'y en a jamais eu un de plus *réprouvé.
Le chancelier entra dans le cabinet à ce moment. Il était si
faible de son naturel qu'il n'y avait jamais dit, jusques à
cette occasion, aucune parole de vérité ; mais en celle-ci la
complaisance céda à la peur. Il parla, et il parla selon ce
que lui dictait ce qu'il avait vu dans les rues. J'observai que
le Cardinal parut fort touché de la liberté d'un homme en
qui il n'en avait jamais vu. Mais Senneterre, qui entra
presque en même temps, effaça en moins d'un rien ces
premières idées, en assurant que la chaleur du peuple
commençait à se ralentir, que l'on ne prenait point les
armes, et qu'avec un peu de patience tout irait bien.

Il n'y a rien de si dangereux que la flatterie dans les
conjonctures où celui que l'on flatte peut avoir peur. L'envie
qu'il a de ne la pas prendre fait qu'il croit à tout ce qui
l'empêche d'y remédier. Ces avis, qui arrivaient de moment
à autre, faisaient perdre inutilement ceux dans lesquels on
peut dire que le salut de l'Etat était enfermé. Le vieux
Guitaut, homme de peu de sens, mais très affectionné, s'en
impatienta plus que les autres, et il dit, d'un ton de voix
encore plus rauque qu'à son ordinaire, qu'il ne comprenait
pas comme il était possible de s'endormir en l'état où étaient
les choses. Il ajouta je ne sais quoi entre ses dents, que je
n'entendis pas, mais qui apparemment piqua le Cardinal,
qui d'ailleurs ne l'aimait pas, et qui lui répondit : « Hé
bien ! Monsieur de Guitaut, quel est votre avis ? — Mon
avis est, Monsieur, lui repartit brusquement Guitaut, de

rendre ce vieux coquin de Broussel mort ou vif. » Je pris la
parole et je lui dis : « Le premier ne serait ni de la piété ni
de la prudence de la Reine ; le second pourrait faire cesser
le tumulte. » La Reine rougit à ce mot, et elle s'écria : « Je
vous entends, Monsieur le Coadjuteur ; vous voudriez que
je donnasse la liberté à Broussel : je l'étranglerais plutôt
avec ces deux mains. » Et en achevant cette dernière syllabe,
elle me les porta presque au visage, en ajoutant : « Et ceux
qui... » Le Cardinal, qui ne douta point qu'elle ne m'allât
dire tout ce que la rage peut inspirer, s'avança ; il lui parla
à l'oreille. Elle se composa, et à un point que, si je ne
l'eusse bien connue, elle m'eût paru bien radoucie.

Le lieutenant civil [1] entra à ce moment dans le cabinet
avec une pâleur mortelle sur le visage, et je n'ai jamais vu à
la comédie italienne de peur si naïvement et si ridiculement
représentée que celle qu'il fit voir à la Reine en lui racontant
des aventures de rien qui lui étaient arrivées depuis son
logis jusques au Palais-Royal. Admirez, je vous supplie, la
sympathie des âmes *timides. Le cardinal Mazarin n'avait
jusque-là été que médiocrement touché de ce que M. de La
Meilleraye et moi lui avions dit avec assez de vigueur, et La
Rivière n'en avait pas été seulement ému. La frayeur du
lieutenant civil se glissa, je crois, par contagion, dans leur
imagination, dans leur esprit, dans leur cœur. Ils nous
parurent tout à coup métamorphosés ; ils ne me traitèrent
plus de ridicule ; ils avouèrent que l'affaire méritait de la
réflexion ; ils consultèrent, et ils souffrirent que Monsieur,
M. de Longueville, le chancelier, le maréchal de Villeroy et
celui de La Meilleraye, et le coadjuteur prouvassent, par
bonnes raisons, qu'il fallait rendre Broussel devant que les
peuples, qui menaçaient de prendre les armes, les eussent
prises effectivement.

Nous éprouvâmes en ce rencontre qu'il est bien plus
naturel à la peur de consulter que de décider. Le Cardinal,
après une douzaine de galimatias qui se contredisaient les
uns les autres, conclut à se donner encore du temps jusques
au lendemain, et de[a] faire connaître, en attendant, au
peuple que la Reine lui accordait la liberté de Broussel,
pourvu qu'il se séparât et qu'il ne continuât pas à la
demander en foule. Le Cardinal ajouta que personne ne
pouvait plus agréablement ni plus efficacement que moi

porter cette parole. Je vis le piège ; mais je ne pus m'en défendre, et d'autant moins que le maréchal de La Meilleraye, qui n'avait point de vue, y donna même avec impétuosité, et m'y entraîna, pour ainsi parler, avec lui. Il dit à la Reine qu'il sortirait avec moi dans les rues et que nous y ferions des merveilles. « Je n'en doute point, lui répondis-je, pourvu qu'il plaise à la Reine de nous faire expédier en bonne forme la promesse de la liberté des prisonniers ; car je n'ai pas assez de crédit parmi le peuple pour m'en faire croire sans cela. » L'on me loua de ma modestie. Le maréchal ne douta de rien : « La parole de la Reine valait mieux que tous les écrits ! » En un mot, l'on se moqua de moi, et je me trouvai tout d'un coup dans la cruelle nécessité de jouer le plus *méchant personnage où peut-être jamais particulier se soit rencontré. Je voulus répliquer ; mais la Reine entra brusquement dans sa chambre grise ; Monsieur me poussa, mais tendrement, avec ses deux mains, en me disant : « Rendez le repos à l'Etat » ; le maréchal m'entraîna, et tous les gardes du corps me portaient amoureusement sur leurs bras, en me criant : « Il n'y a que vous qui puissiez remédier au mal. » Je sortis ainsi avec mon rochet et mon camail, en donnant des bénédictions à droite et à gauche, et vous croyez bien que cette occupation ne m'empêchait pas de faire toutes les réflexions convenables à l'embarras dans lequel je me trouvais. Je pris toutefois, sans balancer, le parti d'aller purement à mon devoir, de prêcher l'obéissance et de faire mes efforts pour apaiser le tumulte. La seule mesure que je me résolus de garder fut celle de ne rien promettre en mon nom au peuple, et de lui dire simplement que la Reine m'avait assuré qu'elle rendrait Broussel, pourvu que l'on fît cesser l'*émotion.

L'impétuosité du maréchal de La Meilleraye ne me laissa pas lieu de mesurer mes expressions ; car au lieu de venir avec moi comme il m'avait dit, il se mit à la tête des chevau-légers de la garde, et il s'avança, l'épée à la main, en criant de toute sa force : « Vive le Roi ! Liberté à Broussel ! » Comme il était vu de beaucoup plus de gens qu'il n'y en avait qui l'entendissent, il échauffa beaucoup plus de monde par son épée qu'il n'en apaisa par sa voix. L'on cria aux armes. Un *crocheteur mit un sabre à la main vis-à-vis des Quinze-Vingts : le maréchal le tua d'un coup de pistolet.

Les cris redoublèrent ; l'on courut de tous côtés aux armes ; une foule de peuple, qui m'avait suivi depuis le Palais-Royal, me porta plutôt qu'elle ne me poussa jusques à la Croix-du-Tiroir, et j'y trouvai le maréchal de La Meilleraye aux mains avec une grosse troupe de bourgeois, qui avaient pris les armes dans la rue de l'Arbre-Sec. Je me jetai dans la foule pour essayer de les séparer, et je crus que les uns et les autres porteraient au moins quelque respect à mon habit et à ma dignité. Je ne me trompai pas absolument ; car le maréchal, qui était fort embarrassé, prit avec joie ce prétexte pour commander aux chevau-légers de ne plus tirer ; et les bourgeois s'arrêtèrent, et se contentèrent de faire *ferme dans le carrefour ; mais il y en eut vingt ou trente qui sortirent avec des hallebardes et des mousquetons de la rue des Prouvelles, qui ne furent pas si modérés, et qui ne me voyant pas ou ne me voulant pas voir, firent une charge fort brusque aux chevau-légers, cassèrent d'un coup de pistolet le bras à Fontrailles, qui était auprès du maréchal l'épée à la main, blessèrent un de mes pages, qui portait le derrière de ma soutane, et me donnèrent à moi-même un coup de pierre au-dessous de l'oreille, qui me porta par terre. Je ne fus pas plus tôt relevé, qu'un garçon d'apothicaire m'appuya le mousqueton dans la tête. Quoique je ne le connusse point du tout, je crus qu'il était bon de ne le lui pas témoigner dans ce moment, et je lui dis au contraire : « Ah ! malheureux ! si ton père te voyait... » Il s'imagina que j'étais le meilleur ami de son père, que je n'avais pourtant jamais vu. Je crois que cette pensée lui donna celle de me regarder plus attentivement. Mon habit lui frappa les yeux : il me demanda si j'étais Monsieur le Coadjuteur ; et aussitôt que je le lui eus dit, il cria : « Vive le coadjuteur ! » Tout le monde fit le même cri ; l'on courut à moi ; et le maréchal de La Meilleraye se retira avec plus de liberté au Palais-Royal, parce que j'*affectai, pour lui en donner le temps, de marcher du côté des Halles.

Tout le monde m'y suivit, et j'en eus besoin, car je trouvai cette fourmilière de fripiers [1] toute en armes. Je les flattai, je les caressai, je les injuriai, je les menaçai : enfin je les persuadai. Ils quittèrent les armes, ce qui fut le salut de Paris, parce que, si ils les eussent eues encore à la main à l'entrée de la nuit, qui s'approchait, la ville eût été infailliblement pillée.

Je n'ai guère eu en ma vie de satisfaction plus sensible que celle-là ; et elle fut si grande, que je ne fis pas seulement de réflexion sur l'effet que le service que je venais de rendre devait produire au Palais-Royal. Je dis *devait* ; car vous allez voir qu'il y en produisit un tout contraire. J'y allai avec trente ou quarante mille hommes qui me suivaient, mais sans armes, et je trouvai à la barrière le maréchal de La Meilleraye, qui, transporté de la manière dont j'en avais usé à son égard, m'embrassa presque jusques à m'étouffer ; et il me dit ces propres paroles : « Je suis un fou, je suis un brutal, j'ai failli à perdre l'Etat, et vous l'avez sauvé. Venez, parlons à la Reine en Français véritables et en gens de bien ; et prenons des dates pour faire pendre à notre témoignage, à la majorité du Roi, ces pestes de l'Etat, ces flatteurs infâmes, qui font croire à la Reine que cette affaire n'est rien. » Il fit une apostrophe aux officiers des gardes, en achevant cette dernière parole, la plus touchante, la plus pathétique et la plus éloquente qui soit peut-être jamais sortie de la bouche d'un homme de guerre, et il me porta plutôt qu'il ne me mena chez la Reine. Il lui dit en entrant et en me montrant de la main : « Voilà celui, Madame, à qui je dois la vie, mais à qui Votre Majesté doit le salut de sa garde et peut-être celui du Palais-Royal. » La Reine se mit à sourire, mais d'une sorte de *souris ambigu. J'y pris garde, mais je n'en fis pas *semblant ; et pour empêcher M. le maréchal de La Meilleraye de continuer mon éloge, je pris la parole : « Non, Madame, il ne s'agit pas de moi, mais de Paris soumis et désarmé, qui se vient jeter aux pieds de Votre Majesté. — Il est bien coupable et peu soumis, repartit la Reine avec un visage plein de feu ; si il a été aussi furieux que l'on me l'a voulu faire croire, comment se serait-il pu adoucir en si peu de temps ? » Le maréchal, qui remarqua aussi bien que moi le ton de la Reine, se mit en colère, et il lui dit en jurant : « Madame, un homme de bien ne vous peut flatter en l'extrémité où sont les choses. Si vous ne mettez aujourd'hui Broussel en liberté, il n'y aura pas demain pierre sur pierre à Paris. » Je voulus ouvrir la bouche, pour appuyer ce que disait le maréchal ; la Reine me la ferma, en me disant d'un air de moquerie : « Allez vous reposer, Monsieur ; vous avez bien travaillé. »

Je sortis ainsi du Palais-Royal ; et quoique je fusse ce que l'on appelle enragé, je ne dis pas un mot, de là jusques à mon logis, qui pût aigrir le peuple. J'en trouvai une foule innombrable qui m'attendait, et qui me força de monter sur l'impériale de mon carrosse, pour lui rendre compte de ce que j'avais fait au Palais-Royal. Je lui dis que j'avais témoigné à la Reine l'obéissance que l'on avait rendue à sa volonté, en posant les armes dans les lieux où l'on les avait prises et en ne les prenant pas dans ceux où l'on était sur le point de les prendre ; que la Reine m'avait fait paraître de la satisfaction de cette soumission, et qu'elle m'avait dit que c'était l'unique voie par laquelle l'on pouvait obtenir d'elle la liberté des prisonniers. J'ajoutai tout ce que je crus pouvoir adoucir cette *commune ; et je n'y eus pas beaucoup de peine, parce que l'heure du souper approchait. Cette circonstance vous paraîtra ridicule, mais elle est fondée ; et j'ai observé qu'à Paris, dans les *émotions populaires, les plus échauffés ne veulent pas ce qu'ils appellent se *désheurer.

Je me fis saigner en arrivant chez moi, car la contusion que j'avais au-dessous de l'oreille était fort augmentée ; mais vous croyez bien que ce n'était pas là mon plus grand mal. J'avais fort hasardé mon crédit dans le peuple, en lui donnant des espérances de la liberté de Broussel, quoique j'eusse observé fort soigneusement de ne lui en pas donner ma parole. Mais avais-je lieu d'espérer moi-même qu'un peuple pût distinguer entre les paroles et les espérances ? D'ailleurs, avais-je lieu de croire, après ce que j'avais connu de passé, après ce que je venais de voir du présent, que la cour fît seulement réflexion à ce qu'elle nous avait fait dire, à M. de La Meilleraye et à moi ? ou plutôt, n'avais-je pas tout sujet d'être persuadé qu'elle ne manquerait pas cette occasion de me perdre absolument dans le public, en lui laissant croire que je m'étais entendu avec elle pour l'*amuser et pour le jouer ? Ces vues, que j'eus dans toute leur étendue, m'affligèrent ; mais elles ne me tentèrent point. Je ne me repentis pas un moment de ce que j'avais fait, parce que je fus persuadé et que le devoir et[a] la bonne conduite m'y avaient obligé. Je m'enveloppai pour ainsi dire dans mon devoir ; j'eus honte d'avoir fait réflexion sur l'événement, et Montrésor étant entré là-dessus, et m'ayant dit que je me trompais si je croyais avoir beaucoup gagné à mon expédition, je lui répondis ces propres paroles : « J'y ai beaucoup gagné, en ce qu'au moins je me suis épargné une *apologie en explication de bienfaits, qui est toujours insupportable à un homme de bien. Si je fusse demeuré chez moi, dans une conjoncture comme celle-ci, la Reine, dont enfin je tiens ma dignité, aurait-elle sujet d'être contente de moi ? — Elle ne l'est nullement, reprit Montrésor ; et Mme de Navailles et Mme de Motteville viennent de dire au prince de Guémené que l'on était persuadé au Palais-Royal qu'il n'avait pas tenu à vous d'*émouvoir le peuple. »

J'avoue que je n'ajoutai aucune foi à ce discours de Montrésor ; car quoique j'eusse vu dans le cabinet de la Reine que l'on s'y moquait de moi, je m'étais imaginé que cette malignité n'allait qu'à diminuer le mérite du service que j'avais rendu, et je ne me pouvais figurer que l'on fût capable de me le tourner à crime. Montrésor persistant à me tourmenter, et me disant que mon ami Jean-Louis de Fiesque n'aurait pas été de mon sentiment, je lui répondis que j'avais toute ma vie estimé les hommes plus par ce qu'ils ne faisaient pas en de certaines occasions que par tout ce qu'ils y eussent pu faire.

J'étais sur le point de m'endormir tranquillement dans ces pensées, lorsque Laigue arriva, qui venait du souper de la Reine, et qui me dit que l'on m'y avait tourné publiquement en ridicule, que l'on m'y avait traité d'homme qui n'avait rien oublié pour soulever le peuple sous prétexte de l'apaiser, que l'on avait sifflé dans les rues, qui avait fait semblant d'être blessé quoiqu'il ne le fût point, enfin qui avait été exposé deux heures entières à la raillerie fine de Bautru, à la bouffonnerie de Nogent, à l'enjouement de La Rivière, à la fausse compassion du Cardinal et aux éclats de rire de la Reine. Vous ne doutez pas que je ne fusse un peu ému ; mais dans la vérité je ne le fus pas au point que vous le devez croire. Je me sentis plutôt de la tentation légère que de l'emportement : tout me vint dans l'esprit, mais rien n'y demeura, et je sacrifiai, presque sans balancer, à mon devoir les idées les plus douces et les plus brillantes que les conjurations passées présentèrent à mon esprit en foule, aussitôt que le mauvais traitement que je voyais connu et public me donna lieu de croire que je pourrais entrer avec honneur dans les nouvelles.

Je rejetai, par le principe de l'obligation que j'avais à la Reine, toutes ces pensées, quoique à vous dire le vrai, je m'y fusse nourri dès mon enfance ; et Laigue et Montrésor n'eussent certainement rien gagné sur mon esprit, ni par leurs exhortations ni par leurs reproches, si Argenteuil, qui depuis la mort de Monsieur le Comte, dont il avait été premier gentilhomme de la chambre, s'était fort attaché à moi, ne fût arrivé. Il entra dans ma chambre avec un visage fort effaré, et il me dit : « Vous êtes perdu ; le maréchal de La Meilleraye m'a chargé de vous dire que le diable possède le Palais-Royal ; qu'il leur a mis dans l'esprit que vous avez fait tout ce que vous avez pu pour exciter la sédition ; que lui, maréchal de La Meilleraye, n'a rien oublié pour témoigner à la Reine et au Cardinal la vérité ; mais que l'un et l'autre se sont moqués de lui ; qu'il ne les peut excuser dans cette injustice, mais qu'aussi il ne les peut assez *admirer du mépris qu'ils ont toujours eu pour le tumulte ; qu'ils en ont vu la suite comme des prophètes ; qu'ils ont toujours dit que la nuit ferait évanouir cette fumée ; que lui maréchal ne l'avait pas cru, mais qu'il en était pour le présent très convaincu, parce qu'il s'était promené dans les rues, où il n'avait pas seulement trouvé un homme ; que ces feux ne se rallumaient plus quand ils s'étaient éteints aussi subitement que celui-là ; qu'il me conjurait de penser à ma sûreté ; que l'autorité du Roi paraîtrait dès le lendemain avec tout l'éclat imaginable ; qu'il voyait la cour très disposée à ne pas perdre le moment fatal ; que je serais le premier sur qui l'on voudrait faire un grand exemple ; que l'on avait même déjà parlé de m'envoyer à Quimper-Corentin [1] ; que Broussel serait mené au Havre-de-Grâce, et que l'on avait résolu d'envoyer, à la pointe du jour, le chancelier au Palais, pour interdire le Parlement et pour lui commander de se retirer à Montargis. » Argenteuil finit son discours par ces paroles : « Voilà ce que le maréchal de La Meilleraye vous mande. Celui de Villeroy n'en dit pas tant, car il n'ose ; mais il m'a serré la main, en passant, d'une manière qui me fait juger qu'il en sait encore peut-être davantage ; et

scruples of duty fade — will now become leader of faction
(Plutarch)

moi je vous dis, ajouta Argenteuil, qu'ils ont tous deux raison, car il n'y a pas une âme dans les rues : tout est calme, et l'on pendra demain qui l'on voudra. »

Montrésor, qui était de ces gens qui veulent toujours avoir tout deviné, s'écria qu'il n'en doutait point et qu'il l'avait bien prédit. Laigue se mit sur les lamentations de ma conduite, qui faisait pitié à mes amis, quoiqu'elle les perdît. Je leur répondis que si il leur plaisait de me laisser en repos un petit quart d'heure, je leur ferais voir que nous n'en étions pas réduits à la pitié, et il était vrai.

Comme ils m'eurent laissé tout seul pour le quart d'heure que je leur avais demandé, je ne fis pas seulement réflexion sur ce que je pouvais, parce que j'en étais très assuré : je pensai seulement à ce que je devais, et je fus embarrassé. Comme la manière dont j'étais *poussé et celle dont le public était menacé eurent dissipé mon scrupule, et que je crus pouvoir entreprendre avec honneur et sans être blâmé, je m'abandonnai à toutes mes pensées. Je rappelai tout ce que mon imagination m'avait jamais fourni de plus éclatant et de plus proportionné aux vastes desseins ; je permis à mes sens de se laisser chatouiller par le titre de chef de parti, que j'avais toujours honoré dans les *Vies* de Plutarque [1] ; mais ce qui acheva d'étouffer tous mes scrupules fut l'avantage que je m'imaginai à me distinguer de ceux de ma profession par un état de vie qui les confond toutes. Le déréglement de mœurs, très peu convenable à la mienne, me faisait peur ; j'appréhendais le ridicule de Monsieur de Sens [2]. Je me soutenais par la Sorbonne, par des sermons, par la faveur des peuples ; mais enfin cet appui n'a qu'un temps, et ce temps même n'est pas fort long, par mille accidents qui peuvent arriver dans le désordre. Les affaires brouillent les *espèces, elles honorent même ce qu'elles ne justifient pas ; et les vices d'un archevêque peuvent être, dans une infinité de rencontres, les vertus d'un chef de parti. J'avais eu mille fois cette vue ; mais elle avait toujours cédé à ce que je croyais devoir à la Reine. Le souper du Palais-Royal et la résolution de me perdre avec le public l'ayant purifiée, je la pris avec joie, et j'abandonnai mon destin à tous les mouvements de la gloire [3].

Minuit sonnant, je fis rentrer dans ma chambre Laigue et Montrésor, et je leur dis : « Vous savez que je crains les *apologies ; mais vous allez voir que je ne crains pas les manifestes. Toute la cour me sera témoin de la manière dont l'on m'a traité depuis plus d'un an au Palais-Royal ; c'est au public à défendre mon honneur ; mais l'on veut perdre le public, et c'est à moi de le défendre de l'oppression. Nous ne sommes pas si mal que vous vous le persuadez, Messieurs, et je serai, demain devant midi, maître de Paris. »* Mes deux amis crurent que j'avais perdu l'esprit, et eux qui m'avaient, je crois, cinquante fois en leur vie, persécuté pour entreprendre, me firent à cet instant des leçons de modération. Je ne les écoutai pas, et j'envoyai quérir à l'heure même Miron, maître des comptes, colonel du quartier de Saint-Germain de l'Auxerrois, homme de bien et de cœur, et qui avait beaucoup de crédit parmi le peuple. Je lui exposai l'état des choses ; il entra dans mes sentiments : il me promit d'exécuter tout ce que je désirais. Nous convînmes de ce qu'il y avait à faire, et il sortit de chez moi en résolution de faire battre le tambour et de faire prendre les armes au premier ordre qu'il recevrait de moi.

Il trouva, en descendant mon degré, un frère de son cuisinier, qui, ayant été condamné à être pendu et n'osant marcher le jour par la ville, y rôdait assez souvent la nuit. Cet homme venait de rencontrer, par hasard, auprès du logis de Miron, deux espèces d'officiers qui parlaient ensemble et qui nommaient souvent le maître de son frère. Il les écouta, s'étant caché derrière une porte, et il ouït que ces gens-là (nous sûmes depuis que c'étaient Vennes, lieutenant-colonel des gardes, et Rubentel, lieutenant au même régiment) discouraient de la manière dont il faudrait entrer chez Miron pour le surprendre, et des postes où il serait bon de mettre les gardes, les Suisses, les gendarmes, les chevau-légers, pour s'assurer de tout ce qui était depuis le Pont-Neuf jusques au Palais-Royal. Cet avis, joint à celui que nous avions par le maréchal de La Meilleraye, nous obligea à prévenir le mal, mais d'une façon toutefois qui ne parût pas offensive, n'y ayant rien de si grande conséquence dans les peuples que de leur faire paraître, même quand l'on attaque, que l'on ne songe qu'à se défendre. Nous exécutâmes notre projet en ne postant que des manteaux noirs[1] sans armes, c'est-à-dire des bourgeois considérables, dans les lieux où nous avions appris que l'on se disposait de mettre des gens de guerre, parce que ainsi l'on se pouvait assurer que l'on ne prendrait les armes que quand on l'ordonnerait. Miron s'acquitta si sagement et si heureusement de cette *commission, qu'il y eut plus de quatre cents gros bourgeois assemblés par pelotons, avec aussi peu de bruit et aussi peu d'*émotion qu'il y en eût pu avoir si les novices des chartreux y fussent venus pour y faire leur méditation.

Je donnai ordre à L'Epinay, dont je vous ai déjà parlé à propos des affaires de feu Monsieur le Comte, de se tenir prêt pour se saisir, au premier ordre, de la barrière des Sergents, qui est vis-à-vis de Saint-Honoré, et pour y faire une barricade contre les gardes qui étaient au Palais-Royal[1]. Et comme Miron nous dit que le frère de son cuisinier avait ouï nommer plusieurs fois la porte de Nesle à ces deux officiers dont je vous ai déjà parlé, nous crûmes qu'il ne serait pas mal à propos d'y prendre garde, dans la pensée que nous eûmes que l'on pensait peut-être à enlever quelqu'un par cette porte. Argenteuil, brave et déterminé autant qu'homme qui fût au monde, en prit le soin, et il se mit chez un sculpteur, qui logeait tout proche, avec vingt bons soldats que le chevalier d'Humières, qui faisait une recrue à Paris, lui prêta.

Je m'endormis après avoir donné ces ordres, et je ne fus réveillé qu'à six heures, par le secrétaire de Miron, qui me vint dire que les gens de guerre n'avaient point paru la nuit, que l'on avait vu seulement quelques cavaliers qui semblaient être venus pour reconnaître les pelotons de bourgeois, et qu'ils s'en étaient retournés au galop après les avoir un peu considérés ; que ce mouvement lui faisait juger que la précaution que nous avions prise avait été utile pour prévenir l'*insulte que l'on pouvait avoir projetée contre les particuliers ; mais que celui qui commençait à paraître chez Monsieur le Chancelier marquait que l'on méditait quelque chose contre le public ; que l'on voyait aller et venir des *hoquetons, et que Ondedei y était allé quatre fois en deux heures.

Quelque temps après, l'enseigne de la *colonelle de Miron me vint avertir que le chancelier marchait, avec toute la pompe de la magistrature, droit au Palais ; et Argenteuil m'envoya dire que deux compagnies des gardes suisses s'avançaient du côté du faubourg, vers la porte de Nesle. Voilà le moment fatal.

Je donnai mes ordres en deux paroles, et ils furent exécutés en deux moments. Miron fit prendre les armes. Argenteuil, habillé en maçon et une règle à la main, chargea les Suisses en flanc, en tua vingt ou trente, prit un des drapeaux, dissipa le reste : le chancelier, poussé de tous côtés, se sauva à toute peine dans l'hôtel d'O, qui était au bout du quai des Augustins, du côté du pont Saint-Michel. Le peuple rompit les portes, y entra avec fureur ; et il n'y eut que Dieu qui sauva le chancelier et l'évêque de Meaux, son frère, à qui il se confessa, en empêchant que cette canaille, qui s'*amusa, de bonne fortune pour lui, à piller, ne s'avisât pas de forcer une petite chambre dans laquelle il s'était caché.

Le mouvement fut comme un incendie subit et violent, qui se prit du Pont-Neuf à toute la ville. Tout le monde, sans exception, prit les armes. L'on voyait les enfants de cinq et six ans avec les poignards à la main ; on voyait les mères qui les leur apportaient elles-mêmes. Il y eut dans Paris plus de douze cents barricades en moins de deux heures, bordées de drapeaux et de toutes les armes que la Ligue avait laissées entières. Comme je fus obligé de sortir un moment, pour apaiser un tumulte qui était arrivé par le malentendu de deux officiers du quartier, dans la rue Neuve-Notre-Dame, je vis entre autres une lance, traînée plutôt que portée par un petit garçon de huit à dix ans, qui était assurément de l'ancienne guerre des Anglais [1]. Mais j'y vis encore quelque chose de plus curieux : M. de Brissac me fit remarquer un *hausse-cou, de vermeil doré, sur lequel la figure du jacobin qui tua Henri III était gravée, avec cette inscription : « Saint Jacques Clément. » Je fis une réprimande à l'officier qui le portait, et je fis rompre le hausse-cou à coups de marteau, publiquement, sur l'enclume d'un maréchal [2]. Tout le monde cria : « Vive le Roi ! » mais l'écho répondait : « Point de Mazarin ! »

Un moment après que je fus rentré chez moi, l'argentier de la Reine y arriva, qui me commanda et me conjura, de sa part, d'employer mon crédit pour apaiser la sédition, que la cour, comme vous voyez, ne traitait plus de bagatelle. Je répondis froidement et modestement que les efforts que

j'avais faits la veille pour cet effet m'avaient rendu si odieux
parmi le peuple, que j'avais même couru fortune pour avoir
voulu seulement m'y montrer un moment ; que j'avais été
obligé de me retirer chez moi, même fort brusquement : à
quoi j'ajoutai ce que vous vous pouvez imaginer de respect,
de douleur, de regret, de soumission. L'argentier, qui était
au bout de la rue quand l'on criait : « Vive le Roi ! » et qui
avait ouï que l'on y ajoutait presque à toutes les reprises :
« Vive le coadjuteur ! » fit ce qu'il put pour me persuader
de mon pouvoir ; et quoique j'eusse été très fâché qu'il
l'eût été de mon impuissance, je ne laissai pas de feindre
que je la lui voulais toujours persuader. Les favoris des deux
derniers siècles n'ont su ce qu'ils ont fait, quand ils ont
réduit en style l'égard effectif que les rois doivent avoir pour
leurs sujets ; il y a, comme vous voyez, des conjonctures
dans lesquelles, par une conséquence nécessaire, l'on réduit
en style l'obéissance réelle que l'on doit aux rois.

Le Parlement, s'étant assemblé ce jour-là, de très bon
matin, et devant même que l'on eût pris les armes, apprit
le mouvement par les cris d'une multitude immense, qui
hurlait dans la salle du Palais : « Broussel ! Broussel ! » et il
donna arrêt par lequel il fut ordonné que l'on irait en corps
et en habit au Palais-Royal redemander les prisonniers ; qu'il
serait décrété contre Comminges, lieutenant des gardes de
la Reine ; qu'il serait défendu à tous gens de guerre, sous
peine de la vie, de prendre des *commissions pareilles, et
qu'il serait informé contre ceux qui avaient donné ce conseil
comme contre des perturbateurs du repos public. L'arrêt fut
exécuté à l'heure même : le Parlement sortit au nombre de
soixante *officiers. Il fut reçu et accompagné dans toutes
les rues avec des acclamations et des applaudissements
incroyables ; toutes les barricades tombaient devant lui.

Le premier président parla à la Reine avec toute la liberté
que l'état des choses lui donnait. Il lui représenta au naturel
le jeu que l'on avait fait, en toutes occasions, de la parole
royale, les illusions honteuses et même puériles par lesquelles
on avait éludé mille et mille fois les résolutions les plus
utiles et même les plus nécessaires à l'Etat ; il *exagéra avec
force le péril où le public se trouvait par la prise *tumultuaire
et générale des armes. La Reine, qui ne craignait rien, parce
qu'elle connaissait peu, s'emporta, et elle lui répondit avec

un ton de fureur plutôt que de colère : « Je sais bien qu'il y a du bruit dans la ville ; mais vous m'en répondrez, Messieurs du Parlement, vous, vos femmes et vos enfants. » En prononçant cette dernière syllabe, elle rentra dans sa petite chambre grise, et elle en ferma la porte avec force.

Le Parlement s'en retournait, et il était déjà sur le degré, quand le président de Mesmes, qui était extrêmement *timide, faisant réflexion sur le péril auquel la Compagnie s'allait exposer parmi le peuple, l'exhorta à remonter et à faire encore un effort sur l'esprit de la Reine. M. le duc d'Orléans, qu'ils trouvèrent dans le grand cabinet, et qu'ils exhortèrent pathétiquement, les fit entrer au nombre de vingt dans la chambre grise. Le premier président fit voir à la Reine toute l'horreur de Paris armé et enragé ; c'est-à-dire il essaya de lui faire voir, car elle ne voulut rien écouter, et elle se jeta de colère dans la petite galerie.

Le Cardinal s'avança, et proposa de rendre les prisonniers, pourvu que le Parlement promît de ne pas continuer ses assemblées. Le premier président répondit qu'il fallait délibérer sur la proposition. On fut sur le point de le faire sur-le-champ ; mais beaucoup de ceux de la Compagnie ayant représenté que les peuples croiraient qu'elle aurait été violentée si elle opinait au Palais-Royal, l'on résolut de s'assembler l'après-dînée au Palais, et l'on pria M. le duc d'Orléans de s'y trouver.

Le Parlement, étant sorti du Palais-Royal, et ne disant rien au peuple de la liberté de Broussel, ne trouva d'abord qu'un morne silence, au lieu des acclamations passées. Comme il fut à la barrière des Sergents, où était la première barricade, il y rencontra du murmure, qu'il apaisa en assurant que la Reine lui avait promis satisfaction. Les menaces de la seconde furent éludées par le même moyen. La troisième, qui était à la Croix-du-Tiroir, ne se voulut pas payer de cette monnaie ; et un garçon rôtisseur, s'avançant avec deux cents hommes, et mettant la hallebarde dans le ventre du premier président, lui dit : « Tourne, traître ; et si tu ne veux être massacré toi-même, ramène-nous Broussel ou le Mazarin et le chancelier en otage. » Vous ne doutez pas, à mon opinion, ni de la confusion ni de la terreur qui saisit presque tous les assistants ; cinq présidents au mortier et plus de vingt conseillers se jetèrent dans la foule pour s'échapper. L'unique premier président, le plus intrépide homme, à mon sens, qui ait paru dans son siècle, demeura ferme et inébranlable. Il se donna le temps de rallier ce qu'il put de la Compagnie ; il conserva toujours la dignité de la magistrature et dans ses paroles et dans ses démarches, et il revint au Palais-Royal au petit pas, dans le feu des injures, des menaces, des exécrations et des blasphèmes.

Cet homme avait une sorte d'éloquence qui lui était particulière : il ne connaissait point d'interjection [1] ; il n'était pas *congru dans sa langue ; mais il parlait avec une force qui suppléait à tout cela, et il était naturellement si hardi qu'il ne parlait jamais si bien que dans le péril. Il se passa lui-même, lorsqu'il revint au Palais-Royal, et il est *constant qu'il toucha tout le monde, à la réserve de la Reine, qui demeura inflexible. Monsieur fit mine de se jeter à genoux devant elle ; quatre ou cinq princesses, qui tremblaient de peur, s'y jetèrent effectivement. Le Cardinal, à qui un jeune conseiller des Enquêtes avait dit en raillant qu'il serait assez à propos qu'il allât lui-même dans les rues voir l'état des choses, le Cardinal, dis-je, se joignit au gros de la cour, et l'on tira enfin à toute peine cette parole de la bouche de la Reine : « Hé bien ! Messieurs du Parlement, voyez donc ce qu'il est à propos de faire. » L'on s'assembla en même temps dans la grande galerie ; l'on délibéra, et l'on donna arrêt par lequel il fut ordonné que la Reine serait remerciée de la liberté accordée aux prisonniers.

Aussitôt que l'arrêt fut rendu, l'on expédia les lettres de cachet, et le premier président montra au peuple les copies qu'il avait prises en forme de l'un et de l'autre ; mais l'on ne voulut pas quitter les armes que l'effet ne s'en fût ensuivi. Le Parlement même ne donna point d'arrêt pour les faire poser, qu'il n'eût vu Broussel dans sa place. Il y revint le lendemain, ou plutôt il y fut porté sur la tête des peuples, avec des acclamations incroyables. L'on rompit les barricades, l'on ouvrit les boutiques, et en moins de deux heures Paris parut plus tranquille que je ne l'ai jamais vu le vendredi saint [2].

Comme je n'ai pas cru devoir interrompre le fil d'une narration qui contient le préalable le plus important de la guerre civile, j'ai remis à vous rendre compte en ce lieu d'un certain détail, sur lequel vous vous êtes certainement fait des questions à vous-même, parce qu'il a des circonstances qui ne se peuvent presque concevoir devant que d'être particulièrement expliquées. Je suis assuré, par exemple, que vous avez de la curiosité de savoir quels ont été les ressorts qui ont donné le mouvement à tous ces corps, qui se sont presque ébranlés tous ensemble ; quelle a été la machine qui, malgré toutes les tentatives de la cour, tous les artifices des ministres, toute la faiblesse du public, toute la corruption des particuliers, a entretenu et maintenu ce mouvement dans une espèce d'équilibre. Vous soupçonnez apparemment bien du mystère, bien de la cabale et bien de l'intrigue. Je conviens que l'apparence y est, et à un point que je crois que l'on doit excuser les historiens qui ont pris le vraisemblable pour le vrai en ce fait.

Je puis toutefois et je dois même vous assurer que jusques à la nuit qui a précédé les barricades il n'y a pas eu un *grain de ce qui s'appelle manège d'Etat dans les affaires publiques, et que celui même qui y a pu être de l'intrigue du *cabinet y a été si léger qu'il ne mérite presque pas d'être pesé. Je m'explique. Longueil, conseiller de la Grande Chambre, homme d'un esprit noir, *décisif et dangereux, et qui entendait mieux le détail du manœuvre du Parlement que tout le reste du corps ensemble, pensait, dès ce temps-là, à établir le président de Maisons, son frère, dans la surintendance des finances ; et comme il s'était donné une grande créance dans l'esprit de Broussel, simple et facile comme un enfant, l'on a cru, et je le crois aussi, qu'il avait pensé, dès les premiers mouvements du Parlement, à pousser et à animer son ami, pour se rendre considérable par cet endroit auprès des ministres.

Le président Viole était ami intimissime de Chavigny, qui était enragé contre le Cardinal, parce qu'ayant été la principale cause de sa fortune auprès du cardinal de Richelieu, il en avait été cruellement joué dans les premiers jours de la Régence, et comme ce président fut un des premiers qui témoigna de la chaleur dans son corps, l'on soupçonna qu'elle ne lui fût inspirée par Chavigny. N'ai-je pas eu raison de vous dire que ce *grain était bien léger ? car supposé même qu'il fût aussi bien préparé que toute la défiance se le peut figurer, dont je doute fort, qu'est-ce que pouvaient faire dans une compagnie composée de plus de deux cents *officiers, et agissante avec trois autres compagnies où il y en avait encore presque une fois autant, qu'est-ce que pouvaient faire, dis-je, deux des plus simples et des plus communes têtes de tout le corps ?

Le président Viole avait toute sa vie été un homme de plaisir et de nulle application à son métier ; le *bon homme Broussel était vieilli entre les sacs[1], dans la *poudre de la Grande Chambre, avec plus de réputation d'intégrité que de capacité. Les premiers qui se joignirent le plus ouvertement à ces deux hommes furent Charton, président aux Requêtes, peu moins que fou, et Blancmesnil, président aux Enquêtes ; vous le connaissez : il était au Parlement comme vous l'avez vu chez vous[a]. Vous jugez bien que si il y eût eu de la cabale dans la Compagnie, l'on n'eût pas été choisir des cervelles de ce *carat, au travers de tant d'autres qui avaient sans comparaison plus de poids ; et que ce n'est pas sans sujet que je vous ai dit, en plus d'un endroit de ce récit, que l'on ne doit rechercher la cause de la *révolution que je décris que dans le dérangement des lois, qui a causé insensiblement celui des esprits, et qui fit que devant que l'on se fût presque aperçu du changement, il y avait déjà un parti. Il est *constant qu'il n'y en avait pas un de tous ceux qui opinèrent dans le cours de cette année, au Parlement et dans les autres compagnies souveraines, qui eût la moindre vue, je ne dis pas seulement de ce qui s'en ensuivit, mais de ce qui en pouvait suivre. Tout se disait et tout se faisait dans l'esprit des procès ; et comme il avait l'air de la chicane, il en avait la *pédanterie, dont le propre essentiel est l'opiniâtreté, directement opposée à la flexibilité, qui de toutes les qualités est la plus nécessaire pour le maniement des grandes affaires.

Et ce qui était admirable était que le concert, qui seul peut remédier aux inconvénients qu'une *cohue de cette nature peut produire, eût passé, dans ces sortes d'esprits, pour une cabale. Ils la faisaient eux-mêmes, mais ils ne la connaissaient pas ; et l'aveuglement, en ces matières, des bien intentionnés, est suivi pour l'ordinaire, bientôt après, de la pénétration de ceux qui mêlent la passion et la faction dans les intérêts publics, et qui voient le futur et le possible dans le temps que ces compagnies *réglées ne songent qu'au présent et qu'à l'apparent.

Cette petite réflexion, jointe à ce que vous avez vu ci-devant des délibérations du Parlement, vous marque suffisamment la confusion où étaient les choses quand les barricades se firent, et l'erreur de ceux qui prétendent qu'il ne faut point craindre de parti quand il n'y a point de chef. Ils naissent quelquefois dans une nuit. L'agitation que je viens de vous représenter, et si violente et de si longue durée, n'en produisit point dans le cours d'une année entière ; un moment en fit éclore, et même beaucoup davantage qu'il n'eût été à souhaiter pour le parti.

Comme les barricades furent levées, j'allai chez Mme de Guémené, qui me dit qu'elle savait de science certaine que le Cardinal croyait que j'en avais été l'auteur. La Reine m'envoya quérir le lendemain au matin. Elle me traita avec toutes les marques possibles de bonté et même de confiance. Elle me dit que si elle m'avait cru, elle ne serait pas tombée dans l'inconvénient où elle était ; qu'il n'avait pas tenu au pauvre Monsieur le Cardinal de l'éviter ; qu'il lui avait toujours dit qu'il s'en fallait rapporter à mon jugement ; que Chavigny était l'unique cause de ce malheur par ses pernicieux conseils, auxquels elle avait plus déféré qu'à ceux de Monsieur le Cardinal : « Mais, mon Dieu ! ajouta-t-elle tout d'un coup, ne ferez-vous point donner de coups de bâton à ce coquin de Bautru qui vous a tant manqué au respect ? Je vis l'heure, avant-hier au soir, que le pauvre Monsieur le Cardinal lui en faisait donner. » Je reçus tout cela avec un peu moins de sincérité que de respect. Elle me commanda ensuite d'aller voir le pauvre Monsieur le Cardinal, et pour le consoler et pour aviser avec lui de ce qu'il y aurait à faire pour ramener les esprits.

Je n'en fis, comme vous pouvez croire, aucune difficulté. Il m'embrassa avec des tendresses que je ne vous puis exprimer. Il n'y avait que moi en France qui fût homme de bien ; tous les autres n'étaient que des flatteurs infâmes, et qui avaient *emporté la Reine, malgré ses conseils et les miens. Il me déclara qu'il ne voulait plus rien faire que par mes avis. Il me communiqua les dépêches étrangères. Enfin il me dit tant de fadaises que le *bon homme Broussel, qu'il avait aussi mandé, et qui était entré dans sa chambre un peu après moi, s'éclata de rire en en sortant, tout simple qu'il était, et en vérité jusqu'à l'*innocence, et qu'il

me coula ces paroles dans l'oreille : « Ce n'est là qu'un
*pantalon. »

Je revins chez moi très résolu, comme vous pouvez croire,
de penser à la sûreté du public et à la mienne particulière.
J'en examinai les moyens, et je n'en imaginai aucun qui ne
me parût d'une exécution très difficile. Je connaissais le
Parlement pour un corps qui *pousserait trop sans mesure.
Je voyais qu'au moment que j'y pensais, il délibérait touchant
les rentes de l'Hôtel de Ville[1], dont la cour avait fait un
commerce honteux, ou plutôt un brigandage public. Je
considérais que l'armée victorieuse à Lens reviendrait infailliblement prendre ses quartiers d'hiver aux environs de Paris,
et que l'on pourrait très aisément investir et couper les vivres
à la ville en un matin. Je ne pouvais pas ignorer que ce
même Parlement, qui *poussait la cour, ne fût très capable
de faire le procès à ceux qui le seraient eux-mêmes de
prendre des précautions pour l'empêcher d'être opprimé. Je
savais qu'il y avait très peu de gens dans cette compagnie
qui ne s'effarassent seulement de la proposition, et peut-
être aussi peu à qui il y eût sûreté de la confier. J'avais de
grands exemples de l'instabilité des peuples, et beaucoup
d'aversion naturelle aux moyens violents, qui sont souvent
nécessaires pour le fixer.

Saint-Ibar, mon parent, homme d'esprit et de cœur, mais
d'un grand *travers, et qui n'estimoit les hommes que selon
qu'ils étaient mal à la cour, me pressa de prendre des
mesures avec Espagne, avec laquelle il avait de grandes
*habitudes, par le canal du comte de Fuensaldagne, capitaine
général aux Pays-Bas sous l'archiduc[2]. Il m'en donna même
une lettre pleine d'offres, que je ne reçus pas. J'y répondis
par de simples *honnêtetés, et après de grandes et profondes
réflexions, je pris le parti de faire voir par Saint-Ibar aux
Espagnols, sans m'engager pourtant avec eux, que j'étais
fort résolu à ne pas souffrir l'oppression de Paris, de travailler
par mes amis à faire que le Parlement mesurât un peu plus
ses démarches, et d'attendre le retour de Monsieur le Prince,
avec qui j'étais très bien, et auquel j'espérais de pouvoir
faire connaître et la grandeur du mal et la nécessité du
remède. Ce qui me donnait le plus de lieu de croire que
j'en pourrais avoir le temps était que les *vacations du
Parlement étaient fort proches ; et je me persuadais par cette

raison que la Compagnie ne s'assemblant plus, et la cour, par conséquent, ne se trouvant plus pressée par les délibérations, l'on demeurerait de part et d'autre dans une espèce de repos, qui bien ménagé par Monsieur le Prince, que l'on attendait de semaine en semaine, pourrait fixer celui du public et la sûreté des particuliers.

L'impétuosité du Parlement rompit mes mesures ; car aussitôt qu'il eut achevé de faire le règlement pour le paiement des rentes de l'Hôtel de Ville, et des remontrances pour la décharge du quart entier des tailles[1], et du prêt à tous les officiers subalternes, il demanda, sous prétexte de la nécessité qu'il y avait de travailler au tarif, la continuation de ses assemblées, même dans le temps des *vacations ; et la Reine la lui accorda pour quinze jours, parce qu'elle fut très bien avertie qu'il l'ordonnerait de lui-même si l'on la lui refusait. Je fis tous mes efforts pour empêcher ce coup, et j'avais persuadé Longueil et Broussel ; mais Novion, Blancmesnil et Viole, chez qui nous nous étions trouvés à onze heures du soir, dirent que la Compagnie tiendrait pour des traîtres ceux qui lui feraient cette proposition ; et comme j'insistais, Novion entra en soupçon que je n'eusse moi-même du concert avec la cour. Je ne fis aucun *semblant de l'avoir remarqué ; mais je me ressouvins du prédicant de Genève qui soupçonna l'amiral de Coligny, chef du parti huguenot, de s'être confessé à un cordelier de Niort[2]. Je le dis en riant, au sortir de la conférence, au président Le Coigneux, père de celui que vous voyez aujourd'hui. Cet homme, qui était fou, mais qui avait beaucoup d'esprit, et qui ayant été en Flandres ministre de Monsieur, avait plus de connaissance du monde que les autres, me répondit : « Vous ne connaissez pas nos gens, vous en verrez bien d'autres ! Gagé que cet *innocent (en me montrant Blancmesnil) croit avoir été au sabbat, parce qu'il s'est trouvé ici à onze heures du soir ! » Il eût gagné, si j'eusse gagé contre lui, car Blancmesnil, devant que de sortir, nous déclara qu'il ne voulait plus de conférences particulières, qu'elles sentaient sa faction et son complot, et qu'il fallait qu'un magistrat dît son avis sur les fleurs de lis[3] sans en avoir communiqué avec personne, que les ordonnances l'y obligeaient.

Voilà le canevas sur lequel il broda mainte et mainte *impertinences de cette nature, que j'ai dû toucher en

passant pour vous faire connaître que l'on a plus de peine,
dans les partis, à vivre avec ceux qui en sont qu'à agir contre
ceux qui y sont opposés.

C'est tout vous dire, qu'ils firent si bien par leurs
*journées, que la Reine, qui avait cru que les *vacations
pourraient diminuer quelque degré de la chaleur des esprits,
et qui, par cette considération, venait d'assurer le prévôt des
marchands que les bruits que l'on avait fait courre qu'elle
voulait faire sortir le Roi de Paris étaient faux, que la Reine,
dis-je, s'impatienta et emmena le Roi à Rueil. Je ne doutai
point qu'elle n'eût pris le dessein de surprendre Paris, qui
parut effectivement *étonné de la sortie du Roi ; et je
trouvai même, le lendemain au matin, de la consternation
dans les esprits les plus échauffés du Parlement. Ce qui
l'augmenta fut que l'on eut avis, en même temps, que
Erlach avait passé la Somme avec quatre mille Allemands[1],
et comme dans les *émotions populaires une mauvaise
nouvelle n'est jamais seule, l'on en publia cinq ou six de
même nature, qui me firent connaître que j'aurais encore
plus de peine à soutenir les esprits que je n'en avais eu à les
retenir.

Je ne me suis guère trouvé, dans tout le cours de ma vie,
plus embarrassé que dans cette occasion. Je voyais le péril
dans toute son étendue, et je n'y voyais rien qui ne me
parût affreux. Les plus grands dangers ont leurs charmes
pour peu que l'on aperçoive de gloire dans la perspective
des mauvais *succès ; les *médiocres n'ont que des horreurs
quand la perte de la réputation est attachée à la mauvaise
fortune. Je n'avais rien oublié pour faire que le Parlement
ne désespérât pas la cour, au moins jusques à ce que l'on
eût pensé aux expédients de se défendre de ses *insultes.
Qui l'eût cru, si elle eût bien su prendre son temps, ou
plutôt si le retour de Monsieur le Prince ne l'eût empêchée
de le prendre ? Comme on le croyait retardé pour quelque
temps, justement en celui où le Roi sortit de Paris, je ne
crus pas avoir celui de l'attendre, comme je me l'étais
proposé ; et ainsi je me résolus à un parti qui me fit
beaucoup de peine, mais qui était bon, parce qu'il était
l'unique.

Les extrêmes sont toujours fâcheux ; mais ils sont sages
quand ils sont nécessaires. Ce qu'ils ont de *consolatif est

qu'ils ne sont jamais *médiocres et qu'ils sont décisifs quand ils sont bons. La fortune favorisa mon projet. La Reine fit arrêter Chavigny, et elle l'envoya au Havre-de-Grâce. Je me servis de cet instant pour animer Viole, son ami intime, par sa propre *timidité, qui était grande. Je lui fis voir qu'il était perdu lui-même, que Chavigny ne l'était que parce que l'on s'était imaginé qu'il avait poussé lui Viole à ce qu'il avait fait ; qu'il était visible que le Roi n'était sorti de Paris que pour l'attaquer ; qu'il voyait comme moi l'abattement des esprits ; que si l'on les laissait tout à fait tomber, ils ne se relèveraient plus ; qu'il les fallait soutenir ; que j'agissais avec succès dans le peuple ; que je m'adressais à lui comme à celui en qui j'avais le plus de confiance et que j'estimais le plus, afin qu'il agît de concert dans le Parlement ; que mon sentiment était que la Compagnie ne devait point mollir dans ce moment, mais que comme il la connaissait, il savait qu'elle avait besoin d'être éveillée dans une conjoncture où il semblait que la sortie du Roi eût un peu trop frappé et endormi ses sens ; qu'une parole portée à propos ferait infailliblement ce bon effet.

Ces raisons, jointes aux instances de Longueil, qui s'était joint à moi, *emportèrent, après de grandes contestations, le président Viole, et l'obligèrent à faire, par le seul principe de la peur, qui lui était très naturelle, une des plus hardies actions dont l'on ait peut-être jamais ouï parler. Il prit le temps où le président de Mesmes présenta au Parlement sa *commission pour la Chambre de justice [1], pour dire ce dont nous étions convenus, qui était qu'il y avait des affaires sans comparaison plus pressantes que celle de la Chambre de justice ; que le bruit courait que l'on voulait assiéger Paris, que l'on faisait marcher des troupes, que l'on mettait en prison les meilleurs serviteurs du feu Roi, que l'on jugeait devoir être contraires à ce pernicieux dessein ; qu'il ne pouvait s'empêcher de représenter à la Compagnie la nécessité qu'il croyait qu'il y avait à supplier très humblement la Reine de ramener le Roi à Paris ; et d'autant que l'on ne pouvait ignorer qui était l'auteur de tous ces maux, de prier M. le duc d'Orléans et les *officiers de la couronne de se trouver au Parlement, pour y délibérer sur l'arrêt donné en 1617, à l'occasion du maréchal d'Ancre, par lequel était défendu aux étrangers de s'immiscer dans le gouvernement du royaume [1]. Cette *corde nous avait paru à nous-mêmes bien grosse à toucher ; mais il ne la fallait pas moindre pour éveiller, ou plutôt pour tenir éveillés des gens que la peur eût très facilement jetés dans l'assoupissement. Cette *passion ne fait pas, pour l'ordinaire, cet effet sur les particuliers ; j'ai observé qu'elle le fait sur les compagnies très souvent. Il y a même raison pour cela ; mais il ne serait pas *juste d'interrompre, pour la *déduire, le fil de l'histoire.

Le mouvement que la proposition de Viole fit dans les esprits est inconcevable : elle fit peur d'abord ; elle réjouit ensuite ; elle anima après. L'on n'envisagea plus le Roi hors de Paris que pour l'y ramener ; l'on ne regarda plus les troupes que pour les prévenir. Blancmesnil, qui m'avait paru le matin comme un homme mort, nomma en propre terme le Cardinal, qui n'avait été jusque-là désigné que sous le titre de ministre. Le président de Novion éclata contre lui avec des injures atroces ; et le Parlement donna, même avec gaieté, arrêt par lequel il était ordonné que très humbles remontrances seraient faites à la Reine pour la supplier de ramener le Roi à Paris et de faire retirer les gens de guerre du voisinage ; que l'on prierait les princes et ducs et pairs d'entrer au Parlement pour y délibérer sur les affaires nécessaires au bien de l'Etat, et que le prévôt des marchands et échevins [2] seraient mandés pour recevoir les ordres touchant la sûreté de la ville.

Le premier président, qui parlait presque toujours avec vigueur pour les intérêts de sa compagnie, mais qui était dans le fond dans ceux de la cour, me dit un moment après qu'il fut sorti du Palais : « N'*admirez-vous pas ces gens ici ? Ils viennent de donner un arrêt qui peut très bien produire la guerre civile ; et parce qu'ils n'y ont pas nommé le Cardinal, comme Novion, Viole et Blancmesnil le voulaient, ils croient que la Reine leur en doit de reste. » Je vous rends compte de ces minuties, parce qu'elles vous font mieux connaître l'état et le *génie de cette compagnie que des circonstances plus importantes.

Le président Le Coigneux, que je trouvai chez le premier président, me dit tout bas : « Je n'ai espérance qu'en vous ; nous serons tous pendus, si vous n'agissez sous terre. » J'y agissais effectivement, car j'avais travaillé toute la nuit avec Saint-Ibar à une instruction avec laquelle je faisais *état de

R glisses contacts Spanish — then decides not to - Condé
soon back in Ps
330   MÉMOIRES

l'envoyer à Bruxelles pour traiter avec le comte de Fuensaldagne, et pour l'obliger à marcher à notre secours, en cas de
besoin, avec l'armée d'Espagne. Je ne le pouvais pas assurer
du Parlement ; mais je m'engageais, en cas que Paris fût
attaqué et que le Parlement pliât, de me déclarer et de faire
déclarer le peuple. Le premier coup était sûr ; mais il eût
été très difficile à soutenir sans le Parlement. Je le voyais
bien ; mais je voyais encore mieux qu'il y a des conjonctures
où la prudence même ordonne de ne consulter que le
chapitre des accidents.

Saint-Ibar était botté pour partir, quand M. de Châtillon
arriva chez moi, qui me dit en entrant que Monsieur le
Prince, qu'il venait de quitter, devait être à Rueil le
lendemain. Il ne me fut pas difficile de le faire parler, parce
qu'il était mon parent et mon ami ; il haïssait de plus
extrêmement le Cardinal. Il me dit que Monsieur le Prince
était enragé contre lui ; qu'il était persuadé qu'il perdrait
l'Etat si l'on le laissait faire ; qu'il avait en son particulier
de très grands sujets de se plaindre de lui[1] ; qu'il avait
découvert à l'armée que le Cardinal lui avait débauché le
marquis de Noirmoutier, avec lequel il avait un commerce
de chiffre pour être averti de tout à son préjudice. Enfin, je
connus par tout ce que me dit Châtillon que Monsieur le
Prince n'avait nulles mesures particulières avec la cour. Je
ne balançai pas, comme vous vous pouvez imaginer : je fis
débotter Saint-Ibar, qui faillit à en enrager, et quoique
j'eusse résolu de contrefaire le malade pour n'être point
obligé d'aller à Rueil, où je ne croyais pas de sûreté pour
moi, je pris le parti de m'y rendre un moment après que
Monsieur le Prince y serait arrivé. Je n'appréhendai plus d'y
être arrêté, et parce que Châtillon m'avait assuré qu'il était
fort éloigné de toutes les pensées d'extrémité, et parce que
j'avais tout sujet de prendre confiance en l'honneur de son
amitié. Il m'avait sensiblement obligé, comme vous avez
vu, à propos du drap de pied de Notre-Dame[2], et je l'avais
servi auparavant, avec chaleur, dans le démêlé qu'il eut avec
Monsieur, touchant le chapeau de cardinal prétendu par
monsieur son frère. La Rivière eut l'insolence de s'en
plaindre, et le Cardinal eut la faiblesse d'y balancer. J'offris
à Monsieur le Prince l'intervention en corps de l'Eglise de
Paris. Je vous marque cette circonstance, que j'avais oubliée

dans ce récit, [et qui me donne la satisfaction à moi-même
de penser qu'il n'y aura pas eu un point dans ma vie dont
je n'ai eu celle de vous rendre compte[a]], pour vous faire
voir que je pouvais judicieusement aller à la cour.

La Reine m'y traita admirablement bien ; elle faisait
collation auprès de la grotte. Elle *affecta de ne donner
qu'à Madame la Princesse la mère, à Monsieur le Prince et à
moi des poncires[1] d'Espagne que l'on lui avait apportés. Le
Cardinal me fit des *honnêtetés extraordinaires ; mais je
remarquai qu'il observait avec application la manière dont
Monsieur le Prince me traiterait. Il ne fit que m'embrasser
en passant dans le jardin, et, à un autre tour d'allée, il me
dit fort bas : « Je serai demain à sept heures chez vous ; il y
aura trop de monde à l'hôtel de Condé. »

Il n'y manqua pas, et aussitôt qu'il fut dans le jardin de
l'archevêché, il m'ordonna de lui exposer au vrai l'état des
choses et toutes mes pensées. Je vous puis et dois dire, pour
la vérité, que j'aurais lieu de souhaiter que le discours que
je lui fis, et que je lui fis beaucoup plus du cœur que de la
bouche, fût imprimé et soumis au jugement des trois Etats[2]
assemblés : l'on trouverait beaucoup de défauts dans mes
expressions ; mais j'ose vous assurer que l'on n'en condamne-
rait pas les sentiments. Nous convînmes que je continuerais
à faire *pousser le Cardinal par le Parlement, que je mènerais
la nuit, dans un carrosse inconnu, Monsieur le Prince chez
Longueil et chez Broussel, pour les assurer qu'ils ne seraient
pas abandonnés au besoin ; que Monsieur le Prince donnerait
à la Reine toutes les marques de complaisance et d'attachement, et qu'il réparerait même avec soin celles qu'il avait
laissées paraître de son mécontentement du Cardinal, afin
de s'insinuer dans l'esprit de la Reine et de la disposer
insensiblement à recevoir et à suivre ses conseils ; qu'il
feindrait, au commencement de donner en tout dans son
sens, et que, peu à peu, il essayerait de l'accoutumer à
écouter les vérités auxquelles elle avait toujours fermé
l'oreille ; que l'animosité des peuples augmentant et les
délibérations du Parlement continuantes, il ferait semblant
de s'affaiblir contre sa propre inclination et par la pure
nécessité ; et qu'en laissant ainsi couler le Cardinal plutôt
que tomber, il se trouverait maître du *cabinet par l'esprit

de la Reine, et arbitre du public et par l'état des choses et par le canal des serviteurs qu'il y avait.

Il est *constant que, dans l'agitation où l'on était, il n'y avait que ce remède pour rétablir les affaires, et il ne l'est pas moins qu'il n'était pas moins facile que nécessaire. Il ne plut pas à la providence de Dieu de le bénir, quoiqu'elle lui eût donné la plus belle ouverture qu'ait jamais pu avoir aucun projet. Vous en verrez la suite après que je vous aurai dit un mot de ce qui se passa immédiatement auparavant.

Comme la Reine n'était sortie de Paris que pour se donner lieu d'attendre, avec plus de liberté, le retour des troupes avec lesquelles elle avait dessein d'*insulter ou d'affamer la ville (il est certain qu'elle pensa à l'un et à l'autre), comme, dis-je, la Reine n'était sortie qu'avec cette pensée, elle ne ménagea pas beaucoup le Parlement à l'égard du dernier arrêt dont je vous ai parlé ci-dessus, et par lequel elle était suppliée de ramener le Roi à Paris. Elle répondit aux députés qui étaient allés faire les remontrances qu'elle en était fort surprise et fort étonnée, que le Roi avait accoutumé, tous les ans, de prendre l'air en cette saison, et que sa santé lui était plus chère qu'une vaine frayeur du peuple. Monsieur le Prince, qui arriva justement dans ce moment, et qui ne donna pas dans la pensée que l'on avait à la cour d'attaquer Paris, crut qu'il la fallait au moins satisfaire par les autres marques qu'il pouvait donner à la Reine de son attachement à ses volontés. Il dit au président et aux deux conseillers, qui l'invitaient à venir prendre sa place, selon la teneur de l'arrêt, qu'il ne s'y trouverait pas, et qu'il obéirait à la Reine, en dût-il périr. L'impétuosité de son humeur l'emporta, dans la chaleur du discours, plus loin qu'il n'eût été par réflexion, comme vous le jugez aisément par ce que je vous viens de dire de la disposition où il était, même devant que je lui eusse parlé. M. le duc d'Orléans répondit qu'il n'irait point, et que l'on avait fait dans la Compagnie des propositions trop hardies et insoutenables. M. le prince de Conti parla au même sens.

Le lendemain, les gens du Roi apportèrent au Parlement un arrêt du Conseil, qui portait cassation de celui du Parlement et défenses de délibérer sur la proposition de [1]617[a] contre le ministère des étrangers. La Compagnie opina avec une chaleur inconcevable, ordonna des remontran-

brink of civil war prevented by Condé's restraint

ces par écrit, manda le prévôt des marchands pour pourvoir
à la sûreté de la ville ; commanda à tous les gouverneurs de
laisser les passages libres, et que dès le lendemain, toutes
affaires cessantes, l'on délibérerait sur la proposition de
[1]617. Je fis l'impossible toute la nuit pour rompre ce coup,
parce que j'avais lieu de craindre qu'il ne précipitât les
choses au point d'engager Monsieur le Prince, malgré lui-
même, dans les intérêts de la cour. Longueil courut de son
côté pour le même effet. Broussel lui promit d'ouvrir l'avis
modéré ; les autres ou m'en assurèrent ou me le firent
espérer.

Ce ne fut plus cela le lendemain au matin. Ils s'échauffèrent les uns les autres devant que de s'asseoir. Ce maudit
esprit de classe dont je vous ai déjà parlé les saisit ; et ces
mêmes gens qui deux jours devant tremblaient de frayeur,
et que j'avais eu tant de peine à rassurer, passèrent tout
d'un coup, et sans savoir pourquoi, de la peur même bien
fondée à l'aveugle fureur, et telle qu'ils ne firent pas
seulement de réflexion que le général de cette même armée,
dont le nom seul leur avait fait peur, et qu'ils devaient plus
appréhender que son armée, parce qu'ils avaient sujet de le
croire très mal intentionné pour eux, comme ayant toujours
été très attaché à la cour, ils ne firent pas, dis-je, seulement
réflexion que ce général venait d'y arriver ; et ils donnèrent
cet arrêt que je vous ai marqué ci-dessus, qui obligea la
Reine de faire sortir de Paris M. d'Anjou, tout rouge encore
de sa petite vérole, et Mme la duchesse d'Orléans même
malade ; et qui eût commencé la guerre civile dès le
lendemain, si Monsieur le Prince, avec lequel j'eus sur ce
sujet une seconde conférence de trois heures, n'eût pris le
parti du monde le plus saint et le plus sage. Quoiqu'il fût
très mal persuadé du Cardinal, et à l'égard du public et au
sien particulier, et quoiqu'il ne fût guère plus satisfait de la
conduite du Parlement, avec lequel l'on ne pouvait prendre
aucune mesure en corps, ni de bien sûres avec les particuliers,
il ne balança pas un moment à prendre la résolution qu'il
crut la plus utile au bien de l'Etat. Il marcha, sans hésiter,
d'un pas égal entre le *cabinet et le public, entre la faction
et la cour, et il me dit ces propres paroles, qui me sont
toujours demeurées dans l'esprit, même dans la plus grande
chaleur de nos démêlés : « Le Mazarin ne sait ce qu'il fait ;

il perdrait l'Etat, si l'on n'y prenait garde. Le Parlement va trop vite : vous me l'aviez bien dit, et je le vois. Si il se ménageait, comme nous l'avions concerté, nous ferions nos affaires ensemble et celles du public. Il se précipite ; et si je me précipitais avec lui, je ferais peut-être mes affaires mieux que lui ; mais je m'appelle Louis de Bourbon, et je ne veux pas ébranler la couronne. Ces diables de bonnets carrés[1] sont-ils enragés de m'engager ou à faire demain la guerre civile, ou à les étrangler eux-mêmes, et à mettre sur leur tête et sur la mienne un gredin de Sicile, qui nous pendra tous à la fin ? »

Monsieur le Prince avait raison dans la vérité d'être embarrassé et fâché ; car vous remarquerez que ce même Broussel, avec lequel il avait pris lui-même des mesures, et qui m'avait positivement promis d'être modéré dans cette délibération, fut celui qui ouvrit l'avis de l'arrêt, et qui ne m'en donna d'autre excuse que l'emportement général qu'il avait vu dans tous les esprits. Enfin la conclusion de notre conférence fut qu'il partirait au même moment pour Rueil ; qu'il s'opposerait, comme il avait déjà commencé, aux projets, déjà concertés et résolus, d'attaquer Paris, et qu'il proposerait à la Reine que M. le duc d'Orléans et lui écrivissent au Parlement, et le priassent d'envoyer des députés pour conférer et pour essayer de remédier aux nécessités de l'Etat.

Je suis obligé de dire, pour la vérité, que ce fut lui qui me proposa cet expédient, qui ne m'était point venu dans l'esprit. Il est vrai qu'il me charma et qu'il me toucha au point que Monsieur le Prince s'aperçut de mon transport et qu'il me dit avec tendresse : « Que vous êtes éloigné des pensées que l'on vous croit à la cour ! Plût à Dieu que tous ces coquins de ministres eussent d'aussi bonnes intentions que vous ! »

J'avais fort assuré Monsieur le Prince que le Parlement ne pouvait qu'agréer extrêmement l'honneur que Monsieur d'Orléans et lui lui feraient de lui écrire ; mais j'avais ajouté que je doutais que, vu l'aigreur des esprits, il voulût conférer avec le Cardinal ; que j'étais persuadé que si lui, Monsieur le Prince, pouvait faire en sorte d'obliger la cour à ne point se faire une affaire ni une condition de la présence de ce ministre, il se donnerait à lui-même un avantage très

considérable, et en ce que tout l'honneur de l'accommodement, où Monsieur à son ordinaire ne servirait que de
*figure, lui reviendrait, et en ce que l'exclusion du Cardinal
décréditerait au dernier point son ministère, et serait un
préalable très utile aux coups que Monsieur le Prince faisait
*état de lui donner dans le *cabinet. Il comprit très bien
son intérêt ; et le Parlement ayant répondu à Choisy,
chancelier de Monsieur, et au chevalier de Rivière, gentilhomme de la chambre de Monsieur le Prince, qui y avaient
porté les lettres de leurs maîtres, que le lendemain ses
députés iraient à Saint-Germain, pour conférer avec Messieurs
les Princes seulement, Monsieur le Prince se servit très
habilement de cette parole pour faire croire au Cardinal
qu'il ne se devait pas *commettre, et qu'il était de sa
prudence de se faire honneur de la nécessité. Cette atteinte
fut cruelle à la personne d'un cardinal reconnu, depuis la
mort du feu Roi, pour premier ministre ; et la suite ne lui
en fut pas moins honteuse. Le président Viole, qui avait
ouvert l'avis au Parlement de renouveler l'arrêt de [1]617
conte les étrangers, vint à Saint-Germain, où le Roi était
allé de Rueil, sous la parole de Monsieur le Prince, et il fut
admis sans contestation à la conférence qui fut tenue chez
M. le duc d'Orléans, accompagné de Monsieur le Prince, de
M. le prince de Conti et de M. de Longueville.

L'on y traita presque tous les articles qui avaient été
proposés à la Chambre de Saint-Louis, et Messieurs les
Princes en accordèrent beaucoup avec facilité. Le premier
président, s'étant plaint de l'emprisonnement de M. de
Chavigny, donna lieu à une contestation considérable, parce
que sur la réponse que l'on lui fit que Chavigny n'étant pas
du corps du Parlement, cette action ne regardait en rien la
Compagnie, il répondit que les ordonnances obligeaient à
ne laisser personne en prison plus de vingt-quatre heures
sans l'interroger[1]. Monsieur s'éleva avec chaleur à ce mot,
qu'il prétendit donner des bornes trop étroites à l'autorité
royale. Viole le soutint avec vigueur ; les députés, tous d'une
voix, y demeurèrent fermes, et en ayant fait le lendemain
leur rapport au Parlement, ils en furent loués ; et la chose
fut poussée avec tant de force et soutenue avec tant de
fermeté, que la Reine fut obligée de consentir que la
déclaration portât que l'on ne pourrait plus tenir aucun,

même particulier, du royaume en prison plus de trois jours sans l'interroger. Cette clause obligea la cour de donner aussitôt après la liberté à Chavigny, qu'il n'y avait pas lieu d'interroger en forme.

Cette question, que l'on appelait celle de la sûreté publique, fut presque la seule qui reçut beaucoup de contradiction, le ministère ne se pouvant résoudre à s'astreindre à une condition aussi contraire à sa pratique, et le Parlement n'ayant pas moins de peine à se relâcher d'une ancienne ordonnance accordée par nos rois, à la réquisition des Etats. Les vingt-trois autres propositions de la Chambre de Saint-Louis passèrent avec plus de chaleur entre les particuliers que de contestation pour leur substance. Il y eut cinq conférences à Saint-Germain. Il n'entra dans la première que messieurs les princes. Le chancelier et le maréchal de La Meilleraye, qui avait été fait surintendant en la place d'Emery, furent admis dans les quatre autres. Ce premier y eut de grandes *prises avec le premier président, qui avait un mépris pour lui qui allait jusques à la brutalité. Le lendemain de chaque conférence, l'on opinait, sur le rapport des députés, au Parlement. Il serait infini et ennuyeux de vous rendre compte de toutes les scènes qui y furent données au public, et je me contenterai de vous dire, en général, que le Parlement, ayant obtenu ou plutôt *emporté sans exception tout ce qu'il demandait, c'est-à-dire le rétablissement des anciennes ordonnances par une déclaration conçue sous le nom du Roi, mais dressée et dictée par la Compagnie, crut encore qu'il se relâchait beaucoup en promettant qu'il ne continuerait pas ses assemblées. Vous verrez cette déclaration toute d'une vue, si il vous plaît de vous ressouvenir des propositions que je vous ai marqué de temps en temps, dans la suite de cette histoire, avoir été faites dans le Parlement et dans la Chambre de Saint-Louis.

Le lendemain qu'elle fut publiée et enregistrée, qui fut le 24 d'octobre 1648, le Parlement prit ses *vacations, et la Reine revint avec le Roi à Paris bientôt après. J'en rapporterai les suites, après que je vous aurai rendu compte de deux ou trois incidents qui survinrent dans le temps de ces conférences.

Mme de Vendôme présenta requête au Parlement, pour lui demander la justification de monsieur son fils, qui s'était sauvé, le jour de la Pentecôte précédente, de la prison du

bois de Vincennes, avec résolution et bonheur[1]. Je n'oubliai
rien pour la servir en cette occasion ; et Mme de Nemours,
sa fille, avoua que je n'étais pas méconnaissant.

Je ne me conduisis pas si raisonnablement dans une autre
rencontre[a] qui m'arriva. Le Cardinal, qui eût souhaité avec
passion de me perdre dans le public, avait engagé le maréchal
de La Meilleraye, surintendant des finances et mon ami, à
m'apporter chez moi quarante mille écus que la Reine
m'envoyait pour le paiement de mes dettes, en reconnaissance, disait-il, des services que j'avais essayé de lui rendre
le jour des barricades. Observez, je vous supplie, que lui,
qui m'avait donné les avis les plus particuliers des sentiments
de la cour sur ce sujet, les croyait de la meilleure foi du
monde changés pour moi, parce que le Cardinal lui avait
témoigné une douleur sensible de l'injustice qu'il m'avait
faite, et qu'il avait reconnue clairement du[b] depuis. Je ne
vous marque cette circonstance que parce qu'elle sert à faire
connaître que les gens qui sont naturellement faibles à la
cour ne peuvent jamais s'empêcher de croire tout ce qu'elle
prend la peine de leur vouloir faire croire. Je l'ai observé
mille et mille fois, et que, quand ils ne sont pas dupes, ce
n'est que la faute du ministre. Comme la faiblesse à la cour
n'était pas mon défaut, je ne me laissai pas persuader par le
maréchal de La Meilleraye, comme le maréchal de La
Meilleraye s'était laissé persuader par le Mazarin, et je refusai
les offres de la Reine avec toutes les paroles requises en cette
occasion, mais sincères à proportion de la sincérité avec
laquelle elles m'étaient faites.

Mais voici le point où je donnai dans le panneau. Le
maréchal d'Estrées traitait du gouvernement de Paris avec
M. de Montbazon[2]. Le Cardinal l'obligea à faire semblant
d'en avoir perdu la pensée, et à essayer de me l'inspirer
comme une chose qui me convenait fort, et dans laquelle je
donnerais d'autant plus facilement que le prince de Guémené, à qui cet emploi n'était pas propre, en ayant la
*survivance, et devant par conséquent toucher une partie du
prix, les intérêts de la princesse, que l'on savait ne m'être
pas indifférents, s'y trouveraient. Si j'eusse eu bien du bon
sens, je n'aurais pas seulement écouté une proposition de
cette nature, laquelle m'eût jeté, si elle eût réussi, dans la
nécessité ou de me servir de la qualité de gouverneur de

MÉMOIRES

Paris contre les intérêts de la cour, ce qui n'eût pas été assurément de la bienséance, ou de préférer les devoirs d'un gouverneur à ceux d'un archevêque, ce qui était cruellement et contre mon intérêt et contre ma réputation. Voilà ce que j'eusse prévu si j'eusse eu bien du bon sens ; mais si j'en eusse eu un *grain en cette occasion, je n'eusse pas au moins fait voir que j'eusse eu pente à en recevoir l'ouverture, que je n'y eusse vu moi-même plus de *jour. Je m'éblouis d'*abord à la vue du bâton, qui me parut devoir être d'une figure plus agréable, quand il serait croisé avec la crosse ; et le Cardinal, ayant fait son effet, qui était de m'entamer dans le public sur l'intérêt particulier, sur lequel il n'avait pu jusque-là prendre sur moi le moindre avantage, rompit l'affaire par le moyen des difficultés que le maréchal d'Estrées, de concert avec lui, y fit naître [1].

Je fis, à ce moment, une seconde faute, presque aussi grande que la première ; car au lieu d'en profiter, comme je le pouvais, en deux ou trois manières, je m'emportai, et je dis tout ce que la rage fait dire, à l'honneur du ministre, à Brancas, neveu du maréchal, et dont le défaut n'était pas, dès ce temps-là, de ne pas redire aux plus forts ce que les plus faibles disaient d'eux. Je ne pourrais pas vous dire encore, à l'heure qu'il est, les raisons, ou plutôt les déraisons, qui me purent obliger à une aussi *méchante conduite. Je cherche dans les replis de mon cœur le principe qui fait que je trouve une satisfaction plus sensible à vous faire une confession de mes fautes, que je n'en trouverais assurément dans le plus juste panégyrique. Je reviens aux affaires publiques.

La déclaration, à la publication de laquelle j'étais demeuré, et le retour du Roi à Paris, joints à l'inaction du Parlement, qui était en *vacation, apaisèrent pour un moment le peuple, qui était si échauffé, que deux ou trois jours devant que l'on eût enregistré la déclaration, il avait été sur le point de massacrer le premier président et le président de Nesmond, parce que la Compagnie ne délibérait pas aussi vite que les marchands le prétendaient sur un impôt établi à l'entrée du vin. Cette chaleur revint avec la Saint-Martin. Il sembla que tous les esprits étaient surpris et enivrés de la fumée des vendanges ; et vous allez voir des scènes au prix desquelles les passées n'ont été que des verdures et des pastourelles [2].

Il n'y a rien dans le monde qui n'ait son moment décisif, et le chef-d'œuvre de la bonne conduite est de connaître et de prendre ce moment. Si l'on le manque dans la *révolution des Etats, l'on court fortune ou de ne le pas retrouver, ou de ne le pas apercevoir. Il y en a mille et mille exemples. Les six ou sept semaines qui coulèrent depuis la publication de la déclaration jusques à la Saint-Martin de l'année 1648 nous en présentent un qui ne nous a été que trop sensible. Chacun trouvait son compte dans la déclaration, c'est-à-dire chacun l'y eût trouvé si chacun l'eût bien entendu. Le Parlement avait l'honneur du rétablissement de l'ordre. Les princes le partageaient, et en avaient le principal fruit, qui était la considération et la sûreté. Le peuple, déchargé de plus de soixante millions, y trouvait un soulagement considérable ; et si le cardinal Mazarin eût été de *génie propre à se faire honneur de la nécessité, qui est une des qualités des plus nécessaires à un ministre, il se fût, par un avantage qui est toujours inséparable de la faveur, il se fût, dis-je, approprié dans la suite la plus grande partie du mérite des choses même auxquelles il s'était le plus opposé.

Voilà des avantages signalés pour tout le monde ; et tout le monde manqua ces avantages signalés par des considérations si légères, qu'elles n'eussent pas dû, dans les véritables règles du bon sens, en faire même perdre de *médiocres. Le peuple, qui s'était animé par les assemblées du Parlement, s'effaroucha dès qu'il les vit cessées sur l'approche de quelques troupes, desquelles, dans la vérité, il était ridicule de prendre ombrage, et par la considération de leur petit nombre, et par beaucoup d'autres circonstances. Le Parlement prit à son retour toutes les bagatelles qui sentaient le moins du monde l'inexécution de la déclaration, avec la même rigueur et avec les mêmes formalités qu'il aurait traité ou un défaut ou une forclusion. M. le duc d'Orléans vit tout le bien qu'il pouvait faire et une partie du mal qu'il pouvait empêcher ; mais comme l'endroit par lequel il fut touché de l'un et de l'autre ne fut pas celui de la peur, qui était sa *passion dominante, il ne sentit pas assez le coup pour en être ému.

Monsieur le Prince connut le mal dans toute son étendue ; mais comme son courage était sa vertu la plus naturelle, il ne le craignit pas assez ; il voulut le bien, mais il ne le voulut qu'à sa mode : son âge, son humeur et ses victoires ne lui permirent pas de joindre la patience à l'activité ; et il ne conçut pas d'assez bonne heure cette maxime si nécessaire aux princes, de ne considérer les petits incidents que comme des victimes que l'on doit toujours sacrifier aux grandes affaires. Le Cardinal, qui ne connaissait en façon du monde nos manières, confondait journellement les plus importantes avec les plus légères ; et dès le lendemain que la déclaration fut publiée, cette déclaration, qui passait, dans cette chaleur des esprits, pour une loi fondamentale de l'Etat[1], dès le lendemain, dis-je, qu'elle fut publiée, elle fut entamée et altérée sur des articles de rien, que le Cardinal *devait même observer avec ostentation, pour colorer les contraventions qu'il pouvait être obligé de faire aux plus considérables ; et ce qui lui arriva de cette conduite fut et que le Parlement, aussitôt après son ouverture, recommença à s'assembler, et que la Chambre des comptes et la Cour des aides même, auxquelles on porta, dans ce même mois de novembre, la déclaration à vérifier, prirent la liberté d'y ajouter encore plus de modifications et de clauses que le Parlement.

La Cour des aides, entre autres, fit défenses, sur peine de la vie, de mettre les tailles en parti[2]. Comme elle eut été mandée pour ce sujet au Palais-Royal, et qu'elle se fut relâchée, en quelque façon, de ce premier arrêt, en permettant de faire des prêts sur les tailles pour six mois, le Parlement le trouva très mauvais, et s'assembla le 30 de décembre, tant sur ce fait que sur ce que l'on savait qu'il y avait une autre déclaration à la Chambre des comptes, qui autorisait pour toujours les mêmes prêts. Vous remarquerez, s'il vous plaît, que, dès le 16 du même mois de décembre, M. le duc d'Orléans et Monsieur le Prince avaient été au Parlement pour empêcher les assemblées, et pour obliger la Compagnie à travailler, seulement par députés, à la recherche des articles de la déclaration auxquels on prétendait que le ministère avait contrevenu : ce qui leur fut accordé, mais après une contestation fort aigre. Monsieur le Prince parla avec beaucoup de colère, et l'on prétendit même qu'il avait fait un signe du petit doigt par lequel il parut menacer. Il m'a dit souvent depuis qu'il n'en avait pas eu la pensée. Ce qui est *constant est que la plupart des conseillers le crurent, que le murmure s'éleva, et que si l'heure n'eût sonné, les choses se fussent encore plus aigries.

Elles parurent le lendemain plus douces, parce que la Compagnie se relâcha, comme je vous ai dit ci-dessus, à examiner les contraventions faites à la déclaration, par députés seulement, et chez Monsieur le Premier Président ; mais cette apparence de calme ne dura pas longtemps.

Le Parlement résolut, le 2 de janvier, de s'assembler pour pourvoir à l'exécution de la déclaration, que l'on prétendait avoir été blessée, particulièrement dans les huit ou dix derniers jours, en tous ses articles ; et la Reine prit le parti de faire sortir le Roi de Paris, à quatre heures du matin, le jour des Rois, avec toute la cour. Les ressorts particuliers de ce grand mouvement sont assez curieux, quoiqu'ils soient fort simples.

Vous jugez suffisamment, par ce que je vous ai déjà dit, de ceux qui faisaient agir la Reine, conduite par le Cardinal, et M. d'Orléans, gouverné par La Rivière, qui était l'esprit le plus bas et le plus intéressé de son siècle. Voici ce qui m'a paru des motifs de Monsieur le Prince.

Les *contretemps du Parlement, desquels je vous ai déjà parlé, commencèrent à le *dégoûter presque aussitôt après qu'il eut pris des mesures avec Broussel et avec Longueil ; et ce dégoût, joint aux caresses que la Reine lui fit à son retour, aux soumissions apparentes du Cardinal, et à la pente naturelle, qu'il tenait de père et de mère, de n'aimer pas à se brouiller avec la cour, affaiblirent avec assez de facilité, dans son esprit, les raisons que son grand cœur y avait fait naître. Je m'aperçus d'*abord du changement ; je m'en affligeai pour moi, je m'en affligeai pour le public ; mais je m'en affligeai, en vérité, beaucoup plus pour lui-même. Je l'aimais autant que je l'honorais, et je vis d'un coup d'œil le précipice. Je vous ennuierais si je vous rendais compte de toutes les conversations que j'eus avec lui sur cette matière. Vous jugerez, s'il vous plaît, des autres par celle dont je vous vas rapporter le détail. Elle se passa justement l'après-dînée du jour où l'on prétendit qu'il avait menacé le Parlement.

Je trouvai, dans ce moment, que le *dégoût que j'avais remarqué déjà dans son esprit était changé en colère et même en indignation. Il me dit, en jurant, qu'il n'y avait plus moyen de souffrir l'insolence et l'*impertinence de ces bourgeois [1], qui en voulaient à l'autorité royale ; que tant qu'il avait cru qu'ils n'eussent en butte que le Mazarin, il avait été pour eux ; que je lui avais moi-même confessé, plus de trente fois, qu'il n'y avait aucune mesure bien sûre à prendre avec des gens qui ne peuvent jamais se répondre d'eux-mêmes d'un quart d'heure à l'autre, parce qu'ils ne peuvent jamais se répondre un instant de leur compagnie ; qu'il ne se pouvait résoudre à devenir le général d'une armée de fous, n'y ayant pas un homme sage qui pût s'engager dans une *cohue de cette nature ; qu'il était prince du sang ; qu'il ne voulait pas ébranler l'Etat ; que si le Parlement eût pris la conduite dont on était demeuré d'accord, l'on l'eût redressé ; mais qu'agissant comme il faisait, il prenait le chemin de le renverser. Monsieur le Prince ajouta à cela tout ce que vous vous pouvez figurer de réflexions publiques et particulières. Voici en propres paroles ce que je lui répondis :

« Je conviens, Monsieur, de toutes les maximes générales ; permettez-moi, s'il vous plaît, de les appliquer au fait particulier. Si le Parlement travaille à la ruine de l'Etat, ce n'est pas qu'il ait intention de le ruiner : nul n'a plus d'intérêt au maintien de l'autorité royale que les *officiers, et tout le monde en convient [2]. Il faut donc reconnaître de bonne foi que lorsque les compagnies souveraines font du mal, ce n'est [que] parce qu'elles ne savent pas bien faire le bien même qu'elles veulent. La capacité d'un ministre qui sait ménager les particuliers et les corps les tient dans l'équilibre où elles doivent être naturellement et dans lequel elles réussissent, par un mouvement qui, balançant ce qui est de l'autorité des princes et de l'obéissance des peuples... [a] L'ignorance de celui qui gouverne aujourd'hui ne lui laisse ni assez de vue ni assez de force pour régler les poids de cette horloge. Les ressorts s'en sont mêlés. Ce qui n'était que pour modérer le mouvement veut le faire, et je conviens qu'il le fait mal, parce qu'il n'est pas lui-même fait pour cela : voilà où gît le défaut de notre machine. Votre Altesse la veut redresser, et avec d'autant plus de raison qu'il n'y a qu'Elle qui en soit capable ; mais pour la redresser, faut-il se joindre à ceux qui la veulent rompre ? Vous convenez des *disparates du Cardinal ; vous convenez qu'il ne pense qu'à établir en France l'autorité qu'il n'a jamais connue qu'en Italie. Si il y pouvait réussir, serait-ce le compte de l'Etat, selon ses bonnes et véritables maximes ? Serait-ce celui des princes du sang en tout sens ? Mais, de plus, est-il en état d'y réussir ? N'est-il pas accablé de la haine publique et du mépris public ? Le Parlement n'est-il pas l'idole des peuples ? Je sais que vous les comptez pour rien, parce que la cour est armée ; mais je vous supplie de me permettre de vous dire que l'on les doit compter pour beaucoup, toutes les fois qu'ils se comptent eux-mêmes pour tout. Ils en sont là : ils commencent eux-mêmes à compter vos armées pour rien, et le malheur est que leur force consiste dans leur *imagination ; et l'on peut dire avec vérité qu'à la différence de toutes les autres sortes de puissance, ils peuvent, quand ils sont arrivés à un certain point, tout ce qu'ils croient pouvoir.

« Votre Altesse me disait dernièrement, Monsieur, que cette disposition du peuple n'était qu'une fumée ; mais cette fumée si noire et si épaisse est entretenue par un feu qui est bien vif et bien allumé. Le Parlement le souffle, et ce Parlement, avec les meilleures et même les plus simples intentions du monde, est très capable de l'enflammer à un point qui l'embrasera et qui le consumera lui-même, mais qui hasardera, dans les intervalles, plus d'une fois l'État. Les corps *poussent toujours avec trop de vigueur les fautes des ministres quand ils ont tant fait que de s'y acharner, et ils ne ménagent presque jamais leurs imprudences, ce qui est, en de certaines occasions, capable de perdre un royaume. Si le Parlement eût répondu, quelque temps devant que vous revinssiez de l'armée, à la ridicule et pernicieuse proposition que le Cardinal lui fit de déclarer si il prétendait mettre des bornes à l'autorité royale, si, dis-je, les plus sages du corps n'eussent éludé la réponse, la France, à mon opinion, courait fortune, parce que la Compagnie se déclarant pour l'affirmative, comme elle en fut sur le point, elle déchirait le voile qui couvre le mystère de l'Etat. Chaque monarchie a le sien. Celui de la France consiste dans cet *espèce de silence religieux et sacré dans lequel on ensevelit, en obéissant presque toujours aveuglément aux rois, le droit que l'on ne veut croire avoir de s'en dispenser que dans les occasions où il ne serait pas même de leur service de leur plaire [1]. Ce fut un miracle que le Parlement ne levât pas dernièrement ce voile, et ne le levât pas en forme et par arrêt, ce qui serait bien d'une conséquence plus dangereuse et plus funeste que la liberté que les peuples ont prise, depuis quelque temps, de voir à travers. Si cette liberté, qui est déjà dans la salle du Palais, était passée jusque dans la Grande Chambre, elle ferait des lois révérées de ce qui n'est encore que question problématique, et de ce qui n'était naguères qu'un secret, ou inconnu, ou du moins respecté.

« Votre Altesse n'empêchera pas, par la force des armes, les suites du malheureux état que je vous marque et dont nous ne sommes peut-être que trop proches. Elle voit que le Parlement même a peine à retenir les peuples qu'il a éveillés ; elle voit que la contagion se glisse dans les provinces ; et la Guyenne et la Provence donnent déjà très dangereusement l'exemple qu'elles ont reçu de Paris [2]. Tout *branle, et Votre Altesse seule est capable de fixer ce mouvement par l'éclat de sa naissance, par celui de sa réputation, et par la persuasion générale où l'on est qu'il n'y a qu'Elle qui y puisse remédier. L'on peut dire que la Reine partage la haine que l'on a pour le Cardinal, et que Monsieur partage le mépris que l'on a pour La Rivière. Si vous entrez, par complaisance, dans leurs pensées, vous entrez en part de la haine publique. Vous êtes au-dessus du mépris ; mais la crainte que l'on aura de vous prendra sa place, et cette crainte empoisonnera si cruellement et la haine que l'on aura pour vous et le mépris que l'on a déjà pour les autres, que ce qui n'est présentement qu'une plaie dangereuse à l'Etat lui deviendra peut-être mortelle, et pourra mêler dans la suite de la *révolution le désespoir du retour [3], qui est toujours, en ces matières, le dernier et le plus dangereux symptôme de la maladie.

« Je n'ignore pas les justes raisons qu'a Votre Altesse d'appréhender les manières d'un corps composé de plus de deux cents têtes, et qui n'est capable ni de gouverner ni d'être gouverné. Cet embarras est grand ; mais j'ose soutenir qu'il n'est pas insurmontable, et qu'il n'est pas même difficile à démêler, dans la conjoncture présente, par des circonstances particulières. Quand le parti serait formé, quand vous seriez à la tête de l'armée, quand les manifestes auraient été publiés, quand enfin vous seriez général déclaré d'un parti dans lequel le Parlement serait entré, auriez-vous, Monsieur, plus de peine à soutenir ce poids que messieurs votre aïeul et bisaïeul [1] n'en ont eu à s'accommoder aux caprices des *ministres de La Rochelle et des maires de Nîmes et de Montauban ? Et Votre Altesse trouverait-Elle plus de difficulté à ménager le parlement de Paris que M. du Maine [2] n'y en a trouvé dans le temps de la Ligue, c'est-à-dire dans le temps de la faction du monde la plus opposée à toutes les maximes du Parlement ? Votre naissance et votre mérite vous élèvent autant au-dessus de ce dernier exemple que la cause dont il s'agit est au-dessus de celle de la Ligue ; et les manières n'en sont pas moins différentes. La Ligue fit une guerre où le chef du parti commença sa déclaration par une jonction ouverte et publique avec Espagne [3], contre la couronne et la personne d'un des plus braves et des meilleurs rois que la France ait jamais eu ; et ce chef de parti, sorti d'une maison étrangère et suspecte, ne laissa pas de maintenir très longtemps dans ses intérêts ce même Parlement, dont la seule idée vous fait peine, dans une occasion où vous êtes si éloigné de le vouloir porter à la guerre, que vous n'y entrez que pour lui procurer la sûreté et la paix.

« Vous ne vous êtes ouvert qu'à deux hommes de tout le Parlement, et encore vous ne vous y êtes ouvert que sous la parole qu'ils vous ont donnée, l'un et l'autre, de ne laisser pénétrer à personne du monde, sans exception, vos intentions. Comme est-il possible que Votre Altesse puisse prétendre que ces deux hommes puissent, par le moyen de cette connaissance intérieure et cachée, régler les mouvements de leur corps ? J'ose, Monsieur, vous répondre que si vous voulez [vous] déclarer publiquement comme protecteur du public et des compagnies souveraines, vous en disposerez, au moins pour très longtemps, absolument et presque souverainement. Ce n'est pas votre vue : vous ne vous voulez pas brouiller à la cour, vous aimez mieux le *cabinet que la faction. Ne trouvez pas mauvais que des gens qui ne vous voient que dans ce jour ne mesurent pas toutes leurs démarches selon ce qui vous conviendrait. C'est à vous à mesurer les vôtres avec les leurs, parce qu'elles sont publiques ; et vous le pouvez, parce que le Cardinal, accablé par la haine publique, est trop faible pour vous obliger malgré vous aux éclats et aux ruptures prématurées. La Rivière, qui gouverne Monsieur, est l'homme du monde le plus *timide. Continuez à témoigner que vous cherchez à adoucir les choses, et laissez-les aigrir selon votre premier plan : un peu plus, un peu moins de chaleur dans le Parlement doit-il être capable de vous le faire changer ? De quoi y va-t-il, enfin, en ce plus et en ce moins ? Le pis du pis est que la Reine croie que vous n'embrassez pas avec assez d'ardeur ses intérêts. N'y a-t-il pas des moyens pour suppléer à cet inconvénient ? N'y a-t-il pas des apparences à donner ? N'y a-t-il pas même de l'effectif ? Enfin, Monsieur, je supplie très humblement Votre Altesse de me permettre de Lui dire que jamais projet n'a été si beau, si innocent, si saint, ni si nécessaire que celui qu'Elle a fait, et que jamais raisons n'ont été, au moins à mon opinion, si faibles que celles qui l'empêchent de l'exécuter. La moins forte de celles qui vous y portent, ou plutôt qui vous y devraient porter, est que si le cardinal Mazarin ne réussit pas dans les siens, il vous peut entraîner dans sa ruine, et que si il y réussit, il se servira, pour vous perdre, de tout ce que vous aurez fait pour l'élever. »

Vous voyez, par le peu d'arrangement de ce discours[1], qu'il fut fait sans méditation et sur-le-champ. Je le dictai à Laigue en revenant chez moi de chez Monsieur le Prince ; et Laigue me le fit voir à mon dernier voyage de Paris. Il ne persuada point Monsieur le Prince, qui était déjà *préoccupé ; il ne répondit à mes raisons particulières que par les générales, ce qui est assez de son *caractère. Les héros ont leurs défauts ; celui de Monsieur le Prince est de n'avoir pas assez de suite dans un des plus beaux esprits du monde. Ceux qui ont voulu croire qu'il avait voulu, dans les commencements, aigrir les affaires par Longueil, par Broussel et par moi, pour se rendre plus nécessaire à la cour et dans la vue de faire pour le Cardinal ce qu'il y fit depuis, font autant d'injustice et à sa vertu et à la vérité, qu'ils prétendent faire d'honneur à son habileté. Ceux qui croient que les petits intérêts, c'est-à-dire les intérêts de pension, de gouvernement, d'*établissements, furent l'unique cause de son changement ne se trompent guère moins. La vue d'être l'arbitre du *cabinet y entra assurément, mais elle ne l'eût pas emporté sur les autres considérations ; et le véritable principe fut qu'ayant tout vu d'abord également, il ne sentit

C's fault inconsistency of attitude

pas tout également. La gloire de restaurateur du public fut sa première idée ; celle de conservateur de l'autorité royale fut la seconde. Voilà le *caractère de tous ceux qui ont dans l'esprit le défaut que je vous ai marqué ci-dessus. Quoiqu'ils voient très bien les inconvénients et les avantages des deux partis sur lesquels ils balancent à prendre leur résolution, et quoiqu'ils les voient même ensemble, ils ne les pèsent pas ensemble. Ainsi ce qui leur paraît aujourd'hui plus léger leur paraît demain plus pesant. Voilà justement ce qui fit le changement de Monsieur le Prince, sur lequel il faut confesser que ce qui n'a pas honoré sa vue, ou plutôt sa résolution, a bien justifié son intention. L'on ne peut nier que si il eût conduit aussi prudemment qu'il l'eût pu la bonne intention qu'il avait certainement, il n'eût[1] redressé l'Etat peut-être pour des siècles ; mais l'on doit convenir que si il l'eût eue mauvaise, il eût pu aller à tout dans un temps où l'enfance du Roi, l'opiniâtreté de la Reine, la faiblesse de Monsieur, l'incapacité du ministre, la licence du peuple, la chaleur des parlements ouvraient à un jeune prince, plein de mérite et couvert de lauriers, une carrière plus belle et plus vaste que celle que MM. que Guise avaient courue.

Dans la conversation que j'eus avec Monsieur le Prince, il me dit deux ou trois fois, avec colère, qu'il ferait bien voir au Parlement, si il continuait à agir comme il avait accoutumé, qu'il n'en était pas où il pensait, et que ce ne serait pas une affaire que de le mettre à la raison. Pour vous dire le vrai, je ne fus pas fâché de trouver cette ouverture à en tirer ce que je pourrais des pensées de la cour ; il ne s'en expliqua pas toutefois ouvertement ; mais j'en compris assez pour me confirmer dans celle que j'avais, qu'elle commençait à reprendre ses premiers projets d'attaquer Paris. Pour m'en éclaircir encore davantage, je dis à Monsieur le Prince que le Cardinal se pourrait fort facilement tromper dans ses mesures, et que Paris serait un morceau de dure digestion : à quoi il me répondit de colère : « On ne le prendra pas comme Dunkerque, par des mines et par des attaques, mais si le pain de Gonesse leur manquait huit jours[2]. » Je me le tins pour dit, et je lui repartis, beaucoup moins pour en savoir davantage que pour avoir lieu de me dégager d'avec lui, que l'entreprise de fermer les passages du pain de Gonesse pourrait recevoir des difficultés. « Quelles ? reprit-il brusque-

Ct plans attack Ps

ment ; les bourgeois sortiront-ils pour donner bataille ? — Elle ne serait pas rude, Monsieur, si il n'y avait qu'eux, lui répondis-je. — Qui sera avec eux ? reprit-il ; y serez-vous, vous qui parlez ? — Ce serait mauvais signe, lui dis-je : cela sentirait fort la procession de la Ligue [1]. » Il pensa un peu, et puis il me dit : « Ne raillons point ; seriez-vous assez fou pour vous embarquer avec ces gens ici ? — Je ne le suis que trop, lui répondis-je ; vous le savez, Monsieur, et que je suis de plus coadjuteur de Paris, et par conséquent engagé et par honneur et par intérêt à sa conservation. Je servirai toute ma vie Votre Altesse en tout ce qui ne regardera pas ce point. » Je vis bien que Monsieur le Prince s'émut à cette déclaration ; mais il se contint, et il me dit ces propres mots : « Quand vous vous engagerez dans une mauvaise affaire, je vous plaindrai ; mais je n'aurai pas sujet de me plaindre de vous. Ne vous plaignez pas aussi de moi, et rendez-moi le témoignage que vous me devez, qui est que je n'ai rien promis à Longueil et à Broussel dont le Parlement ne m'ait dispensé par sa conduite. » Il me fit ensuite beaucoup d'*honnêtetés personnelles. Il m'offrit de me raccommoder avec la cour. Je l'assurai de mes obéissances et de mon zèle en tout ce qui ne serait pas contraire aux engagements qu'il savait que j'avais pris. Je le fis convenir de l'impossibilité d'en sortir, et je sortis moi-même de l'hôtel de Condé, avec toute l'agitation d'esprit que vous vous pouvez imaginer.

Montrésor et Saint-Ibar arrivèrent chez moi justement dans le temps que j'achevais de dicter à Laigue la conversation que j'avais eue avec Monsieur le Prince, et ils n'oublièrent rien pour m'obliger à envoyer, dès ce moment, à Bruxelles. Quoique je sentisse dans moi-même beaucoup de peine à être le premier qui eût mis dans nos affaires le *grain de catholicon d'Espagne [2], je m'y résolus par la nécessité, et je commençai à en dresser l'instruction, qui devait contenir plusieurs chefs, et dont la conclusion fut remise, par cette raison, au lendemain matin.

La fortune me présenta, l'après-dînée, un moyen plus agréable et plus innocent. J'allai, par un pur hasard, chez Mme de Longueville, que je voyais fort peu parce que j'étais extrêmement ami de monsieur son mari, qui n'était pas l'homme de la cour le mieux avec elle. Je la trouvai seule ;

gets Mme de L involved so as to get Conti involved

elle tomba, dans la conversation, sur les affaires publiques, qui étaient à la mode. Elle me parut enragée contre la cour. Je savais par le bruit public qu'elle l'était au dernier point contre Monsieur le Prince. Je joignis ce que l'on en disait dans le monde à ce que j'en tirais de certains mots qu'elle laissait échapper. Je n'ignorais pas que M. le prince de Conti était absolument en ses mains. Toutes ces idées me frappèrent tout d'un coup l'imagination, et y firent naître celles dont je vous rendrai compte, après que je vous aurai un peu éclairci le détail que je vous viens de toucher.

Mlle de Bourbon avait eu l'amitié du monde la plus tendre pour monsieur son frère aîné[1] ; et Mme de Longueville, quelque temps après son mariage, prit une rage et une fureur contre lui, qui passa jusques à un excès incroyable. Vous croyez aisément qu'il n'en fallait pas davantage dans le monde pour faire faire des commentaires fâcheux sur une histoire de laquelle l'on ne voyait pas les motifs. Je ne les ai jamais pu pénétrer ; mais j'ai toujours été persuadé que ce qui s'en disait dans la cour n'était pas véritable, parce que si il eût été vrai qu'il y eût eu de la passion dans leur amitié, Monsieur le Prince n'aurait pas conservé pour elle la tendresse qu'il y conserva toujours dans la chaleur même de l'affaire de Coligny. J'ai observé qu'ils ne se brouillèrent qu'après sa mort, et je sais, de science certaine, que Monsieur le Prince savait que madame sa sœur aimait véritablement Coligny. L'amour passionné du prince de Conti pour elle donna à cette maison un certain air d'inceste, quoique très injustement pour l'effet, que la raison au contraire que je viens de vous alléguer, quoique, à mon sens, décisive, ne put dissiper.

Je vous ai marqué ci-dessus que la disposition où je trouvai Mme de Longueville me donna lieu de penser à préparer une défense pour Paris plus proche, plus naturelle et moins odieuse que celle d'Espagne. Je connaissais bien la faiblesse de M. le prince de Conti, presque encore enfant ; mais je savais, en même temps, que cet enfant était prince du sang. Je ne voulais qu'un nom pour animer ce qui, sans un nom, ne serait que fantôme. Je me répondais de M. de Longueville, qui était l'homme du monde qui aimait le mieux le commencement de toutes affaires. J'étais fort assuré que le maréchal de La Mothe, enragé contre la cour, ne se détacherait

point de M. de Longueville, à qui il avait été attaché vingt
ans durant, par une pension, qu'il avait voulu même retenir,
par reconnaissance, encore après qu'il eut été fait maréchal
de France [1]. Je voyais M. de Bouillon très mécontent et
presque réduit à la *nécessité par le mauvais état de ses
affaires domestiques et par les injustices que la cour lui
faisait. J'avais considéré tous ces gens-là, mais je ne les avais
considérés que dans une perspective éloignée, parce qu'il
n'y en avait aucun de tous ceux-là qui fût capable d'ouvrir
la scène. M. de Longueville n'était bon que pour le second
acte. Le maréchal de La Mothe, bon soldat, mais de très
petit sens, ne pouvait jamais jouer le premier personnage.
M. de Bouillon l'eût pu soutenir ; mais sa probité était plus
problématique que son talent ; et j'étais bien averti, de
plus, que madame sa femme, qui avait un pouvoir absolu
sur son esprit, n'agissait en quoi que ce soit que par les
mouvements d'Espagne [2]. Vous ne vous étonnez pas, sans
doute, de ce que je n'avais pas fixé des vues aussi vagues et
aussi brouillées que celles-là, et de ce que je les réunis pour
ainsi dire en la personne de M. le prince de Conti, prince
du sang, et qui par sa qualité conciliait et approchait, pour
ainsi parler, tout ce qui paraissait le plus éloigné à l'égard
des uns et des autres.

Dès que j'eus ouvert à Mme de Longueville le moindre
*jour du poste qu'elle pourrait tenir, en l'état où les affaires
allaient tomber, elle y entra avec des emportements de joie
que je ne vous puis exprimer. Je ménageai avec soin ces
dispositions ; j'échauffai M. de Longueville, et par moi-
même et par Varicarville, qui était son *pensionnaire, et
auquel il avait, avec raison, une parfaite confiance, et je me
résolus de ne lier aucun commerce avec Espagne et d'attendre
que les occasions, que je jugeais bien n'être que trop
proche [3], donnassent lieu à une conjoncture où celui que
nous y prendrions infailliblement parût plutôt venir des
autres que de moi. Ce parti, quoique très fortement contredit
par Saint-Ibar et par Montrésor, fut le plus judicieux ; et
vous verrez par les suites que je jugeai sainement en jugeant
qu'il n'y avait plus lieu de précipiter ce remède, qui est
doublement dangereux quand il est le premier appliqué. Il
a toujours besoin de lénitifs qui y préparent.

[La sincérité qui m'a obligé à vous faire une confession

de ma faute, en ce qui a touché Mme de La Meilleraye, me
force à vous faire ici mon éloge sur]ᵃ ce qui regarde Mme
de Longueville. La petite vérole lui avait ôté la première
fleur de sa beauté ; mais elle lui en avait laissé presque tout
l'éclat ; et cet éclat, joint à sa qualité, à son esprit et à sa
langueur, qui avait en elle un charme particulier, la rendait
une des plus aimables personnes de France. J'avais le cœur
du monde le plus propre pour l'y placer entre Mmes de
Guémené et de Pommereux. Je ne vous dirai pas qu'elle
l'eût agréé ; mais je vous dirai bien que ce ne fut pas la vue
de l'impossibilité qui m'en fit rejeter la pensée, qui fut
même assez vive dans les commencements. Le *bénéfice
n'était pas vacant ; mais il n'était pas desservi. M. de La
Rochefoucauld était en possession ; mais il était en Poitou.
J'écrivais tous les jours trois ou quatre billets, et j'en recevais
bien autant. Je me trouvais très souvent à l'heure du réveil,
pour parler plus librement d'affaire. J'y concevais beaucoup
d'avantage, parce que je n'ignorais pas que ce pourrait être
l'unique moyen de m'assurer de M. le prince de Conti pour
les suites. Je crus, pour ne vous rien celer, y entrevoir de la
possibilité. La seule vue de l'amitié étroite que je professais
avec le mari l'emporta sur le plaisir et sur la politique ᵇ.

Je ne laissai pas de prendre une grande liaison d'affaire
avec Mme de Longueville, et par elle un commerce avec M.
de La Rochefoucauld, qui revint trois semaines ou un mois
après ce premier engagement. Il faisait croire à M. le prince
de Conti qu'il le servait dans la passion qu'il avait pour
madame sa sœur ; et lui et elle, de concert, l'avaient
tellement aveuglé, que plus de quatre ans après il ne se
doutait encore de quoi que ce soit.

Comme M. de La Rochefoucauld n'avait pas eu trop bon
bruit dans l'affaire des Importants, dans laquelle l'on l'avait
accusé de s'être raccommodé à la cour à leurs dépens (ce
que j'ai su toutefois depuis, de science certaine, n'être pas
vrai), je n'étais pas trop content de le trouver en cette
société. Il fallut pourtant s'en accommoder. Nous prîmes
toutes nos mesures. M. le prince de Conti, Mme de
Longueville, monsieur son mari et le maréchal de La Mothe
s'engagèrent de demeurer à Paris et de se déclarer si l'on
attaquait. Broussel, Longueil et Viole promirent tout au nom
du Parlement, qui n'en savait rien. M. de Rais fit les allées

LR

et venues entre eux et Mme de Longueville, qui prenait des eaux à Noisy avec M. le prince de Conti. Il n'y eut que M. de Bouillon qui ne voulut être nommé à personne sans exception : il s'engagea avec moi uniquement. Je le voyais assez souvent la nuit, et Mme de Bouillon y était toujours présente : si cette femme eût eu autant de sincérité que d'esprit, de beauté, de douceur et de vertu, elle eût été une merveille accomplie. J'en fus très piqué ; mais je n'y trouvai pas la moindre ouverture ; et comme la piqûre ne me fit pas mal fort longtemps, je crois que j'eusse parlé plus proprement si j'eusse dit que je crus en être très piqué.

Après que j'eus préparé assez à mon gré la défensive, je pris la pensée de faire, si il était possible, en sorte que la cour ne portât pas les affaires à l'extrémité. Vous concevez facilement l'utilité de ce dessein, et vous en avouerez la possibilité, quand je vous dirai que l'exécution n'en tint qu'à l'opiniâtreté qu'eut le ministre de ne pas agréer une proposition, qui m'avait été suggérée par Launay-Gravé, et qui, de l'agrément même du Parlement, eût suppléé, au moins pour beaucoup, aux *retranchements faits par cette compagnie [1]. Cette proposition, dont le détail serait trop long et trop ennuyeux, fut agitée chez Viole, où Le Coigneux et beaucoup d'autres gens du Parlement se trouvèrent. Elle fut approuvée ; et si le ministre eût été assez sage pour la recevoir de bonne foi, je suis persuadé et que l'État eût soutenu la dépense nécessaire et qu'il n'y aurait point eu de guerre civile.

Quand je vis que la cour ne voulait même son bien qu'à sa mode, qui n'était jamais bonne, je ne songeai plus qu'à lui faire du mal, et ce ne fut que dans ce moment où je pris l'entière et pleine résolution d'attaquer personnellement le Mazarin, parce que je crus que ne pouvant l'empêcher de nous attaquer, nous ferions sagement de l'attaquer nous-mêmes, par des préalables qui donneraient dans le public un mauvais air à son attaque.

L'on peut dire avec fondement que les ennemis de ce ministre avaient un avantage contre lui très rare, et que l'on n'a presque jamais contre les gens qui sont dans sa place. Leur pouvoir fait, pour l'ordinaire, qu'ils ne sont pas susceptibles de la teinture du ridicule ; elle prenait sur le Cardinal, parce qu'il disait des sottises, ce qui n'est pas ordinaire à ceux mêmes qui en font dans ces sortes de postes. Je lui attachai Marigny, qui revenait tout à propos de Suède, et qui s'était comme donné à moi. Le Cardinal avait demandé à Bouqueval, député du Grand Conseil, si il ne croirait pas être obligé d'obéir au Roi, en cas que le Roi lui commandât de ne point porter de glands à son collet ; et il s'était servi de cette comparaison assez sottement, comme vous voyez, pour prouver l'obéissance aux députés d'une compagnie souveraine. Marigny paraphrasa ce mot, en prose et en vers, un mois ou cinq semaines devant que le Roi sortît de Paris ; et l'effet que fit cette paraphrase est inconcevable. Je pris cet instant pour mettre l'abomination dans le ridicule, ce qui fait le plus dangereux et le plus irrémédiable de tous les composés.

Vous avez vu ci-dessus[1] que la cour avait entrepris d'autoriser les prêts par des déclarations, c'est-à-dire, à proprement parler, qu'elle avait entrepris d'autoriser les usures par une loi vérifiée en Parlement, parce que ces prêts qui se faisaient au Roi, par exemple sur les tailles, n'étaient jamais qu'avec des usures immenses. Ma dignité m'obligeait à ne pas souffrir un mal et un scandale aussi général et aussi public[2]. Je remplis très exactement et très pleinement mon devoir. Je fis une assemblée fameuse de curés, de chanoines, de docteurs, de religieux ; et sans avoir seulement prononcé le nom du Cardinal dans toutes ces conférences, où je faisais au contraire toujours semblant de l'épargner, je le fis passer, en huit jours, pour le Juif le plus convaincu qui fût en Europe.

Le Roi sortit de Paris justement à ce moment, et je l'appris, à cinq heures du matin, par l'argentier de la Reine, qui me fit éveiller, et qui me donna une lettre écrite de sa main, par laquelle elle me commandait, en des termes fort *honnêtes, de me rendre dans le jour à Saint-Germain. L'argentier ajouta de bouche que le Roi venait de monter en carrosse pour y aller, et que toute l'armée était commandée pour s'avancer. Je lui répondis simplement que je ne manquerais pas d'obéir. Vous me faites bien la justice d'être persuadée que je n'en eus pas la pensée.

Blancmesnil entra dans ma chambre, pâle comme un mort. Il me dit que le Roi marchait au Palais avec huit mille chevaux. Je l'assurai qu'il était sorti de la ville avec deux cents. Voilà la moindre des *impertinences qui me furent dites depuis les cinq heures du matin jusques à dix. J'eus toujours une procession de gens effarés, qui se croyaient perdus. Mais j'en prenais bien plus de divertissement que d'inquiétude, parce que j'étais averti, de moment à autre, par les officiers des *colonelles, qui étaient à moi, que le premier mouvement du peuple, à la première nouvelle, n'avait été que de fureur, à laquelle la peur ne succède jamais que par degrés ; et je croyais avoir de quoi couper, devant qu'il fût nuit, ces degrés ; car quoique Monsieur le Prince, qui se défiait de monsieur son frère, l'eût été prendre dans son lit et l'eût emmené avec lui à Saint-Germain, je ne doutais point, Mme de Longueville étant demeurée à Paris, que nous [ne] le revissions bientôt ; et d'autant plus que je savais que Monsieur le Prince, qui ne le craignait ni ne l'estimait, ne pousserait pas sa défiance jusques à l'arrêter. J'avais de plus reçu, la veille, une lettre de M. de Longueville, datée de Rouen, par laquelle il m'assurait qu'il arriverait le soir de ce jour-là à Paris.

Aussitôt que le Roi fut sorti, les bourgeois, d'eux-mêmes et sans ordre, se saisirent de la porte Saint-Honoré ; et dès que l'argentier de la Reine fut sorti de chez moi, je mandai à Brigalier d'occuper, avec sa compagnie, celle de la Conférence. Le Parlement s'assembla, au même temps, avec un *tumulte de consternation, et je ne sais ce qu'ils eussent fait, tant ils étaient effarés, si l'on n'eût trouvé le moyen de les animer par leur propre peur. Je l'ai observé mille fois : il y a des espèces de frayeurs qui ne se dissipent que par des frayeurs d'un plus haut degré. Je priai Vedeau, conseiller, que je fis appeler dans le parquet des huissiers, d'avertir la Compagnie qu'il y avait à l'Hôtel de Ville une lettre du Roi, par laquelle il donnait part au prévôt des marchands et aux échevins des raisons qui l'avaient obligé à sortir de sa bonne ville de Paris, qui étaient en substance : que quelques officiers de son Parlement avaient intelligence avec les ennemis de l'État, et qu'ils avaient même conspiré de se saisir de sa personne. Cette lettre, jointe à la connaissance que l'on avait que le président Le Féron, prévôt des marchands, était tout à fait dépendant de la cour, *émut toute la Compagnie au point qu'elle se la fit apporter sur l'heure même, et qu'elle donna arrêt par lequel il fut

ordonné que le bourgeois prendrait les armes ; que l'on
garderait les portes de la ville ; que le prévôt des marchands
et le lieutenant civil pourvoiraient au passage des vivres, et
que l'on délibérerait, le lendemain au matin, sur la lettre
du Roi. Vous jugez, par la teneur de cet arrêt bien
*interlocutoire, que la terreur du Parlement n'était pas
encore bien dissipée. Je ne fus pas touché de son irrésolution,
parce que j'étais persuadé que j'aurais dans peu de quoi le
fortifier.

Comme je croyais que la bonne conduite voulait que le
premier pas, au moins public, de désobéissance vînt de ce
corps, qui justifierait celle des particuliers, je jugeai à propos
de chercher une couleur au peu de soumission que je
témoignais à la Reine en n'allant pas à Saint-Germain. Je
fis mettre mes chevaux au carrosse, je reçus les adieux de
tout le monde, je rejetai avec une fermeté admirable toutes
les instances que l'on me fit pour m'obliger à demeurer ; et
par un malheur signalé, je trouvai, au bout de la rue Neuve-
Notre-Dame, Du Buisson, marchand de bois, et qui avait
beaucoup de crédit sur les ports. Il était absolument à moi ;
mais il se mit ce jour-là en mauvaise humeur. Il battit mon
postillon ; il menaça mon cocher. Le peuple, accourant en
foule, renversa mon carrosse ; et les femmes du Marché-
Neuf firent d'un *étau une machine sur laquelle elles me
rapportèrent, pleurantes et hurlantes, à mon logis. Vous ne
doutez pas de la manière dont cet effort de mon obéissance
fut reçu à Saint-Germain. J'écrivis à la Reine et à Monsieur
le Prince, en leur témoignant la douleur que j'avais d'avoir
si mal réussi dans ma tentative [1]. La première répondit au
chevalier de Sévigné, qui lui porta ma lettre, avec une
hauteur de mépris ; le second ne put s'empêcher, en me
plaignant, de témoigner de la colère. La Rivière éclata contre
moi par des railleries, et le chevalier de Sévigné [2] vit
clairement que les uns et les autres étaient persuadés qu'ils
nous auraient dès le lendemain la corde au cou.

Je ne fus pas beaucoup ému de leurs menaces ; mais je
fus très touché d'une nouvelle que j'appris le même jour,
qui était que M. de Longueville, qui, comme je vous ai dit,
revenait de Rouen, où il avait fait un voyage de dix ou
douze jours, ayant appris la sortie du Roi à six lieues de
Paris, avait tourné tout court à Saint-Germain. Mme de

Longueville ne douta point que Monsieur le Prince ne l'eût
gagné, et qu'ainsi M. le prince de Conti ne fût infailliblement
arrêté. Le maréchal de La Mothe lui déclara, en ma présence,
qu'il ferait sans exception tout ce que M. de Longueville
voudrait, et contre et pour la cour. M. de Bouillon se prenait
à moi de ce que des gens dont je l'avais toujours assuré
prenaient une conduite aussi contraire à ce que je lui en
avais dit mille fois. Jugez, je vous supplie, de mon embarras,
qui était d'autant plus grand que Mme de Longueville me
protestait qu'elle n'avait eu, de tout le jour, aucune nouvelle
de M. de La Rochefoucauld, qui était toutefois parti deux
heures après le Roi, pour fortifier et pour ramener M. le
prince de Conti.

Saint-Ibar revint encore à la charge pour m'obliger à
l'envoyer, sans différer, au comte de Fuensaldagne. Je ne
fus pas de son opinion, et je pris le parti de faire partir
pour Saint-Germain le marquis de Noirmoutier, qui s'était
lié avec moi depuis quelque temps, pour savoir, par son
moyen, ce que l'on pouvait attendre de M. le prince de
Conti et de M. de Longueville. Mme de Longueville fut de
ce sentiment, et Noirmoutier partit sur les six heures du
soir.

Le lendemain au matin, qui fut le lendemain de la fête
des Rois, c'est-à-dire le 7 de janvier, La Sourdière, lieutenant
des gardes du corps, entra dans le parquet des gens du Roi,
et leur donna une lettre de cachet, adressée à eux, par
laquelle le Roi leur ordonnait de dire à la Compagnie qu'il
lui commandait de se transporter à Montargis et d'y attendre
ses ordres[1]. Il y avait aussi entre les mains de La Sourdière
un paquet fermé pour le Parlement, et une lettre pour le
premier président. Comme l'on n'avait pas lieu de douter
du contenu, que l'on devinait assez par celui de la lettre
écrite aux gens du Roi, l'on crut qu'il serait plus respectueux
de ne point ouvrir un paquet auquel l'on était déterminé
par avance de ne pas obéir. L'on le rendit tout fermé à La
Sourdière, et l'on arrêta d'envoyer les gens du Roi à Saint-
Germain pour assurer la Reine de l'obéissance du Parlement,
et pour la supplier de lui permettre de se justifier de la
calomnie qui lui avait attiré la lettre écrite la veille au prévôt
des marchands.

Pour soutenir un peu la dignité, l'on ajouta dans l'arrêt

que la Reine serait très humblement suppliée de vouloir
nommer les calomniateurs, pour être procédé contre eux
selon la rigueur des ordonnances. La vérité est que l'on eut
bien de la peine à y faire insérer cette clause, que toute la
Compagnie était fort consternée, et au point que Broussel,
Charton, Viole, Loisel, Amelot et cinq autres, des noms
desquels je ne me souviens pas, qui ouvrirent l'avis de
demander en forme l'éloignement du cardinal Mazarin, ne
furent suivis de personne, et furent même traités d'emportés.
Vous observerez, s'il vous plaît, qu'il n'y avait que la
vigueur, dans cette conjoncture, où l'on pût trouver même
apparence de sûreté. Je n'en ai jamais vu où j'aie trouvé
tant de faiblesse. Je courus toute la nuit, et je n'y gagnai
que ce que je vous viens de dire.

La Chambre des comptes eut, le même jour, une lettre
de cachet, par laquelle il lui était ordonné d'aller à Orléans,
et le Grand Conseil reçut commandement d'aller à Mantes.
La première députa pour faire des remontrances ; le second
offrit d'obéir, mais la Ville lui refusa des passeports. Il est
aisé de concevoir l'état où je fus tout ce jour-là, qui
effectivement me parut le plus affreux de tous ceux que
j'eusse passés jusque-là dans ma vie. Je dis jusque-là, car
j'en ai eu depuis de plus fâcheux. Je voyais le Parlement sur
le point de mollir, et je me voyais, par conséquent, dans la
nécessité ou de subir avec lui le joug du monde le plus
honteux et même le plus dangereux pour mon particulier,
ou de m'ériger purement et simplement en tribun du
peuple, qui est le parti de tous le moins sûr et même le
plus bas, toutes les fois qu'il n'est pas revêtu [1].

La faiblesse de M. le prince de Conti, qui s'était laissé
emmener comme un enfant par monsieur son frère, celle de
M. de Longueville, qui au lieu de venir rassurer ceux avec
lesquels il était engagé, avait été offrir à la Reine ses services,
la déclaration de MM. de Bouillon et de La Mothe l'avaient
fort dégarni, ce tribunat. L'imprudence du Mazarin le releva.
Il fit refuser par la Reine audience aux gens du Roi ; ils
revinrent dès le soir à Paris, convaincus que la cour voulait
pousser toutes choses à l'extrémité.

Je vis mes amis toute la nuit ; je leur montrai les avis que
j'avais reçus de Saint-Germain, qui étaient que Monsieur le
Prince avait assuré la Reine qu'il prendrait Paris en quinze

jours, et que M. Le Tellier, qui avait été procureur du Roi au Châtelet, et qui, par cette raison, devait avoir connaissance de la *police, répondait que la cessation de deux marchés affamerait la ville. Je jetai par là dans les esprits l'opinion de l'impossibilité de l'accommodement, qui n'était dans la vérité que trop effective.

Les gens du Roi firent, le lendemain au matin, leur rapport du refus de l'audience ; le désespoir s'empara de tous les esprits, et l'on donna tout d'une voix, à la réserve de celle de Bernay, plus cuisinier que conseiller [1], ce fameux arrêt du 8 de janvier 1649, par lequel le cardinal Mazarin fut déclaré ennemi du Roi et de l'Etat, perturbateur du repos public, et enjoint à tous les sujets du Roi de lui courir sus.

L'après-dînée, l'on tint la *police générale par les députés du Parlement, de la Chambre des comptes, de la Cour des aides, M. de Montbazon, gouverneur de Paris, prévôt des marchands et échevins, et les communautés des six corps des marchands [2]. Il fut arrêté que le prévôt des marchands et échevins donneraient des *commissions pour lever quatre mille chevaux et dix mille hommes de pied. Le même jour, la Chambre des comptes et la Cour des aides députèrent vers la Reine, pour la supplier de ramener le Roi à Paris. La Ville députa aussi au même effet. Comme la cour était encore persuadée que le Parlement faiblirait, parce qu'elle n'avait pas encore reçu la nouvelle de l'arrêt, elle répondit très fièrement à ces députations. Monsieur le Prince s'emporta même beaucoup contre le Parlement, devant la Reine, en parlant à Amelot, premier président de la Cour des aides, et la Reine répondit à tous ces corps qu'elle ne rentrerait jamais à Paris, ni le Roi ni elle, que le Parlement n'en fût dehors.

Le lendemain au matin, qui fut le 9 de janvier, la Ville reçut une lettre du Roi, par laquelle il lui était commandé de faire obéir le Parlement et de l'obliger à se rendre à Montargis. M. de Montbazon, assisté de Fournier, premier échevin, d'un autre échevin et de quatre conseillers de Ville, apportèrent la lettre au Parlement ; et ils lui protestèrent, en même temps, de ne recevoir d'autres ordres que ceux de la Compagnie, qui fit, ce même matin-là, le fonds nécessaire pour la levée des troupes.

L'après-dînée, l'on tint la *police générale, dans laquelle tous les corps de la Ville et tous les colonels et capitaines de quartiers jurèrent une union pour la défense commune. Vous avez sujet de croire que j'en avais moi-même d'être satisfait de l'état des choses, qui ne me permettait plus de craindre d'être abandonné ; et vous en serez encore bien plus persuadée, quand je vous aurai dit que le marquis de Noirmoutier m'assura, dès le lendemain qu'il fut arrivé à Saint-Germain, que M. le prince de Conti et M. de Longueville étaient très bien disposés, et qu'ils eussent été déjà à Paris, si ils n'eussent cru assurer mieux leur sortie de la cour en s'y montrant quelques jours durant. M. de La Rochefoucauld écrivait au même sens à Mme de Longueville.

Vous croyez sans doute toute cette affaire en bon état : vous allez toutefois avouer que cette même étoile qui a semé de pierres tous les chemins par où j'ai passé me fit trouver dans celui-ci, qui paraissait si ouvert et si aplani, un des plus grands obstacles et un des plus grands embarras que j'aie rencontrés dans tout le cours de ma vie.

L'après-dînée du jour que je vous viens de marquer, qui fut le 9 de janvier, M. de Brissac, qui avait épousé ma cousine, mais avec qui j'avais fort peu d'*habitude, entra chez moi, et il me dit en riant : « Nous sommes de même parti ; je viens servir le Parlement. » Je crus que M. de Longueville, de qui il était parent proche à cause de sa femme [1], pouvait l'avoir engagé, et pour m'en éclaircir j'essayai de le faire parler, sans m'ouvrir toutefois à lui à tout hasard. Je trouvai qu'il ne savait quoi que ce soit ni de M. de Longueville ni de M. le prince de Conti, qu'étant peu satisfait du Cardinal et moins encore du maréchal de La Meilleraye, son beau-frère, il venait chercher son aventure dans un parti où il crut que notre alliance pourrait ne lui être pas inutile. Après une conversation d'un demi-quart d'heure, il vit par la fenêtre que l'on mettait mes chevaux à mon carrosse. « Ah ! mon Dieu ! dit-il, ne sortez pas ; voilà M. d'Elbeuf qui sera ici dans un moment. — Et que faire ? lui répondis-je ; n'est-il pas à Saint-Germain ? — Il y était, reprit froidement M. de Brissac ; mais comme il n'y a pas trouvé à dîner, il vient voir si il trouvera à souper à Paris. Il m'a juré plus de dix fois, depuis le pont de Neuilly, où je l'ai rencontré, jusques à la Croix-du-Tiroir, où je l'ai laissé,

qu'il ferait bien mieux que son cousin M. du Maine ne fît à
la Ligue [1]. »

Jugez, s'il vous plaît, de ma peine. Je n'osais m'ouvrir à
qui que ce soit que j'attendisse M. le prince de Conti et
M. de Longueville, de peur de les faire arrêter à Saint-
Germain. Je voyais un prince de la maison de Lorraine, dont
le nom est toujours agréable à Paris, prêt à se déclarer et à
être déclaré certainement général des troupes, qui n'en
avaient point, et qui en avaient un besoin pressant par les
minutes [2]. Je savais que le maréchal de La Mothe, qui se
défiait toujours de l'irrésolution naturelle à M. de Longueville, ne ferait pas un pas qu'il ne le vît ; et je ne pouvais
douter que M. de Bouillon n'ajoutât encore la présence de
M. d'Elbeuf, très suspect à tous ceux qui le connaissaient
sur le chapitre de la probité, aux motifs qu'il trouvait pour
ne point agir dans l'absence de M. le prince de Conti. De
remède, je n'en voyais point. Le prévôt des marchands était,
dans le fond du cœur, passionné pour la cour, et je ne le
pouvais ignorer. Le premier président n'en était pas esclave
comme l'autre, mais l'intention certainement y était ; et de
plus, quand j'eusse été aussi assuré d'eux que de moi-même,
que leur eussé-je pu proposer dans une conjoncture où les
peuples enragés ne pouvaient pas ne pas s'attacher au
premier objet, et où ils eussent pris pour mensonge et pour
trahison tout ce que l'on leur eût dit, au moins publiquement, contre un prince qui n'avait rien du grand de ses
prédécesseurs que les manières de l'affabilité, ce qui était
justement ce que j'avais à craindre en ce moment ? Sur le
tout, je n'osais me promettre tout à fait que M. le prince
de Conti et M. de Longueville vinssent sitôt qu'ils me
l'assuraient.

J'avais écrit, la veille, au second, comme par un pressentiment, que je le suppliais de considérer que les moindres
instants étaient précieux, et que le délai, même fondé, dans
le commencement des grandes affaires est toujours dangereux.
Mais je connaissais son irrésolution. Supposé même qu'ils
arrivassent dans un demi-quart d'heure, ils arrivaient toujours
après un homme qui avait l'esprit du monde le plus
artificieux, et qui ne manquerait pas de donner toutes les
couleurs qui pourraient jeter dans l'esprit des peuples la
défiance, assez aisée à prendre dans les circonstances d'un

frère et d'un beau-frère de Monsieur le Prince. Véritablement, pour me consoler, j'avais pour prendre mon parti sur ces réflexions peut-être deux moments, peut-être un quart d'heure pour le plus. Il n'était pas encore passé, quand M. d'Elbeuf entra chez moi, qui me dit tout ce que la cajolerie de la maison de Guise lui put suggérer. Je vis ses trois enfants derrière lui, qui ne furent pas tout à fait si éloquents, mais qui me parurent avoir été bien *sifflés. Je répondis à leurs *honnêtetés avec beaucoup de respect et avec toutes les manières qui pouvaient couvrir mon jeu. M. d'Elbeuf me dit qu'il allait de ce pas à l'Hôtel de Ville lui offrir son service : à quoi lui ayant répondu que je croyais qu'il serait plus obligeant pour le Parlement qu'il s'adressât, le lendemain, directement aux chambres assemblées, il demeura fixé dans sa première résolution, quoiqu'il me vînt d'assurer qu'il voulait en tout suivre mes conseils.

Aussitôt qu'il fut monté en carrosse, j'écrivis un mot à Fournier, premier échevin, qui était de mes amis, qu'il prît garde que l'Hôtel de Ville renvoyât M. d'Elbeuf au Parlement. Je mandai à ceux des curés qui étaient le plus intimement à moi de jeter la défiance, par leurs ecclésiastiques, dans l'esprit des peuples, de l'union qui avait paru entre M. d'Elbeuf et l'abbé de La Rivière. Je courus toute la nuit, à pied et déguisé, pour faire connaître à ceux du Parlement auxquels je n'osais m'ouvrir touchant M. le prince de Conti et M. de Longueville, qu'ils ne se devaient pas abandonner à la conduite d'un homme aussi décrié sur le chapitre de la bonne foi, et qui leur faisait bien connaître les intentions qu'il avait pour leur compagnie, puisqu'il s'était adressé à l'Hôtel de Ville d'abord, sans doute en vue de le diviser du Parlement[1]. Comme j'avais eu celle de gagner du temps, en lui conseillant d'attendre jusques au lendemain pour lui offrir son service devant que de se présenter à la Ville, je me résolus, dès que je vis qu'il ne prenait pas mon conseil, de me servir contre lui-même de celui qu'il suivait ; et je trouvai effectivement que je faisais effet dans beaucoup d'esprits. Mais comme je ne pouvais voir que peu de gens dans le peu de temps que j'avais, et que, de plus, la nécessité d'un chef qui commandât les troupes ne souffrait presque point de délai, je m'apercevais que mes raisons touchaient beaucoup plus les esprits que les

cœurs, et pour vous dire le vrai, j'étais fort embarrassé, et
d'autant plus que j'étais bien averti que M. d'Elbeuf ne
s'*oubliait pas.

Le président Le Coigneux, avec qui il avait été fort brouillé
lorsqu'ils étaient tous deux avec Monsieur à Bruxelles [1], et
avec qui il se croyait raccommodé, me fit voir un billet qu'il
lui avait écrit de la porte Saint-Honoré, en entrant dans la
ville, où étaient ces propres mots : « Il faut aller faire
hommage au coadjuteur ; dans trois jours il me rendra ses
devoirs. » Le billet était signé : L'AMI DU CŒUR. Je n'avais pas
besoin de cette preuve pour savoir qu'il ne m'aimait pas.
J'avais été autrefois brouillé avec lui, et je l'avais prié un
peu brusquement de se taire dans un bal chez Mme
Perrochel, dans lequel il me semblait qu'il voulût faire une
raillerie de Monsieur le Comte, qu'il haïssait fort, parce
qu'ils étaient tous deux, en ce temps-là, amoureux de Mme
de Montbazon.

Après avoir couru la ville jusques à deux heures, je revins
chez moi presque résolu de me déclarer publiquement contre
M. d'Elbeuf, de l'accuser d'intelligence avec la cour, de faire
prendre les armes, et de le prendre lui-même, ou au moins
de l'obliger à sortir de Paris. Je me sentais assez de crédit
dans le peuple pour le pouvoir entreprendre judicieusement ;
mais il faut avouer que l'extrémité était grande, par une
infinité de circonstances, et particulièrement par celle d'un
mouvement, qui ne pouvait être *médiocre dans une ville
investie, et investie par son roi.

Comme je roulais toutes ces différentes pensées dans ma
tête, qui n'était pas, comme vous vous pouvez imaginer,
peu agitée, l'on me vint dire que le chevalier de La Chaise,
qui était à M. de Longueville, était à la porte de ma
chambre. Il me cria en entrant : « Levez-vous, Monsieur ;
M. le prince de Conti et M. de Longueville sont à la porte
Saint-Honoré ; et le peuple, qui crie et qui dit qu'ils
viennent trahir la ville, ne les veut pas laisser entrer. » Je
m'habillai en diligence, j'allai prendre le *bonhomme
Broussel, je fis allumer huit ou dix flambeaux, et nous
allâmes, en cet équipage, à la porte Saint-Honoré. Nous
trouvâmes déjà tant de monde dans la rue, que nous eûmes
peine à percer la foule ; et il était grand jour quand nous
fîmes ouvrir la porte, parce que nous employâmes beaucoup

de temps à rassurer les esprits, qui étaient dans une défiance inimaginable. Nous haranguâmes le peuple, et nous amenâmes à l'hôtel de Longueville M. le prince de Conti et monsieur son beau-frère.

J'allai en même temps chez M. d'Elbeuf lui faire une manière de *compliment, qui ne lui eut pas plu ; car ce fut pour lui proposer de ne pas aller au Palais, ou au moins de n'y aller qu'avec les autres et après avoir conféré ensemble de ce qu'il y aurait à faire pour le bien du parti. La défiance générale que l'on avait de tout ce qui avait le moins du monde de rapport à Monsieur le Prince nous obligeait à ménager avec bien de la douceur ces premiers moments. Ce qui eût peut-être été facile la veille eût été impossible et même *ruineux le matin du jour suivant ; et ce M. d'Elbeuf, que je croyais pouvoir chasser de Paris le 9, m'en eût chassé apparemment le 10, s'il eût su prendre son parti, tant le nom de Condé était suspect au peuple.

Dès que je vis qu'il avait manqué le moment dans lequel nous fîmes entrer M. le prince de Conti, je ne doutai point que, comme le fond des cœurs était pour moi, je ne les ramenasse, avec un peu de temps, où il me plairait ; mais il fallait ce peu de temps, et c'est pourquoi mon avis fut, et il n'y en avait point d'autre, de ménager M. d'Elbeuf, et de lui faire voir qu'il pourrait trouver sa place et son compte en s'unissant avec M. le prince de Conti et avec M. de Longueville. Ce qui me fait croire que cette proposition ne lui aurait pas plu, comme je vous le disais à cette heure, est qu'au lieu de m'attendre chez lui, comme je l'en avais envoyé prier, il alla au Palais. Le premier président, qui ne voulait pas que le Parlement allât à Montargis, mais qui ne voulait point non plus de guerre civile, reçut M. d'Elbeuf à bras ouverts, précipita l'assemblée des chambres, et quoi que pussent dire Broussel, Longueil, Viole, Blancmesnil, Novion, Le Coigneux, fit déclarer général M. d'Elbeuf, dans la vue, à ce que m'a depuis avoué le président de Mesmes, qui se faisait l'auteur de ce conseil, de faire une division dans le parti, qui n'eût pas été, à son compte, capable d'empêcher la cour de s'adoucir, et qui l'eût été toutefois d'affaiblir assez la faction pour la rendre moins dangereuse et moins durable. Cette pensée m'a toujours paru une de ces *visions dont la *spéculation est belle et la pratique impossible : la méprise en ces matières est toujours très périlleuse.

Comme je ne trouvai point M. d'Elbeuf, que ceux à qui j'avais donné ordre de l'observer me rapportèrent qu'il avait pris le chemin du Palais, et que j'eus appris que l'assemblée des chambres avait été avancée, je me le tins pour dit : je ne doutai point de la vérité, et je revins en diligence à l'hôtel de Longueville, pour obliger M. le prince de Conti et M. de Longueville d'aller, sur l'heure même, au Parlement. Le second n'avait jamais hâte, et le [premier [a]], fatigué de sa mauvaise nuit, s'était mis au lit. J'eus toutes les peines du monde à le persuader de se relever. Il se trouvait mal, et il tarda tant que l'on nous vint dire que le Parlement était levé et que M. d'Elbeuf marchait à l'Hôtel de Ville, pour y prêter le serment et prendre le soin de toutes les *commissions qui s'y délivraient. Vous concevez aisément l'amertume de cette nouvelle. Elle eût été plus grande, si la première occasion que M. d'Elbeuf avait manquée ne m'eût donné lieu d'espérer qu'il ne se servirait pas mieux de la seconde. Comme j'appréhendai toutefois que le bon *succès de cette matinée ne lui élevât le cœur, je crus qu'il ne lui fallait pas laisser trop de temps de se reconnaître, et je proposai à M. le prince de Conti de venir au Parlement l'après-dînée, de s'offrir à la Compagnie, et d'en demeurer simplement et précisément dans ces termes, qui se pourraient expliquer plus et moins fortement, selon qu'il trouverait l'air du *bureau dans la Grande Chambre, mais encore plus selon que je le trouverais moi-même dans la salle, où, sous le prétexte que je n'avais pas encore de place au Parlement, je faisais *état de demeurer pour avoir l'œil sur le peuple.

M. le prince de Conti se mit dans mon carrosse, sans aucune suite que la mienne de *livrée, qui était fort grande, et qui me faisait, par conséquent, reconnaître de fort loin : ce qui était assez à propos en cette occasion, et qui n'empêchait pourtant pas que M. le prince de Conti ne fît voir aux bourgeois qu'il prenait confiance en eux, ce qui n'y était pas moins nécessaire. Il n'y a rien où il faille plus de précautions qu'en tout ce qui regarde les peuples, parce qu'il n'y a rien de plus déréglé ; il n'y a rien où il les faille plus cacher, parce qu'il n'y a rien de plus défiant. Nous arrivâmes au Palais *devant M. d'Elbeuf ; l'on cria sur les degrés et dans la salle : « Vive le coadjuteur ! » mais à la réserve des gens que j'y avais fait trouver, personne ne cria : « Vive Conti ! » Et comme Paris fournit un monde plutôt qu'un nombre dans les *émotions, quoique j'y eusse beaucoup de gens apostés, il me fut aisé de juger que le gros du peuple n'était pas guéri de la défiance ; et je vous confesse que je fus bien aise quand j'eus tiré ce prince de la salle, et que je l'eus mis dans la Grande Chambre.

M. d'Elbeuf arriva, un moment après, suivi de tous les gardes de la ville, qui l'accompagnaient depuis le matin comme général. Le peuple éclatait de toutes parts, criant : « Vive Son Altesse ! vive Elbeuf ! » et comme on criait en même temps : « Vive le coadjuteur ! », je l'abordai avec un visage riant, et je lui dis : « Voici un écho, Monsieur, qui m'est bien glorieux. — Vous êtes trop *honnête », me répondit-il, et, en se tournant aux gardes, il leur dit : « Demeurez à la porte de la Grande Chambre. » Je pris cet ordre pour moi, et j'y demeurai pareillement avec ce que j'avais de gens le plus à moi, qui étaient en bon nombre. Comme le Parlement fut assis, M. le prince de Conti prit la parole et dit qu'ayant connu à Saint-Germain les pernicieux conseils que l'on donnait à la Reine, il avait cru qu'il était obligé, par sa qualité de prince du sang, de s'y opposer. Vous voyez assez la suite de ce discours. M. d'Elbeuf, qui, selon le *caractère de tous les faibles, était rogue et fier, parce qu'il se croyait le plus fort, dit qu'il savait le respect qu'il devait à M. le prince de Conti, mais qu'il ne pouvait s'empêcher de dire que c'était lui qui avait rompu la glace, qui s'était offert le premier à la Compagnie, et qu'elle lui ayant fait l'honneur de lui confier le bâton de général, il ne le quitterait jamais qu'avec la vie. La *cohue du Parlement, qui était, comme le peuple, en défiance de M. le prince de Conti, applaudit à cette déclaration, qui fut ornée de mille périphrases très naturelles au style de M. d'Elbeuf. Toucheprest, capitaine de ses gardes, homme d'esprit et de cœur, les commenta dans la salle. Le Parlement se leva après avoir donné arrêt par lequel il enjoignait, sous peine de crime de la[a] lèse-majesté, aux troupes de n'approcher Paris de vingt lieues, et je vis bien que je devais me contenter, pour ce jour-là, de ramener M. le prince de Conti sain et sauf à l'hôtel de Longueville. Comme la foule était grande, il fallut que je le prisse presque entre mes bras au sortir de la Grande Chambre. M. d'Elbeuf qui croyait être maître de tout, me dit d'un ton de raillerie, en entendant les cris du peuple, qui, par reprises, nommaient son nom et le mien ensemble : « Voilà, Monsieur, un écho qui m'est bien glorieux. » A quoi je lui répondis : « Vous êtes trop *honnête » ; mais d'un ton un peu plus gai qu'il ne me l'avait dit ; car quoiqu'il crût ses affaires en fort bon état, je jugeai, sans balancer, que les miennes seraient bientôt dans une meilleure condition que les siennes, dès que je vis qu'il avait encore manqué cette seconde occasion. Le crédit parmi les peuples, cultivé et nourri de longue main, ne manque jamais à étouffer, pour peu qu'il ait de temps pour germer, ces fleurs minces et naissantes de la bienveillance publique, que le pur hasard fait quelquefois pousser. Je ne me trompai pas dans ma pensée, comme vous allez voir.

Je trouvai, en arrivant à l'hôtel de Longueville, Quincerot, capitaine de Navarre, et qui avait été nourri page du marquis de Ragny, père de Mme de Lesdiguières. Elle me l'envoyait de Saint-Germain, où elle était, sous prétexte de *répéter quelque prisonnier ; mais, dans le vrai, pour m'avertir que M. d'Elbeuf, une heure après avoir appris l'arrivée de M. le prince de Conti et de M. de Longueville à Paris, avait écrit à La Rivière ces propres mots : « Dites à la Reine et à Monsieur que ce diable de coadjuteur perd tout ici ; que dans deux jours je n'y aurai aucun pouvoir ; mais que si ils veulent me faire un bon parti, je leur témoignerai que je ne suis pas venu à Paris avec une aussi mauvaise intention qu'ils se le persuadent. » La Rivière montra ce billet au Cardinal, qui s'en moqua, et qui le fit voir au maréchal de Villeroy. Je me servis très utilement de cet avis. Sachant que tout ce qui a façon de mystère est bien mieux reçu dans les peuples, j'en fis un secret à quatre cents ou cinq cents personnes. Les curés de Saint-Eustache, de Saint-Roch, de Saint-Merri et de Saint-Jean me mandèrent, sur les neuf heures du soir, que la confiance que M. le prince de Conti avait témoignée au peuple, d'aller tout seul et sans suite dans mon carrosse se mettre entre les mains de ceux mêmes qui criaient contre lui, avait fait un effet merveilleux.

Les officiers des quartiers, sur les dix heures, me firent tenir cinquante et plus de billets, pour m'avertir que leur

SECONDE PARTIE [11 janv. 1649] 367

travail avait réussi, et que les dispositions étaient sensiblement et visiblement changées. Je mis Marigny en œuvre, entre dix et onze, et il fit ce fameux couplet, l'original de tous les triolets : *Monsieur d'Elbeuf et ses enfants,* que vous avez tant ouï chanter à Caumartin[1]. Nous allâmes, entre minuit et une heure, M. de Longueville, le maréchal de La Mothe et moi, chez M. de Bouillon, qui était au lit avec la goutte, et qui, dans l'incertitude des choses, faisait grande difficulté de se déclarer. Nous lui fîmes voir notre plan et la facilité de l'exécution. Il la comprit, il y entra. Nous prîmes toutes nos mesures ; je donnai moi-même les ordres aux colonels et aux capitaines qui étaient de mes amis.

Vous concevrez mieux notre projet par le récit de son exécution, sur laquelle je m'étendrai, après que j'aurai encore fait cette remarque, que le coup le plus dangereux que je portai à M. d'Elbeuf, dans tout ce mouvement, fut l'impression que je donnai, par les *habitués des paroisses, qui le croyaient eux-mêmes, que je donnai, dis-je, au peuple, qu'il avait intelligence avec les troupes du Roi, qui, le soir du 9, s'étaient saisies du poste de Charenton. Je le trouvai, au moment que ce bruit se répandait, sur les degrés de l'Hôtel de Ville, et il me dit : « Que diriez-vous qu'il y ait des gens assez méchants pour dire que j'ai fait prendre Charenton ? » Et je lui répondis : « Que diriez-vous qu'il y ait des gens assez scélérats pour dire que M. le prince de Conti est venu ici de concert avec Monsieur le Prince ? »

Je reviens à l'exécution du projet que je vous ai déjà touché ci-dessus. Comme je vis l'esprit des peuples assez disposé et assez revenu de sa méfiance pour ne pas s'*intéresser pour M. d'Elbeuf, je crus qu'il n'y avait plus de mesures à garder, et que l'ostentation serait aussi à propos ce jour-là que la modestie avait été de saison la veille.

M. le prince de Conti et M. de Longueville prirent un grand et magnifique carrosse de Mme de Longueville, suivi d'une très grande quantité de *livrées. Je me mis auprès du premier à la portière, et l'on marcha ainsi au Palais en pompe et au petit pas. M. de Longueville n'y était pas venu la veille, et parce que je croyais qu'en cas d'*émotion l'on aurait plus de respect et pour la tendre jeunesse et pour la qualité de prince du sang de M. le prince de Conti que pour la personne de M. de Longueville, qui était proprement la *bête de M. d'Elbeuf, et parce que M. de Longueville, n'étant point pair, n'avait point de séance au Parlement, et qu'ainsi il avait été de nécessité de convenir, au préalable, de sa place, que l'on lui donna au-dessus du doyen, de l'autre côté des ducs et pairs.

Il offrit d'abord à la Compagnie ses services, Rouen, Caen, Dieppe et toute la Normandie, et il la supplia de trouver bon que, pour sûreté de son engagement, il fît loger à l'Hôtel de Ville madame sa femme, monsieur son fils et mademoiselle sa fille. Jugez, s'il vous plaît, de l'effet que fit cette proposition. Elle fut soutenue et fortement et agréablement par M. de Bouillon, qui entra appuyé, à cause de ses gouttes, sur deux gentilshommes. Il prit place au-dessous de M. de Longueville, et il coula, selon que nous l'avions concerté la nuit, dans son discours qu'il servirait le Parlement avec beaucoup de joie sous les ordres d'un aussi grand prince que M. le prince de Conti. M. d'Elbeuf s'échauffa à ce mot, et il répéta ce qu'il avait dit la veille, qu'il ne quitterait qu'avec la vie le bâton de général. Le murmure s'éleva sur ce commencement de contestation, dans lequel M. d'Elbeuf fit voir qu'il avait plus d'esprit que de jugement. Il parla fort bien, mais il ne parla pas à propos : il n'était plus temps de contester, il fallait plier. Mais j'ai observé que les gens faibles ne plient jamais quand ils le doivent.

Nous lui donnâmes, à cet instant, le troisième relais [1], qui fut l'apparition du maréchal de La Mothe, qui se mit au-dessous de M. de Bouillon, et qui fit à la Compagnie le même compliment que lui. Nous avions concerté de ne faire paraître sur le théâtre ces personnages que l'un après l'autre, parce que nous avions considéré que rien ne touche et n'émeut tant les peuples, et même les compagnies, qui tiennent toujours beaucoup du peuple, que la variété des spectacles. Nous ne nous y trompâmes pas, et ces trois apparitions qui se suivirent firent un effet sans comparaison plus prompt et plus grand qu'elles ne l'eussent fait si elles se fussent unies. M. de Bouillon, qui n'avait pas été de ce sentiment, me l'avoua le lendemain, devant même que de sortir du Palais.

Monsieur le Premier Président, qui était tout d'une pièce, demeura dans sa pensée de se servir de cette brouillerie pour affaiblir la faction, et proposa de laisser la chose indécise jusques à l'après-dînée, pour donner temps à ces messieurs de s'accommoder. Le président de Mesmes, qui était pour le moins aussi bien intentionné pour la cour que lui, mais qui avait plus de vue et plus de *jointure, lui répondit à l'oreille, et je l'entendis : « Vous vous moquez, Monsieur ; ils s'accommoderaient peut-être aux dépens de notre autorité, mais nous en sommes plus loin : ne voyez[-vous] pas que M. d'Elbeuf est pris pour dupe et que ces gens ici sont les maîtres ? » Le président Le Coigneux, à qui je m'étais ouvert la nuit, éleva sa voix et dit : « Il faut finir devant que de dîner, dussions-nous dîner à minuit. Parlons en particulier à ces messieurs. » Il pria en même temps M. le prince de Conti et M. de Longueville d'entrer dans la quatrième des Enquêtes, dans laquelle l'on entre de la Grande Chambre ; et MM. de Novion et de Bellièvre, qui étaient de notre *correspondance, menèrent M. d'Elbeuf, qui se faisait encore tenir à *quatre, dans la seconde.

Comme je vis les affaires en pourparler, et la salle du Palais en état de n'en rien appréhender [1], j'allai, en diligence, prendre Mme de Longueville, mademoiselle sa belle-fille, et Mme de Bouillon, avec leurs enfants, et je les menai avec un *espèce de triomphe à l'Hôtel de Ville. La petite vérole avait laissé à Mme de Longueville, comme je vous l'ai déjà dit en un autre lieu [2], tout l'éclat de la beauté, quoiqu'elle lui eût diminué la beauté ; et celle de Mme de Bouillon bien qu'un peu effacée, était toujours très brillante. Imaginez-vous, je vous supplie, ces deux personnes sur le perron de l'Hôtel de Ville, plus belles en ce qu'elles paraissaient négligées, quoiqu'elles ne le fussent pas. Elles tenaient chacune un de leurs enfants entre leurs bras, qui étaient beaux comme leurs mères. La Grève était pleine de peuple jusques au-dessus des toits ; tous les hommes jetaient des cris de joie ; toutes les femmes pleuraient de tendresse. Je jetai cinq cents pistoles par les fenêtres de l'Hôtel de Ville ; et après avoir laissé Noirmoutier et Miron auprès des dames, je retournai au Palais, et j'y arrivai avec une foule innombrable de gens armés et non armés.

Toucheprest, capitaine des gardes de M. d'Elbeuf, dont il me semble vous avoir déjà parlé, et qui m'avait fait suivre, était entré un peu devant que je fusse dans la cour du

Palais, était entré, dis-je, dans la seconde pour avertir son
maître, qui y était toujours demeuré, qu'il était perdu si il
ne s'accommodait : ce qui fut cause que je le trouvai fort
embarrassé et même fort abattu. Il le fut bien davantage
quand M. de Bellièvre, qui l'avait *amusé à dessein, me
demandant qu'est-ce que c'était que des tambours qui
battaient, je lui répondis qu'il en allait bien entendre
d'autres, et que les gens de bien étaient las de la division
que l'on essayait de faire dans la ville. Je connus à cet
instant que l'esprit dans les grandes affaires n'est rien sans
le cœur. M. d'Elbeuf ne garda plus même les apparences. Il
expliqua ridiculement tout ce qu'il avait dit ; il se rendit à
plus que l'on ne voulut ; et il n'y eut que l'*honnêteté et
le bon sens de M. de Bouillon qui lui conservât la qualité
de général et le premier jour [1], avec MM. de Bouillon et de
La Mothe, également généraux avec lui, sous l'autorité de
M. le prince de Conti, déclaré, dès le même instant,
généralissime des armes du Roi, sous les ordres du Parlement.

Voilà ce qui se passa le matin du 11 de janvier. L'après-
dînée, M. d'Elbeuf, à qui l'on avait donné cette *commission
pour le consoler, somma la Bastille [2], et le soir il y eut une
scène à l'Hôtel de Ville, de laquelle il est à propos de vous
rendre compte, parce qu'elle eut beaucoup plus de suite
qu'elle ne méritait. Noirmoutier, qui avait été fait la veille
lieutenant général, sortit avec cinq cents chevaux de Paris
pour *pousser des escarmoucheurs des troupes que nous
appelions du Mazarin, qui venaient faire le coup de pistolet
dans les faubourgs. Comme il revint descendre à l'Hôtel de
Ville, il entra avec Matha, Laigue et La Boulaye, encore tous
cuirassés, dans la chambre de Mme de Longueville, qui était
toute pleine de dames. Ce mélange d'écharpes bleues, de
dames, de cuirasses, de violons, qui étaient dans la salle, de
trompettes qui étaient dans la place, donnait un spectacle
qui se voit plus souvent dans les romans qu'ailleurs.
Noirmoutier, qui était grand amateur de *L'Astrée,* me dit :
« Je m'imagine que nous sommes assiégés dans Marcilly. —
Vous avez raison, lui répondis-je : Mme de Longueville
est aussi belle que Galathée ; mais Marcillac (M. de La
Rochefoucauld le père n'était pas encore mort) n'est pas si
*honnête homme que Lindamor. » [3] Je m'aperçus, en me
retournant, que le petit Courtin, qui était dans une croisée,

pouvait m'avoir entendu : c'est ce que je n'ai jamais su au vrai ; mais je n'ai pu aussi jamais deviner d'autre cause de la première haine que M. de La Rochefoucauld a eue pour moi.

Je sais que vous aimez les portraits, et j'ai été fâché, par cette raison, de n'avoir pu vous en faire voir jusques ici presque aucun qui n'ait été de profil et qui n'ait été par conséquent fort imparfait. Il me semblait que je n'avais pas assez de grand jour dans ce vestibule dont vous venez de sortir, et où vous n'avez vu que les peintures légères des préalables de la guerre civile. Voici la galerie où les *figures vous paraîtront dans leur étendue, et où je vous présenterai les tableaux des personnages que vous verrez plus avant dans l'action. Vous jugerez, par les traits particuliers que vous pourrez remarquer dans la suite, si j'en ai bien pris l'idée[1]. Voici le portrait de la Reine, par lequel il est juste de commencer :

La Reine avait, plus que personne que j'aie jamais vu, de cette sorte d'esprit qui lui était nécessaire pour ne pas paraître sotte à ceux qui ne la connaissaient pas. Elle avait plus d'aigreur que de hauteur, plus de hauteur que de grandeur, plus de manières que de fond, plus d'inapplication à l'argent que de libéralité, plus de libéralité que d'intérêt, plus d'intérêt que de désintéressement, plus d'attachement que de passion, plus de dureté que de fierté, plus de mémoire des injures que des bienfaits, plus d'intention de piété que de piété, plus d'opiniâtreté que de fermeté, et plus d'incapacité que de tout ce que dessus.

M. le duc d'Orléans avait, à l'exception du courage, tout ce qui était nécessaire à un *honnête homme ; mais comme il n'avait rien, sans exception, de tout ce qui peut distinguer un grand homme, il ne trouvait rien dans lui-même qui pût ni suppléer ni même soutenir sa faiblesse. Comme elle régnait dans son cœur par la frayeur, et dans son esprit par l'irrésolution, elle salit tout le cours de sa vie. Il entra dans toutes les affaires, parce qu'il n'avait pas la force de résister à ceux qui l'y entraînaient pour leurs intérêts ; il n'en sortit jamais qu'avec honte, parce qu'il n'avait pas le courage de les soutenir. Cet ombrage amortit, dès sa jeunesse, en lui les couleurs même les plus vives et les plus gaies, qui *devaient briller naturellement dans un esprit beau et éclairé, dans un enjouement aimable, dans une intention très bonne, dans un désintéressement complet et dans une *facilité de mœurs incroyable.

Monsieur le Prince est né capitaine, ce qui n'est jamais arrivé qu'à lui, à César et à Spinola[1]. Il a égalé le premier ; il a passé le second. L'intrépidité est l'un des moindres traits de son *caractère. La nature lui avait fait l'esprit aussi grand que le cœur. La fortune, en le donnant à un siècle de guerre, a laissé au second toute son étendue ; la naissance, ou plutôt l'éducation, dans une maison attachée et soumise au *cabinet, a donné des bornes trop étroites au premier. L'on ne lui a pas inspiré d'assez bonne heure les grandes et générales maximes, qui sont celles qui font et qui forment ce que l'on appelle l'esprit de suite. Il n'a pas eu le temps de les prendre par lui-même, parce qu'il a été prévenu, dès sa jeunesse, par la chute imprévue des grandes affaires et par l'habitude au bonheur. Ce défaut a fait qu'avec l'âme du monde la moins *méchante, il a fait des injustices ; qu'avec le cœur d'Alexandre, il n'a pas été exempt, non plus que lui, de faiblesse ; qu'avec un esprit merveilleux, il est tombé dans des imprudences ; qu'ayant toutes les qualités de François de Guise, il n'a pas servi l'État, en de certaines occasions, aussi bien qu'il le devait ; et qu'ayant toutes celles de Henri du même nom, il n'a pas poussé la faction où il le pouvait[2]. Il n'a pu remplir son mérite, c'est un défaut ; mais il est rare, mais il est beau.

M. de Longueville avait, avec le beau nom d'Orléans, de la vivacité, de l'agrément, de la dépense, de la libéralité, de la justice, de la valeur, de la grandeur, et il ne fut jamais qu'un homme *médiocre, parce qu'il eut toujours des idées qui furent infiniment au-dessus de sa capacité. Avec la grande qualité et les grands desseins, l'on n'est jamais compté pour rien ; quand l'on ne les soutient pas, l'on n'est pas compté pour beaucoup ; et c'est ce qui fait le *médiocre.

M. de Beaufort n'en était pas jusques à l'idée des grandes affaires : il n'en avait que l'intention. Il en avait ouï parler aux Importants[3] ; il en avait un peu retenu du jargon. Celui-là, mêlé avec les expressions qu'il avait tirées très fidèlement de Mme de Vendôme, formait une langue qui eût déparé le bon sens de Caton[4]. Le sien était court et lourd, et d'autant plus qu'il était obscurci par la présomption.

Il se croyait habile, et c'est ce qui le faisait paraître artificieux, parce que l'on connaissait d'*abord qu'il n'avait pas assez d'esprit pour être *fin. Il était *brave de sa personne, et plus qu'il n'appartenait à un fanfaron : il l'était en tout sans exception ; en rien plus faussement qu'en *galanterie. Il parlait et il pensait comme le peuple, dont il fut l'idole quelque temps[1] : vous en verrez les raisons.

M. d'Elbeuf n'avait du cœur que parce qu'il est impossible qu'un prince de la maison de Lorraine n'en ait point. Il avait tout l'esprit qu'un homme qui a beaucoup plus d'*art que de bon sens peut avoir. C'était le galimatias du monde le plus fleuri. Il a été le premier prince que la pauvreté ait avili ; et peut-être jamais homme n'a eu moins que lui l'art de se faire plaindre dans sa misère. La *commodité ne le releva pas ; et s'il fût parvenu jusques à la richesse, l'on l'eût *envié comme un *partisan, tant la gueuserie lui paraissait propre et faite pour lui.

M. de Bouillon était d'une valeur éprouvée et d'un sens profond. Je suis persuadé, par ce que j'ai vu de sa conduite, que l'on a fait tort à sa probité quand on l'a décriée. Je ne sais si l'on n'a point fait quelque faveur à son mérite, en le croyant capable de toutes les grandes choses qu'il n'a point faites[2].

M. de Turenne a eu, dès sa jeunesse, toutes les bonnes qualités, et il a acquis les grandes d'assez bonne heure. Il ne lui en a manqué aucune que celles dont il ne s'est pas avisé. Il avait presque toutes les vertus comme naturelles ; il n'a jamais eu le brillant d'aucune. L'on l'a cru plus capable d'être à la tête d'une armée que d'un parti, et je le crois aussi, parce qu'il n'était pas naturellement entreprenant. Mais toutefois qui le sait ? Il a toujours eu en tout, comme en son parler, de certaines obscurités qui ne se sont développées que dans les occasions, mais qui ne s'y sont jamais développées qu'à sa gloire.

Le maréchal de La Mothe avait beaucoup de cœur. Il était capitaine de la seconde classe ; il n'était pas homme de beaucoup de sens. Il avait assez de douceur et de *facilité dans la vie civile. Il était très utile dans un parti, parce qu'il y était très *commode.

J'oubliais presque M. le prince de Conti, ce qui est un bon signe pour un chef de parti. Je ne crois pas vous le pouvoir mieux dépeindre, qu'en vous disant que ce chef de parti était un zéro, qui ne multipliait que parce qu'il était prince du sang. Voilà pour le public. Pour ce qui était du particulier, la *méchanceté faisait en lui ce que la faiblesse faisait en M. le duc d'Orléans. Elle inondait toutes les autres qualités, qui n'étaient d'ailleurs que *médiocres et toutes semées de faiblesses.

Il y a toujours eu du je ne sais quoi[1] en tout M. de La Rochefoucauld. Il a voulu se mêler d'intrigue, dès son enfance, et dans un temps où il ne sentait pas les petits intérêts, qui n'ont jamais été son faible ; et où il ne connaissait pas les grands, qui, d'un autre sens, n'ont pas été son fort. Il n'a jamais été capable d'aucune affaire, et je ne sais pourquoi ; car il avait des qualités qui eussent suppléé, en tout autre, celles qu'il n'avait pas. Sa vue n'était pas assez étendue, et il ne voyait pas même tout ensemble ce qui était à sa portée ; mais son bon sens, et très bon dans la *spéculation, joint à sa douceur, à son *insinuation et à sa *facilité de mœurs, qui est admirable, *devait *récompenser plus qu'il n'a fait le défaut de sa pénétration. Il a toujours eu une irrésolution habituelle ; mais je ne sais même à quoi attribuer cette irrésolution. Elle n'a pu venir en lui de la fécondité de son imagination, qui n'est rien moins que vive. Je ne la puis donner à la stérilité de son jugement ; car, quoiqu'il ne l'ait pas exquis dans l'action, il a un bon fonds de raison. Nous voyons les effets de cette irrésolution, quoique nous n'en connaissions pas la cause. Il n'a jamais été guerrier, quoiqu'il fût très *soldat. Il n'a jamais été, par lui-même, bon courtisan, quoiqu'il ait eu toujours bonne intention de l'être. Il n'a jamais été bon homme de parti, quoique toute sa vie il y ait été engagé. Cet air de honte et de *timidité que vous lui voyez dans la vie civile s'était tourné, dans les affaires, en air d'*apologie. Il croyait toujours en avoir besoin[2], ce qui joint à ses *Maximes,* qui ne marquent pas assez de foi en la vertu, et à sa pratique, qui a toujours été de chercher à sortir des affaires avec autant d'impatience qu'il y était entré, me fait conclure qu'il eût beaucoup mieux fait de se connaître et de se réduire à passer, comme il l'eût pu, pour le courtisan le plus poli[3] qui eût paru dans son siècle[4].

Mme de Longueville a naturellement bien du fonds

d'esprit, mais elle en a encore plus le *fin et le tour. Sa capacité, qui n'a pas été aidée par sa paresse, n'est pas allée jusques aux affaires, dans lesquelles la haine contre Monsieur le Prince l'a portée, et dans lesquelles la *galanterie l'a maintenue. Elle avait une langueur dans les manières, qui touchait plus que le brillant de celles mêmes qui étaient plus belles. Elle en avait une, même dans l'esprit, qui avait ses charmes, parce qu'elle avait des réveils lumineux et surprenants. Elle eût eu peu de défauts, si la galanterie ne lui en eût donné beaucoup. Comme sa passion l'obligea à ne mettre la politique qu'en second dans sa conduite, d'héroïne d'un grand parti elle en devint l'*aventurière. La grâce [1] a rétabli ce que le monde ne lui pouvait rendre.

Mme de Chevreuse n'avait plus même de restes de beauté quand je l'ai connue. Je n'ai jamais vu qu'elle en qui la vivacité suppléât le jugement. Elle lui donnait même assez souvent des ouvertures si brillantes, qu'elles paraissaient comme des éclairs ; et si sages, qu'elles eussent pas été désavouées par les plus grands hommes de tous les siècles. Ce mérite toutefois ne fut que d'occasion. Si elle fût venue dans un siècle où il n'y eût point eu d'affaires, elle n'eût pas seulement imaginé qu'il y en pût avoir. Si le prieur des chartreux lui eût plu, elle eût été solitaire de bonne foi. M. de Lorraine, qui s'y attacha, la jeta dans les affaires ; le duc de Buchinchan et le comte de Holland l'y entretinrent ; M. de Châteauneuf l'y *amusa. Elle s'y abandonna, parce qu'elle s'abandonnait à tout ce qui plaisait à celui qu'elle aimait. Elle aimait sans choix, et purement parce qu'il fallait qu'elle aimât quelqu'un. Il n'était pas même difficile de lui donner, de partie faite, un amant ; mais dès qu'elle l'avait pris, elle l'aimait uniquement et fidèlement. Elle nous a avoué, à Mme de Rhodes et à moi, que par un caprice, ce disait-elle, de la fortune, elle n'avait jamais aimé le mieux ce qu'elle avait estimé le plus, à la réserve toutefois, ajouta-t-elle, du pauvre Buchinchan. Son dévouement à sa passion, que l'on pouvait dire éternelle quoiqu'elle changeât d'objet, n'empêchait pas qu'une mouche ne lui donnât quelquefois des distractions ; mais elle en revenait toujours avec des emportements qui les faisaient trouver agréables. Jamais personne n'a fait moins d'attention sur les périls, et jamais femme n'a eu plus de mépris pour les scrupules et pour les devoirs : elle ne reconnaissait que celui de plaire à son amant.

Mlle de Chevreuse, qui avait plus de beauté que d'agrément, était sotte jusques au ridicule par son naturel. La passion lui donnait de l'esprit et même du sérieux et de l'agréable, uniquement pour celui qu'elle aimait ; mais elle le traitait bientôt comme ses jupes : elle les mettait dans son lit quand elles lui plaisaient ; elle les brûlait, par une pure aversion, deux jours après.

Madame la Palatine estimait autant la *galanterie qu'elle en aimait le solide. Je ne crois pas que la reine Elisabeth d'Angleterre ait eu plus de capacité pour conduire un État. Je l'ai vue dans la faction, je l'ai vue dans le *cabinet, et je lui ai trouvé partout également de la sincérité [1].

Mme de Montbazon était d'une très grande beauté. La modestie manquait à son air. Sa morgue et son jargon eussent suppléé, dans un temps calme, à son peu d'esprit. Elle eut peu de foi dans la *galanterie, nulle dans les affaires. Elle n'aimait rien que son plaisir et, au-dessus de son plaisir, son intérêt. Je n'ai jamais vu personne qui eût conservé dans le vice si peu de respect pour la vertu.

Si ce n'était pas un *espèce de blasphème de dire qu'il y a quelqu'un, dans notre siècle, plus intrépide que le grand Gustave [2] et Monsieur le Prince, je dirais que ç'a été Molé, premier président. Il s'en est fallu beaucoup que son esprit n'ait été si grand que son cœur. Il ne laissait pas d'y avoir quelque rapport, par une ressemblance qui n'y était toutefois qu'en laid. Je vous ai déjà dit qu'il n'était pas *congru dans sa langue, et il est vrai ; mais il avait une sorte d'éloquence qui, en charmant l'oreille, saisissait l'imagination. Il voulait le bien de l'État préférablement à toutes choses, même à celui de sa famille, quoiqu'il parût l'aimer trop pour un magistrat ; mais il n'eut pas le *génie assez élevé pour connaître d'assez bonne heure celui qu'il eût pu faire. Il présuma trop de son pouvoir ; il s'imagina qu'il modérerait la cour et sa compagnie : il ne réussit ni à l'un ni à l'autre. Il se rendit suspect à tous les deux, et ainsi il fit du mal avec de bonnes intentions. La *préoccupation y contribua beaucoup. Elle était extrême en tout ; et j'ai même observé qu'il jugeait toujours des actions par les hommes et presque jamais des hommes par les actions. Comme il avait été nourri dans les formes du Palais, tout ce qui était extraordinaire lui était suspect. Il n'y a guère de disposition plus dangereuse en ceux qui se rencontrent dans les affaires où les règles ordinaires n'ont plus de lieu.

Le peu de part que j'ai eu dans celles dont il s'agit en ce lieu me pourrait peut-être donner la liberté d'ajouter ici mon portrait ; mais outre que l'on ne se connaît jamais assez bien pour se peindre raisonnablement soi-même, je vous confesse que je trouve une satisfaction si sensible à vous soumettre uniquement et absolument le jugement de tout ce qui me regarde, que je ne puis pas seulement me résoudre à m'en former, dans le plus *intérieur de mon esprit, la moindre idée[1]. Je reprends le fil de l'histoire.

Le commandement des armes ayant été réglé, comme je vous l'ai dit ci-dessus, l'on continua à travailler aux fonds nécessaires pour la levée et pour la subsistance des troupes. Toutes les compagnies et tous les corps se cotisèrent, et Paris enfanta, sans douleur, une armée complète, en huit jours. La Bastille se rendit, après avoir enduré, pour la forme, cinq ou six coups de canon. Ce fut un assez plaisant spectacle de voir les femmes à ce fameux siège, porter leurs *chaires dans le jardin de l'Arsenal, où était la batterie, comme au sermon.

M. de Beaufort, qui, depuis qu'il s'était sauvé du bois de Vincennes, s'était caché dans le Vendômois de maison en maison, arriva ce jour-là à Paris, et il vint descendre chez Prudhomme[2]. Montrésor, qu'il avait envoyé quérir dès la porte de la ville, vint me trouver en même temps, pour me faire *compliment de sa part et pour me dire qu'il serait, dans un quart d'heure, à mon logis. Je le prévins, j'allai chez Prudhomme ; et je ne trouvai pas que sa prison lui eût donné plus de sens. Il est toutefois vrai qu'elle lui avait donné plus de réputation. Il l'avait soutenue avec fermeté, il en était sorti avec courage ; ce lui était même un mérite que de n'avoir pas quitté les bords de Loire dans un temps où il est vrai qu'il fallait de l'adresse et de la fermeté pour les tenir.

Il n'est pas difficile de faire valoir, dans le commencement d'une guerre civile, celui de tous ceux qui sont mal à la cour. C'en est un grand que de n'y être pas bien. Comme il y avait déjà quelque temps qu'il m'avait fait assurer par

Montrésor qu'il serait très aise de prendre liaison avec moi,
et que je prévoyais bien l'usage auquel je le pourrais mettre,
j'avais jeté, par intervalles et sans affectation, dans le peuple,
des bruits avantageux pour lui. J'avais orné de mille belles
couleurs une entreprise que le Cardinal avait fait faire sur
lui par Du Hamel. Montrésor, qui l'informait avec exactitude
des obligations qu'il m'avait, avait mis toutes les dispositions
nécessaires pour une grande union entre nous. Vous croyez
aisément qu'elle ne lui était pas désavantageuse en l'état où
j'étais dans le parti ; et elle m'était comme nécessaire,
parce que ma profession pouvant m'embarrasser en mille
rencontres, j'avais besoin d'un homme que je pusse, dans
les conjonctures, mettre devant moi. Le maréchal de La
Mothe était si dépendant de M. de Longueville, que je ne
m'en pouvais pas répondre. M. de Bouillon n'était pas un
sujet à être gouverné. Il me fallait un fantôme, mais il ne
me fallait qu'un fantôme ; et par bonheur pour moi, il se
trouva que ce fantôme fut petit-fils d'Henri le Grand ; qu'il
parla comme on parle aux Halles, ce qui n'est pas ordinaire
aux enfants d'Henri le Grand, et qu'il eut de grands cheveux
bien longs et bien blonds. Vous ne pouvez vous imaginer le
poids de cette circonstance, vous ne pouvez concevoir l'effet
qu'ils firent dans le peuple.

Nous sortîmes ensemble de chez Prudhomme, pour aller
voir M. le prince de Conti. Nous nous mîmes en même
portière. Nous arrêtâmes dans la rue Saint-Denis et dans la
rue Saint-Martin. Je nommai, je montrai et je louai M. de
Beaufort. Le feu se prit en moins d'un instant. Tous les
hommes crièrent : « Vive Beaufort ! » toutes les femmes le
baisèrent ; et nous eûmes, sans exagération, à cause de la
foule, peine de passer jusques à l'Hôtel deVille. Il présenta, le
lendemain, requête au Parlement, par laquelle il demandait à
être reçu à se justifier de l'accusation intentée contre lui,
d'avoir entrepris contre la personne du Cardinal : ce qui fut
accordé et exécuté le jour d'après.

MM. de Luynes et de Vitry arrivèrent dans le même temps
à Paris, pour entrer dans le parti ; et le Parlement donna ce
fameux arrêt par lequel il ordonna que tous les deniers
royaux étant dans toutes les recettes générales et particulières
du royaume seraient saisis et employés à la défense commune.

Monsieur le Prince établit de sa part ses quartiers. Il posta le maréchal Du Plessis à Saint-Denis, le maréchal de Gramont à Saint-Cloud, et Palluau, qui a été depuis le maréchal de Clérembault, à Sèvres. L'activité naturelle à Monsieur le Prince fut encore merveilleusement allumée par la colère qu'il eut de la déclaration de M. le prince de Conti et de M. de Longueville, qui avait jeté la cour dans une défiance si grande de ses intentions, que le Cardinal, ne doutant point d'abord qu'il ne fût de concert avec eux, fut sur le point de quitter la cour, et ne se rassura point qu'il ne l'eût vu de retour à Saint-Germain des quartiers où il était allé donner les ordres. Il éclata, en y arrivant, avec fureur contre Mme de Longueville particulièrement, à qui Mme la Princesse la mère, qui était aussi à Saint-Germain, en écrivit le lendemain tout le détail. Je lus ces mots, qui étaient dans la même lettre : « L'on est ici si déchaîné contre le coadjuteur, qu'il faut que j'en parle comme les autres. Je ne puis toutefois m'empêcher de le remercier de ce qu'il a fait pour la pauvre reine d'Angleterre. »[1]

Cette circonstance est curieuse par la rareté du fait. Cinq ou six jours devant que le Roi sortît de Paris, j'allai chez la reine d'Angleterre, que je trouvai dans la chambre de madame sa fille, qui a été depuis Mme d'Orléans. Elle me dit *d'abord : « Vous voyez, je viens tenir compagnie à Henriette. La pauvre enfant n'a pu se lever aujourd'hui faute de feu. » Le vrai était qu'il y avait six mois que le Cardinal n'avait fait payer la reine de sa pension ; que les marchands ne voulaient plus fournir, et qu'il n'y avait pas un morceau de bois dans la maison. Vous me faites bien la justice d'être persuadée que Madame d'Angleterre ne demeura pas, le lendemain, au lit, faute d'un fagot ; mais vous croyez bien aussi que ce n'était pas ce que Madame la Princesse voulait dire dans son billet. Je m'en ressouvins au bout de quelques jours. J'*exagérai la honte de cet abandonnement, et le Parlement envoya quarante mille livres à la reine d'Angleterre. La postérité aura peine à croire qu'une fille d'Angleterre, et petite-fille de Henri le Grand, ait manqué d'un fagot pour se lever au mois de janvier dans le Louvre. Nous avons horreur, en lisant les histoires, de lâchetés moins monstrueuses que celle-là ; et le peu de sentiment que je trouvai dans la plupart des esprits sur ce fait m'a obligé de faire, je crois, plus de mille fois cette réflexion, que les exemples du passé touchent sans comparaison plus les hommes que ceux de leur siècle. Nous nous accoutumons à tout ce que nous voyons ; et je vous ai dit quelquefois que je ne sais si le consulat du cheval de Caligula nous aurait autant surpris que nous nous l'imaginons[a][1].

Le[b] parti ayant pris sa forme, il n'y manquait plus que l'établissement du *cartel, qui se fit sans négociation. Un *cornette de mon régiment ayant été pris par un *parti du régiment de La Villette, fut mené à Saint-Germain, et la Reine commanda sur l'heure que l'on lui tranchât la tête. Le grand prévôt[2], qui ne douta point de la conséquence, et qui était assez de mes amis, m'en avertit, et j'envoyai, en même temps, un trompette à Palluau, qui commandait dans le quartier de Sèvres, avec une lettre très ecclésiastique[3], mais qui faisait entendre les inconvénients de la suite, d'autant plus proche que nous avions aussi des prisonniers, entre autres M. d'Olonne qui avait été arrêté comme il se voulait sauver habillé en laquais. Palluau alla sur l'heure à Saint-Germain, où il représenta les conséquences de cette exécution. L'on obtint de la Reine, à toute peine, qu'elle fût différée jusques au lendemain ; l'on lui fit comprendre, après, l'importance de la chose ; l'on échangea mon cornette, et ainsi le *quartier s'établit insensiblement.

Je ne m'arrêterai pas à vous rendre compte du détail de ce qui se passa dans le siège de Paris, qui commença le 9 de janvier 1649 et qui fut levé le 1 d'avril de la même année, et je me contenterai de vous en dater seulement les journées les plus considérables. Mais devant que de descendre à ce particulier, je crois qu'il est à propos de faire deux ou trois remarques qui méritent de la réflexion.

La première est qu'il n'y eut jamais ombre de mouvement dans la ville, quoique tous les passages des rivières fussent occupés par les ennemis, et que leurs *partis courussent continuellement du côté de la terre. L'on peut dire même que l'on n'y reçut presque aucune incommodité ; et l'on doit ajouter qu'il ne parut pas que l'on en eût seulement peur, que le 23 de janvier, et le 9 et 10 de mars, où l'on vit dans les marchés une petite étincelle d'*émotion, plutôt causée par la *malice et par l'intérêt des boulangers que par le manquement de pain[4].

La seconde est qu'aussitôt que Paris se fut déclaré, tout le royaume *branla [1]. Le parlement d'Aix, qui arrêta le comte d'Alais, gouverneur de Provence, s'unit à celui de Paris. Celui de Rouen, où M. de Longueville était allé dès le 20 de janvier, fit la même chose. Celui de Toulouse fut sur le penchant, et ne fut retenu que par la nouvelle de la conférence de Rueil, dont je vous parlerai dans la suite. Le prince de Harcourt, qui est M. le duc d'Elbeuf d'aujourd'hui, se jeta dans Montreuil, dont il était gouverneur, et prit le parti du Parlement. Reims, Tours et Poitiers prirent les armes en sa faveur. Le duc de La Trémoille fit publiquement des levées pour lui ; le duc de Rais lui offrit son service et Belle-Ile. Le Mans chassa son évêque et toute la maison de Lavardin, qui était attachée à la cour ; et Bordeaux n'attendait pour se déclarer que les lettres que le parlement de Paris avait écrit [a] à toutes les compagnies souveraines et à toutes les villes du royaume, pour les exhorter à s'unir avec lui contre l'ennemi commun. Ces lettres furent interceptées du côté de Bordeaux.

La troisième remarque est que dans le cours de ces trois mois de blocus, pendant lesquels le Parlement s'assemblait *réglément tous les matins et quelquefois même les après-dînées, l'on n'y traita, au moins pour l'ordinaire, que de matières si légères et si frivoles, qu'elles eussent pu être terminées par deux commissaires, en un quart d'heure à chaque matin. Les plus ordinaires étaient des avis que l'on recevait, à tous les instants, des meubles ou de l'argent que l'on prétendait être cachés chez les *partisans et chez les gens de la cour. De mille, il ne s'en trouva pas dix de fondés ; et cet entêtement pour des bagatelles, joint à l'acharnement que l'on avait à ne se point départir des formes, en des affaires qui y étaient directement opposées, me fit connaître de très bonne heure que les compagnies qui sont établies pour le repos ne peuvent jamais être propres au mouvement. Je reviens au détail. 385

Le 18 de janvier, je fus reçu conseiller au Parlement, pour y avoir place et voix délibérative en l'absence de mon oncle ; et l'après-dînée, nous signâmes, chez M. de Bouillon, un engagement que les principales personnes du parti prirent ensemble. En voici les noms : MM. de Beaufort, de Bouillon, de La Mothe, de Noirmoutier, de Vitry, de Brissac, de

Maure, de Matha, de Cugnac, de Barrière, de Sillery, de La Rochefoucauld, de Laigue, de Béthune, de Luynes, de Chaumont, de Saint-Germain d'Achon et de Fiesque.

Le 21 du même mois, l'on lut, l'on examina et l'on publia ensuite les remontrances par écrit que le Parlement avait ordonné, en donnant l'arrêt contre le cardinal Mazarin, devoir être faites au Roi. Elles étaient sanglantes contre le ministre, et elles ne servirent proprement que de manifeste, parce que l'on ne les voulut pas recevoir à la cour, où l'on prétendait que le Parlement, que l'on y avait supprimé, par une déclaration, comme rebelle, ne pouvait plus parler en corps.

Le 24, MM. de Beaufort et de La Mothe sortirent pour une entreprise qu'ils avaient formée sur Corbeil. Elle fut prévenue par Monsieur le Prince, qui y jeta des troupes.

Le 25, l'on saisit tout ce qui se trouva dans la maison du Cardinal.

Le 29, M. de Vitry, étant sorti avec un *parti de cavalerie pour amener madame sa femme, qui venait de Coubert à Paris, trouva dans la vallée de Fescan les Allemands du bois de Vincennes, qu'il poussa jusque dans les barrières du château. Tancrède, le prétendu fils de M. de Rohan, qui s'était déclaré pour nous la veille, fut tué malheureusement en cette petite occasion [1].

Le 1 de février, M. d'Elbeuf mit garnison dans Brie-Comte-Robert, pour favoriser le passage des vivres qui venaient de la Brie.

Le 8 du même mois, Talon, l'un des avocats généraux, proposa au Parlement de faire quelque pas de respect et de soumission vers la Reine, et sa proposition fut appuyée par Monsieur le Premier Président et par M. le président de Mesmes. Elle fut rejetée de toute la Compagnie, même avec un fort grand bruit, parce que l'on la crut avoir été faite de concert avec la cour. Je ne le crois pas ; mais j'avoue que le temps de la faire n'était pas pris dans les règles de la bienséance. Aucun des généraux n'y était présent, et je m'y opposai fortement par cette raison.

Le soir du même jour, Clanleu, que nous avions mis dans Charenton avec trois mille hommes, eut avis que M. d'Orléans et Monsieur le Prince marchaient à lui avec sept mille hommes de pied et quatre mille chevaux et du canon.

Je reçus en même temps un billet de Saint-Germain, qui portait la même nouvelle.

M. de Bouillon, qui était au lit de la goutte, ne croyant pas la place tenable, fut d'avis d'en retirer les troupes et de garder seulement le milieu du pont. M. d'Elbeuf, qui aimait Clanleu et qui croyait qu'il lui ferait acquérir de l'honneur à bon marché, parce qu'il ne se persuadait pas que l'avis fût véritable, ne fut pas du même sentiment. M. de Beaufort se piqua de brave. Le maréchal de La Mothe crut, à ce qu'il m'a avoué depuis, que Monsieur le Prince ne hasarderait pas cette attaque à la vue de nos troupes, qui se pouvaient poster trop avantageusement. M. le prince de Conti se laissa aller au plus grand bruit, comme tous les hommes faibles ont accoutumé de faire. L'on manda à Clanleu de tenir, et l'on lui promit d'être à lui à la pointe du jour ; mais l'on ne lui tint pas parole. Il faut un temps infini pour faire sortir des troupes par les portes de Paris. L'on ne fut en bataille sur la hauteur de Fescan qu'à sept heures du matin, quoique l'on eût commencé à défiler dès les onze heures du soir. Monsieur le Prince attaqua Charenton à la pointe du jour ; il l'emporta, après y avoir perdu M. de Châtillon, qui était lieutenant général dans son armée. Clanleu s'y fit tuer, ayant refusé quartier ; nous y perdîmes quatre-vingts officiers ; il n'y en eut que douze ou quinze de tués de l'armée de Monsieur le Prince. Comme notre armée commençait à marcher, elle vit la sienne, sur deux lignes, sur l'autre côté de la hauteur. Aucun des *partis ne se pouvait attaquer, parce qu'aucun ne se voulait exposer à l'autre, à la descente du vallon. L'on se regarda et l'on s'escarmoucha tout le jour, et Noirmoutier, à la faveur de ces escarmouches, fit un détachement de mille chevaux, sans que Monsieur le Prince s'en aperçût, et il alla du côté d'Etampes pour quérir et pour escorter un fort grand convoi de toute sorte de bétail qui s'y était assemblé. Il est à remarquer que toutes les provinces accouraient à Paris, et parce que l'argent y était en abondance et parce que tous les peuples étaient presque également passionnés pour sa défense.

Le 10, M. de Beaufort et M. de La Mothe sortirent pour favoriser le retour de Noirmoutier, et ils trouvèrent le maréchal de Gramont dans la plaine de Villejuif, qui avait deux mille hommes de pied des gardes suisses et françaises, et deux mille chevaux. Nerlieu, cadet de Beauvau, bon officier, qui commandait la cavalerie des mazarins, étant venu avec beaucoup de vigueur à la charge, fut tué par les gardes de M. de Beaufort dans la porte de Vitry. Briolle, père de celui que vous connaissez, arracha l'épée à M. de Beaufort. Les ennemis plièrent, leur infanterie même s'*étonna, et il est *constant que les piques des bataillons des gardes commençaient à se toucher et à faire un cliquetis qui est toujours marque de confusion, quand le maréchal de La Mothe fit faire halte et ne voulut pas exposer le convoi, qui commençait à paraître, à l'incertitude d'un combat. Le maréchal de Gramont fut tout heureux de se retirer, et le convoi rentra dans Paris, accompagné, je crois, de plus de cent mille hommes, qui étaient sortis en armes au premier bruit qui avait couru que M. de Beaufort était engagé.

L'onzième, Brillac, conseiller des Enquêtes et homme de réputation dans le Parlement, dit, en pleine assemblée des chambres, qu'il fallait penser à la paix ; que le bourgeois se lassait de fournir à la subsistance des troupes, et que tout retomberait à la fin sur la Compagnie ; qu'il savait de science certaine que la proposition [d'un accommodement [a]] serait très agréée par la cour. Le président Aubry, de la Chambre des comptes, avait parlé la veille au même sens dans le conseil de l'Hôtel de Ville ; et vous allez voir que l'on se servait, à Saint-Germain, de la crédulité de ces deux hommes, dont le premier n'avait de capacité que pour le Palais et le second n'en avait pour rien : vous allez voir, dis-je, que l'on s'en servait à Saint-Germain pour couvrir une entreprise que l'on y avait formée sur Paris. Le Parlement s'échauffa beaucoup touchant la proposition. L'on contesta de part et d'autre assez longtemps ; et il fut enfin résolu que l'on en délibérerait le lendemain au matin.

Le lendemain, qui fut le 12 de février, Michel, qui commandait la garde de la porte Saint-Honoré, vint avertir le Parlement qu'il s'y était présenté un héraut revêtu de sa cotte d'armes et accompagné de deux trompettes, qui demandait de parler à la Compagnie, et qui avait trois paquets, l'un pour elle, l'autre pour M. le prince de Conti, et l'autre pour l'Hôtel de Ville. Cette nouvelle arriva

justement dans le moment que l'on était encore devant le
feu de la Grande Chambre, et que l'on était sur le point de
s'asseoir ; tout le monde s'y entretenait de ce qui était arrivé
la veille, à onze du soir, dans les Halles, où le chevalier de
La Valette avait été pris, semant des billets très injurieux
pour le Parlement et encore plus pour moi. Il fut amené à
l'Hôtel de Ville, et je le trouvai sur les degrés comme je
descendais de la chambre de Mme de Longueville. Comme
je le connaissais extrêmement, je lui fis civilité, et je fis
même retirer une foule de peuple qui le maltraitait. Mais je
fus bien surpris quand je vis qu'au lieu de répondre à mes
*honnêtetés, il me dit d'un ton fier : « Je ne crains rien ; je
sers mon Roi. » Je fus moins étonné de sa manière d'agir
quand l'on me fit voir ces placards, qui ne se fussent pas en
effet accordés avec des *compliments [1]. Les bourgeois m'en
mirent entre les mains cinq ou six cents copies, qui avaient
été trouvées dans son carrosse. Il ne les désavoua point. Il
continua à me parler hautement. Je ne changeai pas pour
cela de ton avec lui. Je lui témoignai la douleur que j'avais
de le voir dans ce malheur, et le prévôt des marchands
l'envoya prisonnier à la Conciergerie.

Cette aventure, qui n'avait pas déjà beaucoup de rapport
avec ces bonnes dispositions de la cour à la paix, dont Brillac
et le président Aubry s'étaient vantés d'être si bien et si
particulièrement informés, cette aventure, dis-je, jointe à
l'apparition d'un héraut, qui paraissait comme sorti d'une
machine, à point nommé, ne marquait que trop visiblement
un dessein formé. Tout le Parlement le voyait comme tout
le reste du monde ; mais tout ce Parlement était tout propre
à s'aveugler dans la pratique, parce qu'il est si accoutumé,
par les règles de la justice ordinaire, à s'attacher aux
formalités, que dans les extraordinaires il ne les peut jamais
démêler de la substance. « Il faut prendre garde à ce héraut ;
il ne vient pas pour rien ; voilà trop de circonstances
ensemble ; l'on *amuse par des propositions, l'on envoie
des semeurs de billets pour soulever le peuple ; un héraut
paraît le lendemain : il y a du mystère. » Voilà ce que toute
la Compagnie disait, et toute cette même Compagnie
ajoutait : « Mais que faire ? Un parlement refuser d'entendre
un héraut de son roi ! un héraut que l'on ne refuse même
jamais de la part d'un ennemi ! » Tous parlaient sur ce ton,

et il n'y avait de différence que le plus haut et le plus bas. Ceux qui étaient dévoués à la cour éclataient ; ceux qui étaient bien intentionnés pour le parti ne prononçaient pas si fermement les dernières syllabes. L'on envoya prier M. le prince de Conti et messieurs les généraux de venir prendre leur place ; et cependant que l'on attendait, les uns dans la Grande Chambre, les autres dans la seconde, les autres dans la quatrième, je pris le *bonhomme Broussel à part, et je lui ouvris un expédient qui ne me vint dans l'esprit qu'un quart d'heure devant que l'on eût pris séance.

Ma première vue, quand je connus que le Parlement se disposait à donner entrée au héraut, fut de faire prendre les armes à toutes les troupes, de le faire passer dans les files en grande cérémonie, et de l'environner tellement, sous prétexte d'honneur, qu'il ne fût presque point vu et nullement entendu du peuple. La seconde fut meilleure et remédia beaucoup mieux à tout. Je proposai à Broussel, qui, comme des plus anciens de la Grande Chambre, opinait des premiers, de dire qu'il ne concevait pas l'embarras où l'on témoignait être dans ce rencontre ; qu'il n'y avait qu'un parti, qui était de refuser toute audience et même toute entrée au héraut, sur ce que ces sortes de gens n'étaient jamais envoyés qu'à des ennemis ou à des égaux ; que cet envoi n'était qu'un artifice très grossier du cardinal Mazarin, qui s'imaginait qu'il aveuglerait assez et le Parlement et la Ville pour les obliger à faire le pas du monde le plus irrespectueux et le plus criminel, sous pretexte d'obéissance. Le bonhomme Broussel, qui demeura persuadé de la force de ce raisonnement, quoiqu'il n'eût assurément qu'une apparence très légère, le poussa jusques aux larmes. Toute la Compagnie s'émut. L'on comprit tout d'un coup que cette réponse était la naturelle. Le président de Mesmes, qui voulut alléguer des exemples de vingt-cinq ou trente hérauts envoyés par des rois à leurs sujets, fut repoussé et sifflé comme si il eût dit la chose du monde la plus extravagante ; l'on ne voulut presque pas écouter ceux qui opinèrent au contraire, et il *passa à refuser l'entrée de la ville au héraut, et de charger messieurs les gens du Roi d'aller à Saint-Germain rendre raison à la Reine de ce refus.

M. le prince de Conti et l'Hôtel de Ville se servirent du même prétexte pour ne pas entendre le héraut et pour ne pas recevoir les paquets, qu'il laissa, le lendemain, sur la barrière de la porte Saint-Honoré. Cet incident, joint à la prise du chevalier de La Valette, fit que l'on ne se ressouvint pas seulement de la résolution que l'on avait faite, la veille, de délibérer sur la proposition de Brillac. L'on n'eut que de l'horreur et de la défiance pour ces fausses lueurs d'accommodement ; et l'on s'aigrit bien davantage, quelques jours après, dans lesquels on apprit le détail de l'entreprise. Le chevalier de La Valette, esprit noir, mais déterminé, et d'une valeur propre et portée à entreprendre, ce qui n'a pas été ordinaire à celle de notre siècle, avait formé le dessein de nous tuer[1], M. de Beaufort et moi, sur les degrés du Palais, et de se servir pour cet effet du trouble et de la confusion qu'il espérait qu'un spectacle aussi extraordinaire que celui de ce héraut jetterait dans la ville. La cour a toujours nié ce complot à l'égard de notre assassinat ; car elle *avoua et *répéta même le chevalier de La Valette à l'égard des placards. Ce que je sais, de science certaine, est que Cohon, évêque de Dol, dit l'avant-veille à l'évêque d'Aire que M. de Beaufort et moi ne serions pas en vie dans trois jours, [et ce qui est à remarquer est qu'il lui parla, dans la même conversation, de Monsieur le Prince comme d'un homme qui n'était pas assez *décisif, et auquel on ne pouvait pas dire toute chose. Cela m'a fait juger que Monsieur le Prince ne savait pas le fond du dessein du chevalier de La Valette. J'ai toujours oublié de lui en parler][a].

Le 19, M. le prince de Conti dit au Parlement qu'il y avait au parquet des huissiers un gentilhomme envoyé de M. l'archiduc Léopold, qui était gouverneur des Pays-Bas pour le roi d'Espagne, et que ce gentilhomme demandait audience à la Compagnie. Les gens du Roi entrèrent, au dernier mot du discours de M. le prince de Conti, pour rendre compte de ce qu'ils avaient fait à Saint-Germain, où ils avaient été reçus admirablement. La Reine avait extrêmement agréé les raisons pour lesquelles la Compagnie avait refusé l'entrée au héraut ; elle avait assuré les gens du Roi que bien qu'en l'état où étaient les choses, elle ne pût pas reconnaître les délibérations du Parlement pour des arrêts d'une compagnie souveraine, elle ne laissait pas de recevoir avec joie les assurances qu'il lui donnait de son respect et de sa soumission ; et que pour peu que le Parlement donnât d'effet à ses assurances, elle lui donnerait toutes les marques de sa bonté et même de sa bienveillance, et en général et en particulier. Talon, avocat général, et qui parlait toujours avec dignité et avec force, fit ce rapport avec tous les ornements qu'il lui put donner, et il conclut par une assurance qu'il donna lui-même, en termes fort pathétiques, à la Compagnie, que si elle voulait faire une députation à Saint-Germain, elle y serait très bien reçue et pourrait être d'un grand acheminement à la paix. Le premier président lui ayant dit ensuite qu'il y avait à la porte de la Grande Chambre un envoyé de l'archiduc, Talon, qui était habile, en prit sujet de fortifier son opinion. Il marqua que la providence de Dieu faisait naître, ce lui semblait, cette occasion pour avoir plus de lieu de témoigner encore davantage au Roi la fidélité du Parlement en ne donnant point d'audience à l'envoyé, et en rendant simplement compte à la Reine du respect que l'on conservait pour elle en la refusant. Comme cette apparition d'un député d'Espagne dans le parlement de Paris fait une scène qui n'est pas fort ordinaire dans notre histoire, je crois qu'il est à propos de la reprendre un peu de plus loin.

Vous [1] avez déjà vu que Saint-Ibar, qui entretenait toujours beaucoup de correspondance avec le comte de Fuensaldagne, m'avait pressé, de temps en temps, de lier un commerce avec lui, et je vous ai aussi rendu compte des raisons qui m'en avaient empêché. Comme je vis que nous étions assiégés, que le Cardinal envoyait Vautorte en Flandres pour commencer quelque négociation avec les Espagnols, et que je connus que notre parti était assez formé pour n'être pas chargé en mon particulier de l'union avec les ennemis de l'Etat, je ne fus plus si scrupuleux ni si délicat, et je fis écrire par Montrésor à Saint-Ibar, qui n'était plus en France, et qui était tantôt à La Haye et tantôt à Bruxelles, qu'en l'état où étaient les affaires, je croyais pouvoir écouter avec honneur les propositions que l'on me pourrait faire pour le secours de Paris ; que je le priais toutefois de faire en sorte que l'on ne s'adressât pas à moi directement et que je ne parusse en rien de ce qui serait public. Ce qui m'obligea d'écrire, en ce sens, à Saint-Ibar, ou plutôt de lui faire écrire, fut qu'il m'avait fait dire lui-même par Montrésor

que les Espagnols, qui savaient qu'il n'y avait que moi à
Paris qui fût proprement maître du peuple, et qui voyaient
que je ne leur faisais point parler, commençaient à s'imaginer
que je pouvais avoir quelque mesure à la cour qui m'en
empêchait ; et qu'ainsi ne comptant rien, à l'égard de Paris,
sur les autres généraux, ils pourraient bien donner dans les
offres immenses que le Cardinal leur faisait faire tous les
jours. Je connus, par un mot que Mme de Bouillon laissa
échapper, qu'elle en savait autant que Saint-Ibar ; et de
concert avec monsieur son mari et avec elle, je fis le pas
dont je viens de vous rendre compte, et j'insinuai, du même
concert, que l'on nous ferait plaisir de faire ouvrir la scène
par M. d'Elbeuf. Comme il avait été, dans le temps du
cardinal de Richelieu, douze ou quinze ans en Flandres, à
la *pension d'Espagne, la voie paraissait toute naturelle. Elle
fut prise aussi, aussitôt qu'elle fut proposée. Le comte de
Fuensaldagne fit partir, dès le lendemain, Arnolfini, moine
bernardin, qu'il fit habiller en cavalier, sous le nom de don
Joseph de Illescas. Il arriva chez M. d'Elbeuf, à deux heures
après minuit, et il lui donna un petit billet de créance ; il
la lui expliqua telle que vous vous la pouvez imaginer.

M. d'Elbeuf se crut le plus considérable homme du parti ;
et le lendemain, au sortir du Palais, il nous mena tous
dîner chez lui, c'est-à-dire tous ceux qui étaient les plus
considérables, en nous disant qu'il avait une affaire importante à nous communiquer. M. le prince de Conti, MM. de
Beaufort et de La Mothe, et les présidents Le Coigneux, de
Bellièvre, de Nesmond, de Novion et Viole s'y trouvèrent.
M. d'Elbeuf, qui était grand saltimbanque de son naturel,
commença la comédie par la tendresse qu'il avait pour le
nom français, qui ne lui avait pas permis d'ouvrir seulement
un petit billet qu'il avait reçu d'un lieu suspect. Ce lieu ne
fut nommé qu'après deux ou trois circonlocutions toutes
pleines de scrupules et de mystères, et le président de
Nesmond, qui, avec tout le feu d'un esprit gascon, était
l'homme du monde le plus simple, remplit la seconde scène
d'aussi bonne foi qu'il y avait eu d'*art à la première. Il
regarda ce billet que M. d'Elbeuf avait jeté sur la table, très
proprement recacheté, comme l'holocauste du sabbat[1]. Il
dit que M. d'Elbeuf avait eu grand tort d'appeler des
membres du Parlement à une action de cette nature. Enfin

le président Le Coigneux, qui s'impatienta de toutes ces
niaiseries, prit le billet, qui avait effectivement bien plus
l'air d'un *poulet que d'une lettre de négociation ; il
l'ouvrit, et après avoir lu ce qu'il contenait, qui n'était
qu'une simple créance, et avoir entendu de la bouche de
M. d'Elbeuf ce que le porteur de la créance lui avait dit,
nous fit une *pantalonnade digne des premières scènes de
la pièce. Il tourna en ridicule toutes les façons qui venaient
d'être faites ; il alla au-devant de celles qui s'allaient faire ;
et l'on conclut, d'une commune voix, à ne pas rejeter le
secours d'Espagne. La difficulté fut en la manière de le
recevoir : elle n'était pas, dans la vérité, médiocre, par
beaucoup de circonstances particulières.

Mme de Bouillon, qui s'était ouverte avec moi, la veille,
du commerce qu'elle avait avec Espagne, m'avait expliqué
les intentions de Fuensaldagne, qui étaient de s'engager avec
nous, pourvu qu'il fût assuré, de son côté, que nous nous
engageassions avec lui. Cet engagement ne se pouvait prendre
de notre part que par le Parlement ou par moi. Il doutait
fort du Parlement, dont il voyait les deux principaux chefs,
le premier président et le président de Mesmes, incapables
d'aucune proposition. Le peu d'ouverture que je lui avais
donné jusque-là à négocier avec moi, faisait qu'il ne fondait
guère davantage sur ma conduite que sur celle du Parlement.
Il n'ignorait pas ni le peu de pouvoir ni le peu de sûreté de
M. d'Elbeuf ; il savait que M. de Beaufort était dans mes
mains, et de plus que son crédit, à cause de son incapacité,
n'était qu'une fumée. Les incertitudes perpétuelles de M. de
Longueville et le peu de sens du maréchal de La Mothe ne
l'accommodaient pas. Il se fût fié en M. de Bouillon ; mais
M. de Bouillon ne lui pouvait pas répondre de Paris : il n'y
avait aucun pouvoir ; et, même les gouttes, qui le tenaient
dans le lit et qui l'empêchaient d'agir, avaient donné lieu
aux gens de la cour à jeter des soupçons contre lui dans les
esprits des peuples. Toutes ces considérations, qui embarras-
saient Fuensaldagne, et qui le pouvaient fort naturellement
obliger à chercher ses avantages du côté de Saint-Germain,
où l'on appréhendait avec raison sa jonction avec nous :
toutes ces considérations, dis-je, ne se pouvaient *rectifier
pour le bien du parti que par un traité du Parlement avec
Espagne, qui était de toutes les choses du monde la plus

impossible, ou par un engagement que j'y prisse moi-même, tout à fait positif.

Saint-Ibar, qui se ressouvenait qu'il avait autrefois écrit sous moi une instruction par laquelle je proposais cet engagement positif, ne doutait pas que je ne fusse encore dans la même disposition, puisque je m'étais résolu à écouter ; et quoique Fuensaldagne ne fût pas de son avis, par la raison que je vous ai tantôt marquée, il ne laissa pas de charger l'envoyé de le tenter et de me témoigner même qu'il ne ferait aucun pas pour nous sans ce préalable. Cet envoyé, qui, devant que de voir M. d'Elbeuf, avait eu deux jours de conférence avec M. et Mme de Bouillon, s'en était clairement expliqué avec eux, et c'est ce qui avait obligé la dernière à s'ouvrir encore davantage avec moi, sur ce détail, qu'elle n'avait fait jusque-là. Ce que la necessité d'un secours prompt et pressant m'avait fait résoudre autrefois de proposer, par l'instruction dont je viens de vous parler, n'était plus mon compte. Il ne pouvait plus y avoir de secret dans le traité, qui, de nécessité, devait être en commun avec des généraux dont les uns m'étaient suspects et les autres m'étaient redoutables. J'avais commencé à m'apercevoir que M. de La Rochefoucauld avait fort altéré les bons sentiments de Mme de Longueville pour moi, et que par conséquent je ne pouvais pas compter sur M. le prince de Conti.

Je vous ai déjà expliqué le naturel de M. de Longueville et la force du maréchal de La Mothe. Je n'ai rien à vous dire de M. d'Elbeuf. Je considérais M. de Bouillon, soutenu par l'Espagne, avec laquelle il avait, par la considération de Sedan, les intérêts du monde les plus naturels, comme un nouveau duc du Maine qui en aurait mille autres, au premier jour, tout à fait séparés de ceux de Paris, et qui pourrait bien avec le temps, assisté de l'intrigue et de l'argent de Castille, chasser le coadjuteur de Paris, comme le vieux M. du Maine en avait chassé à la Ligue le cardinal de Gondi, son grand-oncle [1]. Dans la conférence que j'eus avec M. et Mme de Bouillon touchant l'envoyé, je ne leur cachai rien de mes raisons, sans en excepter même la dernière, que j'assaisonnai, comme vous pouvez juger, de toute la raillerie la plus douce et la plus *honnête qui me fut possible. Mme de Bouillon, qui ne faisait, ou plutôt qui ne disait jamais de *galanterie que de concert avec son mari, n'oublia rien de toute celle qui l'eût rendue l'une des plus aimables personnes du monde, quand même elle eût été laide [a], pour me persuader que je ne devais point balancer à traiter ; et que monsieur son mari et moi, joints ensemble par une liaison particulière, emporterions toujours si fort la balance, que les autres ne nous pourraient faire aucune peine.

M. de Bouillon, qui était fort habile, et qui connaissait très bien que je pensais et que je parlais selon mes véritables intérêts, revint tout d'un coup à mon avis, par une maxime qui devrait être très commune et qui est pourtant très rare. Je n'ai jamais vu que lui qui ne contestât jamais ce qu'il ne croyait pas pouvoir obtenir. Il entra même obligeamment dans mes sentiments. Il dit à Mme de Bouillon que je jouais le *droit du jeu, au poste où j'étais ; que la guerre civile pourrait s'éteindre le lendemain ; que j'étais archevêque de Paris pour toute ma vie ; que j'avais plus d'intérêt que personne à sauver la ville ; mais que je n'en avais pas un moindre à ne me point laisser de tache pour les suites ; et qu'il convenait, après ce que je venais de lui dire, que tout se pouvait concilier. Il me fit pour cela une ouverture qui ne m'était point venue dans l'esprit, que je n'approuvai pas d'abord, parce qu'elle me parut impraticable, et à laquelle je me rendis à mon tour après l'avoir examinée : ce fut d'obliger le Parlement à entendre l'envoyé, ce qui ferait presque tous les effets que nous pourrions souhaiter. Les Espagnols, qui ne s'y attendaient point, seraient surpris fort agréablement ; le Parlement s'engagerait sans le croire lui-même ; les généraux auraient lieu de traiter après ce pas, qui pourrait être interprété, dans les suites, pour une approbation tacite que le corps aurait donnée aux démarches des particuliers. M. de Bouillon n'aurait pas de peine à faire concevoir à l'envoyé l'avantage que ce lui serait, en son particulier, de pouvoir mander, par son premier courrier, à Monsieur l'Archiduc que le Parlement des pairs de France aurait reçu une lettre et un député d'un général du roi d'Espagne dans les Pays-Bas. Il espérait que par une fort ample dépêche en chiffre, il ferait comprendre au comte de Fuensaldagne qu'il était de la bonne conduite de laisser quelqu'un dans le parti, qui, de concert même avec lui, parût n'entrer en rien avec l'Espagne, et qui, par cette conduite, pût parer, à tout événement, aux inconvénients

qu'une liaison avec les ennemis de l'État *emportait nécessairement avec soi, dans un parti où la *considération du
Parlement faisait qu'il fallait garder des mesures sans comparaison plus *justes sur ce point que sur tout autre ; que ce
personnage me convenait préférablement, et par ma dignité
et par ma profession, et qu'il se trouvait par bonheur autant
de l'intérêt commun que du mien propre. La difficulté était
de persuader au Parlement de donner audience au député
de l'archiduc, et cette audience était toutefois la seule
circonstance qui pouvait suppléer, dans l'esprit de ce député,
le défaut de ma signature, sans laquelle il protestait qu'il
avait ordre de ne rien faire. Nous nous abandonnâmes en
cette occasion, M. de Bouillon et moi, à la fortune ; et
l'exemple que nous avions tout récent du héraut exclu, sous
le prétexte du monde le plus frivole, nous fit espérer que
l'on ne refuserait pas à l'envoyé l'entrée pour laquelle l'on
ne manquerait pas de raisons très solides.

Notre bernardin, qui trouvait beaucoup son compte à
cette entrée, que l'on n'avait pas seulement imaginée à
Bruxelles, fut plus que satisfait de notre proposition. Il fit
sa dépêche à l'archiduc telle que nous la pouvions souhaiter ;
et il nous promit de faire, par avance et sans en attendre la
réponse, tout ce que nous lui ordonnerions. Il usa de ces
termes, et il avait raison ; car j'ai su depuis que son ordre
portait de suivre en tout et partout, sans exception, les
sentiments de M. et de Mme de Bouillon.

Voilà où nous en étions quand M. d'Elbeuf nous montra,
comme une grande nouveauté, le billet que le comte de
Fuensaldagne lui avait écrit ; et vous jugez facilement que
je ne balançai pas à opiner qu'il fallait que l'envoyé présentât
la lettre de Monsieur l'Archiduc au Parlement. La proposition
en fut reçue d'abord comme une hérésie ; et, sans exagération, elle fut peu moins que sifflée par toute la compagnie.
Je persistai dans mon avis ; j'en alléguai les raisons, qui ne
persuadèrent personne. Le vieux président Le Coigneux, qui
avait l'esprit plus vif et qui prit garde que je parlais de
temps en temps d'une lettre de l'archiduc, de laquelle il ne
s'était rien dit, revint tout d'un coup à mon avis, sans m'en
dire toutefois la véritable raison, qui était qu'il ne douta
point que je n'eusse vu le dessous de quelque carte qui
m'eût obligé à le prendre. Et comme la conversation se

passait avec assez de confusion, et que l'on allait, en
*disputant tout debout, des uns aux autres, il me dit :
« Que ne parlez-vous à vos amis en particulier ? l'on ferait
ce que vous voudriez ; je vois bien que vous savez plus de
nouvelles que celui qui croit nous les avoir apprises. » Je
fus, pour vous dire le vrai, terriblement honteux de ma
bêtise ; car je vis bien qu'il ne me pouvait parler ainsi que
sur ce que j'avais dit de la lettre de l'archiduc au Parlement,
qui, dans le vrai, n'était qu'un blanc-signé, que nous avions
rempli chez M. de Bouillon. Je serrai la main au président
Le Coigneux ; je fis signe à MM. de Beaufort et de La
Mothe ; les présidents de Novion et de Bellièvre se rendirent
à mon sentiment, qui était fondé uniquement sur ce que le
secours d'Espagne, que nous étions obligés de recevoir
comme un remède à nos maux, mais comme un remède
que nous convenions être dangereux et empirique, serait
infailliblement mortel à tous les particuliers, si il n'était au
moins un peu passé par l'alambic du Parlement. Nous
priâmes tous M. d'Elbeuf de faire trouver bon au bernardin
de conférer avec nous sur la forme seulement dont il aurait
à se conduire. Nous le vîmes la même nuit chez lui, Le
Coigneux et moi. Nous lui dîmes, en présence de M.
d'Elbeuf, en grand secret, tout ce que nous voulions bien
qui fût su ; et nous avions concerté dès la veille, chez M. de
Bouillon, tout ce qu'il devait dire au Parlement. Il s'en
acquitta très bien et en homme d'entendement. Je vous
ferai un précis du discours qu'il y fit, après que je vous
aurai rendu compte de ce qui se passa lorsqu'il demanda
audience, ou plutôt lorsque M. le prince de Conti la demanda
pour lui.

Le président de Mesmes, homme de très grande capacité
dans sa profession, et oncle de celui que vous voyez
aujourd'hui, mais attaché jusques à la servitude à la cour,
et par l'ambition qui le dévorait et par sa *timidité, qui
était excessive : le président de Mesmes, dis-je, fit une
exclamation au seul nom de l'envoyé de l'archiduc, éloquente
et pathétique au-dessus de tout ce que j'ai lu en ce genre
dans l'antiquité ; et en se tournant, avec les yeux noyés dans
les larmes, vers M. le prince de Conti : « Est-il possible,
Monsieur, s'écria-t-il, qu'un prince du sang de France

propose de donner séance sur les fleurs de lis[1] à un député
du plus cruel ennemi des fleurs de lis ? »

Comme nous avions bien prévu cette tempête, il n'avait
pas tenu à nous d'exposer M. d'Elbeuf à ses premiers coups ;
mais il s'en était tiré assez adroitement, en disant que la
même raison qui l'avait obligé à rendre compte à son général
de la lettre qu'il avait reçue, ne lui permettait pas d'en
porter la parole en sa présence. Il fallait pourtant, de
nécessité, quelqu'un qui préparât les voies et qui jetât
dans une compagnie où les premières impressions ont un
merveilleux pouvoir les premières idées de la paix particulière
et générale que cet envoyé venait annoncer. La manière dont
son nom frapperait *d'abord l'imagination des Enquêtes,
décidait du refus ou de l'acceptation de son audience : et
tout bien pesé et considéré de part et d'autre, l'on jugea
qu'il y avait moins d'inconvénient, sans comparaison, à
laisser croire un peu de concert, qu'à ne pas préparer, par
un canal ordinaire, non odieux et favorable, les drogues que
l'envoyé d'Espagne nous allait débiter. Ce n'est pas que la
moindre ombre de concert, dans ces compagnies que l'on
appelle *réglées, ne soit très capable d'y empoisonner les
choses même et les plus justes et les plus nécessaires. Je vous
l'ai déjà dit quelquefois ; et cet inconvénient était plus à
craindre en cette occasion qu'en toute autre. J'y admirai
M. de Bouillon, chez qui la résolution se prit de faire faire
l'ouverture par M. le prince de Conti. Il n'y balança pas un
moment ; et rien ne marque tant le jugement solide d'un
homme, que de savoir choisir entre les grands inconvénients.
Je reviens au président de Mesmes, qui s'attacha à M. le
prince de Conti, et qui se tourna ensuite vers moi, en me
disant ces propres paroles : « Quoi, Monsieur ? vous refusez
l'entrée au héraut de votre Roi, sous le prétexte du monde
le plus frivole ? » Comme je ne doutai point de la seconde
partie de l'apostrophe, je la voulus prévenir, et je lui
répondis : « Vous me permettrez, Monsieur, de ne pas traiter
de frivoles des motifs qui ont été consacrés par un arrêt. »

La *cohue du Parlement s'éleva à ce mot, qui releva
celui du président de Mesmes, qui était effectivement très
imprudent, et il est *constant qu'il servit fort contre son
intention, comme vous pouvez croire, à faciliter l'audience
à l'envoyé. Comme je vis que la Compagnie s'échauffait et

s'ameutait contre le président de Mesmes, je sortis, sous je ne sais quel prétexte, et je dis à Quatresous, conseiller des Enquêtes et le plus impétueux esprit qui fût dans le corps, d'entretenir l'escarmouche, parce que j'avais éprouvé plusieurs fois que le moyen le plus propre pour faire passer une affaire extraordinaire dans les compagnies est d'échauffer la jeunesse contre les vieux. Quatresous s'acquitta dignement de cette *commission ; il s'*atêta au président de Mesmes et au premier président sur le sujet d'un certain La Raillière, *partisan fameux qu'il faisait entrer dans tous ses avis, sur quelque matière où il pût opiner. Les Enquêtes s'échauffèrent pour la défense de Quatresous, que les présidents, qui à la fin s'impatientèrent de ses *impertinences, voulurent *piller. Il fallut délibérer sur le sujet de l'envoyé ; et, malgré les conclusions des gens du Roi et les exclamations des deux présidents et de beaucoup d'autres, il *passa à l'entendre.

L'on le fit entrer sur l'heure même ; l'on lui donna place au bout du bureau ; l'on le fit asseoir et couvrir. Il présenta la lettre de l'archiduc au Parlement, qui n'était que de créance, et il l'expliqua en disant : « Que Son Altesse Impériale, son maître, lui avait donné charge de faire part à la Compagnie d'une négociation que le cardinal Mazarin avait essayé de lier avec lui depuis le blocus de Paris ; que le Roi Catholique n'avait pas estimé qu'il fût sûr ni *honnête d'accepter ses offres dans une saison où, d'un côté, l'on voyait bien qu'il ne les faisait que pour pouvoir plus aisément opprimer le Parlement, qui était en vénération à toutes les nations du monde, et où, de l'autre, tous les traités que l'on pourrait faire avec un ministre condamné seraient nuls de droit, d'autant plus qu'ils seraient faits sans le concours du Parlement, à qui seul il appartient de *registrer et de vérifier les traités de paix pour les rendre sûrs et authentiques ; que le Roi Catholique, qui ne voulait tirer aucun avantage des occasions présentes, avait commandé à Monsieur l'Archiduc d'assurer messieurs du Parlement, qu'il savait être attachés aux véritables intérêts de Sa Majesté Très Chrétienne, qu'il les reconnaissait de très bon cœur et avec joie pour arbitres de la paix ; qu'il se soumettait à leur jugement, et que si ils acceptaient d'en être les juges, il laissait à leur choix de députer de leur corps en tel lieu qu'ils voudraient, sans en excepter même Paris ; et que

le Roi Catholique y envoierait incessamment ses députés
seulement pour y représenter ses raisons ; qu'il avait fait
avancer, en attendant leur réponse, dix-huit mille hommes
sur la frontière, pour les secourir en cas qu'ils en eussent
besoin, avec ordre toutefois de ne rien entreprendre sur les
places du Roi Très Chrétien, quoiqu'elles fussent la plupart
comme abandonnées ; qu'il n'y avait pas six cents hommes
dans Péronne, dans Saint-Quentin et dans Le Catelet ; mais
qu'il voulait témoigner, en ce rencontre, la sincérité de ses
intentions pour le bien de la paix, et qu'il donnait sa parole
que, dans le temps qu'elle se traiterait, il ne donnerait
aucun mouvement à ses armes ; que si elles pouvaient être,
en attendant, de quelque utilité au Parlement, il n'avait
qu'à en disposer, qu'à les faire même commander par des
officiers français, si il le jugeait à propos, et qu'à prendre
toutes les précautions qu'il croirait nécessaires pour lever les
ombrages que l'on peut toujours prendre, avec raison, de la
conduite des étrangers. »[1]

Devant que l'envoyé fût entré, ou plutôt devant que l'on
eût délibéré sur son entrée, il y avait eu beaucoup de
contestation *tumultuaire dans la Compagnie ; et le président
de Mesmes n'avait rien oublié pour jeter sur moi toute
l'*envie de la collusion avec les ennemis de l'Etat, qu'il
relevait de toutes les couleurs qu'il trouvait assez vives et
assez apparentes dans l'opposition du héraut et du député.
Il est vrai que la conjoncture était très fâcheuse ; et quand
il en arrive quelqu'une de cette nature, il n'y a de remède
qu'à *planer dans les moments où ce que l'on vous objecte
peut faire plus d'impression que ce que vous pouvez
répondre, et à se relever dans ceux où ce que vous pouvez
répondre peut faire plus d'impression que ce que l'on vous
objecte. Je suivis fort justement cette règle en ce rencontre,
qui était délicat pour moi ; car quoique le président de
Mesmes me désignât avec application et avec adresse, je ne
pris rien pour moi, tant que je n'eus pour lui faire tête que
ce que M. le prince de Conti avait dit en général de la paix
générale, dont il avait été résolu qu'il parlerait en demandant
audience pour le député, comme vous avez vu ci-dessus ;
mais qu'il parlerait peu pour ne pas trop marquer de concert
avec Espagne.

Quand l'envoyé s'en fut expliqué lui-même aussi amplement et aussi obligeamment pour le Parlement qu'il le fît, et quand je vis que la Compagnie était chatouillée du discours qu'il venait de lui tenir, je pris mon temps pour *rembarrer le président de Mesmes, et je lui dis : « Que le respect que j'avais pour la Compagnie m'avait obligé à dissimuler et à souffrir toutes ses *picoteries ; que je les avais fort bien entendues ; mais que je ne les avais pas voulu entendre, et que je demeurerais encore dans la même disposition, si l'arrêt, qu'il n'est jamais permis de prévenir, mais qu'il est toujours ordonné de suivre, ne m'ouvrait la bouche ; que cet arrêt avait réglé contre son sentiment l'entrée de l'envoyé d'Espagne, aussi bien que le précédent, qui n'avait pas été non plus selon son avis, avait porté l'exclusion du héraut ; que je ne me pouvais imaginer qu'il voulût assujettir la Compagnie à ne suivre jamais que ses sentiments ; que nul ne les honorait et ne les estimait plus que moi, mais que la liberté ne laissait pas de se conserver dans l'estime même et dans le respect ; que je suppliais Messieurs de me permettre de lui donner une marque de celui que j'avais pour lui, en lui rendant un compte, qui peut-être le surprendrait, de mes pensées sur les deux arrêts du héraut et de l'envoyé, sur lesquels il m'avait donné tant d'attaques : que pour le premier, je confessais que j'avais été assez *innocent pour avoir failli à donner dans le panneau ; et que si M. de Broussel n'eût ouvert l'avis auquel il avait *passé, je tombais, par un excès de bonne intention, dans une imprudence qui eût peut-être causé la perte de la ville, et dans un crime assez convaincu par l'approbation si solennelle que la Reine venait de donner à la conduite contraire ; que pour ce qui était de l'envoyé, j'avouais que je n'avais été d'avis de lui donner audience que parce que j'avais bien connu, à l'air du *bureau, que le plus de voix de la Compagnie allait à lui donner ; et que, quoique ce ne fût pas mon sentiment particulier, j'avais cru que je ferais mieux de me conformer par avance à celui des autres, et de faire paraître, au moins dans les choses où l'on voyait bien que la contestation serait inutile, de l'union et de l'uniformité dans le corps. »

Cette manière humble et modeste de répondre à cent mots aigres et piquants que j'avais essuyés depuis douze ou quinze jours et ce matin-là encore, et du premier président *food & meetings*

et du président de Mesmes, fit un effet que je ne vous puis exprimer, et elle effaça pour assez longtemps l'impression que l'un et l'autre avaient commencé de jeter dans la Compagnie, que je prétendais de la gouverner par mes cabales. Rien n'est si dangereux en toute sorte de communautés ; et si la *passion du président de Mesmes ne m'eût donné lieu de déguiser un peu le manège qui s'était fait dans ces deux scènes assez extraordinaires du héraut et de l'envoyé, je ne sais si la plupart de ceux qui avaient donné à la réception de l'un et à l'exclusion de l'autre, ne se fussent pas repentis d'avoir été d'un sentiment qu'ils eussent cru leur avoir été inspiré par un autre. Le président de Mesmes voulut repartir à ce que j'avais dit ; mais il fut presque étouffé par la clameur qui s'éleva dans les Enquêtes. Cinq heures sonnèrent ; personne n'avait dîné, beaucoup n'avaient pas déjeuné, et messieurs les présidents eurent le dernier[1] : ce qui n'est pas avantageux en cette matière.

L'arrêt qui avait donné l'entrée au député d'Espagne portait que l'on lui demanderait copie, signée de lui, de ce qu'il aurait dit au Parlement, que [l'on] la mettrait dans le registre, et que l'on l'enverrait par une députation solennelle à la Reine, en l'assurant de la fidélité du Parlement et en la suppliant de donner la paix à ses peuples et de retirer les troupes du Roi des environs de Paris. Le premier président fit tous les efforts imaginables pour faire insérer dans l'arrêt que la feuille même, c'est-à-dire l'original du registre du Parlement, serait envoyée à la Reine. Comme il était fort tard et que l'on avait bon appétit, ce qui influe plus que l'on ne se peut imaginer dans les délibérations, l'on fut sur le point d'y laisser mettre cette clause sans y prendre garde. Le président Le Coigneux, qui était naturellement vif et pénétrant, s'aperçut le premier de la conséquence, et il dit, en se tournant vers un assez grand nombre de conseillers, qui commençaient à se lever : « J'ai, Messieurs, à parler à la Compagnie ; je vous supplie de reprendre vos places ; il y va du tout pour toute l'Europe. » Tout le monde s'étant remis, il prononça d'un air froid et majestueux, qui n'était pas ordinaire à maître Gonin (l'on lui avait donné ce sobriquet)[2], ces paroles pleines de bon sens : « Le roi d'Espagne nous prend pour arbitres de la paix générale : peut-être qu'il se moque de nous ; mais il nous fait toujours honneur de nous le dire. Il nous offre ses troupes pour les faire marcher à notre secours, et il est sûr que sur cet article il ne se moque pas de nous, et qu'il nous fait beaucoup de plaisir. Nous avons entendu son envoyé ; et vu la necessité où nous sommes, nous n'avons pas eu tort. Nous avons résolu d'en rendre compte au Roi, et nous avons eu raison. L'on se veut imaginer que pour rendre ce compte, il faut que nous envoyions la feuille de l'arrêté. Voilà le piège. Je vous déclare, Monsieur, dit-il en se tournant vers le premier président, que la Compagnie ne l'a pas entendu ainsi, et que ce qu'elle a arrêté est purement que l'on porte la copie et que l'original demeure au greffe. J'aurais souhaité que l'on n'eût pas obligé les gens à s'expliquer, parce qu'il y a des matières sur lesquelles il est sage de ne parler qu'à demi ; mais puisque l'on y force, je dirai, sans balancer, que si nous portons la feuille, les Espagnols croiront que nous soumettons au caprice du Mazarin les propositions qu'ils nous font pour la paix générale, et même pour ce qui regarde notre secours : au lieu qu'en ne portant que la copie et en ajoutant, en même temps, comme la Compagnie l'a très sagement ordonné, de très humbles remontrances pour faire lever le siège, toute l'Europe connaîtra que nous nous tenons en état de faire ce que le véritable service du Roi et le bien solide de l'État demandera de notre ministère, si le Cardinal est assez aveugle pour ne se pas servir de cette conjoncture, comme il le doit. »

Ce discours fut reçu avec une approbation générale ; l'on cria de toutes parts que c'était ainsi que la Compagnie l'entendait. Messieurs des Enquêtes donnèrent à leur ordinaire maintes *bourrades à messieurs les présidents. Martineau, conseiller des Requêtes, dit publiquement que le *retentum* de l'arrêt était que l'on ferait fort bonne *chère à l'envoyé d'Espagne, en attendant la réponse de Saint-Germain, qui ne pouvait être que quelque méchante *rouse* [1] du Mazarin. Charton pria tout haut M. le prince de Conti de suppléer à ce que les formalités du Parlement ne permettaient pas à la Compagnie de faire. Pontcarré dit qu'un Espagnol ne lui faisait pas tant peur qu'un mazarin. Enfin il est certain que les généraux en virent assez pour ne pas appréhender que le Parlement se fâchât des démarches qu'ils pourraient faire vers l'Espagne ; et que M. de Bouillon et moi n'en eûmes que trop pour satisfaire pleinement l'envoyé de l'archiduc, à qui nous fîmes valoir jusques aux moindres circonstances. Il en fut content au delà de ses espérances, et il dépêcha, dès la nuit, un second courrier à Bruxelles, que nous fîmes escorter jusques à dix lieues de Paris par cinq cents chevaux. Ce courrier portait la relation de tout ce qui s'était passé au Parlement ; les conditions que M. le prince de Conti et les autres généraux demandaient pour faire un traité avec le roi d'Espagne, et ce que je pouvais donner en mon particulier d'engagement. Je vous rendrai compte de ce détail et de sa suite après que je vous aurai raconté ce qui se passa le même jour, qui fut le 19 de février.

Cependant que toute cette pièce de l'envoyé d'Espagne se jouait au Palais, Noirmoutier sortit avec deux mille chevaux pour amener à Paris un convoi de cinq cents charrettes de farines, qui était à Brie-Comte-Robert, où nous avions garnison. Comme il eut avis que le comte, depuis maréchal de Grancey, venait du côté de Lagny pour s'y opposer, il détacha M. de La Rochefoucauld, avec sept escadrons, pour occuper un défilé par où les ennemis étaient obligés de passer. M. de la Rochefoucauld, qui avait plus de cœur que d'expérience, s'emporta de chaleur : il n'en demeura pas à son ordre, il sortit de son poste, qui lui était très avantageux, et il chargea les ennemis avec beaucoup de vigueur. Comme il avait affaire à de vieilles troupes et qu'il n'en avait que de nouvelles, il fut bientôt renversé. Il y fut blessé d'un fort grand coup de pistolet dans la gorge. Il y perdit Rauzan, frère de Duras ; le marquis de Sillery, son beau-frère, y fut pris prisonnier ; Rachecour, premier capitaine de mon régiment de cavalerie, y fut fort blessé ; et le convoi était infailliblement perdu, si Noirmoutier ne fût arrivé avec le reste des troupes [1]. Il fit filer les charrettes du côté de Villeneuve-Saint-Georges ; il marcha avec ses troupes en bon ordre par le grand chemin du côté de Gros-Bois, à la vue de Grancey, qui ne crut pas devoir hasarder de passer le pont Iblon [a] devant lui. Il rejoignit son convoi dans la plaine de Créteil, et il l'amena, sans avoir perdu une charrette, à Paris, où il ne rentra qu'à onze du soir.

Vous avez déjà vu deux actes de ce même 19 de février ; en voici un troisième de la nuit qui le suivit, qui ne fut pas

si public, mais duquel il est nécessaire que vous soyez
informée en ce lieu, parce qu'il a trait à beaucoup de faits
particuliers que vous êtes sur le point de voir.

Je vous ai dit ci-dessus que M. de Bouillon et moi, de
concert avec les autres généraux, fîmes dépêcher, par l'envoyé
de l'archiduc, un courrier à Bruxelles, qui partit sur le
minuit. Nous nous mîmes à table pour souper chez M. de
Bouillon, un moment après, lui, madame sa femme et moi.
Comme elle était fort gaie dans le particulier, et que de
plus le *succès de cette journée lui avait encore donné de la
joie, elle nous dit qu'elle voulait faire débauche. Elle fit
retirer tous ceux qui servaient, et elle ne retint que
Riquemont, capitaine des gardes de monsieur son mari, à
qui l'un et l'autre avait confiance. La vérité est qu'elle
voulait parler en liberté de l'état des choses, qu'elle croyait
admirablement bon. Je ne la détrompai pas tant que l'on
fut à table, pour ne point interrompre son souper ni celui
de M. de Bouillon, qui était assez mal de la goutte. Comme
l'on fut sorti de table, je changeai de ton : je leur représentai
qu'il n'y avait rien de plus délicat que le poste où nous
nous trouvions, que si nous étions dans un parti ordinaire,
qui eût la disposition de tous les peuples du royaume aussi
favorable que nous l'avions, nous serions incontestablement
maîtres des affaires ; mais que le Parlement, qui faisait,
d'un sens, notre principale force, faisait, en deux ou trois
manières, notre principale faiblesse ; que bien qu'il parût
de la chaleur et même qu'il y eût de l'emportement très
souvent dans cette compagnie, il y avait toujours un fond
d'esprit de *retour, qui revivait à toute occasion ; que, dans
la délibération même du jour où nous parlions, nous avions
eu besoin de tout notre savoir-faire pour faire que le
Parlement ne se mît pas à lui-même la corde au col ; que je
convenais que ce que nous en avions tiré était utile pour
faire croire aux Espagnols qu'il n'était pas si inabordable
pour eux qu'ils se l'étaient figuré ; mais qu'il fallait convenir,
en même temps, que si la cour se conduisait bien, elle en
tirerait elle-même un fort grand avantage, parce qu'elle se
servirait de la déférence, au moins apparente, de la Compagnie, qui lui rendait compte de l'envoi du député, comme
d'un motif capable de la porter à revenir avec bienséance de
sa première hauteur ; et de la députation solennelle que le

Parlement avait résolu de lui faire, comme d'un moyen très naturel pour entrer en quelque négociation ; que je ne douterais point que le mauvais effet que le refus d'audience aux gens du Roi envoyés à Saint-Germain, le lendemain de la sortie du Roi, avait produit contre les intérêts de la cour [1], ne fût un exemple assez instructif pour elle, pour l'obliger à ne pas manquer l'occasion qui se présentait, quand je n'en serais pas persuadé par celui que nous avions de la manière si bonne et si douce dont elle avait reçu les excuses que nous lui avions faites de l'exclusion du héraut, qu'elle ne pouvait pas ignorer toutefois n'avoir pour fondement que le prétexte du monde le plus mince et le plus convaincu de frivole par tous les usages [2] ; que le premier président et le président de Mesmes, qui seraient assurément chefs de la députation, n'oublieraient rien pour faire connaître au Mazarin ses intérêts véritables dans cette conjoncture ; que ces deux hommes n'avaient dans la tête que ceux du Parlement ; que pourvu qu'ils le tirassent d'affaire, ils auraient même de la joie à nous y laisser, en faisant un accommodement qui stipulerait notre sûreté sans nous la donner, et qui, en terminant la guerre civile, rétablirait la servitude.

Mme de Bouillon, qui joignait à une douceur admirable une vivacité perçante, m'interrompit à ce mot, et elle me dit : « Voilà des inconvénients qu'il fallait prévoir, ce me semble, devant l'audience de l'envoyé d'Espagne, puisque c'est elle qui les fait naître. » Monsieur son mari lui repartit brusquement : « Avez-vous perdu la mémoire de ce que nous dîmes dernièrement sur cela, en cette même place, et ne prévîmes-nous pas, en général, ces inconvénients ? Mais après les avoir balancés avec la nécessité que nous trouvâmes à mêler, de quelque façon que ce pût être, l'envoyé et le Parlement, nous prîmes celui qui nous parut le moindre, et je vois bien que Monsieur le Coadjuteur pense à l'heure qu'il est à remédier même à ce moindre. — Il est vrai, Monsieur, lui répondis-je, et je vous proposerai le remède que je m'imagine, quand j'aurai achevé de vous expliquer tous les inconvénients que je vois. Vous avez remarqué ces jours passés que Brillac, dans le Parlement, et le président Aubry dans le conseil de l'Hôtel de Ville, firent des propositions de paix auxquelles le Parlement faillit à donner

presques à l'aveugle ; et il crut beaucoup faire que de se
résoudre à ne point délibérer sans les généraux. Vous voyez
qu'il y a beaucoup de gens dans les compagnies qui
commencent à ne plus payer leurs taxes[1], et beaucoup
d'autres qui *affectent de laisser couler du désordre dans la
*police. Le gros du peuple, qui est ferme, fait que l'on ne
s'aperçoit pas encore de ce démanchement des parties, qui
s'affaibliraient et se désuniraient en fort peu de temps si
l'on ne travaillait avec application à les lier et à les consolider
ensemble. La chaleur des esprits suffit pour faire cet effet
au commencement. Quand elle s'alentit, il faut que la force
y supplée : quand je parle de la force, je n'entends pas la
violence, qui n'est presque jamais qu'un remède empirique,
j'entends celle que l'on tire de la considération où l'on
demeure auprès de ceux de la part desquels vous peut venir
le mal auquel vous cherchez le remède.

« Ce que vous faites présentement avec Espagne commence
à faire entrevoir au Parlement qu'il ne se doit pas compter
pour tout. Ce que nous pouvons, M. de Beaufort et moi,
dans le peuple, lui doit faire connaître qu'il nous y peut
compter pour quelque chose. Mais ces deux vues ont leur
inconvénient comme leur utilité. L'union des généraux avec
Espagne n'est pas assez publique pour jeter dans les esprits
toute l'impression qui y serait, d'un sens, nécessaire, et qui,
de l'autre, si elle était plus déclarée, serait pernicieuse. Cette
même union n'est pas assez secrète pour ne pas donner lieu
à cette même compagnie d'en prendre avantage contre vous
dans les occasions, qu'elle prendrait toutefois, encore plus
tôt, si elle vous croyait sans protection.

« Pour ce qui est du crédit que M. de Beaufort et moi
avons dans les peuples, il est plus propre à faire du mal au
Parlement qu'à l'empêcher de nous en faire. Si nous étions
de la lie du peuple, nous pourrions peut-être avoir la pensée
de faire ce que Bussy Le Clerc fit au temps de la Ligue,
c'est-à-dire d'emprisonner, de saccager le Parlement. Nous
pourrions avoir en vue de faire ce que firent les Seize quand
ils pendirent le président Brisson, si nous voulions être aussi
dépendants d'Espagne que les Seize l'étaient[2]. M. de
Beaufort est petit-fils d'Henri le Grand, et je suis coadjuteur
de Paris. Ce n'est ni notre honneur ni notre compte, et
cependant il nous serait plus aisé d'exécuter et ce que fit

Bussy Le Clerc et ce que firent les Seize, que de faire que le
Parlement connaisse ce que nous pourrions faire contre lui,
assez distinctement pour s'empêcher de faire contre nous ce
qu'il croira toujours facile, jusques à ce que nous l'en ayons
empêché ; et voilà le destin et le malheur des pouvoirs
populaires. Ils ne se font croire que quand ils se font sentir,
et il est très souvent de l'intérêt et même de l'honneur de
ceux entre les mains de qui ils sont, de les faire moins sentir
que croire. Nous sommes en cet état. Le Parlement penche
ou plutôt tombe vers une paix et très peu sûre et très
honteuse. Nous soulèverions demain le peuple si nous
voulions ; le devons-nous vouloir ? Et si nous le soulevons,
et si nous ôtons l'autorité au Parlement, en quel abîme
jetons-nous Paris dans les suites ? Tournons le feuillet. Si
nous ne le soulevons pas, le Parlement croira-t-il que nous
le puissions soulever, et ce même Parlement s'empêchera-t-
il de faire des pas vers la cour qui le perdront peut-être,
mais qui nous perdront infailliblement *devant lui ?

« Vous direz bien, Madame, encore avec plus de fondement
à cette heure que tantôt, que je marque beaucoup d'inconvénients, mais que je marque peu de remèdes : à quoi je vous
supplie de me permettre de vous répondre que je n'ai pas
laissé de vous parler de ceux qui se trouvent déjà naturellement dans le traité que vous projetez avec Espagne, et dans
l'application que nous avons, M. de Beaufort et moi, à nous
maintenir dans l'esprit des peuples ; mais que comme je
reconnais dans tous les deux de certaines qualités qui en
affaiblissent la force et la vertu, j'ai cru être obligé, Monsieur,
de rechercher dans votre capacité et dans votre expérience ce
qui y pourrait suppléer ; et c'est ce qui m'a fait prendre la
liberté de vous rendre compte, Monsieur, d'un détail que
vous auriez vu d'un coup d'œil, bien plus clairement et
plus distinctement que moi, si votre mal vous avait permis
d'assister seulement une fois ou à une assemblée du
Parlement ou à un conseil de l'Hôtel de Ville. »

M. de Bouillon, qui ne croyait nullement les affaires en
cet état, me pria, un peu après l'interruption que je vous ai
marquée, que me fit Mme de Bouillon, de lui mettre par
écrit tout ce que j'avais commencé et tout ce que j'avais
encore à lui dire. Je le fis sur l'heure même et il m'en
rendit, le lendemain, une copie que j'ai encore, écrite de la

main de son secrétaire, et sur laquelle je viens de copier ce
que vous en voyez ici[1]. L'on ne peut être plus *étonné ni
plus affligé que le furent M. et Mme de Bouillon de ce que
je venais de leur marquer de la disposition où étaient les
affaires, et je n'en avais pas été moins surpris qu'eux. Il ne
s'est jamais rien vu de si subit. La réponse douce et *honnête
que la Reine fit aux gens du Roi touchant le héraut, la
protestation de pardonner sincèrement à tout le monde, les
couleurs dont Talon, avocat général, embellit cette réponse,
tournèrent en un instant presque tous les esprits. Il y eut
des moments, comme je vous l'ai déjà dit, où ils revinrent à
leur emportement, ou par les accidents qui survinrent, ou
par l'*art de ceux qui les y ramenèrent ; mais le fond pour
le *retour y demeura toujours. Je le remarquai en tout et je
fus bien aise de m'en ouvrir avec M. de Bouillon, qui était
le seul homme de tête de sa profession qui fût dans ce parti,
pour voir avec lui la conduite que nous aurions à y prendre.
Je fis bonne mine avec tous les autres ; je leur fis valoir les
moindres circonstances presque avec autant de soin qu'à
l'envoyé de l'archiduc. Le président de Mesmes, qui à travers
toutes les *bourrades qu'il venait de recevoir dans les deux
dernières délibérations, avait connu que le feu qui s'y était
allumé n'était que de paille, dit au président de Bellièvre
que, pour ce coup, j'étais la dupe et que j'avais pris le
frivole pour la substance. Le président de Bellièvre, à qui je
m'étais ouvert, m'eût pu justifier si il l'eût jugé à propos ;
mais il fit lui-même la dupe, et il railla le président de
Mesmes, comme un homme qui prenait plaisir à se flatter
soi-même.

M. de Bouillon ayant examiné, tout le reste de la nuit
jusques à cinq heures du matin, le papier que je lui avais
laissé à deux, et dont vous venez de voir la copie, m'écrivit,
le lendemain, un billet par lequel il me priait de me trouver
chez lui à trois heures après-midi. Je ne manquai pas de
m'y rendre, et j'y trouvai Mme de Bouillon, pénétrée de
douleur, parce que monsieur son mari l'avait assurée et que
ce que je marquais dans mon écrit n'était que trop bien
fondé, supposés les faits dont il ne pouvait pas croire que je
ne fusse très bien informé, et qu'il n'y avait à tout cela
qu'un remède, que non pas seulement je ne prendrais pas,
mais auquel même je m'opposerais. Ce remède était de

laisser agir le Parlement pleinement à sa mode, de contribuer même, sous main et sans que l'on s'en pût douter, à lui faire faire des pas odieux au peuple, de commencer, dès cet instant, à le décréditer dans le peuple, de jouer le même personnage à l'égard de l'Hôtel de Ville, dont le chef, qui était le président Le Féron, prévôt des marchands, était déjà très suspect, et de se servir ensuite de la première occasion que l'on jugerait la plus *spécieuse et la plus favorable pour s'assurer, ou par l'exil ou par la prison, des personnes de ceux dont nous ne pourrions pas répondre à nous-mêmes.

Voilà ce que M. de Bouillon me proposa sans balancer, en ajoutant que Longueil, qui connaissait mieux le Parlement qu'homme du royaume, et qui l'avait été voir sur le midi, lui avait confirmé tout ce que je lui avais dit la veille de la pente que ce corps prenait, sans s'en apercevoir soi-même, et que le même Longueil était convenu avec lui que l'unique remède efficace et non palliatif était de penser de bonne heure à le purger. Ce fut son mot, et je l'eusse reconnu à ce mot. Il n'y a jamais eu d'esprit si *décisif ni si violent ; mais il n'y en a jamais eu un qui ait pallié ses décisions et ses violences par des termes plus doux. Quoique le même expédient que M. de Bouillon me proposait me fût déjà venu dans l'esprit, et peut-être avec plus de raison qu'à lui, parce que j'en connaissais la possibilité plus que lui, je ne lui laissai aucun lieu de croire que j'y eusse seulement fait la moindre réflexion, parce que je savais qu'il avait le faible d'aimer à avoir imaginé le premier ; et c'est l'unique défaut que je lui aie connu dans la négociation. Après qu'il m'eut bien expliqué sa pensée, je le suppliai d'agréer que je lui misse la mienne par écrit, ce que je fis sur-le-champ en ces termes :

« Je conviens de la possibilité de l'exécution ; mais je la tiens pernicieuse dans les suites, et pour le public et pour les particuliers, parce que ce même peuple dont vous vous serez servi pour abattre l'autorité des magistrats ne reconnaîtra plus la vôtre dès que vous serez obligé de leur[1] demander ce que les magistrats en exigent. Ce peuple a adoré le Parlement jusques à la guerre : il veut encore la guerre et il commence à n'avoir plus tant d'amitié pour le Parlement. Il s'imagine lui-même que cette diminution ne regarde que quelques membres de ce corps qui sont maza-

rins : il se trompe, elle va à toute la Compagnie ; mais elle
y va comme insensiblement et par degrés. Les peuples sont
las quelque temps devant que de s'apercevoir qu'ils le sont.
La haine contre le Mazarin soutient et couvre cette lassitude.
Nous *égayons les esprits par nos satires, par nos vers, par
nos chansons ; le bruit des trompettes, des tambours et des
timbales, la vue des étendards et des drapeaux réjouit les
boutiques ; mais au fond paie-t-on les taxes avec la ponctua-
lité avec laquelle l'on les a payées les premières semaines [1] ?
Y a-t-il beaucoup de gens qui nous aient imités, vous, M. de
Beaufort et moi, quand nous avons envoyé notre vaisselle à
la monnaie [2] ? N'observez-vous pas que quelques-uns de
ceux qui se croient encore très bien intentionnés pour
la cause commune commencent à excuser, dans les faits
particuliers, ceux qui le sont le moins ? Voilà les marques
infaillibles d'une lassitude qui est d'autant plus considérable,
qu'il n'y a pas encore six semaines que l'on a commencé à
courir : jugez de celle qui sera causée par de plus longs
voyages. Le peuple ne sent presque pas encore la sienne ; il
est au moins très certain qu'il ne la connaît pas. Ceux qui
sont fatigués s'imaginent qu'ils ne sont qu'en colère, et
cette colère est contre le Parlement, c'est-à-dire contre un
corps qui était, il n'y a qu'un mois, l'idole du public, et
pour la défense duquel il a pris les armes.

« Quand nous nous serons mis en la place de ce Parlement,
quand nous aurons ruiné son autorité dans les esprits de la
populace, quand nous aurons établi la nôtre, nous tomberons
infailliblement dans les mêmes inconvénients, parce que
nous serons obligés de faire les mêmes choses que fait
aujourd'hui le Parlement. Nous ordonnerons des taxes, nous
lèverons de l'argent, et il n'y aura qu'une différence, qui
sera que la haine et l'*envie que nous contracterons dans le
tiers de Paris, c'est-à-dire dans le plus gros bourgeois,
attaché, en je ne sais combien de manières différentes, à
cette compagnie, dès que nous l'aurons attaqué, diminué
ou abattu [a] : que cette haine, dis-je, et cette envie produiront
et achèveront contre nous, dans les deux autres tiers, en huit
jours, ce que six semaines n'ont encore que commencé contre
le Parlement. Nous avons dans la Ligue un exemple fameux
de ce que je vous viens de dire. M. du Maine, trouvant
dans le Parlement cet esprit que vous lui voyez, qui va

toujours à unir les contradictoires et à faire la guerre civile selon les conclusions des gens du Roi, se lassa bientôt de ce *pédantisme. Il se servit, quoique *couvertement, des Seize, qui étaient les quarteniers de la Ville, pour abattre cette compagnie. Il fut obligé, dans la suite, de faire pendre quatre de ces Seize, qui étaient trop attachés à l'Espagne. Ce qu'il fit en cette occasion pour se rendre moins dépendant de cette couronne, fit qu'il en eut plus de besoin pour se soutenir contre le Parlement, dont les restes commençaient à se relever. Qu'arriva-t-il de tous ces mouvements ? M. du Maine, l'un des plus grands hommes de son siècle, fut obligé de faire un traité qui a fait dire à toute la postérité qu'il n'avait su faire ni la paix ni la guerre [1]. Voilà le sort de M. du Maine, chef d'un parti formé pour la défense de la religion, cimenté par le sang de MM. de Guise, tenus universellement pour les Maccabées de leurs temps : d'un parti qui s'était déjà répandu dans toutes les provinces, et qui avait déjà embrassé tout le royaume. En sommes-nous là ? La cour ne nous peut-elle pas ôter demain le prétexte de la guerre civile, et par la levée du siège de Paris et par l'expulsion, si vous voulez, du Mazarin ? Les provinces commencent à *branler ; mais enfin le feu n'y est pas encore assez allumé pour ne pas continuer avec plus d'application que jamais à faire de Paris notre *capital. Et ces fondements supposés, est-il sage de songer à faire dans notre parti une division qui a ruiné celui de la Ligue, sans comparaison plus formé, plus établi et plus considérable que le nôtre ? Mme de Bouillon dira encore que je *prône toujours les inconvénients sans en marquer les remèdes ; les voici :

« Je ne parlerai point du traité que vous projetez avec Espagne, ni du ménagement du peuple : j'en suppose la nécessité. Il y en a un qui m'est venu dans l'esprit, qui est très capable, à mon opinion, de nous donner dans le Parlement toute la considération qui nous y est nécessaire. Nous avons une armée dans Paris, qui, tant qu'elle sera dans l'enclos des murailles, n'y sera considérée que comme peuple. Je me suis aperçu de ce que je vous dis, peut-être plus de vingt fois depuis huit jours. Il n'y a pas un conseiller dans les Enquêtes qui ne s'en croie le maître pour le moins autant que les généraux. Je vous disais, ce me semble, hier soir, que le pouvoir que les particuliers prennent quelquefois

dans les peuples n'y est jamais cru que par les effets, parce
que ceux qui l'y doivent avoir naturellement par leur
*caractère en conservent toujours le plus longtemps qu'ils
peuvent l'*imagination, après qu'ils en ont perdu l'effectif[1].
Faites réflexion, je vous supplie, sur ce que vous avez vu
dans la cour sur ce sujet. Y a-t-il un ministre ni un courtisan
qui jusques au jour des barricades n'ait tourné en ridicule
tout ce que l'on lui disait de la disposition des peuples pour
le Parlement ? Et il est pourtant vrai qu'il n'y avait pas un
seul courtisan, ni un seul ministre, qui n'eût déjà vu des
signes infaillibles de la *révolution. Il faut avouer que les
barricades les *devaient convaincre : l'ont-elles fait ? Les
ont-elles empêchés d'assiéger Paris, sur le fondement que le
caprice du peuple, qui l'avait porté à l'*émotion, ne le
pourrait pas pousser jusques à la guerre ? Ce que nous
faisons aujourd'hui, ce que nous faisons tous les jours, les
pourrait, ce me semble, détromper de cette illusion : en
sont-ils guéris ? Ne dit-on pas tous les jours à la Reine que
le gros bourgeois est à elle, et qu'il n'y a dans Paris que la
canaille achetée à prix d'argent qui soit au Parlement ? Je
vous viens de marquer la raison pour laquelle les hommes
ne manquent jamais de se flatter et de se tromper eux-
mêmes en ces matières. Ce qui est arrivé à la cour arrive
présentement au Parlement. Il a dans ce mouvement tout le
*caractère de l'autorité ; il en perdra bientôt la substance. Il
le devrait prévoir, et par les murmures qui commencent à
s'élever contre lui et par le redoublement de la manie du
peuple pour M. de Beaufort et pour moi. Nullement : il ne
le connaîtra jamais que par une violence *actuelle et positive
que l'on lui fera, que par un coup qui l'abattra ou qui
l'abaissera. Tout ce qu'il verra de moins lui paraîtra une
tentative que nous aurons faite contre lui, et dans laquelle
nous n'aurons pu réussir. Il en prendra du courage, il nous
*poussera effectivement si nous plions, et il nous obligera
par là à le perdre. Ce n'est pas notre compte, pour les
raisons que je vous ai *déduites ci-dessus ; et au contraire
notre intérêt est de ne lui point faire de mal, pour ne point
mettre de division dans notre parti, et d'agir toutefois d'une
manière qui lui fasse voir qu'il ne peut faire son bien
qu'avec nous.

« Il n'y a point de moyen plus efficace, à mon avis, pour

cela, que de tirer notre armée de Paris, de la poster en
quelque lieu où elle puisse être hors de l'*insulte des
ennemis, et d'où elle puisse toutefois favoriser nos convois ;
et de se faire demander cette sortie par le Parlement même,
afin qu'il n'en prenne point d'ombrage, ou, au moins, afin
qu'il n'en prenne que quand il sera bon pour nous qu'il en
ait, pour l'obliger à y garder plus d'égards. Cette précaution,
jointe aux autres que vous avez déjà résolues, fera que cette
compagnie se trouvera, presque sans s'en être aperçue, dans
la nécessité d'agir de concert avec nous ; et la faveur des
peuples, par laquelle seule nous la pouvons véritablement
retenir, ne lui paraîtra plus une fumée, dès qu'elle la verra
animée et comme épaissie par une armée qu'elle ne croira
plus entre ses mains. »

Voilà ce que j'écrivis, avec précipitation, sur la table du
cabinet de Mme de Bouillon. Je leur lus aussitôt après, et je
remarquai qu'à l'endroit où je proposai de faire sortir
l'armée de Paris, elle fit un signe à monsieur son mari, qui,
à l'instant que j'eus achevé ma lecture, la tira à part. Il lui
parla près d'un demi-quart d'heure : après quoi il me dit :
« Vous avez une si grande connaissance de l'état de Paris, et
j'en ai si peu, que vous me devez excuser si je ne parle pas
*juste sur cette matière. L'on ne peut répondre à vos raisons ;
mais je les vas fortifier par un secret que nous vous allons
dire, pourvu que vous nous promettiez, sur votre salut, de
nous le garder pour tout le monde sans exception, mais
particulièrement à l'égard de Mlle de Bouillon. » Il continua
en ces termes : « M. de Turenne nous écrit qu'il est sur le
point de se déclarer pour le parti ; qu'il n'y a plus que deux
colonels dans son armée qui lui fassent peine ; qu'il s'en
assurera d'une façon ou d'autre, devant qu'il soit huit jours,
et qu'à l'instant il marchera à nous. Il nous a demandé le
secret pour tout le monde sans exception, hors pour vous.
— Mais sa gouvernante, ajouta avec colère Mme de Bouillon,
nous l'a commandé pour vous comme pour les autres. » La
gouvernante dont elle voulait parler était la vieille Mlle de
Bouillon, sa sœur, en qui il avait une confiance abandonnée,
et que Mme de Bouillon haïssait de tout son cœur.

M. de Bouillon reprit la parole et il me dit : « Qu'en
dites-vous ? ne sommes-nous pas les maîtres et de la cour et
du Parlement ? — Je ne serai pas ingrat, répondis-je à M. de

Bouillon ; je paierai votre secret d'un autre, qui n'est pas si important, mais qui n'est pas peu considérable. Je viens de voir un billet d'Hocquincourt à Mme de Montbazon, où il n'y a que ces mots : ''Péronne est à la belle des belles'' ; et j'en ai reçu un à ce matin de Bussy-Lamet, qui m'assure de Mézières. »

Mme de Bouillon, qui était fort gaie dans le particulier, se jeta à mon cou ; elle m'embrassa bien tendrement. Nous ne doutâmes plus de rien, et nous conclûmes, en un quart d'heure, le détail de toutes ces précautions dont vous avez vu les propositions ci-dessus. Je ne puis omettre, à ce propos, une parole de M. de Bouillon. Comme nous examinions les moyens de tirer l'armée hors des murailles sans donner de la défiance au Parlement, Mme de Bouillon, qui était transportée de joie de tant de bonnes nouvelles, ne faisait plus aucune réflexion sur ce que nous disions. Monsieur son mari se tourna vers moi, et il me dit, presque en colère, parce qu'il prit garde que ce qu'il me venait d'apprendre de M. de Turenne m'avait touché et distrait : « Je le pardonne à ma femme, mais je ne vous le pardonne pas. Le vieux prince d'Orange [1] disait que le moment où l'on recevait les plus grandes et les plus heureuses nouvelles était celui où il fallait redoubler son attention pour les petites. »

Le 24 de ce mois, qui était celui de février, les députés du Parlement, qui avaient reçu leurs passeports la veille, partirent pour aller à Saint-Germain rendre compte à la Reine de l'audience accordée à l'envoyé de l'archiduc. La cour ne manqua pas de se servir, comme nous l'avions jugé, de cette occasion pour entrer en traité. Quoiqu'elle ne traitât pas dans ses passeports les députés de présidents et de conseillers, elle ne les traita pas aussi de gens qui l'eussent été et qui en fussent déchus : elle se contenta de les nommer simplement par leur nom ordinaire. La Reine dit aux députés qu'il eût été plus avantageux pour l'État et plus honorable pour leur compagnie de ne point entendre l'envoyé ; mais que c'était une chose faite ; qu'il fallait songer à une bonne paix ; qu'elle y était très disposée ; et que Monsieur le Chancelier étant malade depuis quelques jours, elle donnerait, dès le lendemain, une réponse plus ample par écrit. M. d'Orléans et Monsieur le Prince s'expliquèrent encore plus positivement, et promirent au premier président et au président de Mesmes, qui eurent avec eux des conférences très particulières et très longues, de déboucher tous les passages aussitôt que le Parlement aurait nommé des députés pour traiter.

Le même jour, 24 de février, nous eûmes avis que Monsieur le Prince avait fait dessein de jeter dans la rivière toutes les farines de Gonesse et des environs, parce que les paysans en apportaient en fort grande quantité, à dos, dans la ville. Nous le prévînmes. L'on sortit avec toutes les troupes, entre neuf et dix du soir. L'on passa toute la nuit en bataille devant Saint-Denis, pour empêcher le maréchal Du Plessis, qui y était avec huit cents chevaux, composés de la gendarmerie, d'incommoder notre convoi. L'on prit tout ce qu'il y avait de chariots, de charrettes et de chevaux dans Paris. Le maréchal de La Mothe se détacha avec mille chevaux ; il enleva tout ce qu'il trouva dans Gonesse et dans le pays, et il rentra dans la ville sans avoir perdu un seul homme, ni un seul cheval. Les gendarmes de la Reine donnèrent sur la queue du convoi ; mais ils furent repoussés par Saint-Germain d'Achon jusque dans la barrière de Saint-Denis.

Le même jour, Flammarens arriva à Paris pour faire un *compliment, de la part de M. le duc d'Orléans, à la reine d'Angleterre, sur la mort du Roi son mari [1], que l'on n'avait apprise que trois ou quatre jours auparavant. Ce fut là le prétexte du voyage de Flammarens ; en voici la cause. La Rivière, de qui il était intime et dépendant, se mit dans l'esprit de lier un commerce, par son moyen, avec M. de La Rochefoucauld, avec lequel Flammarens avait aussi beaucoup d'*habitude. Je savais, de moment à autre, tout ce qui se passait entre eux, parce que Flammarens, qui était passionnément amoureux de Mme de Pommereux, lui en rendait un compte très fidèle. Comme M. le cardinal Mazarin faisait croire à La Rivière que le seul obstacle qu'il trouvait au cardinalat était M. le prince de Conti, Flammarens crut ne pouvoir rendre un service plus considérable à son ami que de faire une négociation qui pût les disposer à quelque union. Il vit pour cet effet M. de La Rochefoucauld, aussitôt qu'il fut arrivé à Paris, et il n'eut pas beaucoup de peine à le persuader. Il le trouva au lit, très incommodé de sa blessure et très fatigué de la guerre civile. Il dit à Flammarens qu'il n'y était entré que malgré lui, et que si il fût revenu

de Poitou deux mois devant le siège de Paris, il eût
assurément empêché Mme de Longueville d'entrer dans cette
misérable affaire ; mais que je m'étais servi de son absence
pour l'y embarquer, et elle et M. le prince de Conti ; qu'il
avait trouvé les engagements trop avancés pour les pouvoir
rompre ; que sa blessure était encore un nouvel obstacle à
ses desseins, qui étaient et qui seraient toujours de réunir la
maison royale ; que ce diable de coadjuteur ne voulait point
de paix ; qu'il était toujours pendu aux oreilles de M. le
prince de Conti et de Mme de Longueville pour en fermer
toutes les voies ; que son mal l'empêchait d'agir auprès
d'eux comme il eût fait, et que, sans cette blessure, il ferait
tout ce que l'on pourrait désirer de lui. Il prit ensuite avec
Flammarens toutes les mesures qui obligèrent depuis, au
moins à ce que l'on a cru, M. le prince de Conti à céder sa
nomination au cardinalat à La Rivière [1].

Je fus informé de tous ces pas par Mme de Pommereux,
aussitôt qu'ils furent faits. J'en tirai toutes les lumières qui
me furent nécessaires, et je fis dire après, par le prévôt des
marchands, à Flammarens de sortir de Paris, parce qu'il y
avait déjà quelques jours que le temps de son passeport était
expiré.

Le 26, il y eut de la chaleur dans le Parlement, sur ce
que y ayant eu nouvelle que Grancey avait assiégé Brie-
Comte-Robert, avec cinq mille hommes de pied et trois mille
chevaux, la plupart des conseillers voulaient ridiculement que
l'on s'exposât à une bataille pour la secourir. Messieurs les
généraux eurent toutes les peines imaginables à leur faire
entendre raison. La place ne valait rien ; elle était inutile
par deux ou trois considérations ; et M. de Bouillon, qui, à
cause de sa goutte, ne pouvait venir au Palais, les envoya
par écrit à la Compagnie, qui se montra plus peuple, en
cette occasion, que ceux qui ne l'ont pas vu ne le peuvent
croire. Bourgogne, qui était dans la place, se rendit ce jour-
là même, et je ne sais, si il eût tenu plus longtemps, si l'on
se fût pu empêcher de faire, contre toutes les règles de la
guerre, quelque tentative bizarre pour étouffer les criailleries
*impertinentes de ces ignorants. Je m'en servis fort heureuse-
ment, pour leur faire désirer à eux-mêmes que notre armée
sortît de Paris. J'apostai le comte de Maure, qui était
proprement le *replâtreux du parti, pour dire au président

Charton qu'il savait de science certaine que la véritable raison pour laquelle l'on n'avait pas secouru Brie-Comte-Robert était l'impossibilité que l'on avait trouvée à faire sortir, assez à temps, les troupes de la ville, et que ç'avait déjà été l'unique cause de la perte de Charenton. Je fis dire, en même temps, par Gressy au président de Mesmes qu'il avait appris de bon lieu que j'étais extrêmement embarrassé, parce que, d'un côté, je voyais que la perte de ces deux places était imputée par le public à l'opiniâtreté que nous avions de tenir nos troupes resserrées dans l'enclos de nos murailles, et que, de l'autre, je ne me pouvais résoudre à éloigner seulement de deux pas de ma personne tous ces gens de guerre, qui étaient autant de criailleurs à gages pour moi dans les rues et dans la salle du Palais.

Je ne vous puis exprimer à quel point toute cette poudre prit feu. Le président Charton ne parla plus que de campements ; le président de Mesmes finissait tous ses avis par la nécessité de ne pas laisser les troupes inutiles. Les généraux témoignèrent être embarrassés de cette proposition. Je fis semblant de la contrarier. Nous nous fîmes prier huit ou dix jours, après lesquels nous fîmes, comme vous verrez, ce que nous souhaitions bien plus fortement encore que ceux qui nous en pressaient.

Noirmoutier, sorti de Paris avec quinze cents chevaux, y amena, ce jour-là, de Dammartin et des environs, une quantité immense de grain et de farines. Monsieur le Prince ne pouvait être partout : il n'avait pas assez de cavalerie pour occuper toute la campagne, et toute la campagne favorisait Paris. L'on y apporta, dans ces deux derniers jours, plus de blé qu'il n'en eût fallu pour la maintenir six semaines. La *police y manquait, par la friponnerie des boulangers et par le peu de soin des *officiers.

Le 27, le premier président fit la relation au Parlement de ce qui s'était passé à Saint-Germain, dont je vous ai déjà rendu compte, et l'on y résolut de prier messieurs les généraux de se trouver au Palais dès l'après-dînée, pour délibérer sur les offres de la cour. Nous eûmes grande peine, M. de Beaufort et moi, à retenir le peuple, qui voulait entrer dans la Grande Chambre, et qui menaçait les députés de les jeter dans la rivière, en criant qu'ils le trahissaient et qu'ils avaient eu des conférences avec le Mazarin. Nous

eûmes besoin de tout notre crédit pour l'apaiser ; et le bon
est que le Parlement croyait que nous le soulevions. Le
pouvoir dans les peuples est fâcheux en ce point, qu'il vous
rend responsable même de ce qu'ils font malgré vous.
L'expérience que nous en fîmes ce matin-là nous obligea de
prier M. le prince de Conti de mander au Parlement qu'il
n'y pourrait pas aller l'après-dînée, et qu'il le priait de
différer sa délibération jusques au lendemain matin ; et nous
crûmes qu'il serait à propos que nous nous trouvassions le
soir chez M. de Bouillon, pour aviser plus particulièrement
à ce que nous avions à dire et à faire, dans une conjoncture
où nous nous trouvions entre un peuple qui criait la guerre,
un Parlement qui voulait la paix, et les Espagnols, qui
pouvaient vouloir l'une et l'autre à nos dépens, selon leur
intérêt.

Nous ne fûmes guère moins embarrassés dans notre
assemblée chez M. de Bouillon, que nous avions appréhendé
de l'être dans celle du Parlement. M. le prince de Conti,
instruit par M. de La Rochefoucauld, y parla comme un
homme qui voulait la guerre et y agit comme un homme
qui voulait la paix. Ce personnage, qu'il joua pitoyablement,
joint à ce que je savais de Flammarens, ne me laissa aucun
lieu de douter qu'il n'attendît quelque réponse de Saint-
Germain. La moins forte proposition de M. d'Elbeuf fut de
mettre tout le Parlement en corps à la Bastille. M. de Bouillon
n'osait encore rien dire de M. de Turenne, parce qu'il ne
s'était pas encore déclaré publiquement. Je n'osais m'expliquer des raisons qui me faisaient juger qu'il était nécessaire
de *couler sur tout généralement, jusques à ce que notre
camp formé hors des murailles, l'armée d'Allemagne en
marche, celle d'Espagne sur la frontière, nous missent en
état de faire agir à notre gré le Parlement. M. de Beaufort,
à qui l'on ne se pouvait ouvrir d'aucun secret important, à
cause de Mme de Montbazon, qui n'avait point de fidélité,
ne comprenait pas pourquoi nous ne nous servions pas de
tout le crédit que lui et moi avions parmi le peuple.
M. de Bouillon était si persuadé que j'avais raison, qu'il ne
m'avait rien contesté dans le particulier, comme vous avez
vu ci-dessus, de tout ce que j'avais inséré, sur cette matière,
dans l'écrit dont je vous ai parlé ; mais comme il n'eût pas
été fâché que l'on eût passé par-dessus cette raison, parce

qu'en son particulier il eût pu trouver mieux que personne ses intérêts dans le bouleversement, il ne m'aidait qu'autant que la bienséance l'y forçait à faire prendre le parti de la modération, c'est-à-dire à faire résoudre que nous ne troublassions la délibération que l'on devait faire le lendemain au Parlement par aucune *émotion populaire.

Comme l'on ne doutait point que la Compagnie n'embrassât, même avec précipitation, l'offre que la cour lui faisait de traiter, l'on n'avait presque rien à répondre à ceux qui disaient que l'unique moyen de l'en empêcher était d'aller au-devant de la délibération par une sédition. M. de Beaufort, qui allait toujours à ce qui paraissait le plus haut, y donnait à pleines voiles. M. d'Elbeuf, qui venait de recevoir une lettre de La Rivière, pleine de mépris, faisait le capitan[1]. Vous avez vu ci-dessus les raisons pour lesquelles cette voie, qui ne convient jamais guères à un homme de qualité, me convenait, par plus de dix circonstances particulières, moins qu'à tout autre. Je me trouvai dans l'embarras dont vous pouvez juger, en faisant réflexion sur les inconvénients qu'il y avait pour moi, ou à ne pas prévenir une *émotion qui me serait infailliblement imputée, et qui serait toutefois ma ruine dans les suites, ou à la combattre dans l'esprit de gens à qui je ne pouvais dire les raisons les plus solides que j'avais pour ne la pas approuver.

Le premier parti que je pris fut d'appuyer imperceptiblement les incertitudes et les ambiguïtés de M. le prince de Conti. Mais comme je vis que cette manière de galimatias pourrait bien empêcher que l'on ne prît la résolution fixe de faire l'*émotion, mais qu'elle ne serait pas capable de faire que l'on prît celle de s'y opposer, ce qui était pourtant absolument nécessaire, vu la disposition où était le peuple, qu'un mot du moins accrédité de tout ce que nous étions pouvait enflammer, je crus qu'il n'y avait point à balancer. Je me déclarai publiquement et clairement. J'exposai à toute la compagnie ce que vous avez vu ci-dessus que j'avais dit à M. de Bouillon. J'insistai que l'on n'innovât rien jusques à ce que nous sussions positivement, par la réponse de Fuensaldagne, ce que nous pouvions attendre des Espagnols. Je suppléai, autant qu'il me fut possible, par cette raison, aux autres que je n'osais dire, et que j'eusse tirées encore plus naturellement et plus aisément et du secours de M. de

Turenne, et du camp que nous avions projeté auprès de
Paris.

M

J'éprouvai, en cette occasion, que l'une des plus grandes
incommodités des guerres civiles est qu'il faut encore plus
d'application à ce que l'on ne doit pas dire à ses amis qu'à
ce que l'on doit faire contre ses ennemis. Je fus assez heureux
pour les persuader, parce que M. de Bouillon, qui dans le
commencement avait balancé, revint à mon avis, convaincu,
à ce qu'il m'avoua le soir même, qu'une *confusion, telle
qu'elle eût été dans la conjoncture, fût retombée, avec un
peu de temps, sur ses auteurs. Mais ce qu'il me dit sur ce
sujet, après que tout le monde s'en fut allé, me convainquit,
à mon tour, qu'aussitôt que nos troupes seraient hors de
Paris, que notre traité avec Espagne serait conclu, et que
M. de Turenne serait déclaré, il était très résolu à s'affranchir
de la tyrannie ou plutôt du *pédantisme du Parlement. Je
lui répondis qu'avec la déclaration de M. de Turenne, je lui
promettais de me joindre à lui pour ce même effet ; mais
qu'il jugeait bien que jusque-là je ne me pouvais séparer
du Parlement, quand j'y verrais clairement et distinctement
ma perte, parce que j'étais au moins assuré de conserver
mon honneur en demeurant uni à ce corps, avec lequel il
semble que les particuliers ne peuvent faillir : au lieu que si
je contribuais à le perdre, sans avoir de quoi le suppléer par
un parti dont le fonds fût français et non odieux, je pourrais

Leagne

être réduit fort aisément à devenir dans Bruxelles une copie
des exilés de la Ligue ; que pour lui M. de Bouillon, il y
trouverait mieux son compte que moi, par sa capacité dans
la guerre et par les *établissements que l'Espagne lui
pourrait donner ; mais qu'il devait toutefois se ressouvenir de
M. d'Aumale, qui était tombé à rien dès qu'il n'avait eu
que la protection d'Espagne [1] ; qu'il était nécessaire, à mon
opinion, et pour lui et pour moi, de faire un fonds certain
au dedans du royaume, devant que de songer à se détacher
du Parlement, et se résoudre même à en souffrir, jusques à
ce que nous eussions vu tout à fait clair à la marche de
l'armée d'Espagne, au campement de nos troupes, que nous
avions projeté, et à la déclaration de M. de Turenne, qui
était la pièce importante et décisive en ce qu'elle donnait
au parti un corps indépendant des étrangers, ou plutôt parce

qu'elle formait elle-même un parti purement français et capable de soutenir les affaires par son propre poids.

Ce fut, à mon avis, cette dernière considération qui *emporta Mme de Bouillon, qui était rentrée dans la chambre de monsieur son mari aussitôt que les généraux en furent sortis, et qui ne s'était jamais pu rendre à l'avis de laisser agir le Parlement. Elle s'emporta même avec beaucoup de colère, quand elle sut que la compagnie s'était séparée sans résoudre de s'en rendre maître, et elle dit à M. de Bouillon : « Je vous l'avais bien dit, que vous vous laisseriez aller à Monsieur le Coadjuteur. » Il lui répondit ces propres mots : « Voulez-vous, Madame, que Monsieur le Coadjuteur hasarde pour nos intérêts de devenir l'aumônier de Fuensaldagne ? Et est-il possible que vous n'ayez pas compris ce qu'il vous prêche depuis trois jours ? » Je pris la parole sans émotion, en disant à Mme de Bouillon : « Ne convenez-vous pas, Madame, que nous prendrons des mesures plus certaines quand nos troupes seront hors de Paris, quand nous aurons la réponse de l'archiduc et quand la déclaration de M. de Turenne sera publique ? — Oui, me repartit-elle ; mais le Parlement fera demain des pas qui rendront tous ces préalables que vous attendez fort inutiles. — Non, Madame, lui répondis-je : je conviens que le Parlement fera demain des pas, même très imprudents, pour son propre compte vers la cour ; mais je soutiens que quelques pas qu'il fasse, nous demeurons en état, pourvu que ces préalables réussissent, de nous moquer du Parlement. — Me le promettez-vous ? reprit-elle. — Je m'y engage de plus, lui dis-je, et je vous le vas signer de mon sang. — Vous l'en signerez tout à l'*heure », s'écria-t-elle. Elle me lia le pouce avec de la soie, quoi que son mari lui pût dire ; elle m'en tira du sang avec le bout d'une aiguille, et elle m'en fit signer un billet de cette teneur : « Je promets à Mme la duchesse de Bouillon de demeurer uni avec monsieur son mari contre le Parlement, en cas que M. de Turenne s'approche, avec l'armée qu'il commande, à vingt lieues de Paris, et qu'il se déclare pour la ville. » M. de Bouillon jeta cette belle promesse dans le feu, mais il se joignit avec moi pour faire connaître à sa femme, à qui dans le fond il ne se pouvait résoudre de déplaire, que si nos préalables réussissaient, nous demeurerions sur nos pieds, quoi que pût faire le Parlement ;

et que si ils ne réussissaient pas, nous aurions joie, par l'événement, de n'avoir pas causé une *confusion où la honte et la ruine, en mon particulier, m'étaient infaillibles, et où même l'avantage de la maison de Bouillon était fort problématique.

Comme la conversation finissait, je reçus un billet du vicaire de Saint-Paul qui me donnait avis que Toucheprest, capitaine des gardes de M. d'Elbeuf, avait jeté quelque argent parmi les garçons de boutique de la rue Saint-Antoine, pour aller crier, le lendemain, contre la paix dans la salle du Palais ; et M. de Bouillon, de concert avec moi, écrivit sur l'heure à M. d'Elbeuf, avec lequel il avait toujours vécu assez *honnêtement, ces quatre ou cinq mots sur le dos d'une carte, pour lui faire voir qu'il avait été lui-même bien pressé : « Il n'y a point de sûreté pour vous demain au Palais. »

M. d'Elbeuf vint, en même temps, à l'hôtel de Bouillon pour apprendre ce que ce billet voulait dire ; et M. de Bouillon lui dit qu'il venait d'avoir avis que le peuple s'était mis dans l'esprit que M. d'Elbeuf et lui avaient intelligence avec le Mazarin, et qu'il ne croyait pas qu'il fût judicieux de se trouver dans la foule que l'attente de la délibération attirerait infailliblement le lendemain dans la salle du Palais.

M. d'Elbeuf, qui savait bien qu'il n'avait pas la voix publique, et qui ne se tenait pas plus en sûreté chez lui qu'ailleurs, témoigna qu'il appréhendait que son absence, dans une journée de cette nature, ne pût être mal interprétée. Et M. de Bouillon, qui ne la lui avait proposée que pour lui faire craindre l'*émotion, prit l'ouverture de la difficulté qu'il lui en fit pour s'assurer encore plus de lui par une autre voie, en lui disant qu'il était persuadé effectivement, par la raison qu'il lui venait d'alléguer, qu'il ferait mieux d'aller au Palais, mais qu'il n'y devait pourtant pas aller comme une dupe ; qu'il fallait qu'il y vînt avec moi ; qu'il le laissât faire et qu'il en trouverait un expédient qui serait naturel et comme imperceptible à moi-même. Vous croyez aisément que M. d'Elbeuf, qui me vint prendre à mon logis, le lendemain au matin, ne s'aperçut pas que je fusse en concert de sa visite avec M. de Bouillon.

Le 28 de février, qui fut le lendemain de tout ce manège, j'allai au Palais, avec M. d'Elbeuf, et je trouvai dans la salle une foule innombrable de peuple qui criait : « Vive le coadjuteur ! Point de paix et point de Mazarin ! » Comme M. de Beaufort entra en même temps par le grand degré, les échos de nos noms qui se répondaient, faisaient croire aux gens que ce qui ne se rencontrait que par un pur hasard avait été concerté pour troubler la délibération du Parlement ; et comme, en matière de sédition, tout ce qui la fait croire l'augmente, nous faillîmes à faire en un moment ce que nous travaillions depuis huit jours, avec une application incroyable, à empêcher. Je vous ai déjà dit que le plus grand malheur des guerres civiles est que l'on y est responsable même du mal que l'on ne fait pas.

Le premier président et le président de Mesmes, qui avaient supprimé, de concert avec les autres députés, la réponse par écrit que la Reine leur avait faite[1], pour ne point aigrir les esprits par des expressions, un peu trop fortes à leur gré, qui y étaient contenues, ornèrent de toutes les couleurs qu'ils leur purent donner les termes obligeants avec lesquels elle leur avait parlé. L'on opina ensuite ; et après quelque contestation sur le plus et le moins de pouvoir que l'on donnerait aux députés, l'on résolut de le leur donner plein et entier, de prendre pour la conférence tel lieu qu'il plairait à la Reine de choisir ; de nommer pour députés quatre présidents, deux conseillers de la Grande Chambre, un de chaque chambre des Enquêtes, un des Requêtes et un maître des Requêtes ; un ou deux de messieurs les généraux, deux de chacune des compagnies souveraines et le prévôt des marchands ; d'en donner avis à M. de Longueville et aux députés des parlements de Rouen et d'Aix ; et d'envoyer, dès le lendemain, les gens du Roi demander l'ouverture des passages, conformément à ce qui avait été promis par la Reine. Le président de Mesmes, surpris de ne trouver aucune opposition, ni de la part des généraux ni de la mienne, à tout ce qui avait été arrêté, dit au premier président, à ce que le président de Bellièvre, qui assurait l'avoir ouï, me dit après : « Voilà un grand concert, et j'appréhende les suites de cette fausse modération. »

Je crois qu'il fut encore plus étonné, quand les huissiers étant venus dire que le peuple menaçait de tuer tous ceux qui seraient d'avis d'une conférence devant que le Mazarin fût hors du royaume, nous sortîmes, M. de Beaufort et moi ;

nous fîmes retirer les séditieux, et la Compagnie sortit sans
aucun péril et même sans aucun bruit [1]. Je fus surpris moi-
même, au dernier point, de la facilité que nous y trouvâmes.
Elle donna une audace au Parlement qui faillit à le perdre.
Vous le verrez dans la suite.

Le 2 de mars, Champlâtreux, fils du premier président,
apporta au Parlement, de la part de son père, qui s'était
trouvé un peu mal, une lettre de M. le duc d'Orléans et
une autre de Monsieur le Prince, par lesquelles ils
témoignaient tous deux la joie qu'ils avaient du pas que le
Parlement avait fait ; mais par lesquelles, en même temps,
ils niaient positivement que la Reine eût promis l'ouverture
des passages. Je ne puis vous exprimer la chaleur et la fureur
qui parut dans le corps et dans les particuliers à cette
nouvelle. Le premier président même, qui en avait porté
parole à la Compagnie, fut piqué au dernier point de ce
procédé. Il s'en expliqua avec beaucoup d'aigreur au président de Nesmond, que le Parlement lui avait envoyé pour
le prier d'en écrire encore à Messieurs les Princes. L'on
manda aux gens du Roi, qui étaient partis le matin pour
aller demander à Saint-Germain les passeports nécessaires
aux députés, de déclarer que l'on ne voulait entrer en aucune
conférence que la parole donnée au premier président ne
fût exécutée. Je confesse que, quoique je connusse assez
parfaitement la pente que le Parlement avait à la paix, je
fus assez dupe pour croire qu'une *contravention de cette
nature, dès le premier pas, pourrait au moins en arrêter un
peu la précipitation. Je crus qu'il serait à propos de prendre
ce moment pour faire faire à la Compagnie quelque pas qui
marquât au moins à la cour que toute sa vigueur n'était pas
éteinte. Je sortis de ma place sous prétexte d'aller à la
cheminée. Je priai Pelletier, frère de La Houssaye, que vous
avez connu, de dire au *bonhomme Broussel, de ma part,
de proposer, dans le peu de bonne foi que l'on voyait dans
la conduite de la cour, de continuer les levées et de donner
de nouvelles *commissions. La proposition fut reçue avec
applaudissement. M. le prince de Conti fut prié de les
délivrer, et l'on nomma même six conseillers pour y travailler
sous lui.

Le lendemain, qui fut le 3 de mars, le feu continua. L'on
s'appliqua avec ardeur pour faire payer les taxes, auxquelles

personne ne voulait plus satisfaire, dans l'espérance que la conférence donnerait la paix, qui les acquitterait toutes à la fois. M. de Beaufort ayant pris ce temps, de concert avec M. de Bouillon, avec le maréchal de La Mothe et avec moi, pour essayer d'animer le Parlement, parla, à sa mode, contre la *contravention, et il ajouta qu'il répondait, au nom de ses collègues et au sien, de déboucher dans quinze jours les passages, si il plaisait à la Compagnie de prendre une ferme résolution de ne se plus laisser *amuser par des propositions trompeuses, qui ne servaient qu'à suspendre le mouvement de tout le royaume, qui, sans ces bruits de négociations et de conférences, se serait déjà entièrement déclaré pour la capitale. Il est incroyable ce que ces vingt ou trente paroles, où il n'y eut pas ombre de construction, produisirent dans les esprits. Il n'y eût eu personne qui n'eût jugé que le traité allait être rompu. Ce ne fut plus cela un moment après.

Les gens du Roi revinrent de Saint-Germain ; ils rapportè-rent des passeports pour les députés, et un galimatias, à proprement parler, pour la subsistance de Paris ; car au lieu de l'ouverture des passages, on accorda de laisser passer cent muids de blé par jour pour la ville ; encore *affecta-t-on d'omettre, dans le premier passeport qui en fut expédié, le mot de *par jour* pour s'en pouvoir expliquer selon les occurrences. Ce galimatias ne laissa pas de passer pour bon dans le Parlement ; l'on ne s'y ressouvint plus de tout ce qui s'y était dit et fait un instant auparavant, et l'on se prépara pour aller, dès le lendemain, à la conférence que la Reine avait assignée à Rueil.

Nous nous assemblâmes, dès le soir même, chez M. de Bouillon : M. le prince de Conti, M. de Beaufort, M. d'El-beuf, M. le maréchal de La Mothe, M. de Brissac, le président de Bellièvre, et moi, pour résoudre si il était à propos que les généraux députassent. M. d'Elbeuf, qui avait une très grande envie d'en avoir la *commission, insista beaucoup pour l'affirmative. Il fut tout seul de son sentiment, parce que nous jugeâmes qu'il serait sans comparaison plus sage de demeurer pleinement dans la liberté de le faire ou de ne le pas faire, selon les diverses occasions que nous en aurions ; et de plus, y eût-il rien eu de plus malhonnête et même de moins judicieux que d'envoyer à la conférence de Rueil,

dans le temps que nous étions sur le point de conclure un
traité avec Espagne, et que nous disions, à toutes les heures
du jour, à l'envoyé de l'archiduc que nous ne souffrions
cette conférence que parce que nous étions très assurés que
nous la romprions par le moyen du peuple, quand il nous
plairait ? M. de Bouillon, qui commençait depuis un jour
ou deux à sortir, et qui était allé, ce jour-là même,
reconnaître le poste où il avait pris le dessein de former un
camp, nous en fit ensuite la proposition comme d'une chose
qui ne lui était venue dans l'esprit que du matin. M. le
prince de Conti n'eut pas la force d'y consentir, parce qu'il
n'avait pas consulté son oracle[1] ; il n'eut pas la force d'y
résister, parce qu'il n'osait pas contester à M. de Bouillon
une proposition de guerre. MM. de Beaufort, de La Mothe,
de Brissac et de Bellièvre, que nous avions avertis et qui
savaient le dessous des cartes, y donnèrent avec approbation.
M. d'Elbeuf s'y opposa par les plus *méchantes raisons du
monde. Je me joignis à lui pour mieux couvrir notre jeu, en
représentant à la compagnie que le Parlement se pourrait
plaindre de ce que l'on ferait un mouvement de cette sorte
sans sa participation. M. de Bouillon me répondit, d'un ton
de colère, qu'il y avait plus de trois semaines que le
Parlement se plaignait au contraire de ce que les généraux
ni les troupes n'osaient montrer le nez hors des portes ;
qu'il ne s'était pas ému de leurs *crieries tant qu'il avait
cru qu'il y aurait du péril à les exposer à la campagne ;
mais qu'ayant reconnu, par hasard plutôt que par réflexion,
un poste où elles seraient autant en sûreté qu'à Paris, et
d'où elles pourraient agir encore plus utilement, il était
raisonnable de satisfaire le public. Je me rendis, comme vous
le pouvez juger, assez facilement à ces raisons, et M. d'Elbeuf
sortit de l'assemblée très persuadé qu'il n'y avait point de
mystère dans la proposition de M. de Bouillon. Ce fut
beaucoup, car les gens qui en font à tout en croient à tout.
    Le lendemain, qui fut le 4 de mars, les députés sortirent
pour Rueil, et notre armée sortit pour le camp formé entre
Marne et Seine. L'infanterie fut postée à Villejuif et à
Bicêtre, la cavalerie à Vitry et à Ivry[2]. L'on fit un pont de
bateaux sur la rivière, au Port-à-l'Anglais, défendu par des
redoutes où il y avait du canon. L'on ne se peut imaginer la
joie qui parut dans le Parlement de la sortie de l'armée,

ceux qui étaient bien intentionnés pour le parti se persuadant qu'elle allait agir avec beaucoup plus de vigueur, et ceux qui étaient à la cour se figurant que le peuple, qui ne serait plus échauffé par les gens de guerre, en serait bien plus souple et plus adouci. Saint-Germain [1] même donna dans ce panneau ; et le président de Mesmes y fit extrêmement valoir tout ce qu'il avait dit en sa place à messieurs les généraux, pour les obliger à prendre la campagne avec leurs troupes. Senneterre, qui était sans contredit le plus habile homme de la cour, ne les laissa pas longtemps dans cette erreur. Il pénétra, par son bon sens, notre dessein. Il dit au premier président et au président de Mesmes qu'ils avaient été pris pour dupes, et qu'ils s'en apercevraient au premier jour. Je crois que je dois à la vérité le témoignage d'une parole qui marque la capacité de cet homme. Le premier président, qui était tout d'une pièce et qui ne voyait jamais deux choses à la fois, s'étant écrié sur le camp de Villejuif, avec un transport de joie, que le coadjuteur n'aurait plus tant de crieurs à gages dans la salle du Palais, et le président de Mesmes ayant ajouté : « ni tant de coupe-jarrets », Senneterre repartit à l'un et à l'autre : « L'intérêt du coadjuteur n'est pas de vous tuer, Messieurs, mais de vous assujettir. Le peuple lui suffirait pour le premier ; le camp lui est admirable pour le second. Si il n'est plus homme de bien que l'on ne le croit ici, nous avons pour longtemps la guerre civile. »

Le Cardinal avoua, dès le lendemain, que Senneterre avait vu clair ; car Monsieur le Prince convint d'un part, que nos troupes, qui ne se pouvaient attaquer au poste qu'elles avaient pris, lui feraient plus de peine que si elles étaient demeurées dans la ville ; et nous commençâmes, de l'autre, à parler plus haut dans le Parlement que nous ne l'avions accoutumé.

L'après-dînée du 4 nous en fournit une occasion assez importante. Les députés, étant arrivés sur les quatre heures du soir à Rueil, apprirent que M. le cardinal Mazarin était un des nommés par la Reine pour assister à la conférence. Ceux du Parlement prétendirent qu'ayant été condamné par la Compagnie, ils ne pouvaient conférer avec lui. M. Le Tellier leur dit, de la part de M. le duc d'Orléans, que la Reine trouvait fort étrange que le Parlement ne se contentât pas de traiter comme d'égal avec son Roi mais qu'il voulût encore borner son autorité jusques à se donner la licence d'exclure même ses députés. Le premier président demeurant ferme, et la cour persistant de son côté, l'on fut sur le point de rompre ; et le président Le Coigneux et Longueil, avec lesquels nous avions un commerce secret, nous ayant donné avis de ce qui se passait, nous leur mandâmes de ne se point rendre et de faire voir, même comme en confidence, au président de Mesmes et à Ménardeau qui étaient tous deux très dépendants de la cour, un bout de lettre de moi à Longueil, dans lequel j'avais mis, comme par apostille, ces paroles : « Nous avons pris nos mesures ; nous sommes en état de parler plus décisivement que nous n'avons cru le devoir jusques ici ; et je viens encore, depuis ma lettre écrite, d'apprendre une nouvelle qui m'oblige à vous avertir que le Parlement se perdra s'il ne se conduit très sagement ». Cela, joint aux discours que nous fîmes, le 5 au matin, devant le feu de la Grande Chambre, obligea les députés à ne se point relâcher sur la présence du Cardinal à la conférence, qui était un chapitre si odieux au peuple, que nous eussions perdu tout crédit auprès de lui, si nous l'eussions souffert ; et il est *constant que si les députés eussent suivi sur cela leur inclination, nous eussions été forcés par cette considération de leur fermer les portes à leur retour. Vous avez vu ci-dessus les raisons pour lesquelles nous évitions, par toutes les voies possibles, d'être obligés à ces extrémités.

Comme la cour vit que le premier président et ses collègues avaient demandé escorte pour revenir à Paris, elle se radoucit. M. le duc d'Orléans envoya quérir le premier président et le président de Mesmes. L'on chercha des expédients, et l'on trouva celui de donner deux députés de la part du Roi et deux de la part de l'assemblée, qui conféreraient, dans une des chambres de M. le duc d'Orléans, sur les propositions qui seraient faites de part et d'autre, et qui en feraient après le rapport aux autres députés et du Roi et des compagnies. Ce *tempérament, qui, comme vous voyez, ne *sauvait pas au Cardinal le *chagrin de n'avoir pu conférer avec le Parlement et qui l'obligea effectivement de quitter Rueil et de s'en retourner à Saint-Germain, fut accepté avec joie et

ouvrit la scène de la conférence très désagréablement pour
le ministre.

Je craindrais de vous ennuyer si je vous rendais un compte
exact de ce qui se passa dans le cours de cette conférence,
qui fut pleine de contestations[a] et de difficultés. Je me
contenterai de vous en marquer les principales délibérations,
que je mêlerai, par l'ordre des jours, dans la suite de celles
du Parlement, et des autres incidents qui se trouveront avoir
du rapport aux unes ou aux autres[1].

Ce même jour, 5 de mars, don Francisco Pizarro, second
envoyé de l'archiduc, arriva à Paris, avec les réponses que
lui et le comte de Fuensaldagne faisaient aux premières
dépêches de don Joseph de Illescas, avec un plein pouvoir
de traiter avec tout le monde, avec une instruction de
quatorze pages de petite lettre[2] pour M. de Bouillon, avec
une lettre de l'archiduc fort obligeante pour M. le prince de
Conti, et avec un billet pour moi, très *galant, mais très
substantiel, du comte de Fuensaldagne. Il portait que « le
Roi, son maître, me déclarait qu'il ne se voulait point fier à
ma parole, mais qu'il prendrait toute confiance en celle que
je donnerais à Mme de Bouillon ». L'instruction me la
témoignait tout entière, et je connus la main de M. et Mme
de Bouillon dans le *caractère de Fuensaldagne[3].

Nous nous assemblâmes, deux heures après l'arrivée de
cet envoyé, dans la chambre de M. le prince de Conti, à
l'Hôtel de Ville, pour y prendre notre résolution, et la scène
y fut assez curieuse. M. le prince de Conti et Mme de
Longueville, inspirés par M. de La Rochefoucauld, voulaient
se lier presque sans restriction avec Espagne, parce que les
mesures qu'ils avaient cru prendre avec la cour, par le canal
de Flammarens, ayant manqué, ils se jetaient à corps perdu
à l'autre extrémité, ce qui est le *caractère de tous les
hommes qui sont faibles. M. d'Elbeuf, qui ne cherchait que
de l'argent comptant, *topait à tout ce qui lui en montrait.
M. de Beaufort, persuadé par Mme de Montbazon, qui le
voulait vendre cher aux Espagnols, faisait du scrupule de
s'engager par un traité signé avec les ennemis de l'Etat. Le
maréchal de La Mothe déclara, en cette occasion comme en
toute autre, qu'il ne pouvait rien résoudre sans M. de
Longueville, et Mme de Longueville doutait beaucoup que
monsieur son mari y voulût entrer. Vous remarquerez, s'il

vous plaît, que toutes ces difficultés se faisaient par les mêmes personnes qui avaient conclu, comme vous avez vu, tout d'une voix, quinze jours devant, de demander à l'archiduc un plein pouvoir pour traiter avec lui, et qui en avaient sans comparaison plus de besoin que jamais, parce qu'ils étaient beaucoup moins assurés du Parlement.

M. de Bouillon, qui était dans un *étonnement qui me parut presque, un demi-quart d'heure durant, aller jusques à l'extase, leur dit qu'il ne pouvait concevoir que l'on pût seulement balancer à traiter avec Espagne, après les pas que l'on avait faits vers l'archiduc ; qu'il les priait de se ressouvenir qu'ils avaient tous dit à son envoyé qu'ils n'attendaient que ses pouvoirs et ses propositions pour conclure avec lui ; qu'il les envoyait en la forme du monde la plus *honnête et la plus obligeante ; qu'il faisait plus, qu'il faisait marcher ses troupes sans attendre leur engagement ; qu'il marchait lui-même, et qu'il était déjà sorti de Bruxelles ; qu'il les suppliait de considérer que le moindre pas en arrière, après des avances de cette nature, pourrait faire prendre aux Espagnols des mesures aussi contraires à notre sûreté qu'il le serait à notre honneur ; que les démarches si peu concertées du Parlement nous donnaient tous les jours de justes appréhensions d'en être abandonnés ; que j'avais, ces jours passés, avancé et justifié que le crédit que M. de Beaufort et moi avions dans le peuple était bien plus propre à faire un mal qu'il n'était pas de notre intérêt de faire, qu'à nous donner la considération dont nous avions présentement et uniquement besoin ; qu'il confessait que nous en tirerions dorénavant de nos troupes davantage que nous n'en avions tiré jusques ici ; mais que ces troupes n'étaient pas encore assez fortes pour nous en donner à proportion de ce que nous en avions besoin, si elles n'étaient elles-mêmes soutenues par une protection puissante, particulièrement dans les commencements ; que toutes ces considérations lui faisaient croire qu'il ne fallait pas perdre un moment à traiter, ni même à conclure avec l'archiduc ; mais qu'elles ne le persuadaient toutefois pas qu'il y fallût conclure à toutes conditions ; que ses envoyés nous apportaient la carte blanche, mais que nous devions aviser, avec bien de la circonspection, à ce dont nous la devions et nous la pouvions remplir ; qu'ils nous promettaient tout, parce que, dans les traités, le plus fort peu tout promettre, mais que le plus faible s'y doit conduire avec beaucoup plus de réserve, parce qu'il ne peut jamais tout tenir ; qu'il connaissait les Espagnols ; qu'il avait déjà eu des affaires avec eux ; que c'étaient les gens du monde avec lesquels il était le plus nécessaire de conserver, particulièrement à l'abord, de la réputation ; qu'il serait au désespoir que leurs envoyés eussent seulement la moindre lueur du balancement de MM. de Beaufort et de La Mothe, et de la *facilité de MM. de Conti et d'Elbeuf[1] ; qu'il les conjurait, les uns et les autres, de lui permettre de ménager, pour les premiers jours, les esprits de don Joseph de Illescas et de don Francisco Pizarro ; et que comme il n'était pas juste que M. le prince de Conti et les autres s'en rapportassent à lui seul, qui pouvait avoir en tout cela des intérêts particuliers, et pour sa personne et pour sa maison, il les priait de trouver bon qu'il n'y fît pas un pas que de concert avec le coadjuteur, qui avait déclaré publiquement, dès le premier jour de la guerre civile, qu'il n'en tirerait jamais quoi que ce soit pour lui, ni dans le mouvement, ni dans l'accommodement, et qui par cette raison ne pouvait être suspect à personne.

Ce discours de M. de Bouillon, qui était dans la vérité très sage et très judicieux, *emporta tout le monde. L'on nous chargea, lui et moi, d'agiter les matières avec les envoyés d'Espagne, pour en rendre compte, le lendemain, à M. le prince de Conti et aux autres généraux.

J'allai, au sortir de chez M. le prince de Conti, chez M. de Bouillon, avec lui et avec madame sa femme, que nous ramenâmes aussi de l'Hôtel de Ville. Nous nous enfermâmes dans un cabinet, et nous consultâmes la manière dont nous devions agir avec les envoyés. Elle n'était pas sans embarras dans un parti dont le Parlement faisait le corps et dont la constitution présente était une conférence ouverte avec la cour. M. de Bouillon m'assurait que les Espagnols n'entreraient point dans le royaume que nous ne nous fussions engagés à ne poser les armes qu'avec eux, c'est-à-dire qu'en traitant la paix générale. Et quelle apparence de prendre cet engagement, dans une conjoncture où nous ne nous pouvions pas assurer que le Parlement ne fît la particulière d'un moment à l'autre ? Nous avions de quoi chicaner et retarder ses démarches ; mais comme nous n'avions point encore de second courrier de M. de Turenne, dont le dessein nous était bien plus connu que le *succès qu'il pourrait avoir, et comme d'ailleurs nous étions bien avertis que Anctoville, qui commandait la compagnie de gendarmes de M. de Longueville, et qui était son négociateur en titre d'*office, avait déjà fait un voyage secret à Saint-Germain, nous ne voyions pas de fondement assez bon et assez solide pour y appuyer, du côté de France, le projet que nous aurions pu faire de nous soutenir sans le Parlement, ou plutôt contre le Parlement.

M. de Bouillon y eût pu trouver son compte, comme je vous l'ai déjà marqué en quelque autre lieu ; mais j'observai encore à cette occasion qu'il se faisait *justice dans son intérêt, ce qui est une des qualités du monde des plus rares ; et il répondit à Mme de Bouillon, qui n'était pas sur cela si *juste que lui : « Si je disposais, Madame, du peuple de Paris, et que je trouvasse mes intérêts dans une conduite qui perdît Monsieur le Coadjuteur et M. de Beaufort, ce que je pourrais faire pour leur service et ce que je devrais faire pour mon honneur serait d'accorder, autant qu'il me serait possible, ce qui serait de mon avantage avec ce qui pourrait empêcher leur ruine. Nous ne sommes pas en cet état-là. Je ne puis rien dans le peuple, ils y peuvent tout. Il y a quatre jours que l'on ne vous dit autre chose, si ce n'est que leur intérêt n'est pas de l'employer pour assujettir le Parlement ; et l'on vous le prouve, en vous disant que l'un ne veut pas se charger dans la postérité de la honte d'avoir mis Paris entre les mains du roi d'Espagne, pour devenir lui-même l'aumônier du comte de Fuensaldagne ; et que l'autre serait encore beaucoup plus idiot qu'il n'est, ce qui est beaucoup dire, si il se pouvait résoudre à se naturaliser espagnol, portant comme il le porte le nom de Bourbon. Voilà ce que Monsieur le Coadjuteur vous a répété dix fois depuis quatre jours, pour vous faire entendre que ni lui ni M. de Beaufort ne veulent point opprimer le Parlement par le peuple, parce qu'ils sont persuadés qu'ils ne le pourraient maintenir que par la protection d'Espagne, dont le premier soin, dans la suite, serait de les décréditer eux-mêmes dans le public. » « Ai-je bien compris votre sentiment ? » me dit M. de Bouillon, en se tournant vers moi. Et puis il me dit en continuant : « Ce qui nous convient, posé ce fondement,

est d'empêcher que le Parlement ne nous mette dans la
nécessité, par ses *contretemps, de faire ce qui n'est pas,
par ces raisons, de votre intérêt. Nous avons pris pour cet
effet des mesures, et nous avons lieu d'espérer qu'elles
réussiront. Mais si nous nous trouvons trompés par l'événement, si le Parlement n'est pas assez sage pour craindre ce
qui ne lui peut faire du mal, et pour ne pas appréhender ce
qui lui en peut faire effectivement[1], en un mot, si il se
porte malgré nous à une paix honteuse et dans laquelle nous
ne rencontrions pas même notre sûreté, que ferons-nous ?
je vous le demande, et je vous le demande d'autant plus
instamment que cette résolution est la préalable de celle
qu'il faut prendre, dans ce moment, sur la manière dont il
est à propos de conclure avec les envoyés de l'archiduc. »

Je répondis à M. de Bouillon ces propres paroles, que je
transcris, en ce lieu, sur ce que j'en écrivis un quart d'heure
après les avoir dites, sur la table même du cabinet de Mme
de Bouillon : « Si nous ne pouvions retenir le Parlement par
les considérations et par les mesures que nous avons déjà
tant rebattues depuis quelque temps, mon avis serait que,
plutôt que de nous servir du peuple pour l'abattre, nous le
devrions laisser agir, suivre sa pente et nous abandonner à
la sincérité de nos intentions. Je sais que le monde, qui ne
juge que par les événements, ne leur fera pas justice ; mais
je sais aussi qu'il y a beaucoup de rencontres où il faut
espérer uniquement du son devoir les bons événements. Je
ne répéterai point ici les raisons qui marquent, ce me semble,
si clairement les règles de notre devoir en cette conjoncture.
La lettre y est grosse[2] pour M. de Beaufort et pour moi ; il
ne m'appartient pas d'y vouloir lire ce qui vous touche ;
mais je ne laisserai pas de prendre la liberté de vous dire
que j'ai observé qu'il y a des heures dans chaque jour où
vous avez aussi peu de disposition que moi à vous faire
espagnol. Il faut, d'autre part, se défendre, si il se peut, de
la tyrannie, et de la tyrannie que nous avons cruellement
irritée. Voici mon avis, pour les motifs duquel j'emploie
uniquement tout ce que j'ai eu l'honneur de vous dire à
bâtons rompus et en diverses fois, depuis quinze jours. Il
faut, à mon sens, que messieurs les généraux signent un
traité, dès demain, avec Espagne, par lequel elle s'engage
de faire entrer incessamment son armée en France jusques à

Pont-à-Vère [1], et de ne lui donner de mouvement, au moins en deçà de ce poste, que celui qui sera concerté avec nous. »

Comme j'achevais de prononcer cette période, Riquemont entra, qui nous dit qu'il y avait dans la chambre un courrier de M. de Turenne, qui avait crié tout haut en entrant dans la cour : « Bonnes nouvelles ! » et qui ne s'était point voulu toutefois expliquer avec lui en montant les degrés. Le courrier, qui était un lieutenant du régiment de Turenne, voulut nous le dire avec apparat, et il s'en acquitta assez mal. La lettre de M. de Turenne à M. de Bouillon était très succincte ; un billet qu'il m'écrivait n'était pas plus ample, et un papier plié en mémoire pour Mlle de Bouillon, sa sœur, était en chiffre. Nous ne laissâmes pas d'être satisfaits, car nous en apprîmes assez pour ne pas douter qu'il ne fût déclaré ; que son armée, qui était la Weimarienne [2] et sans contredit la meilleure qui fût en Europe, ne se fût engagée avec lui, et que Erlach, gouverneur de Brisach, qui avait fait tous ses efforts au contraire, n'eût été obligé de se retirer dans sa place avec mille ou douze cents hommes, qui était tout ce qu'il avait pu débaucher. Un quart d'heure après que le courrier fut entré, il se ressouvint qu'il avait dans sa poche une lettre du vicomte de Lamet, qui servait dans la même armée, mon parent proche et mon ami intime, qui me donnait, en son particulier, toutes les assurances imaginables, et qui ajoutait qu'il marchait avec deux mille chevaux droit à nous, et que M. de Turenne le devait joindre, un tel jour et en un tel lieu, avec le gros. C'est ce que M. de Turenne mandait en chiffre à Mlle de Bouillon.

Permettez-moi, je vous supplie, une petite digression en ce lieu, qui n'est pas indigne de votre curiosité. Vous êtes surprise, sans doute, de ce que M. de Turenne, qui en toute sa vie n'avait, je ne dis pas été de parti, mais qui n'avait jamais voulu ouïr parler d'intrigue, s'avise de se déclarer contre la cour étant général de l'armée du Roi, et de faire une action sur laquelle je suis persuadé que le Balafré et l'amiral de Coligny auraient balancé. Vous serez bien plus étonnée quand je vous aurai dit que je suis encore à deviner son motif, que monsieur son frère et madame sa belle-sœur m'ont juré, cent fois en leur vie, que tout ce qu'ils en savaient était que ce n'était point leur *considération [3] ; que je n'ai pu entendre quoi que ce soit à ce qu'il m'en a dit lui-même, quoiqu'il m'en ait parlé plus de trente fois ; et que Mlle de Bouillon, qui était son unique confidente, ou n'en a rien su, ou en a toujours fait un mystère. La manière dont il se conduisit dans cette déclaration, qu'il ne soutint que quatre ou cinq jours, est aussi surprenante. Je n'en ai jamais rien pu tirer de clair, ni de lui, ni de ceux qui le servirent, ni de ceux qui lui manquèrent. Il a fallu un mérite aussi éminent que le sien pour n'être pas obscurci par un événement de cette nature et cet exemple nous apprend que la *malignité des âmes vulgaires n'est pas toujours assez forte pour empêcher le crédit que l'on doit faire, en beaucoup de rencontres, aux extraordinaires.

Je reprends le fil de mon discours, c'est-à-dire de celui que je faisais à M. et à Mme de Bouillon, quand le courrier de M. de Turenne nous interrompit, avec la joie pour nous que vous vous pouvez imaginer.

« Mon avis est que les Espagnols s'engageant à s'avancer jusques à Pont-à-Vère et à n'agir, au moins en deçà de ce poste, que de concert avec nous, nous fassions aucune difficulté de nous engager à ne poser les armes que lorsque la paix générale sera conclue, pourvu qu'ils demeurent aussi dans la parole qu'ils ont fait porter au Parlement, qu'ils s'en rapporteront à son arbitrage. Cette parole n'est qu'une *chanson ; mais cette chanson nous est bonne, parce qu'il ne sera pas difficile d'en faire quelque chose qui sera très solide et très bonne. Il n'y a qu'un quart d'heure que mon sentiment n'était pas que nous allassions si loin avec les Espagnols ; et quand le courrier de M. de Turenne est entré, j'étais sur le point de vous proposer un expédient qui les eût, à mon avis, satisfaits à beaucoup moins. Mais comme la nouvelle que nous venons de recevoir nous fait voir que M. de Turenne est assuré de ses troupes, et que la cour n'en a point qu'elle lui puisse opposer, que celles qui nous assiègent, je suis persuadé que non seulement nous leur pouvons accorder ce point, que vous dites qu'ils souhaitent, mais que nous devrions nous le faire demander si ils ne s'en étaient pas avisés. Nous avons deux avantages, et très grands et très rares, dans notre parti. Le premier est que les deux intérêts que nous y avons, qui sont le public et le particulier, s'y accordent fort bien ensemble, ce qui n'est pas commun. Le second est que les chemins pour arriver aux uns et aux autres s'unissent et se retrouvent, même d'assez bonne heure, être les mêmes, ce qui est encore plus rare. L'intérêt véritable et solide du public est la paix générale ; l'intérêt des peuples est le soulagement ; l'intérêt des compagnies est le rétablissement de l'ordre ; l'intérêt de vous, Monsieur, des autres et de moi, est de contribuer à tous ceux que je vous viens de marquer, et d'y contribuer d'une telle sorte que nous en soyons et que nous en paraissions [1] les auteurs. Tous les autres avantages sont attachés à celui-là ; et pour les avoir, il faut, à mon opinion, faire voir que l'on les méprise.

« Je n'aurai pas la peine de tromper personne sur ce sujet. Vous savez la profession publique que j'ai faite de ne vouloir jamais rien tirer de cette affaire en mon particulier ; je la tiendrai jusques au bout. Vous n'êtes pas en même condition. Vous voulez Sedan, et vous avez raison. M. de Beaufort veut l'amirauté, et il n'a pas tort. M. de Longueville a d'autres prétentions, à la bonne heure. M. le prince de Conti et Mme de Longueville ne veulent plus dépendre de Monsieur le Prince ; ils n'en dépendront plus. Pour venir à toutes ces fins, le premier préalable, à mon opinion, est de n'en avoir aucune, de songer uniquement à faire la paix générale ; d'avoir effectivement dans l'intention de sacrifier tout à ce bien, qui est si grand que l'on ne peut jamais manquer d'y retrouver, sans comparaison, davantage que ce que l'on lui immole ; de signer, dès demain, avec les envoyés, tous les engagement les plus positifs et les plus sacrés dont nous nous pourrons aviser ; de joindre, pour plaire encore plus au peuple, à l'article de la paix celui de l'exclusion du cardinal Mazarin comme de son ennemi mortel ; de faire avancer en diligence l'archiduc à Pont-à-Vère et M. de Turenne en Champagne ; d'aller, sans perdre un moment, proposer au Parlement ce que don Joseph de Illescas lui a déjà proposé touchant la paix générale ; [de [a]] le faire opiner à notre mode, à quoi il ne manquera pas en l'état dans lequel il nous verra, et d'envoyer ordre aux députés de Rueil ou d'obtenir de la Reine un lieu pour la tenue de la conférence pour la paix générale, ou de revenir, dès le lendemain, reprendre leurs places au Parlement. Je ne désespère pas que la cour, qui se verra à la dernière extrémité, n'en prenne le parti : auquel cas n'est-il pas vrai qu'il ne

peut rien y avoir au monde de si glorieux pour nous ? Et si
elle s'y pouvait résoudre, je sais bien que le roi d'Espagne
ne nous en fera pas les arbitres, comme il nous le fait dire ;
mais je sais bien aussi que ce que je vous disais tantôt n'être
qu'une chanson ne laissera pas d'obliger ses ministres à
garder des égards, qui ne peuvent être que très avantageux
à la France. Que si la cour est assez aveuglée pour refuser
cette proposition, pourra-t-elle soutenir ce refus deux mois
durant ? Toutes les provinces qui *branlent déjà ne se
déclareront-elles pas ? Et l'armée de Monsieur le Prince est-
elle en état de tenir contre celle d'Espagne, contre celle de
M. de Turenne et contre la nôtre ? Ces deux dernières jointes
ensemble nous mettent au-dessus des appréhensions que
nous avons eues et que nous avons dû avoir jusques ici des
forces étrangères. Elles dépendront beaucoup plus de nous
que nous ne dépendrons d'elles ; nous serons maîtres de
Paris par nous-mêmes, et d'autant plus sûrement que nous
le serons par le Parlement, qui sera toujours le milieu par
lequel nous tiendrons le peuple, dont l'on n'est jamais plus
assuré que quand l'on ne le tient pas immédiatement [1], pour
les raisons que je vous ai déjà dites deux ou trois fois.

« La déclaration de M. de Turenne est l'unique voie qui
nous peut conduire à ce que nous n'eussions pas seulement
osé imaginer, qui est l'union de l'Espagne et du Parlement
pour notre défense. Ce que la première propose pour la
paix générale devient solide et réel par la déclaration de
M. de Turenne. Elle met la possibilité à l'exécution ; elle
nous donne lieu d'engager le Parlement, sans lequel nous
ne pouvons rien faire qui soit solide, et avec lequel nous ne
pouvons rien faire qui, au moins en un sens, ne soit bon ;
mais il n'y a que ce moment où cet engagement soit possible
et utile. Le premier président et le président de Mesmes
sont absents, et nous ferons passer ce qu'il nous plaira dans
la Compagnie, sans comparaison plus aisément que si ils y
étaient présents. Si ils exécutent fidèlement ce que le
Parlement leur aura commandé par l'arrêt que nous lui
aurons fait donner, duquel je vous ai parlé ci-devant, nous
aurons notre compte et nous réunirons le corps pour ce
grand œuvre de la paix générale. Si la cour s'opiniâtre à
rebuter notre proposition et que ceux des députés qui sont
attachés à elle ne veuillent pas suivre notre mouvement, et

refusent de courre notre fortune, comme il y en a qui s'en sont déjà expliqués, nous n'y trouverons pas moins notre avantage d'un autre sens : nous demeurerons avec le corps du Parlement, dont les autres seront les déserteurs ; nous en serons encore plus les maîtres. Voilà mon avis, que je m'offre de signer et de proposer au Parlement, pourvu que vous ne laissiez pas échapper la conjoncture dans laquelle seule il est bon, car si il arrivait quelque changement du côté de M. de Turenne devant que je l'y eusse porté, je combattrais ce sentiment avec autant d'ardeur que je le propose. »

Mme de Bouillon, qui m'avait trouvé jusque-là trop modéré à son gré, fut surprise au dernier point de cette proposition ; et elle lui parut bonne parce qu'elle lui parut grande. Monsieur son mari, que j'avais loué très souvent devant lui-même pour être très *juste dans ses intérêts, me dit : « Vous ne me louerez plus tant que vous avez accoutumé, après ce que je vas vous dire. Il n'y a rien de plus beau que ce que vous proposez ; je conviens même qu'il est possible ; mais je soutiens qu'il est pernicieux pour tous les particuliers, et je vous le prouve en peu de paroles. L'Espagne nous promettra tout, mais elle ne nous tiendra rien, dès que nous lui aurions[a] promis de ne traiter avec la cour qu'à la paix générale. Cette paix est son unique vue, et elle nous abandonnera toutes les fois qu'elle la pourra avoir ; et si nous faisons tout d'un coup ce grand effet que vous proposez, elle la pourra avoir infailliblement en quinze jours, parce qu'il sera impossible à la France de ne la pas faire même avec précipitation : ce qui sera d'autant plus facile, que je sais de science certaine que les Espagnols la veulent en toute manière, et même avec des conditions si peu avantageuses pour eux, que vous en seriez étonné[1]. Cela supposé, en quel état nous trouverons-nous le lendemain que nous aurons fait ou plutôt procuré la paix générale ? Nous aurons de l'honneur, je l'avoue ; mais cet honneur nous empêchera-t-il d'être les objets de la haine et de l'exécration de notre cour ? La maison d'Autriche reprendra-t-elle les armes quand l'on nous arrêtera, vous et moi, quatre mois après ? Vous me répondrez que nous pouvons stipuler des conditions avec l'Espagne, qui nous mettront à couvert de ces *insultes ; mais je crois avoir prévenu cette objection en vous assurant, par avance, qu'elle est si pressée, dans le dedans, par ses nécessités domestiques, qu'elle ne balancera pas un moment à sacrifier à la paix toutes les promesses les plus solennelles qu'elle nous aurait pu faire ; et à cet inconvénient je ne trouve aucun remède, d'autant moins que je ne vois pas même la perte du Mazarin assurée, ou que je l'y vois d'une manière qui ne nous donne aucune sûreté. Si l'Espagne nous manque dans la parole qu'elle nous aura donnée de son exclusion, où en sommes-nous ? Et la gloire de la paix générale *récompensera-t-elle dans le peuple, dont vous savez qu'il est l'horreur, la conservation d'un ministre pour la perte duquel nous avons pris les armes ? Je veux que l'on nous tienne parole [1], et que l'on exclue du ministère le Cardinal ; n'est-il pas vrai que nous demeurons toujours exposés à la vengeance de la Reine, au ressentiment de Monsieur le Prince et à toutes les suites qu'une cour outragée peut donner à une action de cette nature ? Il n'y a de véritable gloire que celle qui peut durer ; la passagère n'est qu'une fumée : celle que nous tirerons de la paix est des plus légères, si nous ne la soutenons par des *établissements qui joignent à la réputation de la bonne intention celle de la sagesse. Sur le tout, j'admire votre désintéressement, et vous savez que je l'estime comme je dois ; mais je suis assuré que vous n'approuveriez pas le mien, si il allait aussi loin que le vôtre. Votre maison est établie : considérez la mienne, et jetez les yeux sur l'état où est cette dame et sur celui où sont le père et les enfants. »

Je répondis à ces raisons par toutes celles que je crus trouver, en abondance, dans la considération que les Espagnols ne pourraient s'empêcher d'avoir pour nous, en nous voyant maîtres absolus de Paris, de huit mille hommes de pied et de trois mille chevaux à sa porte, et de l'armée de l'Europe la plus aguerrie, qui marchait à nous. Je n'oubliai rien pour le persuader de mes sentiments, dans lesquels je le suis encore moi-même que j'étais bien fondé. Il fit tout ce qu'il put pour me persuader des siens, qui étaient de faire toujours croire aux envoyés de l'archiduc que nous étions tout à fait résolus de nous engager avec eux pour la paix générale, mais de leur dire, en même temps, que nous croyions qu'il serait beaucoup mieux d'y engager aussi le Parlement, ce qui ne se pouvait faire que peu à peu et comme insensiblement ; d'*amuser, par ce moyen, les envoyés en signant avec eux

un traité, qui ne serait que comme un préalable de celui
que l'on projetait avec le Parlement, lequel, par conséquent,
ne nous obligerait encore à rien de proche ni de tout à fait
positif à l'égard de la paix générale, et lequel toutefois ne
laisserait pas de les contenter suffisamment pour faire avancer
leurs troupes. « Celles de mon frère, ajouta M. de Bouillon.
s'avanceront en même temps. La cour, *étonnée et abattue,
sera forcée de venir à un accommodement. Comme dans
notre traité avec Espagne, nous nous laisserons toujours une
porte de derrière ouverte, par la clause qui regardera le
Parlement, nous nous en servirons, et pour l'avantage du
public et pour le nôtre particulier, si la cour ne se met à la
raison. Nous éviterons ainsi les inconvénients que je vous ai
marqués ci-dessus, ou du moins nous demeurerons plus
longtemps en état et en liberté de les pouvoir éviter. »

Ces considérations, quoique sages et même profondes, ne
me convainquirent point, parce que la conduite que M. de
Bouillon en inférait me paraissait impraticable : je concevais
bien qu'il *amuserait les envoyés de l'archiduc, qui avaient
plus de confiance en lui qu'en tout ce que nous étions ;
mais je ne me figurais pas comme il amuserait le Parlement,
qui traitait *actuellement avec la cour, qui avait déjà ses
députés à Rueil, et qui, de toutes ses saillies, retombait
toujours, même avec précipitation, à la paix. Je considérais
qu'il n'y avait qu'une déclaration publique qui le pût retenir
en la pente où il était ; que selon les principes de M. de
Bouillon, cette déclaration ne se pouvait point faire, et que
ne se faisant point, et le Parlement par conséquent allant
son chemin, nous tomberions, si quelqu'une de nos *cordes
manquait, dans la nécessité de recourir au peuple, ce que je
tenais le plus mortel de tous les inconvénients.

M. de Bouillon m'interrompit à ce mot : « si quelqu'une
de nos cordes manquait », pour me demander ce que
j'entendais par cette parole ; et je lui répondis : « Par
exemple, Monsieur, si M. de Turenne mourait à l'heure
qu'il est ; si son armée se révoltait, comme il n'a pas tenu à
Erlach que cela fût, que deviendrions-nous si nous n'avions
engagé le Parlement ? Des tribuns du peuple le premier
jour ; et le second, les valets du comte de Fuensaldagne.
C'est ma vieille chanson : tout avec le Parlement ; rien sans
lui. » Nous *disputâmes sur ce ton trois ou quatre heures

pour le moins ; nous ne nous persuadâmes point, et nous convînmes d'agiter, le lendemain, la question chez M. le prince de Conti, en présence de MM. de Beaufort, d'Elbeuf, de La Mothe, de Brissac, de Noirmoutier et de Bellièvre.

Je sortis de chez lui fort embarrassé ; j'étais persuadé que son raisonnement, dans le fond, n'était pas solide, et je le suis encore. Je voyais que la conduite que ce raisonnement inspirait donnait ouverture à toute sorte de traités particuliers ; et sachant, comme je le savais, que les Espagnols avaient une très grande confiance en lui, je ne doutais point qu'il ne donnât à leurs envoyés toutes les lueurs et les *jours qu'il lui plairait. J'eus encore bien plus d'appréhension en rentrant chez moi : j'y trouvai une lettre en chiffre de Mme de Lesdiguières, qui me faisait des offres immenses de la part de la Reine : le paiement de mes dettes, des abbayes, la nomination au cardinalat. Un petit billet séparé portait ces paroles : « La déclaration de l'armée d'Allemagne met tout le monde ici dans la consternation. » Je jugeai que l'on ne manquerait pas de faire des tentatives auprès des autres, comme l'on en faisait auprès de moi, et je crus que puisque M. de Bouillon, qui était sans contestation la meilleure tête du parti, commençait à songer aux petites portes, dans un temps où tout nous riait, les autres auraient peine à ne pas prendre les grandes, que je ne doutais plus, depuis la déclaration de M. de Turenne, que l'on ne leur ouvrît avec soin. Ce qui m'affligeait sans comparaison plus que tout le reste était que je voyais le fond de l'esprit et du dessein de M. de Bouillon. J'avais cru jusque-là l'un plus vaste et l'autre plus élevé qu'ils ne me paraissaient en cette occasion, qui était pourant la décisive, puisqu'il y allait d'engager ou de ne pas engager le Parlement. Il m'avait pressé plus de vingt fois de faire ce que lui offrais présentement. La raison qui me donnait lieu de lui offrir ce que j'avais toujours rejeté était la déclaration de monsieur son frère, qui, comme vous pouvez juger, lui donnait encore plus de force qu'à moi. Au lieu de la prendre, il s'affaiblit, parce qu'il croit que le Mazarin lui lâchera Sedan ; il s'attache, dans cette vue, à ce qui le lui peut donner purement : il préfère ce petit intérêt à celui qu'il pouvait trouver à donner la paix à l'Europe. Ce pas, auquel je suis persuadé que Mme de Bouillon, qui avait un fort grand pouvoir sur lui, eut beaucoup de part, m'a

obligé de vous dire que, quoiqu'il eût de très grandes
parties [1], je doute qu'il ait été aussi capable que l'on l'a cru
des grandes choses qu'il n'a jamais faites. Il n'y a point de
qualité qui dépare tant celles d'un grand homme, que de
n'être pas *juste à prendre le moment décisif de sa
réputation. L'on ne le manque presque jamais que pour
mieux prendre celui de sa fortune ; et c'est en quoi l'on se
trompe pour l'ordinaire soi-même doublement. Il ne fut
pas, à mon avis, habile en cette occasion, parce qu'il y
voulut être *fin. Cela arrive assez souvent.

Nous nous trouvâmes, le lendemain, chez M. le prince de
Conti, ainsi que nous l'avions résolu la veille. Mme de
Longueville, qui était accouchée de monsieur son fils plus
de six semaines auparavant [2], et dans la chambre de laquelle
l'on avait parlé depuis plus de vingt fois d'affaire, ne se
trouva point à ce conseil, et je crus du mystère à son absence.
La matière y ayant été débattue par M. de Bouillon et par
moi, sur les mêmes principes qui avaient été agités chez lui,
M. le prince de Conti fut du sentiment de M. de Bouillon,
et avec des circonstances que me firent juger qu'il y avait de
la négociation. M. d'Elbeuf fut doux comme un agneau, et
il me parut qu'il eût enchéri, s'il eût osé, sur l'avis de M. de
Bouillon.

Le chevalier de Fruges, frère de la vieille Fiennes, scélérat,
et qui ne servait dans notre parti que de double espion,
sous le titre toutefois de commandant du régiment d'Elbeuf,
m'avait averti, comme j'entrais dans l'Hôtel de Ville, qu'il
croyait son maître accommodé. M. de Beaufort fit assez
connaître, par ses manières, que Mme de Montbazon avait
essayé de modérer ses emportements. Mais comme j'étais
assuré que je l'emporterais toujours sur elle dans le fond de
courre [3], l'irrésolution qu'il témoigna d'abord ne m'eût pas
embarrassé, et en joignant sa voix à celle de MM. de Brissac,
de La Mothe, de Noirmoutier et de Bellièvre, qui entrèrent
tout à fait dans mon sentiment, j'eusse emporté de beaucoup
la balance, si la considération de M. de Turenne, qui était
dans ce moment la grosse *corde du parti, et celle que
M. de Bouillon avait avec les Espagnols par les anciennes
mesures qu'il avait toujours conservées avec Fuensaldagne,
ne m'eût obligé de me faire honneur de ce qui n'était qu'un
parti de nécessité.

J'avais été la veille, au sortir de chez M. de Bouillon, chez les envoyés de l'archiduc, pour essayer de pénétrer si ils étaient toujours aussi attachés à l'article de la paix générale, c'est-à-dire à ne traiter avec nous que sur l'engagement que nous prendrions nous-mêmes pour la paix générale, qu'ils me l'avaient toujours dit et que M. et Mme de Bouillon me l'avaient prêché. Je les trouvai l'un et l'autre absolument changés, quoiqu'ils ne crussent pas l'être. Ils voulaient toujours un engagement pour la paix générale ; mais ils le voulaient à la mode de M. de Bouillon, c'est-à-dire à deux fois[1]. Il leur avait mis dans l'esprit qu'il serait bien plus avantageux pour eux en cette manière, parce que nous y engagerions le Parlement. Enfin je reconnus la main de l'ouvrier, et je vis bien que ses raisons, jointes à l'ordre qu'ils avaient de se rapporter à lui de toutes choses, l'emporteraient de bien loin sur tout ce que je leur pourrais dire au contraire. Je ne m'ouvris point à eux par cette considération.

J'allai, entre minuit et une heure, chez le président de Bellièvre, pour le prendre et pour le mener chez Croissy pour être moins interrompu. Je leur exposai l'état des choses. Ils furent tous deux, sans hésiter, de mon sentiment ; ils crurent que le contraire nous perdrait infailliblement. Ils convinrent qu'il fallait toutefois s'y accommoder pour le présent, parce que nous dépendions absolument, particulièrement dans cet instant, et des Espagnols et de M. de Turenne, qui n'avaient encore de mouvement que ceux qui leur étaient inspirés par M. de Bouillon, et ils voulurent espérer ou que nous obligerions M. de Bouillon, dans le conseil qui se devait le lendemain tenir chez M. le prince de Conti, de revenir à notre sentiment, ou que nous le persuaderions nous-mêmes à M. de Turenne, quand il nous aurait joints. Je ne me flattai en façon du monde de cette espérance, et d'autant moins que ce que je craignais le plus vivement de cette conduite pouvait très naturellement arriver devant que M. de Turenne pût être à nous. Croissy, qui avait un esprit d'expédients, me dit : « Vous avez raison ; mais voici une pensée qui me vient. Dans ce traité préliminaire que M. de Bouillon veut que l'on signe avec les envoyés de l'archiduc, y signerez-vous ? — Non, lui répondis-je. — Eh bien ! reprit-il, prenez cette occasion pour faire entendre à ces envoyés les raisons que vous avez de n'y pas signer. Ces raisons sont celles-là même qui feraient voir à Fuensaldagne, si il était ici, que l'intérêt véritable d'Espagne est la conduite que vous vous proposez. Peut-être que les envoyés y feront réflexion, peut-être qu'ils demanderont du temps pour en rendre compte à l'archiduc ; et en ce cas, j'ose répondre que Fuensaldagne approuvera votre sentiment, auquel il faudra par conséquent que M. de Bouillon se soumette. Il n'y a rien de plus naturel que ce que je vous propose ; et les envoyés même ne s'apercevront d'aucune division dans le parti, parce que vous ne paraîtrez alléguer vos raisons que pour vous empêcher de signer, et non pas pour combattre l'avis de M. le prince de Conti et de M. de Bouillon. » Comme cet expédient avait peu ou point d'inconvénient, je me résolus à tout hasard de le prendre, et je priai M. de Brissac, dès le lendemain au matin, d'aller dîner chez Mme de Bouillon et de lui dire, sans affectation, qu'il me voyait un peu ébranlé sur le sujet de la signature avec Espagne. Je ne doutai point que M. de Bouillon, qui m'avait toujours vu très éloigné de signer en mon particulier, jusques au jour que je lui proposai de le faire faire de gré ou de force au Parlement, ne fût ravi de me voir balancer à l'égard du traité particulier des généraux ; qu'il ne m'en pressât et qu'il ne me donnât lieu de m'en expliquer en présence des envoyés.

Voilà la disposition où j'étais quand nous entrâmes en conférence chez M. le prince de Conti. Quand je connus que tout ce que nous disions, M. de Bellièvre et moi, ne persuadait point M. de Bouillon, je fis semblant de me rendre à ses raisons et à l'autorité de M. le prince de Conti, notre généralissime ; et nous convînmes de traiter avec l'archiduc aux termes proposés par M. de Bouillon, qui étaient qu'il s'avancerait jusques à Pont-à-Vère et plus loin même, lorsque les généraux le souhaiteraient ; et qu'eux n'oublieraient rien, de leur part, pour obliger le Parlement à entrer dans le traité, ou plutôt à en faire un nouveau pour la paix générale, c'est-à-dire pour obliger le Roi à en traiter sous des conditions raisonnables, du détail desquelles le Roi Catholique se remettrait même à l'arbitrage du Parlement. M. de Bouillon se chargea de faire signer ce traité, aussi simple que vous le voyez, aux envoyés. Il ne me demanda

pas seulement si je le signerais ou si je ne le signerais pas.
Toute la compagnie fut très satisfaite d'avoir le secours
d'Espagne à si bon marché et de demeurer dans la liberté
de recevoir les propositions que la déclaration de M. de
Turenne obligeait la cour de faire à tout le monde avec
profusion, et l'on prit heure à minuit pour signer le traité
dans la chambre de Monsieur le prince de Conti, à l'Hôtel
de Ville. Les envoyés s'y trouvèrent à point nommé, et je
pris garde qu'ils m'observèrent extraordinairement.

Croissy, qui tenait la plume pour dresser le traité, ayant
commencé à l'écrire, le bernardin, se tournant vers moi, me
demanda si je ne le signerais pas : à quoi lui ayant répondu
que M. de Fuensaldagne me l'avait défendu de la part de
Mme de Bouillon, il me dit d'un ton sérieux que c'était
toutefois un préalable absolument nécessaire, et qu'il avait
encore reçu, depuis deux jours, des ordres très exprès sur
cela de Monsieur l'Archiduc. Je reconnus en cet endroit
l'effet de ce que j'avais fait dire à Mme de Bouillon par
M. de Brissac. Monsieur son mari me pressa au dernier point.
Je ne manquai pas cette occasion de faire connaître aux
envoyés d'Espagne leur intérêt solide, en leur prouvant que
je trouvais si peu de sûreté, pour moi-même aussi bien que
pour tout le reste du parti, en la conduite que l'on prenait,
que je ne me pouvais résoudre à y entrer, au moins par une
signature en mon particulier. Je leur répétai l'offre que
j'avais faite, la veille, de m'engager à tout sans exception,
si l'on voulait prendre une résolution finale et décisive. Je
n'oubliai rien pour leur donner ombrage, sans paraître
toutefois le marquer, des ouvertures que le chemin que l'on
prenait donnait aux accommodements particuliers.

Quoique je ne disse toutes ces choses que par forme de
récit, et sans témoigner avoir aucun dessein de combattre ce
qui avait été résolu, elles ne laissèrent pas de faire une forte
impression dans l'esprit du bernardin, et au point que M. de
Bouillon m'en parut assez embarrassé, et qu'il eût bien
voulu, à ce qu'il m'a confessé depuis, n'avoir point attaché
cette *escarmouche. Don Francisco Pizarro, qui était un bon
Castillan, assez fraîchement sorti de son pays, et qui avait
encore apporté de nouveaux ordres de Bruxelles, de se
conformer entièrement aux sentiments de M. de Bouillon,
pressa son collègue de s'y rendre. Il y consentit sans beaucoup

de résistance ; je l'y exhortai moi-même quand je vis qu'il y était résolu ; et j'ajoutai que pour lui lever tout le scrupule de la difficulté que je faisais de signer, je leur donnais ma parole, en présence de M. le prince de Conti et de messieurs les généraux, que si le Parlement s'accommodait, je leur donnerais, par des expédients que j'avais en main, tout le temps et tout le loisir nécessaire pour retirer leurs troupes.

Je leur fis cette offre pour deux raisons : l'une parce que j'étais très persuadé que Fuensaldagne, qui était très habile homme, ne serait nullement de l'avis de ses envoyés, et n'engagerait pas son armée dans le royaume, ayant aussi peu des généraux et rien de moi. L'autre considération qui m'obligea à faire ce pas fut que j'étais bien aise de faire même voir à nos généraux que j'étais si résolu à ne point souffrir, au moins en ce qui serait en moi, de perfidie, que je m'engageais publiquement à ne pas laisser accabler ni surprendre les Espagnols, en cas même d'accommodement du Parlement, quoique dans la même conférence j'eusse protesté plus de vingt fois que je ne me séparerais point de lui, et que cette résolution était l'unique cause pour laquelle je ne voulais pas signer un traité dont il n'était point.

M. d'Elbeuf, qui était *malin, et qui était en colère de ce que j'avais parlé des traités particuliers, me dit tout haut, en présence même des envoyés : « Vous ne pouvez trouver que dans le peuple les expédients dont vous venez de parler à ces messieurs. — C'est où je ne les chercherai jamais, lui répondis-je ; M. de Bouillon en répondra pour moi. » M. de Bouillon, qui eût souhaité, dans la vérité, que j'eusse voulu signer avec eux, prit la parole : « Je sais, ce dit-il, que ce n'est pas votre intention ; mais je suis persuadé que vous faites contre votre intention sans le croire, et que nous gardons, en signant, plus d'égard avec le Parlement que vous n'en gardez vous-même en ne signant pas : car... (il abaissa sa voix à cette dernière parole, afin que les envoyés n'en entendissent pas la suite ; il nous mena, M. d'Elbeuf et moi, à un coin de la chambre, et il continua en ces termes :) nous nous réservons une porte pour sortir d'affaire avec le Parlement. — Il ouvrira cette porte, lui répondis-je, quand vous ne le voudrez pas, comme il y paraît déjà ; et vous la voudrez fermer quand vous ne le pourrez pas : l'on ne se joue pas avec cette compagnie ; vous le verrez,

Messieurs, par l'événement. » M. le prince de Conti nous appela à cet instant. L'on lut le traité et l'on le signa. Voilà ce qui nous en parut. Don Gabriel de Tolède, dont je vous parlerai incontinent, m'a dit depuis que les envoyés avaient donné deux mille pistoles à Mme de Montbazon et autant à M. d'Elbeuf.

Je revins chez moi fort touché de ce qui se venait de passer ; et le président de Bellièvre et Montrésor, qui m'y attendaient, ne le furent pas moins que moi. Le premier, qui était homme de bon sens, me dit une parole que l'événement, qui l'a justifiée, rend très digne de réflexion : « Nous avons manqué aujourd'hui d'engager le Parlement, moyennant quoi tout était sûr, tout était bon. Prions Dieu que tout aille bien ; car si une seule de nos *cordes nous manque, nous sommes perdus. » Comme M. de Bellièvre achevait de parler, Noirmoutier entra dans ma chambre, qui nous dit que depuis que j'étais sorti de l'Hôtel de Ville, un valet de chambre de Laigue y était arrivé qui me cherchait, et qui ne m'y ayant pas trouvé, était remonté à cheval, sans avoir voulu parler à personne. Vous remarquerez, s'il vous plaît, que Laigue, qui avait une grande valeur, mais peu de sens et beaucoup de présomption, et qui s'était fort lié avec moi depuis qu'il avait vendu sa compagnie aux gardes, se mit en tête de négocier en Flandres aussitôt que le bernardin nous fut venu trouver. Il crut que cet emploi le rendrait considérable dans le parti : il me le demanda ; il m'en fit presser par Montrésor, qui le destina, dès cet instant, à la charge d'amant de Mme de Chevreuse, qui était à Bruxelles. Il me représenta qu'elle pourrait ne m'être pas inutile dans les suites, que la place était vide, qu'elle se pouvait remplir par un autre qui ne dépendrait pas de moi. Enfin, quoique j'eusse assez de répugnance à laisser aller à Bruxelles un homme qui avait mon *caractère, je me laissai aller à ses prières et à celles de Montrésor, et nous lui donnâmes la *commission de résider auprès de Monsieur l'Archiduc [1]. Ce valet de chambre qu'il m'envoyait et qui entra dans ma chambre un demi-quart d'heure après Noirmoutier, m'apportait une dépêche de lui, qui me fit trembler. Elle ne parlait que des bonnes intentions de Monsieur l'Archiduc, de la sincérité de Fuensaldagne, de la confiance que nous devions prendre en eux, enfin, pour vous abréger, je n'ai jamais rien vu de si sot ; et ce qui nous fit le plus de peine fut que nous connûmes visiblement qu'il croyait déjà gouverner Fuensaldagne.

Jugez, je vous supplie, quel plaisir il y a d'avoir un négociateur de cette espèce, dans une cour où nous devions avoir plus d'une affaire. Noirmoutier, qui était son ami intime, avoua que sa lettre était fort *impertinente ; mais il ne s'avisa pas qu'elle le rendait lui-même fort impertinent ; car il se mit dans la fantaisie d'aller aussi à Bruxelles, en disant qu'il confessait qu'il y avait de l'inconvénient d'y laisser Laigue ; mais qu'il y aurait de la malhonnêteté à le révoquer et même à lui envoyer un collègue qui ne fût pas et son ami particulier et d'un grade tout à fait supérieur au sien. Voilà ce qu'il disait ; voici ce qu'il pensait. Il espérait qu'il se distinguerait beaucoup par cet emploi, qui le mettrait dans la négociation sans le tirer de la guerre, qui lui donnerait toute la confiance du parti à l'égard de l'Espagne, et qui lui donnerait, en même temps, toute la considération de l'Espagne à l'égard du parti. Nous fîmes tous nos efforts pour lui ôter cette pensée, et nous lui dîmes mille bonnes raisons pour l'en détourner ; nous ne nous expliquâmes pas des plus fortes, qui étaient son peu de secret et son peu de jugement, belles qualités, comme vous voyez, pour suppléer aux défauts de Laigue. Il le voulut absolument, et il le fallut : il portait le nom de La Trémoille, il était lieutenant général, il brillait dans le parti, il y était entré avec moi et par moi. Voilà le malheur des guerres civiles : l'on y fait souvent des fautes par bonne conduite.

Ce que je vous viens de raconter de nos conférences chez M. de Bouillon et à l'Hôtel de Ville, se passa le 5, le 6 et le 7 de mars. Il est nécessaire que je vous rende compte de ce qui se passa ces jours-là et au Parlement et à la conférence de Rueil.

Celle-ci commença aussi mal qu'il se pouvait. Les députés prétendirent, et avec raison, que l'on ne tenait point la parole que l'on leur avait donnée, de déboucher les passages, et que l'on ne laissait pas même passer librement les cent muids de blé. La cour soutint qu'elle n'avait point promis l'ouverture des passages, et qu'il ne tenait pas à elle que les cent muids ne passassent[1]. La Reine demanda, pour conditions préalables à la levée du siège, que le Parlement s'engageât à aller tenir sa séance à Saint-Germain, tant qu'il plairait au Roi, et qu'il promît de ne s'assembler de trois ans. Les députés refusèrent tous d'une voix ces deux propositions, sur lesquelles la cour se modéra dès l'après-dînée même. M. le duc d'Orléans ayant dit aux députés que la Reine se relâchait de la translation du Parlement, qu'elle se contenterait que, lorsque l'on serait d'accord de tous les articles, il allât tenir un lit de justice à Saint-Germain, pour y vérifier la déclaration qui contiendrait ces articles, et qu'elle modérait aussi les trois années de défenses de s'assembler, à deux : les députés n'*opiniâtrèrent pas le premier ; ils ne se rendirent pas sur le second, en soutenant que le privilège de s'assembler était essentiel au Parlement.

Ces contestations, jointes à plusieurs autres, qui vous ennuieraient, et aux chicanes qui recommençaient de moment à autre touchant le passage des blés, irritèrent si fort les esprits, lorsque l'on les sut à Paris, que l'on ne parlait de rien moins, au feu de la Grande Chambre, que de révoquer le pouvoir des députés ; et messieurs les généraux, qui se voyant recherchés par la cour, qui n'en avait pas fait beaucoup de cas jusques à la déclaration de M. de Turenne, ne doutaient point qu'ils ne fissent encore leur condition beaucoup meilleure lorsqu'elle serait plus embarrassée, n'oublièrent rien pour faire crier le Parlement et le peuple, et pour faire connaître au Cardinal que tout ne dépendait pas de la conférence de Rueil. J'y contribuais de mon côté, dans la vue de régler ou plutôt de modérer un peu la précipitation avec laquelle le premier président et le président de Mesmes couraient[a] à tout ce qui paraissait accommodement ; et ainsi, comme nous conspirions tous sur ce point à une même fin, quoique par différents principes, nous faisions, [sans[b]] concert, les mêmes démarches.

Celle du 8 de mars fut très considérable. M. le prince de Conti dit au Parlement que M. de Bouillon, que la goutte avait repris avec violence, l'avait prié de dire à la Compagnie que M. de Turenne lui offrait sa personne et ses troupes contre le cardinal Mazarin, l'ennemi de l'État. J'ajoutai que, comme je venais d'être averti que l'on avait dressé la veille une déclaration, à Saint-Germain, par laquelle M. de Turenne était déclaré criminel de lèse-majesté, je croyais qu'il était nécessaire de casser cette déclaration ; d'autoriser ses armes par un arrêt solennel ; d'enjoindre à tous les sujets du Roi de lui donner passage et subsistance ; et de travailler, en diligence, à lui faire un fonds pour le paiement de ses troupes et pour prévenir le mauvais effet que huit cent mille livres, que la cour venait d'envoyer à Erlach pour les débaucher, y pourraient produire[1]. Cette proposition passa toute d'une voix. La joie qui parut dans les yeux et dans les avis de tout le monde ne se peut exprimer. L'on donna ensuite un arrêt sanglant contre Courcelles, Lavardin et Amilly, qui faisaient des troupes pour le Roi dans le pays du Maine. L'on permit aux communes de s'assembler au son du tocsin, et de courir sus à tous ceux qui en feraient sans ordre du Parlement.

Ce ne fut pas tout. Le président de Bellièvre ayant dit à la Compagnie qu'il avait reçu une lettre du premier président, par laquelle il l'assurait que ni lui ni les autres députés ne feraient rien qui fût indigne de la confiance qu'elle leur avait témoignée, il s'éleva un cri, plutôt qu'une voix publique, qui ordonna au président de Bellièvre d'écrire expressément au premier président de n'entendre à aucune proposition nouvelle, ni même de ne résoudre quoi que ce soit sur les anciennes, jusques à ce que tous les arrérages du blé promis eussent été entièrement fournis et délivrés, que tous les passages eussent été débouchés et que tous les chemins eussent été ouverts aussi bien pour les courriers que pour les vivres.

Le 9. L'on passa plus outre. L'on donna arrêt de faire surseoir à la conférence jusques à l'entière exécution des promesses, et jusques à l'ouverture toute libre d'un passage, non pas seulement pour le blé, mais même pour toute sorte de victuailles ; et les plus modérés eurent grande peine à obtenir que l'on ajoutât cette clause à l'arrêté, que l'on attendrait, pour le publier, que l'on eût su de Monsieur le Premier Président si les passeports pour les blés n'avaient point été expédiés depuis la dernière nouvelle que l'on avait eue de lui.

M. le prince de Conti ayant dit, le même jour, au Parlement que M. de Longueville l'avait prié de l'assurer qu'il partirait de Rouen, sans remise, le 15 du mois, avec sept mille hommes de pied et trois mille chevaux, et qu'il marcherait droit à Saint-Germain, la Compagnie en témoigna une joie incroyable, et pria M. le prince de Conti d'en presser encore M. de Longueville[1].

Le 10. Miron, député du parlement de Normandie, étant entré au Parlement et ayant dit que M. de Longueville lui avait donné charge de dire à la Compagnie que le parlement de Rennes avait reçu, avec une extrême joie, la lettre et l'arrêt de celui de Paris, et qu'il n'attendait que M. de La Trémoille pour donner celui de jonction contre l'ennemi commun : Miron, dis-je, après avoir fait ce discours et ajouté que Le Mans, qui s'était aussi déclaré pour le parti, avait des envoyés auprès de M. de Longueville, fut remercié de toute la Compagnie, comme lui ayant apporté des nouvelles extrêmement agréables.

Le 11. Un envoyé de M. de La Trémoille demanda audience au Parlement, à qui il offrit, de la part de son maître, huit mille hommes de pied et deux mille chevaux, qu'il prétendait être en état de marcher en deux jours, pourvu qu'il plût à la Compagnie de permettre à M. de La Trémoille de se saisir des deniers royaux, dans les recettes générales de Poitiers, de Niort et d'autres lieux dont il était déjà assuré. Le Parlement lui fit de grands remerciements, lui donna arrêt d'union, lui donna plein pouvoir sur les recettes générales, et le pria d'avancer ses levées avec diligence.

L'envoyé n'était pas sorti du Palais, que le président de Bellièvre ayant dit à la Compagnie que le premier président la suppliait de lui envoyer un nouveau pouvoir d'agir à la conférence, parce que l'arrêté du jour précédent lui avait ordonné, et à lui, et aux autres députés, de surseoir : le président de Bellièvre, dis-je, n'eut autre réponse, si ce n'est que l'on donnerait ce pouvoir quand la quantité du blé qui avait été promise aurait été reçue.

Un instant après, Roland, bourgeois de Reims, qui avait maltraité personnellement et chassé de la ville M. de La Vieuville, lieutenant de Roi[2] dans la province, parce qu'il s'était déclaré pour Saint-Germain, présenta requête au Parlement contre les *officiers qui l'avaient déféré à la cour pour cette action. Il en fut loué de toute la Compagnie, et l'on l'assura de toute sorte de protection.

Voilà bien de la chaleur dans le parti ; et vous croyez apparemment qu'il faudra au moins un peu de temps pour

l'évaporer, devant que la paix se puisse faire. Nullement :
elle est faite et signée le même jour à la conférence de
Rueil, et elle est faite et signée le 11 de mars par les députés,
qui avaient demandé, le 10, nouveau pouvoir, parce que
l'ancien était révoqué, et par ces mêmes députés auxquels
l'on avait refusé ce nouveau pouvoir. Voici le dénouement
de ce *contretemps, que la postérité aura peine à croire et
auquel l'on s'accoutuma en quatre jours.

Aussitôt que M. de Turenne fut déclaré, la cour travailla
à gagner les généraux, avec beaucoup plus d'application
qu'elle n'avait fait jusque-là ; mais elle n'y réussit pas, au
moins à son gré. Mme de Montbazon, pressée par Vineuil
en plus d'un sens, promettait M. de Beaufort à la Reine ;
mais la Reine voyait bien qu'elle aurait beaucoup de peine
à le livrer tant que je ne serais pas du marché. La Rivière ne
témoignait plus tant de mépris pour M. d'Elbeuf ; mais
enfin qu'est-ce que pouvait M. d'Elbeuf ? Le maréchal de
La Mothe n'était accessible que par M. de Longueville,
duquel la cour ne s'assurait pas beaucoup davantage, par la
négociation d'Anctoville, que nous nous en assurions par
la *correspondance de Varicarville. M. de Bouillon faisait
paraître, depuis l'éclat de monsieur son frère, plus de pente
à s'accommoder avec la cour, et Vassé, qui commandait, ce
me semble, son régiment de cavalerie, l'avait insinué par
des canaux différents à Saint-Germain ; mais les conditions
paraissaient bien hautes. Il en fallait de grandes pour les
deux frères, qui, au poste où ils se trouvaient, n'étaient pas
d'humeur à se contenter de peu de chose. Les incertitudes
de M. de La Rochefoucauld ne plaisaient pas à La Rivière,
qui d'ailleurs considérait, à ce que Flammarens disait à
Mme de Pommereux, que le compte que l'on ferait avec
M. le prince de Conti ne serait jamais bien sûr pour les
suites, si il n'était aussi arrêté par Monsieur le Prince, qui,
sur l'article du cardinalat de monsieur son frère, n'était pas
de trop facile composition. Ce que j'avais répondu aux offres
que j'avais reçues par la canal de Mme de Lesdiguières ne
donnait pas de lieu à la cour de croire que je fusse aisé à
ébranler.

Enfin M. le cardinal Mazarin trouvait toutes les portes de
la négociation, qu'il aimait passionnément, ou fermées ou
embarrassées, dans une conjoncture où ceux mêmes qui n'y

eussent pas eu d'inclination eussent été obligés de les chercher avec empressement, parce que, dans la vérité, il n'y avait plus d'autre issue dans la disposition où était le royaume. Ce désespoir, pour ainsi parler, de négociation fut par l'événement plus utile à la cour que la négociation la plus *fine ne la [a] lui eût pu être ; car il ne l'empêcha pas de négocier, le Cardinal ne s'en pouvant jamais empêcher par son naturel ; et il fit toutefois que, contre son ordinaire, il ne se fia pas à sa négociation ; et ainsi il *amusa nos généraux, cependant qu'il envoyait huit cent mille livres, qui enlevèrent à M. de Turenne son armée [1], et qu'il obligeait les députés de Rueil à signer une paix contre les ordres de leur corps. Monsieur le Prince m'a dit que ce fut lui qui fit envoyer les huit cent mille livres, et je ne sais même si il n'ajouta pas qu'il les avait avancées ; je ne m'en ressouviens pas précisément.

Pour ce qui est de la conclusion de la paix de Rueil, le président de Mesmes m'a assuré plusieurs fois depuis qu'elle fut purement l'effet d'un concert qui fut pris, la nuit d'entre le 8 et le 9 de mars, entre le Cardinal et lui ; et que le Cardinal lui ayant dit qu'il connaissait clairement que M. de Bouillon ne voulait négocier que quand M. de Turenne serait à la portée de Paris et des Espagnols, c'est-à-dire en état de se faire donner la moitié du royaume, lui, président de Mesmes, lui avait répondu : « Il n'y a de salut que de faire le coadjuteur cardinal » ; que le Cardinal lui ayant reparti : « Il est pis que l'autre ; car l'on voit au moins un temps où l'autre négociera ; mais celui-là ne traitera jamais que pour le général [2] », lui, président de Mesmes, lui avait dit: « Puisque les choses sont en cet état, il faut que nous payions de nos personnes pour sauver l'État ; il faut que nous signions la paix ; car après ce que le Parlement a fait aujourd'hui, il n'y a plus de mesure, et peut-être qu'il nous révoquera demain. Nous hasardons tout si nous sommes désavoués : l'on nous fermera les portes de Paris ; l'on nous fera notre procès ; l'on nous traitera de prévaricateurs et de traîtres ; c'est à vous de nous donner des conditions qui nous donnent lieu de justifier notre procédé. Il y va de votre intérêt, parce que si elles sont raisonnables, nous les saurons bien faire valoir contre les factieux ; mais faites-les telles qu'il vous plaira, je les signerai toutes, et je vas de ce pas

de Mesmes c M strike deal

dire au premier président que c'est mon sentiment, et que
c'est l'unique expédient pour sauver le royaume. Si il réussit,
nous avons la paix ; si nous sommes désavoués, nous
affaiblissons toujours la faction et le mal n'en tombera que
sur nous. »

Le président de Mesmes, en me contant ce que je viens
de vous dire, ajoutait que la commotion où le Parlement
avait été, le 8, jointe à la déclaration de M. de Turenne, et
à ce que le Cardinal lui avait dit de la disposition de M. de
Bouillon et de la mienne, lui avait inspiré cette pensée ;
que l'arrêt donné le 9, qui ordonnait aux députés de surseoir
à la conférence jusques à ce que les blés promis eussent été
fournis, l'y avait confirmé ; que la chaleur qui avait paru
dans le peuple le 10 l'y avait fortifié ; qu'il avait persuadé,
quoiqu'avec peine, le premier président de faire cette
démarche. Il accompagnait ce récit de tant de circonstances,
que je crois qu'il disait vrai. Feu M. le duc d'Orléans et
Monsieur le Prince, auxquels je l'ai demandé, m'ont dit que
l'opiniâtreté avec laquelle, et le 8, et le 9, et le 10, le
premier président et le président de Mesmes défendirent
quelques articles n'avait guère de rapport à cette résolution
que le président de Mesmes disait avoir prise dès le 8.
Longueil, qui était un des députés, était persuadé de la
vérité de ce que disait le président de Mesmes, et il tirait
même vanité de ce qu'il s'en était aperçu des premiers ; et
M. le cardinal Mazarin, à qui j'en parlai depuis la guerre,
me le confirma, en se donnant pourtant la gloire d'avoir
rectifié cet avis, « qui était, ajouta-t-il, de soi-même trop
dangereux, si je n'eusse pénétré les intentions de M. de
Bouillon et les vôtres. Je savais que vous ne vouliez pas
perdre le Parlement par le peuple, et que M. de Bouillon
voulait, préférablement à toutes choses, attendre son frère. »
Voilà ce que me dit M. le cardinal Mazarin, dans l'intervalle
de l'un de ces raccommodements fourrés que nous faisions
quelquefois ensemble. Je ne sais si il ne parlait point après
coup ; mais je sais bien que si il eût plu à M. de Bouillon
de me croire, nous n'eussions pas donné lieu, ni lui, ni moi,
à cette pénétration.

La paix fut donc signée, après beaucoup de contestations,
trop longues et [trop]ᵃ ennuyeuses à rapporter, le 11 de
mars, et les députés consentirent, avec beaucoup de difficulté,

que M. le cardinal Mazarin y signât avec M. le duc d'Orléans, Monsieur le Prince, Monsieur le Chancelier, M. de La Meille-raye et M. de Brienne, qui étaient les députés nommés par le Roi. Les articles furent :

Que le Parlement se rendra à Saint-Germain, où sera tenu un lit de justice, où la déclaration contenant les articles de la paix sera publiée : après quoi, il retournera faire ses fonctions ordinaires à Paris ;

Ne sera faite aucune assemblée de chambre pour toute l'année 1649, excepté pour la réception des *officiers et pour les *mercuriales ;

Que tous les arrêts rendus par le Parlement, depuis le 6 de janvier, seront nuls, à la réserve de ceux qui auront été rendus entre particuliers, sur faits concernant la justice ordinaire ;

Que toutes les lettres de cachet, déclarations et arrêts du Conseil, rendus au sujet des mouvements présents, seront nuls et comme non avenus ;

Que les gens de guerre levés pour la défense de Paris seront licenciés aussitôt après l'accommodement signé, et Sa Majesté fera aussi, en même temps, retirer ses troupes des environs de ladite ville ;

Que les habitants poseront les armes, et ne les pourront reprendre que par ordre du Roi ;

Que le député de l'archiduc sera renvoyé incessamment sans réponse ;

Que tous les papiers et meubles qui ont été pris aux particuliers et qui se trouveront en nature seront rendus ;

Que M. le prince de Conti, princes, ducs, et tous ceux sans exception qui ont pris les armes, n'en pourront être *recherchés, sous quelque prétexte que ce puisse être, en déclarant par les dessus dits, dans quatre jours à compter de celui auquel les passages seront ouverts, et par M. de Longue-ville, en dix, qu'ils veulent bien [être] compris dans le présent traité ;

Que le Roi donnera une décharge générale pour tous les deniers royaux qui ont été pris, pour tous les meubles qui ont été vendus, pour toutes les armes et munitions qui ont été enlevées tant à l'Arsenal qu'ailleurs ;

Que le Roi fera expédier des lettres pour la révocation du semestre[1] du parlement d'Aix, conformément aux articles

accordés entre les députés de Sa Majesté et ceux du parlement
et pays de Provence, du 21 février ;

Que la Bastille sera remise entre les mains du Roi.

Il y eut encore quelques autres articles qui ne méritent
pas d'être rapportés [1].

Je crois que vous ne doutez pas de la surprise de M. de
Bouillon, lorsqu'il apprit que la paix était signée. Je le lui
appris en lui faisant lire un billet que j'avais reçu de
Longueil, au cinq ou sixième mot duquel Mme de Bouillon,
qui fit réflexion à ce que je lui avais dit cinquante fois, des
inconvénients qu'il y avait à ne pas engager pleinement et
entièrement le Parlement, s'écria en se jetant sur le lit de
monsieur son mari : « Ah ! qui l'eût dit ? Y avez-vous
seulement jamais pensé ? — Non, Madame, lui répondis-je,
je n'ai pas cru que le Parlement pût faire la paix aujourd'hui ;
mais j'ai cru, comme bien savez, qu'il la ferait très mal si
nous le laissions faire : il ne m'a trompé qu'au temps. »
M. de Bouillon prit la parole : « Il ne l'a que trop dit, il ne
nous l'a que trop prédit ; nous avons fait la faute tout
entière. » Je vous confesse que ce mot de M. de Bouillon
m'inspira une nouvelle espèce de respect pour lui ; car il
est, à mon sens, d'un plus grand homme de savoir avouer
sa faute que de savoir ne la pas faire. Comme nous
consultions ce qu'il y avait à faire, M. le prince [de Conti],
M. d'Elbeuf, M. de Beaufort et M. le maréchal de La Mothe
entrèrent dans la chambre, qui ne savaient rien de la
nouvelle, et qui ne venaient chez M. de Bouillon que pour
lui communiquer une entreprise que Saint-Germain d'Achon
avait formée sur Lagny, où il avait quelque intelligence. Ils
furent surpris, au-delà de ce que vous vous pouvez imaginer,
de la signature de la paix ; et d'autant plus que tous leurs
négociateurs, selon le style ordinaire de ces sortes de gens,
leur avaient fait voir, depuis deux ou trois jours, que la cour
était persuadée que le Parlement n'était qu'une *représentation, et qu'au fond il fallait compter avec les généraux.
M. de Bouillon m'a avoué plusieurs fois depuis, que Vassé
l'en avait fort assuré ; Mme de Montbazon avait reçu cinq
ou six billets de la cour qui portaient la même chose ; et le
maréchal de Villeroy, qui assurément ne trompait pas
Mme de Lesdiguières, mais qui était trompé lui-même, lui
disait la même chose tous les jours. Il faut avouer que M. le

cardinal Mazarin joua et couvrit très bien son jeu en cette occasion ; et qu'il en est d'autant plus à estimer, qu'il avait à se défendre de l'imprudence de La Rivière, qui était grande, et de l'impétuosité de Monsieur le Prince, qui, en ce temps-là, n'était pas *médiocre : le propre jour que la paix fut signée, il s'emporta contre les députés d'une manière qui était très capable de rompre l'accommodement. Je reviens au conseil que nous tînmes chez M. de Bouillon.

L'un des plus grands défauts des hommes est qu'ils cherchent presque toujours, dans les malheurs qui leur arrivent par leurs fautes, des excuses devant que d'y chercher des remèdes ; ce qui fait qu'ils y trouvent très souvent trop tard les remèdes, qu'ils n'y cherchent pas d'assez bonne heure. Voilà ce qui arriva chez M. de Bouillon. Je vous ai déjà dit qu'il ne balança pas un moment à reconnaître qu'il n'avait pas jugé sainement de l'état des choses. Il le dit publiquement, comme il me l'avait dit à moi seul. Il n'en fut pas ainsi des autres. Nous eûmes, lui et moi, le plaisir de remarquer qu'ils répondaient à leurs pensées plutôt qu'à ce que l'on leur disait : ce qui ne manque presque jamais en ceux qui savent que l'on leur peut reprocher quelque chose avec justice. Il ne tint pas à moi de les obliger à dire leur avis les premiers. Je suppliai M. le prince de Conti de considérer qu'il lui appartenait, par toute sorte de raisons, d'ouvrir et de fermer la scène. Il parla, et si obscurément que personne n'y entendit rien. M. d'Elbeuf s'étendit beaucoup, et il ne conclut à rien. M. de Beaufort employa son lieu commun, qui était d'assurer qu'il irait toujours son grand chemin. Les *oraisons du maréchal de La Mothe n'étaient jamais que d'une demi-période[1] ; et M. de Bouillon dit que n'y ayant que moi dans la compagnie qui connût bien le fond et de la ville et du Parlement, il croyait qu'il était nécessaire que j'agitasse la matière, sur laquelle il serait après plus facile de prendre une bonne résolution. Voici la substance de ce que je dis ; je n'en puis rapporter les propres paroles, parce que je n'eus pas le soin de les écrire après, comme j'avais fait en quelques autres occasions :

« Nous avons tous fait ce que nous avons cru devoir faire : il n'en faut point juger par les événements. La paix est signée par des députés qui n'ont plus de pouvoir : elle est nulle. Nous n'en savons point encore les articles, au moins parfaitement ; mais il n'est pas difficile de juger, par ceux qui ont été proposés ces jours passés, que ceux qui auront été arrêtés ne seront ni *honnêtes ni sûrs. C'est, à mon avis, sur ce fondement qu'il faut opiner, lequel supposé, je ne balance point à croire que nous ne sommes pas obligés à tenir l'accommodement, et que nous sommes même obligés à ne le pas tenir par toutes les raisons et de l'honneur et du bon sens. Le président Viole me mande qu'il n'y est pas seulement fait mention de M. de Turenne, avec lequel il n'y a que trois jours que le Parlement a donné un arrêt d'union. Il ajoute que messieurs les généraux n'ont que quatre jours pour déclarer si ils veulent être compris dans la paix, et que M. de Longueville et le parlement de Rouen n'en ont que dix. Jugez, je vous supplie, si cette condition, qui ne donne le temps ni aux uns ni aux autres de songer seulement à leurs intérêts, n'est pas un pur abandonnement. L'on peut inférer de ces deux articles quels seront les autres et quelle infamie ce serait que de les recevoir. Venons aux moyens de les refuser, et de les refuser solidement et avantageusement pour le public et pour les particuliers. Ils seront rejetés, dès qu'ils paraîtront dans le public, universellement de tout le monde, et ils le seront même avec fureur. Mais cette fureur est ce qui nous perdra, si nous n'y prenons garde, parce qu'elle nous *amusera. Le fond de l'esprit du Parlement est la paix, et vous pouvez avoir observé qu'il ne s'en éloigne jamais que par saillies. Celle que nous y verrons demain ou après-demain sera terrible ; si nous manquons de la prendre comme au bond, elle tombera comme les autres, et d'autant plus dangereusement que la chute en sera décisive. Jugez, s'il vous plaît, de l'avenir par le passé, et voyez à quoi se sont terminées toutes les commotions que vous avez vues jusques ici dans cette compagnie.

« Je reviens à mon ancien avis, qui est de songer uniquement à la paix générale, de signer, dès cette nuit, un traité sur ce chef avec les envoyés de l'archiduc, de le porter demain au Parlement, d'y ignorer tout ce qui s'est passé aujourd'hui à la conférence, que nous pouvons très bien ne pas savoir, puisque le premier président n'en a point fait encore de part à personne, et d'y faire donner arrêt par lequel il soit ordonné aux députés de la Compagnie d'insister uniquement sur ce point et sur celui de l'exclusion du Mazarin ; et, en cas de refus, de revenir à Paris prendre leurs places. Le peu de satisfaction que l'on y a et du procédé de la cour et de la conduite même des députés fait que ce que la déclaration de M. de Turenne toute seule rendait, à mon opinion, très possible sera très facile présentement, et si facile que nous n'avons pas besoin d'attendre, pour animer davantage la Compagnie, que l'on nous ait fait le rapport des articles qui l'aigriraient assurément. Ç'avait été ma première pensée ; et quand j'ai commencé à parler, j'avais fait dessein de vous proposer, Monsieur (dis-je à M. le prince de Conti), de vous servir du prétexte de ces articles pour échauffer le Parlement. Mais je viens de faire une réflexion qui me fait croire qu'il est plus à propos d'en prévenir le rapport pour deux raisons, dont la première est que le bruit que nous pouvons répandre, cette nuit, de l'abandonnement des généraux, fera encore plus d'effet et jettera plus d'indignation dans les esprits, que le rapport même, que les députés déguiseront au moins de quelques *méchantes couleurs. La seconde est que nous ne pouvons avoir ce rapport en forme que par le retour des députés, que je suis persuadé que nous ne devons point souffrir. »

Comme j'en étais là, je reçus un paquet de Rueil, dans lequel je trouvai une seconde lettre de Viole, avec un brouillon du traité contenant les articles que je vous ai *cotés ci-dessus ; ils étaient si mal écrits que je ne les pus presque lire ; mais ils me furent expliqués par une autre lettre qui était dans le même paquet, de L'Ecuyer, maître des comptes, et qui était un des députés. Il ajoutait, par un billet séparé, que le cardinal Mazarin y avait signé. Toute la compagnie douta encore moins, depuis la lecture de ces lettres et de ces articles, de la facilité qu'il y aurait à animer et à enflammer le Parlement. « J'en conviens, leur dis-je, mais je ne change pas pour cela de sentiment ; et, au contraire, j'en suis encore plus persuadé qu'il ne faut, en façon du monde, souffrir le retour des députés, si l'on se résout à prendre le parti que je propose. En voici la raison. Si vous leur donnez le temps de revenir à Paris, devant que de vous déclarer pour la paix générale, il faut nécessairement que vous leur donniez aussi le temps de faire leur rapport, contre lequel vous ne vous pouvez pas empêcher de déclamer ; et j'ose vous assurer que si vous joignez la déclamation contre eux à ce grand éclat de la proposition de la paix générale dont vous allez éblouir toutes les imaginations, il ne sera pas en votre pouvoir d'empêcher que le peuple ne déchire, à vos yeux, et le premier président et le président de Mesmes. Vous passerez pour les auteurs de cette tragédie, quelques efforts que vous ayez pu faire pour l'empêcher ; vous serez formidables le premier jour, vous serez odieux le second. »

M. de Beaufort, à qui Brillet, qui était tout à fait dépendant de Mme de Montbazon, venait de parler à l'oreille, m'interrompit à ce mot, et il me dit : « Il y a un bon remède ; il leur faut fermer les portes de la ville ; il y a plus de quatre jours que tout le peuple ne crie autre chose. — Ce n'est pas mon sentiment, lui répondis-je ; vous ne leur pouvez fermer les portes sans vous faire passer, dès demain, pour les tyrans du Parlement, dans les esprits de ceux mêmes de ce corps qui auront été d'avis aujourd'hui que vous les leur fermiez. — Il est vrai, reprit M. de Bouillon ; le président de Bellièvre me le disait encore cette après-dînée, et qu'il est nécessaire, pour les suites, de faire en sorte que le premier président et le président de Mesmes soient les déserteurs et non pas les exilés du Parlement. — Il a raison, ajoutai-je ; car, en la première qualité, ils y seront abhorrés toute leur vie, et en la seconde, ils y seraient plaints dans deux jours, et ils y seraient regrettés dans quatre. — Mais l'on peut tout concilier, dit M. de Bouillon, qui fut bien aide de brouiller les *espèces et de prévenir la conclusion de ce que j'avais commencé ; laissons entrer les députés, laissons-les faire leur rapport sans nous emporter ; ainsi nous n'échaufferons pas le peuple, qui, par conséquent, n'ensanglantera pas la scène. Vous convenez que le Parlement ne recevra pas les conditions qu'ils apporteront : il n'y aura rien de si aisé qu'à les renvoyer pour essayer d'en obtenir de meilleures. En cette manière, nous ne précipiterons rien, nous nous donnerons du temps pour prendre nos mesures, nous demeurerons sur nos pieds et en état de revenir à ce que vous proposez avec d'autant plus d'avantage que les trois armées de Monsieur l'Archiduc, de M. de Longueville et de M. de Turenne seront plus avancées. »

Dès que M. de Bouillon commença à parler sur ce ton, je me le tins pour dit ; je ne doutai point qu'il ne fût retombé

dans l'appréhension de voir tous les intérêts particuliers
confondus et anéantis dans celui de la paix générale, et je
me ressouvins d'une réflexion que j'avais déjà faite, il y
avait quelque temps, sur une autre affaire : qu'il est bien
plus ordinaire aux hommes de se repentir en *spéculation   M
d'une faute qui n'a pas eu un bon événement, que de
revenir, dans la pratique, de l'impression qu'ils ne manquent
jamais de recevoir du motif qui les a portés à la commettre.
M. de Bouillon, qui s'aperçut bien que j'observais la différence de ce qu'il venait de proposer et de ce qu'il avait dit
une heure devant, n'oublia rien pour insinuer, sans affectation, qu'il n'y avait rien de contraire, quoique la diversité
des circonstances y fît paraître quelque apparence de changement. Je fis semblant de prendre pour bon tout ce qu'il lui
plut de dire sur ce détail, quoique, à dire le vrai, je n'y
entendisse rien ; et je me contentai d'insister sur le fond,
en faisant voir les inconvénients qui étaient inséparables du
délai : l'agitation du peuple, qui nous pouvait à tous les
quarts d'heure précipiter à ce qui nous déshonorerait et nous
perdrait ; l'instabilité du Parlement, qui recevrait peut-être
dans quatre jours les articles qu'il déchirerait demain si nous
le voulions ; la facilité que nous aurions de procurer à toute
la chrétienté la paix générale, ayant quatre armées en
campagne, dont les trois étaient à nous et indépendantes de
l'Espagne : à quoi j'ajoutai que cette dernière qualité
détruisait, à mon opinion, ce que M. de Bouillon avait dit
ces jours passés de la crainte qu'il avait qu'elle ne nous
abandonnât aussitôt qu'elle aurait lieu de croire que nous
aurions forcé le cardinal Mazarin à désirer sincèrement la
paix avec elle.

Je m'étendis beaucoup sur ce point, parce que j'étais
assuré que c'était celui-là seul et unique qui retenait
M. de Bouillon, et je conclus mon discours par l'offre que
je fis de sacrifier, de très bon cœur, la coadjutorerie de Paris
au ressentiment de la Reine et à la *passion du Cardinal, si
l'on voulait prendre le parti que je proposais. Je l'eusse fait,
dans la vérité, avec beaucoup de joie, pour un aussi grand
honneur qu'eût été celui de pouvoir contribuer en quelque
chose à la paix générale. Je ne fus pas fâché, de plus, de
faire un peu de honte aux gens touchant les intérêts
particuliers, dans une conjoncture où il est vrai qu'ils

arrêtaient la plus glorieuse, la plus utile et la plus éclatante
action du monde. M. de Bouillon combattit mes raisons par
toutes celles par lesquelles il les avait combattues la première
fois, et il finit par cette protestation, qu'il fit, à mon
opinion, de très bonne foi : « Je sais que la déclaration de
mon frère peut faire croire que j'ai de grandes vues, et pour
lui et pour moi, et pour toute ma maison ; et je n'ignore
pas que ce que je viens de dire présentement de la nécessité
que je crois qu'il y a de le laisser avancer devant que nous
prenions un parti décisif doit confirmer tout le monde dans
cette pensée. Je ne *désavoue pas même que je ne l'aie et
que je ne sois persuadé qu'il m'est permis de l'avoir ; mais
je consens que vous me publiiez tous pour le plus lâche et
le plus scélérat de tous les hommes, si je m'accommode
jamais avec la cour, en quelque considération que nous nous
puissions trouver mon frère et moi, que vous ne m'ayez tous
dit que vous êtes satisfaits ; et je prie Monsieur le Coadjuteur,
qui, ayant toujours protesté qu'il ne veut rien en son
particulier, sera toujours un témoin fort irréprochable, de
me déshonorer si je ne demeure fidèlement dans cette
parole. »

Cette déclaration ne nuisit pas à faire recevoir de toute la
compagnie l'avis de M. de Bouillon, que vous avez vu ci-
dessus dans la réponse qu'il fit au mien ; et il agréa à tout
le monde avec d'autant plus de facilité, qu'en laissant le
mien pour la ressource, il laissait la porte ouverte aux
négociations que chacun avait ou espérait en sa manière. La
source la plus commune des imprudences est la vue que l'on
a de la possibilité des ressources. J'eusse bien *emporté, si
j'eusse voulu, M. de Beaufort et M. le maréchal de La
Mothe ; mais comme la considération de l'armée de M. de
Turenne et celle de la confiance absolue que les Espagnols
avaient en M. de Bouillon faisaient qu'il y eût eu de la folie
à se figurer seulement que l'on pût faire quelque chose de
considérable malgré lui, je pris le parti de me rendre avec
respect et à l'autorité de M. le prince de Conti et à la
pluralité des voix ; et l'on résolut très prudemment, à mon
avis, au moins sur ce dernier point, que l'on ne s'expliquerait
point du détail, le lendemain au matin, au Parlement, et
que M. le prince de Conti y dirait seulement, en général,
que le bruit commun portant que la paix avait été signée à

Rueil, il avait résolu d'y députer, pour ses intérêts et pour ceux de messieurs les généraux. M. de Bouillon jugea qu'il serait à propos de parler ainsi, pour ne pas témoigner au Parlement que l'on fût contraire à la paix en général, et pour se donner à soi-même plus de lieu de trouver à redire aux articles en détail ; que l'on satisferait le peuple par le dernier, que l'on contenterait par le premier le Parlement, dont la pente était à l'accommodement, même dans les temps où il n'en approuvait pas les conditions ; et qu'ainsi nous *mitonnerions les choses, ce fut son mot, jusques à ce que nous vissions le moment propre à les décider.

Il se tourna vers moi, en finissant, pour me demander si je n'étais pas de ce sentiment. « Il ne se peut rien de mieux, lui répondis-je, supposé ce que vous faites ; mais je crois toujours qu'il se pourrait quelque chose de mieux que ce que vous faites. — Non, reprit M. de Bouillon, vous ne pouvez être de cet avis, supposé que mon frère puisse être dans trois semaines à nous. — Il ne sert de rien de *disputer, lui répliquai-je, il y a arrêt ; mais il n'y a que Dieu qui nous puisse assurer qu'il y soit de sa vie. » Je dis ce mot si à l'aventure, que je fis même réflexion, un moment après, sur quoi je l'avais dit, parce qu'il est vrai qu'il n'y avait rien qui parût plus certain que la marche de M. de Turenne. Je ne laissais pas d'en avoir toujours quelque sorte de doute dans l'esprit, ou par un pressentiment que je n'ai toutefois jamais connu qu'en cette occasion, ou par l'appréhension, et vive et continuelle, que j'avais de nous voir manquer la seule chose par laquelle nous pouvions engager et fixer le Parlement. Nous sortîmes à trois heures après minuit de chez M. de Bouillon, où nous étions entrés à onze, un moment après que j'eus reçu la première nouvelle de la paix, qui ne fut signée qu'à neuf à Rueil.

Le lendemain, qui fut le 12, M. le prince de Conti dit au Parlement, en douze ou quinze paroles, ce qui avait été résolu chez M. de Bouillon. M. d'Elbeuf les *périphrasa, et M. de Beaufort et moi, qui *affectâmes de ne nous expliquer de rien, trouvâmes, à ce que les femmes nous crièrent des boutiques et dans les rues, que ce que j'avais prédit du mouvement du peuple n'était que trop bien fondé. Miron, que j'avais prié d'être à l'*erte, eut peine à le contenir dans la rue Saint-Honoré, à l'entrée des députés, et je me repentis plus d'une fois d'avoir jeté dans le monde, comme j'avais fait dès le matin, et les plus odieux des articles et la circonstance de la signature du cardinal Mazarin. Vous avez vu ci-dessus la raison pour laquelle nous avions jugé à propos de les faire savoir ; mais il faut avouer que la guerre civile est une de ces maladies compliquées dans lesquelles le remède que vous destinez pour la guérison d'un symptôme en aigrit quelquefois trois et quatre autres.

Le 13, les députés de Rueil étant entrés au Parlement, qui était extrêmement ému, M. d'Elbeuf, désespéré d'un paquet qu'il avait reçu à onze du soir de Saint-Germain, la veille, à ce que le chevalier de Fruges me dit depuis, leur demanda fort brusquement, contre ce qui avait été arrêté chez M. de Bouillon, s'ils avaient traité de quelques intérêts des généraux. Et le premier président ayant voulu répondre par la lecture du procès-verbal de ce qui s'était passé à Rueil, il fut presque accablé par un bruit confus, mais uniforme, de toute la Compagnie, qui s'écria qu'il n'y avait point de paix ; que le pouvoir des députés avait été révoqué ; qu'ils avaient abandonné lâchement et les généraux et tous ceux auxquels la Compagnie avait accordé arrêt d'union. M. le prince de Conti dit assez doucement qu'il avait beaucoup de lieu de s'étonner que l'on eût conclu sans lui et sans messieurs les généraux : à quoi Monsieur le Premier Président ayant reparti qu'ils avaient toujours protesté qu'ils n'avaient point d'autres intérêts que ceux de la Compagnie, et que de plus il n'avait tenu qu'à eux d'y députer, M. de Bouillon, qui recommença de ce jour-là à sortir de son logis, parce que sa goutte l'avait quitté, dit que le cardinal Mazarin demeurant premier ministre, il demandait pour toute grâce au Parlement de lui obtenir un passeport pour pouvoir sortir en sûreté du royaume. Le premier président lui répondit que l'on avait eu soin de ses intérêts ; qu'il avait insisté de lui-même sur la *récompense de Sedan, et qu'il en aurait satisfaction ; et M. de Bouillon lui ayant témoigné et que ses discours n'étaient qu'en l'air, et que de plus il ne se séparerait jamais des autres généraux, le bruit recommença avec une telle fureur que M. le président de Mesmes, que l'on chargeait d'opprobres, particulièrement sur la signature du Mazarin, en fut épouvanté, et au point qu'il tremblait comme la feuille. MM. de Beaufort et de La Mothe

peffe hostile to peace by

s'échauffèrent par le grand bruit, nonobstant toutes nos premières résolutions, et le premier dit en mettant la main sur la garde de son épée : « Vous avez beau faire, messieurs les députés, celle-ci ne tranchera jamais pour le Mazarin. » Vous voyez si j'avais raison quand je disais, chez M. de Bouillon, que dans le mouvement où seraient les esprits au retour des députés, nous ne pourrions pas répondre d'un quart d'heure à l'autre. Je devais ajouter que nous ne pourrions pas répondre de nous-mêmes.

Comme le président Le Coigneux commençait à proposer que le Parlement renvoyât les députés, pour traiter des intérêts de messieurs les généraux et pour faire réformer les articles qui ne plaisaient pas à la Compagnie, ce que M. de Bouillon lui avait inspiré, la veille, à onze du soir, l'on entendit un fort grand bruit dans la salle du Palais, qui fit peur à maître Gonin[1], et qui l'obligea de se taire ; le président de Bellièvre, qui était de ce qui avait été résolu chez M. de Bouillon, ayant voulu appuyer la proposition du Coigneux, fut interrompu par un second bruit encore plus grand que le premier. L'huissier, qui était à la porte de la Grande Chambre, entra et dit, avec une voix tremblante, que le peuple demandait M. de Beaufort. Il sortit ; il harangua à sa manière la populace, et il l'apaisa pour un moment.

Le fracas recommença aussitôt qu'il fut rentré ; et le président de Novion, qui était bien voulu[2] pour s'être signalé dans les premières assemblées des chambres contre la personne du Mazarin, étant sorti hors du parquet des huissiers pour voir ce que c'était, y trouva un certain Du Boile, *méchant avocat et si peu connu que je ne l'avais jamais ouï nommer, qui, à la tête d'un nombre infini de peuple, dont la plus grande partie avait le poignard à la main, lui dit qu'il voulait que l'on lui donnât les articles de la paix, pour faire brûler par la main d'un bourreau, dans la Grève, la signature du Mazarin ; que si les députés avaient signé cette paix de leur bon gré, il les fallait pendre ; que si l'on les y avait forcés à Rueil, il la fallait désavouer. Le président de Novion, fort embarrassé, comme vous pouvez juger, représenta à Du Boile que l'on ne pouvait brûler la signature du Cardinal sans brûler celle de M. le duc d'Orléans ; mais que l'on était sur le point de renvoyer les

députés pour faire réformer les articles à la satisfaction du
public. L'on n'entendait cependant dans la salle, dans les
galeries et dans la cour du Palais, que des voix confuses et
effroyables : « Point de paix ! et point de Mazarin ! Il faut
aller à Saint-Germain quérir notre bon Roi ; il faut jeter
dans la rivière tous les mazarins. »

Vous m'avez quelquefois ouï parler de l'intrépidité du
premier président ; elle ne parut jamais plus complète ni
plus achevée qu'en ce rencontre. Il se voyait l'objet de la
fureur et de l'exécration du peuple ; il le voyait armé ou
plutôt hérissé de toute sorte d'armes, en résolution de
l'assassiner ; il était persuadé que M. de Beaufort et moi
avions *ému la sédition avec la même intention. Je l'observai
et je l'admirai. Je ne lui vis jamais un mouvement dans le
visage, je ne dis pas qui marquât de la frayeur, mais je dis
qui ne marquât une fermeté inébranlable et une présence
d'esprit presque surnaturelle, qui est encore quelque chose
de plus grand que la fermeté, quoiqu'elle en soit, au moins
en partie, l'effet. Elle fut au point qu'il prit les voix, avec
la même liberté d'esprit qu'il avait dans les audiences
ordinaires, et qu'il prononça, du même ton et du même
air, l'arrêt formé sur la proposition de MM. Le Coigneux et
de Bellièvre, qui portait que les députés retourneraient à
Rueil pour y traiter des prétentions et des intérêts de
messieurs les généraux et de tous les autres qui étaient joints
au parti, et pour obtenir que M. le cardinal Mazarin ne
signât point dans le traité qui se ferait, tant sur ce chef que
sur les autres qui se pourraient remettre en négociation.

Cette délibération, assez informe comme vous voyez, ne
s'expliqua pas pour ce jour-là plus distinctement, et parce
qu'il était plus de cinq heures du soir quand elle fut achevée,
quoique l'on fût au Palais dès les sept heures du matin, et
parce que le peuple était si animé que l'on appréhenda, et
avec fondement, qu'il ne forçât les portes de la Grande
Chambre. L'on proposa même à Monsieur le Premier
Président de sortir par les greffes, par lesquels il se pourrait
retirer en son logis sans être vu [1], à quoi il répondit ces
propres mots : « La Cour [2] ne se cache jamais. Si j'étais
assuré de périr, je ne commettrais pas cette lâcheté, qui, de
plus, ne servirait qu'à donner de la hardiesse aux séditieux.
Ils me trouveraient bien dans ma maison, si ils croyaient

que je les eusse appréhendés ici. » Comme je le priais de ne se point exposer au moins que je n'eusse fait mes efforts pour adoucir le peuple, il se tourna vers moi d'un air moqueur, et il me dit cette mémorable parole, que je vous ai racontée plus d'une fois : « Ha ! mon bon seigneur, dites le bon mot. » Je vous confesse que, quoiqu'il me témoignât assez par là qu'il me croyait l'auteur de la sédition, en quoi il me faisait une horrible injustice, je ne me sentis touché d'aucun mouvement que de celui qui me fit admirer l'intrépidité de cet homme, que je laissai entre les mains de Caumartin, afin qu'il le retînt jusques à ce que je revinsse à lui.

Je priai M. de Beaufort de demeurer à la porte du parquet des huissiers pour empêcher le peuple d'entrer et le Parlement de sortir. Je fis le tour par la buvette, et quand je fus dans la grande salle, je montai sur un banc de procureur, et ayant fait un signe de la main, tout le monde cria silence pour m'écouter. Je dis tout ce que je m'imaginai être le plus propre à calmer la sédition : et Du Boile s'avançant et me demandant avec audace si je répondais que l'on ne tiendrait pas la paix qui avait été signée à Rueil, je lui répondis que j'en étais très assuré, pourvu que l'on ne fît point d'*émotion, laquelle continuant serait capable d'obliger les gens les mieux intentionnés pour le parti à chercher toutes les voies d'éviter de pareils inconvénients. Il me fallut jouer, en un quart d'heure, trente personnage tout différents. Je menaçai, je caressai, je commandai, je suppliai ; enfin, comme je crus me pouvoir au moins assurer de quelques instants, je revins dans la Grande Chambre, où je pris Monsieur le Premier Président que je mis devant moi en l'embrassant. M. de Beaufort en usa de la même manière avec M. le président de Mesmes, et nous sortîmes ainsi avec le Parlement en corps, les huissiers à la tête. Le peuple fit de grandes clameurs ; nous entendîmes mêmes quelques voix qui criaient : « République[1] ! » Mais l'on n'*attenta rien, et ainsi finit l'histoire[2].

M. de Bouillon, qui courut en cette journée plus de périls que personne, ayant été couché en joue par un misérable de la lie du peuple, qui s'était imaginé qu'il était mazarin, me dit, l'après-dînée, que je ne pourrais pas dire dorénavant qu'il n'eût au moins bien jugé pour cette fois du Parlement, et que je voyais bien que nous aurions tout le temps d'attendre M. de Turenne. Et je lui répondis qu'il attendît lui-même à juger du Parlement, parce que je ne doutais point que le péril où il s'était vu le matin n'aidât encore beaucoup à la pente qu'il avait déjà très naturelle à l'accommodement.

Il y parut dès le lendemain, qui fut le 14, car l'on arrêta, après de grandes contestations, à la vérité, qui durèrent jusques à trois heures après midi, l'on arrêta, dis-je, que l'on ferait, le lendemain au matin, lecture de ce même procès-verbal de la conférence de Rueil et de ces mêmes articles, dont l'on n'avait pas seulement voulu entendre parler la veille.

Le 15, ce procès-verbal et ces articles furent lus, ce qui ne se passa pas sans beaucoup de chaleur, mais beaucoup moindre toutefois que celle des deux premiers jours[1]. L'on arrêta enfin, après une infinité de paroles de *picoterie qui furent dites de part et d'autre, de concevoir l'arrêt en ces termes :

« La Cour[2] a accepté l'accommodement et le traité, et a ordonné que les députés du Parlement retourneront à Saint-Germain pour faire instance et obtenir la réformation de quelques articles, savoir : de celui d'aller tenir un lit de justice à Saint-Germain ; de celui qui défend l'assemblée des chambres, que Sa Majesté sera très humblement suppliée de permettre en certains cas ; de celui qui permet les prêts, qui est le plus dangereux de tous pour le public, à cause des conséquences ; et les députés y traiteront aussi des intérêts de messieurs les généraux et de tous ceux qui se sont déclarés pour le parti, conjointement avec ceux qu'il leur plaira de nommer pour aller traiter particulièrement en leur nom. »

Le 16, comme on lisait cet arrêt, Machault, conseiller, remarqua qu'au lieu de mettre « faire instance et obtenir », l'on y avait écrit « faire instance d'obtenir », et il soutint que le sentiment de la Compagnie avait été « que les députés fissent instance et obtinssent », et non pas seulement « qu'ils fissent instance d'obtenir ». Le premier président et le président de Mesmes *opiniâtrèrent le contraire. La chaleur fut grande dans les esprits, et comme l'on était sur le point de délibérer, Sainctot, lieutenant des cérémonies, demanda

à parler au premier président en particulier, et lui rendit
une lettre de M. Le Tellier, qui lui témoignait la satisfaction
que le Roi avait de l'arrêté du jour précédent, et qui lui
envoyait des passeports pour les députés des généraux. Cette
petite pluie, qui parut douce, abattit le grand vent qui
s'était élevé dans le commencement de l'assemblée. L'on ne
parla plus de la question ; l'on ne se ressouvint plus
seulement qu'il y eût différence entre « faire instance et
obtenir », et « faire instance d'obtenir ». Miron, conseiller
et député du parlement de Rouen, qui, dès le 13, s'était
plaint en forme au Parlement de ce que l'on avait fait la
paix sans appeler sa compagnie et qui y revint encore le 16,
fut à peine écouté, et le premier président lui dit simplement
que si il avait les mémoires concernant les intérêts de son
corps, il pouvait aller à la conférence. L'on se leva ensuite,
et les députés partirent, dès l'après-dînée, pour se rendre à
Rueil.

Vous les y retrouverez, après que je vous aurai rendu
compte de ce qui se passa à l'Hôtel de Ville le soir de ce
même 16. Je crois même que pour vous faire bien entendre
le motif de ce qui y fut résolu, il est nécessaire de vous
expliquer, comme par préalable, un détail qui est curieux
par sa bizarrerie et qui est de la nature de ces sortes de
choses qui ne tombent dans l'imagination que par la
pratique [1]. Le bruit qu'il y eut dans le Palais, le 13, obligea
le Parlement à faire garder les portes du Palais par les
compagnies des *colonelles de la Ville qui étaient encore
plus animées contre la paix mazarine (c'est ainsi qu'ils
l'appelaient) que la canaille, mais que l'on ne redoutait
pourtant pas si fort, parce que l'on savait qu'au moins les
bourgeois, dont elles étaient composées, ne voulaient pas le
pillage. Celles que l'on établit ces trois jours-là à la garde
du Palais furent choisies du voisinage, comme les plus
intéressées à l'empêcher, et il se trouva qu'elles étaient, en
*effet, très dépendantes de moi, parce que je les avais
toujours ménagées avec un soin très particulier, comme étant
fort proches de l'archevêché, et qu'elles étaient en apparence
attachées à M. de Champlâtreux, fils de Monsieur le Premier
Président, parce qu'il était leur colonel. Ce rencontre m'était
très fâcheux, parce que le pouvoir que l'on savait que j'y
avais faisait que l'on avait lieu de m'attribuer le désordre

dont elles menaçaient quelquefois, et que l'autorité que
M. de Champlâtreux y eût dû avoir par sa charge lui
pouvait donner, par l'événement, l'honneur du mal qu'elles
empêchaient toujours ². Cet embarras est rare et cruel, et
c'est peut-être un des plus grands où je me sois trouvé de
ma vie. Ces gardes si bien choisis furent dix fois sur le point
de faire des *insultes au Parlement, et ils en firent d'assez
fâcheuses à des conseillers et à des présidents en particulier,
jusques au point d'avoir mené le président de Thoré ¹ sur le
quai, proche de l'Horloge, pour le jeter dans la rivière. Je
ne dormis ni nuit ni jour, tout ce temps-là, pour empêcher
le désordre. Le premier président et ses adhérents prirent
une telle audace de ce qu'il n'en arrivait point, qu'ils en
prirent même avantage contre nous-mêmes et qu'ils *pillè-
rent, pour ainsi parler, les généraux, et par des plaintes et
par des reproches, dans des moments où, si les généraux
eussent reparti assez haut pour se faire entendre du peuple,
le peuple eût infailliblement déchiré, malgré eux, le Parlement. Le président de Mesmes les *picota sur ce que les
troupes n'avaient pas agi avec assez de vigueur ; et Payen,
conseiller de la Grande Chambre, dit sur le même sujet des
*impertinences ridicules à M. de Bouillon, qui, par crainte
de jeter les choses dans la confusion, les souffrit avec une
modération merveilleuse ; mais elle ne l'empêcha pas d'y
faire une sérieuse et profonde réflexion, de me dire, au
sortir du Palais, que j'en connaissais mieux le terrain que
lui, de venir le soir à l'Hôtel de Ville, et de faire à M. le
prince de Conti et aux autres généraux le discours dont voici
la substance :

« J'avoue que je n'eusse jamais cru ce que je vois du
Parlement. Il ne veut point, le 13, ouïr seulement nommer
la paix de Rueil, et il la reçoit le 15, à quelques articles
près. Ce n'est pas tout : il fait partir le 16, sans limiter ni
*régler leur pouvoir, ces mêmes députés qui ont signé la
paix, non pas seulement sans pouvoir, mais contre les
ordres. Ce n'est pas assez : il nous charge de reproches et
d'opprobres, parce que nous prenons la liberté de nous
plaindre de ce qu'il traite sans nous et de ce qu'il abandonne
M. de Longueville et M. de Turenne. C'est peu : il ne tient
qu'à nous de les laisser étrangler ; il faut qu'au *hasard de
nos vies nous sauvions la leur, et je conviens que la bonne

conduite le veut. Ce n'est pas, Monsieur, dit-il en se tournant vers moi, pour blâmer ce que vous avez toujours dit sur ce sujet ; au contraire, c'est pour condamner ce que je vous y ai toujours répondu. Je conviens, Monsieur (en s'adressant à M. le prince de Conti), qu'il n'y a qu'à périr avec cette compagnie, si l'on la laisse en l'état où elle est. Je me rends, en tout et partout, à l'avis que Monsieur le Coadjuteur ouvrit dernièrement chez moi, et je suis persuadé que si Votre Altesse diffère à [le] prendre et à l'exécuter, nous aurons dans deux jours une paix plus honteuse et moins sûre que la première. »

Comme la cour, qui avait de moment à autre des nouvelles de toutes les démarches du Parlement, ne doutait presque plus qu'il ne se rendît bientôt, et que par cette raison elle se refroidissait beaucoup à l'égard des négociations particulières, le discours de M. de Bouillon les[1] trouva dans une disposition assez propre à prendre feu. Ils entrèrent sans peine dans son sentiment, et l'on n'agita plus que la manière. Je ne la répéterai point ici, parce que je l'ai déjà expliquée très amplement dans la proposition que j'en fis chez M. de Bouillon. L'on convint de tout ; et il fut résolu que, dès le lendemain, à trois heures, l'on se trouverait chez M. de Bouillon, où l'on serait plus en repos qu'à l'Hôtel de Ville, pour y concerter la forme dont nous porterions la chose au Parlement. Je me chargeai d'en conférer, dès le soir, avec le président de Bellièvre, qui avait toujours été, sur cet article, de mon sentiment.

Comme nous étions sur le point de nous séparer, M. d'Elbeuf reçut un billet de chez lui, qui portait que don Gabriel de Tolède y était arrivé. Nous ne doutâmes pas qu'il n'apportât la ratification du traité que messieurs les généraux avaient signé, et nous l'allâmes voir dans le carrosse de M. d'Elbeuf, M. de Bouillon et moi. Il apportait effective-ment la ratification de Monsieur l'Archiduc ; mais il venait particulièrement pour essayer de renouer le traité pour la paix générale que j'avais proposé ; et comme il était de son naturel assez impétueux, il ne se put empêcher de témoigner, même un peu aigrement, à M. d'Elbeuf, que j'ai su depuis avoir touché de l'argent des envoyés, et assez sèchement à M. de Bouillon, que l'on n'était pas fort satisfait d'eux à Bruxelles. Il leur fut aisé de le contenter, en lui disant que l'on venait de prendre la résolution de revenir à ce traité, qu'il était venu tout à propos pour cela, et que, dès le lendemain, il en verrait des effets. Il vint souper avec Mme de Bouillon, qu'il avait fort connue autrefois, lorsqu'elle était dame du palais de l'infante, et il lui dit, en confidence, que l'archiduc lui serait fort obligé si elle pouvait faire en sorte que je reçusse dix mille pistoles que le roi d'Espagne l'avait chargé de me donner de sa part. Mme de Bouillon n'oublia rien pour me le persuader ; mais elle n'y réussit pas, et je m'en démêlai avec beaucoup de respect, mais d'une manière qui fit connaître aux Espagnols que je ne prendrais pas aisément de leur argent[1]. Ce refus m'a coûté cher depuis, non pas par lui-même en cette occasion, mais par l'habitude qu'il me donna à prendre la même conduite dans des conjonctures où il eût été du bon sens de recevoir ce que l'on m'offrait, quand même je l'eusse dû jeter dans la rivière. Ce n'est pas toujours jeu sûr de refuser de plus grand que soi.

Comme nous étions en conversation, après souper, dans le cabinet de Mme de Bouillon, Riquemont, dont je vous ai déjà parlé, y entra avec un visage consterné. Il la tira à part et il ne lui dit qu'un mot à l'oreille. Elle fondit d'*abord en pleurs, et en se tournant vers don Gabriel de Tolède et vers moi : « Hélas ! s'écria-t-elle, nous sommes perdus ; l'armée a abandonné M. de Turenne. » Le courrier entra au même instant, qui nous conta succinctement l'histoire, qui était que tous les corps avaient été gagnés par l'argent de la cour, et que toutes les troupes lui avaient manqué, à la réserve de deux ou trois régiments ; que M. de Turenne avait fait beaucoup que de n'être pas arrêté, et qu'il s'était retiré, lui cinq ou sixième[2], chez Madame la landgrave de Hesse, sa parente et son amie.

M. de Bouillon fut atterré de cette nouvelle comme d'un coup de foudre, et j'en fus presque aussi touché que lui. Je ne sais si je me trompai, mais il me parut que don Gabriel de Tolède n'en fut pas trop affligé, soit qu'il crût que nous n'en serions que plus dépendants d'Espagne, soit que son humeur, qui était fort gaie et fort enjouée, l'emportât sur l'intérêt du parti. M. de Bouillon ne fut pas si fort abattu de cette nouvelle qu'il ne pensât, un demi-quart d'heure après l'avoir reçue, aux expédients de la réparer. Nous

envoyâmes chercher le président de Bellièvre, qui venait de
recevoir un billet de M. le maréchal de Villeroy qui la lui
mandait de Saint-Germain ; et ce billet portait que le
premier président et le président de Mesmes avaient dit à
un homme de la cour, du nom duquel je ne me ressouviens
pas et qu'ils avaient trouvé sur le chemin de Rueil, que si
les affaires ne s'accommodaient, ils ne retourneraient plus
à Paris. M. de Bouillon, qui ayant perdu sa principale
*considération dans la perte de l'armée de M. de Turenne,
jugeait bien que les vastes espérances qu'il avait conçues
d'être l'arbitre du parti n'étaient plus fondées, revint tout
d'un coup à sa première disposition de porter les choses à
l'extrémité, et il prit sujet de ce billet du maréchal de
Villeroy pour nous dire, comme naturellement et sans
affectation, que nous pouvions juger, par ce que le premier
président et le président de Mesmes avaient dit, que ce que
nous avions projeté la veille ne recevrait pas grande difficulté
dans son exécution.

Je reconnais de bonne foi que je manquai beaucoup, en
cet endroit, de la présence d'esprit qui y était nécessaire ;
car au lieu de me tenir *couvert devant don Gabriel de
Tolède et de me réserver à m'ouvrir à M. de Bouillon, quand
nous serions demeurés le président de Bellièvre et moi seuls
avec lui, je lui répondis que les choses étaient bien changées,
et que la désertion de l'armée de M. de Turenne faisait que
ce qui la veille était facile dans le Parlement y serait le
lendemain impossible et même *ruineux. Je m'étendis sur
cette matière ; et cette imprudence, de laquelle je ne
m'aperçus que quand il ne fut plus temps d'y remédier, me
jeta dans des embarras que j'eus bien de la peine à démêler.
Don Gabriel de Tolède, qui avait ordre, à ce que Mme de
Bouillon m'a dit depuis, de s'ouvrir avec moi, s'en cacha,
au contraire, avec soin dès qu'il me vit changé sur la nouvelle
de M. de Turenne ; et il fit parmi les généraux des cabales
qui me donnèrent beaucoup de peine. Je vous expliquerai
ce détail, après que je vous aurai rendu compte de la suite
de la conversation que nous eûmes, ce soir-là, chez M. de
Bouillon.

Comme il se *sentait et qu'il ne se pouvait pas nier à lui-
même que ses délais n'eussent mis les affaires où elles étaient
tombées, il coula, dans les commencements d'un discours

qu'il adressait à don Gabriel, comme pour lui expliquer le passé, il coula, dis-je, que c'était au moins une espèce de bonheur que la nouvelle de la désertion des troupes de M. de Turenne fût arrivée devant que l'on eût exécuté ce que l'on avait résolu de proposer au Parlement, parce que, ajouta-t-il, le Parlement, voyant que le fondement sur lequel l'on eût engagé lui eût manqué, aurait tourné tout à coup contre nous, au lieu que nous sommes présentement en état de fonder de nouveau la proposition ; et c'est sur quoi nous avons, ce me semble, à délibérer.

Ce raisonnement, qui était très subtil et très *spécieux, me parut, dès l'abord, très faux, parce qu'il supposait pour certain qu'il y eût une nouvelle proposition à faire, ce qui était toutefois le fond de la question. Je n'ai jamais vu homme qui entendît cette figure, approchant de M. de Bouillon. Il m'avait souvent dit que le comte Maurice avait accoutumé de reprocher à Barnevelt, à qui il fit depuis trancher la tête [1], qu'il renverserait la Hollande en donnant toujours le change aux États par la supposition certaine de ce qui faisait la question. J'en fis ressouvenir, en riant, M. de Bouillon, au moment dont il s'agit, et je lui soutins qu'il n'y avait plus rien qui pût empêcher le Parlement de faire la paix, que tous les efforts par lesquels l'on prétendait l'arrêter l'y précipiteraient, et que j'étais persuadé qu'il fallait délibérer sur ce principe. La contestation s'échauffant, M. de Bellièvre proposa d'écrire ce qui se dirait de part et d'autre. Voici ce que je lui dictai, que j'avais encore de sa main, cinq ou six jours devant que je fusse arrêté. Il en eut quelque scrupule, il me le demanda, je le lui rendis, et ce fut un grand bonheur pour lui, car je ne sais si cette paperasse, qui eût pu être prise, ne lui eût point nui quand l'on le fit premier président. En voici le contenu :

« Je vous ai dit plusieurs fois que toute compagnie est peuple, et que tout, par conséquent, y dépend des instants ; vous l'avez éprouvé peut-être plus de cent fois depuis deux mois ; et si vous aviez assisté aux assemblées du Parlement, vous l'auriez observé plus de mille. Ce que j'y ai remarqué de plus est que les propositions n'y ont qu'une fleur, et que telle qui y plaît merveilleusement aujourd'hui y déplaît demain à proportion. Ces raisons m'ont obligé jusques ici de vous presser de ne pas manquer l'occasion de la déclaration de M. de Turenne, pour engager le Parlement et pour l'engager d'une manière qui le pût fixer. Rien ne pouvait produire cet effet que la proposition de la paix générale, qui est de soi-même le plus grand et le plus plausible de tous les biens, et qui nous donnait lieu de demeurer armés dans le temps de la négociation.

« Quoique don Gabriel ne soit pas français, il sait assez nos manières pour ne pas ignorer qu'une proposition de cette nature, qui va à faire faire la paix à son roi malgré tout son Conseil, demande de grands préalables dans un parlement, au moins quand l'on la veut porter jusques à l'effet. Lorsque l'on ne l'avance que pour *amuser les auditeurs, ou pour donner un prétexte aux particuliers d'agir avec plus de liberté, comme nous le fîmes dernièrement quand don Joseph de Illescas eut son audience du Parlement, l'on la peut hasarder plus légèrement, parce que le pis du pis est qu'elle ne fasse point son effet ; mais quand on pense à la faire effectivement réussir, et quand même l'on s'en veut servir, en attendant qu'elle réussisse, à fixer une compagnie que rien autre chose ne peut fixer, je mets en fait qu'il y [a] encore plus de perte à la manquer en la proposant légèrement, qu'il n'y a d'avantage à l'*emporter en la proposant à propos. Le seul nom de l'armée de Weimar était capable d'éblouir le premier jour le Parlement. Je vous le dis ; vous eûtes vos raisons pour différer ; je les crois bonnes et je m'y suis soumis. Le nom et l'armée de M. de Turenne l'eût encore apparemment *emporté, il n'y a que trois ou quatre jours. Je vous le représentai ; vous eûtes vos considérations pour attendre ; je les crois justes et je m'y suis rendu. Vous revîntes hier à mon sentiment, et je ne m'en départis pas, quoique je connusse très bien que la proposition dont il s'agissait avait déjà beaucoup perdu de sa fleur ; mais je crus, comme je le crois encore, que nous l'eussions fait réussir si l'armée de M. de Turenne ne lui eût pas manqué, non pas peut-être avec autant de facilité que les premiers jours, mais au moins avec la meilleure partie de l'effet qui nous était nécessaire. Ce n'est plus cela.

« Qu'est-ce que nous avons pour appuyer dans le Parlement la proposition de la paix générale ? Nos troupes, vous voyez ce qu'il vous en ont dit eux-mêmes aujourd'hui dans la Grande Chambre. L'armée de M. de Longueville, vous savez ce que c'est ; nous la disons de sept mille hommes de pied et de trois mille chevaux, et nous ne disons pas vrai de plus de moitié ; et vous n'ignorez pas que nous l'avons tant promise et que nous l'avons si peu tenue, que nous n'en oserions presque plus parler. A quoi nous servira donc de faire au Parlement la proposition de la paix générale, qu'à lui faire croire et dire que nous n'en parlons que pour rompre la particulière, ce qui sera le vrai moyen de la faire désirer à ceux qui ne la veulent point ? Voilà l'esprit des compagnies, et plus de celle-là, au moins à ce qui m'en a paru, que de toute autre, sans excepter celle de l'Université[1]. Je tiens pour *constant que si nous exécutons ce que nous avions résolu, nous n'aurons pas quarante voix qui aillent à ordonner aux députés de revenir à Paris, en cas que la cour refuse ce que nous lui proposerons ; tout le reste n'est que parole qui n'engagera à rien le Parlement, dont la cour sortira aussi par des paroles qui ne lui coûteront rien, et tout ce que nous ferons sera de faire croire à tout Paris et à tout Saint-Germain que nous avons un très grand et très particulier concert avec Espagne. »

M. de Bouillon, qui sortit du cabinet de madame sa femme, avec elle et avec don Gabriel, sous prétexte d'aller écrire ses pensées dans le sien, nous dit, au président de Bellièvre et à moi, lorsque nous eûmes fini notre écrit, dans lequel le président de Bellièvre avait mis beaucoup du sien, qu'il avait un si grand mal de tête qu'il avait été obligé de quitter la plume à la seconde ligne. La vérité était qu'il était demeuré en conférence avec don Gabriel, dont les ordres portaient de se conformer entièrement à ses sentiments. Je le sus en retournant chez moi, où je trouvai un valet de chambre de Laigue, qu'il m'envoyait de l'armée d'Espagne, qui s'était avancée, avec une dépêche de dix-sept pages de chiffre. Il n'y avait que deux ou trois lignes en lettre ordinaire, qui me marquait que quoique Fuensaldagne fût bien plus satisfait de l'avis dont j'avais été, à propos du traité des généraux, que de celui de M. de Bouillon, néanmoins la confiance que l'on avait à Bruxelles en madame sa femme faisait que l'on l'y croyait plus que moi. Je vous rendrai compte de la grande dépêche en chiffre, après que j'aurai achevé ce qui se passa chez M. de Bouillon.

M. le président de Bellièvre y ayant lu notre écrit en

présence de M. et de Mme de Bouillon et de M. de Brissac, qui revenait du camp, nous nous aperçûmes, en moins d'un rien, que don Gabriel de Tolède, qui y était aussi présent, n'avait pas plus de connaissance de nos affaires que nous en pouvions avoir de celles de Tartarie[1]. De l'esprit, de l'agrément, de l'enjouement, peut-être même de la capacité, qui avait au moins paru en quelque chose dont il se mêla, à l'égard de feu Monsieur le Comte ; mais je n'ai guère vu d'ignorance plus crasse, au moins par rapport aux matières dont il s'agissait. C'est une grande faute que d'envoyer de tels négociateurs. J'ai observé qu'elle est très commune. Il nous parut que M. de Bouillon ne contesta notre écrit qu'autant qu'il fut nécessaire pour faire voir à don Gabriel qu'il n'était pas de notre avis, « dont je ne suis pas en effet, me dit-il à l'oreille, mais dont il m'est important que cet homme ici ne me croie pas ; et, ajouta-t-il un moment après, je vous en dirai demain la raison. »

Il était deux heures après minuit sonnées, quand je retournai chez moi, et j'y trouvai, pour *rafraîchissement, la lettre de Laigue dont je vous ai parlé ; je passai le reste de la nuit à la déchiffrer, et je n'y rencontrai pas une syllabe qui ne me donnât une mortelle douleur. La lettre était de la main de Laigue, mais elle était en commun de Noirmoutier et de lui, et la substance de ces dix-sept pages était que nous avions eu tous les torts du monde de souhaiter que les Espagnols ne s'avançassent pas dans le royaume ; que tous les peuples étaient si animés contre le Mazarin et si bien intentionnés pour la défense de Paris, qu'ils venaient de toutes parts au-devant d'eux ; que nous ne devions point appréhender que leur marche nous fît tort dans le public ; que Monsieur l'Archiduc était un saint, qui mourrait plutôt de mille morts que de prendre des avantages desquels l'on ne serait point convenu ; que M. de Fuensaldagne était un homme net, de qui, dans le fond, il n'y avait rien à craindre.

La conclusion était que le gros de l'armée d'Espagne serait tel jour à Vadencourt, l'avant-garde tel jour à Pont-à-Vère[2] ; qu'elle y séjournerait quelques autres jours, car je ne me ressouviens pas précisément du nombre : après quoi l'archiduc faisait *état de se venir poster à Dammartin[3] ; que le comte de Fuensaldagne leur avait donné des raisons si pressantes et si solides de cette marche, qu'ils ne s'étaient pas pu défendre d'y donner les mains et même de l'approuver ; qu'il les avait priés de m'en donner part en mon particulier, et de m'assurer qu'il ne ferait jamais rien que de concert avec moi.

Il n'était plus heure de se coucher quand j'eus déchiffré cette lettre ; mais quand même j'eusse été dans le lit, je n'y eusse pas assurément reposé, dans la cruelle agitation qu'elle me donna, et cette agitation aigrie par toutes les circonstances qui la pouvaient envenimer. Je voyais le Parlement plus éloigné que jamais de s'engager dans la guerre, à cause de la désertion de l'armée de M. de Turenne ; je voyais les députés à Rueil beaucoup plus hardis que la première fois, par le succès de leur prévarication. Je voyais le peuple de Paris aussi disposé à faire entrée à l'archiduc qu'il l'eût pu être à recevoir M. le duc d'Orléans. Je voyais que ce prince, avec son chapelet qu'il avait toujours à la main, et que Fuensaldagne, avec son argent, y auraient en huit jours plus de pouvoir que tout ce que nous étions[1]. Je voyais que le dernier, qui était un des plus habiles hommes du monde, avait tellement mis la main sur Noirmoutier et sur Laigue, qu'il les avait comme *enchantés. Je voyais que M. de Bouillon, qui venait de perdre la *considération de l'armée d'Allemagne, retombait dans ses premières propositions de porter toutes les choses à l'extrémité. Je voyais que la cour, qui se croyait assurée du Parlement, y précipitait nos généraux, par le mépris qu'elle recommençait d'en faire depuis les deux dernières délibérations du Palais. Je voyais que toutes ces dispositions nous conduisaient naturellement et infailliblement à une sédition populaire qui étranglerait le Parlement, qui mettrait les Espagnols dans le Louvre, qui renverserait peut-être et même *apparemment l'État ; et je voyais, sur le tout, que le crédit que j'avais dans le peuple, et par moi et par M. de Beaufort, et les noms de Noirmoutier et de Laigue, qui avaient mon *caractère, me donneraient, sans que je m'en pusse défendre, le triste et funeste honneur de ces fameux exploits, dans lesquels le premier soin du comte de Fuensaldagne serait de m'anéantir moi-même.

Vous voyez assez, par toutes ces circonstances, l'embarras où je me trouvais, et ce qui en était encore de plus fâcheux est que je n'avais presque personne à qui je m'en pusse ouvrir que le président de Bellièvre, homme de bon sens, mais qui n'était ferme que jusques à un certain point ; et il n'y a que l'expérience qui puisse faire concevoir les égards qu'il faut observer avec les gens de ce *caractère. Il n'y a peut-être rien de plus embarrassant, et je ne jugeai pas qu'il fût à propos, par cette raison, que je me découvrisse tout à fait à lui de ma peine, qu'il ne voyait pas par lui-même dans toute son étendue. Je fus tout le matin dans ces pensées, et je me résolus de les aller communiquer à mon père, qui était retiré depuis plus de vingt ans dans l'Oratoire, et qui n'avait jamais voulu entendre parler de toutes mes intrigues. Il me vint une pensée, entre la porte Saint-Jacques et Saint-Magloire, qui fut de *contribuer, sous main, tout ce qui serait en moi à la paix, pour sauver l'État, qui me paraissait sur le penchant de sa ruine, et de m'y opposer en apparence pour me maintenir avec le peuple, et pour demeurer toujours à la tête d'un parti non armé, que je pourrais armer ou ne pas armer dans les suites, selon les occasions. Cette *imagination, quoique non *digérée, tomba d'*abord dans l'esprit de mon père, qui était naturellement fort modéré, ce qui commença à me faire croire qu'elle n'était pas si extrême qu'elle me l'avait paru d'abord. Après l'avoir discutée, elle ne nous parut pas même si hasardeuse à beaucoup près, et je me ressouvins de ce que j'avais observé quelquefois, que tout ce qui paraît hasardeux et ne l'est pas est presque toujours sage. Ce qui me confirma encore dans mon opinion fut que mon père, qui avait reçu deux jours auparavant beaucoup d'offres avantageuses pour moi du côté de la cour, par la voie de M. de Liancourt, qui était à Saint-Germain, convenait que je n'y pouvais trouver aucune sûreté. Nous dégrossâmes¹ notre proposition, nous la revêtîmes de ce qui lui pouvait donner et de la couleur et de la force, et je me résolus de prendre ce parti et de l'inspirer, si il m'était possible, dès l'après-dînée, à MM. de Bouillon, de Beaufort et de La Mothe-Houdancourt, avec lesquels nous faisions *état de nous assembler.

M. de Bouillon, qui voulait laisser le temps aux envoyés d'Espagne de gagner messieurs les généraux, s'en excusa sur je ne sais quel prétexte, et remit l'assemblée au lendemain. Je confesse que je ne me doutai point de son dessein et que je ne m'en aperçus que le soir, où je trouvai M. de Beaufort très persuadé que nous n'avions plus rien à faire qu'à fermer les portes de Paris aux députés de Rueil, qu'à chasser le Parlement, qu'à se rendre maître de l'Hôtel de Ville et qu'à faire avancer l'armée d'Espagne dans nos faubourgs. Comme le président de Bellièvre me venait d'avertir que Mme de Montbazon lui avait parlé dans les mêmes termes, je me le tins pour dit, et je commençai là à reconnaître la sottise que j'avais faite de m'ouvrir au point que je m'étais ouvert, en présence de don Gabriel de Tolède, chez M. de Bouillon. J'ai su depuis par lui-même qu'il avait été quatre ou cinq heures, la nuit suivante, chez Mme de Montbazon, à qui il avait promis vingt mille écus comptant et une pension de six mille, en cas qu'elle portât M. de Beaufort à ce que Monsieur l'Archiduc désirerait de lui. Il n'oublia pas les autres. Il eut à bon marché M. d'Elbeuf ; il donna des lueurs au maréchal de La Mothe de lui faire trouver des accommodements touchant le duché de Cardonne[1]. Enfin, je connus, le jour que nous nous assemblâmes, M. de Beaufort, M. de Bouillon, le maréchal de La Mothe et moi, que le catholicon d'Espagne[2] n'avait pas été épargné dans les drogues qui se débitèrent dans cette conversation.

Tout le monde m'y parut persuadé que la désertion des troupes de M. de Turenne ne nous laissait plus de choix pour les partis qu'il y avait à prendre, et que l'unique était de se rendre, par le moyen du peuple, maître du Parlement et de l'Hôtel de Ville.

Je suis très persuadé que je vous ennuierais si je rebattais ici les raisons que j'alléguai contre ce sentiment, parce que ce furent les mêmes que je vous ai déjà, ce me semble, exposées plus d'une fois. M. de Bouillon, qui, ayant perdu l'armée d'Allemagne et ne se voyant plus, par conséquent, assez de *considération pour tirer de grands avantages du côté de la cour, ne craignait plus de s'engager pleinement avec Espagne, ne voulut point concevoir ce que je disais. Mais j'*emportai MM. de Beaufort et de La Mothe, auxquels je fis comprendre assez aisément qu'ils ne trouveraient pas une bonne place dans un parti qui serait réduit, en quinze jours, à dépendre en tout et par tout du conseil d'Espagne. Le maréchal de La Mothe n'eut aucune peine à se rendre à mon sentiment ; mais comme il savait que don Francisco Pizarro était parti la veille pour aller trouver M. de Longueville, avec lequel il était intimement lié, il ne s'expliquait pas tout à fait décisivement. M. de Beaufort ne balança point, quoique je reconnusse à mille choses qu'il avait été bien catéchisé par Mme de Montbazon, dont je remarquais de certaines expressions toutes copiées. M. de Bouillon, très embarrassé, me dit avec émotion : « Mais si nous eussions engagé le Parlement, comme vous le vouliez dernièrement, et que l'armée d'Allemagne nous eût manqué comme elle a fait et comme cet engagement du Parlement ne l'en eût pas empêchée, n'aurions-nous pas été dans le même état où nous sommes ? Et vous faisiez pourtant votre compte, en ce cas, de soutenir la guerre avec nos troupes, avec celles de M. de Longueville, avec celles qui se font présentement pour nous dans toutes les provinces du royaume. — Ajoutez, s'il vous plaît, Monsieur, lui répondis-je, avec le parlement de Paris, déclaré et engagé pour la paix générale ; car ce même parlement, qui ne s'engagera pas sans M. de Turenne, tiendrait fort bien sans M. de Turenne si il avait une fois été engagé, et il eût été aussi judicieux, en ce temps-là, de *fonder sur lui, qu'il l'est à mon avis, à cette heure, de n'y rien compter. Les compagnies vont toujours devant elles, quand elles ont été jusques à un certain point, et leur *retour n'est point à craindre quand elles sont fixées. La proposition de la paix générale l'eût fait à mon opinion, dans le moment de la déclaration de M. de Turenne ; nous avons manqué ce moment ; je suis convaincu qu'il n'y a plus rien à faire de ce côté-là, et je crois même, Monsieur, dis-je en m'adressant à M. de Bouillon, que vous en êtes persuadé comme moi. La seule différence est, au moins à mon sens, que vous croyez que nous pouvons soutenir l'affaire par le peuple, et que je crois que nous ne le devons pas : c'est la vieille question qui a été déjà agitée plusieurs fois. »

M. de Bouillon, qui ne voulut point la remettre sur le tapis, parce qu'il avait reconnu de bonne foi avec moi, en deux ou trois occasions, que mes sentiments étaient raisonnables sur ce chef, tourna tout court, et il me dit : « Ne contestons point. Supposé qu'il ne se faille point servir du peuple dans cette conjoncture, que faut-il faire ? quel est votre avis ? — Il est bizarre et extraordinaire, lui répliquai-je ; le voici : je vous le vas expliquer en peu de paroles, et je commencerai par ses fondements. Nous ne pouvons empêcher la paix sans *ruiner le Parlement par le peuple ; nous ne saurions soutenir la guerre par le peuple sans nous mettre dans la dépendance de l'Espagne ; nous ne saurions avoir la paix avec Saint-Germain, que nous ne consentions à voir le cardinal Mazarin dans le ministère ; nous ne pouvons trouver aucune sûreté dans ce ministère. » M. de Bouillon, qui, avec la physionomie d'un bœuf, avait la perspicacité d'un aigle*, ne me laissa pas achever. « Je vous entends, me dit-il, vous voulez laisser faire la paix et vous voulez en même temps n'en point être. — Je veux faire plus, lui répondis-je ; car je m'y veux opposer, mais de ma voix simplement et de celle des gens qui voudront bien hasarder la même chose. — Je vous entends encore, reprit M. de Bouillon ; voilà une grande et belle pensée : elle vous convient, elle peut même convenir à M. de Beaufort, mais elle ne convient qu'à vous deux. — Si elle ne convenait qu'à nous deux, lui repartis-je, je me couperais plutôt la langue que de la proposer. Elle vous convient plus qu'à personne, si vous voulez jouer le même personnage que nous ; et si vous ne croyez pas le devoir, celui que nous jouerons ne vous conviendra pas moins, parce que vous vous en pouvez très bien accommoder. Je m'explique.

« Je suis persuadé que ceux qui persisteront à demander, pour condition de l'accommodement, l'exclusion du Mazarin, demeureront les maîtres des peuples, encore assez longtemps, pour profiter des occasions que la fortune fait toujours naître dans des temps qui ne sont pas encore remis et rassurés. Qui peut jouer ce rôle avec plus de dignité et avec plus de force que vous, Monsieur, et par votre réputation et par votre capacité ? Nous avons déjà la faveur des peuples, M. de Beaufort et moi ; vous l'aurez demain comme nous par une déclaration de cette nature [a]. Nous serons regardés de toutes les provinces comme les seuls sur qui l'espérance publique se pourra fonder. Toutes les fautes du ministère nous tourneront à compte ; notre *considération en *sauvera quelques-unes au public [2] ; les Espagnols en auront une très grande pour nous ; le Cardinal ne pourra s'empêcher de nous en donner lui-même, parce que la pente qu'il a à toujours négocier fera qu'il ne pourra s'empêcher de nous rechercher. Tous ces avantages ne me persuadent pas que ce parti que je vous propose soit fort bon : j'en vois tous les inconvénients, et je n'ignore pas que dans le chapitre des accidents, auquel je conviens qu'il faut s'abandonner en suivant ce chemin, nous pouvons trouver des abîmes ; mais il est, à mon opinion, nécessaire de les hasarder quand l'on est assuré de rencontrer encore plus de précipices dans les voies ordinaires. Nous n'avons déjà que trop rebattu ceux qui sont inévitables dans la guerre, et ne voyons-nous pas, d'un clin d'œil, ceux de la paix sous un ministère outragé, et dont le rétablissement parfait ne dépendra que de notre *ruine ? Ces considérations me font croire que ce parti vous convient à tous pour le moins aussi justement qu'à moi ; mais je maintiens que quand il ne vous conviendrait pas de le prendre, il vous convient toujours que je le prenne, parce qu'il facilitera beaucoup votre accommodement, et qu'il le facilitera en deux manières, et en vous donnant plus de temps pour le traiter devant que la paix se conclue, et en tenant, après qu'elle le sera, le Mazarin en état d'avoir plus d'égards pour ceux dont il pourra appréhender la réunion avec moi. »

M. de Bouillon, qui avait toujours dans la tête qu'il pourrait trouver sa place dans l'extrémité, sourit à ces dernières paroles, et il me dit : « Vous m'avez tantôt fait la guerre de la figure de rhétorique de Barnevelt [1], et je vous le rends ; car vous supposez, par votre raisonnement, qu'il faut laisser faire la paix, et c'est ce qui est en question, car je maintiens que nous pouvons soutenir la guerre, en nous rendant par le moyen du peuple, maîtres du Parlement. — Je ne vous ai parlé, Monsieur, lui répondis-je, que sur ce que vous m'aviez dit qu'il ne fallait plus contester sur ce point, et que vous désiriez simplement d'être éclairci du détail de mes vues sur la proposition que je vous faisais. Vous revenez présentement au gros de la question, sur laquelle je n'ai rien à vous répondre que ce que je vous ai déjà dit vingt ou trente fois. — Nous ne nous sommes pas persuadés, reprit-il, et ne voulez-vous pas bien vous en rapporter au plus de voix ? — De tout mon cœur, lui répondis-je : il n'y a rien de plus juste. Nous sommes dans le même vaisseau : il faut périr ou se sauver ensemble. Voilà M. de Beaufort qui est assurément dans le même sentiment ; et quand lui et moi serions encore plus maîtres du peuple que nous ne le sommes, je crois que lui et moi mériterions d'être déshonorés, si nous nous servions de notre crédit, je ne dis pas pour abandonner, mais je dis pour forcer le moindre homme du parti à ce qui ne serait pas de son avantage. Je me conformerai à l'avis commun, je le signerai de mon sang, à condition toutefois que vous ne serez pas dans la liste de ceux à qui je m'engagerai, car je le suis assez, comme vous savez, par le respect et par l'amitié que j'ai pour vous. » M. de Beaufort nous réjouit sur cela de quelques apophtegmes, qui ne manquaient jamais dans les occasions où ils étaient les moins requis.

M. de Bouillon, qui savait bien que son avis ne passerait pas à la pluralité, et qui ne m'avait proposé de l'y mettre que parce qu'il croyait que j'en appréhenderais la *commise, qui découvrirait à trop de gens le jeu, dont la plus grande *finesse était de le bien cacher, me dit et sagement et *honnêtement : « Vous savez bien que ce ne serait ni votre compte ni le mien que de discuter ce détail dans le moment où nous sommes, en présence de gens qui seraient capables d'en abuser. Vous êtes trop sage, et je ne suis pas assez fou pour leur porter cette matière aussi crue et aussi peu *digérée qu'elle l'est encore. Approfondissons-la, je vous supplie, devant qu'ils puissent seulement s'imaginer que nous la traitions. Votre intérêt n'est pas, à ce que vous prétendez, de vous rendre maître de Paris par le peuple ; le mien, au moins comme je le conçois, n'est pas de laisser faire la paix sans m'accommoder. Demandez, ajouta-t-il, à M. le maréchal de La Mothe, si Mlle de Toussy y consentirait pour lui. » J'entendis ce que M. de Bouillon voulait dire : M. de La Mothe était fort amoureux de Mlle de Toussy, et l'on croyait même en ce temps-là qu'il l'épouserait encore plus tôt qu'il ne fit. Et M. de Bouillon, qui me voulait marquer que la *considération de madame sa femme ne lui permettait pas de prendre pour lui le parti que je lui avais proposé, et qui ne voulait pas le marquer aux autres, se servit de cette manière pour me l'insinuer, et pour m'empêcher de l'en presser davantage devant eux, auxquels il n'avait pas la même confiance qu'il avait en moi. Il me l'expliqua ainsi un moment après, auquel il eut le moyen de me parler seul, parce que Mlle de Longueville, dans la chambre de qui cette conversation se passa, à l'Hôtel de Ville, revint de ses visites, et nous obligea d'aller chercher un autre lieu pour continuer notre discours.

Comme M. de Beaufort et M. de La Mothe étaient après[1] pour faire ouvrir une espèce de bureau qui répond sur la salle, M. de Bouillon eut le temps de me dire que je ne devais pas avoir au moins tout seul les gants[2] de ma proposition ; qu'elle lui était venue dans l'esprit dès qu'il eut appris la désertion de l'armée de monsieur son frère ; que ce parti était l'unique bon, qu'il avait même le moyen de l'améliorer encore beaucoup davantage, en le faisant goûter aux Espagnols ; qu'il avait été sur le point, cinq ou six fois dans un jour, de me le communiquer, mais que madame sa femme s'y était toujours opposée avec une telle fermeté, avec tant de larmes, avec une si vive douleur, qu'elle lui avait enfin fait donner parole de n'y plus penser, et de s'accommoder à la cour ou de prendre parti avec Espagne. « Je vois bien, ajouta-t-il, que vous ne voulez pas du second ; aidez-moi au premier, je vous en conjure ; vous voyez la confiance parfaite que j'ai en vous. »

M. de Bouillon me dit tout cela en confusion et en moins de paroles que je ne vous le viens d'exprimer ; et comme MM. de Beaufort et de La Mothe nous rejoignirent, avec le président de Bellièvre, qu'ils avaient trouvé sur le degré, je n'eus le temps que de serrer la main à M. de Bouillon, et nous entrâmes tous ensemble dans le bureau. Il y expliqua, en peu de mots, à M. de Bellièvre le commencement de notre conversation ; il témoigna ensuite qu'il ne pouvait, en son particulier, prendre le parti que je lui avais proposé, parce qu'il risquait pour jamais toute sa maison, à laquelle il serait responsable de sa ruine ; qu'il devait tout en cette conjoncture à monsieur son frère, dont les intérêts ne comportaient pas *apparemment une conduite de cette nature ; qu'il nous pouvait au moins assurer, par avance, qu'elle était bien éloignée et de son humeur et de ses maximes ; enfin il n'oublia rien pour persuader, particulièrement au président de Bellièvre, qu'il jouait le *droit du jeu de ne pas entrer dans ma proposition. Je le remarquai, et je vous en dirai tantôt la raison. Il revint tout d'un coup, après s'être beaucoup étendu, même jusques à la digression, et il dit en se tournant vers M. de Beaufort et vers moi : « Mais entendons-nous, comme vous l'avez tantôt proposé. Ne

Bln agrees to plan: no fee ?/o M's
departure

consentez à la paix, au moins par votre voix dans le Parlement, que sous la condition de l'exclusion du Mazarin. Je me joindrai à vous, je tiendrai le même langage. Peut-être que notre fermeté donnera plus de force que nous ne croyons nous-mêmes au Parlement. Si cela n'arrive pas, et même dans le doute que cela n'arrive pas, qui n'est que trop violent, agréez que je cherche à sauver ma maison, et que j'essaie d'en trouver les voies par les accommodements, qui ne peuvent pas être fort bons en l'état où sont les choses, mais qui pourront peut-être le devenir avec le temps. »

Je n'ai guères eu en ma vie de plus sensible joie que celle que je reçus à cet instant. Je pris la parole avec précipitation, et je répondis à M. de Bouillon que j'avais tant d'impatience de lui faire connaître à quel point j'étais son serviteur, que je ne me pouvais empêcher de manquer même au respect que je devais à M. de Beaufort, et de prendre même la parole *devant lui, pour lui dire que non seulement je lui rendais, en mon particulier, toutes les paroles d'engagements qu'il avait pris avec moi, mais que je lui donnais de plus la mienne que je ferais, pour faciliter son accommodement, tout ce qu'il lui plairait sans exception ; et qu'il se pouvait servir et de moi et de mon nom pour donner à la cour toutes les offres qui lui pourraient être bonnes, et que, comme dans le fond je ne voulais pas m'accommoder avec le Mazarin, je le rendais maître, avec une sensible joie, de toutes les apparences de ma conduite, desquelles il se pourrait servir pour ses avantages.

M. de Beaufort, dont le naturel était de renchérir toujours sur celui qui avait parlé le dernier, lui sacrifia avec emphase tous les intérêts passés, présents et à venir de la maison de Vendôme ; le maréchal de La Mothe lui fit son *compliment, et le président de Bellièvre lui fit son éloge. Nous convînmes, en un quart d'heure, de tous nos faits. M. de Bouillon se chargea de faire agréer aux Espagnols cette conduite, pourvu que nous lui donnassions parole de ne leur point témoigner qu'elle eût été concertée auparavant avec nous. Nous prîmes le soin, le maréchal de La Mothe et moi, de proposer à M. de Longueville, en son nom, en celui de M. de Beaufort et au mien, le parti que M. de Bouillon prenait pour lui ; et nous ne doutâmes point qu'il ne l'acceptât, parce que tous les gens irrésolus prennent toujours avec facilité et même avec joie toutes les ouvertures qui les mènent à deux chemins, et qui par conséquent ne les pressent pas d'opter. Nous crûmes que, par cette raison, M. de La Rochefoucauld ne nous ferait point d'obstacle, ni auprès de M. le prince de Conti ni auprès de Mme de Longueville ; et ainsi nous résolûmes que M. de Bouillon en ferait, dès le soir même, la proposition à M. le prince de Conti, en présence de tous les généraux, à l'exception de M. d'Elbeuf, qui était au camp, et auquel M. de Bellièvre se chargea de faire agréer ce que nous ferions, au moins en cette matière, qui était tout à fait de son *génie. Il fut toutefois de la conférence, parce qu'il revint plus tôt qu'il ne le croyait.

Cette conférence fut curieuse, en ce que M. de Bouillon n'y proféra pas un mot par lequel l'on se pût plaindre qu'il eût seulement songé à tromper personne, et qu'il n'en omit pas un seul qui pût *couvrir son véritable dessein. Je vous rapporterai son discours syllabe à syllabe[1], et tel que je l'écrivis une heure après qu'il l'eût fait, après que je vous aurai rendu compte de ce qu'il me dit en sortant du bureau, où nous avions eu une partie de notre conversation de l'après-dînée. « Ne me plaignez-vous pas, me dit-il, de me voir dans la nécessité où vous me voyez de ne pouvoir prendre l'unique parti où il y ait de la réputation pour l'avenir et de la sûreté pour le présent ? Je conviens que c'est celui que vous avez choisi ; et si il était en mon pouvoir de le suivre, je crois, sans vanité, que j'y mettrais un *grain qui ajouterait un peu au poids. Vous avez tantôt remarqué que j'avais peine à m'ouvrir tout à fait des raisons que j'ai d'agir comme je fais devant le président de Bellièvre, et il est vrai ; et vous avouerez que je n'ai pas tort, quand je vous aurai dit que ce bourgeois me déchira avant-hier, une heure durant, sur la déférence que j'ai pour les sentiments de ma femme. Je veux bien vous l'avouer à vous, qui êtes une âme vulgaire, qui compatissez à ma faiblesse, et je suis même assuré que vous me plaindrez, mais que vous ne me blâmerez pas de ne pas exposer une femme que j'aime autant, et huit enfants qu'elle aime plus que soi-même, à un parti aussi hasardeux que celui que vous prenez et que je prendrais de très bon cœur avec vous si j'étais seul. » Je fus touché et du sentiment de M. de Bouillon et de sa confiance, au point que je le devais ; et je lui répondis que j'étais bien éloigné de le blâmer, que je l'en honorerais toute ma vie davantage, et que la tendresse pour madame sa femme, qu'il venait d'appeler une faiblesse, était une de ces sortes de choses que la politique condamne et que la morale justifie, parce qu'elles sont une marque infaillible de la bonté d'un cœur qui ne peut être supérieur à la politique qu'il ne le soit en même temps à l'intérêt [1].

Je ne trompais pas assurément M. de Bouillon en lui parlant ainsi, et vous savez que je vous ai dit plus d'une fois qu'il y a de certains défauts qui marquent plus une bonne âme que de certaines vertus.

Nous entrâmes un moment après chez M. le prince de Conti, qui soupait, et M. de Bouillon le pria qu'il lui pût parler en présence de Mme de Longueville, de messieurs les généraux et des principales personnes du parti. Comme il fallait du temps pour rassembler tous ces gens-là, l'on remit la conversation à onze heures du soir, et M. de Bouillon alla, en attendant, chez les envoyés d'Espagne, auxquels il persuada que la conduite que nous venions de résoudre ensemble, et qu'il ne leur disait pas pourtant avoir concertée avec nous, leur pouvait être très utile, et parce que la fermeté que nous conservions contre le Mazarin pourrait peut-être rompre la paix, et parce que, supposé même qu'elle se fît, ils pourraient toujours tirer un fort grand avantage, dans les suites, du personnage que j'avais pris la résolution de jouer. Il assaisonna ce tour [2], que je ne fais que toucher, de tout ce qui les pouvait persuader que l'accommodement de M. d'Elbeuf avec Saint-Germain leur était fort bon, parce qu'il les déchargerait d'un homme qui leur coûterait de l'argent et qui leur serait fort inutile ; que le sien particulier, supposé même qu'il se fît, dont il doutait fort, leur pouvait être utile, parce que le peu de foi du Mazarin lui donnait lieu, par avance, de garder avec eux ses anciennes mesures ; qu'il n'y avait aucune sûreté en tout ce qu'ils négocieraient avec M. le prince de Conti, qui n'était qu'une girouette ; qu'il n'y en avait qu'une très médiocre en M. de Longueville, qui traitait toujours avec les deux partis ; que MM. de Beaufort, de La Mothe, de Brissac, de Vitry et autres ne se sépareraient pas de moi, et qu'ainsi la pensée de se rendre maîtres du Parlement était devenue impraticable par l'opposition que j'y avais.

Ces considérations, jointes à l'ordre que les envoyés avaient de se rapporter en tout aux sentiments de M. de Bouillon, les obligèrent de donner les mains à tout ce qu'il lui plut. Il n'eut pas plus de peine à persuader, à son retour à l'Hôtel de Ville, messieurs les généraux, qui furent charmés d'un parti qui leur ferait faire, tous les matins, les *braves au Parlement, et qui leur laisserait la liberté de traiter, tous les soirs, avec la cour. Ce que je trouvai de plus *fin et de plus habile dans son discours fut qu'il y mêla des circonstances, comme imperceptibles, dont le tour différent que l'on leur pourrait donner en cas de besoin ôterait, quand il serait nécessaire, toute créance au mauvais usage que l'on pourrait faire, du côté des Espagnols et du côté de la cour, de ce qu'il nous disait. Tout le monde sortit content de la conférence, qui ne dura pas plus d'une heure et demie. M. le prince de Conti nous assura même que M. de Longueville, à qui l'on dépêcha à l'instant, l'agréerait au dernier point, et il ne se trompait pas, comme vous le verrez dans la suite. Je retournai avec M. de Bouillon chez lui, et j'y trouvai les envoyés d'Espagne, qui l'y attendaient, comme il me l'avait dit. Je m'aperçus aisément, et à leurs manières et à leurs paroles, que M. de Bouillon leur avait fait valoir, et pour lui et pour moi, la résolution que j'avais prise de ne me pas accommoder. Ils me firent toutes les *honnêtetés et toutes les offres imaginables. Nous convînmes de tous nos faits, ce qui fut bien aisé, parce qu'ils approuvaient tout ce que M. de Bouillon proposait. Il leur fit un *pont d'or pour retirer leurs troupes avec bienséance et sans qu'il parût qu'ils le fissent par nécessité. Il leur fit trouver bon, par avance, tout ce que les occasions lui pourraient inspirer de leur proposer ; il prit vingt dates différentes, et même quelquefois contraires, pour les pouvoir appliquer dans les suites, selon qu'il le jugerait à propos. Je lui dis, aussitôt qu'ils furent sortis, que je n'avais jamais vu personne qui fût si éloquent que lui pour persuader aux gens que fièvres quartaines leur étaient bonnes [1]. « Le malheur est, me répondit-il, qu'il faut pour cette fois que je me le persuade aussi à moi-même. »

Je ne puis encore m'empêcher de vous répéter ici que dans les deux scènes de ce jour, aussi difficiles qu'elles étaient importantes, il ne dit pas un mot que l'on lui pût reprocher avec justice quoi qu'il arrivât, et qu'il n'en omit pourtant pas un qui pût être utile à son dessein. M. de Bellièvre, qui l'avait remarqué comme moi, dans la conversation que nous eûmes l'après-dînée chez M. le prince de Conti, me louait sur cela son esprit, et je lui répondis : « Il faut que le cœur y ait beaucoup de part. Les fripons ne gardent jamais que la moitié des *brèves et des longues. Je l'ai observé en plus d'une occasion et à l'égard de la plupart de ceux qui ont passé pour être les plus *fins dans la cour. » J'en suis persuadé, et que M. de Bouillon n'eût pas été capable d'une perfidie.

Comme je fus retourné chez moi, j'y trouvai Varicarville, qui venait de Rouen de la part de M. de Longueville ; et je crois être obligé de vous faire excuse en ce lieu de ce que vous rendant compte de la guerre civile, je n'ai touché jusques ici que très légèrement un de ses principaux actes, qui se joua ou plutôt qui se *dut jouer en Normandie. Comme j'ai toujours été persuadé que tout ce qui s'écrit sur la foi d'autrui est incertain, je n'ai fait état, dès le comencement de cet ouvrage, que de ce que j'ai vu par moi-même, et si je me croyais encore, j'en demeurerais précisément en ces termes. Puisque toutefois je trouve en cet endroit Varicarville, qui a été, à mon sens, le gentilhomme de son siècle le plus véritable, je ne me dois pas, ce me semble, empêcher de vous faire un récit succinct de ce qui se passa de ce côté-là, depuis le 20 de janvier, que M. de Longueville partit de Paris pour y aller.

Vous avez vu ci-dessus[1] que le parlement et la ville de Rouen se déclarèrent pour lui ; MM. de Matignon et de Beuvron firent la même chose, avec tout le corps de la noblesse. Les châteaux et les villes de Dieppe et de Caen étaient en sa disposition. Lisieux le suivit avec son évêque, et tous les peuples, passionnés pour lui, contribuèrent avec joie à la cause commune. Tous les deniers du Roi furent saisis dans toutes les recettes ; l'on fit des levées jusques au nombre, à ce que l'on publiait, de sept mille hommes de pied et de trois mille chevaux, et jusques au nombre, dans la vérité, de quatre mille hommes de pied et de quinze cents chevaux. M. le comte d'Harcourt, que le Roi y envoya avec un petit camp volant, tint toutes ces villes, toutes ces troupes et tous ces peuples en haleine, au point qu'il les resserra presque toujours dans les murailles de Rouen, et que l'unique exploit qu'ils firent à la campagne fut la prise de Harfleur, place non tenable, et de deux ou trois petits châteaux qui ne furent point défendus. Varicarville, qui était mon ami très particulier et qui me parlait très confidemment, n'attribuait cette pauvre et misérable conduite ni au défaut de cœur de M. de Longueville, qui était très *soldat, ni même au défaut d'expérience, quoiqu'il ne fût pas grand capitaine ; il en accusait uniquement son incertitude naturelle, qui lui faisait continuellement chercher des ménagements. Il me semble que je vous ai déjà dit qu'Anctoville, qui commandait sa compagnie de gendarmes, était son négociateur en titre d'*office, et j'avais été averti de Saint-Germain, par Mme de Lesdiguières, que, dès le second mois de la guerre, il avait fait un voyage secret à Saint-Germain ; mais comme je connaissais M. de Longueville pour un esprit qui ne se pouvait empêcher de *traitailler, dans les temps même où il avait le moins d'intention de s'accommoder, je ne fus pas ému de cet avis ; et d'autant moins que Varicarville, à qui j'en écrivis, me manda que je devais connaître le terrain, qui n'était jamais ferme, mais que je serais informé à point nommé lorsqu'il s'amollirait davantage.

Dès que je connus que Paris penchait à la paix au point de nous y emporter nous-mêmes, je crus être obligé de le faire savoir à M. de Longueville : en quoi Varicarville soutenait que j'avais fait une faute, parce qu'il disait à M. de Longueville même qu'il fallait que ses amis le traitassent comme un malade et le servissent, en beaucoup de choses, sans lui. Je ne crus pas devoir user de cette liberté, dans une conjoncture où les *contretemps du Parlement pouvaient faire une paix fourrée à tous les quarts d'heure, et je m'imaginai que je remédierais à l'inconvénient que je voyais bien qu'un avis de cette nature pourrait produire dans un esprit aussi vacillant que celui de M. de Longueville ; je m'imaginai, dis-je, que je remédierais à cet inconvénient en avertissant, en même temps, Varicarville d'être sur ses gardes et de tenir de près M. de Longueville, afin de l'empêcher de faire au moins de *méchants traités particuliers, auxquels il avait toujours beaucoup de pente. Je me

trompai en ce point, parce que M. de Longueville avait
autant de facilité à croire Anctoville dans la fin des affaires,
qu'il en avait à croire Varicarville dans les commencements.
Le premier le portait continuellement dans les sentiments
de la cour, à laquelle M. de Longueville retournait toujours
de son naturel, aussitôt après qu'il en était sorti ; et le
second, qui aimait sa personne tendrement et qui le voulait
faire vivre à l'égard des ministres avec dignité, l'engageait,
le plus facilement du monde, dans les occasions qui pouvaient
flatter un cœur où tout était bon, et un esprit où rien n'était
mauvais que le défaut de fermeté.

Il y avait six semaines qu'il était dans la guerre civile,
quand je lui donnai l'avis dont je vous ai parlé, et je vis
bien, par la réponse de Varicarville, que Anctoville était sur
le point de servir son quartier [1]. Il fit effectivement, quelques
temps après, un voyage secret à Saint-Germain, que je vous
ai marqué ci-dessus, auquel Varicarville m'a dit depuis qu'il
ne trouva ni son compte ni celui de son maître, ce qui
obligea M. de Longueville de reprendre la grande voie et de
se servir de l'occasion publique de la conférence de Rueil
pour entrer dans un traité. Et comme il n'approuvait pas
mes pensées sur tout ce détail, dont je lui avais toujours fait
part très soigneusement par le canal de Varicarville, il me
l'envoya pour me faire agréer les siennes, sous prétexte de
me faire savoir les tentatives que don Francisco Pizarro lui
était allé faire de la part de l'archiduc. Nous connûmes,
M. de Bouillon et moi, par ce que Varicarville m'expliqua
fort amplement ce soir-là, que le gentilhomme que nous
venions de dépêcher à Rouen y donnerait la plus agréable
nouvelle du monde à M. de Longueville, en lui apprenant
que l'on ne prétendait plus le contraindre sur la matière des
traités ; et Varicarville, qui était un des hommes de France
des plus fermes, me témoigna même de l'impatience que
l'on obtînt des passeports pour Anctoville, qui était celui
que M. de Longueville destinait pour la conférence, tant il
était persuadé, me dit-il en particulier, que son maître ferait
autant de faiblesses qu'il demeurerait de moments dans un
parti qu'il n'avait pas la force de soutenir. « Je n'y serai
jamais pris [2], ajouta-t-il ; Anctoville a raison, et je serai toute
ma vie de son avis. » Ce qui est admirable est que ce M. de
Longueville de qui Varicarville disait cela, et avec beaucoup

de justice, avait déjà été de quatre ou cinq guerres civiles. Je reviens à ce qui se passa et au Parlement et à la conférence.

Je vous ai dit ci-dessus[1] que les députés retournèrent à Rueil le 16 de mars ; ils allèrent, dès le lendemain, à Saint-Germain, où la seconde conférence se devait tenir à la chancellerie ; et ils ne manquèrent pas d'y lire d'abord les propositions que tous ceux du parti avaient faites avec un empressement merveilleux pour leurs intérêts particuliers, et que messieurs les généraux, qui ne s'y étaient pas oubliés, avaient toutefois stipulé ne devoir être faites qu'après que les intérêts du Parlement seraient ajustés. Le premier président fit tout le contraire, sous prétexte de leur témoigner que leurs intérêts étaient plus chers à la Compagnie que les siens propres, mais dans la vérité pour les décrier dans le public. Je l'avais prévu, et j'avais insisté, par cette considération, qu'ils ne donnassent leurs mémoires qu'après que l'on serait demeuré d'accord des articles dont le Parlement demandait la réformation. Mais le premier président les *enchanta, et au point que du moment que l'on sut que messieurs les généraux avaient pris la résolution de se laisser entendre sur leur intérêt, il n'y eut pas un officier dans l'armée qui ne crût être en droit de s'adresser au premier président pour ses prétentions. Celles qui parurent en ce temps-là furent d'un ridicule que celui-ci[2] aurait peine à s'imaginer. C'est tout vous dire, que le chevalier de Fruges en eut de grandes, que La Boulaye en eut de considérables, et que le marquis d'Alluye en eut d'immenses[3].

M. de Bouillon m'avoua qu'il n'avait pas assez pesé cet inconvénient, qui jeta un grand air de ridicule sur tout le parti, et si grand que M. de Bouillon, qui savait qu'il en était la véritable cause, en eut une véritable honte. Je fis des efforts inconcevables pour obliger M. de Beaufort et M. le maréchal de La Mothe à ne pas donner dans ce panneau, et l'un et l'autre me l'avaient promis. Le premier président et Viole enjôlèrent le second par des espérances frivoles. M. de Vendôme envoya en forme sa malédiction à son fils, si il n'obtenait du moins la surintendance des mers, qui lui avait été promise à la Régence pour *récompense du gouvernement de Bretagne. Les plus désintéressés s'imaginèrent qu'ils seraient les dupes des autres, si ils ne se mettaient aussi sur les rangs. M. de Rais, qui sut que M. de La

Trémoille, son voisin, y était pour le comté de Roussillon,
et qu'il avait même envie d'y être pour le royaume de
Naples, ne m'a pas encore pardonné de ce que je n'entrepris
pas de lui faire rendre la généralité des galères [1]. Enfin je ne
trouvai que M. de Brissac qui voulut bien n'entrer point en
prétention ; et encore Matha, qui n'avait guère de cervelle,
lui ayant dit qu'il se faisait tort, il se mit dans l'esprit qu'il
le fallait réparer par un emploi que vous verrez dans la
suite.

Toutes ces démarches, qui n'étaient nullement bonnes,
me firent prendre la résolution de me tirer du *pair, et
m'obligèrent de me servir de l'occasion de la déclaration
que M. le prince de Conti fit faire au Parlement, qu'il avait
nommé [2] pour son député à la conférence le comte de Maure,
pour y en faire une autre en mon nom, le même jour, qui
fut le 19 de mars, par laquelle je suppliai la Compagnie
d'ordonner à ses députés de ne me comprendre en rien de
tout ce qui pourrait regarder ou directement ou indirectement
aucun intérêt. Ce pas, auquel je fus forcé pour n'être pas
chargé, dans le public, de la glissade de M. de Beaufort,
joint au mauvais effet que cette nuée de prétentions ridicules
y avait produit, avança de quelques jours la proposition que
messieurs les généraux n'avaient résolu de faire contre la
personne du Mazarin que dans les moments où ils jugeraient
qu'elle leur pourrait servir pour donner chaleur, par la
crainte qui lui était fort naturelle, aux négociations qu'il
avait par différents canaux avec chacun d'eux.

M. de Bouillon nous assembla, dès le soir de ce même
19, chez M. le prince de Conti, et il y fit résoudre que M.
le prince de Conti lui-même dirait, dès le lendemain, au
Parlement qu'il n'avait donné, ni lui ni les autres généraux,
les mémoires de leurs prétentions, que par la nécessité où
ils s'étaient trouvés de chercher leur sûreté en cas que le
cardinal Mazarin demeurât dans le ministère ; mais qu'il
protestait, et en son nom et en celui de toutes les personnes
de qualité qui étaient entrés dans le parti, qu'aussitôt qu'il
en serait exclu, ils renonceraient à toute sorte d'intérêts,
sans exception [3].

Le 20, cette déclaration se fit en beaux termes, et M. le
prince de Conti s'expliqua même et plus amplement et plus
fermement qu'il n'avait accoutumé. Je suis même persuadé

que si elle eût été faite devant que les généraux et les
subalternes eussent fait éclore cette fourmilière de prétentions, comme il avait été concerté entre M. de Bouillon et
moi, elle eût sauvé plus de réputation au parti et donné
plus d'appréhension à la cour que je ne me l'étais imaginé :
parce que Paris et Saint-Germain eussent eu lieu de croire
que la résolution que les généraux avaient prise de parler de
leurs intérêts et d'envoyer des députés pour en traiter n'était
que la suite du dessein qu'ils avaient formé de sacrifier ces
mêmes intérêts à l'exclusion du ministre. Mais comme cette
pièce ne se joua qu'après que l'on eut étalé un détail de
prétentions, trop chimériques d'une part et trop solides de
l'autre pour n'être que des prétextes, Saint-Germain ne les
en appréhenda point, voyant bien par où il en sortirait ; et
Paris, à la réserve du plus menu peuple, n'en perdit pas la
mauvaise impression que cette démarche lui avait donnée.
Cette faute est la plus grande, à mon sens, que M. de
Bouillon ait jamais commise ; et elle est si grande, qu'il ne
l'a jamais avouée à moi-même, qui savais très bien qu'il
l'avait faite. Il la rejetait sur la précipitation que M. d'Elbeuf
avait eue de mettre ses mémoires entre les mains du premier
président. Mais M. de Bouillon était toujours la première
cause de cette faute, parce qu'il avait, le premier, lâché la
*main à cette conduite ; et qui, dans les grandes affaires,
donne lieu aux manquements des autres, est très souvent
plus coupable qu'eux. Voilà donc une grande faute de M.
de Bouillon.

Voici une des plus signalées sottises que j'aie faites dans
tout le cours de ma vie. Je vous ai dit ci-dessus que M. de
Bouillon avait promis aux envoyés de Monsieur l'Archiduc
de leur faire un *pont d'or pour se retirer dans leur pays,
en cas que nous fissions la paix ; et ces envoyés, qui
n'entendaient tous les jours parler que de députations et de
conférences, ne laissaient pas, au travers de toute la confiance
qu'ils avaient en M. de Bouillon, de me sommer, de temps
en temps, de la parole que je leur avais donnée de ne les
pas laisser surprendre. Comme j'avais, de ma part, raison
particulière pour cela outre mon engagement, à cause de
l'amitié que j'avais pour Noirmoutier et pour Laigue, qui
trouvaient très mauvais que je n'eusse pas approuvé les
raisons qu'ils m'avaient alléguées pour me faire consentir à

l'approche des Espagnols, comme, dis-je, j'étais doublement pressé par ces considérations de sortir nettement de cet engagement, qui ne me paraissait plus même *honnête en l'état où étaient les affaires, je n'oubliais rien pour faire que M. de Bouillon, pour qui j'avais respect et amitié, trouvât bon que nous ne différassions pas davantage à leur faire ce pont d'or, duquel il s'était ouvert à moi. Je voyais bien qu'il remettait de jour à autre, et il ne m'en cachait pas la raison, qui était que négociant, comme il faisait, avec la cour, par l'entremise de Monsieur le Prince, pour la *récompense de Sedan, il lui était très bon que l'armée d'Espagne ne se retirât pas encore. Sa probité et mes raisons l'emportèrent, après quelques jours de délai, sur son intérêt. Je dépêchai un courrier à Noirmoutier.

Nous parlâmes clairement et décisivement aux envoyés de l'archiduc. Nous leur fîmes voir que la paix se pouvait faire en un quart d'heure, et que Monsieur le Prince pourrait être à portée de leur armée en quatre jours ; que celle de M. de Turenne avançait sous le commandement d'Erlach, dépendant en tout et partout du Cardinal ; et M. de Bouillon acheva de construire, dans cette conversation, le pont d'or qu'il leur avait promis. Il leur dit que son sentiment était qu'ils remplissent un blanc de Monsieur l'Archiduc ; qu'ils en fissent une lettre de lui à M. le prince de Conti, par laquelle il lui mandât que pour faire voir qu'il n'était entré en France que pour procurer à la chrétienté la paix générale, et non pas pour profiter de la division qui était dans le royaume, il offrait d'en retirer ses troupes, dès le moment qu'il aurait plu au Roi de nommer un lieu d'assemblée et les députés pour la traiter. Il est *constant que cette proposition, qui ne pouvait plus avoir d'effet solide dans la conjoncture, était assez d'usage pour ce que M. de Bouillon s'y proposait, parce qu'il n'y avait pas lieu de douter que la cour, qui verrait aisément que cette offre ne pourrait plus aller à rien pour le fond de la chose qu'autant qu'il lui plairait, n'y donnât les mains, au moins en apparence, et ne donnât par conséquent aux Espagnols un prétexte *honnête pour se retirer sans *déchet de leur réputation. Le bernardin ne fut pas si satisfait de ce pont d'or, qu'il ne me dît après, en particulier, qu'il en eût aimé beaucoup mieux un de bois sur la Marne ou sur la Seine. Ils donnèrent toutefois les uns et les autres à tout ce que M. de Bouillon désira d'eux, parce que leur ordre le portait ; et ils écrivirent, sans contester, la lettre qu'il leur dicta.

M. le prince de Conti, qui était malade ou qui le faisait, ce qui lui arrivait assez souvent, parce qu'il craignait fort les séditions du Palais, me chargea d'aller faire, de sa part, au Parlement, le rapport de cette prétendue lettre, que les envoyés de l'archiduc lui apportèrent en grande cérémonie ; et je fus assez *innocent pour recevoir cette *commission, qui donnait lieu à mes ennemis de me faire passer pour un homme tout à fait concerté avec Espagne, dans le même moment que j'en refusais toutes les offres pour mes avantages particuliers et que je lui rompais toutes ses mesures, pour ne point blesser le véritable intérêt de l'État. Il n'y a peut-être jamais eu de bêtise plus complète ; et ce qui y est de merveilleux est que je la fis sans réflexion. M. de Bouillon en fut fâché pour l'amour de moi, quoiqu'il y trouvât assez son compte ; et je la réparai, en quelque manière, de concert avec lui, en ajoutant au rapport que je fis dans le Parlement, le 22, qu'en cas que l'archiduc ne tînt pas exactement ce qu'il promettait, et M. le prince de Conti et messieurs les généraux m'avaient chargé d'assurer la Compagnie qu'ils joindraient, sans délai et sans condition, toutes leurs troupes à celles du Roi.

Je vous viens de dire que M. de Bouillon trouvait assez son compte à ce que cette proposition eût été faite par moi ; parce que le Cardinal, qui me croyait tout à fait contraire à la paix, voyant que j'en avais pris la *commission, presque en même temps que le comte de Maure avait porté à la conférence celle de son exclusion, ne douta point que ce ne fût une partie que j'eusse liée. Il l'appréhenda plus qu'il ne devait. Il fit répondre aux députés du Parlement qui la firent à la conférence, par ordre de la Compagnie, d'une manière que vous verrez dans la suite, et qui marqua qu'il en avait pris l'alarme bien chaude ; et comme ses frayeurs ne se guérissaient, pour l'ordinaire, que par la négociation, qu'il aimait fort, il donna plus de *jour à celle que Monsieur le Prince avait entamée pour M. de Bouillon, parce qu'il le crut de concert avec moi dans la démarche que je venais de faire au Parlement. Quand il vit qu'elle n'avait point de suite, il s'imagina que nous avions manqué notre coup, et

que la Compagnie n'ayant pas pris le feu que nous lui
avions voulu donner, il n'avait qu'à nous *pousser.

Monsieur le Prince, qui dans la vérité était très bien
intentionné pour l'accommodement de M. de Bouillon et
de M. de Turenne, dans la vue de s'attirer des gens d'un
aussi grand mérite, manda au premier, par un billet qu'il
me fit voir, qu'il avait trouvé le Cardinal changé absolument
sur son sujet, du soir au matin, et qu'il ne s'en pouvait
imaginer la raison. Nous la conçûmes fort aisément, M. de
Bouillon et moi, et nous résolûmes de donner au Mazarin
ce que M. de Bouillon appelait un *hausse-pied, c'est-à-dire
de l'attaquer encore personnellement, ce qui le mettait au
désespoir, dans un temps où le bon sens lui eût dû donner
assez d'insensibilité pour ces tentatives, qui, au fond, ne lui
faisaient pas grand mal ; mais elles nous étaient bonnes, à
M. de Bouillon et à moi, quoique en différentes manières.
M. de Bouillon croyait qu'il en avancerait toutes les négociations ; et il était tout à fait de mon intérêt de me signaler,
contre la personne du Mazarin, à la veille de la conclusion
d'un traité qui donnerait peut-être la paix à tout le monde,
hors à moi. Nous travaillâmes donc sur ce fondement, M.
de Bouillon et moi, et avec tant de succès, que nous
obligeâmes M. le prince de Conti, qui n'en avait aucune
envie, de proposer au Parlement d'ordonner à ses députés
de se joindre au comte de Maure touchant l'expulsion du
Mazarin.

M. le prince de Conti fit cette proposition le 27 ; et
comme nous avions eu deux ou trois jours pour tourner les
esprits, il *passa, de quatre-vingt-deux voix contre quarante,
que l'on manderait, dès le jour même, aux députés d'insister.
J'ajoutai en opinant : « et persister », en quoi je ne fus suivi
que de vingt-cinq voix, et ne n'en fus pas surpris. Vous
avez vu ci-dessus les raisons pour lesquelles il me convenait
de me distinguer sur cette matière.

Il faudrait bien des volumes pour vous raconter tous les
embarras que nous eûmes dans les temps dont je viens de
vous parler ; je me contenterai de vous dire que, dans les
moments où j'étais le seul fixement résolu à ne me point
accommoder avec la cour, je faillis à me décréditer dans le
public et à passer pour mazarin dans le peuple, parce que,
le 13 de mars, j'avais empêché que l'on ne massacrât le

premier président[1] ; parce que, le 23 et le 24, je m'étais opposé à la vente de la bibliothèque du Cardinal, qui eût été, à mon sens, une barbarie sans exemple[2] ; et parce que, le 25, je ne me pus empêcher de sourire sur ce que des conseillers s'avisèrent de dire, en pleine assemblée de chambres, qu'il fallait raser la Bastille. Je me remis en honneur dans la salle du Palais et parmi les emportés du Parlement en *prônant fortement contre le comte de Grancey, qui avait été assez insolent pour piller une maison de M. Coulon ; en insistant, le 24, que l'on donnât permission au prince d'Harcourt de prendre les deniers royaux dans les recettes de Picardie ; en pestant, le 25, contre une trêve qu'il était ridicule de refuser dans le temps d'une conférence ; et en m'opposant à celle que l'on fit le 30, quoique je susse que la paix était faite[3]. Ces remarques, trop légères par elles-mêmes, ne sont dignes de l'histoire que parce qu'elles marquent très naturellement l'extravagance de ces sortes de temps, où tous les sots deviennent fous et où il n'est pas permis aux plus sensés de parler et d'agir toujours en sages. Je reviens à la conférence de Saint-Germain.

Vous avez vu ci-dessus que les députés la commencèrent *malignement par les prétentions particulières. La cour les entretint adroitement par des négociations secrètes avec les plus considérables, jusques à ce que se voyant assurée de la paix, elle en éluda au moins la meilleure partie, par une réponse qui fut certainement fort habile. Elle distingua ces prétentions sous le titre de celles de justice et de celles de grâce. Elle expliqua cette distinction à sa mode ; et comme le premier président et le président de Mesmes s'entendaient avec elle contre les députés des généraux, quoiqu'ils fissent mine de les appuyer, elle en fut quitte à très bon marché, et il ne lui en coûta, à proprement parler, presque rien de comptant[a] ; il n'y eut presque que des paroles, que M. le cardinal Mazarin comptait pour rien. Il se faisait un grand mérite de ce qu'il avait fait évanouir (c'étaient ses termes), avec un peu de poudre d'alchimie, cette nuée de prétentions. Vous verrez, par la suite, qu'il eût fait sagement d'y mêler un peu d'or.

La cour sortit encore plus aisément de la proposition faite par l'archiduc, sur le sujet de la paix générale. Elle répondit qu'elle l'acceptait avec joie, et elle envoya, dès le jour

même, M. de Brienne au nonce et à l'ambassadeur de
Venise, pour conférer avec eux, comme médiateurs, de la
manière de la traiter. Nous n'en avions attendu ni plus ni
moins, et nous n'y fûmes pas trompés.

Pour ce qui regardait l'exclusion de Mazarin, que le comte
de Maure demanda d'abord au nom de M. le prince de
Conti, comme vous avez vu ci-devant, que M. de Brissac, à
qui Matha persuada de se mettre à la tête de cette députation,
pressa conjointement avec MM. de Barrière et de Gressy,
députés des généraux, et sur laquelle les députés du
Parlement insistèrent de nouveau, au moins en apparence,
comme il leur avait été ordonné par leur compagnie ; pour
ce qui regardait, dis-je, cette exclusion, la Reine, M. le duc
d'Orléans et Monsieur le Prince demeurèrent également
fermes, et ils déclarèrent, uniformément et *constamment,
qu'ils n'y consentiraient jamais.

L'on contesta quelque temps, avec beaucoup de chaleur,
touchant les intérêts du parlement de Normandie, qui avait
envoyé ses députés à la conférence avec Anctoville, député
de M. de Longueville ; mais enfin l'on convint.

L'on n'eut presque point de difficulté sur les articles dont
le parlement de Paris avait demandé la réformation. La
Reine se relâcha de faire tenir un lit de justice à Saint-
Germain ; elle consentit que la défense au Parlement de
s'assembler le reste de l'année 1649 ne fût pas insérée dans
la déclaration, à condition que les députés en donnassent
leur parole, sur celle que la Reine leur donnerait aussi que
telles et telles déclarations, accordées ci-devant, seraient
inviolablement observées. La cour promit de ne point presser
la restitution de la Bastille, et elle s'engagea même de parole
à la laisser entre les mains de Louvières, fils de M. de
Broussel, qui y fut établi gouverneur par le Parlement,
lorsqu'elle fut prise par M. d'Elbeuf.

L'amnistie fut accordée dans tous les termes que l'on
demanda, et, pour plus grande sûreté, l'on y comprit
nommément MM. le prince de Conti, de Longueville, de
Beaufort, d'Elbeuf, d'Harcourt, de Rieux, de Lillebonne, de
Bouillon, de Turenne, de Brissac, de Vitry, de Duras, de
Matignon, de Beuvron, de Noirmoutier, de Sévigné, de La
Trémoille, de La Rochefoucauld, de Rais, d'Estissac, de
Montrésor, de Matha, de Saint-Germain d'Achon, de Sauve-

beuf, de Saint-Ibar, de La Sauvetat, de Laigue, de Chavagnac, de Chaumont, de Caumesnil, de Moreuil, de Fiesque, de La Feuillée, de Montesson, de Cugnac, de Gressy, d'Alluye et de Barrière.

Il y eut quelque difficulté touchant Noirmoutier et Laigue, la cour ayant *affecté de leur vouloir donner une *abolition, comme étant plus criminels que les autres parce qu'ils étaient publiquement encore dans l'armée d'Espagne ; et Monsieur le Chancelier même fit voir aux députés du Parlement un ordre par lequel le premier ordonnait, comme lieutenant général de l'armée du Roi commandée par M. le prince de Conti, aux communautés de Picardie d'apporter des vivres au camp de l'archiduc ; et une lettre du second, par laquelle il sollicitait Bridieu, gouverneur de Guise, de remettre sa place aux Espagnols, sous promesse de la liberté de M. de Guise, qui avait été pris à Naples. M. de Brissac soutint que toutes ces paperasses étaient *supposées, et le premier président se joignant à lui, parce qu'il ne douta point que nous ne nous rendrions jamais sur cet article, il fut dit que l'un et l'autre seraient compris dans l'amnistie sans distinction.

Le président de Mesmes, qui eût été ravi de me pouvoir *noter, *affecta de dire, à l'instant que l'on parlait de Noirmoutier, de Laigue, qu'il ne concevait pas pourquoi l'on ne me nommait pas expressément dans cette aministie, et qu'un homme de ma dignité et de ma *considération n'y devait pas être compris avec le commun. M. de Brissac, qui était bien plus homme du monde que de négociation, n'eut pas l'esprit assez présent, et il répondit qu'il fallait savoir sur cela mes intentions. Il m'envoya un gentilhomme, à qui je donnai un billet dont voici le contenu : « Comme je n'ai rien fait, dans le mouvement présent, que ce que j'ai cru être du service du Roi et du véritable intérêt de l'État, j'ai trop de raison de souhaiter que Sa Majesté en soit bien informée à sa majorité pour ne pas supplier messieurs les députés de ne pas souffrir que l'on me comprenne dans l'amnistie. » Je signai ce billet, et je priai M. de Brissac de le donner à messieurs les députés du Parlement et des généraux, en présence de M. le duc d'Orléans et de Monsieur le Prince. Il ne le fit pas, à la prière de M. de Liancourt, qui crut que cet éclat aigrirait encore plus la Reine contre moi ; mais il en dit la substance, et l'on ne me nomma point dans la déclaration. Vous ne pouvez croire à quel point cette bagatelle aida à me soutenir dans le public.

Le 30, les députés du Parlement retournèrent à Paris.

Le 31, ils firent leur relation au Parlement, sur laquelle M. de Bouillon eut des paroles assez fâcheuses avec messieurs les présidents. Les négociations particulières lui avaient manqué ; celle que le Parlement avait faite pour lui ne le satisfaisait pas, parce que ce n'était que la confirmation du traité que l'on avait fait autrefois avec lui pour la *récompense de Sedan, dont il ne voyait pas de garantie bien certaine. Il lui revint, le soir, quelque pensée de troubler la fête par une sédition, qu'il croyait aisée à *émouvoir dans la disposition où il voyait le peuple ; mais il la perdit aussitôt qu'il eut fait réflexion sur mille et mille circonstances, qui faisaient que, même selon ses principes, elle ne pouvait plus être de saison. Une des moindres était que l'armée d'Espagne était déjà retirée.

Mme de Bouillon me fit une pitié incroyable ce soir-là. Comme elle était persuadée que c'était elle qui avait empêché monsieur son mari de prendre le bon parti, elle versa des torrents de larmes. Elle en eût répandu encore davantage, si elle eût connu, aussi bien que moi, que toute la faute ne venait pas d'elle. Il y a eu des moments où M. de Bouillon a manqué des coups décisifs, par lui-même et par le pur esprit de négociation. Ce défaut, qui m'a paru en lui un peu trop naturel, m'a fait quelquefois douter, comme je vous l'ai déjà dit, qu'il eût été capable de tout ce que ses grandes qualités ont fait croire de lui [1].

Le 1er d'avril, qui fut le jeudi saint de l'année 1649, la déclaration de la paix fut vérifiée en Parlement. Comme je fus averti, la nuit qui précéda cette vérification, que le peuple s'était attroupé en quelques endroits pour s'y opposer, et qu'il menaçait même de forcer les gardes qui seraient au Palais, et comme il n'y avait rien que j'appréhendasse davantage, pour toutes les raisons que vous avez remarquées ci-dessus, j'*affectai de finir un peu tard la cérémonie des saintes huiles [2] que je faisais à Notre-Dame, pour me tenir en état de marcher au secours du Parlement, s'il était attaqué. L'on me vint dire, comme je sortais de l'église, que l'*émotion commençait sur le quai des Orfèvres ; et comme j'étais en chemin pour y aller, je trouvai un page de M. de Bouillon, qui me donna un billet de lui, par lequel il me conjurait d'aller prendre ma place au Parlement, parce qu'il craignait que le peuple ne m'y voyant pas, n'en prît sujet de se soulever, en disant que c'était marque que je n'approuvais pas la paix. Je ne trouvai effectivement dans les rues que des gens qui criaient : « Point de Mazarin ! point de paix ! » Je dissipai ce que je trouvai d'assemblé au Marché-Neuf et sur le quai des Orfèvres, en leur disant que les mazarins voulaient diviser le peuple du Parlement, qu'il fallait bien se garder de donner dans le panneau ; que le Parlement avait ses raisons pour agir comme il faisait, mais qu'il n'en fallait rien craindre à l'égard du Mazarin ; et qu'ils m'en pouvaient bien croire, puisque je leur donnais ma foi et ma parole que je ne m'accommoderais jamais avec lui. Cette protestation rassura tout le monde.

J'entrai dans le Palais, où je trouvai les gardes aussi échauffés que le reste du peuple. M. de Vitry, que je rencontrai dans la grande salle, où il n'y avait presque personne, me dit qu'ils lui avaient offert de massacrer ceux qu'il leur nommerait comme mazarins. Je leur parlai comme j'avais fait aux autres, et la délibération n'était pas encore achevée, lorsque je pris ma place dans la Grande Chambre. Le premier président, en me voyant entrer, dit : « Il vient de faire des huiles qui ne sont pas sans salpêtre[1]. » Je l'entendis et je n'en fis pas *semblant, dans un instant où, si j'eusse relevé cette parole et qu'elle eût été portée dans la grande salle, il n'eût pas été en mon pouvoir de sauver peut-être un seul homme du Parlement. M. de Bouillon, à qui je la dis au lever de l'assemblée, en fit honte, dès l'après-dînée, à ce qu'il m'a dit depuis, au premier président.

Cette paix, que le Cardinal se vantait d'avoir achetée à fort bon marché, ne lui valut pas aussi tout ce qu'il en espérait. Il me laissa un levain de mécontents, qu'il m'eût pu ôter avec assez de facilité, et je me trouvai très bien de son reste. M. le prince de Conti et Mme de Longueville allèrent faire leur cour à Saint-Germain, après avoir vu Monsieur le Prince à Chaillot pour la première fois, de la manière du monde la plus froide de part et d'autre. M. de Bouillon, à qui, le jour de l'enregistrement de la déclaration,

le premier président avait donné des assurances nouvelles de
sa *récompense pour Sedan, fut présenté au Roi par Monsieur
le Prince qui *affecta de le protéger dans ses prétentions ;
et le Cardinal n'oublia rien de toutes les *honnêtetés
possibles à son égard. Comme je m'aperçus que l'exemple
commençait à opérer, je m'expliquai, plus tôt que je n'avais
résolu de le faire, sur le peu de sûreté que je trouvais à aller
à la cour, où mon ennemi capital était encore le maître. Je
m'en déclarai ainsi à Monsieur le Prince, qui fit un petit
tour à Paris, huit ou dix jours après la paix, et que je vis
chez Mme de Longueville. M. de Beaufort et M. le maréchal
de La Mothe parlèrent de même ; M. d'Elbeuf en eut envie,
mais la cour le gagna par je ne sais quelle misère : je ne
m'en ressouviens pas précisément. MM. de Brissac, de Rais,
de Vitry, de Fiesque, de Fontrailles, de Montrésor, de
Noirmoutier, de Matha, de La Boulaye, de Caumesnil, de
Moreuil, de Laigue, d'Annery demeurèrent unis avec nous ;
et nous fîmes une espèce de corps, qui, avec la faveur du
peuple, n'était pas un fantôme. Le Cardinal l'en traita
toutefois d'abord et avec tant de hauteur, que M. de
Beaufort, M. de Brissac, M. le maréchal de La Mothe et
moi, ayant prié chacun de nos amis d'assurer la Reine de
nos très humbles obéissances, elle nous répondit qu'elle en
recevrait les assurances après que nous aurions rendu nos
devoirs à Monsieur le Cardinal.

Mme de Chevreuse, qui était à Bruxelles, revint dans ce
temps-là à Paris. Laigue, qui l'avait précédée de huit ou dix
jours, nous avait préparés à son retour. Il avait fort bien
suivi son instruction : il s'était attaché à elle, quoiqu'elle
n'eût pas d'abord d'inclination pour lui. Mlle de Chevreuse
m'a dit depuis qu'elle disait qu'il ressemblait à Bellerose,
qui était un comédien qui avait la mine du monde la plus
fade ; qu'elle changea de sentiment devant que de partir de
Bruxelles, et qu'elle en fut contente, en toutes manières, à
Cambrai. Ce qui me parut de tout cela, au retour de Laigue
à Paris, fut qu'il l'était pleinement d'elle : il nous la *prôna
comme une héroïne à qui nous eussions eu l'obligation de
la déclaration de M. de Lorraine en notre faveur, si la guerre
eût continué, et à qui nous avions celle de la marche de
l'armée d'Espagne. Montrésor, qui avait été pour ses intérêts
quinze mois à la Bastille [1], faisait ses éloges, et j'y donnais

avec joie dans la vue et d'enlever à Mme de Montbazon M. de Beaufort, par le moyen de Mlle de Chevreuse, du mariage de laquelle avec lui l'on avait parlé autrefois, et de m'ouvrir un nouveau chemin pour aller aux Espagnols, en cas de besoin. Mme de Chevreuse en fit plus de la moitié pour venir à moi. Noirmoutier et Laigue, qui ne doutaient pas que je ne lui fusse très nécessaire, et qui craignirent que Mme de Guémené, qui la haïssait mortellement, quoique sa belle-sœur, ne m'empêchât d'être autant de ses amis qu'ils le souhaitaient, me tendirent un panneau pour m'y engager, dans lequel je donnai.

Dès l'après-dînée du jour dont elle arriva le matin, ils me firent tenir, avec Mademoiselle sa fille ª, un enfant qui vint au monde tout à propos. Mlle de Chevreuse se para, comme l'on fait à Bruxelles en ces sortes de cérémonies, de tout ce qu'elle avait de pierreries, qui étaient fort riches et en quantité. Elle était belle ; j'étais très en colère contre Mme la princesse de Guémené, qui, dès le second jour du siège de Paris, s'en était allée d'effroi en Anjou.

Il arriva, dès le lendemain du baptême, une occasion qui lui donna de la reconnaissance pour moi, et qui commença à m'en faire espérer de l'amitié. Mme de Chevreuse venait de Bruxelles, et elle en venait sans permission. La Reine se fâcha, et elle lui envoya un ordre de sortir de Paris dans vingt-quatre heures. Laigue me le vint dire aussitôt. J'allai avec lui à l'hôtel de Chevreuse, et je trouvai la belle à sa toilette, dans les pleurs. J'eus le cœur tendre et je priai Mme de Chevreuse de ne point obéir que je n'eusse eu l'honneur de la revoir. Je sortis, en même temps, pour chercher M. de Beaufort, à qui je pris la résolution de persuader qu'il n'était ni de notre honneur ni de notre intérêt de souffrir le rétablissement des lettres de cachet, qui n'étaient pas le moins odieux des moyens desquels l'on s'était servi pour opprimer la liberté publique ¹. Je jugeais bien que nous n'étions pas trop bons, et lui et moi, pour relever une affaire de cette nature, qui, quoique dans les lois et dans le vrai, importante à la sûreté, ne laissait pas d'être délicate, le lendemain d'une paix, et particulièrement en la personne de la dame du royaume la plus convaincue de faction et d'intrigue. Je croyais que par cette raison il était de la bonne conduite que cette *escarmouche, que nous ne pouvions ni ne devions effectivement éviter, quoiqu'elle eût ses inconvénients, s'attachât plutôt par M. de Beaufort que par moi. Il s'en défendit avec opiniâtreté, par une infinité de *méchantes raisons. Il n'oublia que la véritable, qui était que Mme de Montbazon l'eût dévoré. Ce fut donc à moi de me charger de cette *commission, parce qu'il fallait assurément qu'elle fût au moins exécutée par l'un de nous deux, pour faire quelque effet dans l'esprit du premier président. J'y allai en sortant de chez M. de Beaufort ; et comme je commençais à lui représenter la nécessité qu'il y avait, pour le service du Roi et pour le repos de l'État, à ne pas aigrir les esprits par l'infraction des déclarations si solennelles, il m'arrêta tout court en me disant : « C'est assez, mon bon seigneur ; vous ne voulez pas qu'elle sorte, elle ne sortira pas. » A quoi il ajouta, en s'approchant de mon oreille : « Elle a les yeux trop beaux. » La vérité est que, quoiqu'il eût exécuté son ordre, il avait écrit dès la veille à Saint-Germain que la tentative en serait inutile, et que l'on *commettait trop légèrement l'autorité du Roi.

Je retournai triomphant à l'hôtel de Chevreuse ; je n'y fus pas mal reçu. Je trouvai Mlle de Chevreuse aimable ; je me liai intimement avec Mme de Rhodes, bâtarde du feu cardinal de Guise, qui était bien avec elle ; je fis chemin, je ruinai dans son esprit le duc de Brunswick de Zell, avec qui elle était comme accordée. Laigue, qui était une manière de *pédant, me fit quelque obstacle au commencement ; la résolution de la fille et la *facilité de la mère le levèrent bientôt. Je la voyais tous les jours chez elle, et très souvent chez Mme de Rhodes, qui nous laissait en toute liberté. Nous nous en servîmes ; je l'aimai, ou plutôt, je la crus aimer, car je ne laissai pas de continuer mon commerce avec Mme de Pommereux.

La société de MM. de Brissac, de Vitry, de Matha, de Fontrailles qui étaient demeurés en union avec nous, n'était pas, dans ces temps-là, un *bénéfice sans charge. Ils étaient cruellement débauchés, et la licence publique leur donnant encore plus de liberté, ils s'emportaient tous les jours dans des excès qui allaient jusques au scandale. Ils revenaient un jour d'un dîner qu'ils avaient fait chez Coulon ; ils virent venir un convoi, et ils le chargèrent l'épée à la main, en criant au crucifix : « Voilà l'ennemi ! » Une autre fois, ils maltraitèrent, en pleine rue, un valet de pied du Roi, en marquant même fort peu de respect pour les *livrées. Les chansons de table n'épargnaient pas toujours le bon Dieu : je ne vous puis exprimer la peine que toutes ces folies me donnèrent[1]. Le premier président les savait très bien relever ; le peuple ne les trouvait nullement bonnes ; les ecclésiastiques s'en scandalisaient au dernier point. Je ne les pouvais *couvrir, je ne les osais excuser, et elles retombaient nécessairement sur la Fronde.

Ce mot me remet dans la mémoire ce que je crois avoir oublié de vous expliquer dans le premier volume de cet ouvrage. C'est son étymologie, qui n'est pas de grande importance, mais qui ne se doit pas toutefois omettre dans un récit où il n'est pas possible qu'elle ne soit nommée plusieurs fois. Quand le Parlement commença à s'assembler pour les affaires publiques, M. le duc d'Orléans et Monsieur le Prince y vinrent assez souvent, comme vous avez vu, et y adoucirent même quelquefois les esprits. Ce calme n'y était que par intervalles. La chaleur revenait au bout de deux jours, et l'on s'assemblait avec la même ardeur que le premier moment. Bachaumont s'avisa de dire un jour, en badinant, que le Parlement faisait comme les écoliers qui frondent dans les fossés de Paris, qui se séparent dès qu'ils voient le lieutenant civil et qui se rassemblent dès qu'il ne paraît plus. Cette comparaison, qui fut trouvée assez plaisante, fut célébrée par les chansons[2], et elle refleurit particulièrement lorsque, la paix étant faite entre le Roi et le Parlement, l'on trouva lieu de l'appliquer à la faction particulière de ceux qui ne s'étaient pas accommodés avec la cour. Nous y donnâmes nous-mêmes assez de cours, parce que nous remarquâmes que cette distinction de noms échauffe les esprits. Le président de Bellièvre m'ayant dit que le premier président prenait avantage contre nous de ce quolibet, je lui fis voir un manuscrit de Sainte-Aldegonde, un des premiers fondateurs de la république de Hollande, où il était remarqué que Brederode se fâchant de ce que, dans les premiers commencements de la révolte des Pays-Bas, l'on les appelait *les Gueux*[3], le prince d'Orange, qui était l'âme de la faction, lui écrivit qu'il n'entendait pas son véritable intérêt, qu'il en devait être très aise, et qu'il ne manquât pas même de faire mettre sur leurs manteaux de petits bissacs en broderie, en forme d'ordre. Nous résolûmes, dès ce soir-là, de prendre des cordons de chapeaux qui eussent quelque forme de fronde. Un marchand *affidé nous en fit une quantité, qu'il débita à une infinité de gens qui n'y entendaient aucune *finesse. Nous n'en portâmes que les derniers pour n'y point faire paraître d'affectation qui en eût gâté tout le mystère. L'effet que cette bagatelle fit est incroyable. Tout fut à la mode, le pain, les chapeaux, les *canons, les gants, les manchons, les éventails, les garnitures ; et nous fûmes nous-mêmes à la mode encore plus par cette sottise que par l'essentiel.

Nous avions certainement besoin de tout pour nous soutenir, ayant toute la maison royale sur les bras ; car quoique j'eusse vu Monsieur le Prince chez Mme de Longueville, je ne m'y croyais que fort médiocrement raccommodé. Il m'avait traité civilement, mais froidement ; et je savais même qu'il était persuadé que je m'étais plaint de lui, comme ayant manqué aux paroles qu'il m'avait fait porter à des particuliers du Parlement. Comme je ne l'avais pas fait, j'avais sujet de croire que l'on eût *affecté de me brouiller personnellement avec lui. Je joignais cela à quelques circonstances particulières, et je trouvais que la chose venait apparemment de M. le prince de Conti, qui était naturellement très *malin, et qui d'ailleurs me haïssait sans savoir pourquoi et sans que je le pusse deviner moi-même. Mme de Longueville ne m'aimait guère davantage, et j'en découvris un peu après la raison, que je vous dirai dans la suite. Je me défiais avec beaucoup de fondement de Mme de Montbazon, qui n'avait pas, à beaucoup près, tant de pouvoir que moi sur l'esprit de M. de Beaufort, mais qui en avait plus qu'il n'en fallait pour lui tirer tous ses secrets. Elle ne me pouvait pas aimer, parce qu'elle savait que je lui ôtais la meilleure partie de la considération qu'elle en eût pu tirer à la cour. J'eusse pu aisément m'accommoder avec elle, car jamais femme n'a été de si facile composition ; mais comme[1] accommoder cet accommodement avec mes autres engagements, qui me plaisaient davantage, et avec lesquels il y avait, en effet, sans comparaison, plus de sûreté ? Vous en voyez assez pour connaître que je n'étais pas sans embarras.

Il ne tint pas au comte de Fuensaldagne de me soulager. Il n'était pas content de M. de Bouillon, qui, à la vérité, avait manqué le moment décisif de la paix générale ; il l'était beaucoup moins de ses envoyés, qu'il appelait des taupes ; et il était fort satisfait de moi, et parce que j'avais toujours insisté pour la paix des couronnes, et parce que je n'avais eu aucun intérêt dans la particulière et que je n'étais pas même accommodé avec la cour. Il m'envoya don Antonio Pimentel pour m'offrir tout ce qui était au pouvoir du roi son maître, et pour me dire que sachant l'état où j'étais avec le ministre, il ne pouvait pas douter que je n'eusse besoin d'assistance ; qu'il me priait de recevoir cent mille écus que don Antonio Pimentel m'apportait en trois lettres de change, dont l'une était pour Bâle, l'autre pour Strasbourg, l'autre pour Francfort ; qu'il ne me demandait pour cela aucun engagement, et que le Roi Catholique serait très satisfait de n'en tirer d'autre avantage que celui de me protéger. Vous ne doutez pas que je ne reçusse avec un profond respect cette *honnêteté ; j'en témoignai toute la reconnaissance imaginable ; je n'éloignai point du tout les vues de l'avenir, mais je refusai pour le présent, en disant à don Antonio que je me croirais absolument indigne de la protection du Roi Catholique, si je recevais des gratifications de lui n'étant pas en état de le servir ; que j'étais né français et attaché, encore plus particulièrement qu'un autre, par ma dignité, à la capitale du royaume ; que mon malheur m'avait porté à me brouiller avec le premier ministre de mon Roi, mais que mon ressentiment ne me porterait jamais à chercher de l'appui parmi ses ennemis, que lorsque la nécessité de la défense naturelle m'y obligerait ; que la providence de Dieu, qui connaissait la pureté de mes intentions, m'avait mis, dans Paris, en un état où je me soutiendrais apparemment par moi-même ; que si j'avais besoin d'une protection, je savais que je n'en pourrais jamais trouver ni de si puissante ni de si glorieuse que celle de Sa Majesté Catholique, à laquelle je tiendrais toujours à gloire de recourir. Fuensaldagne fut très content de ma réponse, qui lui parut, à ce qu'il dit depuis à Saint-Ibar, d'un homme qui se croyait de la force, qui n'était pas âpre à l'argent, et qui, avec le temps, en pourrait recevoir. Il me renvoya don Antonio Pimentel sur-le-champ même, avec une grande lettre pleine d'*honnêtetés, et un petit billet de Monsieur l'Archiduc, qui me mandait qu'il marcherait sur un mot de ma main *con todas las fuerças del Rei su sennor*[1].

Il m'arriva justement, le lendemain du départ de don Antonio Pimentel, une petite intrigue qui me fâcha plus qu'une plus grande. Laigue me vint dire que M. le prince de Conti était dans une colère terrible contre moi ; qu'il disait que je lui avais manqué au respect ; qu'il périrait lui et toute sa maison, ou qu'il s'en *ressentirait ; et Sarasin, que je lui avais donné pour secrétaire et qui n'en avait pas beaucoup de reconnaissance, entra un moment après, qui me confirma la même chose, en ajoutant qu'il fallait que l'offense fût terrible, parce que ni M. le prince de Conti ni Mme de Longueville ne s'expliquaient point du détail, quoiqu'ils parussent outrés en général. Jugez, je vous supplie, à quel point un homme qui ne se sent rien sur le cœur est surpris d'un éclat de cette espèce. Je n'en fus, en *récompense, que très peu touché, parce qu'il s'en fallait beaucoup que j'eusse autant de respect pour la personne de M. le prince de Conti que j'en avais pour sa qualité. Je priai Laigue de lui aller rendre, de ma part, ce que je lui devais, lui demander avec respect le sujet de sa colère, et l'assurer qu'il n'en pouvait avoir aucun qui pût être fondé à mon égard. Laigue revint très persuadé qu'il n'y avait point eu de colère effective ; qu'elle était tout *affectée et toute contrefaite, à dessein d'avoir une manière d'éclaircissement, qui fît, ou au moins qui fît paraître un raccommodement ; et ce qui lui donna cette pensée fut qu'aussitôt qu'il eut fait mon *compliment à M. le prince de Conti, il fut reçu avec joie, et remis pourtant pour la réponse à Mme de Longueville, comme à la principale intéressée. Elle fit beaucoup d'*honnêtetés à Laigue pour moi, et elle le pria de me mener le soir chez elle. Elle me reçut admirablement, en disant toutefois qu'elle avait de grands sujets de se plaindre de moi ; que c'étaient de ces choses qui ne se disaient point, mais que je les savais bien. Voilà tout ce que j'en pus tirer pour le fond, car j'en eus toutes les *honnêtetés possibles et toutes les avances même pour rentrer en union avec moi, disait-elle, et avec mes amis[2]. En disant cette dernière parole, qu'elle prononça un peu bas, elle me donna sur le visage de l'un de ses gants, qu'elle tenait à la main, et elle me dit en souriant : « Vous m'entendez bien. » Elle avait raison ; et voici ce que j'entendis.

M. de La Rochefoucauld avait, à ce que l'on prétendait, beaucoup négocié avec la cour, et ce qui me le fait croire est que longtemps devant que Damvillers, bonne place sur la frontière de Champagne, fût donnée à M. le prince de Conti, qui la lui confia, le bruit en fut grand, qui n'était pas vraisemblablement une prophétie. Comme il n'y avait aucune assurance aux paroles du Cardinal, M. de La Rochefoucauld crut qu'il ne serait pas mal à propos ou de les solliciter[1], ou de les fixer, par un renouvellement de considération à M. le prince de Conti, à qui Monsieur le Prince en donnait peu, et parce que l'on savait qu'il le méprisait parfaitement, et parce qu'il paraissait en toutes choses que leur réconciliation n'était pas fort sincère. Il eût souhaité, par cette raison, de se remettre, au moins en apparence, à la tête de la Fronde, de laquelle il s'était assez séparé les premiers jours de la paix, et même dès les derniers de la guerre, et par des railleries dont il n'était pas maître, et par un rapprochement à la cour qui, contre toute sorte de bon sens, avait été encore plus apparent qu'effectif. M. de La Rochefoucauld s'imagina, à mon opinion, que l'on ne pouvait revenir plus naturellement du refroidissement qui avait paru, que par un raccommodement, qui d'ailleurs ferait éclat et donnerait, par conséquent, ombrage à la cour : ce qui allait à ses fins. Je lui ai demandé depuis, une fois ou deux, la vérité de cette intrigue, dont il ne me parut pas qu'il se ressouvînt en particulier. Il me dit seulement, en général, qu'ils étaient, en ce temps-là, persuadés, dans leur cabale, que je rendais de mauvais offices sur son sujet à Mme de Longueville auprès de monsieur son mari. C'est de toutes les choses du monde celle dont j'ai été toute ma vie le moins capable, et je ne crois pas que ce soupçon fût la cause de l'éclat que M. le prince de Conti fit contre moi : parce qu'aussitôt que j'eus fait faire par Laigue mon premier *compliment, je fus reçu à bras ouverts, et qu'aussitôt que Mme de Longueville s'aperçut que je ne répondis à ce qu'elle me dit de ses amis, qu'en termes généraux, elle retomba dans une froideur qui passa, en fort peu de temps, jusques à la haine. Il est vrai que comme je savais que je n'avais rien fait qui me pût attirer, avec justice, l'éclat que M. le

prince de Conti avait fait contre moi, et que je m'imaginai
être *affecté, pour en faire servir l'accommodement à des
intérêts particuliers, je demeurai fort froid à ce mot de mes
amis, et plus que je ne le *devais. Elle se le tint pour dit ;
et cela, joint au passé dont je vous ai déjà parlé et dont je
ne sais pas encore le sujet, eut des suites qui nous ont *dû
apprendre, aux uns et aux autres, qu'il n'y a point de petits
pas dans les grandes affaires.

M. le cardinal de Mazarin, qui avait beaucoup d'esprit,
mais qui n'avait point d'âme, ne songea, dès que la paix
fut faite, qu'à se défendre, pour ainsi parler, des obligations
qu'il avait à Monsieur le Prince, qui, à la lettre, l'avait tiré
de la potence ; et l'une de ses premières vues fut de s'allier
avec la maison de Vendôme, qui, dès les commencements
de la Régence, s'était trouvée, en deux ou trois rencontres,
tout à fait opposée aux intérêts de l'hotel de Condé[1].

Il s'appliqua, par le même motif, avec soin, à gagner
l'abbé de La Rivière, et il eut même l'imprudence de laisser
voir à Monsieur le Prince qu'il lui faisait espérer le chapeau
destiné à M. le prince de Conti.

Quelques chanoines de Liège ayant jeté les yeux sur le
même prince de Conti pour cet évêché, le Cardinal, qui
*affectait de témoigner à La Rivière qu'il eût souhaité de le
dégoûter de sa profession, y trouva des obstacles, sous le
prétexte qu'il n'était pas de l'intérêt de la France de se
brouiller avec la maison de Bavière, qui y avait des prétentions
naturelles et déclarées[2].

J'omets une infinité de circonstances qui marquèrent à
Monsieur le Prince et la *méconnaissance et la méfiance du
Cardinal. Il était trop vif et encore trop jeune pour songer à
diminuer la dernière ; il l'augmenta, par la protection qu'il
donna à Chavigny, qui était la *bête du Mazarin, et pour
qui il demanda et obtint la liberté de revenir à Paris ; par
le soin qu'il prit des intérêts de M. de Bouillon, qui s'était
fort attaché à lui depuis la paix ; et par les ménagements
qu'il avait de son côté pour La Rivière, qui n'étaient pas
secrets. Il ne se faut point jouer avec ceux qui ont en main
l'autorité royale. Quelques défauts qu'ils aient, ils ne sont
jamais assez faibles pour ne pas mériter ou que l'on les
ménage, ou que l'on les perde. Leurs ennemis ne les doivent

jamais mépriser, parce qu'il n'y a au monde que ces sortes de gens à qui il convienne quelquefois d'être méprisés[1].

Ces indispositions, qui croissent toujours dès qu'elles ont commencé, firent que Monsieur le Prince ne se pressa pas, comme il avait accoutumé, de prendre, cette campagne, le commandement des armées. Les Espagnols avaient pris Saint-Venant et Ypres, et le Cardinal se mit dans l'esprit de leur prendre Cambrai. Monsieur le Prince, qui ne jugea pas l'entreprise praticable, ne s'en voulut pas charger. Il laissa cet emploi à M. le comte de Harcourt, qui y échoua ; et il partit pour aller en Bourgogne, au même temps que le Roi s'avança à Compiègne, pour donner chaleur au siège de Cambrai.

Ce voyage, quoique fait avec la permission du Roi, fit peine au Cardinal, et l'obligea à faire *couler à Monsieur le Prince des propositions indirectes de rapprochement. M. de Bouillon me dit, en ce temps-là, qu'il savait de science certaine que Arnauld, qui avait été mestre de camp des *carabins et qui était fort attaché à Monsieur le Prince, s'en était chargé. Je ne sais pas si M. de Bouillon en était bien informé, et aussi peu quelle suite ces propositions purent avoir. Ce qui me parut fut que Mazerolles, qui était une manière de négociateur de Monsieur le Prince, vint à Compiègne en ce temps-là, qu'il y eut des conférences particulières avec Monsieur le Cardinal[a], qu'il lui déclara, au nom de son maître, que si la Reine se défaisait de la surintendance des mers, qu'elle avait prise pour elle à la mort de M. de Brézé, son beau-frère, il prétendait que ce fût en sa faveur et non pas en celle de M. de Vendôme, comme le bruit en courait[2]. Mme de Bouillon, qui croyait être bien avertie, me dit que le Cardinal avait été fort étonné de ce discours, auquel il n'avait répondu que par un galimatias, « que l'on lui fera bien expliquer, ajouta-t-elle, quand l'on le tiendra à Paris ». Je remarquai ce mot, que je lui fis moi-même expliquer, sans faire *semblant toutefois d'en avoir curiosité ; et j'appris que Monsieur le Prince faisait *état de ne pas demeurer longtemps en Bourgogne, et d'obliger, à son retour, la cour de revenir à Paris, où il ne doutait pas qu'il ne dût trouver le Cardinal bien plus souple qu'ailleurs. Cette parole faillit à me coûter la vie, comme vous le verrez par la suite[3]. Il est nécessaire de parler

auparavant de ce qui se passa à Paris, cependant que
Monsieur le Prince fut en Bourgogne.

La licence y était d'autant plus grande que nous ne
pouvions donner ordre à celle même qui ne nous convenait
pas. C'est le plus irrémédiable de tous les inconvénients qui
sont attachés à la faction ; et il est très grand, en ce que la
licence, qui ne lui convient pas, lui est presque toujours
funeste, en ce qu'elle la décrie. Nous avions intérêt de ne
pas étouffer les libelles ni les *vaudevilles qui se faisaient
contre le Cardinal ; mais nous n'en avions pas un moindre
à supprimer ceux qui se faisaient contre la Reine, et
quelquefois même contre la religion et contre l'État. L'on
ne se peut imaginer la peine que la chaleur des esprits nous
donna sur ce sujet. La Tournelle condamna à la mort deux
imprimeurs convaincus d'avoir mis au jour deux ouvrages
très dignes du feu. Ils s'avisèrent de crier, comme ils étaient
sur l'échelle, qu'on les faisait mourir parce qu'ils avaient
débité des vers contre le Mazarin ; le peuple les enleva à la
justice, avec une fureur inconcevable[1]. Je ne touche cette
petite circonstance que comme un échantillon qui vous peut
faire connaître l'embarras où sont les gens sur le compte
desquels l'on ne manque jamais de mettre tout ce qui se
fait contre les lois ; et ce qui y est encore de plus fâcheux
est qu'il ne tient, cinq ou six fois le jour, qu'à la fortune
de corrompre, par des *contretemps plus naturels à ces sortes
d'affaires qu'à aucunes autres, les meilleures et les plus sages
productions du bon sens. En voici un exemple.

Jarzé[2], qui était, en ce temps-là, fort attaché au cardinal
Mazarin, se mit en tête d'accoutumer, [ce[a]] disait-il, les
Parisiens à son nom ; et il s'imagina qu'il y réussirait
admirablement en brillant, avec tous les autres jeunes gens
de la cour qui avaient ce *caractère, dans les Tuileries, où
tout le monde avait pris fantaisie de se promener tous les
soirs. MM. de Candale, de Bouteville, de Souvré, de Saint-
Maigrin, et je ne sais combien d'autres, se laissèrent
persuader à cette folie, qui ne laissa pas de leur réussir au
commencement. Nous n'y fîmes point de réflexion, et
comme nous nous sentions les maîtres du pavé, nous crûmes
même qu'il était de l'*honnêteté de vivre civilement avec
des gens de qualité à qui l'on devait de la considération,
quoiqu'ils fussent de parti contraire. Ils en prirent avantage.

Ils se vantèrent à Saint-Germain que les Frondeurs ne leur faisaient pas quitter le haut des allées[1] dans les Tuileries. Ils *affectèrent de faire de grands soupers sur la terrasse du jardin de Renard[2], d'y mener les violons et d'y boire publiquement à la santé de Son Eminence, à la vue de tout le peuple qui s'y assemblait pour y entendre la musique. Je ne vous puis exprimer à quel point cette extravagance m'embarrassa. Je savais, d'un côté, qu'il n'y a rien de si dangereux que de souffrir que nos ennemis fassent devant les peuples ce qui nous doit déplaire, parce que les peuples ne manquent jamais de s'imaginer qu'ils le peuvent, puisque l'on le souffre. Je ne voyais, d'autre part, de moyens pour l'empêcher que la violence, qui n'était pas *honnête contre des particuliers, parce que nous étions trop forts, et qui n'était pas sage, parce qu'elle *commettait à des querelles particulières, qui n'étaient pas de notre compte, et par lesquelles le Mazarin eût été ravi de nous donner le change. Voici l'expédient qui me vint en l'esprit.

J'assemblai chez moi MM. de Beaufort, le maréchal de La Mothe, de Brissac, de Rais, de Vitry et de Fontrailles. Devant que de m'ouvrir, je les fis jurer de se conduire à ma mode, dans une affaire que j'avais à leur proposer. Je leur fis voir les inconvénients de l'inaction sur ce qui se passait dans les Tuileries ; je leur *exagérai les inconvénients, qui iraient même jusqu'au ridicule, des *procédés particuliers ; et nous convînmes que, dès le soir, M. de Beaufort, accompagné de ceux que je viens de vous nommer, et de cent ou de six-vingts gentilshommes, se trouverait chez Renard, comme il saurait que ces messieurs seraient à table, et qu'après avoir fait *compliment à M. de Candale et aux autres, il dît à Jarzé que, sans leur *considération, il l'aurait jeté du haut du rempart pour lui apprendre à se vanter, etc. A quoi j'ajoutai qu'il serait bien aussi de faire casser quelque violon, lorsque la bande[3] s'en retournerait et qu'elle ne serait plus en lieu où les personnes qu'on ne voulait point offenser y pussent[a] prendre part. Le pis du pis de cette affaire était un *procédé de Jarzé, qui ne pouvait point avoir de mauvaises suites, parce que sa naissance n'était pas fort bonne. Ils me promirent tous de ne recevoir aucune *parole de lui et de se servir de ce prétexte pour en faire purement une affaire de parti. Cette résolution fut très mal exécutée. M. de Beaufort, au lieu de faire ce qui avait été résolu, s'emporta de chaleur. Il tira d'abord la nappe, il renversa la table ; l'on coiffa d'un potage le pauvre Vineuil, qui n'en pouvait mais, et qui se trouva de hasard en table avec eux. Le pauvre commandeur de Jars eut la même aventure. L'on cassa les instruments sur la tête des violons. Moreuil, qui était avec M. de Beaufort, donna trois ou quatre coups de plat d'épée à Jarzé. M. de Candale et M. de Bouteville, qui est aujourd'hui M. de Luxembourg, mirent l'épée à la main, et sans Caumesnil, qui se mit au-devant d'eux, ils eussent couru fortune dans la foule des gens qui l'avaient tous hors du fourreau.

Cette aventure, qui ne fut pourtant pas sanglante, ne laissa pas de me donner une cruelle douleur, et aux partisans de la cour la satisfaction d'en jeter sur moi le blâme dans le monde. Il ne fut pas de longue durée, et parce que l'application que j'eus à en empêcher les suites, à quoi je réussis, fit assez connaître mon intention, et parce qu'il y a de certains temps où de certaines gens ont toujours raison. Par celle[1] des contraires, Mazarin avait toujours tort. Nous ne manquâmes pas de célébrer, comme nous devions[2], la levée du siège de Cambrai[3], le bon accueil fait à Servien pour le payer de la rupture de la paix de Münster[4], le bruit du rétablissement d'Emery, qui courut aussitôt après que M. de La Meilleraye se fut défait de la surintendance des finances, et qui se trouva véritable peu de jours après[5]. Enfin nous nous trouvions en état d'attendre, avec sûreté et même avec dignité, ce que pourrait produire le chapitre des accidents, dans lequel nous commencions à entrevoir de grandes indispositions de Monsieur le Prince pour le Cardinal, et du Cardinal pour Monsieur le Prince.

Ce fut dans ce moment où Mme de Bouillon me découvrit que Monsieur le Prince avait pris la résolution d'obliger le Roi de revenir à Paris ; et M. de Bouillon me l'ayant confirmé, je pris celle de me donner l'honneur de ce retour, qui était, dans la vérité, très souhaité du peuple, et qui d'ailleurs nous donnerait, dans la suite, beaucoup plus de considération, quoiqu'il parût d'abord nous en ôter. Je me servis, pour cet effet, de deux moyens : l'un fut de faire insinuer à la cour que les Frondeurs appréhendaient ce retour au dernier point ; l'autre, qui servait aussi à donner cette

opinion au Cardinal, fut d'écouter les négociations qu'il ne
manquait[a] jamais de hasarder, de huit jours en huit jours,
par différents canaux, pour lui lever tous soupçons : il y eut
de l'*art de notre côté. Je fis ce que je pus pour faire agir
en cela M. de Beaufort sous son nom, parce que, sans vanité,
je croyais que le Mazarin s'imaginerait qu'il trouverait plus
de facilité à le tromper que moi. Mais comme M. de
Beaufort, ou plutôt comme La Boulaye, à qui M. de Beaufort
s'en ouvrit, vit que la suite de la négociation allait à faire le
voyage à Compiègne, il ne voulut point que M. de Beaufort
y entrât, soit qu'en effet il crût, comme il le disait, qu'il y
eût trop de péril pour lui, soit que sachant que je ne faisais
pas *état que celui qui irait de nous deux y vît le cardinal
Mazarin, il ne pût se résoudre à laisser faire un pas à
M. de Beaufort aussi contraire aux espérances que Mme
de Montbazon, à qui La Boulaye était dévoué, donnait
continuellement à la cour de son accommodement.

Cette ouverture de M. de Beaufort à La Boulaye me donna
une inquiétude effroyable, parce qu'étant très persuadé de
son infidélité et de celle de son amie, je ne voyais pas
seulement la fausse négociation que je projetais avec la cour
inutile, mais que je la considérais même comme très
dangereuse. Elle était pourtant nécessaire ; car vous jugez
bien de quel inconvénient il nous était de laisser l'honneur
du retour du Roi ou au Cardinal ou à Monsieur le Prince,
qui n'eussent pas manqué, selon toutes les règles, de s'en
faire une preuve de ce qu'il avait toujours dit[b] que nous
nous y opposions. Le président de Bellièvre, à qui j'avais
communiqué mon embarras, me dit que puisque M. de
Beaufort m'avait manqué au secret sur un point qui me
pouvait perdre, je pouvais bien lui en faire un, de mon
côté, sur un point qui le pouvait sauver lui-même ; qu'il y
allait du tout pour le parti : il fallait tromper M. de Beaufort
pour son salut ; que je le laissasse faire et qu'il me donnait
sa parole que, devant qu'il fût nuit, il raccommoderait tout
le mal que le manquement de secret de M. de Beaufort
avait causé. Il me prit dans son carrosse, il m'emmena chez
Mme de Montbazon, où M. de Beaufort passait toutes les
soirées. Il y arriva un moment après nous ; et M. de Bellièvre
fit si bien, qu'il répara effectivement ce qui était gâté. Il
leur fit croire qu'il m'avait persuadé qu'il fallait songer,

tout de bon, à s'accommoder ; que la bonne conduite ne voulait pas que nous laissassions venir le Roi à Paris, sans avoir au moins commencé à négocier ; qu'il était nécessaire, par la circonstance du retour du Roi, que la négociation se fît par nous-mêmes en personne, c'est-à-dire par M. de Beaufort ou par moi. Mme de Montbazon, qui prit feu à cette première ouverture, et qui crut qu'il n'y aurait plus de péril en ce voyage, puisqu'on voulait bien y négocier effectivement, avança, même avec précipitation, qu'il serait mieux que M. de Beaufort y allât. Le président de Bellièvre allégua douze ou quinze raisons, dont il n'y en avait pas une qu'il entendît lui-même, pour lui prouver que cela ne serait pas à propos ; et je remarquai, en cette occasion, que rien ne persuade tant les gens qui ont peu de sens, que ce qu'ils n'entendent pas. Le président de Bellièvre leur laissa même entrevoir qu'il serait peut-être à propos que je me laissasse persuader, quand je serais là, de voir le Cardinal. Mme de Montbazon, qui entretenait des correspondances, ou plutôt qui croyait en entretenir, avec tout le monde, par les différents canaux qu'elle avait avec chacun, se fit honneur, par celui du maréchal d'Albret, à ce qu'on m'a dit depuis, de ce projet à la cour ; et ce qui me le fait assez croire est que Servien recommença, fort justement et comme à point nommé, ses négociations avec moi. J'y répondis à tout hasard, comme si j'étais assuré que la cour en eût été avertie par Mme de Montbazon. Je ne m'engageai pas de voir à Compiègne le cardinal Mazarin, parce que j'étais très résolu de ne l'y point voir ; mais je lui fis entendre, plutôt qu'autrement, que je l'y pourrais voir, parce que je reconnus clairement que si le Cardinal n'eût eu l'espérance que cette visite me décréditerait dans le peuple, il n'eût point consenti à un voyage qui pouvait faire croire au peuple que j'eusse part au retour du Roi, que je jugeai, plutôt à la mine qu'aux paroles de Servien, n'être pas si éloigné de l'inclination du Cardinal que l'on le croyait à Paris et même à la cour. Vous croyez facilement que j'*oubliai de dire à Servien que je fisse *état de parler à la Reine sur ce retour. Il alla annoncer le mien à Compiègne avec une joie merveilleuse ; mais elle ne fut pas si grande parmi mes amis, quand je leur eus communiqué ma pensée : j'y trouvai une opposition merveilleuse, parce qu'ils crurent que j'y courrais un grand péril. Je leur fermai la bouche en leur disant que tout ce qui est nécessaire n'est jamais hasardeux. J'allai coucher à Liancourt, où le maître et la maîtresse de la maison firent de grands efforts pour m'obliger de retourner à Paris ; et j'arrivai le lendemain à Compiègne, au lever de la Reine.

Comme je montais l'escalier, un petit homme habillé de noir, que je n'avais jamais vu et que je n'ai jamais vu depuis, me coula un billet en la main où ces mots était écrits en lettres majuscules : SI VOUS ENTREZ CHEZ LE ROI, VOUS ÊTES MORT[1]. J'y étais ; il n'était plus temps de reculer. Comme je vis que j'avais passé la salle des gardes sans être tué, je me crus sauvé. Je témoignai à la Reine, qui me reçut très bien, que je venais l'assurer de mes obéissances très humbles et de la disposition où était l'Église de Paris de rendre à Leurs Majestés tous les services auxquels elle était obligée. J'insinuai, dans la suite de mon discours, tout ce qui était nécessaire pour pouvoir dire que j'avais beaucoup insisté pour le retour du Roi. La Reine me témoigna beaucoup de bonté et même beaucoup d'*agrément sur tout ce que je lui disais ; mais quand elle fut tombée sur ce qui regardait le Cardinal, et qu'elle eut vu que, quoiqu'elle me fît beaucoup d'instance de le voir, je persistais à lui répondre que cette visite me rendrait inutile à son service, elle ne se put plus contenir, elle rougit beaucoup ; et tout le pouvoir qu'elle eut sur elle fut, à ce qu'elle a dit depuis, de ne me rien dire de fâcheux.

Servien racontait un jour au maréchal de Clérembault que l'abbé Fouquet proposa à la Reine de me faire assassiner chez Servien, où je dînais ; et il ajouta qu'il était arrivé à temps pour empêcher ce malheur. M. de Vendôme, qui vint au sortir de table chez Servien, me pressa de partir, en me disant qu'on tenait des fâcheux conseils contre moi ; mais quand cela n'aurait pas été, M. de Vendôme l'aurait dit : il n'y a jamais eu un imposteur pareil à celui-là.

Je revins à Paris, ayant fait tous les effets que j'avais souhaité. J'avais effacé le soupçon que les Frondeurs fussent contraires au retour du Roi ; j'avais jeté sur le Cardinal toute la haine du délai ; je m'étais assuré l'honneur principal du retour ; j'avais bravé le Mazarin dans son trône. Il y eut, dès le lendemain, un libelle qui mit tous ces avantages dans leur jour. Le président de Bellièvre fit voir à Mme de

Montbazon que les circonstances particulières que j'avais trouvées à Compiègne m'avaient forcé à changer de résolution touchant la visite du Cardinal. J'en persuadai assez aisément M. de Beaufort, qui fut d'ailleurs chatouillé du succès que cette démarche eut dans le peuple. Hocquincourt, qui était de nos amis, fit le même jour je ne sais quelle bravade au Cardinal, du détail de laquelle je ne me ressouviens point, que nous relevâmes de mille couleurs. Enfin nous connûmes visiblement que nous avions de la provision encore pour longtemps dans l'imagination du public : ce qui fait le tout en ces sortes d'affaires.

Monsieur le Prince étant revenu à Compiègne, la cour prit ou déclara la résolution de revenir à Paris. Elle y fut reçue comme les rois l'ont toujours été et le seront toujours, c'est-à-dire avec acclamations qui ne signifient rien, que pour ceux qui prennent plaisir à se flatter. Un petit procureur du Roi du Châtelet, qui était une manière de fou, aposta, pour de l'argent, douze ou quinze femmes, qui, à l'entrée du faubourg, crièrent : « Vive Son Eminence ! » qui était dans le carrosse du Roi, et Son Eminence crut qu'il était maître de Paris. Il s'aperçut, au bout de quatre jours, qu'il s'était trompé lourdement. Les libelles continuèrent. Marigny redoubla de force pour les chansons ; les Frondeurs parurent plus fiers que jamais. Nous marchions quelquefois seuls, M. de Beaufort et moi, avec un page derrière notre carrosse ; nous marchions quelquefois avec cinquante *livrées et cent gentilshommes. Nous diversifiions[a] la scène, selon que nous jugions devoir être du goût des spectateurs. Les gens de la cour, qui nous blâmaient depuis le matin jusques au soir, ne laissaient pas de nous imiter à leur mode. Il n'y en avait pas un qui ne prît avantage sur le ministre des *frottades que nous lui donnions, c'était le mot du président de Bellièvre ; et Monsieur le Prince, qui en faisait trop ou trop peu à son égard, continua à le traiter du haut en bas et plus, à mon opinion, qu'il ne convient de traiter un homme qu'on veut laisser dans le ministère.

Comme Monsieur le Prince n'était pas content du refus que l'on lui avait fait de la surintendance des *mers, qui avait été à monsieur son beau-frère[1], le Cardinal pensait toujours à le radoucir par des propositions de quelques autres accommodements, qu'il eût été bien aise toutefois de ne lui donner qu'en espérance. Il lui proposa que le Roi lui achèterait le comté de Montbéliard, souveraineté assez considérable, qui est frontière entre l'Alsace et la Franche-Comté, et il donna charge à Herballe de ménager cette affaire avec le propriétaire, qui est un des cadets de la maison de Wurtemberg. On prétendit, à ce temps-là, que Herballe même avait averti Monsieur le Prince que sa *commission secrète était de ne pas réussir dans sa négociation. Je ne sais si ce bruit était bien fondé[1] et j'ai toujours oublié de le demander à Monsieur le Prince, quoique je l'aie eu vingt fois à la pensée. Ce qui est *constant est que Monsieur le Prince n'était pas content du Cardinal, et qu'il ne continua pas seulement, depuis son retour, à traiter fort bien M. de Chavigny, qui était son ennemi capital, mais qu'il *affecta même de se radoucir beaucoup à l'égard des Frondeurs. Il me témoigna, en mon particulier, bien plus d'amitié et plus d'ouverture qu'il n'avait fait dans les premiers jours de la paix ; il ménagea beaucoup davantage que par le passé monsieur son frère et madame sa sœur. Il me semble même que ce fut en ce temps-là, quoiqu'il ne m'en souvienne pas assez pour l'assurer, qu'il remit M. le prince de Conti dans la fonction du gouvernement de Champagne, dont jusque-là il n'en[a] avait eu que le titre. Il s'attacha l'abbé de La Rivière, en souffrant que monsieur son frère, qu'il prétendait pouvoir faire cardinal par une pure recommandation, lui laissât la nomination, pour laquelle le chevalier d'Elbène fut dépêché à Rome.

Tous ces pas ne diminuaient pas les défiances du Cardinal, qui étaient fort augmentées par l'attachement que M. de Bouillon, mécontent, et d'un esprit profond, avait pour Monsieur le Prince ; mais elles étaient encore particulièrement aigries par l'*imagination qu'il avait prise que Monsieur le Prince favorisât le mouvement de Bordeaux, qui, tyrannisé par M. d'Epernon, esprit violent et incapable, avait pris les armes par l'autorité du Parlement, sous le commandement de Chamberet et depuis sous celui de Sauvebeuf. Ce Parlement avait députe à celui de Paris un de ses conseillers, appelé Guyonnet, qui ne bougeait de chez M. de Beaufort, à qui tout ce qui paraissait grand paraissait bon et tout ce qui paraissait mystérieux paraissait sage. Il ne tint pas à moi d'empêcher ces *apparences, qui ne servaient à rien et qui pouvaient nuire par mille raisons : ce que je marque sur un sujet dans lequel il s'agit de Monsieur le Prince, parce qu'il me parla même avec aigreur de ces conférences de Guyonnet avec M.˙ de Beaufort, ce qui fait voir qu'il était bien éloigné de fomenter les désordres de la Guyenne. Mais le Cardinal le croyait, parce que Monsieur le Prince, qui avait toujours de très bonnes et très sincères intentions pour l'État, penchait à l'accommodement et n'était pas d'avis que l'on hasardât une province aussi importante et aussi remuante que la Guyenne, pour le caprice de M. d'Epernon. L'un des plus grands défauts du cardinal Mazarin est qu'il n'a jamais pu croire que personne lui parlât avec bonne intention.

Comme Monsieur le Prince avait voulu se réunir toute sa maison, il crut qu'il ne pouvait satisfaire pleinement M. de Longueville, qu'il n'eût obligé le Cardinal à lui tenir la parole que l'on lui avait donnée à la paix de Rueil, de lui mettre entre les mains le Pont-de-l'Arche[1], qui, joint au Vieil-Palais de Rouen, à Caen et à Dieppe, ne convenait pas mal à un gouverneur de Normandie. Le Cardinal s'opiniâtra à ne le pas faire, et jusques au point qu'il s'en expliqua à qui le voulut entendre. Monsieur le Prince, le trouvant un jour au *cercle, et voyant qu'il faisait le fier plus qu'à l'ordinaire, lui dit en sortant du cabinet de la Reine, d'un ton assez haut : « Adieu, Mars ! »[2] Cela se passa à onze heures du soir et un peu devant le souper de la Reine. Je le sus un demi quart d'heure après, comme tout le reste de la ville. Et comme j'allais, le lendemain sur les sept heures du matin, à l'hôtel de Vendôme pour y chercher M. de Beaufort, je le trouvai sur le Pont-Neuf, dans le carrosse de M. de Nemours, qui le menait chez madame sa femme, pour qui M. de Beaufort avait une grande tendresse. M. de Nemours était encore, en ce temps-là, dans les intérêts de la Reine ; et comme il savait l'éclat du soir précédent, il s'était mis en l'esprit de persuader à M. de Beaufort de se déclarer pour elle en cette occasion. M. de Beaufort s'y trouvait tout à fait disposé, et d'autant plus que Mme de Montbazon l'avait prêché jusques à deux heures après minuit sur le même ton. Le connaissant comme je faisais, je ne *devais pas être surpris de son peu de vue ; j'avoue toutefois que je le fus au dernier point. Je lui représentai, avec toute la force qu'il me fut possible, qu'il n'y avait rien au monde qui fût plus opposé

au bon sens ; qu'en nous offrant à Monsieur le Prince, nous
ne hasardions rien ; qu'en nous offrant à la Reine, nous
hasardions tout ; que dès que nous aurions fait ce pas,
Monsieur le Prince, s'accommoderait avec le Mazarin, qui le
recevrait à bras ouverts, et par sa propre *considération et
par l'avantage qu'il trouverait à faire connaître au peuple
qu'il devrait sa conservation aux Frondeurs, ce qui nous
décréditerait absolument dans le public ; que le pis du pis,
en nous offrant à Monsieur le Prince, serait de demeurer
comme nous étions, avec la différence que nous aurions
acquis un nouveau mérite, à l'égard du public, par le nouvel
effort que nous aurions fait pour *ruiner son ennemi. Ces
raisons, auxquelles il n'y avait à la vérité rien à répondre,
*emportèrent M. de Beaufort. Nous allâmes, dès l'après-
dînée, à l'hôtel de Longueville, où nous trouvâmes Monsieur
le Prince dans la chambre de madame sa sœur. Nous lui
offrîmes nos services. Nous fûmes reçus comme vous le pouvez
imaginer, et nous soupâmes avec lui chez Prudhomme, où
le panégyrique du Mazarin ne manqua d'aucune de ses
figures.

   Le lendemain au matin, Monsieur le Prince me fit
l'honneur de me venir voir, et il continua à me parler du
même air dont il m'avait parlé la veille. Il reçut même avec
plaisir la ballade en *na, ne, ni, no, nu,* que [Marigny][a] lui
présenta comme il descendait le degré[1]. Il m'écrivit le soir,
sur les onze heures, un petit billet par lequel il m'ordonnait
de me trouver, le lendemain matin à quatre heures, chez
lui avec Noirmoutier. Nous l'éveillâmes comme il nous
l'avait mandé. Il nous parut d'abord assez embarrassé ; il
nous dit qu'il ne pouvait se résoudre à faire la guerre civile ;
que la Reine était si attachée au Cardinal qu'il n'y avait
que ce moyen de l'en séparer ; qu'il ne croyait pas qu'il fût
de sa conscience et de son honneur de le prendre, et qu'il
était d'une naissance à laquelle la conduite du Balafré ne
convenait pas. Ce furent ses propres paroles, et je les
remarquai. Il ajouta qu'il n'oublierait jamais l'obligation
qu'il nous avait ; qu'en s'accommodant, il nous accommoderait aussi avec la cour, si nous le voulions ; que si nous ne
croyions pas qu'il fût de nos intérêts, il ne laisserait pas, si
la cour nous voulait attaquer, de prendre hautement notre
protection. Nous lui répondîmes que nous n'avions prétendu,

lui offrant nos services, que l'honneur et la satisfaction de
le servir ; que nous serions au désespoir que notre *considération eût arrêté un moment son accommodement avec la
Reine ; que nous le suppliions[a] de nous permettre de
demeurer comme nous étions avec le cardinal Mazarin, et
que cela n'empêcherait pas que nous ne demeurassions
toujours dans les termes et du respect et du service que nous
avions voués à Son Altesse.

Les conditions de cet accommodement de Monsieur le
Prince avec le Cardinal[1] n'ont jamais été publiques, parce
qu'il ne s'en est su que ce qu'il plut au Cardinal, en ce
temps-là, d'en jeter dans le monde. Je me ressouviens, en
général, qu'il l'*affecta ; j'en ai oublié le détail et je ne l'ai
pas trouvé, quoique je l'aie cherché pour vous en rendre
compte[b]. Ce qui en parut fut la remise du Pont-de-l'Arche
entre les mains de M. de Longueville.

Les affaires publiques ne m'occupaient pas si fort, que je
ne fusse obligé de vaquer à des particulières, qui me
donnèrent bien de la peine. Mme de Guémené, qui s'en
était allée d'effroi, comme je crois vous avoir déjà dit, dès
les premiers jours du siège de Paris, revint de colère à la
première nouvelle qu'elle eut de mes visites à l'hôtel de
Chevreuse. Je fus assez fou pour la prendre à la gorge sur ce
qu'elle m'avait lâchement abandonné ; elle fut assez folle
pour me jeter un chandelier à la tête sur ce que je ne lui
avais pas gardé fidélité à l'égard de Mlle de Chevreuse. Nous
nous accordâmes un quart d'heure après ce fracas, et, dès le
lendemain, je fis pour son service ce que vous allez voir[c].

Cinq ou six jours après que Monsieur le Prince fut
accommodé, il m'envoya le président Viole pour me dire
que l'on le déchirait dans Paris, comme un homme qui avait
manqué de parole aux Frondeurs ; qu'il ne pouvait pas
croire que ces bruits-là vinssent de moi ; qu'il avait des
lumières que M. de Beaufort et Mme de Montbazon y
contribuaient beaucoup, et qu'il me priait d'y donner ordre.
Je montai aussitôt en carrosse avec le président Viole ; j'allai
avec lui chez Monsieur le Prince, et je lui témoignai ce qui
était de la vérité, qui était en effet que j'avais toujours parlé
comme j'avais dû sur son sujet. J'excusai, autant que je pus,
M. de Beaufort et Mme de Montbazon, quoique je n'igno-
rasse pas que la dernière particulièrement n'eût dit que trop

dispute avec tabouret

de sottises. Je lui insinuai dans le discours qu'il ne devait pas trouver étrange que, dans une ville aussi émue et aussi enragée contre le Mazarin, l'on se fût fort plaint de son accommodement, qui le remettait pour la seconde fois sur le trône. Il se fit *justice ; il comprit que le peuple n'avait pas besoin d'instigateur pour être échauffé sur cette matière. Il entra bonnement avec moi sur les raisons qu'il avait eues de ne pas pousser les affaires ; il fut satisfait de celle que je pris la liberté de lui dire pour lui justifier ma conduite ; il m'assura de son amitié très obligeamment ; je l'assurai très sincèrement de mes services ; et la conversation finit d'une manière assez ouverte et même assez tendre pour me donner lieu de croire et qu'il me tenait pour son serviteur, et qu'il ne trouverait pas mauvais que je me mêlasse d'une afffaire qui était arrivée justement la veille de ce que je vous viens de raconter.

Monsieur le Prince s'était engagé, à la prière de Meille, cadet de Foix, qui était fort attaché à lui, de faire donner le tabouret[1] à la comtesse de Fleix ; et le Cardinal, qui y avait grande aversion, suscita toute la jeunesse de la cour pour s'opposer à tous les tabourets qui n'étaient point fondés sur des *brevets. Monsieur le Prince, qui vit tout d'un coup une manière d'assemblée de noblesse, à la tête de laquelle même le maréchal de L'Hôpital s'était mis, ne voulut pas s'attirer la clameur publique pour des intérêts qui lui étaient, dans le fond, assez indifférents, et il crut qu'il ferait assez pour la maison de Foix si il renversait les tabourets des autres maisons privilégiées. Celle de Rohan était la première de ce nombre ; et jugez, si il vous plaît, de quel *dégoût était un *déchet de cette nature aux dames de ce nom. La nouvelle leur en fut apportée le soir même que Mme la princese de Guémené revint d'Anjou. Mmes de Chevreuse, de Rohan et de Montbazon se trouvèrent le lendemain chez elle. Elles prétendirent que l'affront que l'on leur voulait faire n'était qu'une vengeance qu'on voulait prendre de la Fronde. Nous résolûmes une contre-assemblée de noblesse pour soutenir le tabouret de la maison de Rohan. Mlle de Chevreuse eût eu assez de plaisir que l'on l'eût distinguée par là de celle de Lorraine ; mais la *considération de madame sa mère fit qu'elle n'osa contredire le sentiment commun. Il fut d'essayer d'ébranler Monsieur le Prince devant que de venir à l'éclat. Je me chargeai de la *commission, que la conversation que j'avais eue avec lui aida à me faire croire pouvoir être d'un *succès plus possible. J'allai chez lui dès le soir même ; je pris mon prétexte sur la parenté que j'avais avec la maison de Guémené[1]. Monsieur le Prince, qui m'entendit à demi-mot, me répondit ces propres paroles : « Vous êtes bon parent ; il est juste de vous satisfaire. Je vous promets que je ne choquerai point le tabouret de la maison de Rohan[a] ; mais je vous demande une condition sans laquelle il n'y a rien de fait : c'est que vous disiez, dès aujourd'hui, à Mme de Montbazon que le seul article que je désire pour notre accommodement est que lorsqu'elle coupera je ne sais quoi à M. de La Rochefoucauld, elle ne l'envoie pas dans un bassin d'argent à ma sœur[2], comme elle l'a dit à vingt personnes depuis deux jours. »

J'exécutai fidèlement et exactement l'ordre de Monsieur le Prince ; j'allai de chez lui droit à l'hôtel de Guémené, où je trouvai toute la compagnie assemblée ; je suppliai Mlle de Chevreuse de sortir du cabinet, et je fis rapport en propres termes de mon ambassade aux dames, qui en furent beaucoup édifiées. Il est si rare qu'une négociation finisse en cette manière, que celle-là m'a paru n'être pas indigne de l'histoire.

Cette complaisance, que Monsieur le Prince eut pour moi et qu'il n'eut assurément que pour moi, déplut fort au Cardinal, qui avait encore tous les jours de nouveaux sujets de *chagrin. Le vieux duc de Chaulnes, gouverneur d'Auvergne, lieutenant de Roi[3] en Picardie et gouverneur d'Amiens, mourut en ce temps-là. Le Cardinal, à qui la citadelle d'Amiens eût assez plu pour lui-même, eût bien voulu que le vidame lui en eût cédé le gouvernement, dont il avait la *survivance, pour avoir celui d'Auvergne. Ce vidame, qui était frère aîné de M. Chaulnes que vous voyez aujourd'hui, se fâcha, écrivit une lettre très haute au Cardinal, et il s'attacha à Monsieur le Prince. M. de Nemours fit la même chose, parce que l'on balança à lui accorder le gouvernement d'Auvergne. Miossens, qui est présentement le maréchal d'Albret, et qui était à la tête des gendarmes du Roi, s'accoutuma et accoutuma les autres à menacer le ministre. Il augmenta la haine publique qu'on avait contre lui, par le rétablissement d'Emery[1], extrêmement odieux à tout le royaume ; mais ce rétablissement, duquel nous ne manquâmes pas de nous servir, nous fit d'autre part un peu de peine, parce que cet homme, qui ne manquait pas d'esprit, et qui conaissait mieux Paris que le Cardinal, y jeta de l'argent, et qu'il l'y jeta même assez à propos. C'est une science particulière, et laquelle bien ménagée fait autant de bons effets dans un peuple, qu'elle en produit de mauvais quand elle n'est pas bien entendue ; elle est de la nature de ces choses qui sont nécessairement ou toutes bonnes ou toutes mauvaises.

Cette distribution, qu'il fit sagement et sans éclat dans les commencements de son rétablissement, nous obligea à songer encore avec plus d'application à nous incorporer, pour ainsi dire, avec le public ; et comme nous en trouvâmes une occasion qui était sainte en elle-même, ce qui est toujours un avantage signalé, nous ne la manquâmes pas. Si je me fusse cru toutefois, nous ne l'eussions pas prise sitôt : nous n'étions pas encore pressés, et il n'est jamais sage de faire, dans les factions où l'on n'est que sur la défensive, ce qui n'est pas pressé ; mais l'*inquiétude des subalternes est la chose du monde la plus incommode en ce rencontre : ils croient que l'on est perdu dès que l'on n'agit pas. Je les prêchais tous les jours qu'il fallait *planer ; que les *pointes étaient dangereuses ; que j'avais remarqué en plusieurs occasions que la patience avait de plus grands effets que l'activité. Personne ne comprenait cette vérité, qui est pourtant incontestable, et l'impression que fit, à ce propos, dans les esprits, un *méchant mot de la princesse de Guémené est incroyable : elle se ressouvint d'un *vaudeville[2] que l'on avait fait autrefois sur un certain régiment de Brullon où l'on disait qu'il n'y avait que deux dragons et quatre tambours. Comme elle haïssait la Fronde pour plus d'une raison, elle me dit un jour chez elle, en me raillant, que nous n'étions plus que quatorze de notre parti, qu'elle compara ensuite au régiment de Brullon. Noirmoutier, qui était éveillé mais étourdi, et Laigue, qui était lourd mais présomptueux, furent touchés de cette raillerie, qui leur parut bien fondée, et au point qu'ils murmuraient, depuis le matin jusques au soir, de ce que je ne m'accommodais pas, ou de ce que je ne poussais pas les affaires jusques à l'extrémité. Comme les chefs, dans les factions, n'en sont maîtres qu'autant qu'ils savent prévenir ou apaiser les murmures, il fallut venir malgré moi à agir, quoiqu'il n'en fût pas encore temps, et je trouvai, par bonne fortune, une manière qui eût *rectifié et même consacré l'imprudence, pour peu qu'il eût plu à ceux qui l'avaient causée de ne la pas outrer.

L'on peut dire, avec vérité, que les rentes de l'Hôtel de Ville de Paris sont particulièrement le patrimoine de tous ceux qui n'ont que *médiocrement du bien. Il est vrai qu'il y a des maisons riches qui y ont part : mais il est encore plus vrai qu'il semble que la providence de Dieu les ait encore plus destinées pour les pauvres ; ce qui, bien entendu et bien ménagé, pourrait être très avantageux au service du Roi, parce que ce serait un moyen sûr, et d'autant plus efficace qu'il serait imperceptible, d'attacher à sa personne un nombre infini de familles *médiocres, qui sont toujours les plus redoutables dans les *révolutions. La licence du dernier siècle a donné quelquefois des atteintes à ce fonds sacré[1].

L'ignorance du Mazarin ne garda point de mesure dans sa puissance. Il recommença, aussitôt après la paix, à rompre celles[2] par lesquelles et les arrêts du Parlement et les déclarations du Roi avaient pourvu aux désordres. Les *officiers de l'Hôtel de Ville, dépendants du ministre, y contribuèrent par leurs prévarications. Les rentiers s'*émurent par eux-mêmes et sans aucune suscitation ; ils s'assemblèrent en grand nombre en l'Hôtel de Ville. La Chambre des vacations donna arrêt par lequel elle défendit ces assemblées. Quand le Parlement fut rentré, à la Saint-Martin de l'année 1649, la Grande Chambre confirma cet arrêt, qui était juridique en soi, parce que les assemblées, sans l'autorité du prince, ne sont jamais légitimes, mais qui autorisait toutefois le mal, en ce qu'il en empêchait le remède.

Ce qui obligea la Grande Chambre à donner un second arrêt fut que, nonobstant celui qui avait été rendu par la Chambre des vacations, les rentiers, assemblés au nombre de plus de trois mille hommes, tous bons bourgeois et vêtus de noir[3], avaient créé douze syndics pour veiller, ce disaient-ils, sur les prévarications du prévôt des marchands. Cette nomination des syndics fut inspirée à ces bourgeois par cinq

ou six personnes, qui avaient en effet quelque intérêt dans
les rentes, mais que j'avais jetées dans l'assemblée pour la
diriger, aussitôt que je la vis formée. Je suis encore très
persuadé que je rendis, en cette occasion, un très grand
service à l'Etat, parce que si je n'eusse *réglé, comme je fis,
cette assemblée, qui entraînait après elle presque tout Paris,
il y eût eu assurément une fort grande sédition. Tout s'y
passa au contraire avec un très grand ordre. Les rentiers
demeurèrent dans le respect pour quatre ou cinq conseillers
du Parlement, qui parurent à leur tête et voulurent bien
accepter le syndicat. Ils y persistèrent avec joie, quand ils
surent, par les mêmes conseillers, que nous leur donnions,
M. de Beaufort et moi, notre protection. Ils nous firent une
députation solennelle, que nous reçûmes comme vous pouvez
l'imaginer. Le premier président, qui se le *devait tenir pour
dit, voyant cette démarche, s'emporta, et donna ce second
arrêt dont je vous viens de parler. Les syndics prétendirent
que leur syndicat ne pouvait être cassé que par le Parlement
en corps, et non pas par la Grande Chambre. Ils se plaignirent
aux Enquêtes, qui furent du même avis, après en avoir opiné
dans leur chambre, et qui allèrent ensuite chez Monsieur le
Premier Président, accompagnées d'un très grand nombre
de rentiers.

La cour, qui crut devoir faire un coup d'autorité, envoya
des archers chez Parain des Coutures, capitaine de son
quartier, et qui était un des douze syndics. Ils furent assez
heureux pour ne le pas trouver chez lui. Le lendemain, les
rentiers s'assemblèrent en très grand nombre en l'Hôtel de
Ville, et y résolurent de présenter requête au Parlement, et
d'y demander justice de la violence que l'on avait voulu
faire à l'un de leurs syndics.

Jusque-là nos affaires allaient à souhait. Nous nous étions
enveloppés dans la meilleure et la plus juste affaire du
monde, et nous étions sur le point de nous reprendre et de
nous recoudre, pour ainsi dire, avec le Parlement, qui était
sur le point de demander l'assemblée des chambres et de
sanctifier, par conséquent, tout ce que nous avions fait. Le
diable monta à la tête de nos subalternes : ils crurent que
cette occasion tomberait, si nous ne la relevions par un
*grain qui fût de plus haut goût que les formes du Palais.
Ce furent les propres mots de Montrésor, qui, dans un

conseil de Fronde qui fut tenu chez le président de Bellièvre, proposa qu'il fallait faire tirer un coup de pistolet à l'un des syndics, pour obliger le Parlement à s'assembler, parce que autrement, dit-il, le premier président n'accordera jamais l'assemblée des chambres, qu'il a prétexte de refuser, puisqu'il l'a promis à la paix, au lieu que si nous faisons une *émotion, les Enquêtes prendront leurs places *tumultuairement, et feront ainsi l'assemblée des chambres, qui nous est absolument nécessaire, parce qu'elle nous rejoint naturellement au Parlement, dans une conjoncture où nous serons, avec le Parlement, les défenseurs de la veuve et de l'orphelin, et où nous ne sommes, sans le Parlement, que des séditieux et des tribuns du peuple. Il n'y a, ajouta-t-il, qu'à faire tirer un coup de pistolet dans la rue à l'un des syndics qui ne sera pas assez connu du peuple pour faire une trop grande *émotion, et qui la fera toutefois suffisante pour produire l'assemblée des chambres, qui nous est si nécessaire.

Je m'opposai à ce dessein avec toute la force qui fut en mon pouvoir. Je représentai que nous aurions infailliblement l'assemblée des chambres sans cet expédient, qui avait mille et mille inconvénients. J'ajoutai qu'une *supposition était toujours odieuse. Le président de Bellièvre traita mon scrupule de pauvreté ; il me pria de me ressouvenir de ce que j'avais mis autrefois dans la *Vie de César* [1], que dans les affaires publiques la morale a plus d'étendue que dans les particulières. Je le priai, à mon tour, de se ressouvenir de ce que j'avais mis à la fin de la même *Vie*, qu'il est toujours judicieux de ne se servir qu'avec d'extrêmes précautions de cette licence, parce qu'il n'y a que le succès qui la justifie : « Et qui peut répondre du succès ? ajoutai-je, puisque la fortune peut jeter cent et cent incidents dans une affaire de cette nature, qui couronnent l'abominable par le ridicule, quand elle ne réussit pas. » Je ne fus pas écouté, quoiqu'il semblât que Dieu m'avait inspiré ces paroles, comme vous le verrez par l'événement. MM. de Beaufort, de Brissac, de Noirmoutier, de Laigue, de Bellièvre, de Montrésor s'unirent tous contre moi ; et il fut résolu qu'un gentilhomme qui était à Noirmoutier tirerait un coup de pistolet dans le carrosse de Joly, que vous avez vu depuis à moi [2], et qui était un des syndics des rentiers ; que Joly se ferait une

égratignure pour faire croire qu'il aurait été blessé ; qu'il se
mettrait au lit, et qu'il donnerait sa requête au Parlement.
Je vous confesse que cette résolution me donna une telle
inquiétude, toute la nuit, que je n'en fermai pas l'œil, et
que je dis, le lendemain au matin, au président de Bellièvre
ces deux vers des *Horaces :*

> Je rends grâces aux Dieux de n'être pas Romain,
> Pour conserver encor quelque chose d'humain. [1]

Le maréchal de La Mothe, à qui nous communiquâmes ce
bel exploit, y eut presque autant d'aversion que moi. Enfin
il s'exécuta l'onzième décembre, et la fortune ne manqua
pas d'y jeter le plus cruel de tous les incidents que l'on se
fût pu imaginer. Le marquis de La Boulaye, soit de sa propre
folie, soit de concert avec le Cardinal, dont je suis persuadé
par une preuve qui est convaincante [2], voyant que sur
l'*émotion causée dans la place Maubert par ce coup de
pistolet, et sur la plainte du président Charton, l'un des
syndics, qui se voulut imaginer qu'on avait pris Joly pour
lui, le Parlement s'était assemblé, se jeta comme un insensé
et comme un démoniaque au milieu de la salle du Palais,
suivi de quinze ou vingt coquins dont le plus *honnête
homme était un misérable savetier. Il cria aux armes ; il
n'oublia rien pour les faire prendre dans les rues voisines ;
il alla chez le *bonhomme Broussel, il lui fit une réprimande
à sa mode ; il vint chez moi, où je le menaçai de le faire
jeter par la fenêtre, et où le gros Caumesnil [a], qui s'y trouva,
le traita comme un valet. Je vous rendrai compte de la suite
de cette aventure, quand je vous aurai expliqué la raison
que j'ai de croire que ce marquis de La Boulaye, père de La
Marck que vous avez vu, agissait de concert avec le Cardinal.

Il était attaché à M. de Beaufort, qui le traitait de parent,
mais il tenait encore davantage auprès de lui par Mme de
Montbazon, de qui il était tout à fait dépendant. J'avais
découvert que ce misérable avait des conférences secrètes
avec Mme d'Ampus, concubine en titre d'*office d'Ondedei,
et espionne avérée du Mazarin. Il n'avait pas tenu à moi
d'en détromper M. de Beaufort, à qui j'avais même fait
jurer sur les Evangiles qu'il ne lui dirait jamais rien de tout
ce qui me regarderait. Laigue, qui n'était pas un imposteur,

m'a dit, encore un peu de temps avant sa mort, que le Cardinal, en mourant, le recommanda au Roi comme un homme qui l'avait toujours très fidèlement servi. Vous remarquerez, s'il vous plaît, que ce même homme avait toujours été frondeur de profession.

Je reviens à Joly. Le Parlement s'étant assemblé, l'on ordonna qu'il serait informé de cet assassinat. La Reine, qui vit que La Boulaye n'avait pas réussi dans la tentative de la sédition, alla à son ordinaire, car c'était un samedi, à la messe à Notre-Dame [1]. Le prévôt des marchands l'alla assurer, à son retour, de la fidélité de la ville. L'on *affecta de publier, au Palais-Royal, que les Frondeurs avaient voulu soulever le peuple et qu'ils avaient manqué leur coup. Tout cela ne fut que douceur au prix de ce qui arriva le soir.

La Boulaye, qui était en défiance, s'il n'était pas d'intelligence avec la cour, ou qui voulait achever la pièce qu'il avait commencée, s'il était de concert avec le Mazarin, posa une espèce de corps de garde de sept ou huit cavaliers dans la place Dauphine, cependant que lui, à ce qu'on a assuré depuis, était chez une fille de joie du voisinage. Il y eut je ne sais quelle rumeur entre ces cavaliers et les bourgeois du guet ; et l'on vint dire au Palais-Royal qu'il y avait de l'*émotion en ce quartier. Servien, qui s'y trouva, eut ordre d'envoyer savoir ce que c'était, et l'on prétend qu'il grossit beaucoup, par son rapport, le nombre des gens qui y étaient. L'on observa même qu'il eut une assez longue conférence avec le Cardinal, dans la petite chambre grise de la Reine, et que ce ne fut qu'après cette conférence qu'il vint dire, tout échauffé, à Monsieur le Prince, qu'il y avait assurément quelque entreprise contre sa personne. Le premier mouvement de Monsieur le Prince fut de s'en aller éclaircir lui-même ; la Reine l'en empêcha, et ils convinrent d'envoyer seulement le carrosse de Monsieur le Prince, avec quelque carrosse de suite, comme ils avaient accoutumé, pour voir si on l'attaquerait. Comme ils arrivèrent sur le Pont-Neuf, ils trouvèrent force gens en armes, parce que le bourgeois les avait prises à la première rumeur, et il n'arriva rien au carrosse de Monsieur le Prince. Il y eut un laquais blessé d'un coup de pistolet dans celui de Duras, qui le suivait. On ne sait point trop comme cela arriva : si il est vrai, comme on disait en ce temps-là, que deux cavaliers eussent tiré ce coup de pistolet, après avoir regardé dans le carrosse de Monsieur le Prince, où ils ne trouvèrent personne, il y a apparence que ce jeu fut la continuation de celui du matin. Un boucher, très homme de bien, me dit, huit jours après, et il me l'a redit vingt fois depuis, qu'il n'y avait pas un mot de vrai de ce qui s'était dit de ces deux cavaliers ; que ceux de La Boulaye n'y étaient plus quand les carrosses passèrent, et que les coups de pistolet qui se tirèrent en ce temps-là ne furent qu'entre des bourgeois ivres et ses camarades bouchers, qui revenaient de Poissy et qui n'étaient pas à jeun. Ce boucher, appelé Le Houx, père du chartreux dont vous avez ouï parler, disait qu'il était dans la compagnie[1].

Quoi qu'il en soit, il faut avouer que l'artifice de Servien rendit un grand service au Cardinal en ce rencontre, parce que il lui réunit Monsieur le Prince par la nécessité où il se trouva de *pousser les Frondeurs, qu'il crut l'avoir voulu assassiner. L'on a blâmé Monsieur le Prince d'avoir donné dans ce panneau, et, à mon opinion, l'on l'en a *dû plaindre : il était difficile de s'en défendre dans un moment où tout ce qu'il y a de gens qui sont le plus à un prince croient qu'ils ne lui témoigneraient pas leur zèle si ils ne lui exagéraient son péril. Les flatteurs du Palais-Royal confondirent, avec empressement et avec joie, l'entreprise du matin avec l'aventure du soir ; l'on broda sur ce canevas tout ce que la plus lâche complaisance, tout ce que la plus noire imposture, tout ce que la crédulité la plus sotte y purent figurer ; et nous nous trouvâmes, le lendemain matin, réveillés par le bruit répandu par toute la ville que nous avions voulu enlever la personne du Roi et la mener en l'Hôtel de Ville ; que nous avions résolu de massacrer Monsieur le Prince, et que les troupes d'Espagne s'avançaient vers la frontière, de concert avec nous. La cour fit, dès le soir même, une peur effroyable à Mme de Montbazon, que l'on savait être la patronne de La Boulaye. Le maréchal d'Albret, qui se vantait d'en être aimé, lui portait tout ce qu'il plaisait au Cardinal d'aller jusqu'à elle. Vineuil, qui en était effectivement aimé, à ce qu'on disait, lui inspirait tout ce que Monsieur le Prince lui voulait faire croire. Elle fit voir les enfers ouverts à M. de Beaufort, qui me vint éveiller à cinq heures du matin, pour me dire que nous étions perdus et que nous n'avions qu'un parti à prendre, qui était à lui de se jeter dans Péronne, où Hocquincourt le recevrait, et à moi de me retirer à Mézières, où je pouvais disposer de Bussy-Lamet. Je crus, aux premiers mots de cette proposition, que M. de Beaufort avait fait avec La Boulaye quelque sottise [a]. Comme il m'eut fait mille et mille serments qu'il en était aussi innocent que moi, je lui dis que les partis qu'il proposait étaient pernicieux ; qu'ils nous feraient paraître coupables aux yeux de tout l'univers ; il n'y en avait point d'autre que de nous envelopper dans notre innocence, que de faire bonne mine, ne rien prendre pour nous de tout ce qui ne nous attaquerait pas directement, et de nous résoudre de ce que nous aurions à faire, selon les occasions. Comme il se piquait aisément de tout ce qui lui paraissait audacieux, il entra sans peine dans mes raisons. Nous sortîmes ensemble, sur les huit heures, pour nous faire voir au peuple, et pour voir moi-même la contenance du peuple, que l'on m'avait mandé de différents quartiers être beaucoup consterné. Cela nous parut effectivement ; et si la cour nous eût attaqués dans ce moment, je ne sais si elle n'aurait point réussi. J'eus trente billets, sur le midi, qui me firent croire qu'elle en avait le dessein, et trente autres qui me firent appréhender qu'elle ne [le] pût avoir avec succès.

MM. de Beaufort, de La Mothe, de Brissac, de Noirmoutier, de Laigue, de Fiesque, de Fontrailles et de Matha vinrent dîner chez moi. Il y eut, après dîner, une grande contestation, la plupart voulant que nous nous missions sur la défensive, ce qui eût été très ridicule, parce qu'ainsi nous nous fussions reconnus coupables avant que d'être accusés. Mon avis l'emporta, qui fut que M. de Beaufort marchât seul dans les rues, avec un page seul derrière son carrosse, et que j'y marchasse de même manière, de mon côté, avec un aumô-nier ; que nous allassions séparément chez Monsieur le Prince lui dire que nous étions très persuadés qu'il ne nous faisait pas l'injustice de nous confondre dans les bruits qui couraient, etc. Je ne pus trouver, après dîner, Monsieur le Prince chez lui ; et M. de Beaufort ne l'y ayant pas rencontré non plus, nous nous trouvâmes, sur les six heures, chez Mme de Montbazon, qui voulait, à toute force, que nous prissions des chevaux de poste pour nous enfuir. Nous eûmes, sur

comic/ tragic

cela, une contestation, qui ouvrit une scène où il y eut bien
du ridicule, quoiqu'il ne s'y agît que du tragique. Mme de
Montbazon soutenant qu'aux personnages que nous jouions,
M. de Beaufort et moi, il n'y avait rien de plus aisé que de
se défaire de nous, puisque nous nous mettions entre les
mains de nos ennemis, je lui répondis qu'il était vrai que
nous hasardions notre vie ; mais que si [nous] agissions
autrement, nous perdrions certainement notre honneur. Elle
se leva, à ce mot, de dessus son lit, où elle était, et elle me
dit, après m'avoir mené vers la cheminée : « Avouez le vrai,
ce n'est pas ce qui vous tient[a] ; nous ne saurions quitter vos
nymphes. Emmenons l'*innocente avec nous : je crois que
vous ne vous souciez plus guère de l'autre[1]. » Comme j'étais
accoutumé à ses manières, je ne fus pas surpris de ce discours.
Je le fus davantage, quand je la vis effectivement dans la
pensée de s'en aller à Péronne, et si effrayée qu'elle ne
savait ce qu'elle disait. Je trouvai que ses deux amants[2] lui
avaient donné plus de frayeur qu'apparemment ils n'eussent
voulu. J'essayai de la rassurer ; et sur ce qu'elle me témoignait
quelque défiance que je ne fusse pas de ses amis, à cause de
la liaison que j'avais avec Mmes de Chevreuse et de Guéméné,
je lui dit tout ce que celle que j'avais avec M. de Beaufort
pouvait demander de moi dans cette conjoncture. A quoi
elle me répondit brusquement ; « Je veux que l'on soit de
mes amis pour l'amour de moi-même : ne le mérité-je pas
bien ? » Je lui fis là-dessus son panégyrique, et de propos
en propos, qui continua[b] assez longtemps, elle tomba sur
les beaux exploits que nous aurions faits si nous nous étions
trouvés unis ensemble : à quoi elle ajouta qu'elle ne concevait
pas comme je m'*amusais à une vieille, qui était plus
*méchante que le diable, et à une jeune qui était encore
plus sotte à proportion. « Nous nous disputons tout le jour
cet *innocent, reprit-elle en montrant M. de Beaufort, qui
jouait aux échecs ; nous nous donnons bien de la peine ;
nous gâtons toutes nos affaires : accordons-nous ensemble,
allons-nous en à Péronne. Vous êtes maître de Mézières, le
Cardinal nous envoiera demain des négociateurs. »
    Ne soyez pas surprise, si il vous plaît, de ce qu'elle parlait
ainsi de M. de Beaufort : c'étaient ses termes ordinaires, et
elle disait à qui la voulait entendre qu'il était impuissant,
ce qui était ou vrai ou presque vrai ; qu'il ne lui avait jamais

demandé le bout du doigt ; qu'il n'était amoureux que de son âme ; et en effet il me paraissait au désespoir quand elle mangeait les vendredis de la viande, ce qui lui arrivait très souvent. J'étais accoutumé à ses dits, mais comme je ne l'étais pas à ses douceurs, j'en fus touché, quoiqu'elles me fussent suspectes, vue la conjoncture. Elle était fort belle ; je n'avais pas disposition naturelle à perdre de telles occasions : je radoucis beaucoup ; l'on ne m'arracha pas les yeux ; je proposai d'entrer dans le *cabinet, mais l'on me proposa pour préalable de toutes choses d'aller à Péronne : ainsi finirent nos amours. Nous rentrâmes dans la conversation ; l'on se remit à contester sur la conduite. Le président de Bellièvre, que Mme de Montbazon envoya consulter, répondit qu'il n'y avait pas deux partis ; que l'unique était de faire toutes les démarches de respect vers Monsieur le Prince, et si elles n'étaient reçues, de se soutenir par son innocence et pas sa fermeté[a].

M. de Beaufort sortit de l'hôtel de Montbazon pour aller chercher Monsieur le Prince, qu'il trouva à table, ou chez Prudhomme, ou chez le maréchal de Gramont : je ne m'en ressouviens pas précisément. Il lui fit son *compliment avec respect. Monsieur le Prince, qui se trouva surpris, lui demanda s'il se voulait mettre à table. Il s'y mit ; il soutint la conversation sans s'embarrasser, et il sortit d'affaire avec une audace qui ne déborda pas. J'ai ouï dire à beaucoup de gens que cette démarche de M. de Beaufort avait touché l'esprit du Mazarin à un tel point, qu'il fut quatre ou cinq jours à ne parler d'autre chose avec ses confidents. Je ne sais ce qui se passa depuis ce souper jusques au lendemain matin ; mais je sais bien que Monsieur le Prince, qui n'avait pas paru aigri, comme vous voyez, ce soir-là, parut fort envenimé contre nous le lendemain.

J'allai chez lui avec Noirmoutier ; et quoique toute la cour y fût pour lui faire *compliment sur son prétendu assassinat, et qu'il les fît tous entrer les uns après les autres dans son cabinet, le chevalier de Rivière, qui était gentilhomme de sa chambre, m'y laissa toujours, en me disant qu'il n'avait pas ordre de me faire entrer. Noirmoutier, qui était fort vif, s'impatientait ; j'*affectais la patience publique ; je demeurai dans la *chambre trois heures entières, et je n'en sortis qu'avec les derniers. Je ne me

contentai pas de cette avance ; j'allai chez Mme de Longueville, qui me reçut assez froidement : après quoi je descendis
chez monsieur son mari, qui était arrivé à Paris depuis peu,
et le priai de témoigner à Monsieur le Prince, etc. Comme
il était fort persuadé que tout ce qui se passait n'était qu'un
piège que la cour tendait à Monsieur le Prince, il me fit
connaître qu'il avait un mortel déplaisir de ce qu'il voyait ;
mais comme il était naturellement faible, qu'il était fraîchement raccommodé avec lui, et qu'il avait fait, tout de
nouveau, une je ne sais quelle liaison avec La Rivière, il
demeura dans les termes généraux, et je m'aperçus même
que, contre son ordinaire, il évitait le détail.

Tout ce que je viens de vous dire se passa dans l'onze et
le douzième de décembre 1649. Le treizième, M. le duc
d'Orléans, accompagné de Monsieur le Prince et de MM. de
Bouillon, de Vendôme, de Saint-Simon, d'Elbeuf et de
Mercœur, vint au Parlement, où, sur une lettre de cachet
envoyée par le Roi, par laquelle il ordonnait que l'on
informât des auteurs de la sédition, il fut arrêté que l'on
travaillerait à cette affaire avec toute l'application que
méritait une conjuration contre l'Etat.

Le quatorzième, Monsieur le Prince, en la même compagnie, fit sa plainte, et demanda qu'il fût informé de
l'attentat qu'on avait voulu commettre contre sa personne.

Le quinzième, l'on ne s'assembla pas, parce que l'on
voulut donner du temps à MM. Champrond et Doujat, pour
achever les informations pour lesquelles ils avaient été
commis.

Le dix-huitième, le Parlement ne s'étant pas assemblé
pour la même raison, Joly présenta requête à la Grande
Chambre pour être renvoyé à la Tournelle, prétendant que
son affaire n'était que particulière, et ne devait pas être
traitée dans l'assemblée des chambres, puisqu'elle n'avait
aucun rapport à la sédition. Le premier président, qui ne
voulait faire qu'un procès de tout ce qui s'était passé
l'onzième, renvoya la requête à l'assemblée des chambres.

Le dix-neuvième, il n'y eut point d'assemblée.

Le vingtième, Monsieur et Monsieur le Prince vinrent au
Palais, et toute la séance se passa en contestations si le
président Charton, qui avait fait sa plainte le jour du

prétendu assassinat de Joly, opinerait ou n'opinerait pas. Il
fut exclu, et avec justice.

Le vingt-unième, le Parlement ne s'assembla pas.

Vous pouvez croire que la Fronde ne s'endormait pas en
l'état où étaient les choses. Je n'oubliai rien de tout ce qui
pouvait servir au rétablissement de nos affaires, qui étaient
dans un prodigieux décréditement. Presque tous nos amis
étaient désespérés, tous étaient affaiblis. Le maréchal de La
Mothe même se laissa toucher à l'*honnêteté que Monsieur
le Prince lui fit de le tirer de *pair, et si il ne nous
abandonna pas, il mollit beaucoup. Je suis obligé de faire,
en cet endroit, l'éloge de M. Caumartin. Il était mon allié,
Escry, qui était mon cousin germain, ayant épousé une de
ses tantes ; il avait déjà quelque amitié pour moi, mais nous
n'étions en nulle confidence ; et quand il ne se fût pas
signalé en cette occasion, je n'eusse pas seulement songé à
me plaindre de lui. Il s'unit intimement avec moi, le
lendemain de l'éclat de La Boulaye. Il entra dans mes
intérêts, lorsque l'on me croyait *abîmé à tous les quarts
d'heure. Je lui donnai ma confiance par reconnaissance ; je
la lui continuai, au bout de huit jours, par l'estime que
j'eus pour sa capacité, qui passait son âge. Il fut, après trois
mois d'intrigues, plus habile, sans comparaison, que tout ce
que vous voyez. Je suis assuré que vous me pardonnerez
bien cette petite digression.

Ce que je trouvai de plus ferme à Paris, dans la
consternation, furent les curés. Ils travaillèrent, ces sept ou
huit jours-là parmi leur peuple, avec un zèle incroyable pour
moi ; et celui de Saint-Gervais, qui était frère de l'avocat
général Talon, m'écrivit dès le cinquième : « Vous remontez ;
sauvez-vous de l'assassinat ; devant qu'il soit huit jours, vous
serez plus fort que vos ennemis. »

Le vingt-unième, à midi, un officier de chancellerie me
fit avertir que M. Méliand, procureur général, avait été
enfermé deux heures, le matin, avec Monsieur le Chancelier
et M. de Chavigny, et qu'il avait été résolu, par l'avis du
premier président, que, le vingt-deuxième, il prendrait ses
conclusions contre M. de Beaufort, contre M. de Broussel et
contre moi ; qu'on avait longtemps contesté sur la forme ;
que l'on était convenu, à la fin, qu'il conclurait à ce que

risk of arrest

nous serions assignés pour être ouïs : ce qui est une manière d'*ajournement personnel un peu mitigé.

Nous tînmes, après dîner, un grand conseil de Fronde chez Longueil, dans lequel il y eut de grandes contestations. L'abattement qui paraissait encore dans le peuple faisait craindre que la cour ne se servît de cet instant pour nous faire arrêter, sous quelque formalité de justice, que Longueil prétendait pouvoir être *coulée dans la procédure par l'adresse du président de Mesmes, et soutenue par la hardiesse du premier président. Ce sentiment de Longueil, qui était l'homme du monde qui entendait le mieux le Parlement, me faisait peine comme aux autres ; mais je ne pouvais pourtant me rendre à l'avis des autres, qui était de hasarder un soulèvement. Je savais, comme eux et mieux qu'eux, que le peuple revenait à nous, mais je n'ignorais pas non plus qu'il n'y était pas encore revenu ; je ne doutais pas que nous ne manquassions notre coup si nous l'entreprenions ; mais je doutais encore moins que, quand même nous y réussirions, nous serions perdus, et parce que nous n'en pourrions pas soutenir les suites, et parce que nous nous serions *convaincus nous-mêmes de trois crimes capitaux et très odieux. Ces raisons sont, comme vous voyez, assez bonnes pour toucher des esprits qui n'ont pas peur. Mais ceux qui sont prévenus de cette *passion ne sont susceptibles que du sentiment qu'elle leur inspire ; et je me suis ressouvenu, mille fois peut-être en ma vie, de ce que j'observai dans cette conversation, qui fut que lorsque la frayeur est jusques à un certain point, elle produit les mêmes effets que la témérité. Longueil, qui était un fort grand poltron, opina, en cette occasion, à investir le Palais-Royal.

Après que je les eus laissés longtemps *battre l'eau pour leur donner lieu de refroidir leur imagination, qui ne se rend jamais quand elle est échauffée, je leur proposai ce que j'avais résolu de leur dire devant que d'entrer chez Longueil, qui était que mon avis serait que comme nous saurions, le lendemain, Monsieur et messieurs les princes au Palais, M. de Beaufort y allât suivi de son écuyer ; que j'y entrasse, en même temps, par l'autre degré, avec un simple aumônier ; que nous allassions prendre nos places, et que je disse, en son nom et au mien, qu'ayant appris par le bruit commun qu'on nous impliquait dans la sédition, nous

venions porter nos têtes au Parlement, pour être punis si
nous étions coupables, et pour demander justice contre les
calomniateurs si nous nous trouvions innocents, et que bien
qu'en mon particulier je ne me tinsse pas justiciable de la
Compagnie[1], je renonçais à tous les privilèges pour avoir la
satisfaction de faire paraître mon innocence à un corps pour
lequel j'avais eu, toute ma vie, autant d'attachement et
autant de vénération. « Je sais bien, Messieurs, ajoutai-je,
que le parti que je vous propose est un peu *délicat, parce
que on nous peut tuer au Palais ; mais si on manque de
nous tuer, demain nous sommes les maîtres du pavé ; et il
est si beau à des particuliers de l'être, dès le lendemain
d'une accusation si atroce, qu'il n'y a rien qu'il ne faille
hasarder pour cela. Nous sommes innocents, la vérité est
forte ; le peuple et nos amis ne sont abattus que parce que
les circonstances malheureuses que le caprice de la fortune a
assemblées dans un certain point les font douter de notre
innocence : notre sécurité ranimera le Parlement, ranimera
le peuple. Je maintiens que nous sortirons du Palais, si nous
n'y demeurons pas, plus accompagnés que nos ennemis.
Voici les fêtes de Noël : il n'y a plus d'assemblées que
demain et après-demain ; si les choses se passent comme je
vous le marque et comme je l'espère, je les soutiendrai dans
le peuple par un sermon, que je projette de prêcher, le jour
de Noël, dans Saint-Germain-de-l'Auxerrois, qui est la
paroisse du Louvre. Nous les soutiendrons, après les fêtes,
par nos amis, que nous aurons le temps de faire venir des
provinces. »

Tout le monde se rendit à cet avis ; l'on nous recommanda
à Dieu, parce qu'on ne doutait point que nous ne dussions
courir grande fortune, lorsqu'on nous verrait prendre un
parti de cette nature ; et chacun retourna chez soi avec fort
peu d'espérance de nous revoir.

Je trouvai, en arrivant chez moi, un billet de Mme de
Lesdiguières, qui me donnait avis que la Reine, qui avait
prévu que nous pourrions prendre résolution d'aller au
Palais, parce que les conclusions que le procureur général y
devait prendre s'étaient assez répandues dans le monde,
avait écrit à Monsieur de Paris qu'elle le conjurait d'aller
prendre sa place dans le Parlement, dans la vue de m'empêcher d'y aller ; parce que, Monsieur de Paris y étant, je n'y

avais plus de séance, et la cour eût été bien aise de ne voir pour défenseur de notre cause que M. de Beaufort, qui était encore un plus *méchant orateur que moi.

J'allai, dès les trois heures du matin, chercher MM. de Brissac et de Rais[a], et je les menai aux Capucins du faubourg Saint-Jacques, où Monsieur de Paris avait couché, pour le prier, en corps de famille, de ne point aller au Palais. Mon oncle avait peu de sens, et le peu qu'il en avait n'était point droit ; il était faible et *timide jusques à la dernière extrémité ; il était jaloux de moi jusques au ridicule. Il avait promis à la Reine qu'il irait prendre sa place ; il ne fut pas en notre pouvoir d'en tirer que des *impertinences et des vanteries : qu'il me défendrait bien mieux que je ne me défendrais moi-même. Et vous remarquerez, s'il vous plaît, que quoiqu'il causât comme une linotte en particulier, il était toujours muet comme un poisson en public. Je sortis de sa chambre au désespoir ; un chirurgien qu'il avait me pria d'aller attendre de ses nouvelles aux Carmélites, qui étaient tout proche[1], et il me revint trouver, un quart d'heure après, avec ces bonnes nouvelles : il me dit qu'aussitôt que nous étions sortis de la chambre de Monsieur de Paris, il y était entré ; qu'il l'avait beaucoup loué de la fermeté avec laquelle il avait résisté à ses neveux, qui le voulaient enterrer tout vif ; qu'il l'avait exhorté ensuite de se lever en diligence pour aller au Palais ; qu'aussitôt qu'il fut hors du lit, il lui avait demandé d'un ton effaré comme il se portait ; que Monsieur de Paris lui avait répondu qu'il se portait fort bien ; qu'il lui avait dit : « Cela ne se peut, vous avez trop mauvais visage » ; qu'il lui avait tâté le pouls ; qu'il l'avait assuré qu'il avait la fièvre, et d'autant plus à craindre qu'elle paraissait moins ; que Monsieur de Paris l'avait cru ; qu'il s'était remis au lit, et que tous les rois et toutes les reines ne l'en feraient sortir de quinze jours[2]. Cette bagatelle est assez plaisante pour n'être pas omise.

Nous allâmes au Palais, MM. de Beaufort, de Brissac, de Rais et moi, mais seuls et séparément. Messieurs les princes avaient assurément plus de mille gentilshommes avec eux, et on peut dire que toute la cour généralement y était. Comme j'étais en rochet et camail[3], je passai la grande salle le bonnet à la main, et je trouvai peu de gens assez *honnêtes pour me rendre le salut, tant l'on était persuadé que j'étais

R cut by 'friends'
put-up accusations by crooks

perdu. La fermeté n'est pas commune en France ; mais une lâcheté de cette espèce y est encore plus rare. Je vois encore, tout d'une vue, plus de trente hommes de qualité, qui se disaient et qui se disent de mes amis, qui m'en donnèrent cette marque. Comme j'entrai dans la Grande Chambre devant que M. de Beaufort y fût arrivé, et que je surpris par conséquent la Compagnie, j'entendis un petit bruit sourd pareil à ceux que vous avez entendus quelquefois à des sermons, à la fin d'une période qui a plu, et j'en augurai bien. Je dis, après avoir pris ma place, ce que j'avais projeté la veille chez Longueil, que vous avez vu ci-dessus. Ce petit bruit recommença après mon discours, qui fut fort court et fort modeste. Un conseiller ayant voulu, à ce moment, rapporter une requête pour Joly, le président de Mesmes prit la parole, et dit qu'il fallait, préalablement à toutes choses, lire les informations qui avaient été faites contre la conjuration publique dont il avait plu à Dieu de préserver l'Etat et la maison royale. Il dit, en finissant ces paroles, quelque chose de celle d'Amboise[1], qui me donna, comme vous verrez, un terrible avantage sur lui. J'ai observé mille fois qu'il est aussi nécessaire de choisir les mots dans les grandes affaires, qu'il est superflu de les *affecter dans les petites.

L'on lut les informations, dans lesquelles l'on ne trouva pour témoins qu'un appelé Canto, qui avait été condamné d'être pendu à Pau ; Pichon, qui avait été mis sur la roue en effigie[2] au Mans ; Sociando, contre lequel il y avait preuve de fausseté à la Tournelle ; La Comette, Marcassez, Gorgibus, filous fieffés. Je ne crois pas que vous ayez vu dans les *Petites Lettres* de Port-Royal[3] de noms plus saugrenus que ceux-là ; et Gorgibus vaut bien Tambourin. La seule déposition de Canto dura quatre heures à lire. En voici la substance : Qu'il s'était trouvé en plusieurs assemblées des rentiers à l'Hôtel de Ville, où il avait ouï dire que M. de Beaufort et Monsieur le Coadjuteur voulaient tuer Monsieur le Prince ; qu'il avait vu La Boulaye chez M. de Broussel le jour de la sédition ; qu'il l'avait vu aussi chez Monsieur le Coadjuteur ; que, le même jour, le président Charton avait crié aux armes ; que Joly avait dit à l'oreille à lui Canto, quoiqu'il ne l'eût jamais ni vu ni connu que cette fois-là, qu'il fallait tuer le Prince et la grande barbe[4]. Les autres

témoins confirmèrent cette déposition. Comme le procureur
général, que l'on fit entrer après la lecture des informations,
eut pris ses conclusions, qui furent de nous assigner pour
être ouïs, M. de Beaufort. M. de Broussel et moi, j'ôtai
mon bonnet pour parler ; et le premier président m'en ayant
voulu empêcher, en disant que ce n'était pas l'ordre et que
je parlerais à mon tour, la sainte *cohue des Enquêtes s'éleva
et faillit à étouffer le premier président. Voici précisément
ce que je dis :

« Je ne crois pas, Messieurs, que les siècles passés aient vu
des *ajournements personnels donnés à des gens de notre
qualité sur des ouï-dire ; mais je crois aussi peu que la
postérité puisse souffrir, ni même ajouter foi à ce que l'on
ait seulement écouté[a] ces ouï-dire de la bouche des plus
infâmes scélérats qui soient jamais sortis des cachots. Canto,
Messieurs, a été condamné à la corde à Pau ; Pichon a été
condamné à la roue au Mans ; Sociando est encore sur vos
registres criminels. » Vous remarquerez, s'il vous plaît, que
M. l'avocat général Bignon m'avait envoyé, à deux heures
après minuit, ces mémoires, et parce qu'il était mon ami
particulier, et parce qu'il croyait le pouvoir faire en conscience, n'ayant point été appelé aux conclusions[1]. « Jugez,
s'il vous plaît, de leur témoignage par leurs étiquettes et
par leur profession, qui est de filous avérés. Ce n'est pas
tout, Messieurs, ils ont une autre qualité, qui est bien plus
relevée et bien plus rare : ils sont témoins à *brevet[2]. Je
suis au désespoir que la défense de notre honneur, qui nous
est commandée par toutes les lois divines et humaines,
m'oblige de mettre au jour, sous le plus innocent des rois,
ce que les siècles les plus corrompus ont détesté dans les
plus grands égarements des anciens empereurs. Oui, Messieurs, Canto, Sociando et Gorgibus ont des brevets pour
nous accuser. Ces brevets sont signés de l'auguste nom qui
ne devrait être employé que pour consacrer encore davantage
les lois les plus saintes. M. le cardinal Mazarin, qui ne
reconnaît que celle de la vengeance qu'il médite contre les
défenseurs de la liberté publique, a forcé M. Le Tellier,
secrétaire d'Etat, de contresigner ces infâmes brevets, desquels
nous vous demandons justice ; mais nous ne vous la demandons toutefois qu'après vous avoir très humblement suppliés
de la faire à nous-mêmes, la plus rigoureuse que les

ordonnances les plus sévères prescrivent contre les révoltés, si il se trouve que nous ayons, ni directement ni indirectement, contribué à ce qui a été du dernier mouvement. Est-il possible, Messieurs, qu'un petit-fils de Henri le Grand, qu'un sénateur de l'âge et de la probité de M. de Broussel, qu'un coadjuteur de Paris soient seulement soupçonnés d'une sédition où on n'a vu qu'un écervelé à la tête de quinze misérables de la lie du peuple ? Je suis persuadé qu'il me serait honteux de m'étendre sur ce sujet. Voilà, Messieurs, ce que je sais de la moderne conjuration d'Amboi-se. »

Je ne vous puis exprimer l'exultation des Enquêtes. Il y eut beaucoup de voix qui s'élevèrent sur ce que j'avais dit des témoins à brevet. Le bonhomme Doujat, qui était un des rapporteurs et qui m'en avait fait avertir par l'avocat général Talon, de qui il était et parent et ami, l'*avoua en faisant semblant de l'adoucir. Il se leva comme en colère, et il dit très *finement : « Ces brevets, Monsieur, ne sont pas pour vous accuser, comme vous dites. Il est vrai qu'il y en a ; mais ils ne sont que pour découvrir ce qui se passe dans les assemblées des rentiers. Comment le Roi serait-il informé, s'il ne promettait l'impunité à ceux qui lui donnent des avis pour son service, et qui sont quelquefois obligés, pour les avoir, de dire des paroles qu'on leur pourrait tourner en crime ? Il y a bien de la différence entre des brevets de cette façon et des brevets qu'on aurait donnés pour vous accuser. »

Vous pouvez croire comme la Compagnie fut radoucie par ce discours : le feu monta au visage de tout le monde ; il parut encore plus dans les exclamations que dans les yeux. Le premier président, qui ne s'*étonnait pas du bruit, prit sa longue barbe avec la main, qui était son geste ordinaire quand il se mettait en colère : « Patience, Messieurs ! allons d'ordre. MM. de Beaufort, Coadjuteur et de Broussel, vous êtes accusés ; il y a des conclusions contre vous, sortez de vos places. » Comme M. de Beaufort et moi voulûmes en sortir, M. de Broussel nous retint en disant : « Nous ne devons, Messieurs, ni vous ni moi, sortir, jusques à ce que la Compagnie nous l'ordonne ; et d'autant moins, que Monsieur le Premier Président, que tout le monde sait être notre partie[1], doit sortir si nous sortons. » Et j'ajoutai : « Et Monsieur le Prince » ; qui entendant que je le nommais, dit avec la fierté que vous lui connaissez, et pourtant avec un ton moqueur : « Moi, moi ! » A quoi je lui répondis : « Oui, Monsieur, la justice *égale tout le monde. » Le président de Mesmes prit la parole et lui dit : « Non, Monsieur ; vous ne devez point sortir, à moins que la Compagnie ne l'ordonne. Si Monsieur le Coadjuteur le souhaite, il faut qu'il le demande par une requête. Pour lui, il est accusé, il est de l'ordre qu'il sorte ; mais puisqu'il en fait difficulté, il en faut opiner. » L'on était si échauffé contre cette accusation et contre ces témoins à brevet, qu'il y eut plus de quatre-vingts voix à nous faire demeurer dans nos places, quoiqu'il n'y eût rien au monde de plus contraire aux formes. Il *passa enfin à ce que nous nous retirassions ; mais la plupart des avis furent des panégyriques pour nous, des satires contre le ministère, des anathèmes contre les brevets.

Nous avions des gens dans les *lanternes, qui ne manquaient pas de jeter des bruits de ce qui se passait dans la salle ; nous en avions dans la salle, qui les répandaient dans les rues. Les curés et les habitués des paroisses ne s'oubliaient pas. Le peuple accourut en foule de tous les quartiers de la ville au Palais. Nous y étions entrés à sept heures du matin ; nous n'en sortîmes qu'à cinq heures du soir. Dix heures donnent un grand temps de s'assembler. L'on se portait dans la grande salle, l'on se portait dans la galerie, l'on se portait sur le degré, l'on se portait dans la cour ; il n'y avait que M. de Beaufort et moi qui ne portassions personne et qui fussions portés. L'on ne manqua point de respect ni à Monsieur, ni à Monsieur le Prince ; mais on n'observa pas toutefois tout celui qu'on leur devait, parce qu'en leur présence une infinité de voix s'élevaient qui criaient : « Vive Beaufort ! vive le coadjuteur ! »[a]

Nous sortîmes ainsi du Palais, et nous allâmes dîner, à six heures du soir, chez moi, où nous eûmes peine à aborder, à cause de la foule du peuple. Nous fûmes avertis, sur les onze heures du soir, que l'on avait pris résolution au Palais-Royal de ne pas assembler les chambres le lendemain ; et le président de Bellièvre, à qui nous le fîmes savoir, nous conseilla de nous trouver, dès sept heures, au Palais, pour en demander l'assemblée. Nous n'y manquâmes pas.

M. de Beaufort dit au premier président que l'État et la maison royale étaient en péril ; que les moments étaient pré-

; qu'il fallait faire un exemple des coupables. Enfin il lui répéta les mêmes choses que le premier président avait dites la veille avec *exagération et emphase. Il conclut par la nécessité d'assembler, sans perdre d'instant, la Compagnie. Le *bonhomme Broussel attaqua personnellement le premier président, et même avec emportement. Huit ou dix conseillers des Enquêtes entrèrent incontinent dans la Grande Chambre, pour témoigner l'étonnement où ils étaient qu'après une conjuration aussi furieuse, on demeurait les bras croisés, sans en poursuivre la punition. MM. Bignon et Talon, avocats généraux, avaient merveilleusement échauffé les esprits, parce qu'ils avaient dit, au parquet [1] des gens du Roi, qu'ils n'avaient eu aucune part des conclusions et qu'elles étaient ridicules. Le premier président répondit très sagement à toutes les paroles les plus piquantes qui lui furent dites, et il les souffrit toutes avec une patience incroyable, dans la vue qu'il eut, et qui était bien fondée, que nous eussions été bien aises de l'obliger à quelque repartie qui eût pu fonder ou appuyer une récusation.

Nous travaillâmes, dès l'après-dînée, à envoyer chercher nos amis dans les provinces, ce qui ne se faisait pas sans dépense, et M. de Beaufort n'avait pas un sol. Lauzières, duquel je vous ai déjà parlé à propos des bulles de la coadjutorerie de Paris [2], m'apporta trois mille pistoles, qui suppléèrent à tout. M. de Beaufort espérait de tirer du Vendômois et du Blésois soixante gentilshommes et quarante des environs d'Anet ; il n'en eut en tout que cinquante-quatre. J'en tirai de Brie quatorze, et Annery m'en amena quatre-vingts du Vexin, qui ne voulurent jamais prendre un *double de moi, qui ne souffrirent pas que je payasse dans les hôtelleries, et qui demeurèrent, dans tout le cours de ce procès, attachés et assidus auprès de ma personne, comme s'ils eussent été mes gardes. Ce détail n'est pas de grande considération ; mais il est remarquable, parce qu'il est très extraordinaire que des gens qui ont leurs maisons à dix, à quinze et à vingt lieues de Paris aient fait une action aussi hardie et aussi *constante contre les intérêts de toute la cour et de toute la maison royale unie. Annery pouvait tout sur eux et je pouvais tout sur Annery, qui était un des hommes du monde des plus fermes et des plus fidèles. Vous verrez, à la suite, à quel usage nous destinions cette noblesse.

Je prêchai, le jour de Noël, dans Saint-Germain-de-l'Auxerrois. J'y traitai particulièrement ce qui regarde la charité chré-

tienne, et je ne touchai quoi que ce soit de ce qui pouvait avoir
le moindre rapport aux affaires présentes. Toutes les bonnes
femmes pleurèrent, en faisant réflexion sur l'injustice de la
persécution que l'on faisait à un archevêque qui n'avait que
de la tendresse pour ses propres ennemis. Je connus, au sortir
de la *chaise, par les bénédictions qui me furent données, que
je ne m'étais pas trompé dans la pensée que j'avais eue que ce
sermon ferait un bon effet : il fut incroyable, et il passa de
bien loin mon *imagination [a].

Il arriva, à propos de ce sermon, un incident très ridicule
pour moi, mais dont je ne me puis empêcher de vous rendre
compte, pour avoir la satisfaction de n'avoir rien omis. Mme
de Brissac, qui était revenue depuis trois ou quatre mois à
Paris, avait une petite incommodité que monsieur son mari lui
avait communiquée à dessein, à ce qu'elle m'a dit depuis, et
par la haine qu'il avait pour elle. Je crois, sans raillerie, que,
par le même principe, elle se résolut à m'en faire part. Je ne
la cherchais nullement : elle me rechercha : je ne fus pas cruel.
Je m'aperçus que j'eusse mieux fait de l'être, justement quatre
ou cinq jours devant que le procès criminel commençât. Mon
médecin ordinaire se trouvant par malheur à l'extrémité, et un
chirurgien domestique que j'avais venant de sortir de chez
moi, parce qu'il avait tué un homme, je crus que je ne me
pouvais mieux adresser qu'au marquis de Noirmoutier, qui
était mon ami intime, et qui en avait un très bon et très
*affidé ; et quoique je le connusse assez pour n'être pas secret,
je ne pus pas m'imaginer qu'il pût être capable de ne l'être
pas en cette occasion. Comme je sortis de chaire, Mlle de
Chevreuse dit : « Voilà un beau sermon. » Noirmoutier, qui
était auprès d'elle, lui répondit : « Vous le trouveriez bien plus
beau, si vous saviez qu'il est si malade à l'heure qu'il est, qu'un
autre que lui ne pourrait pas seulement ouvrir la bouche. » Il
lui fit entendre la maladie à laquelle j'avais été obligé, l'avant-
veille, en parlant à elle-même, de donner un autre tour. Vous
pouvez juger du bel effet que cette indiscrétion, ou plutôt que
cette trahison produisit. Je me raccommodai bientôt avec la
demoiselle ; mais je fus assez idiot pour me raccommoder avec
le cavalier, qui me demanda tant de pardons et qui me fit tant
de protestations, que j'excusai ou sa passion ou sa légèreté.
Mlle de Chevreuse croyait la première, dont elle fut très peu
reconnaissante ; je crois plutôt la seconde. La mienne ne fut

pas moindre de lui confier, après un tour pareil à celui-là, une place aussi considérable que le Mont-Olympe. Vous verrez ce détail dans la suite, et comme il fit *justice à mon *impertinence, car il m'abandonna et me trompa pour la seconde fois. L'inclination naturelle que nous avons pour quelqu'un se glisse imperceptiblement dans le pardon des offenses, sous le titre de générosité ; Noirmoutier était fort aimable pour la vie commune, *commode et enjoué[a].

Je ne continuerai pas, par la date des journées, la suite de la procédure qui fut faite au Parlement contre nous, parce que je vous ennuierais par des répétitions fort inutiles, n'y ayant eu, depuis le 29 de décembre 1649 qu'elle recommença, jusques au 18 de janvier 1650 qu'elle finit, rien de considérable que quelques circonstances que je vous *remarquerai succinctement, pour pouvoir venir plus tôt à ce qui se passa dans le *cabinet, où vous trouverez plus de divertissement que dans les formalités de la Grande Chambre.

Ce 29, que je vous viens de marquer, nous entrâmes au Palais avant que messieurs les princes y fussent arrivés, et nous y vînmes ensemble, M. de Beaufort et moi, avec un corps de noblesse qui pouvait faire trois cents gentilshommes. Le peuple, qui était revenu jusques à la fureur dans sa chaleur pour nous, nous donnait assez de sûreté ; mais la noblesse nous était bonne, tant pour faire paraître que nous ne nous traitions pas simplement de tribuns du peuple, que parce que, faisant *état de nous trouver tous les jours au Palais, dans la quatrième chambre des Enquêtes, qui répondait à la Grande, nous étions bien aises de n'être pas exposés, dans un lieu où le peuple ne pouvait pas entrer, à l'*insulte des gens de la cour, qui y étaient pêle-mêle avec nous. Nous étions en conversation les uns avec les autres ; nous nous faisions civilités, et nous étions, huit ou dix fois tous les matins, sur le point de nous étrangler, pour peu que les voix s'élevassent dans la Grande Chambre : ce qui arrivait assez souvent par la contestation, dans la chaleur où étaient les esprits. Chacun regardait le mouvement de chacun, parce que tout le monde était dans la défiance. Il n'y avait personne qui n'eût un poignard dans la poche ; et je crois pouvoir dire, sans exagération, que, sans excepter les conseillers, il n'y avait pas vingt hommes dans le Palais qui n'en fussent garnis. Je n'en avais point voulu porter, et M. de Brissac m'en fit prendre un, presque par force, un jour où il paraissait qu'on pourrait s'échauffer plus qu'à l'ordinaire. Cette arme, qui à la vérité était peu convenable à ma profession, me causa un *chagrin qui me fut plus sensible qu'un plus grand. M. de Beaufort, qui était fort lourd, voyant la garde du stylet, dont le bout paraissait un peu hors de ma poche, le montra à Arnauld, à La Moussaye, à Des Roches, capitaine des gardes de Monsieur le Prince, en leur disant : « Voilà le bréviaire de Monsieur le Coadjuteur. » J'entendis la raillerie, mais je ne la soutins jamais de bon cœur.

Nous présentâmes requête au Parlement pour récuser le premier président comme notre ennemi, ce qu'il ne soutint pas avec toute la fermeté d'âme qui lui était naturelle. Il en parut touché et même abattu.

La délibération, pour admettre ou ne pas admettre la récusation, dura plusieurs jours. L'on opina d'apparat, et il est *constant que cette matière fut épuisée. Il *passa enfin, de quatre-vingt-dix-huit voix à soixante et deux, qu'il demeurerait juge ; et je suis persuadé que l'arrêt était juste, au moins dans les formes du Palais ; car je suis persuadé, en même temps, que ceux qui n'étaient pas de cette opinion avaient raison dans le fond, ce magistrat témoignant autant de passion qu'il en faisait voir en cette affaire ; mais il ne la connaissait pas lui-même. Il était *préoccupé, mais son intention était bonne.

Le temps qui se passa depuis le jugement de cette récusation, qui fut le quatrième de janvier, ne fut employé qu'à des chicanes, que Champrond, qui était l'un des rapporteurs, et qui était tout à fait dépendant du premier président, faisait autant qu'il pouvait pour différer et pour voir si on ne tirerait point quelque lumière de la prétendue conjuration, par un certain Rocquemont, qui avait été lieutenant de La Boulaye en la guerre civile, et par un nommé Belot, syndic des rentes, qui était prisonnier en la Conciergerie.

Ce Belot, qui avait été arrêté sans décret, faillit à être la cause du bouleversement de Paris. Le président de La Grange remontra qu'il n'y avait rien de plus opposé à la déclaration[1], pour laquelle on avait fait de si grands efforts autrefois. Monsieur le Premier Président soutenant l'emprisonnement de Belot, Daurat, conseiller de la troisième, lui dit qu'il s'étonnait qu'un homme pour l'exclusion duquel il y avait eu soixante et deux voix se pût résoudre à violer les formes de la justice à la vue du soleil. Le premier président se leva de colère, en disant qu'il n'y avait plus de discipline, et qu'il *quittait sa place à quelqu'un pour qui l'on aurait plus de considération que pour lui. Ce mouvement fit une commotion et un trépignement dans la Grande Chambre, qui fut entendu dans la quatrième, et qui fit que ceux des deux partis qui y étaient se démêlèrent avec précipitation les uns d'avec les autres pour se remettre ensemble. Si le moindre laquais eût tiré l'épée en ce moment dans le Palais, Paris était *confondu.

Nous pressions toujours notre jugement, et l'on le différait toujours tant qu'on pouvait, parce que l'on ne se pouvait empêcher de nous absoudre et de condamner les témoins à *brevet. Tantôt l'on prétendait que l'on était obligé d'attendre un certain Des Martineaux, que l'on avait arrêté en Normandie pour avoir crié contre le ministère dans les assemblées des rentiers, et que je ne connaissais pas seulement ni de visage ni de nom en ce temps-là ; tantôt l'on *incidentait sur la manière de nous juger, les uns prétendant que l'on devait juger ensemble tous ceux qui étaient nommés dans les informations, les autres ne pouvant souffrir que l'on confondît nos noms avec ceux de ces sortes de gens que l'on avait impliqués en cette affaire. Il n'y a rien de si aisé qu'à *couler des matinées sur des procédures, où il ne faut qu'un mot pour faire parler cinquante hommes. Il fallait à tout moment relire ces misérables informations, dans lesquelles il n'y avait pas assez d'indice, je ne dis pas de preuve, pour faire donner le fouet à un *crocheteur. Voilà l'état du Parlement jusques au 18 de janvier 1650 ; voilà ce que tout le monde voyait ; voici ce que personne ne savait, que ceux qui étaient dans la machine.

Notre première apparition au Parlement, jointe au ridicule des informations qui avaient été faites contre nous, changea si fort tous les esprits, que tout le public fut persuadé de notre innocence, et que je crois même que ceux qui ne la voulaient pas croire ne pouvaient pas s'empêcher de trouver bien de la difficulté à nous faire du mal. Je ne sais laquelle des deux raisons obligea Monsieur le Prince à s'adoucir, cinq ou six jours après la lecture des informations. M. de Bouillon m'a dit depuis, plus d'une fois, que le peu de preuve qu'il avait trouvé à ce que la cour lui avait fait voir d'abord comme clair et comme certain lui avait donné de bonne heure de violents soupçons de la tromperie de Servien et de l'artifice du Cardinal, et que lui, M. de Bouillon, n'avait rien oublié pour le confirmer dans cette pensée. Il ajoutait que Chavigny, quoique ennemi du Mazarin, ne l'aidait pas en cette occasion, parce qu'il ne voulait pas que Monsieur le Prince se rapprochât des Frondeurs. Je ne puis accorder cela avec l'avance que Chavigny me fit faire en ce temps-là, par Du Gué-Bagnols, père de celui que vous connaissez, son ami et le mien. Il nous fit voir la nuit chez lui[a], où M. de Chavigny me témoigna qu'il se serait cru le plus heureux homme du monde, s'il eût pu contribuer à l'accommodement. Il me témoigna que Monsieur le Prince était fort persuadé que nous n'avions point eu de dessein contre lui ; mais qu'il était engagé et à l'égard du monde et à l'égard de la cour : que pour ce qui était de la cour, l'on eût pu trouver des *tempéraments ; mais qu'à l'égard du monde, il était difficile d'en trouver qui pût satisfaire un premier prince du sang, auquel on disputait, publiquement et les armes à la main, le pavé, à moins que je me résolusse de le lui *quitter, au moins pour quelque temps. Il me proposa, en conséquence, l'ambassade ordinaire de Rome, l'extraordinaire à l'Empire, dont on parlait à propos de je ne sais quoi. Vous jugez bien quelle put être ma réponse. Nous ne convînmes de rien, quoique je n'oubliasse rien pour faire connaître à M. de Chavigny la *passion extrême que j'avais de rentrer dans les bonnes grâces de Monsieur le Prince. Je demandai un jour à Monsieur le Prince, à Bruxelles, le dénouement de ce que M. de Bouillon m'avait dit et de cette négociation de Chavigny, et je ne me puis remettre ce qu'il me répondit. Ma conférence avec M. de Chavigny fut le 30 de décembre.

Fin du tome premier

NOTES ET VARIANTES

LA CONJURATION
DE JEAN-LOUIS DE FIESQUE

Pour la nomenclature des copies manuscrites et des éditions, voir plus haut, Introduction, *p. 54 sqq. Nous nous sommes borné ici à quelques variantes significatives. Pour un relevé plus complet, voir l'édition de D.A. Watts. Faute de pouvoir reproduire* in extenso *le texte de l'édition de 1682, nous avons présenté comme des variantes quelques indications sur les principales modifications qu'il comporte.*

Page 171

a. var. ... un état que l'on pouvait [appeler bien raisonnablement ACD] [bien raisonnablement appeler B] [une félicité douteuse ABCD]. Elle jouissait...

b. Dans l'édition de 1682, les deux premières phrases sont identiques, à cette réserve près que les adjectifs *glorieuse* (tranquillité) et *grand* (Charles Quint) disparaissent. La suite du paragraphe est condensée, la comparaison médicale éliminée. En revanche un développement historique rétrospectif très précis vient rappeler la grandeur passée de la cité et expliquer les causes de sa décadence. La mention des différentes factions qui la déchirent permet ensuite de faire le raccord avec le texte de 1665 (« la noblesse... », ligne 22).

1. Voici, en gros, quelle était la situation lors de la prise du pouvoir par Andrea Doria en 1528. La République de Gênes se débattait depuis près de deux siècles dans un état proche de l'anarchie. La société y était traditionnellement divisée en deux classes : l'aristocratie — les *nobili* — et le peuple — les *popolani* ou *popolari* —. Les nobles se regroupaient en familles, au sens large du terme — on disait *alberghi* —, qu'opposaient entre elles de multiples rivalités. Mais l'évolution économique avait creusé un fossé entre la vieille aristocratie foncière, dont faisaient partie les Fieschi, et les grandes familles qui avaient su ajouter aux revenus de la terre les fructueux profits

554 LA CONJURATION DE JEAN-LOUIS DE FIESQUE

de l'artisanat de luxe, du commerce ou de la banque. D'autre part certaines familles issues du peuple, mais enrichies, avaient revendiqué leur part de considération et de pouvoir. S'appuyant sur une révolte populaire, elles avaient réussi à faire prévaloir, en 1339, un régime d'inspiration démocratique : un doge élu à vie parmi les *popolani* devait gouverner la cité en protégeant les plus pauvres. En fait d'incessants conflits entre familles rivales, sur lesquels s'était greffée l'opposition entre guelfes et gibelins lors de la lutte du sacerdoce et de l'Empire, avaient engendré une instabilité politique chronique, avec pour conséquences le soulèvement des territoires que Gênes avait soumis à son autorité, notamment de la ville de Savone, et la convoitise des puissants du jour, le duc de Milan et surtout le roi de France et l'empereur d'Allemagne. Au XVIᵉ siècle la cité devient, comme la plupart des États d'Italie, un enjeu dans la guerre que se livrent François Iᵉʳ et Charles Quint.

Andrea Doria, quittant le service de la France dont il commandait la flotte, opère un brusque renversement d'alliances ; il débarrasse sa patrie de l'occupation française et en place la neutralité sous la protection plus discrète de l'Empereur : celui-ci reconnaît en 1544, par le traité de Crépy, l'indépendance de la cité ligure redevenue prospère grâce au commerce avec l'Espagne. D'où les titres accordés à Doria de restaurateur de la liberté et de père de la patrie. Mais il réforme en même temps la constitution dans un sens oligarchique : il incorpore à la noblesse les plus puissantes des familles populaires et lui réserve la totalité du pouvoir ; les très nombreux artisans et l'énorme masse des ouvriers sont privés de tous droits politiques. Il restait donc dans la cité d'importantes sources de tensions.

Le projet de Fiesque était sans doute, selon un schéma fréquent dans les cités italiennes, de s'appuyer sur le peuple pour instaurer à son profit un « principat » du type de celui des Sforza à Milan ou des Médicis à Florence. Le fait qu'il ait tenu à se passer du secours de la France donne à penser qu'il avait mesuré l'importance économique de l'alliance espagnole, qui avait ouvert au commerce génois l'immense marché de la péninsule : une fois maître de Gênes, rien ne l'empêchait de rester l'allié de Charles Quint. Son entreprise était peut-être moins chimérique que ne l'ont dit ses détracteurs. Mais il est vain de s'interroger sur les suites d'une éventuelle victoire de Fiesque. Ce qui est sûr, c'est que la constitution imposée en 1528 par Doria se révéla viable, puisqu'elle dura jusqu'à l'entrée des troupes de Bonaparte en Ligurie.

Page 172

a. En 1682, l'exposé sur les dissentiments entre Doria et la France, qui débute ici, est développé et enrichi. En revanche les réflexions sur les fautes des ministres sont réduites.

b. var. Mais [le malheur fatal des grands princes qui ne ABCD] [se AB] [conservent presque jamais les grands hommes ABCD] fit perdre à la France...

1. C'est-à-dire aux premiers combats auxquels Doria avait participé pour le compte de la France.

2. Allusion aux difficultés rencontrées par François Iᵉʳ pour le financement des guerres d'Italie.

Page 173

a. En 1682, le récit de la trahison de Doria, remanié, est assorti de précisions d'ordre historique, mais aussi d'une curieuse justification surnaturelle : Doria aurait vu en songe « un homme vénérable, qui l'avait averti qu'il était perdu s'il ne prenait le parti de l'Empereur ».

1. Assignation : ordre aux trésoriers d'État de payer une dette sur un fonds déterminé. Les assignations portaient parfois sur un fonds déjà épuisé : les créanciers n'avaient d'autre recours que de les vendre à vil prix à quelque financier ayant assez de crédit pour les faire réassigner sur un autre fonds et en obtenir le paiement.

2. L'information historique de Retz est incertaine. Philibert de Châlons, prince d'Orange, avait été pris par Andrea Doria lui-même, et non par son neveu, non pas à Naples, mais à Portofino, près de Gênes ; traître à François Iᵉʳ, le prince avait été réclamé par celui-ci non pour être libéré, mais pour être emprisonné. Le marquis Del Vasto (ici francisé en *de Gast*) et le connétable Colonna avaient bien été pris par Philippin Doria le 28 avril 1528 près de Naples. L'édition de 1682 rectifie les erreurs de celle de 1665.

3. Savone, cité autonome à l'intérieur d'une fédération dominée par Gênes, s'était séparée de celle-ci et avait sollicité la protection de la France. Elle risquait de devenir une concurrente de Gênes sur le plan commercial.

4. Le thème des « mauvais conseillers », qui est un des *topoi* de la littérature politique du temps, interfère bizarrement ici avec un thème machiavélien, celui des dangers courus par les hommes qui ne sont méchants qu'à demi (voir *Mémoires*, II, p. 154).

5. Les « mauvaises suites » de la défection de Doria sont encore perceptibles au moment où Retz écrit, puisque l'Italie est à nouveau, sous le règne de Louis XIII, un terrain d'affrontement entre la France et l'Espagne.

Page 174

a. Les considérations sur l'amour des Génois pour la nouveauté disparaissent ici et page suivante de l'éd. de 1682.

1. Retz mentionne bien, comme Mascardi, les graves torts de la France envers Doria. Mais en mettant ces torts sur le compte exclusif des ministres, il en absout le roi, à l'égard de qui l'amiral ne se trouve donc pas délié de ses engagements. D'où l'accusation d'ingratitude. De plus les circonstances de son changement de camp, en plein siège de Naples, en font une véritable trahison. Ce double reproche ne figurait pas, bien entendu, chez Mascardi.

Page 175

a. Dans l'éd. de 1682, le récit de la prise de Gênes est étoffé.

b. var. ...dans les rues [: *Liberté* ! *Doria* ! *Liberté* ! 1682], les uns...

c. L'éd. de 1682 fournit beaucoup plus de détails sur la nouvelle constitution établie par Doria.

1. Le *Châtelet* (forme francisée de *Castelletto*) : ouvrage fortifié dominant la ville.

Page 176

    a. 1682 donne un résumé des exploits de Doria au service de l'Empereur.
    b. 1682 concède à Jeannetin Doria des qualités militaires.

    1. Ces commentaires sur la conduite de Doria ne doivent rien à Mascardi : ils sont entièrement de Retz.
    2. La *qualité* de simple *citoyen*. Tandis que Mascardi vantait les « rares qualités » de Jeannetin, que son intelligence et sa valeur militaire désignaient comme le plus digne successeur d'Andrea Doria, Retz met l'accent sur son arrogance.
    3. Cette maxime politique est le simple développement d'une observation de Mascardi ; mais Retz étend à tous les États ce qui ne s'appliquait chez l'Italien qu'aux villes libres, c'est-à-dire aux républiques (oligarchiques ou populaires) : il songe évidemment à la France.
    4. Retz présente ici, conformément aux règles du genre historiographique, un *portrait* de son héros. Bien entendu, ce portrait est aussi flatté chez lui qu'il était poussé au noir chez Mascardi. Voici, dans la traduction de Bouchard, comment ce dernier représentait Fiesque :

> « Jean-Louis de Fiesque, jeune homme de courage et d'esprit, mais qui avoit des desseins trop hasardeux et trop violents, alloit alors fantastiquant en son esprit les moyens pour pouvoir s'accroître en réputation et en grandeur. Il étoit sorti de l'illustre maison des seigneurs de Lavagna, et étoit également puissant en États, en vassaux et en partisans. Non content néanmoins d'une condition si avantageuse, qu'il avoit héritée de ses aïeux, il se laissoit emporter par la fougue de la jeunesse et par l'ambition, qui est la maladie ordinaire des âmes nobles, à des espérances dangereuses. Dès qu'il étoit petit garçon, il donna des signes évidents d'un orgueil et d'une fierté qui passoit son âge : d'où les hommes d'entendement prévoyaient que cet enfant venoit au monde pour troubler le repos de son pays. Les mauvaises inclinations que la nature lui avoit données en sa naissance furent suivies d'une pire éducation, peste incurable de la jeunesse. Car encore que l'on lui eût donné pour maître aux bonnes lettres Paul Pansa, homme docte et de bonnes mœurs, ceux néanmoins qui l'approchoient avec plus de familiarité étoient gens vicieux et méchants, mettant toute leur étude à entretenir et à fomenter par flatteries dans l'esprit de Fiesque, les desseins dangereux de nouveauté, auxquels il[s] donnoi[en]t devant lui le nom de nobles et de généreux. Et la mère ne manquoit point de son côté à mettre, comme on dit d'ordinaire, du bois au feu naissant ; car ayant plus d'ambition que de prudence, elle irritoit l'esprit et le courage de son orgueilleux fils par des paroles aigres et piquantes, comme si, en demeurant ravalé dans une condition privée, il eût dégénéré de ses ancêtres, qui avoient dedans et dehors leur pays tenu toujours un plus haut rang ; et afin que rien ne manquât de ce qui pouvoit entièrement faire précipiter cet esprit, qui étoit déjà si fort sur le penchant, Fiesque, suivant le conseil de ses amis, se mit à lire soigneusement la Vie de Néron, la Conjuration de Catilina, et le petit livre du *Prince* de Machiavel. De la lecture de ces livres il se sentit peu à peu couler dans l'esprit la cruauté, la perfidie et l'amour de son propre intérêt, par-dessus toute sorte de

considérations et de lois tant humaines que divines. Et d'abord, lisant ces choses avec admiration et étonnement, et les détestant en soi-même comme étant indignes d'un cavalier, il lui sembla par après qu'elles pouvoient s'excuser sur l'exemple des grands, lequel est reçu par ceux qui font profession de s'entendre aux affaires d'État. Tant est puissant au bien et au mal tout ce qui part de la plume d'un homme éloquent et habile à persuader, que même cela change insensiblement le cœur et les volontés des lecteurs. »

Dans l'édition de 1682, le portrait de Fiesque est plus développé. Un rôle important est accordé dans son éducation à sa mère, née Maria Della Rovere, qui avait encouragé ses ambitions. Ce rôle sera exploité par Schiller.

5. Sa famille se disait d'origine princière (Bavière ou Bourgogne), installée en Ligurie au XIIᵉ siècle. La lignée paternelle du comte Jean-Louis avait fourni plus de soixante-dix cardinaux et deux papes, la lignée maternelle deux papes également, dont le célèbre Jules II, son grand-oncle.

Page 177
1. On remarquera que le dessein proprement politique — changer le gouvernement de Gênes — est entièrement subordonné au désir individualiste de grandeur et de gloire.

2. Cette comparaison rhétorique, conforme au goût du temps de Louis XIII, disparaît de l'éd. de 1682. Elle ne figurait pas chez Mascardi. Retz l'a empruntée à Machiavel ; mais dans le chapitre XXV du *Prince,* elle est appliquée à un objet différent (la fortune) et vient illustrer une argumentation opposée :

« Je comparerais volontiers la puissance aveugle du hasard à un fleuve rapide qui, venant à déborder, inonde la plaine, déracine les arbres, renverse toutes les habitations et entraîne au loin les terres qui bornaient son lit, sans qu'on ose ou qu'on puisse s'opposer à sa fureur ; ce qui n'empêche pas que lorsqu'il est rentré dans ses limites on ne puisse construire des digues et des chaussées afin de le canaliser et de diminuer ses violences. Il en est de même de la fortune : elle exerce sa puissance, lorsqu'on ne lui oppose aucune barrière ; elle fait porter son effort sur les points mal défendus. »

Le rapprochement est suggestif pour une réflexion sur la fonction de ce type de figures...

3. Affirmation gratuite. Le cas de Fiesque est pour Retz un *exemplum,* qu'il traite selon les règles d'une sorte de logique théorique : puisque les obstacles exacerbent l'ambition, inversement leur absence doit la modérer. Cette réflexion maladroite disparaît de l'éd. de 1682.

Page 178
1. Le paragraphe qui commence ici et le suivant sont un résumé fidèle du discours que Mascardi prête au cardinal Trivulce. Mais la réflexion qui termine le second est de Retz.

Page 179
a. Dans le passage qui débute ici et se termine en haut de la page 181, l'éd. de 1682 réduit beaucoup la part des réflexions au profit d'une narration historique qui gagne en précision.

b. var. ... dans [la roque de ABCD] Montobio...

1. Montobio ou *Montoggio* : ce château-fort, situé dans la montagne à une quinzaine de kilomètres au nord de Gênes, appartenait aux Fiesque ; il passait pour imprenable.

2. Cette comparaison a en commun avec la précédente non seulement la thématique des forces de la nature, qui place les « grandes actions » dans un climat d'exception et de paroxysme, mais l'idée que les obstacles concentrent et galvanisent les énergies : conviction chère à Retz, qu'on retrouve dans les *Mémoires*.

Page 180
1. C-à-d. « ont blâmé cette conduite comme irréfléchie ».
2. On voit encore ici à l'œuvre la logique de Retz, qui prend presque la forme d'un syllogisme : tous ceux qui sont guidés par l'intérêt et la volonté de puissance plutôt que par l'honneur et l'ambition généreuse ont commencé par la soumission et les bassesses ; Fiesque n'a pas commencé par la soumission ; donc il n'était pas mû par l'intérêt. On est tenté de penser que l'allusion à la patience soumise et aux abaissements honteux vise le début de la carrière de Richelieu, qui dut subir bien des humiliations avant de parvenir au faîte du pouvoir.

Page 181
a. En 1682, les rôles de Vincent Calcagno et de Raphaël Sacco sont intervertis : c'est donc ce dernier qui est chargé de tenir le discours de la prudence, dont la substance est, en gros, la même. Mais certaines comparaisons disparaissent (notamment la première) et la rhétorique est allégée. Quelques erreurs historiques sont réparées (voir p. 183, note 2).

1. L'amour, la *crainte* et l'*intérêt*, comme instruments du pouvoir sur les hommes : trois données qui renvoient explicitement à Machiavel. Voir notamment *Le Prince*, chap. XVII :

> « Les hommes en général sont plus portés à ménager celui qui se fait craindre que celui qui se fait aimer. La raison en est que l'amitié, étant un lien simplement moral de reconnaissance, ne peut tenir contre les calculs de l'intérêt ; au lieu que la crainte a pour base un châtiment dont l'idée reste toujours vivante. »

2. Le pronom *les* remplace *mauvais traitements.*
3. L'expression *jeunes personnes* peut désigner au XVIIe siècle des personnages masculins.

Page 182
1. François Ier, qui avait fait en 1537 une tentative infructueuse pour chasser de Gênes Andrea Doria.

Page 183
1. Encore un écho de Machiavel : voir le passage cité p. 181, n. 1.
2. Erreur historique, rectifiée dans l'éd. de 1682. A la date de la conjuration de Fiesque (1547), la France n'était pas en guerre contre Charles Quint, le traité de Crépy-en-Valois ayant mis fin aux hostilités en 1544. Il

est vrai que cette paix a pu apparaître, surtout après coup, comme précaire, puisque la guerre reprit en 1551 entre Henri II et Charles Quint.

Page 184

1. Calcagno suggère ici à Fiesque, qui rêve de puissance et de gloire, de s'engager auprès d'un souverain étranger, suivant en cela l'exemple d'Andrea Doria lui-même. L'existence de ces aventuriers de la guerre, se mettant, individuellement ou avec leurs armées, à la solde du plus offrant, est un trait caractéristique du XVIᵉ siècle et de la première moitié du XVIIᵉ (ce fut le cas de Spinola, de Wallenstein, de Bernard de Saxe-Weimar, etc.).

2. Ce passage rappelle les réflexions de Machiavel sur les principautés nouvellement conquises et la difficulté qu'on trouve à s'y maintenir : voir notamment *Le Prince*, chap. VII.

Page 185

1. L'hostilité manifeste du parti pompéien et du Sénat fournit en effet une excuse à la désobéissance de César et à son refus de licencier ses troupes, et elle lui assura des partisans.

2. « *Je donne à vos sentiments* » : « supposons, comme vous le pensez, que... », « admettons que... »

3. Machiavel dit au prince, au sujet de ceux qui l'ont aidé à conquérir le pouvoir :

> « Vous ne pouvez conserver pour amis ceux qui vous y ont placé. En effet vous ne pouvez remplir les espérances qu'ils avaient conçues de vous ; vous ne pouvez non plus employer vis-à-vis d'eux des moyens rigoureux, étant leur obligé » (chap. III ; voir aussi chap. IV).

Page 186

a. var. ...pour celle [qui fait les plus noirs criminels ABCD]. Songez que si...

b. var. ...et des [choses funestes. Faites changer d'objet à votre ambition, ABCD] [apprenez AB] [souvenez-vous CD] que...

c. var. ...à régler votre ambition [: la véritable grandeur de courage consiste à dompter ses passions ; si celle d'acquérir de la gloire vous presse si fort, cherchez-en des occasions légitimes. N'avons-nous pas l'ennemi commun de la chrétienté ? N'y a-t-il pas des corsaires qui courent les mers et troublent notre commerce ? C'est contre eux qu'il est glorieux de prendre les armes ; employez votre valeur et vos richesses à cet usage ; vous n'en recevrez que des louanges, et peut-être qu'en signalant votre nom dans ces emplois, la fortune vous en présentera d'autres que vous pourrez embrasser avec honneur 1682]. Le comte...

1. La référence à Catilina est dépréciative dans la bouche de Calcagno. L'expression de *parricide du peuple* est sans doute calquée sur celles de *parricide des citoyens* ou *de la patrie*, employées par Florus ou par Cicéron pour qualifier le fameux conspirateur.

2. À la suite d'Aristote, les moralistes de la première moitié du XVIIᵉ siècle faisaient une distinction entre la magnanimité active, celle que les Romains appellent *magnitudo animi*, vertu guerrière offensive, qui incite aux actions d'éclat, et la magnanimité philosophique, vertu de résistance aux vicissitudes de la fortune, qui se teinte à Rome de stoïcisme, sous le nom de *magnanimitas*. Opposition classique, qui nourrit par exemple la *Pharsale* de Lucain, et qu'exploite ici la rhétorique de Calcagno. On trouve une évocation presque identique de la *magnanimitas* dans les *Mémoires*, lors de l'emprisonnement du Cardinal (II, p. 454 et n. 2). Sur ce point, on consultera : Marc Fumaroli, « L'héroïsme cornélien et l'idéal de la magnanimité », dans *Héroïsme et création littéraire*, Colloque de Strasbourg 1972, Actes et colloques, Klincksieck 1974.

Page 187

a. var. Puisque vous ne [pouvez pas avoir l'autre sans crime et sans extravagance, embrassez ABCD] celle-ci...

b. Dans l'éd. de 1682, la harangue de Verrina est réduite d'environ un tiers. Outre les modifications de style visant à condenser, on observe une redistribution décisive des arguments. Verrina propose d'abord à Fiesque de délivrer sa patrie : « Tout homme qui aime son pays et qui a de la vertu, peut non seulement, mais doit s'opposer à la tyrannie ». Les perspectives de gloire font figure d'incitation supplémentaire et les risques attachés à l'inaction viennent prévenir de possibles scrupules. Ce qui était conçu dans les manuscrits et en 1665 comme une entreprise essentiellement individualiste, en vue d'une illustration personnelle du comte, prend en 1682 dans la bouche de Verrina des allures d'insurrection patriotique. La conjuration s'en trouve moralisée. On voit disparaître les réflexions provocantes sur la morale des grands distincte de celle du peuple (t. I, p. 192), ainsi qu'une bonne partie des oppositions rhétoriques entre l'honneur et l'intérêt. Ces particularités expliquent l'interprétation de Schiller, qui a travaillé sur le texte de 1682.

c. var. ...les remèdes nécessaires. [La Providence n'a pas encore tellement abandonné cette république que tous ses membres soient assoupis ABCD], et le comte Jean-Louis...

Page 188

a. var. ...parce que [l'on prend beaucoup plus de peine à les corrompre, comme ceux que l'on craint davantage ou desquels on se veut servir plus fortement ; si, dis-je, un homme de cette sorte ne se laisse pas emporter au torrent, on doit juger que la sagesse divine le destine à quelque chose de merveilleux. Si dessus cette règle on peut appuyer judicieusement une pensée, je ne crois pas qu'il y ait jamais eu personne au monde de qui l'on ABCD] ait pu attendre...

1. Remise en cause, au nom de l'expérience, d'une idée chère à l'opinion commune et fréquemment illustrée par la littérature, celle d'une justice distributive, d'essence surnaturelle, qui finit par punir les méchants et récompenser les bons. Ici encore, on peut faire un rapprochement avec Machiavel :

> « Il est sans doute très louable pour un prince d'être fidèle à ses engagements ; mais parmi ceux de notre temps qu'on a vus faire de grandes choses, il en est peu qui se soient piqués de cette fidélité, et qui se soient fait un scrupule de tromper ceux qui croyaient en leur parole ; et les autres, qui ont procédé loyalement, s'en sont toujours trouvés mal à la fin. » (*Le Prince*, chap. XVIII).

2. Sur la crainte et l'intérêt comme moyens de gouvernement selon Machiavel, voir plus haut, p. 181, n. 1. La remarque sur l'asservissement de la noblesse est une allusion probable à la France, victime de la « tyrannie » de Richelieu (voir *Mémoires*, t. I, p. 284).

3. Passage à rapprocher de la description de la France au début du ministère de Mazarin (*Mémoires*, t. I, pp. 289-290).

Page 189
1. Voir Machiavel, chap. XXV :

> « La Fortune est femme ; elle ne cède qu'à la violence et à la hardiesse ; on voit par expérience qu'elle se donne aux hommes farouches plutôt qu'aux hommes froids. Aussi se déclare-t-elle plus souvent pour ceux qui sont jeunes, parce qu'ils sont hardis et entreprenants. »

2. C'est-à-dire qu'elles obligent l'envie à leur rendre hommage.

Page 191
1. Nouvelle remise en cause de la justice distributive. Retz y joint ici la critique d'un *topos* apparenté, celui qui place la roche tarpéienne tout près du Capitole, ou montre la roue de la fortune hissant les hommes au faîte de la prospérité uniquement pour rendre leur chute plus exemplaire.

2. Machiavel dit de même des maux à venir (chap. III) :

> « En les prévoyant de loin, on y remédie aisément ; mais si l'on attend qu'ils vous aient atteint, il n'est plus temps, et la maladie est devenue incurable. »

3. « Toutes les affaires ont deux visages... » : première occurrence d'une idée clef de la *Conjuration* et des *Mémoires*, à savoir que les hommes ont tort de juger « par l'événement ». Le rapprochement entre César et Catilina, qui s'appuyèrent tous deux sur la plèbe, se justifie d'autant mieux que César fut soupçonné d'avoir secrètement soutenu ce dernier (voir Plutarque, *Vie de César*, IX).

Page 192
1. On notera que ces propos subversifs sont placés non dans la bouche du héros, mais dans celle du conseiller violent, Verrina. Ils ne sont que le développement d'un passage de Mascardi où le même Verrina affirme tirer cette maxime de Machiavel, bien qu'elle ne figure pas explicitement dans Le *Prince* (mais on peut la déduire des chap. XV ou XVII). Ils disparaîtront presque totalement de l'édition de 1682.

2. L'anecdote du pirate et d'Alexandre vient sans doute de saint Augustin (*La Cité de Dieu*, IV, IV), qui l'avait probablement tirée du *De Republica* de Cicéron (III).

3. L'argument selon lequel toutes les dynasties régnantes tirent leur origine d'une usurpation est emprunté à Mascardi : « L'on peut bien appeler de ces mots-là (des crimes) les actions des personnes privées, mais non pas les entreprises des Grands : car autrement [...] tous les Empires seraient criminels, pour ce qu'ils ont été tous établis par la force des puissants sur les plus faibles ». Mais en France cette affirmation a un caractère bien plus subversif qu'en Italie, car elle est directement opposée à la doctrine française de la monarchie de droit divin. L'édition de 1682 la supprimera. On trouve cependant une idée analogue dans les *Mémoires,* lorsque Retz évoque l'origine des dynasties carolingienne et capétienne (I, p. 285).

Page 193

1. Vertu : transcription de l'italien *virtù,* qui désigne le courage, l'audace, plutôt que des qualités proprement morales.

2. A rapprocher d'un passage des *Mémoires* (t. I, p. 433) :

> « Nous avons deux avantages, et très grands et très rares, dans notre parti. Le premier est que les deux intérêts que nous y avons, qui sont le public et le particulier, s'y accordent fort bien ensemble, ce qui n'est pas commun. Le second est que les chemins pour arriver aux uns et aux autres s'unissent et se retrouvent […] être les mêmes, ce qui est encore plus rare. »

La conjonction ou l'opposition de l'intérêt particulier et de l'intérêt général est un thème récurrent dans les *Mémoires.* Lorsqu'ils se rejoignent, l'antinomie entre gloire (ou honneur) et intérêt, morale et politique, tombe d'elle-même.

3. Voir plus haut, p. 183, note 2.

Page 194

a. Raphaël Sacco est ici remplacé, dans l'éd. de 1682, par Calcagno (voir plus haut, p. 181, var. *a*). Le fait que les deux personnages soient interchangeables prouve à l'évidence que, malgré leur existence historique attestée, ils sont chez Retz de purs supports d'un discours rhétorique.

1. L'édition de 1665 offre par rapport aux manuscrits une version très remaniée du discours de Verrina. Elle supprime notamment les passages évoquant l'intervention de la sagesse divine et de la Providence (voir p. 187, var. *c* et p. 188 var. *a*), pour les remplacer par une vision réaliste de l'histoire. L'argumentation de Verrina en tire une plus grande cohérence. Elle s'oppose plus nettement à celle de Calcagno, tenant de la théorie providentialiste. Mais aucun de ces personnages n'est, dans ce débat, le porte-parole de l'auteur : par leur intermédiaire, celui-ci tente seulement de faire le tour de la question.

2. La construction transitive du verbe *conseiller,* peu fréquente, est cependant attestée jusqu'au XVIII\ siècle. Comme les quatre versions manuscrites portent la préposition *à,* il peut cependant s'agir d'une coquille. L'éd. de 1682 rétablit la préposition.

Page 195

a. Ce paragraphe de réflexions disparaît en 1682. Le début du suivant est remplacé par un discours technique de Fiesque sur les préparatifs nécessaires à long et à court terme. Les deux versions se rejoignent ensuite dans la description de la conduite quotidienne du comte.

1. Retz résume ici un second discours prêté à Verrina par Mascardi. Il élimine de ce discours le projet d'assassiner Doria et insiste au contraire sur la facilité de l'entreprise : le succès est assuré dans l'immédiat par les faibles défenses de l'adversaire, à long terme par la situation européenne. L'idée de l'assassinat n'interviendra que plus loin, appelée par la légitime défense.

2. A rapprocher des *Mémoires*, II, p. 74 : « Quand les hommes ont balancé longtemps à entreprendre quelque chose, par la crainte de n'y pas réussir, l'impression qui leur reste de cette crainte fait, pour l'ordinaire, qu'ils vont trop vite dans la conduite de leurs entreprises. »

Page 196

1. Contrairement aux règles rhétoriques du portrait, Retz termine celui de Fiesque par les qualités physiques du personnage, dont il fait un modèle de beauté masculine ; et il insiste sur le rôle de ces qualités dans le respect et la sympathie qu'inspire le comte. Il s'est plu à doter le héros dans lequel il se projette de dons qui lui avaient été refusés.

2. A rapprocher des *Mémoires*, I, p. 248 et II, p. 15.

Page 197

a. var. ...du monde [; et la sagesse éternelle ne convainc jamais si fortement cette audacieuse faiblesse que lorsqu'elle nous représente ces grands génies qui se persuadent avoir si avantageusement ces grandes lumières et qui se vantent ABCD] [d'être A] [encore ABCD] [d'être BCD] [éclairés par une longue expérience : quand, dis-je, elle nous les représente absolument aveugles ABCD] [dedans AB] [dans CD] [leurs intérêts, et presque manquant de sens commun dans les choses qui les touchent le plus ABCD]. L'action de libéralité...

b. Ces considérations sur la Providence se retrouvent en 1682, mais rapportées au seul A. Doria : « C'était un des plus grands défauts d'André Doria de ne prendre avis de personne, et de se croire toujours plus fin que les autres. On ne peut rendre, en cette rencontre, d'autre raison de son aveuglement, si ce n'est que la Providence prend quelquefois plaisir à tromper toutes les vues de la prudence humaine, et à se servir d'un jeune homme sans expérience pour confondre les vieillards les plus expérimentés. »

1. Sur la Providence qui aveugle ceux qu'elle veut perdre, voir l'*Introduction*, I, p. 89.

2. Retz développe ici une réflexion assez banale de Mascardi. Il est probable qu'il pense à quelqu'un de précis : nous n'avons pas trouvé à qui.

3. L'industrie de la soie, une des plus prospères de Gênes, occupait, outre les artisans aisés du tissage, un nombre considérable de fileurs salariés, très mal payés, victimes directes de toutes les fluctuations économiques.

4. Les *consuls* étaient des magistrats municipaux dans les villes de France méridionale et d'Italie ; chacun représentait un groupe social ou corporatif : consul des nobles, des marchands, etc.

Page 198

a. Le paragraphe qui commence ici est développé dans l'éd. de 1682, et le suivant supprimé.

b. Cette *populace* devient le *peuple* en 1682.

1. Cette sollicitude du comte — attestée par tous les historiens — pour ce qu'on nommerait aujourd'hui le prolétariat a été largement exploitée par

Schiller, dans sa tentative pour donner une interprétation « républicaine » de la conjuration.

2. *Ordre* est pris ici au sens où l'on parle des trois ordres, lors des États Généraux par exemple : clergé, noblesse et ordre populaire. Et l'on a vu qu'à Gênes certains des *popolani* étaient riches et puissants : ils sont sensibles à des arguments politiques, comme la promesse d'une plus grande liberté.

3. Allusion transparente à la France de Richelieu (voir l'*Introduction*, I, p. 58).

Page 199

a. L'éd. de 1682 se contente de dire que Fiesque resta fidèle à sa conduite de grand seigneur « magnifique ».

b. Les réflexions contenues dans ce paragraphe et dans le suivant font place en 1682 à un court récit sur une maladie d'André Doria.

c. var. ...la dissimulation du comte, [et crois pour très certain, qu'en ces sortes d'affaires, lesquelles sont générales et touchent l'État, celui qui commence ABCD] [à AB] [de CD] [se servir d'artifice ne laisse pas de faire extrêmement mal, mais celui qui ne fait ABCD] [qu'y répondre AB] [que s'en défendre CD] [est beaucoup moins coupable. Que si ces ABCD] plaintes de Jean-Louis...

1. L'ordre donné à Lercaro ne figure pas chez Mascardi. Retz aurait pu l'emprunter à l'historien Capelloni : ce serait son seul recours à une autre source.

2. Mascardi faisait simplement dire à Fiesque : « [Il] me va machinant la mort ». Retz apporte des précisions.

3. Référence probable à Machiavel (*Le Prince*, XVIII) :

> « Il y a deux manières de combattre, l'une avec les lois, l'autre avec la force. La première est propre aux hommes, l'autre nous est commune avec les bêtes ; mais lorsque les lois sont impuissantes, il faut bien recourir à la force ; un prince doit savoir combattre à la fois en homme et en bête. »

Or, continue Machiavel, les animaux se défendent soit par la force brute — le lion —, soit par la force de l'intelligence, c'est-à-dire la ruse — le renard. Le recours à la ruse, contre la violence, est donc naturel. Et voici justifiés l'usage de la dissimulation et le manquement de parole, dans les cas de légitime défense.

Page 200

1. *Course* : expédition de corsaires. Gênes n'était en guerre contre aucun pays musulman, mais le droit maritime n'incluait pas les Turcs et autres « barbaresques », dont on pouvait attaquer et arraisonner les navires, en représailles face à leur propre piraterie.

2. Par opposition aux *mariniers* chargés des divers travaux du bord, le mot de *forçats* désigne ici les rameurs ou galériens : à côté des condamnés de droit commun, on trouvait parmi eux des volontaires librement engagés, les *bonevoglie*, comme les nomme l'édition de 1682.

3. « Une *nouvelle messe* » : *messa nuova* chez Mascardi, que Bouchard traduit par *première messe* et que l'éd. de 1682 transforme en *messe en musique*. C'est la traduction de Bouchard qui est la meilleure : il s'agissait

de la première messe qu'un prêtre d'illustre famille nouvellement ordonné devait célébrer solennellement dans l'église Sant' Ambrogio.

4. Selon Mascardi, l'horreur fut générale, tandis que Retz en fait un mérite particulier au comte. Mascardi ajoute que ce projet était impraticable, car A. Doria, vu son âge, aurait sans doute décliné l'invitation.

Page 201

1. En réalité le soulèvement, d'abord prévu pour la nuit du 4 janvier, fut avancé au 2.

2. Voir plus haut, p. 171, note 1.

Page 202

a. Le discours de Fiesque a été entièrement remanié dans l'édition de 1665. Voici le texte des manuscrits :

« Ne voyez-vous pas, mes [compagnons AB] [amis CD], ces vingt galères qui sont dans votre port et qui vous assiègent ? Ne pleurez-vous pas tous les jours avec des larmes de sang la perte de votre bonheur et l'oppression de votre [fortune AB] [liberté CD] ? [Vous pouvez-vous accoutumer à la tyrannie de la noblesse, AB] Ne sentez-vous pas l'insolence et l'ambition de Jeannetin ? L'autorité que l'Espagne se donne en cette République n'est-elle point suspecte à vos esprits ? Qu'au moins la cruauté de vos tyrans vous permette de songer un instant à vos misères, et je m'assure qu'à ce moment même [que AB] mes paroles, quoique beaucoup trop faibles pour exprimer le moindre des maux que nous souffrons, vous en rappellent la mémoire. La surprise que vous venez de témoigner des préparatifs que vous voyez ici, se change en une résolution généreuse de les employer avec vigueur pour le bien de votre patrie, et pour la liberté commune : je ne vous ai priés de venir en ce lieu que pour vous les faire voir. Cette funeste et malheureuse expérience, laquelle ne nous fait sentir [et connaître AB] que trop vivement la violence de nos douleurs, vous parle assez de la nécessité que nous en avons, et de l'effet qu'ils doivent avoir ; [et AB] j'offenserais [et AB] votre jugement et votre courage, si je m'imaginais qu'ils pussent laisser aucun intervalle entre la vue de ces armes que je vous présente, et l'usage auquel elles doivent servir, que celui qu'il faut [que vous y mettiez AB] pour les prendre. L'état où vous êtes vous les fait assez juger nécessaires. L'ordre que j'y ai mis, et que vous verrez tout maintenant, leur donne de la sûreté. Le repos et la tranquillité que vous en tirerez vous les doivent rendre agréables. L'oppression de cette République les justifie absolument ; et la beauté de cette entreprise, la valeur que demande cette résolution, l'élèvement d'esprit qui y est nécessaire, les font [extraordinaires, AB] [extraordinairement CD] glorieuses. A quoi tant de paroles ? Ne perdons plus [le A] [de BCD] temps, mes compagnons, abattons Jeannetin et les infâmes ministres de sa [compagnie et B] tyrannie. Remplissez [ces places AB] [cette place CD], et ces titres de noblesse, dont nous chasserons ces satellites de Doria, qui s'en sont rendus indignes par leur lâche servitude. Que je vous venge de ce tyran ; que je justifie par ces lettres, que vous pouvez lire tout présentement, avoir déjà de la part de l'Empereur une assurance certaine de la seigneurie de Gênes. Que vous me vengiez de ce monstre, que je convaincs par ces mêmes lettres de m'avoir voulu empoisonner, par trois diverses fois, et d'avoir commandé à Lercaro de massacrer, en pleine paix, son ami innocent. Rendons la liberté à notre chère patrie. Sauvons l'honneur de Gênes et faisons connaître aujourd'hui à toute la terre qu'il se trouve encore des gens de bien dans cette République qui savent perdre les tyrans. »

1. Voir plus haut, p. 193, note 2.

Page 204
a. Le texte de 1682 amplifie et dramatise, sous la forme d'une scène dialoguée, l'entrevue de Fiesque avec sa femme. Il donne à cette dernière un rôle important, qui inspirera Schiller. La mère de Fiesque intervient aussi dans cette scène.

1. Retz polémique ici, sans le nommer, contre Mascardi, qui prête à Fiesque une attitude et des propos d'un extrême violence (« Quoi, ne tirerons-nous point du sein de Jeannetin ces entrailles si criminelles ? Ne lui arracherons-nous point du corps ce cœur qui va tramant de si énormes trahisons ? »), accompagnés de menaces contre les assistants qui refuseraient de le suivre. Et il utilise habilement, en faveur de son héros, la modération dont Mascardi lui-même reconnaît qu'il fit preuve à l'égard des deux récalcitrants.
2. Allusion au moment précis où César, faisant franchir à ses légions le petit fleuve qui séparait la Gaule Cisalpine de l'Italie, s'engageait de façon irréversible dans la guerre civile. C'est un ajout qui ne figurait pas dans les versions manuscrites.
3. Tout devait se jouer au nord-ouest, à la porte Saint-Thomas, voisine du palais Doria, et à la Darse. Mais Fiesque avait voulu s'assurer de la porte de l'Arc, au sud-est, proche de son propre palais, pour avoir la possibilité de fuir en cas d'échec.

Page 205
1. *Darse* est la francisation phonétique de l'italien *därsena*, qui porte l'accent tonique sur la première syllabe ; c'est la leçon des quatre manuscrits dans toutes les occurrences du mot. Le doublet *Darsène* (voir plus loin même page et p. 208) est une transcription graphique et non phonétique, peu conforme à la pratique de Retz, qui pourrait peut-être suggérer, dans l'édition de 1665, une intervention étrangère. — La *Darsena* était un port artificiel bâti au fond de la rade de Gênes à l'aide de digues et qui avait pour accès un étroit goulet. D'abord nom propre, ce terme dialectal génois d'origine arabe, désignant le « port du dedans » de la cité ligure, était devenu un nom commun. Il avait été réservé aux bassins abritant les navires, tandis que son doublet vénitien, *arsenale*, s'appliquait aux édifices servant à leur entretien. La Darse de Gênes était également protégée du côté de la ville et on y accédait par une *porte*, dont la possession était essentielle au succès de la conjuration.
2. Le paragraphe qui commence ici et les deux suivants, où Retz tente d'apprécier la tactique de combat adoptée par Fiesque, sont entièrement de

son cru. Ces réflexions sur les combats de rues étaient plus développées dans les versions manuscrites que dans l'éd. de 1665. Celle de 1682 les réduit encore.

Page 207

a. Dans l'éd. de 1682 le narrateur met dans la bouche de Fiesque lui-même, au lieu de la prendre à son compte, la justification de la tactique adoptée.

b. var. ...extrêmement faible [et de ceux du peuple qui n'étaient pas à lui, lesquels n'étaient nullement préparés, ne pourrait ABCD] [pas AB] [empêcher aucun de ses desseins : et cette même faiblesse de ses ennemis lui faisait croire qu'il n'y pourrait pas avoir assez de défense pour ébranler le moins du monde l'esprit de ceux de sa faction. Outre ces considérations, lesquelles j'avoue n'être pas assez fortes pour convaincre un esprit, parce qu'elles sont fondées sur la confiance, laquelle est très périlleuse en ces sortes d'entreprises, où il est toujours ABCD] [plus AB] [très CD] [à propos de mettre les choses au pis ; quand même, dis-je, ces raisons particulières ne s'y fussent pas rencontrées, n'est-il pas ABCD] [bien ACD] [raisonnable de croire que les ennemis du comte de Fiesque ont été beaucoup plus surpris de se trouver attaqués par beaucoup d'endroits différents, que si on les eût pris en gros ; puisqu'il est assuré que le bruit qui est inévitable en ces actions, donnant l'alarme, comme cela ne peut être autrement, dans les quartiers où les conjurés ne fussent pas encore arrivés, eût donné lieu à beaucoup de personnes de se rallier, de se saisir de quelque[s] place[s] et de faire tête ; ce que les partisans que le comte de Fiesque avait dans le peuple n'eussent pas empêché, parce qu'on ne peut jamais attendre d'effet considérable de cette manière de gens, dans les lieux où il y a de la résistance, s'ils ne sont émus et encouragés par des gens de guerre : et ABCD] [si AB] [il est quelquefois permis de confirmer les raisons des choses par ABCD] [leurs AB] [les CD] [effets, quoiqu'il soit toujours défendu de les en tirer, le succès qu'eut cet ordre lui donne une approbation suffisante, puisqu'en le suivant on ne trouva presque aucune résistance dans Gênes. Le comte, étant sorti de son palais, ABCD] [sépara AB] [divisa CD] ses gens selon l'ordre...

1. Une comparaison entre les trois états du texte est révélatrice. Au départ, les faits n'intéressent l'auteur que comme matière à réflexions sur l'action militaire et politique — ici sur les conditions de succès d'un combat en milieu urbain. Le texte de 1665, très allégé, reste fidèle à cette optique. Mais dans celui de 1682 l'ajout d'une description du palais de Fiesque et de diverses anecdotes déplace l'intérêt vers l'histoire racontée.

Page 208

a. var. « ...se rendit dans la [Darse ABCD]... »

b. Conformément à l'édition de 1682, nous corrigeons *capitaine* en *capitane*, seule forme attestée pour désigner la galère réservée au chef d'escadre.

1. La mort de Fiesque est assez piteuse. Aussi Retz passe-t-il très vite, éliminant certains détails auxquels s'était complu Mascardi :

« Il mourut misérablement, se pouvant dire qu'il fut suffoqué plutôt dans un bourbier sale et puant que dans l'eau de la mer, ayant été étouffé par ses armes mêmes, en qui il avait mis toute la sûreté de sa vie. »

Page 209

1. Duc : doge. Le précédent doge, élu pour deux ans, venait de terminer son mandat et on devait procéder le 4 janvier à l'élection de son successeur.

2. Ce personnage, désigné par le Sénat pour prendre contact avec Jean-Louis de Fiesque et l'interroger sur ses desseins, ne saurait être le propre frère de celui-ci, chef en second des conjurés, alors occupé à soulever le peuple, et qui apparaît à la fin du paragraphe comme interlocuteur d'un des mandataires du Sénat. Il s'agit ici d'un homonyme, dont les sources italiennes précisent qu'il appartenait à une branche détachée de la famille au XIIIᵉ siècle, celle de Savignone. Sa parenté avec le comte le qualifiait comme ambassadeur auprès de lui. On se souviendra que le mot de *parent* est réservé, chez Retz, à des cousinages très éloignés. Les historiens ajoutent que, les deux premiers émissaires ne revenant pas, le Sénat se décida à en envoyer d'autres.

Page 210

a. Ce désordre est longuement décrit dans l'éd. de 1682.

1. Voir plus haut, p. 179, note 1.

Page 211

a. var. « ...la roque ABCD de Montobio... » (voir p. 213, note 1).

1. Comportement machiavélique par excellence. Voir le chapitre XIII du *Prince*, « Si les Princes doivent être fidèles à leurs engagements », et notamment : « Un prince prudent ne peut ni ne doit tenir sa parole, que lorsqu'il le peut sans se faire tort, et que les circonstances dans lesquelles il a contracté un engagement subsistent encore. »

2. A. Doria applique la maxime de Machiavel, qui conseille de faire périr, jusqu'aux plus jeunes enfants, toute la famille d'un adversaire vaincu, pour n'avoir pas à redouter plus tard un vengeur (*Le Prince*, chap. IV).

Page 212

a. L'éd. de 1682 offre des détails supplémentaires sur la répression exercée contre les vaincus.

b. var. ...remarquer [une judicieuse reconnaissance de la faiblesse humaine, et avouons qu'il semble que la providence de Dieu ayant résolu de nous faire voir cette entreprise considérée de la façon qu'elle a été raisonnée, et même prise dans ses commencements, comme un chef-d'œuvre de courage et de l'esprit des hommes, nous l'ait voulu montrer dans ses suites et dans la meilleure partie de son exécution, comme une marque certaine et un effet convaincant de la bassesse et de l'imperfection de notre nature. Quelle honte au Prince Doria ABCD] d'abandonner...

1. Certes Retz est plein de partialité contre A. Doria. Mais tous les témoignages montrent que celui-ci exerça sur la famille de Fiesque une vengeance féroce. Ottobon de Fiesque lui fut plus tard livré par les

Espagnols : il le fit coudre dans un sac et jeter à la mer vivant, comme les parricides.

Page 213

a. Mais [véritablement je ne crois pas que l'on puisse justement parler avec plus d'avantage, ni du jugement, ni du courage des conjurés, depuis qu'ils eurent perdu le comte de Fiesque, duquel on peut dire avec beaucoup de raison, qu'il a fait en mourant pour ce qui touche ses complices, ce que le soleil fait quand il se ABCD] [couche AB] [cache CD], [à l'égard de tout ce qui est au monde, il laisse dans une confusion générale et dans l'obscurité de la nuit les choses auxquelles il donnait le plus d'éclat. Et ainsi il semble que ces grandes lumières, qui éclairaient si vivement les esprits des conjurés, et animaient leur courage au commencement de cette entreprise se changèrent en même temps que le comte fut mort en des ténèbres ABCD] [grossières et des frayeurs éperdues AB] [épaisses CD] [, qui les égarèrent du chemin ABCD] [et C] [de la conduite et de l'honneur. Hiérôme qui par toutes sortes ABCD] de raisons, était obligé...

1. La *roque*, au sens de château fort, est un archaïsme, ou plutôt un italianisme, qui suggère que Retz a recouru au texte original de Mascardi, qui porte ici *rocca*, et non à la traduction de Bouchard — *forteresse*. L'édition imprimée en 1665 a remplacé partout la forme *roque* figurant dans les copies par *forteresse* (voir p. 179, var. *b* et p. 211, var. *a*), sauf dans le présent passage.

2. « Les plus *criminels* » : les plus susceptibles d'être incriminés, les plus compromis.

Page 214

a. L'adjectif *grande* (entreprise) disparaît en 1682.

b. « *Cette maxime* » devient en 1682 « *cette loi indispensable* ».

c. var. ...du pays où l'on est [né, en quelque état qu'il puisse être, sans doute son ambition est criminelle. Si on regarde son courage, sa conduite, et tant d'autres vertus sur lesquelles il l'a soutenue, elle est belle et généreuse. Si l'on ABCD] [regarde A] [a égard à BCD] [la puissance de la maison de Doria, de laquelle il pouvait appréhender et la ruine de la République et la sienne ABCD] [particulière AB] [, elle est excusable et peut-être juste. De quelque façon que l'on en parle, ni les langues, ni les plumes les plus passionnées ne peuvent désavouer avec justice que le blâme dont on veut noircir sa mémoire ne lui soit commun avec les plus grands hommes, et les louanges dont on l'honore particulières ABCD] [avec les AB] [aux CD] [héros. Beaucoup de personnes ABCD] [le publient AB] [l'estiment CD] [malheureux parce que ses desseins n'ont pas réussi. Je croirais faire tort à sa mémoire de lui donner ce nom, puisqu'en mourant il a acquis la chose qu'il recherchait avec le plus d'ardeur, qui est la gloire. Son procédé haut et élevé, et les grandes vertus dont il a toujours fait profession, nous justifient que la couronne et le sceptre étaient moins l'objet de son ambition que l'honneur : et je crois que pourvu qu'il pût faire des actions qui lui en donnassent, il les regardait d'un même œil, soit qu'elles l'élevassent sur le trône, soit qu'elles le portassent sur l'échafaud. ABCD] *Fin.*

d. var. ...prévoir ; [mais si le succès en eût été heureux, la souveraineté de Gênes n'eût pas borné son courage ni sa fortune. Des auteurs passionnés pour la maison de Doria ont essayé de noircir la mémoire du comte de Fiesque par une infinité de calomnies, et de défendre la mauvaise foi du sénat de Gênes ; mais la fausseté des faits qu'ils ont allégués est si grossière que cette supposition se détruit d'elle-même. Quoi qu'il en soit, c'est d'ordinaire le bon ou le mauvais événement qui justifie de semblables entreprises. Néanmoins 1682] nous pouvons dire, avec toute l'équité... (*la fin est semblable en 1665 et en 1682*).

Page 215

1. Ce jugement final sur Fiesque est, bien sûr, diamétralement opposé à celui de Mascardi. Mais l'examen des versions manuscrites montre que le texte imprimé a tempéré considérablement un premier jet plus hardi. Certes, dans toutes les versions, Retz récuse la sévérité du vulgaire, qui ne juge que « par l'événement ». Mais l'action de Fiesque était-elle noble et généreuse ? ou seulement excusable ? Les réserves introduites en 1665 — il lui a manqué des « occasions plus *légitimes* » de s'illustrer — ne figurent pas dans le texte initial, où s'affirme un individualisme exacerbé, ignorant les impératifs de la morale commune, et surtout refusant le critère du succès. Dans l'image ultime du héros sur l'échafaud — qui disparaît dès 1665 —, n'y avait-il pas une allusion transparente aux condamnations à mort retentissantes dont Richelieu avait sanctionné la désobéissance ou la rébellion des grands ? C'est à ces illustres victimes qu'allait alors la sympathie d'une bonne partie de l'aristocratie française.

MÉMOIRES

S'agissant des Mémoires, *la notion de variantes ne peut être entendue au sens strict que pour les passages où l'autographe fait défaut : nous avons adopté dans ce cas, comme la plupart des éditeurs modernes, le texte de l'édition de 1719 — la plus soignée —, en offrant éventuellement dans l'apparat critique les leçons de certaines copies ou éditions anciennes (dont on trouvera la nomenclature dans* *l'*Introduction, *I, p. 63-64, et dans la* Bibliographie*). Nous avons rangé sous la même rubrique la discussion de tous les points où le déchiffrement de l'autographe présentait des difficultés et imposait des choix ; nous y avons également signalé diverses particularités dignes d'intérêt, comme ajouts, renvois, lacunes, interventions de secrétaires, etc.*

Page 217

a. Le début du manuscrit autographe manque. Nous conservons le titre traditionnel de *Mémoires*, sous lequel l'ouvrage a toujours été connu. Rappelons que le titre original était : *Vie du Cardinal de Rais.*

Page 219

a. var. ... ma vie [, je vous obéis néanmoins, et même aux dépens de ma réputation, parce que je me sens pour vous une considération si parfaite que je ne pourrais refuser de découvrir à vos yeux les plus secrets motifs de ma conduite, et les replis les plus cachés de mon cœur 1718 C et E]. Le caprice...

1. Sur l'identité de la destinataire — presque certainement Mme de Sévigné —, voir l'*Introduction*, I, pp. 71-73. Sur la tonalité que donne au récit son omniprésence, voir I, pp. 76-77.

2. Ces déclarations constituent un véritable « pacte autobiographique » : voir sur ce point l'*Introduction*, I, pp. 75-76.

3. Catégories familières aux moralistes classiques. Voici comment les définira un peu plus tard La Bruyère : « La fausse modestie est le dernier raffinement de la vanité ; elle fait que l'homme vain ne paraît point tel, et se fait valoir au contraire par la vertu opposée au vice qui fait son caractère : c'est un mensonge. La fausse gloire est l'écueil de la vanité ; elle nous conduit à vouloir être estimés par des choses qui à la vérité se trouvent en nous, mais qui sont frivoles et indignes qu'on les relève : c'est une erreur. » (*Caractères, De l'Homme*, 66).

4. Jacques-Auguste de Thou (1553-1617), très connu pour son rôle modérateur dans les guerres de religion et pour sa grande *Histoire Universelle* en latin, passait également pour l'auteur d'une autobiographie, *De Vita sua*, qui était jointe à toutes les éditions de l'*Histoire* depuis 1620.

Page 220

a. Le texte comporte, au début, d'assez nombreuses lacunes (voir l'*Introduction*, I, pp. 67-68). Elles seront signalées chaque fois, comme ici, par une ligne de points de suspension. Il va de soi qu'elles entraînent dans les passages avoisinants des obscurités, sur lesquelles nous ne ferons aucun commentaire.

1. Sur la famille de Gondi, voir l'*Introduction*, I, pp. 19-20.

2. Quoi qu'il en dise, Retz est sans doute flatté d'avoir passé pour un « homme à augure ». Divers faits prémonitoires ont accompagné, selon la légende, la naissance des grands hommes (voir notamment, chez Plutarque, Alexandre, Périclès, Cicéron, etc...). Et Mazarin était, paraît-il, né « coiffé » et pourvu de deux dents, « singularités qui marquent toujours quelque chose d'extraordinaire ».

3. L'*appel* est un terme spécifique pour désigner une provocation à un duel privé. L'offensé en chargeait généralement un second, qui participait ensuite au combat face à un ami de l'adversaire. Cette manière de vider les querelles avait été importée d'Italie dans la seconde moitié du XVIᵉ siècle et elle décimait la noblesse. D'où la série d'ordonnances qui, sous Henri IV et surtout sous Louis XIII, défendirent les duels et les frappèrent de sanctions très sévères. Le récit de Retz témoigne, s'il en était besoin, de leur peu d'efficacité sur la jeunesse turbulente. Indépendamment des ordonnances, le duel était, bien sûr, interdit aux prêtres par l'Église. D'autre part, beaucoup de confesseurs, dans la mouvance de Bérulle et de Vincent de Paul, s'efforçaient d'en détourner les laïcs.

4. « *Ma soutane et un duel* » : bien que pourvu à dix ans de deux abbayes, le jeune Gondi n'était pas encore d'Église et n'était pas tenu de porter la soutane. Celle-ci désigne ici, par métonymie, l'état ecclésiastique auquel on le destine. Il compte sur le scandale et les poursuites judiciaires qu'entraînaient les duels pour faire obstacle aux projets paternels.

Page 221

1. « *A la comédie* » : « au théâtre », sans spécification de salle (aussi avons-nous mis à l'initiale de ce mot une minuscule).

2. « L'âme la moins *ecclésiastique* », c'est-à-dire la moins propre à entrer dans les ordres. Retz insiste sur son absence de vocation pour une carrière d'Église, il ne dit rien de ses sentiments à l'égard de la religion. Sur la politique familiale de Philippe-Emmanuel de Gondi, voir l'*Introduction*, I, p. 20.

Page 222

a. Nous avons rétabli partout, dans le texte des *Mémoires*, l'orthographe *Rais*, que le Cardinal avait adoptée à partir de 1672 pour son patronyme, en accord avec la prononciation. En revanche, nous avons gardé l'orthographe traditionnelle dans les commentaires, pour ne pas dérouter le lecteur.

1. Il faut prendre garde, dans cette page et dans les suivantes, au changement de nom des personnages. Des deux filles du duc Henri de Retz, l'une Catherine (Mlle de Retz), héritière du duché, épouse le frère aîné du mémorialiste, Pierre, et devient donc Mme de Retz ; la seconde, Marguerite, d'abord appelée Mlle de Scépeaux, du nom de sa mère, prend aussitôt après le mariage de sa sœur le nom de Mlle de Retz ; on la retrouvera plus loin dans les *Mémoires*, mariée, sous le nom de Mme de Brissac.

2. Selon les usages du temps, le jeune homme, dépourvu de toute fortune personnelle, ne pouvait évidemment jeter son dévolu que sur une héritière bien dotée. Le récit qu'il fait de son projet d'enlèvement parodie les thèmes et la phraséologie romanesques à des fins humoristiques.

Page 223

1. Le jeune abbé prétend s'occuper de l'*économat* des abbayes dont il a été pourvu, c'est-à-dire de leur administration financière — ce qui semble prouver qu'il tient à les conserver, donc qu'il accepte d'être d'Église. Il

afferme Buzay à un marchand de Nantes, c'est-à-dire qu'il cède à celui-ci, moyennant le paiement de 4 000 écus comptant, le droit de percevoir à sa place les revenus à venir de l'abbaye, quels qu'ils fussent : les *fermiers* pouvaient faire sur des opérations de ce genre des profits substantiels.

2. *Morbidezza* : douceur, langueur, grâce... L'italien était au XVIIᵉ siècle une langue de culture ; Retz, comme Mme de Sévigné, en agrémente parfois son récit.

Page 224

a. Le texte de toutes les éditions est ici *frère* ; mais le sens impose de corriger en *père*, puisque le frère de Retz était resté à Nantes avec sa jeune épouse.

1. *Un original* : Retz veut dire que, selon Palluau, la conduite de Mlle de Scépeaux prouvait qu'elle n'en était pas à sa première intrigue amoureuse.

2. L'événement en question est sans doute le mariage de Paule Marguerite de Gondi, fille et héritière de Pierre (après l'entrée au couvent de sa sœur), nièce du mémorialiste, avec le comte de Sault, fils du duc de Lesdiguières, le 12 mai 1675. Après la mort de ses parents, elle devint duchesse de Retz et le titre passa donc dans la famille de Lesdiguières. Si Jean-François-Paul avait épousé Mlle de Scépeaux, peut-être aurait-il eu des enfants mâles pour recueillir le nom et le titre. On remarquera que ce passage fournit un indice de plus pour la datation des *Mémoires* (voir sur ce point l'*Introduction*, I, pp. 68-69).

Page 225

a. Les éditions anciennes portent ici *Épineville,* mauvaise lecture pour *Épineuil,* qui était écuyer de Mme de Retz et beau-père de Mlle de Roche. Nous corrigeons.

1. De Jean-François de Gondi, oncle de Retz, Tallemant des Réaux dit : « Il a toujours vécu licencieusement, pour ce qui était des femmes ». Et Retz lui-même parle plus loin (I, p. 263) du « désordre scandaleux » des mœurs de son oncle.

2. La beauté de Marie Galateau, demoiselle de Roche, très vantée par Ménage et Chapelain, semble avoir laissé à Retz un vif souvenir, puisque Mme de Sévigné écrit à sa fille le 18 septembre 1676 : « Le cardinal de Retz vous a parlé vingt fois de sa divine beauté. »

3. L'inclination de Richelieu pour la jeune reine, Anne d'Autriche, était notoire — La Rochefoucauld parle de « passion ». Si l'on en croit l'auteur des *Historiettes*, le Cardinal lui aurait fait faire, par l'intermédiaire de Mme Du Fargis, des avances très précises. Elle avait pour lui une vive aversion. Ajoutons que Tallemant attribue aussi à Richelieu une « galanterie » avec la reine-mère, Marie de Médicis.

Page 226

1. Henri II de Montmorency, maréchal de France, avait pris avec Gaston d'Orléans la tête d'un complot armé contre Richelieu. Vaincu et fait prisonnier à Castelnaudary, il fut condamné à mort et Louis XIII refusa de le gracier. Son exécution publique à Toulouse en octobre 1632 est un des

épisodes les plus célèbres de la lutte que mena Richelieu pour réduire à l'obéissance la haute aristocratie.

2. La charge de maréchal général des camps et armées, qu'obtint Turenne en 1660. Cette première allusion à Turenne est faite au passé, ce qui implique qu'il était mort lorsque Retz commença de rédiger ses *Mémoires* (voir l'*Introduction*, I, p. 69).

Page 227

1. Retz a dit, à la page précédente, que le maréchal de Brézé avait rendu ces lettres à Mme de Guéméné : inadvertance ?

2. Richelieu avait tenu à se montrer, sur le plan intellectuel, à la hauteur de ses fonctions ecclésiastiques, contrairement aux préjugés aristocratiques qui voulaient qu'on laissât ce genre de talent aux parvenus. Docteur à vingt ans, il avait composé des ouvrages de théologie et se montrait un prédicateur capable. C'est dans ce domaine que Retz entreprend de l'imiter.

Page 228

1. Sur *La Conjuration de Fiesque*, et notamment sur l'âge auquel son auteur l'a composée, voir l'*Introduction*, I, p. 53.

2. Sedan était alors une principauté indépendante appartenant au duc de Bouillon, frère aîné de Turenne, qui y donnait refuge aux adversaires de Richelieu. Cette place lui fut enlevée par le Roi en 1642, comme sanction pour sa participation au complot de Cinq-Mars. Il fera tout pour en obtenir la restitution, sans jamais y parvenir.

Page 229

a. A la suite des éditeurs des G.E.F., nous corrigeons ici la leçon des premières éditions — *confusion* — en *contusion*, mot dont use Retz plus loin (II, p. 435) dans une acception figurée similaire.

1. Le prévôt de l'Ile était le prévôt des maréchaux chargé du maintien de l'ordre dans toute l'Ile-de-France. Les prévôts des maréchaux avaient des fonctions de police et de justice ; ils commandaient à la maréchaussée, ancêtre de notre gendarmerie.

2. *La licence de Sorbonne expira* : l'enseignement de licence prit fin et il fallut publier ce que nous appellerions le classement final (les *lieux*).

Page 230

a. A la suite de Champollion-Figeac, nous rectifions en *Vanbroc* le nom inconnu de *Remebroc*, offert par les éditions, et qui est sans nul doute une mauvaise lecture.

1. Richelieu avait entrepris en 1629 la restauration de la Sorbonne. La chapelle, commencée en 1635, ne fut achevée qu'en 1653, après sa mort.

2. Tallemant des Réaux qui, ainsi que son frère, avait accompagné l'abbé de Gondi lors de ce voyage en Italie, n'en a rien su. Il raconte en effet dans l'*Historiette* consacrée à Retz : « Il faut le louer d'une chose, c'est qu'à Rome, non plus qu'à Venise, ou il ne vit pas une femme, ou il en vit si secrètement que nous n'en pûmes rien découvrir. Il disait qu'il ne voulait pas donner de prise sur lui. »

3. L'École de Sapience était une sorte d'université tenue par les dominicains et rivale du Collège Romain des jésuites pour l'enseignement de la théologie. Le choix de Retz est sans doute un signe de plus de son antipathie pour les jésuites, chez qui il a fait ses études.

Page 231

a. Ici commence, au feuillet 259, la partie conservée du manuscrit autographe. La comparaison avec la Vénus de Médicis permet de supposer que le héros de l'anecdote était, malgré l'utilisation de la troisième personne, Retz lui-même.

1. Les thermes connus aujourd'hui sous le nom de Caracalla.

2. *Custodi nos* (ou *confidentiaire*) désigne, en droit canon, un prête-nom qui garde un bénéfice ecclésiastique pour le compte d'un autre et qui, n'en ayant que le titre, en laisse les revenus au véritable détenteur. Ce terme est ici employé au pluriel — invariable. Il est bas, selon Furetière.

Page 232

a. Le passage qui commence ici a fait l'objet, dans le manuscrit, de deux interventions successives, dont aucune n'est de Retz. Un censeur soucieux de moralité a d'abord éliminé, par des ratures en forme de larges boucles, [*J'évoquai, de mon côté, un démon, qui lui parut sous une forme plus bénigne et plus agréable*] et il a remplacé [*il la retira*] par [*elle sortit toutefois*], cet adverbe étant écrit en marge. Un second lecteur est passé, qui a restitué en interligne, d'une autre écriture, le texte initial que les ratures dissimulaient imparfaitement — à l'exception toutefois de [*elle sortit*], qu'il a conservé : faute de déchiffrer la première leçon ? A la fin de la phrase [*des escapades plutôt que*] est rayé d'un trait, mais reste lisible : cette rature n'est pas de Retz, puisqu'il utilise pour rayer des boucles (aisées à distinguer de celles du censeur, parce que plus serrées). La seule correction qu'on puisse lui attribuer, à la rigueur, serait la substitution de *ou*, en interligne, à *plutôt que* : mais ce n'est pas sûr.

b. Dans ce paragraphe le censeur a transformé, par biffure partielle et correction, *je con[duisis]* en *je con[tinuai]* et, sans rayer le texte primitif, il a enchaîné en interligne sur une version édulcorée de la suite : [*de lui rendre mes respects avec beaucoup d'assiduité, et je charmais par là et par d'autres divertissements*] *le chagrin...* Il a rayé toute la fin du paragraphe, depuis *car enfin il s'était contracté...* jusqu'à *...n'étaient pas séparés.* Cette fin a été récrite en interligne, comme plus haut, par le second lecteur, puis biffée à nouveau.

c. Après le nom de Mme de La Meilleraye, le censeur a rajouté, en addition marginale : [*de qui, toute sotte qu'elle était, j'étais devenu amoureux*], puis ceci, qui a été biffé : [*et j'avais sujet de croire qu'elle ne me haïssait pas : la maréchale, dis-je] plut...* On perçoit aisément le but de cet ajout : comme le censeur avait éliminé plus haut l'allusion transparente à Mme de La Meilleraye que constituait l'Arsenal, il lui faut réintroduire l'amour de Retz pour la maréchale, indispensable à l'intelligence de la suite ; mais il en profite pour laisser supposer que cet amour n'a pas dépassé le stade des préliminaires (voir la variante *c* p. 233). C'est un raccord maladroit, qui ne saurait être retenu. Ce passage témoigne bien des difficultés que présente l'établissement du texte des *Mémoires*, dans des cas heureusement peu nombreux. Entre le texte expurgé par une intervention anonyme et la version irrévérencieuse née du premier jet de Retz, nous avons choisi naturellement, comme presque tous les éditeurs modernes, de conserver celle-ci en totalité.

    1. Cette faiblesse d'Arnauld d'Andilly est confirmée par Tallemant des Réaux, raillant chez lui « une dévotion qui aime fort les belles personnes » (*Historiettes*, Famille des Arnauts), et par Mme de Sévigné : « Nous faisons la guerre au bonhomme d'Andilly qu'il avait plus envie de sauver une âme qui était dans un beau corps qu'une autre » (lettre de 19 août 1676).
    2. En 1625 le monastère de Port-Royal-des-Champs avait été abandonné aux « solitaires » par les religieuses, qui s'étaient installées faubourg Saint-Jacques. C'est là que Mme de Guéméné allait faire des retraites ; elle avait même fait aménager une maison attenante au monastère, qui lui permettait de s'y rendre directement (voir Sainte-Beuve, *Port-Royal*, livres II et V).
    3. Sur les sautes d'humeur de Mme de Guéméné, voir Méré, qui disait qu'elle avait été « trente fois dévote et trente fois libertine », Tallemant : « Elle a des saillies de dévotion, puis elle revient dans le monde », et Saint-Cyran : « sa disposition présente, qui vient sans doute de la Grâce de Dieu, est dans son âme comme une étincelle de feu que l'on allume sur un pavé glacé, où les vents soufflent de toutes parts ».
    4. La Place Royale désigne Mme de Guéméné et l'Arsenal Mme de La Meilleraye, d'après leurs résidences respectives (voir plus loin, I, p. 249).

Page 233
    a. Le même souci de dissimuler l'intimité liant Retz à Mme de la Meilleraye a fait substituer par le censeur un *on* impersonnel au pronom *elle*, écrit de la main de l'auteur, que nous conservons.
    b. Le même censeur que plus haut a corrigé [*ne résisterait pas*] en [*pourrait ne pas résister*], moins affirmatif.
    c. Le même correcteur a écrit en interligne la leçon suivante : *les premiers feux [de cette nouvelle passion, et je me figurais tant de plaisir à triompher du cardinal de Richelieu en un aussi beau champ de bataille que celui de l'Arsenal, que la rage se coula] dans le plus intérieur...* Dans le texte original, Retz avait « triomphé » réellement ; dans la version expurgée, il se contente d'en caresser l'espoir.
    d. Les mots *et désirait* ont été rayés par le censeur.

    1. Retz veut sans doute dire que Richelieu, dans l'intérêt de son cousin de La Meilleraye, aurait forcé le père de Marie de Cossé à la doter richement.
    2. Tallemant dit de même que « le cardinal de Richelieu avait des galanteries de pédant ».
    3. La métaphore militaire, traditionnelle dans la phraséologie amoureuse, est ici spirituellement associée à l'Arsenal, où réside la maréchale.
    4. Nous sommes tentés de sourire devant la disproportion entre la cause et l'effet. Mais l'historiographie chrétienne se plaisait à souligner ce type de causalité, qui réduit le rôle des hommes dans l'histoire, au bénéfice de la

Providence : qu'on se rappelle le nez de Cléopâtre... C'est donc dans des cadres de pensée familiers à son lecteur que se coule ici la vanité du mémorialiste. Nous sommes tout au début de son récit : il se détachera peu à peu de ce type d'explication au cours de la rédaction (voir l'*Introduction*, I, pp. 88 sqq.).

5. Mme Du Fargis, tante de Retz, confidente des reines Marie de Médicis et Anne d'Autriche (voir plus haut, I, p. 225), fut effectivement condamnée à mort par contumace et exécutée en effigie en 1631 : c'est-à-dire qu'un mannequin subit à sa place une décapitation simulée. La Rochepot, tué au siège d'Arras en 1640, avait légué à son cousin tous ses biens, notamment la seigneurie lorraine de Commercy, qui abritera la vieillesse du Cardinal.

Page 234

a. Le manuscrit porte ici *M.* tout court, mais c'est évidemment *Mme* qu'il faut lire.

1. Blois était la capitale de l'*apanage* (duché d'Orléans et comté de Blois) que Louis XIII avait constitué à son frère lors du mariage de celui-ci avec Marie de Montpensier en 1626.

2. Rappelons que la France avait déclaré la guerre à l'Espagne le 19 mai 1635. La campagne sur la frontière du nord, dont il est question ici, est celle de l'été 1636.

3. Marie-Madeleine de Vignerot, nièce de Richelieu, avait été faite duchesse d'Aiguillon après la mort de son mari, Antoine de Combalet. « Monsieur le Comte l'eût épousée, confirme Tallemant, si elle eût été veuve d'un homme plus qualifié. »

4. Ce complot avorta, d'après les *Mémoires* de Montglat et ceux de Montrésor, parce que le duc d'Orléans renonça à donner le signal. La Rochefoucauld, qui était présent, sans rien savoir, incrimine après coup « la timidité de Monsieur et la faiblesse de Monsieur le Comte ».

Page 235

1. Voir plus haut, I, p. 228, note 2.

2. Le *Dôme* : la partie centrale des Tuileries, alors couronnée d'un dôme hémisphérique, d'où son nom, fut remplacée du temps de Louis XIV par un pavillon quadrangulaire.

Page 236

1. Les *sous-ministres* : expression familière péjorative, utilisée pour désigner les ministres du second rang, collaborateurs de Richelieu, puis, plus tard, de Mazarin.

2. Les rapports souvent tendus entre Louis XIII et Richelieu et les confidences du Roi à tel ou tel de ses favoris avaient donné naissance à cette idée, complaisamment orchestrée par les ennemis du ministre, que le souverain subissait avec peine sa « tyrannie » et souhaitait sa mort : c'était évidemment une erreur.

3. Mademoiselle fut baptisée au Louvre — et non aux Tuileries — le 17 juillet 1636, d'après la *Gazette*. Or l'entreprise avortée d'Amiens est du 20 novembre de la même année. Retz intervertit donc les deux complots. Comme il n'était pas de celui d'Amiens et que sa documentation pour cette époque est inexistante, il est probable qu'il s'agit d'une erreur.

Page 237
   a. Le paragraphe qui commence ici a été biffé tout entier, puis récrit, par la même main que plus haut, entre les lignes, puis biffé de nouveau. Nous le conservons.

   1. Ces épisodes figuraient sans doute dans les fragments perdus.
   2. Le modèle romain de tous les tyrannicides à venir était évidemment Brutus. On voit ici le mémorialiste prendre ses distances par rapport à la mythologie héroïque inspirée de Plutarque, qui avait nourri sa jeunesse.

Page 238
   1. Robert d'Artois et le connétable Charles de Bourbon sont cités ici comme exemples célèbres de grands féodaux qui, pour assouvir des rancunes personnelles contre leur roi, étaient passés au service d'un souverain ennemi : le premier avait servi Edouard III d'Angleterre contre Philippe VI de Valois, le second Charles Quint contre François Ier.

Page 240
   1. Le mariage projeté par Richelieu entre sa nièce et le comte de Soissons eût été, vu la différence considérable des conditions, un *mariage de la main gauche* : tirant son nom du geste qui scelle l'union, ce type de mariage, pleinement valide sur le plan religieux, comportait des limitations sur le plan civil, en matière d'héritage notamment.

Page 242
   1. Allusion à un des épisodes les plus fameux du règne de Louis XIII : Concini, maréchal d'Ancre, le favori italien de la reine-mère, jouait en fait le rôle de premier ministre ; le jeune Roi, exaspéré d'être tenu à l'écart des affaires et humilié par lui, le fit assassiner par Vitry dans la cour même du Louvre, le 24 avril 1617.

Page 245
   a. Le manuscrit porte bien la vieille locution *à coup près* et non son équivalent ultérieur *à peu près*.

Page 246
   1. Nanon et *Babet* sont les diminutifs populaires des prénoms Anne et Élisabeth. Retz, qui vient de parler d'enfants, veut dire ici qu'il connaissait familièrement, et jusqu'aux enfants, tous les membres des familles pauvres qu'il visitait. On peut rapprocher ces aumônes à finalité politique des libéralités de Fiesque aux fileurs de soie (*Conjuration*, p. 197). Mais le modèle initial est sans doute César (voir Plutarque, *Vie de César*, IV et V, et Machiavel, *Le Prince*, XVI).
   2. C'est à l'instigation et grâce à la contribution financière de Philippe-Emmanuel de Gondi et surtout de sa femme, que Vincent de Paul avait fondé en 1626 l'œuvre des prêtres de la Mission, destinés à évangéliser les campagnes. La nouvelle congrégation s'était installée la même année dans l'ancienne maladrerie de Saint-Lazare (d'où le nom de Lazaristes donné à ses membres). A partir de 1633 y furent organisées des conférences pour former à la prédication, tous les mardis, et des retraites pour les ordinands (voir plus loin, I, p. 263). Le rayonnement en fut considérable.

Page 247

a. Le manuscrit porte bien *la*, car le substantif *ordre* pouvait être, au XVIIe siècle, tantôt masculin, tantôt féminin.

1. Figures, au sens propre : on vendait alors dans Paris, à l'intention du public populaire illettré, des images de bataille et des portraits des principaux personnages de l'État.

Page 248

a. Retz avait d'abord mentionné seulement la compagnie de Guérin. Il a ajouté en interligne *Parmentier et*, a rectifié *des compagnies*, au pluriel, mais il a négligé d'accorder le pronom relatif qui suivait.

1. Le combat eut lieu à La Marfée, près de Sedan, le 6 juillet 1641. La mort du comte de Soissons a été attribuée soit à un accident — il se serait tué en relevant la visière de son casque avec le canon de son pistolet chargé —, soit à un attentat — il aurait été tué par un émissaire de Richelieu infiltré dans ses troupes. Le doute n'a jamais été levé. — On notera l'analogie entre la mort du comte de Soissons et celle de Jean-Louis de Fiesque, l'un et l'autre tués en pleine victoire.

Page 249

a. Le manuscrit a subi à nouveau des corrections destinées à protéger la réputation de Mme de La Meilleraye. Le même censeur que plus haut, I, pp. 232 et 233, propose la version édulcorée suivante : *Si Dieu m'avait ôté la Place Royale, [je m'étais dégoûté de l'Arsenal, où j'avais découvert, par le moyen du valet de chambre, mon confident, qu'il n'y avait rien à faire]. Voilà de quoi....* Et le second lecteur a, comme plus haut, rétabli en interligne la fin de la phrase, biffée, de *Palière* à *la maréchale*, cette restitution ayant fait ensuite l'objet d'une autre rature. — Toute leçon mêlant les éléments défavorables à Mme de La Meilleraye à ceux qui tendent à la disculper est incohérente ; il faut choisir entre la version expurgée, visiblement imputable à un tiers, et le premier jet : nous avons préféré celui-ci, sans hésitation.

b. La fin de cette phrase, à partir de *qui était...*, a été rayée, récrite en interligne et rayée à nouveau. Nous la conservons.

1. Dans le petit cercle qu'on pouvait nommer, selon l'usage du temps, une *académie*, et que Retz eut à cœur d'élargir, lorsqu'il fut nommé coadjuteur, on rencontre, à un moment ou à un autre, les meilleurs esprits du moment : Chapelain, Ménage, Sarrasin, Patru, Scarron firent partie de la « maison » de Retz ou furent pensionnés par lui. Dans ces réunions littéraires figurèrent aussi Saint-Amant, Gomberville, l'abbé d'Aubignac, Guez de Balzac, et d'autres moins connus. Le dialogue que Chapelain dédia à Retz en 1647, *De la lecture des vieux romans* (recueilli en 1728 dans la *Continuation des Mémoires de littérature et d'histoire*, t. VI, pp. 281-342 et publié en édition savante intégrale par A. Feillet, 1870) et qui met en scène, en compagnie de l'auteur, Ménage et Sarasin, donne une idée de la haute tenue littéraire de ces réunions. Diverses dédicaces (dont celle du *Roman comique* de Scarron, en 1651) célèbrent à l'envi le mécénat du coadjuteur (voir *Œuvres* de Retz dans l'édition des G.E.F., tome I, Appendice I, pp. 331-346). Sa curiosité s'étendait aussi à la philosophie et aux sciences : il assista à la leçon inaugurale de Gassendi au Collège de France, le 23 novembre 1645.

2. Au XVIIᵉ siècle, le terme de *dévots* a une signification sociologique précise, qui se nuancera au fil des années. Il désigne tous ceux qui, emportés par le grand élan de la Contre-Réforme, tentent de faire prévaloir dans tous les domaines des impératifs d'ordre religieux et adoptent dans leur vie quotidienne des règles de piété et d'austérité. On trouve parmi eux les meilleurs et les pires. Ils avaient formé autour de la reine-mère Marie de Médicis un parti puissant, que Richelieu dut abattre pour pouvoir poursuivre sa politique de lutte contre l'Espagne. On se souviendra que les parents du jeune abbé de Gondi appartenaient au parti dévot.

3. Voir l'Évangile selon saint Marc (XII, 34) : Jésus dit à un scribe (docteur de la loi hébraïque), qui avait répondu avec sagesse à une de ses questions : « Tu n'es pas loin du royaume de Dieu. »

4. Le culte protestant étant interdit à Paris, le principal temple desservant la ville se trouvait à Charenton.

5. Tallemant dit de Mme d'Harambure : « Jamais femme n'a tant aimé l'adoration [...] ; elle voulait qu'on fût à elle sans rien prétendre » — fournissant ainsi une excellente définition de la *précieuse*.

Page 250

1. L'Église de France, très attachée à ses « libertés » traditionnelles, avait souvent avec le Saint-Siège des différends sur l'étendue de l'autorité pontificale (voir par exemple la querelle sur l'infaillibilité, en 1664-1665, dans laquelle Louis XIV fit défendre par Retz les thèses de la Sorbonne). D'où l'embarras de l'abbé de Gondi à discuter sur ce point avec Métrezat en présence du Nonce.

2. *Directeur* de conscience.

Page 251

a. Ici l'autographe a été mutilé : le feuillet paginé 327-328 a été arraché et le suivant coupé obliquement dans sa partie supérieure. Le passage commençant par « *Vous me permettrez, s'il-vous-plaît...* » figure au bas de la page 326, qui précède l'intervention ; il porte la trace de ratures et de lavages ; il est suivi d'une lacune de deux pages et demie. Le paragraphe qui commence par « *Je crois...* » figure au demi-recto inférieur du feuillet suivant, qui devait être paginé 329 ; il a pu être déchiffré sous les ratures ; il est suivi d'une lacune d'une demi-page, correspondant à la moitié supérieure du verso (330). Dans la moitié inférieure de ce verso, qui a été conservée, on trouve le paragraphe commençant par « *Les conférences...* », qui s'enchaîne normalement avec la suite p. 331. — Ces fragments nous ont paru suffisamment intelligibles pour mériter d'être conservés, ne serait-ce que pour les indications qu'ils donnent sur la cause de la mutilation, qui n'est évidemment pas le fait de l'auteur. Cette mutilation a été opérée avec le souci de ne pas amputer l'anecdote qui suit, d'où le sauvetage d'un demi-feuillet ; elle témoigne d'une admiration pour la valeur littéraire du texte.

1. Turenne, né protestant, ne se convertit qu'en 1668, par l'entremise de Bossuet.

Page 252

1. Ce souci de discrétion a pour cause la condamnation portée par l'Église contre le théâtre.

Page 254

1. Retz croit aux esprits, comme tous ses contemporains. Mais la curiosité qui le porte vers eux, pour voir à quoi ils peuvent bien ressembler, est d'essence rationaliste ; elle est très différente de l'attitude de Brion, des femmes et des laquais, de nature superstitieuse. Croyait-il au diable ? et de quelle façon ? Le marivaudage avec Mlle de Vendôme, à la page suivante, ne permet pas de répondre à cette question.

2. Certes de Thou insiste à plusieurs reprises sur la sincérité indispensable à l'historien, mais on a cherché vainement dans son œuvre un passage correspondant aux propos que lui prête Retz.

3. Tous les historiens ont dénoncé cette anecdote comme suspecte : à aucun moment les participants n'ont pu, d'après ce qu'on sait de leurs déplacements respectifs, se trouver réunis. Il y a plus grave : Tallemant des Réaux conte une anecdote semblable, dans laquelle Retz joue un rôle différent. En voici le texte :

> « L'été devant sa mort (il s'agit de Voiture), il fit une promenade à Saint-Cloud avec feu Mme de Lesdiguières et quelques autres. La nuit les prit dans le bois de Boulogne ; ils n'avaient pas de flambeaux. Voilà les dames à faire des contes d'esprits. En cet instant, Voiture s'avance du carrosse pour regarder si un écuyer qui était à cheval suivait, car la nuit n'était pas encore fermée : "Ah ! vraiment", dit-il, "si vous en voulez voir, des esprits, n'en voilà que huit." On regarde : en effet, il paraissait huit figures noires qui allaient en pointe. Plus on se hâtait, plus ces fantômes se hâtaient aussi. L'écuyer ne voulut jamais en approcher : cela les suivit jusque dans Paris. Mme de Lesdiguières conta leur frayeur au coadjuteur depuis cardinal de Retz : "Dans huit jours," lui dit-il, "j'en saurai la vérité." Il découvrit que c'étaient des augustins déchaussés qui revenaient de se baigner à Saint-Cloud, et qui, de peur que la porte de la ville ne fût fermée, n'avaient point voulu laisser éloigner ce carrosse, et l'avaient toujours suivi. » (*Historiettes, Voiture*).

Il est donc probable que Retz a construit son récit de toutes pièces, à partir de l'enquête dont il fut chargé par sa cousine : il est fâcheux qu'il en excipe pour se livrer à des réflexions sur la « vérité dans les histoires ». Mais paradoxalement, les observations psychologiques qu'il fait sur Turenne et sur lui, à partir de données fausses, correspondent à ce qu'on sait de leur tempérament respectif ! Et on appréciera, par rapport au sec récit de Tallemant, l'art de celui de Retz.

Page 255

a. Retz joue ici sur le mot *aller*, entendu au sens propre — à Anet — et au sens figuré — aller plus ou moins loin dans les faveurs de Mlle de Vendôme. Ce passage, tantôt pris au sens littéral et perçu comme absurde, tantôt trop bien compris au contraire, et considéré comme choquant, a donné lieu dans le manuscrit à des ratures, à des surcharges et à des grattages complexes, et dans les éditions anciennes à des leçons fantaisistes. Nous donnons, comme la plupart des éditeurs modernes, la leçon de la main de Retz qu'on parvient à déchiffrer sous les ratures, et qui offre un sens cohérent, malgré la subtilité un peu appuyée.

Page 256

a. Paragraphe biffé, récrit d'une autre main et biffé à nouveau. Il constitue une justification du récit qui précède : si on conserve celui-ci, en tout ou partie, il faut le garder aussi. On notera d'autre part que c'est un des passages qui suggèrent le plus nettement, comme destinataire, le nom de Mme de Sévigné.

1. César de Vendôme passait pour faire de la fausse monnaie. Il y a ici, comme souvent dans les *Mémoires*, un retour en arrière : l'incident rapporté date de 1640-1641.

Page 257

1. Le dernier et le plus célèbre de tous les complots contre Richelieu conduisit sur l'échafaud à Lyon, le 12 septembre 1642, Cinq-Mars, favori de Louis XIII, et son ami et complice de Thou.

2. Voir plus haut, I, p. 236, note 2.

Page 258

1. *Tercero*, mot espagnol signifiant *tiers*, pris au sens dérivé de rabatteur, entremetteur.

2. On trouve une anecdote semblable dans la *Vie* de Bayard. Cela ne suffit pas à prouver que l'épisode soit inventé de toutes pièces, car le jeune Gondi a pu calquer sa conduite sur le modèle fourni par un tel héros. Quant au fond, il est surtout révélateur des mœurs de l'époque.

Page 260

1. Chavigny aurait incité Sublet de Noyers à solliciter pour Anne d'Autriche la régence pleine et entière en cas de mort du Roi — ce qui lui aurait valu sa disgrâce.

Page 261

1. La nomination de François Adhémar de Grignan en 1643 à la coadjutorerie d'Arles avait donné à Louis XIII l'occasion de proclamer qu'il n'y en aurait point à Paris : l'existence d'un coadjuteur avec promesse de succession hypothéquait le siège pour très longtemps, empêchant le Roi de disposer à son gré de l'archevêché à la mort du titulaire.

2. Une chanson du temps débutait en effet par les vers suivants : « On va disant que la Reine est si bonne / Qu'elle ne veut faire mal à personne. »

3. Le concordat de Bologne, en 1516, avait accordé au roi de France le privilège de nommer les évêques, mais le pape devait leur conférer ensuite l'investiture, sous la forme de *bulles* (lettres sur parchemin scellées avec des boules de plomb). L'expédition de ces bulles donnait lieu à la perception de droits assez élevés au profit de la chancellerie du Vatican.

Page 263

1. Au chapitre IX du *Socrate chrétien* (1652), Guez de Balzac compare Retz à saint Jean Chrysostome pour l'éloquence ; il confirme, dans une lettre, que « le peuple de Paris fut enchanté de voir en chaire son archevêque » (*Lettres*, XI, 16). Quatre des sermons de Retz ont été conservés et publiés dans l'édition des G.E.F., *Œuvres*, tome IX, pp. 73-198. Les éditeurs y ont joint deux plans de sermons, trouvés dans les poches du Cardinal lors de son arrestation (pp. 199-208).

2. Ceux représente ici *mœurs*, employé par Retz au masculin.

Page 264

a. Dans l'autographe, les mots « *de faire le mal par dessein, ce qui est sans comparaison le plus criminel* » sont accompagnés d'un trait, parfois redoublé ou même triplé, qui peut passer soit pour une rature (ce pourrait être le cas du début, jusqu'à « *ce qui est* »), soit plutôt pour un soulignage en ce qui concerne la fin (« *sans comparaison le plus criminel* »). A la différence de Champollion-Figeac (qui disposait lui aussi de l'autographe), les éditeurs des G.E.F. ont opté pour le soulignage et ont donc transcrit ce membre de phrase en italiques, imités en cela par tous les éditeurs ultérieurs. Aucun ne s'est demandé si ce soulignage devait être attribué à l'auteur (voir ci-dessus, p. 216, le fac-similé de la page en question). Nous avons pris, après mûre réflexion, le parti de renoncer aux italiques pour plusieurs raisons :

— Il n'est pas dans les habitudes de Retz de souligner quoi que ce soit.

— La délimitation du membre de phrase prétendument souligné est maladroite, car le sens exigerait qu'on y inclue le complément circonstanciel « *devant Dieu* », qui est essentiel.

— Les deux premiers mots, « *de faire* », ont été perçus comme une rature et restitués en interligne par un lecteur inconnu (le restaurateur qui est déjà intervenu plus haut ?).

— Enfin les copies ne comportent pas de soulignage, ni les éditions anciennes d'italiques : ce qui prouve, soit que le soulignage du manuscrit est postérieur aux copies, soit que les copistes y ont vu la trace d'une intervention étrangère, dont on n'avait pas à tenir compte puisque le texte restait lisible.

Il s'agit donc sans doute d'un premier geste d'indignation chez un censeur, qui aura reculé ensuite devant l'ampleur des ratures et des rectifications nécessaires pour atténuer la portée de cette page. En tout état de cause, si nous avons pris le risque de rompre avec une tradition solidement établie, c'est que le fait d'attirer l'attention sur ce membre de phrase par un soulignage déséquilibre toute l'argumentation du passage et donne des allures de provocation à une décision qui, replacée dans son contexte, a une signification bien différente : bref, on suscite et encourage les contresens. A contrario, nous proposons, dans la note 1, qui suit, un essai d'interprétation.

1. Ce passage n'a cessé, depuis l'édition des G.E.F., de susciter des commentaires où l'incompréhension le dispute à l'indignation. Qu'en est-il au juste ?

Méchant veut dire ici *coupable*, plutôt que *pervers*, et le *mal* dont parle Retz désigne très précisément et limitativement l'incontinence charnelle. Il est donc malhonnête — et ridicule — d'y voir, comme le font les annotateurs des G.E.F. (t. I, p. 217), une adhésion globale au mal absolu et de parler de « satanisme ». Et, lorsque même on admet que la luxure est seule en cause, est-il pertinent de montrer le jeune Gondi hésitant entre la libre affirmation de soi dans l'abandon au plaisir et la voie chrétienne de l'abnégation au service d'autrui ? Car il prétend nous dire tout autre chose.

Ce débat de conscience est présenté par lui en termes théologiques. L'abandon à la chair est désigné pour ce qu'il est, selon la perspective chrétienne : un *mal*, un *péché* devant Dieu, susceptible de compromettre le *salut* de son âme. Où voit-on que soient affirmés les droits du désir ? Ce que dit Retz, c'est que la chair est faible, qu'il se sait soumis à la tentation et peu capable d'y résister : jusque-là rien que de très orthodoxe. Et si le jeune Gondi eût été une personne privée, il n'y aurait pas eu de cas de conscience : il eût tenté de lutter contre ses penchants, eût succombé parfois — souvent ! —, s'en fût accusé et en eût reçu l'absolution, d'autant plus aisément qu'il n'eût pas péché *par dessein*, mais par surprise des sens. On reconnaîtra là des distinguos tradidtionnels de confesseurs.

Mais il va être archevêque, personnage public, remplissant une haute fonction religieuse. S'il impose, nous dit-il, une trop rude contrainte à sa sensualité, elle risque de l'entraîner à des débordements intempestifs, source d'un scandale qui rejaillira sur toute l'Église, comme c'est le cas pour son oncle. Il choisit donc de faire la part du feu, et par une sorte d'hygiène physique et mentale, de s'accorder des « galanteries » discrètes, pour conserver les sens en paix et garder les apparences de la décence. Hélas ! il le sait bien : c'est là pécher avec préméditation, donc beaucoup plus gravement aux yeux de Dieu. Mais il espère qu'il lui sera tenu compte de son dévouement à l'Église : car n'est-ce pas du dévouement que de risquer le salut de son âme pour se donner les moyens d'exercer avec plus de dignité une fonction consistant à sauver celles des autres ?

Une telle problématique relève de la casuistique, au sens le plus précis du terme : est-il permis de choisir un moindre mal pour en éviter un plus grave ? Le mémorialiste amplifie et dramatise ce débat, en le situant au seuil de son entrée dans les ordres, à un point charnière du récit, en lui donnant la forme d'une délibération intérieure décisive. Il n'y a chez lui ni perversité sacrilège, ni même cynisme, mais une volonté d'autojustification, dans le cadre de catégories intellectuelles et morales familières au XVIIe siècle.

Nous ne voulons pas dire qu'on soit tenu de le suivre dans cette argumentation spécieuse : au contraire. On peut voir là le type même de raisonnement scandaleux que Pascal prête aux jésuites sous le nom de *direction d'intention* ; et l'on peut reprocher au Cardinal de faire bien peu de cas de la grâce divine pour seconder les efforts du pécheur. On a le droit, d'autre part, d'être sceptique sur la réalité de ce débat et de penser que l'auteur cherche à déguiser après coup, sous des considérations morales, le fait notoire qu'il entretint toute sa vie des liaisons. On peut noter aussi, non sans malice, que ses belles résolutions furent vaines, puisqu'il causa maint scandales... Bref, on n'a que l'embarras du choix pour faire la critique de ce passage. Si l'on veut mieux comprendre le sens d'un tel débat, on consultera les excellentes analyses de G. Couton sur « La notion d'hypocrisie au XVIIe siècle », dans Molière, *Œuvres complètes*, t. I, Gallimard, Bibl. de la Pléiade, pp. 848-852.

2. C'est-à-dire qu'il se laissait humilier indûment au-dehors et que, inversement, il refusait chez lui aux gens de qualité les égards auxquels ils avaient droit.

Page 265

1. Mme de Montbazon avait été la maîtresse du duc de Longueville, qui l'avait quittée pour épouser Geneviève de Bourbon. Elle s'était consolée avec Beaufort. Mais les deux femmes se haïssaient. Voici l'affaire des lettres supposées, telle que la raconte La Rochefoucauld dans ses *Mémoires*. Nous reproduisons intégralement ce récit, comme symptomatique d'un certain climat romanesque par rapport auquel Retz, beaucoup plus sobre, semble avoir pris ses distances.

Un jour que Mme de Montbazon gardait la chambre et que beaucoup de personnes de qualité l'allèrent voir, dont Coligny était du nombre, quelqu'un, sans y penser, laissa tomber deux lettres bien écrites, passionnées, et d'un beau caractère de femme. Mme de Montbazon, qui haïssait Mme de Longueville, se servit de cette occasion pour lui faire une méchanceté. Elle crut que le style et l'écriture pourraient convenir à Mme de Longueville, bien qu'il y eût peu de rapport et qu'elle n'y eût aucune part. Elle prévint le duc de Beaufort, pour le faire entrer dans ses sentiments ; et tous deux, de concert, firent dessein de répandre dans le monde que Coligny avait perdu des lettres de Mme de Longueville qui prouvaient leur intelligence. Mme de Montbazon me conta cette histoire devant que le bruit en fût répandu : j'en vis d'abord toutes les conséquences et quel usage le cardinal Mazarin en pourrait faire contre le duc de Beaufort et contre tous ses amis. J'avais peu d'habitude alors avec Mme de Longueville ; mais j'étais particulièrement serviteur de M. le duc d'Enghien et ami de Coligny. Je connaissais la malignité du duc de Beaufort et de Mme de Montbazon, et je ne doutai point que ce ne fût une méchanceté qu'ils voulaient faire à Mme de Longueville. Je fis tous mes efforts pour engager Mme de Montbazon, par la crainte des suites, à brûler les lettres devant moi, et à n'en parler jamais ; elle me l'avait promis, mais le duc de Beaufort la fit changer. Elle se repentit bientôt de n'avoir pas suivi mon conseil : cette affaire devint publique, et toute la maison de Condé s'y intéressa comme elle devait. Cependant celui qui avait véritablement perdu les lettres était de mes amis, et il aimait la personne qui les avait écrites. Il voyait que les lettres seraient indubitablement reconnues, puisque Monsieur le Prince, Madame la Princesse et Mme de Longueville voulaient les montrer publiquement pour convaincre Mme de Montbazon d'une noire supposition, par la différence de l'écriture. Dans cet embarras, celui qui avait perdu les lettres souffrit tout ce qu'un honnête homme doit souffrir dans une telle rencontre : il me parla de sa douleur, et me pria de tenter toutes choses pour le tirer de l'extrémité où il se trouvait. Je le servis heureusement ; je portai les lettres à la Reine, à Monsieur le Prince et à Madame la Princesse ; je les fis voir à Mme de Rambouillet, à Mme de Sablé et à quelques amies particulières de Mme de Longueville ; et aussitôt que la vérité fut pleinement connue, je les brûlai devant la Reine, et délivrai par là d'une mortelle inquiétude les deux personnes intéressées.

Cette affaire suggéra sans doute à Mme de Lafayette l'épisode de la lettre perdue dans *La Princesse de Clèves*. Elle eut, dans la réalité, une double suite. La Reine obligea Mme de Montbazon à faire des excuses publiques à Mme la princesse de Condé, mère de Mme de Longueville, alimentant ainsi les rancœurs de Beaufort et l'incitant à comploter. D'autre part, Coligny se battit en duel pour l'honneur de Mme de Longueville contre le duc de Guise, champion de Mme de Montbazon, le 12 décembre 1643 : vaincu, il mourut des suites de ses blessures ou de chagrin, dit-on, six mois plus tard. Retz fait allusion à ce duel (I, p. 349).

Page 266
   a. Le manuscrit porte bien *le* (et non *se*) *défaire...*

   1. Sur la valeur exacte du mot *important*, voir, malgré la différence de date, la réflexion suivante de La Bruyère :
   « Le suffisant est celui en qui la pratique de certains détails que l'on honore du nom d'affaires se trouve jointe à une très grande médiocrité d'esprit.
   Un grain d'esprit et une once d'affaires plus qu'il n'en entre dans la composition du suffisant, font l'important.
   Pendant qu'on ne fait que rire de l'important, il n'a pas un autre nom ; dès qu'on s'en plaint, c'est l'arrogant. »
                                                        (*Caractères*, Des Jugements, 54).
   2. La réalité de ce projet d'assassinat est confirmée par les *Mémoires* de Henri de Campion. Mais les informateurs de Retz n'avaient pas été mis dans le secret.

Page 267
   1. Le parti de la religion réformée. L'édit de Nantes avait accordé aux protestants diverses garanties, notamment des places fortes (La Rochelle, Montauban, etc.) qui leur permirent de former une sorte d'État dans l'État. Ce n'est pas à la religion protestante en tant que foi que s'en est pris Richelieu, mais bien au *parti* politique puissant qui regroupait ses fidèles. Le cardinal Henri de Gondi, sans avoir eu de rôle déterminant dans la décision de Richelieu, avait contribué vigoureusement à la lutte contre le parti huguenot.
   2. Le sens et la grandeur de la politique de Richelieu apparaissent clairement à tous, même à ses adversaires. On rapprochera de La Rochefoucauld : « Il voulut établir l'autorité du Roi et la sienne propre par la ruine des huguenots et des grandes maisons du royaume pour attaquer ensuite la maison d'Autriche et abaisser une puissance si redoutable à la France » (*Mémoires*, 1ʳᵉ partie). Voir sur ce point l'*Introduction*, I, pp. 21-22.
   3. Louis XIII n'avait en effet pour Anne d'Autriche que mépris et aversion, et il se défiait d'elle. Soupçonnée d'avoir trempé dans le complot de Chalais en 1626, convaincue en 1637 d'avoir transmis des informations politiques et militaires à l'Espagne, elle avait eu lors de la conspiration de Cinq-Mars une attitude pour le moins ambiguë. Aussi Louis XIII, avant de mourir, avait-il réglé l'organisation de la régence par une déclaration solennelle destinée à limiter étroitement les pouvoirs de sa femme. La Reine serait régente et Gaston d'Orléans lieutenant général du royaume ; mais ils ne pourraient gouverner qu'assistés d'un Conseil inamovible, où siégeraient Mazarin, le chancelier Séguier, Bouthillier et Chavigny, les décisions devant être prises à la pluralité des voix.

Page 268

1. Rapprocher de La Rochefoucauld : « La domination de Richelieu me parut injuste, et je crus que le parti de la Reine était le seul qu'il fût honnête de suivre. Elle était malheureuse et persécutée... » (*Mémoires*, 1ʳᵉ partie).

2. La déclaration royale avait été, très normalement, enregistrée par le Parlement. Aussi est-ce à lui que la Régente s'adressa pour la faire casser. Anne d'Autriche sollicitait et obtenait ainsi une légitimité. Mais ce faisant, elle accordait de fait au Parlement une part d'autorité politique dont il ne manquera pas d'user et d'abuser pendant la Fronde.

3. Les *Weymariens* sont les anciens soldats de Bernard de Saxe-Weimar, qui, après la mort de leur général en 1639, avaient été recrutés par la France.

Page 270

1. Voir plus haut, p. 228, note 2.

Page 271

a. Tout le passage concernant Mme de Pommereux a été censuré dans le manuscrit. Le début, de « *Je crois...* » à « *...ne me nuisirent point* » a été rayé, mais l'emploi ultérieur de réactifs en a permis la lecture. La suite, depuis « *La dame...* » jusqu'à la fin du paragraphe, seulement biffée d'un trait de plume, est aisément lisible.

1. La surintendance des mers avec charge d'amiral avait été rendue vacante en 1646 par la mort du duc de Brézé. Condé, qui avait épousé sa sœur, considère, selon une tendance courante à l'époque, que les charges doivent revenir par priorité à la famille des titulaires décédés.

2. Nommé archevêque de Corinthe *in partibus* le 22 janvier 1644, le coadjuteur fut sacré solennellement le 31 janvier.

Page 272

1. Programme inspiré par saint Vincent de Paul. Le fondateur de la Mission souhaitait, entre autres choses, améliorer la formation des prêtres. Ce programme était également conforme aux objectifs de l'Oratoire.

Page 273

1. Sur les grandes dépenses et les dettes de César, voir Plutarque, *Vie de César*, IV et VI.

2. L'Église, bien qu'exemptée en droit de l'impôt, était invitée à contribuer de son plein gré aux finances royales. Les assemblées du clergé, réunies tous les cinq ans, avaient pour principale fonction de fixer le montant global de cette contribution, ou *don gratuit*, et de la répartir entre les diocèses. Elles en profitaient pour régler diverses questions ecclésiastiques. L'assemblée réunie en 1640-1641 à Mantes avait tenté de s'opposer aux exigences financières très lourdes de Richelieu : d'où des sanctions.

Page 274

1. Marie-Louise de Gonzague, mariée le 5 novembre 1645 à Ladislas IV de Pologne. L'évêque de Varmie (Ermland) était alors le comte de Lesno.

2. Henriette-Marie, fille de Henri IV, avait épousé le 11 mai 1625 Charles Iᵉʳ d'Angleterre.

Page 275

1. Engageante pourrait signifier ici *contraignante* ? Voir aussi II, p. 43. Les dictionnaires du temps ne fournissent pas de sens satisfaisant.

2. Un *suffragant* est un ecclésiastique qui remplit les fonctions épiscopales à la place d'un évêque. Sous les princes lorrains, l'évêché de Metz fut souvent administré de cette façon, soit parce que les titulaires étaient trop jeunes, soit parce qu'ils occupaient en même temps d'autres sièges. Les évêques en titre passaient pour traiter leurs suffragants avec très peu d'égards.

Page 276

1. Insolito : insolite, inusité. Mais la confusion est peu probable, car l'adjectif *insolente* et l'adverbe *insolentemente* existent aussi en italien. — Dans *il pouvait être vrai, il* est impersonnel.

Page 278

1. Le *théologal* était chargé, dans un chapitre, de l'enseignement de la doctrine.

Page 279

1. Allusion à saint Ambroise interdisant à l'empereur Théodose l'entrée de la cathédrale de Milan après le massacre de Thessalonique en 390.

2. Retz et Condé étaient parents au 5ᵉ ou 6ᵉ degré, le bisaïeul de la mère du prince ayant épousé la grand-mère d'une arrière-grand-mère maternelle de Retz.

Page 280

a. Le manuscrit porte *cardinal* : lapsus probable pour *cardinalat*.

Page 281

1. Gaston d'Orléans, cultivé et amateur d'art, possédait une magnifique collection de médailles, qu'il aimait à faire admirer.

2. Voir plus haut, p. 273, note 2.

3. Politique par livre : prudent et dissimulé par principe. On se souviendra que, dans la première moitié du XVIIᵉ siècle, le terme de *Politiques* (qui avait désigné pendant les guerres de religion les modérés, partisans de la conciliation) est désormais appliqué aux tenants de l'absolutisme et de la raison d'État, qui se réclamaient, ouvertement ou en secret, de Machiavel (voir E. Thuau, *Raison d'État et pensée politique à l'époque de Richelieu*, 1966, chap. II). L'expression « *un Italien politique par livre* » renvoyait donc clairement à un livre précis, celui qui comporte la plus célèbre justification théorique de l'absolutisme, *Le Prince*.

Page 283

a. A la suite de ce paragraphe, qui termine la page 435, le manuscrit passe sans transition à la page 444. Beaucoup d'éditions signalent donc une lacune de 8 pages (4 feuillets). Mais le texte n'offre ni rupture syntaxique à l'intérieur d'une phrase, ni discontinuité dans la pensée. On a donc pu envisager une erreur de pagination : un cahier de 4 feuillets paginé à l'avance aurait été laissé à l'écart lors de la rédaction.

1. Retz a placé ici un panorama historique retraçant l'instauration progressive de l'absolutisme royal en France. Sur les théories politiques dont il se réclame et sur le vocabulaire spécifique qu'il utilise, voir l'*Introduction*, pp. 35-41.

2. Allusions à la *Grande Charte*, signée par Jean sans Terre en 1215 et confirmée en 1264 par son fils Henri III, et aux *fueros* de l'Aragon et d'autres provinces du nord de l'Espagne, droits et privilèges dont l'institution se confond avec les origines de la monarchie espagnole.

3. Sur les fonctions et prérogatives du Parlement de Paris, voir l'*Introduction*, p. 25 et la *Note sur les Institutions*.

4. *Libertinage* se disait alors du défaut de soumission en matière religieuse ; Retz en use, par analogie, pour la politique.

5. La réputation de sagesse de Charles V (roi de 1364 à 1380) est bien établie. Les personnages dont Retz invoque les ouvrages n'ont rien écrit qui corresponde exactement à ce qu'il dit : preuve nouvelle de sa désinvolture à l'égard de la documentation. Mais il est vrai que Nicolas Oresmieux, ou plutôt Oresme, et Jean Juvénal ou Jouvenel Des Ursins (peut-être confondu avec son fils et homonyme) sont des figures de sages conseillers royaux, destinés à faire contraste, dans le panorama historique de Retz, avec les conseillers et ministres ultérieurs, plus néfastes les uns que les autres.

6. Les prétentions à la tiare de Georges d'Amboise, cardinal et ministre sous Louis XII, contribuèrent, disait-on, à prolonger de façon désastreuse les guerres d'Italie.

7. Le duc Anne de Montmorency, nommé connétable de France en 1538, joua un rôle politique considérable du règne de François Ier à celui de Charles IX. *Avarice* signifie ici cupidité.

Page 284

1. Il s'agit de François et de Charles de Guise, tout-puissants sous François II et dans les années qui suivirent.

2. Ce furent les remontrances de Miron, à la tête de la municipalité parisienne, qui détournèrent le Roi, en 1605, de réduire les intérêts des rentes constituées sur l'Hôtel de Ville. La protestation du prévôt avait été si énergique que les courtisans conseillèrent à Henri IV de le faire arrêter ; mais le Roi répondit « qu'il prenait en bonne part ces remontrances » et il en tint compte. L'épisode sert ici de contre-exemple pour l'arrestation de Broussel, au début de la Fronde.

3. Retz souligne fortement le lien entre l'effort militaire, d'ailleurs couronné de succès, et le renforcement de l'autorité royale sous le ministère de Richelieu. Pour les faits ici évoqués, voir l'*Introduction*, pp. 22 et la *Chronologie*.

4. Ces personnages sont tous des magistrats célèbres pour s'être opposés aux abus de pouvoir, de quelque origine qu'ils vinssent. Achille de Harlay affirmait en 1605, face à Henri IV, la vocation législative du Parlement : « Les édits sont envoyés au Parlement non seulement pour procéder à la vérification, mais pour en délibérer selon les règles ordinaires de la justice. » Pibrac était en outre connu comme auteur de *Quatrains* satiriques, dont certains faisaient figure de maximes anti-absolutistes (« Je hais ces mots de puissance absolue / De plein pouvoir... » — Quatrain XCIII).

5. Sur l'emprisonnement de Barillon, voir plus haut, p. 256.

Page 285

1. Rapprocher ce passage des remarques de Machiavel sur les institutions françaises au début du XVIᵉ siècle :

> « La France tient le premier rang parmi les États bien gouvernés. Une des institutions les plus sages est sans contredit celle du parlement, dont l'objet est de veiller à la sûreté du gouvernement et à la liberté des sujets. Les auteurs de cette institution, connaissant d'un côté l'insolence et l'ambition des nobles, de l'autre les excès auxquels le peuple peut se porter contre eux, ont cherché à contenir les uns et les autres, mais sans l'intervention du roi, qui n'eût pu prendre parti pour le peuple sans mécontenter les grands, ni favoriser ceux-ci sans s'attirer la haine du peuple. Pour cet effet, ils ont institué une autorité qui, sans que le roi eût à s'en mêler, pût mépriser l'insolence des grands et favoriser le peuple. Il faut convenir que rien n'est plus propre à donner de la consistance au gouvernement et à assurer la tranquillité publique. Les princes doivent apprendre par là à se réserver la distribution des grâces et des emplois, à laisser aux magistrats le soin de décerner les peines, et en général la disposition des choses qui peuvent exciter le mécontentement » (*Le Prince*, chap. XIX).

2. L'alliance des armes et des lois, seule capable d'affermir le pouvoir, est un *topos* emprunté à l'Antiquité. On notera que c'est un thème récurrent dans *Le Prince*, notamment aux chap. XII, XVIII et XXIV. Mais Machiavel fait la part plus belle aux armes, sans lesquelles les lois ne peuvent prévaloir, tandis que Retz insiste sur l'équilibre entre les deux éléments.

3. L'Empire fut *mis à l'encan*, au sens propre, c'est-à-dire vendu au plus offrant par les prétoriens, qui venaient d'assassiner Pertinax en 193. L'empire ottoman était donné, au XVIIᵉ et au XVIIIᵉ siècles, comme le modèle du despotisme sans frein ; le mode d'exécution qui y était en usage — l'étranglement par cordelette — en était le symbole.

Page 286

a. On lit bien *pris* et non *prise* dans le manuscrit.

1. On désignait sous le nom de *maires du Palais* des officiers royaux qui, de majordomes de la maison royale qu'ils étaient primitivement, avaient fini par devenir sous les derniers Mérovingiens les vrais maîtres de l'État. Le plus connu est Charles Martel. Son fils Pépin le Bref, dernier maire du Palais, fit déposer Childéric III et le remplaça sur le trône, fondant la dynastie des Carolingiens. Le même scénario se renouvela avec les *Comtes de Paris*, tenants du fief entourant la capitale. Divers descendants de Robert le Fort, comte de Paris, furent élus au trône de France en alternance avec des Carolingiens, jusqu'en 987, date à laquelle Hugues Capet se fit proclamer roi à la place de l'héritier des Carolingiens et fonda la dynastie des Capétiens.

2. L'emploi du mot de *parallèle* place explicitement ces deux portraits antithétiques sous le patronage de Plutarque. Sur l'utilisation des portraits dans les *Mémoires*, et notamment sur ceux-ci, voir A. Bertière, op. cit., IIIᵉ partie, chap. 3.

3. Le *je ne sais quoi* : expression très employée au XVIIᵉ siècle, surtout dans les milieux précieux, pour désigner des attributs indéfinissables, échappant à la terminologie psychologique en usage. « Il est bien plus aisé de le sentir que de le connaître, dit le P. Bouhours ; sa nature est d'être incompréhensible et inexplicable ».

Page 287

1. Mazarin est né le 14 juillet 1602 à Piscina, dans les Abruzzes. Sur ses origines, une seule chose est sûre : son père, Pietro Mazzarini, venait de Sicile et fut à Rome intendant ou majordome chez les Colonna. Lui-même accompagna le fils de la maison comme « domestique » à l'université d'Alcala en Espagne. Sans être aussi basse que le prétendaient les libelles, dont Retz se fait ici l'écho — atténué ! —, sa naissance était donc modeste. Quant aux accusations — non vérifiées — de tricherie au jeu et d'escroquerie, elles étaient accréditées dans l'opinion par la rapidité avec laquelle il avait amassé en France une fortune considérable. Mais la vraie source de sa faveur fut, en Italie comme à Paris, son extrême habileté politique et diplomatique.

2. Au sortir du Colisée : tel est bien le texte original, que certaines éditions anciennes ont corrigé en *collège* (correction autorisée par le séjour attesté du jeune Mazarin au célèbre Collège Romain des jésuites). Nous n'avons pas découvert le sens d'une allusion au Colisée.

3. Allusion voilée, mais précise, aux bruits qui couraient sur les mœurs de Mazarin (voir la *Mazarinade* de Scarron).

4. Selon Tacite, Auguste aurait pris pour successeur Tibère afin qu'il lui servît de repoussoir : « il aurait cherché de la gloire dans un odieux contraste ». Ce passage des *Annales* (I, X) était souvent cité au XVIIᵉ siècle, parce qu'on y voyait — à tort — l'explication du choix de Mazarin par Richelieu.

5. Trivelin, personnage de la *Commedia dell'arte*, popularisé à Paris à partir de 1647 par l'acteur Dominique Locatelli, était un type de valet intrigant et aventurier. Les comédiens italiens, on le sait, improvisaient sur canevas. Parmi les canevas recueillis au XVIIIᵉ siècle par les frères Parfait, aucun ne porte le titre exact de *Trivelin prince*, mais on trouve des titres très proches de celui-ci. En tout cas l'assimilation de Mazarin à Trivelin était familière à la littérature satirique du temps de la Fronde.

Page 289

1. Le désigne Mazarin, à qui est consacrée la fin du paragraphe. *« A se tromper soi-même »* : à produire cet effet qu'il se trompât soi-même.

2. Le titre complet était *surintendants des finances*. Cette fonction, occupée suivant les périodes par un seul ou plusieurs titulaires, fut supprimée en 1661 après la disgrâce du dernier d'entre eux, Fouquet. Même s'ils ne s'enrichissaient pas personnellement, les surintendants étaient rendus très impopulaires par la politique financière qu'ils étaient chargés de mettre en œuvre. De nombreuses révoltes anti-fiscales avaient secoué les provinces sous Louis XIII, les plus connues étant celle des Croquants du Périgord en 1636-1637 et celle des Va-nu-pieds de Normandie en 1639.

Page 290

1. L'indépendance des cantons suisses confédérés — les *Ligues* — est due selon la tradition à l'initiative de trois paysans qui, en 1307, avaient juré de délivrer leur pays de la domination autrichienne.

2. Les Pays-Bas étaient devenus possession espagnole lorsque Charles Quint avait recueilli l'héritage de son ancêtre bourguignon Charles le Téméraire. Les provinces du nord, converties au protestantisme, se révoltèrent l'une après l'autre à partir de 1566. La lutte menée sous la conduite de Guillaume de Nassau, prince d'Orange, surnommé Le Taciturne, aboutit à la formation de la République des Provinces-Unies, dont l'indépendance, acquise dès 1579 mais sans cesse contestée par l'Espagne, ne fut reconnue qu'aux traités de Westphalie en 1648. Le nom de Pays-Bas fut réservé aux provinces du sud, catholiques, qui, après quelques hésitations, avaient choisi de rester espagnoles ; leur capitale était Bruxelles.

Page 291

1. Les Estrées et les Senneterres : c'est-à-dire de fins politiques. Voir I, p. 425 : « Senneterre, qui était sans contredit le plus habile homme de la cour... ».

2. L'édit du *tarif* (22 septembre 1646) modifiait les droits perçus sur toutes les marchandises entrant dans Paris, de façon à en accroître le rendement pour l'État.

3. La *salle*, distincte de la Grande Chambre, était la partie du Palais ouverte au public.

4. Derrière le vocabulaire religieux, lié à la doctrine de la monarchie de droit divin, apparaissent ici des théories politiques précises, dont on a dit un mot dans l'*Introduction*, pp. 36-38. On a vu que le roi, bien qu'absolu, était tenu de respecter, dans la pratique, certaines limites. Tout l'effort des parlementaires légalistes tend à obtenir que le roi fasse, de sa propre volonté, ce que le « public » attend de lui : alchimie mystérieuse supposant qu'on évite avec soin toute définition de compétences, qui aboutirait, soit à fixer des bornes constitutionnelles au pouvoir royal, soit à le laisser s'étendre despotiquement. Le grand reproche adressé ici à Mazarin et à la Régente, c'est d'avoir méconnu, par ignorance, ces règles tacites et d'avoir porté le débat sur la place publique, contraignant ainsi le Parlement à une opposition ouverte. On retrouve plus loin, dans les *Mémoires*, I, p. 343, l'exposé des mêmes théories.

Page 292

1. Déclaration : texte complétant, modifiant ou annulant un édit ou une ordonnance antérieurs.

2. La Chambre des vacations était chargée d'assurer la conduite des affaires pendant les vacances du Parlement.

Page 293

1. La Chambre du domaine était un tribunal chargé de connaître de tout ce qui concernait le domaine du roi, c'est-à-dire ses biens propres. La déclaration en question modifiait le statut des *tenanciers* du domaine royal : moyennant le paiement comptant d'une année de revenus, ils devaient être ensuite, en tant qu'*alleutiers*, dispensés de droits seigneuriaux. Lourde charge financière dans l'immédiat pour les intéressés, source d'argent frais pour le trésor, au risque d'hypothéquer gravement l'avenir.

2. Pour les *gens du Roi*, voir la *Note sur les institutions*.

3. Pour le *lit de justice*, se reporter à la même *Note*.

4. La multiplication des offices avait pour effet de réduire le prestige qui y était attaché et d'en faire baisser la valeur vénale et les revenus casuels.

D'où l'opposition des titulaires à la création de nouvelles charges. Le nombre de maîtres des Requêtes passait en l'occurrence de 72 à 84.

Page 295
1. Depuis 1604, les magistrats pouvaient obtenir la transmission prioritaire de leurs offices à des membres de leur famille grâce au versement d'une taxe, le *droit annuel*, familièrement appelée la *Paulette*. Cette grâce révocable devait être renégociée tous les neuf ans. En 1648, l'édit dont il est question ici offrait de renouveler le droit annuel en échange d'une renonciation à quatre années de gages. L'opération était évidemment bénéficiaire pour le trésor. De plus, en exemptant le Parlement d'une mesure applicable aux autres cours et en lui accordant le renouvellement sans contre-partie financière, la cour chercha à briser l'union des compagnies souveraines ; mais elle n'y parvint pas.

Page 296
1. Devant l'échec de sa manœuvre, la cour tenta, en cédant, d'amadouer les magistrats, et aussi de les discréditer dans l'opinion publique.

Page 298
1. Pour les *intendants*, voir la *Note sur les institutions*.
2. Les *partisans* étaient des financiers qui prenaient à *ferme* (on disait aussi *parti*) le recouvrement de tel ou tel impôt : ils en fournissaient immédiatement au Roi le montant estimé, à charge pour eux de le recouvrer auprès des contribuables, augmenté d'une commission, qu'ils calculaient parfois largement. Le gouvernement, toujours à court d'argent, ne pouvait se passer de leurs services, ni les exposer à des poursuites judiciaires, sans risquer de faire lui-même banqueroute.

Page 303
1. Le texte de ce sermon, publié en 1649, a été conservé ; il est reproduit dans les *Œuvres* de Retz, coll. des G.E.F., t. IX, pp. 107-131.

Page 304
1. Ce *Te Deum* était une cérémonie d'action de grâces pour la victoire de Lens. — On fera ici une observation générale concernant les dates dans les *Mémoires* : pour indiquer le quantième du mois, on usait au XVIIᵉ siècle de l'adjectif numéral *ordinal,* que l'on écrivait, soit en toutes lettres, soit simplement en chiffres, sans spécification particulière. « *Le 26 d'août* » se lisait donc « *le vingt-sixième d'août* » (*jour* étant sous-entendu).
2. Le *rochet* est un surplis à manches étroites et le *camail* une sorte de manteau très court qui se porte par-dessus. Ce costume, réservé aux dignitaires de l'Église, devait faire identifier aisément le coadjuteur.

Page 305
a. « *...de la bonne* » : telle est bien la leçon du manuscrit, que certaines copies et éditions ont corrigée en *de la confusion*. Faute de trouver une correction satisfaisante à proposer, nous conservons, comme tous les éditeurs modernes, ce texte peu clair.

MÉMOIRES

Page 307

1. Le *Capitan* est le type du fanfaron guerrier dans la *commedia dell'arte*, qui prêtait à ce personnage grotesque, non sans arrière-pensées politiques, la nationalité espagnole. En France, la guerre contre l'Espagne contribua pour les mêmes raisons à le rendre populaire : après Rocroi et Lens, l'iconographie satirique donne parfois ses traits à l'ennemi écrasé par Condé.

Page 308

a. Le manuscrit porte bien : « ...conclut *à* se donner [...], et *de* faire connaître... » : nous conservons cette leçon.

1. Personnage occupant des fonctions de police et de justice.

Page 310

1. Les *Halles*, ensemble de bâtiments reconstruits sous Henri II, n'étaient pas alors spécialisées dans les produits alimentaires. C'était un immense bazar où l'on trouvait des commerces de draps, de fourrures, de cuirs, de mercerie, de lingerie... Le quartier était habité en majorité par ceux que Retz appelle ici les *fripiers*.

Page 312

a. Tel est bien le texte du manuscrit. On attendrait plutôt : « ...et que le devoir et *que* la bonne conduite... ». Ou alors, il faudrait supprimer le *et* qui suit *persuader*, comme le fait l'édition de 1717.

Page 314

1. Selon Godefroi Hermant (I, p. 423), *Quimper-Corentin,* « au fond de la Basse-Bretagne », était un lieu de relégation, point de départ éventuel pour une déportation outre-mer, où les jésuites faisaient envoyer les ecclésiastiques suspects : lieu « où ils règnent presque souverainement et d'où il leur est aisé de faire enlever jusqu'aux extrémités du monde, ceux à qui ils procurent [...] le mérite et l'honneur de l'exil ». On en avait tiré une expression proverbiale humoristique, qui figure, par exemple, dans *Le Chartier embourbé* de La Fontaine. Mais ici, et compte tenu du contexte, la menace doit être prise au sérieux.

Page 315

1. Sur le prestige du titre de *chef de parti* aux yeux de Retz, voir l'*Introduction,* p. 33.

2. La jeunesse de Louis-Henri de Pardaillan, archevêque de Sens, avait été si licencieuse, que lorsqu'il se montra dans son diocèse d'une extrême sévérité en matière de mœurs, on put dire de lui, malicieusement, qu'il « faisait pleurer ses péchés aux autres ».

3. Cette décision capitale prend assurément dans le récit un aspect très théâtral, avec la succession d'incidents, puis la délibération morale qui la précèdent. Mais il est certain que ce fut dans la vie du coadjuteur un tournant décisif : voir sur ce point l'*Introduction,* p. 24.

Page 316

1. La facilité à mobiliser ainsi des hommes — même si Retz en exagère le nombre — s'explique par les fonctions de police normalement confiées à des milices bourgeoises. Les classes aisées y mettaient d'autant plus d'empressement qu'elles redoutaient le pillage. C'est sur elles que le coadjuteur tente de s'appuyer, plutôt que sur la foule des plus pauvres, toujours difficiles à contrôler. Le port de manteaux noirs distinguait la grosse bourgeoisie du menu peuple, vêtu de gris.

Page 317

1. Dans tous les carrefours importants étaient installées en permanence des chaînes qu'on pouvait tendre en cas de danger pour restreindre la circulation dans un quartier donné. Les Parisiens commencent par tendre ces chaînes le soir du 26 août et dans la nuit du 26 au 27, et ils les renforcent ensuite en les transformant en barricades, au moyen de poutres mises en travers, de tonneaux remplis de pavés, de terre ou de moellons. Ces barricades sont édifiées à deux fins : contre les gardes royaux, mais aussi contre les pillards.

Page 318

1. La *guerre des Anglais* : la guerre de Cent Ans.

2. Le hausse-cou était une pièce d'armure protégeant le cou et la poitrine. — Parmi les Ligueurs existait un courant hostile à la monarchie, qui déclarait légitime le régicide en cas de « mauvais roi », « impie » ou « fauteur d'hérésie ». Aussi le moine Jacques Clément, mis à mort aussitôt après avoir assassiné, le 1er août 1589, le roi Henri III coupable de s'être allié au huguenot Henri de Navarre et sous le coup d'une excommunication, passa-t-il pour un « saint martyr » aux yeux des plus exaltés. La *Satire Ménippée* confirme, avec une indignation scandalisée, qu'on avait fait faire « l'effigie du meurtrier, pour la montrer en public, comme d'un saint canonisé ». En faisant rompre publiquement le hausse-cou portant le nom de saint Jacques Clément, le coadjuteur affirme sa réprobation de l'assassinat politique et son respect pour la monarchie.

Page 321

1. *Interjection* est un terme de grammaire : partie du discours qui exprime les passions, comme la douleur, la colère, la joie.

2. Le vendredi saint était marqué par une suspension générale de toutes les activités, notamment commerciales.

Page 323

a. Le premier jet était, dans le manuscrit : « ...*comme vous l'avez vu à Livri* », c'est-à-dire Livry, résidence de l'abbé de Coulanges, où Mme de Sévigné faisait de fréquents séjours. Retz a biffé et corrigé de sa main, en interligne, *à Livri* en *chez vous* : ou bien il a voulu faire disparaître toute allusion à la destinataire, ou bien il s'est souvenu avoir rencontré Blancmesnil chez la marquise et non à Livry. En tout état de cause, le passage indique que Retz destinait au départ les *Mémoires* à Mme de Sévigné.

1. On enfermait dans de vastes *sacs* toutes les pièces relatives à un procès, que les conseillers pouvaient emporter chez eux.

Page 325

1. Rappelons qu'il s'agissait d'emprunts lancés auprès des particuliers par la Ville de Paris, pour le compte de l'État. Les difficultés financières avaient conduit à plusieurs reprises Mazarin à différer le paiement des intérêts ou à en diminuer le taux.

2. L'archiduc Léopold-Guillaume de Habsbourg, gouverneur des Pays-Bas de 1647 à 1656.

Page 326

1. Le Parlement avait demandé un allégement fiscal d'un quart de la taille ; la cour n'avait accordé qu'un huitième.

2. L'origine de l'anecdote n'a pas été retrouvée, mais son sens est clair : c'est un exemple de suspicion absurde.

3. Dire son avis sur les fleurs de lis : l'exprimer publiquement et selon les règles lors d'une séance au Palais, où les sièges étaient recouverts de tapisseries semées de fleurs de lis.

Page 327

1. Le baron d'Erlach, à la tête d'une troupe de mercenaires allemands, était au service du Roi. Les actes de cruauté et les pillages de ses bandes indisciplinées, issues des champs de bataille de la guerre de Trente Ans, lui avaient fait une réputation terrifiante, qu'il était le premier à déplorer.

Page 328

1. Voir plus haut, p. 298.

Page 329

1. La naturalisation de Mazarin, en avril 1639, n'empêchait pas l'opinion de le considérer encore comme un étranger. Sur Concini, maréchal d'Ancre, voir plus haut, p. 242.

2. C'est-à-dire le prévôt des marchands et *les* échevins, qui, constituant à eux cinq le Bureau de Ville, formaient une sorte d'entité qui explique l'ellipse de l'article dans la langue administrative ; mais l'accord du verbe se fait naturellement au pluriel. Sur les fonctions de ces personnages, voir la *Note sur les institutions.*

Page 330

1. Allusion à l'affaire de la surintendance des mers (voir p. 271, note 1).

2. Voir ci-dessus, pp. 278, sqq.

Page 331

a. ...ce récit [et qui me donne la satisfaction à moi-même de penser qu'il n'y aura pas eu un point dans ma vie dont je n'ai eu celle de vous rendre compte,] pour vous faire voir... : ce membre de phrase a été biffé (par qui ?) et récrit d'une autre main en interligne. Nous l'avons intégré au texte en le signalant par des crochets.

1. Poncire : sorte de citron, de limon fort gros et fort odorant et dont on fait ordinairement une confiture appelée écorce de citron (*Dict. Acad.*, 1694). Les agrumes étaient un produit de très grand luxe au milieu du XVIIᵉ siècle.

2. Les trois États : les représentants des trois ordres de la nation aux États Généraux, c'est-à-dire la totalité du royaume.

Page 332

a. Selon l'usage ancien, Retz omet ici dans les dates le chiffre du millénaire. Nous le rétablissons entre crochets, pour plus de clarté, dans les trois occurrences de cette date de 1617.

Page 334

1. Les magistrats du Parlement portaient, comme les avocats, un bonnet carré.

Page 335

1. La chambre de Saint-Louis avait proposé, en juillet 1648, d'interdire le maintien en prison de quiconque pendant plus de vingt-quatre heures sans qu'on l'interrogeât et qu'on lui fît son procès. Devant les réticences très fortes de la cour, cette mesure fut limitée aux seuls officiers du Parlement : Chavigny ne pouvait donc, en principe, en bénéficier. Son cas permet au Parlement d'en obtenir la généralisation, moyennant une extension du délai à trois jours.

Page 337

a. Le mot de *rencontre*, au sens d'occasion, est bien féminin dans le manuscrit, contrairement aux habitudes de Retz.

b. du depuis est bien la leçon du manuscrit ; c'est un archaïsme pour *depuis*.

1. Il s'agit du duc de Beaufort. Emprisonné en septembre 1643 à la suite de la cabale des Importants (voir plus haut pp. 266 sqq) il s'était évadé le 31 mai 1648.

2. Le duc de Montbazon, très âgé, désirait se défaire du gouvernement de Paris, sans pourtant le céder à son fils le prince de Guéméné, qui ne le souhaitait pas. Une telle charge, conférée par le Roi, n'était pas vénale comme les offices. Mais l'usage voulait que le nouveau titulaire offrît à son prédécesseur ce qu'on appelait une « récompense », c'est-à-dire une compensation financière pour les revenus auxquels celui-ci renonçait.

Page 338

1. Les *Carnets* de Mazarin prouvent que le ministre n'avait pas tendu au coadjuteur le piège ici décrit. Mais l'idée de solliciter le gouvernement de Paris a pu être encouragée chez Retz par tel ou tel de ses amis, qu'il préfère soupçonner, après coup, d'avoir été manipulé par la cour, plutôt que d'avouer — et de s'avouer à lui-même — qu'il avait eu spontanément une prétention aussi ridicule. C'est là un des passages où apparaissent le plus nettement chez le mémorialiste les ruses de l'amour-propre. En fait, il plaide coupable — et il plaide mal.

2. Verdures et pastourelles : au figuré, « choses douces et innocentes », dit Littré, qui cite, à côté de l'exemple de Retz, un autre de Mirabeau : « Ce ne sont là que des pastorales et des verdures au prix de ce qui suit. » Il s'agit donc d'une expression consacrée. La *pastourelle* ou *pastorale* est un genre littéraire au climat idyllique abondamment illustré par les peintres, où les personnages sont des bergers. Les *verdures,* tapisseries à décor de feuillages, forment la toile de fond idéale du genre.

Page 340

 1. Sur les *lois fondamentales de l'État,* voir l'*Introduction,* p. 37.

 2. La taille était le principal impôt direct. « Mettre les tailles en parti » : les affermer à des financiers. Voir plus haut, I, p. 298 et note 2.

Page 342

 a. Cette phrase reste ainsi suspendue dans le manuscrit : inadvertance ? Nous la reproduisons telle quelle.

 1. Les charges d'officiers au Parlement conféraient à leur titulaire, au bout de vingt ans d'exercice ou en cas de mort en charge, une noblesse transmissible à leurs descendants. Mais la noblesse traditionnelle, dite d'épée, méprisait cette noblesse de robe et traitait volontiers ses membres de *bourgeois.*

 2. Les officiers du Parlement dépendaient entièrement du Roi pour le paiement de leurs gages et surtout pour la transmission de leur charge à leurs enfants. Ils auraient dû être le meilleur soutien de l'autorité royale. Leur révolte, née d'un refus de se voir enlever des prérogatives politiques de fait qu'ils avaient peu à peu conquises dans les années de troubles, fut exacerbée par l'attitude de la Reine et de Mazarin. Mais ils ne cessèrent jamais, dans leur grande majorité, de souhaiter le retour à l'ordre, et restèrent fidèles au principe monarchique.

Page 344

 1. Pour les théories sur le *mystère de l'État,* voir plus haut, p. 291, note 4, et *Introduction,* pp. 36-38.

 2. Le parlement de Bordeaux s'était opposé au gouverneur, avec l'appui du peuple, sur une affaire d'exportation de grains. Les magistrats de celui d'Aix protestaient contre l'institution d'un *semestre* (système d'alternance semestrielle), qui réduisait de moitié leurs fonctions.

 3. « ...*le désespoir du retour* » : Retz veut dire que si l'on en vient, dans le cours d'une « révolution », à *désespérer* de la possibilité d'un *retour* en arrière, le mouvement risque de devenir irréversible, donc très dangereux.

Page 345

 1. Lors de leur expansion au XVIᵉ siècle, les protestants s'étaient organisés plus ou moins démocratiquement ; ils avaient des assemblées où maires élus et ministres du culte jouaient un rôle capital ; ils étaient en possession de places fortes comme Nîmes, Montauban et surtout La Rochelle. Les grands seigneurs protestants comme Louis Iᵉʳ et Henri de Bourbon, arrière-grand-père et grand-père de Condé, qui en commandaient les troupes, eurent souvent maille à partir avec ces assemblées.

 2. Ce second exemple est emprunté au parti adverse, celui de la Ligue. Le duc du Maine, ou de Mayenne, qui en était devenu le chef après l'assassinat de ses frères, réussit en effet à conserver les sympathies du Parlement légaliste, bien que les Ligueurs extrémistes s'en fussent pris au principe même de l'autorité royale ; mais Retz omet de dire que la répugnance pour un roi protestant avait rendu les magistrats plus accueillants aux théories de la Ligue.

3. Mayenne avait, en compagnie de son frère Henri de Guise, signé un traité avec l'Espagne (à Joinville, le 2 janvier 1585) et ils en recevaient des subsides. Ils appartenaient à la maison de Lorraine — « étrangère » —, souvent hostile à la France — « suspecte » —. Mayenne fut battu par Henri IV à Arques en 1589 et à Ivry en 1590 et il se soumit.

Page 346

1. « Peu d'arrangement » ? Le lecteur jugera. Ici comme à d'autres reprises, le mémorialiste justifie la présence de discours dans son récit par une pratique fréquente au XVIIe siècle, et qui consistait en effet à consigner par écrit les éléments d'une argumentation, pour en débattre ou y réfléchir à loisir. Mais cette pratique paraît difficilement compatible avec une mise en forme rhétorique élaborée. Les discours insérés dans les *Mémoires* relèvent donc plutôt des impératifs de l'historiographie antique, où ils remplissaient une double fonction, didactique — de mise au point — et esthétique — d'ornement. Ils ont été presque à coup sûr rédigés en même temps que le récit : mais le mémorialiste joue le jeu de la vraisemblance en feignant de les avoir conservés ou retrouvés.

Page 347

1. « *Il n'eût redressé* » : Le *n'* explétif est entraîné par la double négation de la principale.

2. Condé avait pris Dunkerque aux Espagnols le 11 octobre 1646, en treize jours de siège seulement, grâce à une action militaire vivement menée. Gonesse, gros bourg au nord de Paris, était réputé pour la qualité de son pain. Condé veut dire, d'une façon plus générale, qu'on fermerait les voies d'approvisionnement de Paris : autre méthode pour prendre une ville.

Page 348

1. « *La* procession de la Ligue » : laquelle ? Il y en eut beaucoup. Mais l'allusion est ici dépréciative. Or, parmi les nombreuses processions organisées par les Ligueurs, catholiques fanatiques, l'une a donné lieu à une description bouffonne au livre II de la *Satire Ménippée* : celle du 17 janvier 1593, qui précéda l'ouverture des États Généraux. On a donc affaire dans ce passage à une allusion littéraire autant qu'historique.

2. Cette expression, très répandue, est une référence explicite, elle, à la *Satire Ménippée*, où l'on voit des charlatans débiter aux Parisiens une drogue aux vertus universelles, le *catholicon*. Cette drogue, c'est « le prétexte que le roi d'Espagne et les Jésuites et autres prêcheurs, gagnés des doublons d'Espagne, ont donné aux Ligueurs de se révolter contre leur Roi naturel et légitime » : autrement dit, c'est l'excuse que les convictions catholiques intransigeantes fournissent pour toutes sortes de crimes. Mais comme ces convictions sont entretenues par l'Espagne à coups de *doublons*, le catholicon désigne aussi l'or espagnol : au temps de la Fronde (guerre civile sans implications religieuses), c'est uniquement dans ce sens qu'on l'entend. — Dans certaines éditions, la satire elle-même a pour titre *La vertu du Catholicon d'Espagne* (qui est celui du premier chapitre) : Retz la désigne parfois par ce titre, sous forme abrégée (*Le Catholicon*, voir II, p. 338).

Page 349

1. Des trois enfants de Henri II de Bourbon, Geneviève, devenue par son mariage Mme de Longueville, était née la première, suivie de Louis, « son frère aîné », le Grand Condé, puis du second, Conti. Aux bruits qui couraient sur l'amour que lui aurait porté Conti, Retz ajoute, mais pour les démentir, des commentaires déplaisants visant Condé. — L'affaire Coligny a été évoquée plus haut dans les *Mémoires*, p. 265 et note 1.

Page 350

1. Le fait de recevoir une pension de quelqu'un était une marque de dépendance, à laquelle La Mothe n'a pas voulu se soustraire, même lorsqu'il n'en avait plus besoin.

2. Mme de Bouillon, née de Berg, appartenait à une grande famille des Pays-Bas espagnols. Lors de son mariage, en 1634, M. de Bouillon possédait encore la principauté de Sedan.

3. Proche, adverbe, est invariable.

Page 351

a. Le manuscrit comporte ici (pp. 665-666) six lignes raturées — pas de la main de Retz — que les éditeurs remplacent généralement par des points de suspension. A. Champollion-Figeac a tenté de les déchiffrer et, bien que sa lecture soit parfois conjecturale, nous avons pris le parti de les faire figurer dans le texte, entre crochets, parce que le sens en est parfaitement adapté. Il est probable que cette rature, comme celles de la p. 232, var. *b* et *c*, visait à protéger la réputation de Mme de la Meilleraye.

b. Après *politique* figurent quatre lignes biffées — peut-être par Retz —, remplacées en interligne d'une autre main par : « et j'ai connu, à l'heure qu'il est, autant de considération que j'en ai eu toute ma vie à douter du contraire ». Nous avons écarté cette phrase, peu intelligible.

Page 352

1. Les *retranchements* sont les pertes financières entraînées pour la cour par les décisions du Parlement en matière fiscale. On ne sait rien de plus sur les propositions que le riche partisan Launay aurait faites pour y remédier.

Page 353

1. Voir ci-dessus, p. 340.

2. L'Église condamnait les prêts à intérêt, même si le taux n'en était pas usuraire. Aussi le rôle de prêteurs avait-il souvent été tenu depuis le moyen âge par les Juifs, qui s'étaient ainsi acquis une réputation d'usuriers.

Page 355

1. Est-il besoin de préciser que ce récit est ironique et que Retz avait suscité lui-même l'incident qui devait fournir un prétexte à son refus de se rendre à Saint-Germain ?

2. Charles de Sévigné, frère aîné du chevalier dont il est question ici, avait épousé une cousine germaine de Retz, Marguerite de Vassé ; leur fils, Henri, épousa Marie de Rabutin-Chantal, qui devint ainsi marquise de Sévigné ; de son côté, Renaud de Sévigné fut le second mari de Mme de La Vergne, qui avait eu d'un premier mariage une fille destinée à devenir Mme de Lafayette.

Page 356

1. Il s'agissait d'imposer au Parlement une manière d'exil dans des conditions matérielles désagréables, mais surtout de le couper du peuple de Paris et de séparer les différentes chambres les unes des autres.

Page 357

1. « Tribunat *revêtu* » : protégé par la présence d'alliés. Cette métaphore est empruntée au lexique des fortifications, où l'on nomme *ouvrage revêtu* celui qui est recouvert de pierre ou de brique. Elle est complétée, à la fin de la phrase suivante, par l'adjectif *dégarni*, qui en éclaire le sens.

Page 358

1. Bernay, dit Tallemant, « était tellement féru de la vision de tenir la meilleure table de Paris, qu'il en était ridicule. On l'appelait *le cuisinier de satin*, car il allait dans sa cuisine, on lui mettait un tablier, il tâtait à tout, et faisait tout cela fort sottement ».

2. L'énumération est confuse pour le lecteur contemporain par suite de l'ellipse des articles, usuelle dans la langue du Palais (Retz démarque ici le *Journal du Parlement*). Il faut comprendre, outre les députés des trois compagnies, M. de Montbazon, qui était gouverneur de Paris, le prévôt des marchands et les échevins, qui formaient ensemble le Bureau de Ville (voir p. 329, note 1), ainsi que les syndics des principales corporations. Les *Six-Corps* étaient les corps de métiers parisiens les plus prestigieux : au XVIIᵉ siècle, drapiers, épiciers, merciers, pelletiers, orfèvres et bonnetiers, chargés de représenter en toutes circonstances l'ensemble des artisans et commerçants. On avait donc fait appel à tous ceux qui exerçaient à Paris une responsabilité.

Page 359

1. La grand-mère paternelle de Marguerite de Gondi, duchesse de Brissac, était Antoinette d'Orléans, fille de Léonor d'Orléans, duc de Longueville, dont Henri II de Longueville est le petit-fils.

Page 360

1. Sur le duc du Maine et son rôle dans la Ligue, voir plus haut, p. 345 et note 2.

2. « *Par les minutes* » : dans les minutes suivantes, immédiatement.

Page 361

1. Le Parlement, formé de magistrats propriétaires de leurs charges et anoblis par elles, et le Bureau de Ville constitué de représentants de la grosse bourgeoisie marchande, élus sous le strict contrôle du Roi, étaient deux organismes bien distincts, aux attributions différentes. Mais les troubles civils leur donnaient des responsabilités imprévues, susceptibles de les mettre en position de rivalité.

Page 362

1. Le Coigneux avait accompagné Gaston d'Orléans en exil à Bruxelles de 1633 à 1635.

Page 364

a. Le manuscrit porte, évidemment par inadvertance, *dernier*, que nous avons corrigé en *premier*.

Page 365

a. Retz a bien écrit : crime de *la* lèse-majesté.

Page 367

1. Le *triolet* était un poème à forme fixe, chanté, d'origine médiévale, très propre à la moquerie par le triple retour d'un même vers. Le genre en fut remis à la mode au temps de la Fronde. Voici celui qu'évoque Retz : « M. d'Elbeuf et ses enfants / Ont fait tous quatre des merveilles. / Ils sont pompeux et triomphants, / M. d'Elbeuf et ses enfants. / L'on dira jusqu'à deux mille ans, / Comme une chose sans pareilles : / « M. d'Elbeuf et ses enfants / Ont fait tous quatre des merveilles. »

Page 368

1. « Donner un relais » (terme de chasse) : « lâcher après la bête que l'on court les chiens placés en relais » (Dict. Acad.), pour prendre la place de ceux qui l'ont déjà poursuivie et qui sont fatigués. L'expression est prise ici au figuré, de façon plaisante.

Page 369

1. Retz veut dire que la salle du Palais, où le peuple s'était amassé, était assez calme pour qu'on n'eût rien à en craindre : il peut donc se permettre de la quitter.

2. Voir p. 351.

Page 370

1. Les généraux devaient commander par roulement, chacun un jour, selon l'usage des armées. On laisse à Elbeuf l'honneur de commencer.

2. « ...*somma* la Bastille... » de se rendre aux Frondeurs.

3. Le célèbre roman d'Honoré d'Urfé, publié entre 1607 et 1627, servait encore longtemps après de « bréviaire aux dames et aux galants de la cour », selon un mot de Mlle de Gournay, et les salons en avaient tiré divers jeux de société, que Tallemant évoque dans l'*Historiette* consacrée à Retz. Marcilly est dans *L'Astrée* la capitale du royaume de Galathée, la belle reine du Forez, dont Lindamor est amoureux.

Page 371

1. Ici intervient la célèbre « galerie » de portraits, morceau de bravoure dans le goût mondain, entre les « préalables » de la guerre civile et l'action principale. Cette place ne doit rien au hasard : les portraits, loin d'être faits *a priori*, se présentent comme la synthèse de certains traits apparus en ordre dispersé dans les pages qui précèdent, et ils sont donc plus propres à emporter la conviction. De plus ils offrent, pour chaque personnage, une sorte de « modèle » premier, susceptible d'être affiné, sans doute, mais qui commandera largement l'intelligence de la suite. Sur le genre des portraits et la dette de Retz envers l'historiographie classique d'une part, le portrait précieux d'autre part, voir A. Bertière, op. cit., 3ème partie, chap. 3.

Ajoutons que les *Mazarinades* comportaient assez souvent des portraits, généralement satiriques.

Page 372

1. Mettre Spinola, un quasi contemporain, sur le même plan que César, c'est refuser de rejeter les grands hommes de Plutarque dans une antiquité mythique et postuler qu'une continuité existe, qui aboutit ici à Condé (Retz procédait de même à la première page des *Mémoires* en unissant à César le président de Thou). Pour l'héroïsation du personnage de Condé, on consultera son *Oraison funèbre* par Bossuet et le portrait qu'a fait de lui La Bruyère sous le nom d'Aemile (*Du mérite personnel*, 32).

2. Des deux Guise cités ici, le père, François, fut un des plus brillants chefs militaires du temps de Henri II et le fils Henri, « le Balafré », fut un des acteurs les plus violents des guerres de religion. L'un et l'autre périrent assassinés.

3. Sur la cabale des *Importants*, voir plus haut, p. 266.

4. C'est une allusion probable, non à Caton le Censeur, mais à Dionysius Cato, auteur du recueil de distiques *De moribus*, sentences fort à la mode au temps de la Fronde.

Page 373

1. M. de Beaufort « formait un certain jargon de mots si populaires et si mal placés, que cela le rendait ridicule à tout le monde, quoique ces mots qu'il plaçait si mal n'eussent peut-être pas laissé de paraître fort bons, s'il avait su les placer mieux, n'étant mauvais seulement que dans les endroits où il les mettait... Ce qui donna lieu de dire pour l'excuser de ce qu'il parlait avec tant de dérangement et si grossièrement, qu'il fallait bien qu'un roi parlât la langue de ses sujets ; car son grand pouvoir parmi le peuple lui avait acquis le titre de *roi des Halles*. » (*Mémoires* de la duchesse de Nemours). Retz avait pastiché plaisamment ce langage dans un libelle intitulé *Manifeste de Monseigneur le duc de Beaufort, général des armées de Son Altesse Royale* (juin 1652).

2. Portrait à rapprocher du jugement porté sur M. de Bouillon, I, p. 440.

Page 374

1. Sur le *je ne sais quoi*, voir p. 286, note 3.

2. C'est-à-dire que La Rochefoucauld cherchait toujours à se justifier.

3. *Le courtisan le plus poli :* Retz entend par là le parfait homme du monde, tel que le décrivait le célèbre ouvrage de Balthazar Castiglione, *Il Cortegiano*. Façon de réduire la personnalité de La Rochefoucauld à un modèle stéréotypé, dépourvu des qualités exceptionnelles qui font, selon le mémorialiste, les hommes supérieurs.

4. La longueur insolite de ce portrait s'explique sans doute chez Retz par le souci de répondre à un portrait que La Rochefoucauld avait fait récemment de lui et que Mme de Sévigné lui avait communiqué. Voir sur cette question l'article d'André Bertière dans la *Revue d'Histoire littéraire de la France*, LIX, 1959, pp. 313-341. On aura intérêt à comparer entre eux ces deux portraits et à en rapprocher celui que La Rochefoucauld a fait de lui-même, qui figure dans toutes les éditions des *Maximes*.

Page 375

1. Allusion à la conversion de Mme de Longueville vers 1658, sous l'influence de la mère Angélique Arnauld et des milieux jansénistes. — De tous les portraits de la « galerie », celui de Mme de Longueville est le seul où l'on perçoive nettement l'influence de la préciosité, dont la princesse fut une des figures marquantes (elle est le modèle de Mandane dans *Le Grand Cyrus* de Mlle de Scudéry). On remarquera les adjectifs substantivés — le *fin* et le *brillant* — et le terme *lumineux*.

Page 376

1. Rapprocher de ce jugement de Bossuet (*Oraison funèbre d'Anne de Gonzague*) : « Toujours fidèle à l'État et à la grande reine Anne d'Autriche, on sait qu'avec le secret de cette princesse elle eut encore celui de tous les partis : tant elle était pénétrante ! tant elle s'attirait de confiance ! tant il lui était naturel de gagner tous les cœurs ! »

2. Gustave-Adolphe de Suède.

Page 377

1. Le refus de l'autoportrait est sans doute imputable en partie à des motifs littéraires : le passage brutal à la première personne eût détonné. Mais il entre d'autre part dans le jeu subtil de *captatio benevolentiae* consistant à s'en remettre au jugement de la destinataire et donc du lecteur. On remarquera cependant la réflexion initiale sur les obstacles à la connaissance de soi, caractéristique de la seconde moitié du XVIIᵉ siècle et de la pensée janséniste. Comme La Rochefoucauld était l'auteur d'un autoportrait, non dépourvu de complaisance, il est probable que Retz lance ici une pierre dans le jardin de son vieil ennemi.

2. Établissement de bains et hôtellerie à la mode.

Page 379

1. Henriette-Marie de France, fille de Henri IV et épouse de Charles Iᵉʳ d'Angleterre, s'était réfugiée en France en 1644 avec sa fille Henriette et son plus jeune fils, pour fuir la guerre civile. Le Parlement lui accorda un secours, non de 40 000 mais de 20 000 livres ; les procès-verbaux ne précisent pas qui en fit la proposition. L'arrêt est du 13 janvier 1649.

Page 380

a. C'est ici la fin, dans la reliure primitive et dans la reliure actuelle, du premier volume des *Mémoires*. A la suite du dernier feuillet ont été recueillis trois feuillets erratiques paginés — pas de la main de Retz — 755 bis, 755 ter (recto et verso), 755⁴ et 755⁵ (rectos seulement), que des signes de renvoi affectent à d'autres endroits du texte. Ces quatre ajouts ont été remis à leur vraie place par les éditeurs du G.E.F. et, à leur suite, par tous les autres (voir variantes des pp. 407 et 435 du t. II).

b. En tête de ce paragraphe, Retz a porté de sa main, dans la partie supérieure du feuillet : *Second volume. Continuation de la seconde partie.* C'est ici que débutent les deux copies non posthumes : la copie R, conservée avec le manuscrit et déposée avec lui à la Bibliothèque Nationale, et la copie dite Caffarelli, envoyée pour appréciation à Caumartin (voir l'*Introduction*, p. 65).

1. Suétone raconte (*Caligula*, LV) que cet empereur avait l'intention, si la mort ne l'eût prévenu, de nommer consul son cheval Incitatus.

2. Le *grand prévôt* : grand officier de la couronne, chargé de la police des châteaux royaux.

3. Voici, à toutes fins utiles, l'appréciation sur ce passage dictée à un secrétaire par Caumartin et annexée à la copie Caffarelli : « Une lettre ecclésiastique ne signifie rien et sent la raillerie. Il vaut mieux dire [que] vous fûtes touché de cet avis ; que tous ceux qui étaient dans le parti protestaient hautement que si on coupait une tête à Saint-Germain, il en fallait couper deux à Paris [...] ; que vous eûtes horreur de cette barbarie, que vous jugeâtes que si on commençait à répandre le sang, de quelque manière que ce fût, que cela irait loin ; vous souhaitiez que les choses se pussent adoucir et qu'on n'en vînt pas à de si grandes aigreurs, etc... ». Commentaire très révélateur. La version proposée par Caumartin conviendrait beaucoup mieux à une autojustification efficace. Ce qu'il blâme, c'est le détachement ironique, qui fait précisément l'originalité de Retz. Le cardinal vieilli a renoncé à plier l'image qu'il donne de lui aux normes du conformisme moral et politique. Revus et corrigés par Caumartin, les *Mémoires* ne scandaliseraient ni n'intéresseraient plus personne...

4. Retz sous-estime beaucoup les privations et les souffrances des Parisiens (voir A. Feillet, *La misère au temps de la Fronde*...) ; mais il est exact que la spéculation contribua à aggraver les effets du blocus.

Page 381
a. L'accord de ce participe passé n'est fait ni dans l'autographe, ni dans les copies.

1. Retz exagère l'ampleur des mouvements provinciaux.

Page 382
1. La plupart des éditeurs signalent dans le récit de la fin de janvier 1649 deux omissions, qu'ils disent intentionnelles :

— Un sermon que fit Retz le 25 en l'église Saint-Paul, dont le texte n'a pas été conservé, mais qui fut, paraît-il, d'une extrême violence contre Mazarin.

— La défaite, le 28, du régiment qu'il venait de lever et qui tentait, pour la première fois, sous le commandement du chevalier de Sévigné, de protéger un convoi de vivres. Comme ce régiment portait le nom de Corinthe (par allusion au titre d'archevêque de Corinthe *in partibus* du coadjuteur), on en fit un bon mot : « la première aux Corinthiens ». Il convient d'observer cependant, à la décharge du mémorialiste, qu'il ne passe pas complètement sous silence l'existence de ce régiment, puisqu'il en parle indirectement plus haut, p. 380 et plus loin, p. 401 ; mais surtout que le *Journal du Parlement* — pourtant très détaillé —, qu'il démarque servilement pour cette période, ne mentionne ni le sermon, ni le combat malheureux.

Page 384
a. Nous faisons figurer dans le texte les mots entre crochets, rayés dans le manuscrit et rétablis dans la copie R, qui ont été retenus par toutes les copies et éditions anciennes, et qui rendent le sens bien plus clair.

Page 385

1. Le libelle en question, rédigé par Cohon, évêque de Dol, a été conservé ; il s'intitulait *Lis et fais* ; il avait été affiché en placard à Paris et à Saint-Germain avant d'être tiré sous forme de tract pour être répandu par le chevalier de La Valette.

Page 387

a. Les copies R et Caffarelli donnent ici un passage qui ne figure pas dans l'autographe, mais qui a pu être dicté par Retz. Nous le reproduisons, sous toutes réserves, entre crochets.

1. Aucun autre témoignage ne confirme ce projet d'assassinat.

Page 388

1. Dans la copie Caffarelli est intercalé ici un commentaire de Caumartin, qui témoigne du même esprit que le précédent, invitant Retz à marquer qu'il était personnellement hostile aux négociations avec l'Espagne et n'a fait que suivre le Parlement...

Page 389

1. Comme une chose que nul ne devait toucher, sous peine de sacrilège, sinon ceux qui, rituellement, y étaient autorisés. Allusion à l'Évangile selon saint Mathieu (XII, 5) : « le jour du sabbat, les prêtres violent le sabbat dans le temple sans commettre de péché, car l'obligation d'immoler quotidiennement en holocauste deux agneaux prévaut sur les interdits attachés au sabbat ».

Page 391

1. En 1591, Mayenne et les Ligueurs avaient empêché Pierre de Gondi, favorable à Henri IV, de pénétrer dans Paris dont il était évêque.

Page 392

a. « ...quand même elle eût été aussi laide qu'elle était belle... », portent les copies R et Caffarelli.

Page 395

1. Voir plus haut, p. 326, note 3.

Page 397

1. Retz a suivi ici de très près, parfois mot pour mot, le texte du discours de l'envoyé d'Espagne, tel qu'il est rapporté dans le *Journal du Parlement.*

Page 399

1. Furetière et Richelet donnent pour « *avoir le dernier* » le sens de *avoir le dernier mot.* Ils sont suivis par Littré — « se dit d'un opiniâtre qui veut toujours répliquer le dernier, porter un coup le dernier » —, qui cite comme exemple la phrase de Retz. Mais ce sens est en contradiction avec le contexte. Il s'agit en fait d'un terme emprunté à certains jeux de course, signifiant *être le dernier touché,* et ne plus pouvoir riposter, donc avoir perdu la partie. On trouve un emploi similaire dans *Le Dépit Amoureux* de Molière (IV, 3), où Gros-René et Marinette encouragent leurs maîtres respectifs à ne pas céder : G.-R. : « N'ayez pas le dernier ! » — M. : « Tenez bien jusqu'au bout ! » (voir G. Couton, éd. des *Œuvres complètes* de Molière, bibl. de la Pléiade, t. I, p. 1210).

2. Maître Gonin était au XVIᵉ siècle un escamoteur célèbre, d'où cette locution populaire désignant un homme adroit et rusé.

Page 400

1. Rouse : graphie reproduisant, à des fins comiques, la prononciation à l'italienne du mot *ruse* par Mazarin.

Page 401

a. « *le pont Iblon* » : on n'a trouvé aucun pont de ce nom aux alentours de Boissy-Saint-Léger. Il s'agit visiblement d'une erreur, que les copies R et Caffarelli ont rectifiée par une rature et une correction marginale : « un pont qui se rencontre sur le grand chemin ». Nous avons découvert l'origine de cette erreur. Il existait un pont *Iblon*, doté d'un fort, à Aubervilliers, le long de la route menant de Gonesse à Paris (voir le *Journal* de Dubuisson-Aubenay à la date du 26 mars 1649) — dont on retrouve peut-être le nom, déformé, dans l'actuelle rue du Pont Blanc. Retz a donc confondu les deux grands itinéraires d'acheminement du blé, celui du nord, par Gonesse, et celui du sud, par Brie-Comte-Robert. Nous avons maintenu la leçon initiale, parce qu'elle est représentative de la démarche intellectuelle du mémorialiste, qui a tendance à fournir en matière de lieux — comme de temps et de personnes — des indications précises, qu'il ne prend pas toujours la peine de vérifier.

1. On lira la version de ce combat fournie par La Rochefoucauld dans ses *Mémoires*, à la fin de la seconde partie. C'est à la demande de Noirmoutier, dit-il, qu'il s'avança.

Page 403

1. Voir plus haut, pp. 357-358.
2. Voir plus haut, p. 386.

Page 404

1. Le Parlement s'était trouvé dans l'obligation de lever des impôts pour soutenir la guerre civile. L'enthousiasme des premiers jours était vite retombé et les prélèvements fiscaux, quelles qu'en fussent les justifications, étaient de plus en plus mal supportés, y compris par les magistrats eux-mêmes.
2. Une fois de plus l'exemple de la Ligue fournit à Retz des éléments pour analyser la situation présente. Les *Seize* étaient les chefs des seize quartiers de Paris ; puis ce nom fut donné par extension aux Ligueurs extrémistes qui firent régner la terreur dans la ville de 1588 à 1594 en s'appuyant sur le bas peuple et avec le concours des troupes espagnoles. L'un d'entre eux, Bussy Le Clerc, fut l'instigateur d'une émeute dirigée le 15 novembre 1591 contre les membres les plus modérés du Parlement, qui aboutit au jugement sommaire et à l'exécution de trois d'entre eux, dont le président Brisson. — Rappelons que Beaufort est petit-fils de Henri IV (« Henri le Grand ») et que la Ligue était précisément dirigée contre l'avènement de Henri IV au trône de France.

Page 406
　1. Sur cette pratique, et sur les discours dans les *Mémoires,* voir p. 346, note 1.

Page 407
　1. Leur renvoie à *peuple,* perçu comme collectif, plutôt qu'à *particuliers.*

Page 408
　a. « *...attaqué, diminué ou abattu* » sont au masculin dans le manuscrit : l'accord est fait non selon la grammaire — *compagnie* appellerait le féminin — mais selon le sens : il s'agit du Parlement, qui est nommé plus haut et plus bas.

　1. Voir plus haut, p. 404, note 1.
　2. Cette offre, faite à la suite de sa réception au Parlement, lors de la séance du 21 janvier, attira à Retz les louanges de tous ; en revanche, il fit scandale en parlant de fondre les vases sacrés des églises pour les monnayer.

Page 409

　1. Allusion à un autre épisode de la Ligue. Mayenne, indigné par l'exécution du président Brisson (voir plus haut, p. 404, note 2), fit arrêter et pendre quatre des Ligueurs qui l'avaient condamné (1591). Ce fut la fin des excès. Mais Mayenne n'avait plus d'autre ressource que l'appui des Espagnols. Il fut vaincu par Henri IV. — Retz surestime beaucoup la valeur du duc de Mayenne, qui était de peu d'envergure. L'assimilation de Henri de Guise et de son frère Louis, archevêque de Reims, assassinés sur l'ordre de Henri III les 23 et 24 décembre 1588, aux trois frères Maccabées, martyrs de l'indépendance de la Judée au temps de la monarchie séleucide, est très contestable : c'est l'écho des thèses ultra-catholiques. Il reste qu'ils eurent un prestige considérable, que le pouvoir du duc éclipsait celui de Henri III et que leur assassinat prémédité scandalisa.

Page 410
　1. Phrase difficile. Retz veut dire que ceux à qui leur titre naturel ou légal (*caractère*), leur fonction, donnent pouvoir sur le peuple, continuent à se croire puissants (ils en conservent *l'imagination*), même quand ils ont perdu la réalité de ce pouvoir (*l'effectif*). C'est la mise à l'épreuve de ce pouvoir dans l'action (*les effets*) qui montre ce qu'il en est réellement.

Page 412
　1. Il s'agit bien entendu de Guillaume le Taciturne : voir plus haut, p. 290, note 2.

Page 413
　1. Charles I⁰ᵉʳ avait été décapité à Londres le 30 janvier 1649. La nouvelle fut connue à Paris le 19 février. Si l'on tient compte du décalage de dix jours dû au fait que l'Angleterre n'avait pas accepté la réforme grégorienne du calendrier, la nouvelle mit dix jours à parvenir à Paris.

Page 414

1. En fait, c'est Condé qui souhaitait que son frère, qui était contrefait, entrât dans l'Église. Mais Conti cherchait à s'y dérober.

Page 417

1. Voir p. 307, note 1.

Page 418

1. Charles de Lorraine, duc d'Aumale, qui refusa de se rallier à Henri IV, mourut en exil à Bruxelles. Une fois de plus, Retz tente de tirer une leçon des exemples conjugués de la Ligue et de la Fronde.

Page 421

1. Affirmation inexacte : la réponse écrite de la Reine fut lue à la séance du 27 février. Mais le *Journal du Parlement* en fait une brève mention sans en reproduire le texte. En revanche, il cite des propos apaisants qu'Anne d'Autriche aurait tenus aux députés : « La Reine répondit en peu de paroles qu'il eût été plus avantageux pour la France et honorable pour la Compagnie de n'avoir pas reçu l'envoyé de l'archiduc Léopold ; mais étant chose faite, qu'il y faut chercher remède et trouver les moyens d'une bonne paix. » L'erreur de Retz semble donc due à une lecture peu attentive du *Journal*.

Page 422

1. Les commentateurs accusent Retz d'avoir exagéré la facilité de cette sortie. Voici le texte du *Journal du Parlement* sur cet épisode : « Pendant cette délibération, il y avait une foule innombrable de peuple dans le Palais et aux environs [...] ; tout ce peuple criait : Nous sommes vendus, on nous trahit, on veut faire une paix pour nous sacrifier : point de paix, disait-il ; Qu'on nous mène à Saint-Germain, nous irons quérir notre bon Roi, point de conférence secrète. » Cela fut rapporté dans l'assemblée que ce peuple insolent menaçait même quelques-uns de la Compagnie : Monsieur de Beaufort sortit pour le contenter de paroles, et l'assurer que tout se terminerait au contentement de tout le monde ; et quand la délibération fut achevée, mondit Sieur de Beaufort et Monsieur le Coadjuteur furent priés de sortir les premiers, ce qu'ils firent, et le Parlement ensuite, n'y ayant eu apparence aucune de mouvement, et le peuple étant si calme, qu'il semblait ne pas avoir lieu de s'alarmer... ». Le récit de Retz est donc, en gros, conforme à sa source. La confrontation des deux textes permet de se faire une idée de la façon dont il travaillait.

Page 424

1. Cet « oracle » était La Rochefoucauld (voir plus haut pp. 414 et 416).

2. Retz commet une erreur de topographie : les quatre villages où s'installent les troupes sont situés, non pas entre la Marne et la Seine, mais sur la rive gauche de cette dernière, entre elle et la Bièvre.

Page 425

1. *Saint-Germain* désigne la cour, qui y résidait alors.

Page 427
   a. L'autographe porte bien *contestations*, qui a été changé en *contentions* dans les copies R et Caffarelli.

   1. Une indication comme celle-ci laisse clairement voir les méthodes de travail de Retz. Sur cette période, le *Journal du Parlement* présente en effet en parallèle, jour par jour, les délibérations du Parlement et celles de la conférence de Rueil. Retz suit fidèlement cette source, en conservant ce mouvement de va-et-vient, et en insérant dans ce canevas des souvenirs personnels. Sur ces méthodes, voir l'*Introduction*, pp. 79-82.
   2. De petite lettre : écrite en petits caractères.
   3. Dans le « *caractère* » (= l'écriture) de Fuensaldagne, on reconnaissait la « *main* » de M. et Mme de Bouillon : c'est-à-dire que la lettre, bien qu'écrite par le comte, était entièrement inspirée par ces derniers.

Page 429
   1. La « *facilité* » : tendance à accepter à la légère n'importe quelles propositions.

Page 431
   1. Construction obscure, par suite du jeu des négations. Il suffit de remplacer « *n'est pas assez sage* » par un équivalent de forme affirmative — *est assez peu sage*, ou *est assez déraisonnable* — pour que la suite devienne aisément intelligible.
   2. Le sens est clair si l'on suit la métaphore filée : de nombreuses raisons « *marquent* », pour ainsi dire par écrit, les règles de leur devoir. Ces règles sont inscrites en *grosses lettres* — c'est un signe de leur importance — pour Beaufort et pour Retz lui-même. Ce dernier ne se permettra pas d'y *lire* ce qui touche M. de Bouillon, de lui dire où se trouve son devoir. Mais...

Page 432
   1. Pont-à-Vère, près de Laon, est l'endroit où la route des Pays-Bas à Paris franchissait l'Aisne.
   2. C'est-à-dire l'ancienne armée de Bernard de Saxe-Weimar (voir plus haut, p. 268, note 3).
   3. Il est probable au contraire que Turenne avait agi par solidarité avec son frère, dans l'espoir de lui faire rendre Sedan.

Page 434
   a. Les éditions anciennes rajoutent ici *de*, rendant la construction plus claire.

   1. Sur cet emploi du verbe *paraître*, voir l'*Introduction*, p. 109.

Page 435
   1. Immédiatement : sans médiation, sans intermédiaire. Retz refuse, une fois de plus, de s'appuyer sur le peuple (voir l'*Introduction*, p. 46).

Page 436
   a. Le manuscrit porte bien le conditionnel *aurions*, que la copie R a rectifié en *aurons*.

1. L'Espagne était épuisée par de longues années de guerre, en proie à des difficultés financières considérables, et elle devait faire face aux révoltes de la Catalogne et du Portugal. Il est exact qu'elle souhaitait la paix. En soutenant les Frondeurs, elle espérait l'obtenir aux meilleures conditions possibles, mais elle était prête à en rabattre (voir l'*Introduction*, p. 29).

Page 437

1. « *Je veux que...* » s'emploie pour marquer la concession que l'on fait, pour admettre hypothétiquement une chose. Nous dirions : « admettons que... ».

Page 440

1. « *Parties* » : esprit (vieilli). « En Angleterre, pour dire qu'un homme a de l'esprit, on dit qu'il a de grandes parties (*great parts*) ; d'où cette manière de parler qui étonne aujourd'hui les Français peut-elle venir ? d'eux-mêmes : autrefois nous nous servions de ce mot *parties* très communément dans ce sens-là. » (Voltaire, *Dictionnaire philosophique*, article *Esprit*). — On rapprochera ce jugement sur M. de Bouillon du portrait qui a été fait de lui p. 373.

2. Ce fils, Charles-Paris, comte de Saint-Paul, né de la liaison de Mme de Longueville avec La Rochefoucauld, fut tué lors du passage du Rhin en 1672.

3. Métaphore empruntée à la chasse : à la fin du « *courre* », de la poursuite, c'est-à-dire au terme de la compétition entre chasseurs pour être le premier à forcer la bête.

Page 441

1. M. de Bouillon voulait qu'il y eût un double engagement, que l'on signât avec les Espagnols un traité qui ne serait « que comme un préalable de celui que l'on projetait avec le Parlement » (voir plus haut, p. 437-438).

Page 445

1. Laigue, qui « appartenait » à Retz, qui avait publiquement son « *caractère* », c'est-à-dire dont les attaches avec le coadjuteur étaient connues, s'est fait appuyer par lui pour obtenir d'être le représentant officiel des Frondeurs à Bruxelles, mandaté par leur généralissime, le prince de Conti. Il n'y sera pas l'envoyé personnel de Retz, mais celui-ci redoute, étant donné leurs liens, que les sottises de Laigue ne lui soient imputées ou en tout cas que ses démarches ne paraissent l'engager. — Sur les amants de Mme de Chevreuse, voir son portrait, pp. 375-376.

Page 446

1. La cour avait promis de laisser entrer dans Paris cent muids de blé par jour, pendant la durée de la conférence : quantité elle-même insuffisante, dont il ne passait guère que la moitié.

Page 447

a. L'autographe et les copies R et Caffarelli portent bien *courraient* au conditionnel.

b. Nous empruntons aux copies R et Caffarelli la leçon « *sans* concert » ; bien préférable à celle de l'autographe, « *de* concert ».

Page 448

1. Rappelons que les troupes en question étaient formées de mercenaires allemands, disposés à servir celui qui les payait le mieux. C'est en effet en leur faisant offrir de l'argent que Mazarin les enleva à Turenne.

Page 449

1. Le secours promis par le duc de Longueville n'arriva jamais, parce que le comte d'Harcourt, s'étant emparé de la place clef du Pont-de-l'Arche, lui coupait la route de Paris, et aussi parce que, si l'on en croit La Rochefoucauld, le duc tentait alors de négocier avec la cour par l'entremise de Condé.

2. Les *lieutenants de Roi* étaient les gouverneurs de villes importantes (forts ou forteresses) dans les provinces. Ils relevaient directement du roi. Ils avaient été créés pour faire pièce aux gouverneurs des provinces concernées. Voir *Note sur les institutions.*

Page 451

a. L'autographe comporte bien la leçon *la*, qui paraît être une retouche sur un *le*.

1. Cet épisode pose un redoutable problème de chronologie, que les historiens ont exploité dans un sens très défavorable à Retz. On a dressé contre lui une double accusation.

À l'époque, il aurait tenté de prolonger la résistance du Parlement et du peuple en leur dissimulant, jusqu'au-delà du 8 mars, la défection des troupes de Turenne, survenue le 2 et connue à Saint-Germain le 6. C'est peut-être vrai — mais pas à coup sûr. Le retournement des troupes ne s'est pas fait en un jour, et la transmission des nouvelles prenait du temps. Mais si la cour était informée le 6 mars, comment Retz, promettant dans la séance du 8 le secours de Turenne, n'a-t-il pas soulevé au Parlement les protestations des partisans de la Reine ? Il n'est pas possible de discuter ici cette question, qui appellerait une reconstitution minutieuse des faits. En tout cas, aucun des ouvrages que nous avons consultés n'est pleinement convaincant.

Au mémorialiste d'autre part on a reproché de tricher sur les dates, pour cacher son imposture de jadis. Et il est vrai que si l'on prend au pied de la lettre la chronologie interne du récit, on aboutit à placer vers le 17 mars l'annonce de la déconfiture de Turenne. Mais on a dit combien le calendrier de Retz est flottant. Et d'ailleurs les dates ont-elles ici une importance autre que relative ? Les faits intéressent Retz moins en eux-mêmes que comme composantes de situations qu'il analyse. Ce n'est pas sur les offres faites au Parlement qu'il met l'accent, mais sur les discussions avec M. de Bouillon. Ces discussions débattent de ce qui était possible avec — ou sans — Turenne. Il est peu probable qu'elles aient eu lieu telles quelles. Elle relèvent de la reconstruction rétrospective visant à rendre le passé intelligible et à en tirer des leçons : en l'occurrence que tout en politique est l'affaire d'un *moment* et qu'une occasion perdue ne se représente jamais.

2. « *Ne traitera que pour le général* » : n'acceptera la paix qu'à des conditions tenant à l'intérêt général et non au sien propre.

Page 452

a. Retz a écrit par inadvertance « *trois* ennuyeuses », que nous corrigeons en *trop* d'après la copie R.

Page 453

1. Voir plus haut, p. 344, note 1.

Page 454

1. Retz se contente de retranscrire, sans les commenter, douze des dix-neuf articles de la paix. Parmi ceux qu'il omet, l'article 3 consacrait la victoire du Parlement, puisqu'il confirmait les concessions arrachées au Roi l'année précédente, notamment la déclaration du 22 octobre, vérifiée au Parlement le 24, stipulant une réduction des impôts, soumettant à autorisation du Parlement toute mesure fiscale nouvelle et réglementant l'administration de la justice. Victoire tout à fait illusoire, puisque chacun savait que la Reine attendait seulement d'être en position de force pour revenir sur des mesures que le Parlement, une fois la paix signée, n'aurait plus les moyens de faire appliquer.

Page 455

1. Allusion au laconisme du maréchal dont les *discours* étaient très brefs.

Page 463

1. *Maître Gonin* : voir plus haut, p. 399, note 2.

2. « *Qui était bien voulu...* » : à qui l'on voulait du bien, qui était bien vu.

Page 464

1. Depuis 1617, le premier président avait un logement de fonction à l'intérieur de l'enceinte du Palais.

2. Le mot de *cour*, pris ici au sens juridique qu'il a dans les arrêts, désigne la cour de justice que constitue le Parlement.

Page 465

1. « *République* » : la république venait d'être proclamée officiellement en Angleterre le 7 février 1649. Sur une éventuelle diffusion des idées républicaines en France à cette époque, voir l'*Introduction*, p. 40.

2. Le récit de cette journée est confirmé par les autres mémorialistes.

Page 466

1. D'autres mémorialistes (Dubuisson-Aubenay, d'Ormesson) signalent que Retz prononça ce jour-là un discours invitant à la poursuite de la guerre civile, dont il ne souffle mot dans son récit. Avant d'attribuer son silence à une volonté délibérée de dissimulation, on observera que son unique source d'information, le *Journal du Parlement*, qu'il démarque ici, n'en parle pas non plus. De là à penser qu'il n'a pas gardé le souvenir de cette intervention...

2. La *cour* désigne, comme plus haut, p. 464, le Parlement.

Page 467

1. C'est-à-dire des choses dont on ne peut se faire une idée qu'à partir de l'expérience concrète.

Page 468

a. Les copies R et Caffarelli proposent la leçon plus soignée, mais moins expressive : « *l'honneur de l'obstacle qu'elles faisaient au mal* ». Nous suivons l'autographe.

1. Le président de Thoré était le fils de l'ancien surintendant des finances, Particelli d'Émery, dont les édits fiscaux avaient déclenché la Fronde (voir plus haut, p. 290).

Page 469

1. Les représente ici les autres généraux frondeurs.

Page 470

1. Le bruit courut alors dans le public que Retz avait reçu de l'argent espagnol. Dans un passage de ses *Carnets* (XIII, octobre 1649), Mazarin se demande, devant la grande dépense du coadjuteur, « où il trouve l'argent ». Il ajoute cependant : « Quelqu'un a voulu dire que les Espagnols lui en donnent, mais je ne le crois pas. » — Ces réflexions rétrospectives de Retz sur l'argent sont une remise en cause d'une des principales règles de la morale aristocratique : accepter de l'argent de quelqu'un implique qu'on lui fasse allégeance. En politique, il y a des cas, dit-il, où il faut accepter de témoigner son allégeance.

2. « *Lui cinq ou sixième* » : avec quatre ou cinq autres personnes.

Page 472

1. « *Figure* » de rhétorique, bien entendu : en l'occurrence, ce n'est pas une figure de *langage*, mais de *pensée*, ici une forme tactique d'argumentation, consistant à supposer acquis ce qui est en question. — Jean Van Olden Barnevelt fut étroitement mêlé aux conflits politiques et religieux qui déchirèrent la Hollande à la suite de la déclaration d'indépendance (voir plus haut, p. 290 et note 2). Il se heurta à l'autoritarisme de Maurice de Nassau, fils de Guillaume le Taciturne, qui prit prétexte de sa tolérance en matière de religion pour le faire condamner et exécuter. C'était un orateur redoutablement efficace.

Page 474

1. L'Université, dotée d'assemblées pour l'administrer et pour trancher les questions de doctrine, n'était pas sans analogies avec le Parlement (sur son fonctionnement, voir R. Mousnier, *Paris capitale au temps de Richelieu et de Mazarin*, I, 4). Retz tente, selon son habitude, de tirer de son expérience des leçons générales, ici sur l'esprit des « compagnies » et leurs comportements.

Page 475

1. La *Tartarie*, c'est-à-dire l'Asie centrale, entre la mer Caspienne et la Mongolie, restait peu connue malgré la publication de quelques récits de voyages ; elle était pour l'opinion commune le type même du pays radicalement étranger.

2. Voir p. 432, note 1.

3. C'est-à-dire à proximité immédiate de Paris (Dammartin n'en est qu'à

30 km). Il s'agit donc, sous prétexte de soutien aux Frondeurs, d'une offensive de l'Espagne sur la capitale.

Page 476
   1. « *Faire entrée* » à l'archiduc : le recevoir en grande cérémonie, comme un personnage considérable. L'état d'esprit des Parisiens s'explique par les deux atouts dont disposait auprès d'eux l'Espagne : la sympathie pour la piété d'un prince catholique (l'archiduc), et l'argent, que prodiguait Fuensaldagne.

Page 477
   1. « Nous *dégrossâmes* » : il ne s'agit pas d'un passé simple vicieux du verbe *dégrossir*, mais d'une forme correcte, issue du verbe ancien *dégrosser*, terme d'orfèvrerie : faire passer l'or ou l'argent par la filière pour le rendre plus menu, l'amincir. D'où, au figuré : *affiner*.

Page 478
   1. Le duché de Cardonne (Cardona) en Catalogne avait été donné par Louis XIII au maréchal de La Mothe lors de la conquête d'une partie de cette province en 1641-1642. Il avait été repris depuis par l'Espagne, mais le maréchal n'avait pas perdu tout espoir de le recouvrer.
   2. Sur le *Catholicon*, voir plus haut, p. 348, note 2.

Page 480
   a. Dans l'autographe figure ici la phrase suivante, biffée : « Nous rendrons réelle par notre union cette chimère du public », c'est-à-dire, sans doute, que nous répondrons à ses espérances.

   1. L'alliance de ces deux métaphores traditionnelles — vidées de toute valeur concrète — vise seulement à souligner chez M. de Bouillon le contraste entre le visible et le caché : sous des airs lourds et épais, il avait une intelligence vive et aiguë.
   2. « *Notre considération en sauvera quelques-unes au public* » : phrase difficile ; le sens le plus probable est : la considération que le ministère aura pour nous, c'est-à-dire le fait qu'il devra tenir compte de nous, lui évitera de commettre quelques-unes de ces fautes et donc en épargnera au public les conséquences fâcheuses.

Page 481
   1. Voir plus haut, p. 472, note 1.

Page 483
   1. « *Être après à* » ou *pour* : au XVIIᵉ siècle, *être occupé à*, sans tonalité vulgaire.
   2. « Avoir les *gants* de ma proposition » : avoir les gants d'une chose, c'est, au propre, « recevoir la gratification d'une chose qu'on annonce » (C'est un hispanisme : « pour les gants » était l'équivalent d'un pourboire en Espagne, où il était d'usage de faire cadeau de gants — voir plus loin, *Mémoires*, II, p. 481, n. 3). Au figuré l'expression signifie « avoir le mérite ou le profit d'une chose qu'on a été le premier à annoncer ou à proposer ».

Page 485

1. Le discours en question n'est rapporté nulle part : Retz a pu changer d'avis, ou il a simplement oublié.

Page 486

1. La morale aristocratique avait recueilli l'héritage de la tradition courtoise. Un homme de robe comme Bellièvre — un « bourgeois » pour les grands seigneurs — blâme les égards de M. de Bouillon pour sa femme. Retz les approuve et les admire. « *Ame vulgaire* » est, bien entendu, dans la bouche de Bouillon une antiphrase ironique.

2. « *Tour* » : manière de présenter, de faire voir une chose. L'emploi figuré du terme culinaire « *assaisonner* » n'est pas nécessairement familier au XVIIᵉ siècle : c'est le contexte qui y met ici une pointe d'humour.

Page 487

1. « Persuader aux gens que *fièvres quartaines* leur étaient bonnes » : *quartaines* est une forme archaïque pour *quartes* ; elle n'avait subsisté que dans des locutions toutes faites (imprécations ou proverbes) ; l'expression ici employée est familière.

Page 488

1. Voir plus haut, p. 381.

Page 490

1« *Servir son quartier* » : le *quartier* est un *quart* d'année ; le terme sert à désigner les fonctions où l'on se relève de trois mois en trois mois, notamment à l'armée. Retz veut dire plaisamment qu'Anctoville est sur le point de remplacer Varicarville comme conseiller écouté de M. de Longueville.

2. « *Je n'y serai jamais pris* » : on ne me trompera jamais sur ce chapitre.

Page 491

1. Voir plus haut, p. 467.

2. « *Celui-ci* » : ce temps-ci, le temps où Retz écrit.

3. Trois personnages, de conditions diverses, dont l'exemple vaut pour les autres. Tous eurent des prétentions démesurées : « ils demandaient toute la France », dit Mme de Motteville, qui ajoute : « C'était la farce de la comédie sérieuse qui venait de finir. »

Page 492

1. Le frère du mémorialiste, Pierre, à qui leur père avait cédé, après sa retraite à l'Oratoire, le généralat des galères, avait été contraint de s'en démettre par Richelieu, au bénéfice d'un des neveux de celui-ci.

2. « *...qu'il avait nommé...* » : cette proposition est complétive du verbe *déclarer*, contenu implicitement dans le substantif *déclaration*.

3. Mazarin avait fait imprimer et répandre dans le public un opuscule exposant toutes les prétentions des grands : c'est pour en contrebalancer l'effet désastreux que Bouillon propose, mais trop tard, cette déclaration.

Page 497

a. Une première rédaction, rayée, mentionnait une hypothétique exception : une somme de 18 000 (ou 10 000 ?) livres que La Rochefoucauld aurait touchée.

1. Voir plus haut, pp. 465.

2. La bibliothèque de Mazarin, confiée aux soins de Gabriel Naudé et ouverte au public, rassemblait environ 40 000 volumes. Elle fut finalement vendue aux enchères dans l'hiver de 1651-1652. Mazarin parvint plus tard à en récupérer les trois quarts et il continua de l'enrichir. Il la légua au Collège des Quatre-Nations, qu'il fonda par testament : elle est devenue l'actuelle Bibliothèque Mazarine.

3. Est-il utile de préciser que cette énumération est fortement ironique ?

Page 500

1. Voir plus haut, p. 373 et 440.

2. Cérémonie du temps pascal, dans la matinée du jeudi saint (bénédiction des huiles servant à l'onction des malades et des catéchumènes).

Page 501

1. Le *salpêtre*, qui servait à fabriquer la poudre à canon, contraste avec l'*huile*, évoquant la douceur et l'onction ecclésiastiques. Le bon mot de Molé, sur la façon dont le coadjuteur mêlait les activités frondeuses aux devoirs de sa profession, fit le tour de Paris.

Page 502

1. À la suite de la cabale des Importants, Montrésor avait été embastillé en 1644, pour correspondance avec Mme de Chevreuse, alors en Angleterre. Celle-ci ne s'installa à Bruxelles qu'au milieu de 1645.

Page 503

a. « Tenir avec *elle* » avait d'abord écrit Retz ; puis il a biffé le pronom pour le remplacer, en interligne, par *Mlle sa fille*. Or un témoignage sûr affirme que la marraine était la duchesse elle-même. Pourquoi cette correction ? Artifice de narrateur pour amener le récit de ses amours ? on ne sait...

1. Rappelons que les lettres de cachet permettaient à la cour d'emprisonner ou d'exiler qui elle voulait, hors du contrôle des autorités judiciaires. Les déclarations de juillet et d'octobre 1648 avaient donné au Parlement les moyens légaux d'en limiter les effets.

Page 505

1. Sur le libertinage des mœurs, souvent lié à l'irréligion, chez la jeunesse aristocratique du temps, voir R. Pintard, *Le Libertinage érudit dans la première moitié du* XVIIe *siècle*, 1943, et A. Adam, *Histoire de la littérature française au* XVIIe *siècle*, t. II, 1951, chap. 1er.

2. La plus connue de ces chansons, attribuée à Barillon, est la suivante : « Un vent de Fronde / A soufflé ce matin, / Je crois qu'il gronde / Contre le Mazarin... »

3. Ce nom de *Gueux*, donné aux gentilshommes hollandais révoltés contre la souveraineté espagnole vient en effet d'une dénomination injurieuse relevée par eux et transformée en titre de gloire. Comme ils avaient pris, en signe de protestation, des vêtements de mendiants pour venir déposer une plainte auprès de la gouvernante des Pays-Bas, Marguerite de Parme, un des conseillers de celle-ci avait dit tout haut qu'on ne devait avoir aucun égard à la demande de ces *gueux* : ce nom leur est resté dans l'histoire.

Page 506
   1. « *Comme* », là où nous dirions *comment*.

Page 508
   1. Selon l'orthographe actuelle : *con todas las fuerzas del Rey su señor*, « avec toutes les forces du roi son maître ».
   2. L'incise « *disait-elle* » suggère et la suite confirme que les mots « *moi et mes amis* » se rapportent, non à Retz, mais à Mme de Longueville, le principal de ces *amis* étant La Rochefoucauld.

Page 509
   1. « *Solliciter* » est sans doute pris ici dans son acception juridique : « faire les démarches nécessaires pour qu'une affaire (en l'occurrence les promesses de Mazarin) ait un heureux succès ». Le meilleur moyen pour obtenir ce résultat était un regain de prestige (*considération*) du prince de Conti, grâce aux Frondeurs. On sait que Condé traitait publiquement son frère avec beaucoup de mépris.

Page 510
   1. Une rivalité opposait depuis longtemps les Vendôme, issus de Henri IV et de Gabrielle d'Estrées, aux Condé, descendants légitimes de saint Louis.
   2. Les habitants de Liège ne voulaient pas que l'archevêque de Cologne, qui était à la fois leur évêque et leur prince, leur imposât Maximilien de Bavière comme coadjuteur, et ils cherchaient de tous côtés un prélat disponible. Le conflit prit fin en septembre 1649, lorsque l'archevêque réduisit la ville par les armes.

Page 511
   a. Retz cède ici la plume à un secrétaire, qui écrit probablement sous la dictée.

   1. Le sens de cette fin de paragraphe n'est pas clair. Les éditions anciennes ont proposé des remaniements peu satisfaisants.
   2. Sur cette affaire, voir plus haut, p. 271, note 1.
   3. Allusion à la démarche de Retz auprès du Roi à Compiègne : voir plus loin, I, pp. 517 sqq.

Page 512
   a. Le manuscrit porte « *se disait-il* » : mais il s'agit d'un passage dicté. Or cette locution, fréquente sous la plume de Retz, se rencontre partout ailleurs sous la forme *ce disait-il* (= à ce qu'il disait), que nous restituons.

   1. On connaît le nom de l'un de ces imprimeurs, Claude Morlot, et le titre du libelle qu'il diffusait : *La Custode* — c'est-à-dire le rideau — *du lit de la Reine qui dit tout*, satire ordurière des relations supposées entre Anne d'Autriche et Mazarin. L'épisode se place le 20 juillet 1649.

2. Jarzé fut disgracié après avoir fait scandale en affichant une violente passion pour la Reine. Il passa au service de Condé.

Page 513

a. Le manuscrit — dicté — porte *puissent* et non *pussent*, comme l'exige la concordance. Nous rectifions, à la suite des copies R et Caffarelli.

1. Le *haut des allées*, par analogie avec le *haut du pavé*, était la partie la plus élevée, où l'on pouvait marcher au sec, et que la politesse obligeait à céder à ceux qui avaient la préséance.

2. Un nommé Renard ou Régnard avait obtenu en 1641 la concession d'un espace resté vide entre les Tuileries et l'enceinte Louis XIII, près de la porte de la Conférence. Il en fit un jardin « extrêmement propre », avec restaurant, « lieu de rendez-vous ordinaire des seigneurs de la cour et de tout ce qu'il y avait de galant en ce temps-là ». C'est le « pays du beau monde et des galanteries », dont parle Dorante dans *Le Menteur*, de Corneille (I, 1). L'altercation racontée ici par Retz eut un retentissement considérable, d'après les pamphlets et les mémoires de l'époque.

3. Le mot de « *bande* » est ici pris au sens vieilli de *troupe de musiciens*.

Page 514

1. C'est-à-dire par la *raison* des contraires.

2. C'est-à-dire par des libelles et des chansons.

3. La levée du siège de Cambrai, le 3 juillet 1649, par le comte d'Harcourt fut présentée par les Frondeurs comme une preuve de l'incapacité de Mazarin : on a vu en effet — p. 511 — que Condé, sollicité par le ministre, avait refusé de diriger ce siège, n'estimant pas l'entreprise praticable.

4. Servien, plénipotentiaire de France pour les négociations de paix, était resté à Münster jusqu'en février-mars 1649, pour y attendre la ratification des traités par les puissances concernées. Il était ensuite passé par Bruxelles pour tenter de conclure la paix avec les Espagnols : mais en vain. Retz se fait ici l'écho des calomnies, très répandues, qui prêtaient à Mazarin la responsabilité de la poursuite de la guerre (voir l'*Introduction*, pp. 28-29).

5. On se souvient que Mazarin avait dû, sous la pression du peuple et du Parlement, remplacer l'impopulaire Émery par La Meilleraye, le 9 juillet 1648. Le retour d'Émery à la surintendance des finances, en novembre 1649, apparaît donc comme une provocation.

Page 515

a. Le manuscrit porte « *ils ne manquaient* » au pluriel : sans doute est-ce une inadvertance, car les copies R et Caffarelli donnent le singulier, bien préférable pour le sens, et que nous adoptons.

b. On attendrait le pluriel, mais le manuscrit et la copie R portent « *il avait dit* », au singulier, renvoyant selon les cas, ou au Cardinal, ou à Monsieur le Prince.

Page 517

1. Ce second projet d'assassinat n'est corroboré par aucun autre témoignage, comme c'était déjà le cas pour le premier (voir plus haut,

p. 387, l'affaire du chevalier de La Vallette). Compte tenu de quelques précédents célèbres (les Guise, Concini), trois hypothèses sont possibles : que Retz ait eu raison (les projets de ce genre, quand ils avortent, laissent peu de traces) ; qu'il mente sciemment, pour se rendre intéressant et pour jeter le blâme sur la cour ; qu'il ait été dupe de ses propres craintes et de celles de ses amis, en se croyant vraiment menacé. Entre ces trois hypothèses, nous n'avons pas de moyen de choisir.

Page 518
   a. Le manuscrit porte « *diversifions* », mais c'est un imparfait, avec la graphie de l'époque ; nous avons suivi l'usage moderne en redoublant le *i*.

   1. Voir plus haut, p. 271, note 1.

Page 519
   a. Le manuscrit porte bien : « *dont* il n'*en* avait eu que le titre ». L'usage admettait le redoublement de pronoms.

   1. Le financier ici évoqué s'appelait en réalité Herwarth ; c'est lui qui avait avancé l'argent nécessaire pour débaucher les troupes de Turenne. Contrairement aux bruits que rapporte Retz (ainsi que La Rochefoucauld), la négociation fut sérieusement engagée, mais elle n'aboutit pas. Guy Joly affirme qu'Herwarth avait reçu secrètement l'ordre de ne pas conclure.

Page 520
   1. Il s'agit d'importantes forteresses commandant la Normandie. Le Vieil-Palais était la citadelle de Rouen. C'est au Pont-de-l'Arche — point de passage obligé sur la route de Paris — que les troupes royales avaient arrêté la marche du duc de Longueville à la fin de janvier 1649.
   2. « *Adieu Mars* » : ce quolibet, fondé comme beaucoup d'autres à l'époque sur l'antiphrase, voulait dénoncer la « poltronnerie » de Mazarin (*Mémoires* de Mme de Nemours) ; il eut un succès considérable auprès des pamphlétaires.

Page 521
   a. Comme tous les éditeurs, et suivant la copie R, nous corrigeons en *Marigny* une inadvertance du secrétaire qui tenait la plume pour ce passage et qui a écrit *Marion*.

   1. Cette ballade, qui doit son nom aux rimes sur lesquelles elle est bâtie, avait pour refrain : « Le faquin s'en alla comme il était venu ». Elle parut à la fin de septembre 1649.

Page 522
   a. Même remarque que plus haut, p. 518,var. *a.*
   b. Retz reprend ici la plume, pour un passage concernant sa vie privée.
   c. Retz rend la plume au secrétaire.

   1. Cet accommodement se fit en deux temps (17 et 27 septembre) et fut sanctionné par un traité signé le 2 octobre. Le 14 septembre, une altercation avait opposé Condé et Mazarin au sujet du mariage du duc de Mercœur et

Condé avait reproché au ministre de refuser à son beau-frère de Longueville la place du Pont-de-l'Arche. Le 17, Mazarin cédait pour le Pont-de-l'Arche et, sans accorder à Condé l'amirauté, la Reine la conservait pour elle au lieu de la donner aux Vendôme. À quoi s'ajoutaient des avantages financiers considérables et peut-être des places fortes. Mais Condé ne cessa de brocarder et de menacer le Cardinal. Le 2 octobre, Mazarin, d'accord avec la Reine, décida de capituler : en échange de l'« amitié » du Prince, il s'engageait à prendre son avis pour toutes les nominations et collations de bénéfices, à le soutenir en toutes circonstances, à ne marier ni ses nièces, ni son neveu sans son consentement... Bref, c'était mettre toute la réalité du pouvoir entre les mains de Condé. On comprend que Mazarin ait tenu à garder ce traité secret et qu'il ait cherché ensuite à abattre Condé.

Page 523
    1. Le privilège du *tabouret* autorisait certaines femmes de très haut rang (princesses et épouses des ducs dont le titre était fondé sur un *brevet*) à se tenir assises et non debout en présence de la Reine. Il avait été étendu, par faveur spéciale du roi, à toutes les femmes de certaines familles, dont les Rohan. La tentative de Condé pour en faire bénéficier celles de la maison de Foix — et, selon d'autres témoignages, de La Rochefoucauld — souleva parmi les autres une telle tempête que la Reine menaça de revenir sur les précédentes extensions. D'où l'indignation de Mmes de Chevreuse, de Guéméné et de Montbazon. En revanche la prééminence de la maison princière de Lorraine, à laquelle appartenait Mlle de Chevreuse par sa naissance, n'en eût paru que plus éclatante. Les *Mémoires* de Montglat montrent qu'à travers cette querelle d'apparence futile, c'est toute la hiérarchie de la noblesse qui était en cause. Retz, lui, prend ses distances par rapport aux prétentions nobiliaires en choisissant de raconter l'épisode sur le mode plaisant : l'emploi des verbes *choquer* et *renverser* oblige à voir dans les tabourets des objets concrets plutôt que des signes de prestige ; il y a beaucoup d'ironie dans la réplique « Vous êtes bon parent », puisque Retz était aussi l'amant de Mme de Guéméné ; et le récit finit sur une anecdote gaillarde.

Page 524
    a. Dans la copie R, ce passage, depuis « *mais je vous demande...* » jusqu'à la fin du paragraphe, a été raturé de façon à être illisible ; il manque dans toutes les éditions anciennes. Mais il est intact dans le manuscrit. Ce qui prouve bien que les censures de décence ont été opérées par les premiers détenteurs des *Mémoires* (Don Hennezon et les moines de Saint-Mihiel) uniquement sur la copie qu'ils laissèrent circuler. Ils respectèrent l'original. Les manipulations subies par ce dernier sont donc postérieures. Sur cette question, voir l'*Introduction*, p. 67.

    1. On se réclamait au XVIIᵉ siècle de parentés même éloignées : la grand-mère paternelle de Mme de Guéméné, Catherine de Silly, était la tante du grand-père maternel de Retz.
    2. Rappelons que la sœur de Condé était Mme de Longueville et qu'elle avait pour amant La Rochefoucauld.
    3. « *Lieutenant de Roi* » : voir *Note sur les institutions*.

Page 525

1. Voir plus haut, p. 514, note 5.

2. Le *vaudeville* en question est cité par Tallemant dans l'*Historiette* sur M. et Mme de Guéméné. Voici le couplet concerné : « Ce grand foudre de guerre, / Le comte de Brullon, / Était comme un tonnerre / Dedans son bataillon, / Composé de cinq hommes / Et de quatre tambours, / Criant : Hélas nous sommes / A la fin de nos jours ».

Page 526

1. Les rentes de l'Hôtel de Ville étaient un emprunt public lancé à l'initiative de François Iᵉʳ et ainsi nommé d'après le lieu où l'on y souscrivait et où l'on en percevait les intérêts. Ceux-ci étaient couverts par des rentrées fiscales déterminées. Le recouvrement de ces rentrées auprès des fermiers percepteurs des taxes et leur répartition entre les détenteurs de rentes étaient confiés à des officiers municipaux, les receveurs et payeurs des rentes de l'Hôtel de Ville. Le paiement des intérêts devait se faire chaque trimestre. Mais il subissait depuis longtemps des amputations et d'importants retards : le retard atteignit trois ans en 1645, quatre en 1648. Or parmi les souscripteurs se trouvaient, à côté de grands personnages, beaucoup de membres des classes moyennes et de petites gens, dont c'étaient les seuls revenus. Leur mécontentement grandissant aboutit spontanément à la création d'assemblées, que les chefs de la Fronde tentèrent d'exploiter à des fins politiques.

2. « *Celles* » désigne les *mesures*.

3. Voir plus haut, p. 316, note 1.

Page 528

1. Aucune trace n'est restée, en dehors de cette allusion, d'une *Vie de César* qu'aurait écrite Retz.

2. Guy Joly entra en effet au service de Retz comme secrétaire et le suivit dans son exil. Il se sépara de lui en 1665, à la suite de dissentiments avec les autres « domestiques ». Il dénigre systématiquement son ancien maître dans ses *Mémoires*.

Page 529

a. Caumesnil : nous rétablissons le nom de ce personnage, que le copiste a orthographié phonétiquement *Coméni* sous la dictée.

1. La citation d'*Horace* — et non *des Horaces* — se trouve à l'acte II, scène 3, dans la bouche de Curiace. Compte tenu que l'ancienne Rome fournissait à Retz, depuis son enfance, des modèles héroïques, on soulignera l'importance de ce désaveu.

2. La Rochefoucauld, Lénet et Montglat voient, comme Retz, dans l'intervention de La Boulaye, une manœuvre de provocation. Les *Carnets* de Mazarin, en revanche, en rejettent la responsabilité sur les Frondeurs.

Page 530

1. Le samedi était un jour consacré à la Vierge et régulièrement célébré dans la grande confrérie de Notre-Dame, dont la Reine faisait partie.

Page 531

1. Selon Mazarin, les Frondeurs s'en étaient réellement pris à Condé, à qui ils reprochaient son accommodement avec la cour. Selon d'autres sources (Montglat notamment), il s'agissait bien, comme le dit Retz, d'un incident, que la cour exploita pour brouiller les Frondeurs avec le Prince. D'aucuns ont même pensé à une provocation organisée à cette fin.

Page 532

a. Le manuscrit porte : « *avait fait avec La Boulaye quelque sottise avec lui* » : inadvertance probable. Les copies R et Caffarelli suppriment *avec lui* : nous les suivons.

Page 533

a. Retz reprend ici la plume, pour un passage un peu osé.

b. La leçon « *qui continua* », au singulier, peut être conservée, si l'on y voit, comme c'est fréquent chez Retz, une relative neutre (*qui* = *ce qui...*).

1. Le terme de *nymphe*, utilisé en poésie, dans le registre noble, pour désigner une femme jeune et belle, est transposé parodiquement sur le mode familier, avec le sens de : femme galante, maîtresse. L'*innocente*, c'est-à-dire la sotte, est Mlle de Chevreuse, l'*autre* Mme de Guéméné. Plus loin, ces deux maîtresses de Retz sont respectivement la *jeune* et la *vieille*.

2. Le maréchal d'Albret et Vineuil.

Page 534

a. Le secrétaire reprend la plume.

Page 538

1. De par sa profession, Retz relevait des tribunaux ecclésiastiques.

Page 539

a. Ici, comme à la page suivante, le secrétaire a écrit *Retz*, tandis que les copies R et Caffarelli adoptent la graphie *Rais*, que nous rétablissons.

1. « *Proche* » est adverbe, invariable : *tout près.*

2. Le thème de cet épisode — authentique et confirmé par un autre témoignage contemporain — présente des analogies frappantes avec une scène célèbre du *Barbier de Séville* (III, 11), où le Comte et Figaro se débarrassent de l'encombrant Bazile en le persuadant qu'il est malade. Comme Beaumarchais connaissait bien les *Mémoires* de Retz (voir la *Lettre modérée sur la chute et la critique du Barbier de Séville*, qui sert de préface à la pièce), il est probable que l'anecdote ici contée lui a fourni l'idée de la scène.

3. Voir p. 304, note 1.

Page 540

1. La conjuration d'Amboise, organisée à l'instigation du prince Louis de Condé en 1560, visait à ôter le jeune roi François II des mains des Guise. De même, on répandit en 1649 le bruit que les Frondeurs voulaient enlever le jeune Louis XIV, âgé de onze ans, pour l'arracher à l'influence de Mazarin. D'où, sans doute, l'allusion du président de Mesmes.

2. Exécution en effigie, sur un mannequin, après une condamnation par contumace (voir plus haut, p. 233, note 5).

3. Retz n'invente aucun de ces noms, pas même le moliéresque Gorgibus : il les emprunte au *Journal du Parlement*, se bornant à transformer Marcassin en Marcassez. Les *Petites Lettres* de Port-Royal sont, bien entendu, les *Provinciales*. C'est dans la cinquième, datée du 20 mars 1656, que Pascal énumère les noms, à consonance ridicule, de divers théologiens modernes dont les jésuites prétendent, selon lui, substituer l'autorité à celle des Pères de l'Église. L'un d'eux était Thomas Tamburini, francisé selon l'usage en Tambourin.

4. *La grande barbe* était un sobriquet du premier président Molé, qui portait en effet une barbe bien fournie souvent évoquée dans les chansons satiriques.

Page 541

a. Le manuscrit (de la main d'un secrétaire) porte ici « *que l'on ait seulement à écouter* » : leçon peu satisfaisante, pour le sens comme pour la concordance des temps. Plutôt que de rajouter après *ait* un verbe comme *consenti*, nous préférons suivre les copies R et Caffarelli, qui ont supprimé la préposition *à* et mis *écouté* au participe passé.

1. Selon les *Mémoires* d'Omer Talon, la cour avait fait exercer par le chancelier de telles pressions sur les deux avocats généraux que ceux-ci refusèrent d'assister aux conclusions et dirent qu'ils les combattraient en plein Parlement. C'est pourquoi l'on voit Bignon, en dépit de ses fonctions, soutenir Retz en lui communiquant les éléments du dossier propres à étayer sa défense.

2. « *Témoins à *brevet* » : l'expression a sans doute été forgée par Retz. Mais il est certain que les personnages en question étaient mandatés par la cour pour espionner les assemblées de rentiers. C'étaient des indicateurs : profession évidemment peu recommandable.

Page 542

1. *Partie* est pris ici au sens juridique : celui qui est engagé dans un procès soit comme demandeur ou accusateur, soit comme défenseur. Broussel tente de récuser Molé, pour le motif qu'il serait à la fois *juge* et *partie* dans le procès, ce qui est illégal.

Page 543

a. Retz reprend ici la plume, le temps d'un paragraphe seulement. Il la quitte à nouveau après : « Nous n'y manquâmes pas. »

Page 544

1. Le mot de *parquet* signifiait primitivement une enceinte réservée et, par extension, le lieu où siégeait un juge, parce que le tribunal se tenait ordinairement dans un espace séparé du public. On donna spécialement le nom de *parquet* à l'enceinte où siégeaient les *gens du roi* et, par extension, le mot a fini par désigner ces magistrats eux-mêmes.

2. Voir plus haut, p. 261.

Page 545

a. Retz reprend la plume et la garde jusqu'à « ...*enjoué* » (fin de ce long paragraphe, au milieu de la p. 546), pour un récit osé, qui est resté intact dans l'autographe. Mais le passage a été caviardé en quatre endroits dans la copie R, ce qui a donné lieu dans les éditions anciennes à des points de suspension indiquant des lacunes. Sur cette question des lacunes de « décence », voir l'*Introduction*, p. 67.

Page 546

a. Retz rend la plume au secrétaire.

Page 547

1. Ce nommé Belot avait été emprisonné au mépris de la déclaration royale du 22 octobre 1648, qui, selon les vœux du Parlement, interdisait les détentions arbitraires : voir plus haut, p. 335, note 1.

Page 549

a. Le manuscrit, de la main d'un secrétaire, porte ici « il nous *fit* voir » (= Du Gué Bagnols nous fit nous rencontrer, Chavigny et moi). La copie R et l'éd. de 1717 portent : « il nous *fut* voir » (= Chavigny vint nous voir Du Gué et moi). La leçon « il nous fit *venir* » est une correction plus tardive (éd. 1718 C D et E).

GLOSSAIRE,
INDEX ET TABLES

GLOSSAIRE

Le présent glossaire est sommaire.

On n'a pas relevé tous les emplois d'un mot, mais seulement ceux qui diffèrent de l'usage actuel. On n'a pas toujours cité toutes les occurrences, quand il s'agit d'emplois univoques répétés.

On a fait figurer pour mémoire, sans références au texte et en italiques, quelques mots très usités au XVIIe siècle, dans un sens différent de celui d'aujourd'hui, mais qui nous ont paru trop familiers au lecteur cultivé pour qu'on les signalât dans le texte par un astérisque.

On a emprunté, chaque fois qu'on l'a pu, des définitions aux dictionnaires de la fin du XVIIe siècle, le Dictionnaire de Furetière, *1re éd. 1684 (en abrégé* Fur.), *et celui de l'Académie, 1694* (Acad.). *A défaut on a recouru au Littré* (Lit.). *Mais les dictionnaires ne suffisent pas, dans certains cas, à rendre compte du vocabulaire de Retz, pour lequel manque une étude spécifique.*

On a usé des abréviations traditionnelles : fam. *pour familier ;* vx *(mot vieilli au moment où Retz écrit) etc.*

Un certain nombre de substantifs ont changé de genre entre le XVIIe siècle et nos jours. Voici la liste des principaux d'entre eux, qu'on n'a pas jugé utile de signaler systématiquement dans le texte par des astérisques :

Mots employés par Retz au masculin :

dupe (dans certaines occurrences seulement), écritoire, étude, manœuvre, mœurs, offre, période, rencontre.

Mots employés par Retz au féminin :
amour (dans certaines occurrences seulement), épisode, ordre, risque.

ABÎMER. Précipiter dans un abîme : I, 536.

ABOLITION. Acte par lequel le souverain efface un crime qui, de par sa nature, n'est pas rémissible ; procédure très rare et qui, à la différence de l'amnistie, marque durablement ceux qui en bénéficient : I, 210, 499, etc.

D'ABORD. D'emblée, immédiatement : I, 174, 178, etc ; 222, 242, 257, etc.
(Dans le sens de « *en premier lieu* », le mot n'est pas accompagné d'un astérisque).

ACCIDENT. *Au sens latin, ce qui arrive, en bien ou en mal.*

ACTUEL. Effectif, réel : I, 410.
ACTUELLEMENT : I, 438.

ADMIRER. Au sens latin, considérer avec étonnement : I, 269, 314, 329. (Mais il y a aussi de nombreux exemples de l'acception actuelle).
ADMIRABLE : I, 244, etc.

AFFECTER. 1) Faire ostensiblement, faire exprès de : I, 251, 257, 279, 289, 295, 296, 331, etc. — 2) Feindre, simuler : I, 190, 303, 508, 510, etc.
AFFECTATION. Manifestation ostensible (sincère ou mensongère selon les cas) : I, 199, etc.

AFFIDÉ. En qui l'on a confiance (sans nuance péjorative) : I, 506, 545.

AGRÉMENT. Approbation : I, 517, etc.

AJOURNEMENT. Sommation de comparaître en justice à un jour fixé : I, 537, 541, etc.

AMANT. *Homme qui aime et est aimé (mais n'implique pas de liaison charnelle).*

AMUSER. Deux acceptions qui se recoupent : 1) « Arrêter quelqu'un, lui faire perdre temps inutilement » (Fur.) : I, 370, 375, etc. — 2) « Repaître les gens de vaines espérances » (Fur.) : I, 299, 312, 385, 423, etc.
S'AMUSER. Perdre son temps : I, 292, 318, etc.
propre à Retz) : II, 69.

APOLOGIE. Plaidoyer justificatif : I, 316, 374, etc.
« S'épargner une apologie en explication de bienfaits », s'épargner l'obligation de se justifier en rappelant les services rendus : I, 313.

APPARENCE. 1) Ce qui frappe les yeux, ce qui se voit (souvent, mais pas nécessairement contraire à la réalité) : I, 519, etc. 2) Vraisemblance, probabilité.
APPAREMMENT. Vraisemblablement, normalement : I, 476, 483, etc.

ART. Habileté : I, 373, 406, etc. — 2) Artifice : I, 302, 303, 389, 515, etc. (Les deux acceptions ne s'excluent pas. Le mot a aussi chez Retz le sens actuel).

ATÊTER (s' - à). S'attaquer à : I, 396.

ATTENTER. Commettre un attentat : I, 465.

AVENTURIER. Qui cherche la gloire par les armes, aventureux, hardi.

AVENTURIÈRE. Péjoratif au féminin : I, 375.

AVOUER. Reconnaître, confirmer (antonyme de *désavouer*) : I, 236, 387, 542, etc.

BALANCER. *Hésiter.*

BASTIONS. « Être entre ses bastions », être en pleine maîtrise de soi-même » : I, 241 (L'expression ne se trouve pas dans les dictionnaires du temps).

BATTRE. « Battre une place forte », « se dit des attaques qui se font avec des machines ou de l'artillerie » (Fur.) : I, 211. « Battre l'eau », au fig., travailler en vain, perdre une peine inutile : I, 537.

BÉNÉFICES. Terres ou biens donnés par le Roi, à charge de s'acquitter de certaines fonctions ecclésiastiques : les titulaires pouvaient faire remplir ces fonctions par d'autres (on disait *desservir*). Au sens propre : I, 223, 231, etc. ; au fig., I, 351, 504.

BÊTE. « Être la bête de quelqu'un », être sa bête noire (fam.) : I, 266, 368, 510, etc.

BONHOMME ou BON HOMME. « On appelle un vieillard un bonhomme, une vieille femme une bonne femme » (Fur.) : I, 243, 248, 251, 255, etc.

BOURRADES. Terme de vénerie, « atteintes du chien qui enlève du poil au lièvre poursuivi »'; au fig., atteintes en paroles : I, 400, 406.

BRANLE. Mouvement, impulsion.

BRANLER. Remuer ; en parlant des provinces, se soulever : I, 344, 381, 409, 435, etc.

BRAVE. Qui se pique de courage : I, 373, 487.

BRÈVES. « Garder les brèves et les longues », expr. empruntée au lexique de la métrique ; au fig., être circonspect, habile (fam.) : I, 488.

BREVET. « Acte par lequel le Roi accordait une faveur sans lettres scellées ni enregistrement par le Parlement », par ex. pour créer des ducs : I, 260, 523, etc. ; « espèce de patente permettant d'exercer certaines professions » : I, 268 ; par dérision, « témoins à brevet », I, 541, etc.

BUREAU. « L'air du bureau », les dispositions des personnes chargées d'une affaire ; « connaître l'air du bureau », pressentir l'issue d'une affaire (fam.) : I, 364, 398.

CABALE. « *Une société de personnes qui sont dans la même confidence et dans les mêmes intérêts ; mais il se prend ordinairement en mauvaise part* » *(Fur.).* Cabale *est en effet péjoratif chez* Retz, *tandis que* faction *ne l'est pas.*

CABINET. Au propre, la pièce la plus retirée dans un appartement royal ou une grande maison ; lieu où l'on travaille (cabinet des livres), par opp. à la *chambre,* accessible à tous venants ; lieu où l'on s'isole pour traiter d'affaires : I, 256 ; lieu discret : I, 534. — Au figuré, affaires, négociations secrètes, notamment politiques : I, 322 ; « tenir cabinet », tenir conseil : I, 266. « Le cabinet, au fig. et en parlant du Roi, le Conseil secret » (Richelet) : I, 297, 331, 333, 335, etc.

CANONS. Ornements de dentelle attachés au bas de la culotte : I, 506.

CAPITAL. « Faire son capital de », « en faire fonds, en être assuré, espérer qu'il produira un bon effet » (Fur.) : I, 409.

CAPITAN. Personnage de fanfaron guerrier dans la comédie italienne : I, 307, 417, etc..

CARABINS. Soldats de cavalerie légère : I, 511.

CARACTÈRE. 1) Signe d'écriture : I, 285, 427. « Avoir le caractère de quelqu'un », avoir sa signature ; au fig., être connu pour lui « appartenir » : I, 445, 476.—2) « Qualité invisible qu'on respecte en ceux qui ont reçu des ordres, des charges, des dignités » (Fur.) : I, 281, 410. — 3) Particularité, marque particulière : I, 257. Signe, trait distinctif : I, 235, 288, 365, 427. Trait de caractère : I, 239. — 4) Type psychologique : I, 287, 301, 346, 372, 477.

CARAT. Chaque vingt-quatrième partie d'or pur contenue dans une masse d'or donnée. Expr. fam. : « un sot à 23 ou 24 carats », un homme dont la sottise constitue la quasi totalité de l'esprit, superlatif de *sot* ; « des cervelles de ce carat » : I, 323.

CARTEL. Règlement entre belligérants pour la rançon ou l'échange des prisonniers : I, 380.

CERCLE. « Le cercle de la Reine », la réunion des princesses et des duchesses assises circulairement en présence de la Reine ; les conversations y sont publiques (par opp. à celles du *cabinet*) : I, 232, 278, 520, etc.

CHAGRIN. Forte contrariété : I, 173, 232, 300, 426, etc.

CHAIRE ou CHAISE. Doublets employés l'un pour l'autre : I, 377, 545.

CHAMBRE. Pièce de réception (opp. à *cabinet*), parfois antichambre : I, 534, etc.

CHANSON. Conte en l'air, discours sans valeur (fam.) : I, 433.

CHARME. *Effet magique. Dér. : charmer.*

CHÈRE. Visage ; « faire bonne chère », faire bon visage, bon accueil (vx) : I, 400.

CŒUR. *Courage.*

COHUE. Clameur (vx), bousculade bruyante : I, 323, 342, 365, etc.

COLONELLES. Unités de la milice bourgeoise : I, 243, 247, 317, etc.

COMÉDIE. Théâtre ; lieu où il se joue : I, 221 ; représentation : I, 252.

COMMETTRE. 1) Confier. — 2) Exposer : I, 504, 513 ; opposer, créer un affrontement : I, 293, etc. Se commettre, s'exposer à quelque danger, en venir aux mains avec : I, 266, 335, etc.

COMMISE. Discussion, action de mettre aux prises : I, 482 (les dictionnaires ne donnent que le sens juridique de *confiscation*).

COMMISSION. Mission temporaire (par opp. à *office*), mission : I, 317, 319, 328, etc.

COMMODE. S'agissant d'un homme, conciliant : I, 373, 546 (antonyme : *incommode*).

COMMODITÉ. Aisance financière : I, 373.

COMMUNE. « La populace, le commun peuple d'une ville ou d'un bourg » (Acad.) : I, 312.

COMPÉTENCE. Rivalité, prétention d'égalité : I, 278.

COMPLIMENT. Paroles de civilité adressées à l'occasion d'un événement heureux ou malheureux, ou d'une obligation de caractère social : I, 210, 363, 377, 385, etc.

CONDUITE. Avoir de la conduite, « se gouverner sagement » (Fur.) : I 172, 174, 198, 201, 212.

CONFIANCE. Confidence : I, 226, 251.

CONFONDRE. Bouleverser : I, 548.
CONFUSION. Bouleversement : I, 418, 420.

CONGRU. Précis : I, 321, 376.

CONSIDÉRATION. Prestige, crédit : I, 471, 476. « A la considération de... », par égard pour : I, 274, 393, 432, 482, etc. « A ma considération », par égard pour moi : I, 228, 280, etc.

CONSOLATIF. Consolant (vx) : I, 327.

CONSTAMMENT. Avec constance : I, 498.

CONSTANT. Indubitable (du latin *constat*) : I, 250, 268, 297, etc.

CONTRAVENTION. Action d'agir contre une prescription ou un engagement : I, 422, 423.

CONTRETEMPS. Parole ou action déplacée, maladresse : I, 206, 288, 307, etc.

CONTRIBUER (transitif). Fournir à titre de contribution : I, 477.

CONTUSION. Équivalent figuré de *meurtrissure* : I, 299 (le sens médical est seul attesté).

CONVAINCU. Reconnu coupable : I, 537.

CORDE. 1) La « grosse corde », la corde sensible d'un instrument de musique, au fig., le point sensible, l'essentiel : I, 329. - 2) Corde d'une machine (métaphore mécaniste) : I, 438, 440, 445.

CORDEAU. Corde servant à étrangler les condamnés : I, 285.

CORNETTE. Officier portant l'étendard dans un régiment de cavalerie : I, 380.

CORRESPONDACE. Relation, commerce, intelligence (pas seulement épistolaire) : I, 369, 450, etc.

COTER. Citer : I, 457.

COULER. Glisser avec adresse dans un discours : I, 511, 537, etc. « Couler le temps », le faire s'écouler : I, 548. « Couler sur quelque chose », le laisser dans l'ombre : I, 416.

COUP. « A coup près » (vx). A peu près : I, 245.

COUVRIR. Cacher, dissimuler : I, 184, 203, 211, 222, 248, etc.
COUVERT. Caché ; en parlant d'un homme, dissimulé.
COUVERTEMENT. Secrètement.

CRIERIES. Criailleries (vx) : I, 424.

CROCHETEUR. Portefaix : I, 309, 548.

DÉCHET. Amoindrissement : I, 494, 523.

DÉCISIF. Pour un homme, doué d'esprit de décision : I, 322, 387, 407.

DÉCONCERTER. Troubler, déranger : I, 206.

DÉCRÉDITER. Discréditer.

DÉDUIRE. Énumérer, exposer en détails : I, 232, 239, 329, 410, etc.

DÉGOÛT. 1) Aversion : I, 341. - 2) Mortification subie : I, 173, 212, 523, etc.

DÉLICAT. 1) Subtil : I, 172 ; sensible à l'excès, susceptible I, 191 ; scrupuleux : I, 193. - 2) Difficile, dangereux.

DÉLICATESSE. Subtilité, finesse : I, 191.

DÉSAVOUER. Nier : I, 179, 198, 460, etc.

DÉSHEURER (se). « Déranger les heures des occupations habituelles » (Acad., fam. et peu usité) : I, 312.

DEVANT. Avant : I, 278, 364, 405, 484, etc. (a souvent aussi le sens spatial).

DEVOIR. Employé à l'indicatif avec valeur de conditionnel (selon l'usage latin) : I, 252, 270, 340, etc.

DÉVÔT (et ses dérivés DÉVOTION, DÉVOTEMENT). Attaché, attachement aux pratiques religieuses. « Se dit quelquefois par dénigrement de celui qui fait consister la religion dans les pratiques extérieures » (Acad.) ; c'est presque toujours le cas, de façon plus ou moins marquée, chez Retz : I, 222, 231, 232, 246, 251, etc.

DIGÉRER. Mettre au point, arrêter après mûre réflexion : I, 477, 482.

DISPARATE. Action déraisonnable, incohérente (vx) : I, 342.

DISPUTE. Discussion, débat : I, 229, 250, etc.
DISPUTER. Débattre, discuter.

DOCTE. Clerc, docteur : I, 273.

DOMESTIQUE. Personne, souvent de naissance noble, attachée à la « maison » d'un roi ou d'un grand seigneur : I, 233, 234, etc.

DOUBLE. Petite pièce de cuivre de deux deniers, valant la sixième partie d'un sou : I, 544.

DROIT. « C'est le droit du jeu :

c'est l'ordre, c'est l'usage » (Acad.). Chez Retz, « jouer le droit du jeu », jouer aux mieux de ses intérêts, tout en respectant la règle : I, 392, 483.

ÉCHAPPER (s'). « Se dit figurément en parlant des emportements de colère » (Fur.) : I, 172.

ÉCLATER (faire). Publier de façon retentissante : I, 259.

EFFAROUCHER. Rendre farouche, irriter : I, 339.

EFFET (en). En réalité : I, 467, etc.

ÉGALER. Mettre sur le même plan : I, 543.

ÉGAYER, S'ÉGAYER (voir t. II, p. 129, note 2). Comporte à la fois l'idée de diversion par rapport à une visée principale, de dispersion, et l'idée d'agrément. L'accent est mis plus fortement sur l'un ou l'autre de ces éléments : sur le second : I, 256, 408.

ÉMOTION. Émeute, sédition : I, 245, 305, 306, etc.
ÉMOUVOIR. Mettre en mouvement, agiter : I, 301, 526. Émouvoir le peuple, l'ameuter : I, 208, 304, etc.

EMPÊCHER. Embarrasser : I, 183, 193.

EMPORTER. Entraîner : I, 393. Notamment obtenir quelque chose ou entraîner l'adhésion de quelqu'un, après contestation : I, 247, 324, 328, 336, 419, 460, 473, 478, 521 (*Emporter* à la forme active, ne signifie, en aucun cas, *irriter* ; en revanche, *s'emporter*, à la forme pronominale, a bien le sens de *s'entraîner soi-même, se mettre en colère*).

ENCHANTER. Ensorceler : I, 476, 491, etc.

ENCHANTEMENT : I, 232.

ENVIE. Animosité, haine (latin *invidia*) : I, 176, 179, 184, 189, etc.

ENVIER : I, 373.

ERREMENTS. Traces et, au fig., comportements habituels (sans nuance péjorative) : I, 227.

ERTE (à l'). Sur ses gardes (graphie déjà vieillie au XVIIᵉ s.) : I, 461.

ESCARMOUCHE (attacher l'). Engager une action (milit.) : I, 443, 503.

ESPÈCE (un espèce de), au masc. lorsque le complément est masc. : I 343, 369, etc.

ESPÈCES. En pharmacie, poudres qu'on mélange pour fabriquer les électuaires, selon des recettes gardées secrètes ; au fig., « brouiller les espèces », embrouiller les choses pour empêcher qu'on n'y voie clair : I, 315, 458.

ESTOMAC. Poitrine : I, 221.

ÉTABLISSEMENT. Position, avantages dans la société, fonctions, dotations importantes : I, 189, 224, 266, 346, etc.

ÉTAT. Position sociale, « degré ou condition des personnes distinguées par leurs charges, offices, professions ou emplois » (Fur.) : I, 182, 219, etc.

ÉTAT (faire état de). Se proposer de : I, 248, 277, 279, etc.

ÉTAU. Étal (vx) : I, 355.

ÉTONNER. Frapper de stupeur : I, 201, 203, 252, 295, etc.

ÉTONNEMENT. Stupeur : I, 202, 269, 428, etc.

(mais ces mots ont souvent aussi la même acception qu'aujourd'hui.)

S'ÉTONNER. Prendre peur : I, 210, 293, 384, etc.

ÉVÉNEMENT. *Ce qui advient, issue, résultat.*

EXAGÉRER. Exprimer avec force, sans idée d'excès : I, 191, 211, 240, 297, 319, 379, etc.

EXAGÉRATION. Insistance : I, 544.

EXPÉDITION. Copie légale d'actes de justice, qui leur permet de prendre effet : I, 261, 282, etc.

FACILE. En parlant d'un homme, « avec qui il est aisé de traiter », accommodant.

FACILITÉ. Caractère accommodant, complaisance (péj.) : I, 372, 373, 374, 504.

FERME (faire). Tenir bon : I, 207, 310.

FIGURE. Image, représentation : I, 247, 371. - Figurant : I, 335.

FILOUTAGE. Habitudes de filou (on ne trouve que *filouterie* dans Fur. et Acad.) : I, 288.

FIN. 1) Subtil, raffiné : I, 198, 373, 451, 487, etc. - 2) Habile, rusé : I, 440, etc. - « Le fin de quelque chose » : ce qu'il y a de plus subtil : I, 375.

FINESSE. Subtilité, habileté : I, 482. Ruse : I, 199, etc.

FINEMENT. Habilement : I, 542, etc.

FOI. *Bonne foi, au sens moral et non religieux.*

FONDER. Faire fonds : I, 479.

FORMIDABLE. *Redoutable.*

FROTTADES. Action de frotter, d'étriller, au fig. (seul ex. connu) : I, 518.

FUREUR. *Folie furieuse.*

GALANT. 1) Aimable : I, 427. - 2) Empressé auprès d'une femme : I, 261.

GALANTERIE. 1) Amabilité. - 2) Paroles ou actions touchant

à l'amour : I, 233, 373, 391. - 3) Attachement amoureux, liaison charnelle : I, 225, 226, 230, 249, etc.

GÉNÉREUX. « Qui a l'âme grande et noble et préfère l'honneur à tout intérêt » (Fur.) : I, 180, 184, 192, etc.

GÉNÉROSITÉ. Grandeur d'âme : I, 187, 188, etc.

GÉNIE. Ensemble des dons divers qu'un homme reçoit en naissant (sans idée d'excellence), nature : I, 197, 214, 244, 290, 329, etc.

GLORIEUX. Vaniteux : I, 264.

GOURMER. « Se gourmer », se battre à coups de poings (fam.) : I, 221.

GRAIN. Mesure de poids (0,532 gr.) très usitée dans les dosages pharmaceutiques. Dans les nombreux emplois figurés, au sens de *quantité infime,* subsiste toujours l'idée de *poids* : I, 239, 255, 322, 338, 348, 485, 527.

GUÉ (sonder le). « Tâcher de découvrir adroitement les sentiments de ceux dont on a besoin », pour faire réussir une affaire : I, 260.

HABITUDE (avoir). Avoir accès auprès de, familiarité avec : I, 242, 244, 249, 325, etc.

HABITUÉS. Prêtres attachés à une paroisse sans y avoir de charge spécifique : I, 367.

HASARD. Risque : I, 468, etc.

HASARDER. Risquer.

HAUSSE-COU ou HAUSSE-COL. Pièce d'armure qui couvrait la poitrine et les épaules (XV-XVIe s.) : I, 318.

HAUSSE-PIED. Marche-pied (fam. au fig.) : I, 496.

HEURE (tout à l'). Tout de suite : I, 419.

HONNÊTE. 1) qui a le sens de l'honneur ; qui est conforme à l'honneur : I, 199, 221, 242, 396, 456, etc. - 2) Poli, aimable : I, 353, 365, 366, 391, etc.

HONNÊTE HOMME, expression participant de ces deux sens, avec dominante morale chez Retz : I, 224, 267, 268, 305, 370, etc.

HONNÊTEMENT. Avec dominante morale : I, 482. — Avec dominante sociale : I, 257, 420.

HOQUETONS. Archers de la police municipale, ainsi nommés d'après la casaque brodée qu'ils portaient : I, 317.

IMAGINATION. Représentation mentale, idée, illusion : I, 221, 236, 343, 410, 477, 519, 545. (Le sens actuel est également attesté). 518

IMAGE. Apparence : I, 183, 192, etc.

IMPERTINENCE. Action ou parole déplacée, extravagante : I, 275, 326, 341, 354, etc.

IMPERTINENT : I, 446, etc.

INCESSAMMENT. Sans discontinuer : I, 300.

INCIDENTER. Faire naître des incidents au cours d'un procès, chicaner : I, 548.

INCOMPATIBLE (esprit). Incapable de s'entendre avec les autres : I, 173.

INNOCENT. Naïf : I, 300, 306, 326, etc. (également employé au sens actuel).

INNOCENCE : I, 324.

INQUIET. Incapable de rester en repos, instable : I, 196.

INQUIÉTUDE : I, 214, 525.

INSINUATION. « Action par laquelle quelque chose entre doucement et insensiblement dans une autre » (Fur.). Au sens moral, sans valeur péjorative : I, 288, 374.

INSULTE. Assaut, attaque : I, 317, 327, 411, 436, etc.
INSULTER : I, 332.

INTÉRESSER (s'). Prendre parti : I, 367.

INTÉRIEUR. « Se dit figurément, en choses spirituelles, en parlant de l'âme et de la conscience » (Fur.) : I, 263, etc.

INTERLOCUTOIRE. « On appelait ainsi un jugement préparatoire qui ne décidait point la question et se bornait à ordonner une plus ample information » ; au fig. : I, 355.

JOINTURE. « Adresse à trouver les joints, les opportunités des choses » (Lit.) : I, 369.

JOLI GARÇON. « C'est un joli garçon » se disait d'un jeune homme qui se distingue et se fait estimer, sans tonalité ironique : I, 221.

JOUR. Moyen d'arriver à son but, facilité pour venir à bout d'une affaire : I, 260, 290, 338, 350, etc.

JOURNÉES. « Faire tant par ses journées », « faire en sorte par son travail, par ses soins, que... » (Acad.) ; expr. proverbiale toujours ironique chez Retz : I, 327.

JUSTE. Précis, exact, pertinent (sens intellectuel et non moral) : I 329, 393, 411, 430, 436, etc.
JUSTESSE. Rigueur, pertinence : I, 206.

JUSTICE (faire). Punir : I, 546. — « Se faire justice », se condam-

ner soi-même quand on a tort : I, 430, 523.

LANTERNE. Loge fermée d'où l'on peut voir sans être vu ; au Parlement, tribune réservée aux gens de qualité : I, 543.

LESTE. Bien équipé : I, 230, 247.

LIVRÉE. Costume des laquais servant de suite : I, 230. — Ces laquais : I, 367, 505, 518, etc. — Au sg. collectif : I, 364.

MACHINES. *Moyens mécaniques par lesquels sont produits, au théâtre, les effets donnant l'illusion du merveilleux.*

MAGNIFIQUE. Qui se plaît à faire de grandes et éclatantes dépenses : I, 196.

MAIN. « Donner la main », distinction qui consiste à laisser la droite à quelqu'un en s'asseyant ou en marchant auprès de lui : I, 264.

MAIN (terme de manège). — « Lâcher, abandonner la main à un cheval », lui lâcher la bride : I, 493.

MAÎTRESSE. Femme qu'on courtise : I, 222.

MALICE. Méchanceté (vx) : I, 172, 274, 380.
MALICIEUX : I, 173.
MALICIEUSEMENT ; I, 273.

MALIGNITÉ. Disposition à faire le mal (sens fort) : I, 433.
MALIN : I, 444, 506.
MALIGNEMENT : I, 497.

MÉCHANT. Mauvais, qui ne vaut rien dans son genre (peut qualifier à peu près tout) : I, 228, 309, 338, 424, 457, etc. — Avec acception morale : I, 264.
MÉCHANCETÉ (sens actuel) : I, 374.

MÉCONNAISSANCE. Ingratitude : I, 281, 510.

MÉDIOCRE. Moyen, ordinaire (sans nuance péjorative) : I, 206, 239, 244, etc.

MÉDIOCRITÉ : I, 198, etc.

MÉLANCOLIQUE. Selon la théorie des humeurs, celui qui a la bile noire — triste ou fou : I, 266.

MÉLANCOLIE : I, 227.

MÉNAGE. « Se dit de la manière de vivre des gens mariés » (Fur.) : I, 232.

MERCURIALES. Séances, habituellement tenues le mercredi, où le procureur général adressait un discours au Parlement pour lui rappeler ses devoirs : I, 453.

MINISTRE. Pasteur protestant : I, 249, 345.

MITONNER. Au fig., mitonner une affaire, « la disposer et la préparer doucement pour la faire réussir quand il sera temps » (Acad., fam.) : I, 461.

MOMERIE. Mascarade, avec accent mis non sur l'hypocrisie, mais sur le ridicule (mot fam. très employé au XVIe s. : « momerie d'États Généraux », dans la *Ménippée*) : I, 261.

NÉCESSAIRE. *Inévitable (sens latin).*

NÉCESSITÉ. 1) État de choses inévitable : I, 184. — Indigence : I, 171, 172, 350.

NOTER. Marquer d'une manière défavorable ; étiqueter comme opposant : I, 256, 257, 499.

NOURRIR. *Élever, instruire.*

OFFICE, OFFICIER. Voir *Note sur les Institutions* — « en titre d'office », attitré : I, 246, 489, 529, etc.

OPINIÂTRER (transitif). Soutenir avec opiniâtreté : I, 275, 447, 466.

ORAISON. Discours (péj.) : I, 455.

OUBLIER. Négliger intentionnellement : I, 247, 516, etc.

NE PAS OUBLIER DE. *Faire exprès de...*

NE PAS S'OUBLIER. S'activer : I, 362.

OUTRER. *Pousser à bout.*

PAIR (tirer du). Outre le sens de distinguer, mettre au-dessus des autres, qui a subsisté, cette expression avait celui de mettre hors de péril dans une circonstance dangereuse : I, 492, 536.

PANTALON. Dans la comédie italienne, type de vieillard ridicule : I, 325.

PANTALONNADE : I, 390.

PARAÎTRE (faire). *Rendre manifeste.*

PAROLE, au sens de provocation en duel : I, 513.

PARTI. 1) Troupe de gens de guerre qu'on détache pour battre la campagne : I, 380, 382, 383, etc. — « Prendre parti », s'engager : I, 200. — 2) *« Puissance opposée à une autre » (Fur.), groupe de gens ayant des intérêts communs. — 3) Convention pour la sous-traitance des impôts.*

PARTISAN. Financier qui prend à ferme le recouvrement des impôts : I, 373, 381, etc.

PASSER. « Il passa à... » (impers.), indique au Parlement le résultat d'un vote : I, 386, 396, 398, etc.

PASSER (sur). Terme d'escrime, avancer brusquement sur l'adversaire du pied gauche, pour le prendre au corps et le désarmer : I, 220, 221.

PASSION. Tout sentiment violent, opposé à la raison : I, 211, 214, 329, 339, 459, 537, etc.

PÉDANT. 1) Celui qui enseigne les enfants ; 2) acception dérivée, impliquant à la fois suffisance et sottise : I, 227, 233, 250, 504.

PÉDANTERIE, PÉDANTISME. Formalisme étroit : I, 323, 409, 418.

PENSIONNAIRE. Qui touche une pension : I, 350, etc.

PÉRIODE (subst. masc.). Le plus haut point, le point critique : I, 193, 240, 290.

PÉRIPHRASER. Paraphraser : I, 461.

PICOTER. « Quereller sans aller jusqu'à la rupture ouverte » (Fur.) : I, 468.

PICOTERIES : I, 279, 398, 466.

PILLER. Terme de vénerie : en parlant des chiens, se jeter sur les bêtes et les déchirer ; au fig., déchirer en paroles : I, 396, 468.

PLANER. Au fig., « restreindre son allure, comme l'oiseau qui plane » (vx), se tenir à l'écart de la mêlée : I, 397, 525.

POINTE. Vol en flèche pour un oiseau ; au fig. : I, 525.

POINTE (suivre ou pouser sa). Terme militaire : aller de l'avant ; au fig. : I, 230, 255.

POLICE. Administration : I, 359, 404, etc.

PONT D'OR. « Il faut faire un pont d'or à ses ennemis, c-à-d. il faut, quand ils s'enfuient, leur donner la facilité de se sauver et ne pas les réduire au désespoir » (Lit.) I, 487, 493, etc.

POUDRE. Poussière : I, 323.

POULET. Billet doux : I, 390.

POUSSER. Au sens militaire, atta-

quer : I, 298, 315, 325, 331, etc.

PRATIQUER. Corrompre, suborner (vx) ; se rencontre dans *Fiesque* seulement : I, 201, comme le subst. corresp. PRATIQUE : I, 175.

PRÉCIEUSE. Qui tient les galants à distance : I, 249.

PRÉOCCUPÉ. Dont l'esprit est occupé d'avance par une opinion préconçue : I, 346, 547.

PRÉOCCUPATION : I, 302, 376, etc.

PRISES (avoir des prises avec). Se quereller : I, 336.

PROCÉDÉ, au sens de préliminaire de duel entre gens d'épée : I, 513.

PRODUIRE. Faire paraître au grand jour : I, 188, 191.

PRÔNER. Faire un sermon. Au fig. 1) faire des remontrances : I, 409, 497. — 2) Vanter avec excès (péj.) : I, 502.

PRÔNERIES. Action de prôner au sens 1 (seul ex. connu) : I, 226.

PROTECTEUR. A Rome, cardinal chargé des intérêts d'une puissance étrangère : I, 178.

PROVINCE. Subdivision administrative ecclésiastique : I, 273, 282.

QUARTIER. 1) Lieu de cantonnement d'un corps de troupe ; ce corps lui-même : I, 380.

QUATRE (se faire tenir à). Opposer une vive résistance : I, 369.

QUITTER. Céder : I, 548, 549, etc.

RACCOURCIR (son épée). La tenir de façon à frapper de plus près : I, 221.

RAFRAÎCHISSEMENT. Au pr., mets, boissons, présents offerts pour honorer un hôte ; au fig., consolation : I, 475.

RECHERCHER. Poursuivre en justice : I, 236, 453.

RÉCITER. Raconter, faire un récit : I, 219.

RÉCOMPENSE. Compensation (notamment, dédommagement offert à celui qui se démet d'une charge) : I, 273, 462, 491, etc.
RÉCOMPENSER. Compenser : I, 374, etc.

RECTIFIER. En chimie, rendre pur ; au fig. rendre légitime, corriger : I, 390, 526.

REGISTRER. Enregistrer (vx, t. de droit) : I, 396.

RÉGLÉ. 1) Soumis à des règles : I, 249, 284, 323, 395, 468, 527. — 2) Régulier : I, 207, etc.
RÉGLÉMENT. Régulièrement : I, 381, etc.

RELEVÉE. Après-midi : I, 295.

RELEVER (un navire). S'agissant de l'équipage, s'en rendre maître par une mutinerie : I, 208.

RELIGION. 1) Couvent : I, 258. 2) La Religion, la religion réformée : I, 267. — 3) Au sens moral (très fort), scrupule : I, 254, 287, 288, 306.
RELIGIEUX. Scrupuleux : I, 248.

REMARQUER. Faire observer : I, 546.

REMBARRER. A la guerre, empêcher les ennemis de franchir les barrières où l'on s'est retranché ; au fig., se défendre vigoureusement (moins fam. que de nos jours) : I. 398.

RÉPÉTER. T. de droit, réclamer, redemander . I, 366, 387.

REPLÂTREUX. Au fig. celui qui répare, qui apaise les dissentiments (fam.) : I, 414.

REPRÉSENTATION. Image, figure. — Figurant : I, 454.

RÉPROUVÉ (sens). Erreur, aveuglement auxquels Dieu abandonne les pécheurs ; au fig., hyperbole pour erreur : I, 307.

RESSENTIR (se). Manifester du ressentiment : I, 508.

RETENTUM. « Article que les juges n'exprimaient pas dans un arrêt, mais qui ne laissait pas d'en faire partie et d'avoir son exécution » : I, 400.

RETOUR. Retour en arrière : I, 344, 479. Esprit de retour, désir de revenir à une situation antérieure : I, 402, 406.

RETRANCHEMENT. Réduction de dépense : I, 352.

RÉVOLUTION. « Changement dans les affaires publiques, dans les choses du monde, dans les opinions » (Acad.) : I, 193, 240, 244, 290, 291, 323, 339, 344, 410, 526.

RUELLE. Partie de la chambre d'une dame où sont les sièges pour les visiteurs : I, 223, 231.

RUINER. Abattre, détruire : I, 480, 521, etc.
RUINEUX. Désastreux : I, 363, 471.

SAUVER. Épargner : I, 426, 480.

SEMBLANT. « Ne pas faire semblant de... » : faire semblant de ne pas... : I, 255, 311, 326, etc.

SENTIR (se). « Connaître, apercevoir en quel état, en quelle disposition on est » : I, 290, 471.

SERRÉ. Au trictrac, jeu où ne se découvre pas ; au fig., qui se tient à couvert : I, 237.

SIFFLER (quelqu'un). Lui faire la leçon (fam.) : I, 225, 275, 361.

SOLDAT. Employé comme qualificatif, dénote la bravoure, par

opposition aux qualités de commandement : I, 374, 489.

SOLLICITER. Presser, activer des démarches.
SOLLICITEUR : I, 282.

SOURIS. Sourire (toujours ironique) : I, 230, 275, 311.

SPÉCIEUX. Qui a belle apparence : I, 299, 407, 472.

SPÉCULATION. Pensée, idée abstraite (par opp. à *pratique*) : I, 236, 271, etc.

STAMPE. Estampe (italianisme) : I, 232.

SUCCÈS. Issue, résultat (bon ou mauvais) : I, 192, 195, 214, 240, 247, etc.

SUPPOSER. « Mettre une chose à la place d'une autre par fraude » (Fur.) : I, 499.
SUPPOSITION. Fausse allégation : I, 528.

SURVIVANCE. Terme de droit, privilège accordé à quelqu'un pour succéder à un autre dans une charge : I, 176, 337, 524, etc.

TEMPÉRAMENT. 1) En physiologie, équilibre des humeurs, modération. — 2) Ménagement, concession : I, 426, 549.
TEMPÉRÉE (monarchie). Monarchie régie par des règles : I, 283.

TIMIDE. Timoré, poltron : I, 181, 189, 308, 320, 346, etc.

TIMIDITÉ. I, 328, 374, etc.

TOPER. Consentir (terme bas) : I, 427.

TOUTEFOIS. Toutes les fois que... : I, 287.

TRAITAILLER. Fréquentatif et diminutif de *traiter*, péj. (seuls ex. connus) : I, 489.

TRAVERS. Bizarrerie d'humeur, esprit contrariant : I, 325.
TRAVERSER. Contrarier : I, 202, 260, 261, etc.

TUMULTE. Agitation spontanée et sans ordre : I, 354.
TUMULTUAIRE : I, 319, 397.
TUMULTUAIREMENT (se réunir). Sur-le-champ, sans convocation préalable, ni respect des formes (sens latin) : I, 528.

VACATIONS. Vacances : I, 292, 325, etc.

VAUDEVILLE. « Chanson que le peuple chante et qui court les rues » (Fur.), « dont les paroles sont faites sur quelque aventure ou quelque intrigue du temps » (Acad.) : I, 525.

VENTRE ou PETIT-VENTRE. Estomac ou bas-ventre : I, 225.

VILAIN. Roturier, bas : I, 288.

VISION. Chimère, illusion : I, 363.

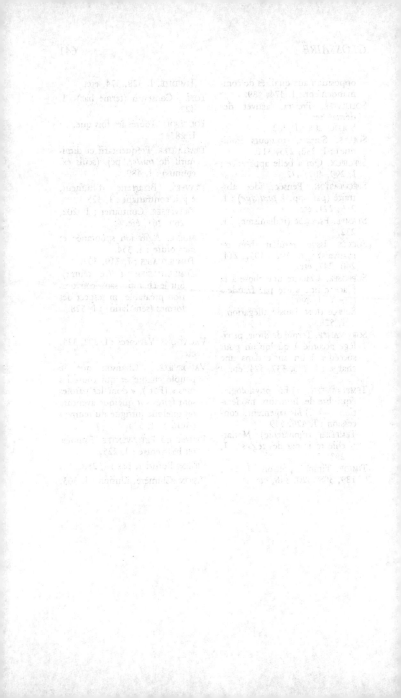

INDEX DES NOMS DE PERSONNES

L'index des noms de personnes peut servir de dictionnaire biographique élémentaire. Sur chaque personnage sont fournis les renseignements essentiels, dans la mesure où on les connaît.

L'orthographe a été uniformisée et modernisée. Deux exceptions cependant : le cas des noms constituant, plutôt qu'une graphie particulière, une véritable variante du nom usuel (ex. : Varicarville *pour* Valliquierville, *ou* Senneterre *pour* Saint-Nectaire*) ; le cas des noms propres étrangers, dont la graphie reproduit chez Retz, selon l'usage du temps, la prononciation (ex. :* Grem *pour* Graham *ou* Pancirolle *pour* Panziroli*). Dans ces deux cas, on a conservé la graphie de Retz et fait figurer à la suite, entre crochets, la forme qui est employée aujourd'hui.*

Les personnages d'une même famille ont été classés, non par ordre alphabétique de leurs prénoms — car le XVIIᵉ siècle en usait peu —, mais, selon la pratique des anciens dictionnaires, par ordre généalogique : ce qui permet de repérer plus aisément les filiations et les transmissions de titres.

Les membres des grandes familles apparaissent sous leur patronyme (Bourbon, Lorraine, etc.). Comme ils sont souvent désignés dans les Mémoires *par leurs titres ou leurs fonctions, ces dénominations figurent également à l'Index, assorties de renvois. Quand il peut y avoir hésitation sur l'identité de l'un d'eux, notamment pour les titres ou les fonctions transmissibles, le renvoi fournira les données chronologiques permettant de les distinguer.*

Les femmes figurent soit sous leur nom de naissance, soit sous celui de leur mari, suivant la manière dont elles sont désignées dans les Mémoires. *Quand elles apparaissent sous les deux identités successives, il y a renvoi de l'une à l'autre.*

Les évêques sont désignés dans le texte des Mémoires *tantôt par leur nom, tantôt par celui de leur siège. Ex. :* Monsieur de Châlons *(Monsieur étant toujours écrit dans ce cas en toutes lettres). Ils figurent à l'Index sous les deux dénominations, avec renvoi du nom du siège au patronyme.*

Les auteurs d'œuvres littéraires citées dont le nom ne figure pas dans le texte des Mémoires *apparaissent en majuscules italiques. Les personnages fictifs sont en minuscules italiques.*

Pour alléger, on n'a pas précisé de Paris, *pour le Parlement ou pour Notre-Dame. De même,* conseiller aux Enquêtes *est mis pour* aux Enquêtes du Parlement de Paris.

S'agissant des personnages qui jouent un rôle considérable dans les Mémoires, *on a renoncé à distribuer entre différentes rubriques toutes les occurrences de leur nom, ce qui eût conduit, soit à une répartition assez arbitraire, soit à de très lourdes répétitions. D'autres moyens de repérage — chronologie, dates figurant à côté des titres courants, table — permettent de remonter sans peine aux passages évoquant leur participation à des événements. L'index des noms se contente donc de citer, dans l'ordre, les pages où ils interviennent. On a pensé, en revanche, qu'il pouvait être utile de retrouver rapidement les pages comportant des indications psychologiques importantes : elles sont signalées à l'attention par l'emploi de caractères gras.*

1593-1650, épouse du précédent, sœur du duc Henri de Montmorency décapité à Toulouse en 1632. « Madame la Princesse » jusqu'au 26/12/ 1646, « Madame la Princesse douairière » ensuite : 331, 379.

CONDÉ (Louis II de Bourbon, prince de), 1621-1686, fils des précédents, duc d'Enghien, avec le titre de « Monsieur le Duc », jusqu'au 26/12/1646, puis prince de Condé — « Monsieur le Prince ». Le « Grand Condé » : 266, 267, 270, 279, 280, 282, 291, 294, **300**, 325-327, 330, 331, **332-334**, 335, **339-342**, 343-345, **346-348, 349**, 354-358, 361, 363, 367, **372** (*portrait*), 375, 376, 378, 379, 382, 383, 387, 412, 413, 415, 422, 425, 434, 435, 437, 450-453, 455, 494-496, 498, 499, 501, 502, 505, 506, 509, **510**, 511, 512, 514, 515, 518-520, **521-524**, 530-532, 534-537, 539, 540, 542, 543, 546-549.

CONTI (Armand de Bourbon, prince de), 1629-1666, fils puîné de Henri II de Bourbon, frère du Grand Condé et de Mme de Longueville, épousa en 1654 Anne-Marie Martinozzi, nièce de Mazarin ; gouverneur de Provence, puis du Languedoc : 280, 294, 299, 330, 332-335, 349-351, 354, 356, 357, 359, 360-370, **373** (*portrait*), 378, 379, 383, 384, 386, 387, 389, 391, 394, 395, 397, 400, 401, 413, 414, 416, 417, 422-424, 427, 429, 434, 439-445, 447-450, 453-

455, 457, 460-462, 468, 469, 485-488, 492, 494-496, 498, 499, 501, 506, 508-510, 519, 537, 539, 546.

CORNEILLE (Pierre), 1606-1684 : 252, 529.

COSPÉAN ou COSPÉAU (Philippe), 1568-1646, évêque d'Aire, de Nantes, puis de Lisieux en 1632, « Monsieur de Lisieux » : 250-253, 255, 257, 258, 261.

COULON (Jean), conseiller au Parlement, Frondeur : 497, 504.

COURCELLES (Charles de Champlais, sieur de) : 448.

COURET, aumônier de l'archevêque de Paris, J.-François de Gondi : 259.

COURTIN (Achille), seigneur des Mesnuls, maître des requêtes et conseiller d'État : 370.

COUTENANT (Timoléon de Boves, seigneur de), † 1651, capitaine de chevau-légers du Roi : 259, 261.

CRAMAIL ou CARMAIN (Adrien de Montluc, seigneur de Montesquiou, comte de), 1568-1646, petit-fils de Blaise de Montluc, époux de Jeanne de Foix, qui lui apporta le titre de comte de Carmain, père de Jeanne de Montluc et de Foix, qui épousera le marquis de Sourdis ; incarcéré pour complots à la Bastille de 1630 à 1642 : 242-244, 246, 247, 248.

CROISSY (Fouquet de), conseiller au Parlement, Frondeur : 441, 443.

CUGNAC (Pierre de Caumont, marquis de), † 1650, gentilhomme frondeur : 382, 499.

INDEX DES NOMS DE LIEUX

L'orthographe des noms de lieux a été, comme celle des noms de personnes, modernisée. On a cependant conservé la graphie de Retz pour les noms étrangers, qu'il francisait, selon l'usage de son temps ; la graphie de la langue originale est alors placée à la suite, entre crochets. On a fait de même pour des lieux dont la dénomination a changé, par exemple MOURON [SAINT-AMAND-MONTROND].

Les renseignements d'ordre géographique sont fournis en fonction du système de références actuel (départements, arrondissements). Pour les localités de la région parisienne, on a donné aussi leur orientation par rapport à la capitale, pour aider à l'intelligence des manœuvres militaires. Afin d'alléger au maximum, on s'est dispensé de spécifier la localisation des provinces, fleuves, villes, etc. très connus.

Pour la même raison, il est entendu que sont situés à Paris les rues, monuments, hôtels, etc. dont la localisation n'est pas précisée. Dans le cas contraire, la ville est indiquée.

Enfin on a renoncé à faire figurer dans l'Index la France et Paris, dont les occurrences sont beaucoup trop fréquentes pour être utilisables.

INDEX THÉMATIQUE

Cet index, de dimensions modestes, voudrait surtout fournir des suggestions. Les rubriques ont été choisies, de façon délibérée, dans des domaines divers. Certaines sont attachées à des mots, dont le relevé peut être exhaustif (par exemple : personnage) *ou constituer seulement un échantillonnage significatif (par exemple :* vérité). *D'autres correspondent à l'apparition de certains thèmes ou de certaines démarches du narrateur, qui nous ont paru importants.*

TABLE ANALYTIQUE
DES MÉMOIRES

Tome I.

282). Panorama d'histoire sur l'évolution de la monarchie en France (283-286). Parallèle entre Richelieu et Mazarin (286-290). Débuts du conflit entre le Parlement et la cour (290-300). Le coup de force du 26 août 1648 (arrestation de Broussel) et les barricades (300-326). Séjour de la Reine à Rueil (327-336), suivi d'une victoire, toute provisoire, du Parlement (336-341). Retz débat de la situation avec Condé (341-348). Ralliement d'une partie de la noblesse à la Fronde (348-353). Fuite de la Reine et du Roi, qui s'installent à Saint-Germain ; début du siège de Paris ; organisation de la défense (353-370). Galerie de portraits (371-377). Le Parlement refuse de recevoir un héraut de son Roi (384-387), mais accueille un envoyé du roi d'Espagne (387-401). Retz et M. de Bouillon analysent la situation ; annonce du ralliement de Turenne à la Fronde (401-413). Conseil de Fronde chez M. de Bouillon (416-420). L'armée des Frondeurs sort de Paris (423-425). Discussions sur la négociation avec l'Espagne (427-446). Conférence de Rueil et débats au Parlement ; paix de Rueil (446-469). Défection de l'armée de Turenne ; mesures à prendre pour y faire face (470-489). Négociations des Frondeurs avec la cour pour leur « accommodement » (490-502). Début de la liaison de Retz avec Mlle de Chevreuse (502-504). Il continue, en compagnie de quelques autres, de « fronder » (505-515). Il se rend à Compiègne pour solliciter le retour du Roi, qui rentre en effet à Paris (515-518). Condé signe avec Mazarin un traité secret, qui le rend tout puissant ; il est plus arrogant que jamais (518-522). Affaire des « tabourets » (523-524). Attentat simulé contre Joly (528-530) ; coups de feu tirés contre le carrosse de Condé et mise en accusation de Retz et de ses amis (530-550).

Fin du premier volume (30 décembre 1650)

TABLE DES PLANS
ET ILLUSTRATIONS

Tome I.

TABLE DES MATIÈRES

TOME PREMIER

TOME SECOND

photocomposition réalisée par

nord compo

59650 Villeneuve-d'Ascq. 20.91.01.32

Aubin Imprimeur
LIGUGÉ, POITIERS

Achevé d'imprimer en mai 1987
N° d'édition 3396 / N° d'impression L 23306
Dépôt légal, mai 1987
Imprimé en France

342 <u>ressorts</u>, clock

343 veil, mystery

1. iv. 12